KARL MARX · FRIEDRICH ENGELS

WERKE · BAND 4

INSTITUT FÜR GESCHICHTE DER ARBEITERBEWEGUNG BERLIN

KARL MARX
FRIEDRICH ENGELS

WERKE

DIETZ VERLAG BERLIN

1990

INSTITUT FÜR GESCHICHTE DER ARBEITERBEWEGUNG BERLIN

KARL MARX
FRIEDRICH ENGELS

BAND 4

DIETZ VERLAG BERLIN

1990

Die deutsche Ausgabe der Werke von Marx und Engels
fußt auf der vom Institut für Marxismus-Leninismus
beim ZK der KPdSU besorgten zweiten russischen Ausgabe.

Leitung der Editionsarbeiten:
Ludwig Arnold
Editorische Bearbeitung (Text, Anhang und Register): Arthur Wilde
unter Mitarbeit von Marguerite Kuczynski,
Hans-Dieter Krause und Hannes Skambraks
Verantwortlich für die Redaktion:
Walter Schulz

Marx, Karl: Werke / Karl Marx ; Friedrich Engels.
Inst. für Geschichte d. Arbeiterbew. Berlin. – Berlin : Dietz Verl.
[Sammlung].
Bd. 4. [Mai 1846–März 1848]. –
11. Aufl. – 1990. – XV, 719 S. : 9 Abb.

Marx/Engels: Werke ISBN 3-320-00611-8
Bd. 4 ISBN 3-320-00203-1

Mit 9 Abbildungen
11. Auflage 1990
Unveränderter Nachdruck der 1. Auflage 1959

Lizenznummer 1 · LSV 0046
Printed in the German Democratic Republic
Satz: Offizin Andersen Nexö, Graphischer Großbetrieb Leipzig
Druck und Bindearbeit:
INTERDRUCK Graphischer Großbetrieb Leipzig III/18/97
Best.-Nr. 735 585 3
29,80 DM

Vorwort

Der vierte Band der Werke von Karl Marx und Friedrich Engels enthält Schriften, die zwischen Mai 1846 und März 1848 geschrieben wurden.

In dieser Zeit wird der Prozeß der Herausbildung des Marxismus im wesentlichen abgeschlossen, der von nun an als geschlossene, sich ständig entwickelnde Wissenschaft der Arbeiterklasse, als eine mächtige ideelle Waffe in ihrem Kampf um die revolutionäre Umgestaltung der Gesellschaft, für den Kommunismus hervortritt. Die Arbeiten aus dieser Zeit – „Das Elend der Philosophie" und das „Manifest der Kommunistischen Partei" – sind bereits Werke des reifen Marxismus, worauf auch Lenin hingewiesen hat.

Die in den vorliegenden Band aufgenommenen Werke enthalten die in den Hauptzügen ausgearbeiteten Grundprinzipien des dialektischen und historischen Materialismus, der die philosophische Grundlage des wissenschaftlichen Kommunismus bildet. Marx und Engels analysieren die ökonomischen Verhältnisse in der kapitalistischen Gesellschaft, untersuchen kritisch die Arbeiten der bürgerlichen Ökonomen und machen somit einen weiteren Schritt zur Ausarbeitung eines anderen Bestandteils des Marxismus – der marxistischen politischen Ökonomie. Auf der Grundlage der theoretischen Verallgemeinerung der Erfahrungen der revolutionären Arbeiterbewegung formulieren Marx und Engels immer genauer das Hauptsächlichste am Marxismus – die These von der welthistorischen Rolle des Proletariats als Totengräber des Kapitalismus und Schöpfer der kommunistischen Gesellschaft, von der Diktatur des Proletariats als entscheidendes Mittel der Arbeiterklasse zur Verwirklichung ihrer historischen Mission. Sie stellen eine Reihe äußerst wichtiger theoretischer Leitsätze über die proletarische Partei und die Taktik des revolutionären Kampfes der Arbeiterklasse auf.

Die Herausbildung des wissenschaftlichen Kommunismus war eng verbunden mit Marx' und Engels' praktischer revolutionärer Tätigkeit, die in einer

Situation vor sich ging, als in vielen Ländern bürgerlich-demokratische Revolutionen heranreiften. Durch das von ihnen geleitete Brüsseler kommunistische Korrespondenz-Komitee festigen Marx und Engels ihre Verbindung mit den Vertretern der sozialistischen und Arbeiterbewegung der verschiedenen Länder. Sie kämpfen gegen Sektierertum und gegen den Einfluß unausgereifter, utopischer Ideen. Durch Marx' und Engels' Tätigkeit kam es im Sommer 1847 zur Gründung des Bundes der Kommunisten – der ersten internationalen kommunistischen Organisation in der Geschichte der Arbeiterbewegung. Der Bund der Kommunisten war der Keim einer revolutionären Partei des Proletariats, um deren Schaffung die Begründer des Marxismus kämpften.

Der Band wird mit dem „Zirkular gegen Kriege" eröffnet, in dem der „wahre" Sozialismus kritisiert wird – eine der kleinbürgerlichen Strömungen, gegen die der Marxismus einen unversöhnlichen Kampf führte und sich so seinen Weg zu den proletarischen Massen bahnte. In dieser Schrift wenden sich Marx und Engels gegen die Versuche des „wahren" Sozialisten Kriege, die kommunistische Lehre auf eine sentimentale Phrase von der Liebe zu reduzieren und den Kommunismus in eine neue Religion zu verwandeln. Schonungslos verspotten Marx und Engels den Utopismus und die Phrasendrescherei der kleinbürgerlichen Ideologen vom Schlage Krieges, insbesondere dessen Versuche, der Bewegung für eine Agrarreform in den USA den Anschein eines Kampfes für den Sozialismus zu verleihen, und definierten gleichzeitig, nach einer Charakteristik W. I. Lenins in seiner Schrift „Das Agrarprogramm der Sozialdemokratie in der ersten russischen Revolution von 1905 bis 1907", realistisch nüchtern den wirklich fortschrittlichen Inhalt solcher kleinbürgerlich-demokratischer Bewegungen. „Marx' dialektische und revolutionäre Kritik *schied* den gesunden Kern der ‚Angriffe auf das Grundeigentum' und der ‚Anti-Rent-Bewegung' von der Schale kleinbürgerlicher Doktrin." (Vgl. W. I. Lenin: Werke, Bd. 13, S. 280.)

Marx' und Engels' Auftreten gegen Kriege richtete sich in bedeutendem Maße auch gegen den utopischen Kommunismus Weitlings, dessen Anschauungen zu einem Hemmnis für die Entwicklung des Klassenbewußtseins der deutschen Arbeiter wurden.

In der uns unvollständig überlieferten Handschrift „Der Status quo in Deutschland" wies Engels darauf hin, daß die „wahren" Sozialisten, indem sie gegen die fortschrittlichen bürgerlichen Forderungen auftraten, den reaktionären feudalabsolutistischen Kreisen in die Hände spielten. In dieser Arbeit entwickelt Engels auf der Grundlage einer Analyse der sozialen und politischen Lage in Deutschland die revolutionäre Taktik des Proletariats in der bürgerlichen Revolution.

In den Skizzen „Deutscher Sozialismus in Versen und Prosa" kritisiert Engels die ästhetischen Ansichten der „wahren" Sozialisten und schafft damit die Grundlage für eine marxistische Literaturkritik. Scharf verurteilt Engels in der Literatur jede Erscheinung kleinbürgerlicher Borniertheit, weinerlicher Sentimentalität, Trivialität, Philisterei, feiger Liebedienerei vor der Macht der Besitzenden. Die fortgeschrittenen Schriftsteller und Dichter, hebt Engels hervor, müssen Verkünder der fortschrittlichen Ideen und des revolutionären Kampfes sein, müssen Vorsänger des „stolzen, drohenden und revolutionären Proletariers" sein. Einer vernichtenden Kritik unterwirft Engels den Versuch des „wahren" Sozialisten Grün, das Schaffen des großen Dichters Goethe am kleinbürgerlichen Maßstab zu messen. Mit seiner Einschätzung von Goethes Schaffen liefert Engels ein Beispiel für die Erforschung der komplizierten Erscheinungen in der Literatur; er deckt den Zusammenhang zwischen der Weltanschauung des Schriftstellers und des ihn umgebenden sozialen Milieus auf, erklärt das Widersprüchliche in den Werken Goethes und zeigt, worin ihr wirklicher künstlerischer und gesellschaftlicher Wert liegt.

Marx' im Sommer 1847 erschienene Schrift „Das Elend der Philosophie, Antwort auf Proudhons ‚Philosophie des Elends'" ist eine der wichtigsten theoretischen Schriften des wissenschaftlichen Sozialismus. In dieser philosophisch-ökonomischen Arbeit trat Marx zum erstenmal in gedruckter Form mit einer umfangreichen polemischen Darlegung der Grundlagen seiner materialistischen Lehre von den Gesetzen der gesellschaftlichen Entwicklung sowie der Ergebnisse seiner Forschungen auf dem Gebiete der politischen Ökonomie hervor. Er entwickelte in dieser Arbeit eine Reihe grundlegender Ideen über die Taktik des Klassenkampfes des Proletariats.

„Das Elend der Philosophie" ist gegen den Proudhonismus gerichtet, der in sich die Widersprüchlichkeit und den Utopismus der Weltanschauung der Kleinbourgeoisie trägt, ihr Bestreben, sich vor den für sie vernichtenden Folgen der Entwicklung des Kapitalismus zu retten, gleichzeitig jedoch die ökonomischen Grundlagen des Kapitalismus – das Privateigentum an den Produktionsmitteln und die Lohnarbeit – beizubehalten. Marx bewies, daß alle Pläne zur Beseitigung der „schlechten Seiten" des Kapitalismus im Rahmen der gleichen kapitalistischen Verhältnisse jeder Grundlage entbehren, und führte damit einen Schlag gegen die reformistische Ideologie als Ganzes, deren Träger versuchen, durch ihr Programm kleiner Reformen die Arbeiterklasse vom Kampf für die sozialistische Revolution abzuhalten.

Im „Elend der Philosophie" kritisiert Marx die idealistische und metaphysische Methode Proudhons und verteidigt und entwickelt die neue wissenschaftliche proletarische Weltanschauung.

Er gab in dieser Arbeit eine im Vergleich zu seinen früheren Schriften vollständigere und entwickeltere Begründung seiner dialektischen Methode. Im Gegensatz zur idealistischen Dialektik Hegels, der die reale Wirklichkeit als Verkörperung einer „absoluten Idee" dargestellt hat, betrachtet Marx die Ideen, Abstraktionen und logischen Kategorien als die Widerspiegelung objektiver, vom Willen und Bewußtsein der Menschen unabhängiger dialektischer Prozesse, die in der realen Welt vor sich gehen.

Im „Elend der Philosophie" macht Marx einen bedeutenden Schritt vorwärts bei der Erklärung der objektiven Entwicklungsgesetze der materiellen Produktion. Er legt den Inhalt des Begriffs „Produktivkräfte" dar und zeigt, daß zu ihnen nicht nur die Produktionsinstrumente, sondern auch die Arbeiter selbst gehören, daß „die größte Produktivkraft die revolutionäre Klasse selbst" ist (siehe vorliegenden Band, S. 181). Marx weist auf die entscheidende Rolle der Produktivkräfte bei der Entwicklung der Gesellschaft hin, erklärt den dialektischen Zusammenhang und die Wechselwirkungen zwischen den Produktivkräften und den Produktionsverhältnissen. Er beweist, daß die auf einer bestimmten Entwicklungsstufe der Klassengesellschaft zwischen ihnen entstehenden antagonistischen Widersprüche unausbleiblich eine Verschärfung des Klassenkampfes und die revolutionäre Ablösung der alten Produktionsweise durch eine neue, fortschrittlichere zur Folge haben. Nur in der sozialistischen Gesellschaft, wo es keinen Klassengegensatz mehr gibt, „werden die *gesellschaftlichen Evolutionen* aufhören, *politische Revolutionen* zu sein" (siehe vorliegenden Band, S. 182).

Im „Elend der Philosophie" legte Marx die Grundlagen zur marxistischen politischen Ökonomie, die er später, in seiner Schrift „Zur Kritik der politischen Ökonomie" sowie in seinem genialen Werk „Das Kapital", im einzelnen ausgearbeitet hat. Marx widerlegt die metaphysischen Vorstellungen der bürgerlichen Ökonomen, daß die ökonomischen Gesetze des Kapitalismus ewig und unerschütterlich seien. Er wandte die materialistische Dialektik bei der Analyse der ökonomischen Wirklichkeit an und entdeckte den antagonistischen und historischen Übergangscharakter der ökonomischen Verhältnisse des Kapitalismus.

Marx betrachtet von einer neuen, wirklich wissenschaftlichen Position die Bedingungen für die Herausbildung der kapitalistischen Gesellschaft, erklärt die Rolle der maschinellen Großindustrie bei der Entwicklung des Kapitalismus und analysiert verschiedene Seiten der kapitalistischen Produktion: die Konkurrenz und die kapitalistische Arbeitsteilung. Marx zeigt, daß die Konzentration der Produktionsinstrumente und die Arbeitsteilung organisch miteinander verbunden sind und daß jede große Erfindung auf dem Gebiete der

Technik die Arbeitsteilung und die Spezialisierung der Produktion verstärkt. Marx hebt hervor, daß die Anarchie der Produktion, die Krisen, die Verelendung der Massen die unvermeidlichen Weggenossen des Kapitalismus sind; er deckt den Ausbeutungscharakter des Systems der Lohnarbeit auf und formuliert, wenn auch noch in sehr allgemeinem Sinne, das allgemeine Gesetz der kapitalistischen Akkumulation, indem er feststellt, daß im Kapitalismus „in denselben Verhältnissen, in denen der Reichtum produziert wird, auch das Elend produziert wird" (siehe vorliegenden Band, S. 141).

Im „Elend der Philosophie" wurden einige Grundlagen für die marxistische Lehre vom Wert, vom Geld, vom Arbeitslohn, vom Profit und von der Grundrente geschaffen. Grundlegende Gedanken äußerte Marx über die Nationalisierung des Bodens, die er unter den Bedingungen der kapitalistischen Gesellschaft als die konsequenteste bürgerliche Maßnahme ansah.

Im „Elend der Philosophie" sowie in den Arbeiten „Die Schutzzöllner, die Freihandelsmänner und die arbeitende Klasse" und in der „Rede über die Frage des Freihandels" schuf Marx die Voraussetzungen für die Ausarbeitung der Mehrwerttheorie. Diese Theorie hat Marx in vollendeter Form Ende der fünfziger Jahre geschaffen. In den vor diesem Zeitpunkt verfaßten Schriften – „Das Elend der Philosophie" und andere – benutzt Marx noch solche Begriffe wie „Wert der Arbeit", „Preis der Arbeit", die Engels später in der Einleitung zu Marx' Schrift „Lohnarbeit und Kapital" als „vom Standpunkt der spätern Schriften aus, schief und selbst unrichtig" bezeichnet hat. Später stellte Marx fest, daß der Arbeiter dem Kapitalisten nicht seine Arbeit, sondern seine Arbeitskraft verkauft, und ersetzte deshalb die Begriffe „Wert der Arbeit" und „Preis der Arbeit" durch die Begriffe „Wert der Arbeitskraft" und „Preis der Arbeitskraft".

Marx konkretisiert im „Elend der Philosophie" seine Schlußfolgerung über die große historische Bedeutung der revolutionären Bewegung der Arbeiterklasse und weist auf die Rolle hin, die der ökonomische Kampf, die Streiks, die Arbeiterkoalitionen (Gewerkschaften) im Prozeß des Zusammenschlusses und der revolutionären Erziehung der proletarischen Massen spielen. Marx äußert den genialen Gedanken, daß das Proletariat Klassenbewußtsein, sozialistisches Bewußtsein erlangen, seine revolutionäre Rolle in bezug auf die politische und ökonomische Struktur der bürgerlichen Gesellschaft begreifen oder, wie er es ausdrückt, sich aus einer Masse, die „bereits eine Klasse gegenüber dem Kapital, aber noch nicht für sich selbst" ist, in eine „Klasse für sich selbst" verwandeln müsse (siehe vorliegenden Band, S. 181). Marx formuliert die wichtige These von der Einheit des ökonomischen und des politischen Kampfes und hebt hervor, daß bei der Befreiung der Arbeiterklasse der politische Kampf, der Sturz der politischen Herrschaft der Bourgeoisie die entscheidende Bedeutung hat.

Der Band enthält eine bedeutende Gruppe von Artikeln und Korrespondenzen Engels', die in der Chartisten-Zeitung „The Northern Star" und in der französischen demokratischen Zeitung „La Réforme" veröffentlicht wurden. Unter den publizistischen Arbeiten sind die Artikel von besonders großer Bedeutung, die Marx und Engels in der „Deutschen-Brüsseler-Zeitung" veröffentlicht haben – in der Zeitung, die unter Marx' und Engels' Einfluß zu einem Kampforgan der kommunistischen und demokratischen Propaganda wurde. Marx und Engels verfolgten aufmerksam die internationale demokratische und proletarische Bewegung und äußerten sich in der Presse zu allen großen Ereignissen ihrer Zeit, begründeten die Stellung, die das Proletariat in den Hauptfragen der herannahenden bürgerlich-demokratischen Revolution einnehmen muß und führten den Kampf gegen die dem Proletariat feindliche Ideologie.

In dem Artikel „Der Kommunismus des ‚Rheinischen Beobachters'" entlarvt Marx das demagogische Liebäugeln der unter der Flagge des christlichen Sozialismus hervortretenden preußischen feudalen Reaktionäre mit den Volksmassen. In Marx' Artikeln „Lamartine und der Kommunismus" und „Bemerkungen zum Artikel von Herrn Adolph Bartels" sowie in Engels' Artikeln „Der Brüsseler Kongreß zur Frage des Freihandels" und „Das Manifest des Herrn de Lamartine" werden die Apologeten des Kapitalismus, die Ideologen der liberalen Bourgeoisie angeprangert und die Hirngespinste der bürgerlichen Liberalen und Radikalen über den Kommunismus widerlegt.

Der von Marx und Engels verfaßte „Brief des Brüsseler kommunistischen Korrespondenz-Komitees an G.A.Köttgen" und die „Grußadresse der deutschen demokratischen Kommunisten zu Brüssel an Herrn Feargus O'Connor", Friedrich Engels' Korrespondenzen über die Chartistenbewegung in England, die in der „Réforme" veröffentlicht wurden, sowie andere Artikel und Dokumente dieser Zeit enthalten die Idee der internationalen Zusammenarbeit und des Zusammenschlusses der proletarischen und demokratischen Kräfte. Während Marx und Engels für ein Bündnis der proletarischen Revolutionäre mit den kleinbürgerlichen Demokraten eintraten, kritisierten sie gleichzeitig deren rückständige Ansichten und Illusionen. In dem Artikel „Louis Blancs Rede auf dem Bankett zu Dijon" schrieb Engels: „Ohne Kritik keine Verständigung und folglich keine Vereinigung" (siehe vorliegenden Band, S. 426). In diesem Artikel tritt Engels entschieden gegen die von dem kleinbürgerlichen Sozialisten Louis Blanc und von anderen französischen kleinbürgerlichen Politikern propagierten kosmopolitischen Ansichten auf.

In den Arbeiten „Die Kommunisten und Karl Heinzen" von Engels und „Die moralisierende Kritik und die kritisierende Moral" von Marx wird die Beschränktheit und der inkonsequente Demokratismus der deutschen kleinbürgerlichen Radikalen aufgedeckt, insbesondere ihr Unverständnis für die Notwendigkeit einer Zentralisation und Vereinigung Deutschlands. In der Polemik mit Heinzen verteidigen und begründen Marx und Engels die Prinzipien des wissenschaftlichen Sozialismus.

In Marx' und Engels' Reden über Polen auf dem internationalen Meeting in London am 29. November 1847 sowie in ihren Reden auf der Gedenkfeier zum zweiten Jahrestag des Krakauer Aufstandes am 22. Februar 1848, in Engels' Artikeln „Der Anfang des Endes in Österreich", „Feargus O'Connor und das irische Volk" und in anderen Schriften äußern die Begründer des Marxismus eine Reihe wichtiger Ideen zur nationalen Frage und proklamieren die Prinzipien des proletarischen Internationalismus. Sie treten für eine entschiedene Unterstützung der nationalen Befreiungsbewegung in Polen, Italien, Irland und in anderen Ländern durch die Arbeiterklasse ein und formulieren die bekannte These: „Eine Nation kann nicht frei werden und zugleich fortfahren, andre Nationen zu unterdrücken" (siehe vorliegenden Band, S. 417).

In den Artikeln „Die preußische Verfassung", „Die Reformbewegung in Frankreich", „Der Schweizer Bürgerkrieg", „Die Bewegungen von 1847" und anderen gibt Friedrich Engels eine Analyse der sozialen und politischen Lage in mehreren europäischen Ländern am Vorabend der Revolution. In dem Artikel „Revolution in Paris" nimmt Engels zur Februarrevolution 1848 in Frankreich Stellung und stellt die Losung auf: Kampf für die Errichtung einer deutschen Republik.

Das von Engels verfaßte Manuskript „Grundsätze des Kommunismus" widerspiegelt Marx' und Engels' Arbeit zur Schaffung eines Programms für die entstehende kommunistische Partei. In diesem Entwurf für ein Programm des Bundes der Kommunisten begründete Engels theoretisch einige äußerst wichtige programmatische und taktische Prinzipien der proletarischen Partei. In Engels' Arbeit waren die Maßnahmen umrissen, mit deren Durchführung das Proletariat, nachdem es die Macht erobert hat, den Übergang vom Kapitalismus zum Sozialismus vorbereiten wird.

In den „Grundsätzen des Kommunismus" steht Engels' bekannte Formel von der Unmöglichkeit des Sieges des Sozialismus in einem einzelnen Lande. Diese für die vormonopolistische Epoche des Kapitalismus richtige These veraltete in der Epoche des monopolistischen Kapitalismus, als die Wirkung des Gesetzes der ungleichmäßigen, sprunghaften ökonomischen und politischen Entwicklung der kapitalistischen Länder auch das Heranreifen der proletarischen Revolution in den verschiedenen Ländern zu verschiedenen Zeiten bedingte. Die unter den neuen historischen Bedingungen veraltete Engelssche Formel wurde von W. I. Lenin durch die neue These von der Möglichkeit des Sieges des Sozialismus zunächst in einigen Ländern oder sogar in einem einzelnen Lande und der Unmöglichkeit des gleichzeitigen Sieges des Sozialismus in allen oder in den meisten Ländern ersetzt.

Im Band wird Marx' und Engels' unsterbliches „Manifest der Kommunistischen Partei" veröffentlicht, das der Höhepunkt ihres gesamten wissenschaftlichen und politischen Schaffens der Periode ist, die der Revolution 1848/49 voranging.

Das „Manifest der Kommunistischen Partei" ist das erste programmatische Dokument des wissenschaftlichen Kommunismus. Es enthält die vollständige und harmonische Darlegung der Grundlagen der großen Lehre von Marx und Engels. „Mit genialer Klarheit und Ausdruckskraft ist in diesem Werk die neue Weltanschauung dargestellt: der konsequente, auch das Gebiet des gesellschaftlichen Lebens umfassende Materialismus, die Dialektik als die umfassendste und tiefste Lehre von der Entwicklung, die Theorie des Klassenkampfes und der welthistorischen revolutionären Rolle des Proletariats, des Schöpfers einer neuen, der kommunistischen Gesellschaft" (W. I. Lenin, Marx-Engels-Marxismus. In W. I. Lenin: Werke, Bd. 21, S. 36).

Im „Manifest der Kommunistischen Partei" haben Marx und Engels das Proletariat mit dem wissenschaftlichen Beweis für die Unvermeidlichkeit des Zusammenbruchs des Kapitalismus und des Triumphes der proletarischen Revolution ausgerüstet und die Aufgaben und Ziele der revolutionären proletarischen Bewegung definiert. Als roter Faden durchläuft die Idee der Diktatur des Proletariats das ganze „Manifest", die W. I. Lenin als „eine der bedeutsamsten und wichtigsten Ideen des Marxismus in der Frage des Staates" bezeichnet hat (W. I. Lenin: Werke, Bd. 25, S. 414). Ohne schon den Ausdruck „Diktatur des Proletariats" zu gebrauchen, formulieren Marx und Engels sehr genau das Wesen dieser Grundthese des Marxismus. Sie weisen darauf hin, daß die Eroberung der politischen Macht die notwendige Bedingung für den Sieg der Arbeiterklasse ist, daß „der erste Schritt in der Arbeiterrevolution die Erhebung des Proletariats zur herrschenden Klasse" ist (siehe vorliegenden Band, S. 481).

Im „Manifest der Kommunistischen Partei" wird eine wahrhaft wissenschaftliche, materialistische Definition vom Wesen des Staates gegeben. „Die politische Gewalt im eigentlichen Sinn", betonen die Verfasser des „Manifests", „ist die organisierte Gewalt einer Klasse zur Unterdrückung einer andern" (siehe vorliegenden Band, S. 482). Nachdem Marx und Engels darauf hingewiesen haben, daß der bürgerliche Staat ein Instrument zur Unterdrückung der ausgebeuteten Mehrheit durch die ausbeutende Minderheit ist, heben sie hervor, daß die Arbeiterklasse, wenn sie die Staatsmacht erobert hat, diese im Interesse der gewaltigen Mehrheit ausnutzen muß, um den Widerstand der Ausbeuterclique zu brechen und die klassenlose kommunistische Gesellschaft aufzubauen.

Im „Manifest der Kommunistischen Partei" stellten Marx und Engels der Arbeiterklasse das große Ziel – den Aufbau des Kommunismus. Sie sahen voraus, daß die kommunistische Revolution jede Ausbeutung und alle Klassengegensätze, jede soziale, politische und nationale Unterdrückung beseitigt, daß sie zur Gründung einer Gesellschaft führen wird, in der „die freie Entwicklung eines jeden die Bedingung für die freie Entwicklung aller ist" (siehe vorliegenden Band, S. 482). Der Sieg der Arbeiterklasse, den die Begründer des wissenschaftlichen Kommunismus prophetisch vorausgesagt haben, führt nicht nur zur Beseitigung der Ausbeutung des Menschen durch den Menschen, sondern befreit auch die Menschheit von dem Antagonismus und den feindlichen Beziehungen zwischen den Nationen, von den vom Kapitalismus hervorgerufenen blutigen Kriegen zwischen den Völkern.

Im „Manifest der Kommunistischen Partei" stellten Marx und Engels die Grundthesen von der Partei als Vortrupp des Proletariats auf, ohne die die Arbeiterklasse die Macht nicht ergreifen und die Gesellschaft nicht umgestalten kann. Marx und Engels umrissen die Taktik der proletarischen Partei und wiesen auf die Notwendigkeit hin, den Kampf um die nächsten Ziele des Proletariats den Interessen des Kampfes für seine Endziele unterzuordnen sowie die besonderen Aufgaben des Proletariats eines jeden Landes mit den allgemeinen Aufgaben der internationalen Arbeiterbewegung in Übereinstimmung zu bringen. Sie begründeten die leitenden Prinzipien, die das Verhältnis des Proletariats zu den verschiedenen Klassen und Parteien bestimmen und unterstrichen die Pflicht der Kommunisten, jede revolutionäre und fortschrittliche Bewegung zu unterstützen und gleichzeitig ihre Schwächen und Mängel zu kritisieren.

Durch die berühmte Losung „Proletarier aller Länder, vereinigt euch!" brachten die Verfasser des „Manifests" klar das Grundprinzip des proletarischen Internationalismus zum Ausdruck – die Idee der internationalen proletarischen Solidarität.

Das Erscheinen des „Manifests der Kommunistischen Partei" bedeutete eine neue Etappe in der Entwicklung der internationalen Arbeiterbewegung.

Im Anhang zu diesem Band werden die Statuten des Bundes der Kommunisten, an deren Ausarbeitung Marx und Engels beteiligt waren, sowie eine Reihe von Dokumenten, die Marx' und Engels' revolutionäre Tätigkeit widerspiegeln, gebracht.

Institut für Marxismus-Leninismus
beim ZK der KPdSU

Der vorliegende vierte Band der deutschen Ausgabe fußt auf dem vom Institut für Marxismus-Leninismus beim ZK der KPdSU besorgten vierten Band in russischer Sprache, enthält jedoch zusätzlich Friedrich Engels' Aufsatz „Die wahren Sozialisten", der in der russischen Ausgabe bereits im dritten Band erschienen ist, in dessen Vorwort es hierzu heißt: „In Friedrich Engels' Artikel ‚Die wahren Sozialisten' wird das reaktionäre Wesen der kleinbürgerlichen Anschauungen der deutschen ‚wahren' Sozialisten entlarvt, die in Form einer kleinbürgerlich-sentimentalen Propagierung ‚allgemeiner Menschenliebe' die Ideen des Klassenfriedens zu verbreiten suchten. Diese Propaganda war besonders schädlich und gefährlich im vorrevolutionären Deutschland, wo sich der Kampf aller demokratischen Kräfte des Volkes gegen den Absolutismus und die Feudalverhältnisse zuspitzte und wo gleichzeitig immer deutlicher die Gegensätze zwischen Proletariat und Bourgeoisie zutage traten. Engels übt auch Kritik an dem Nationalismus der ‚wahren' Sozialisten, an ihrem Hochmut gegenüber anderen Nationen."

Als weitere zusätzliche, in den vierten Band der russischen Ausgabe nicht aufgenommene Beilagen enthält der vorliegende Band die „Adresse der Association démocratique zu Brüssel an das Schweizer Volk" und „Aufzeichnungen von Marx über Verhaftung, Mißhandlung und Ausweisung Wilhelm Wolffs durch die Brüsseler Polizei". Außerdem wurden in diesem Band die Beilagen durch den Brief von Karl Marx an Annenkow (28. Dezember 1846), das Vorwort von Friedrich Engels zur deutschen Ausgabe von Marx' Arbeit „Das Elend der Philosophie" und durch die Vorreden von Marx und Engels zu den verschiedenen Ausgaben des „Manifests der Kommunistischen Partei" ergänzt, da diese Materialien das Studium des Grundtextes erweitern und vertiefen helfen.

Der erst vor einiger Zeit entdeckte, im vierten Band der russischen Ausgabe als Nachtrag enthaltene Artikel von Friedrich Engels „Geschichte der englischen Korngesetze" erschien in unserer Ausgabe im zweiten Band.

Der Text des vorliegenden Bandes wurde an Hand der Originale bzw. Photokopien überprüft. Bei jeder Arbeit ist die für den Abdruck oder die Übersetzung herangezogene Quelle vermerkt.

Die von Marx und Engels angeführten Zitate wurden ebenfalls überprüft, soweit die Quellen zur Verfügung standen. Längere Zitate werden zur besseren Übersicht in kleinerem Druck gebracht. Im Text vorkommende fremdsprachige Zitate und fremdsprachige Wörter sind in Fußnoten übersetzt. Die Übersetzungen der fremdsprachigen Arbeiten wurden überprüft oder neu angefertigt.

Das von Marx und Engels in ihren englisch geschriebenen Arbeiten häufig gebrauchte Wort middle-classes wurde im Text des vorliegenden Bandes, entsprechend den von Engels selbst gegebenen Hinweisen (vergleiche Band 2 unserer Ausgabe, S. 234) und dem Begriff, mit dem heute die besitzende Klasse in der bürgerlichen Gesellschaft bezeichnet wird, in fast allen Fällen mit Bourgeoisie übersetzt.

Rechtschreibung und Zeichensetzung sind, soweit vertretbar, modernisiert. Der Lautstand der Wörter in den deutschsprachigen Texten wurde nicht verändert. Alle in eckigen Klammern stehenden Wörter und Wortteile stammen von der Redaktion. Offensichtliche Druck- oder Schreibfehler wurden stillschweigend korrigiert; in Zweifelsfällen wurde in Fußnoten die Schreibweise des Originals angeführt.

Fußnoten von Marx und Engels sind durch Sternchen gekennzeichnet, Fußnoten der Redaktion durch eine durchgehende Linie vom Text abgetrennt und durch Ziffern kenntlich gemacht.

Zur Erläuterung ist der Band mit Anmerkungen versehen, auf die im Text durch hochgestellte Zahlen in eckigen Klammern hingewiesen wird; außerdem werden ein Personenverzeichnis, Daten über das Leben und die Tätigkeit von Marx und Engels, ein Literaturverzeichnis sowie eine Erklärung der Fremdwörter beigefügt.

Institut für Geschichte der Arbeiterbewegung
Berlin

KARL MARX
und
FRIEDRICH ENGELS

Mai 1846 – März 1848

Karl Marx/Friedrich Engels

[Zirkular gegen Kriege[1]]

In einer Zusammenkunft nachbenannter Kommunisten: *Engels, Gigot, Heilberg, Marx, Seiler, Weitling, v. Westphalen* und *Wolff*[1] wurden in betreff des New-Yorker deutschen Blattes,

„Der Volks-Tribun[2], redigiert von Hermann Kriege"

folgende, in der Beilage motivierten Beschlüsse einmütig gefaßt – mit einziger Ausnahme Weitlings, „der dagegen stimmte".

Beschlüsse:

1. Die von dem Redakteur Hermann Kriege im „Volks-Tribun" vertretene Tendenz ist nicht kommunistisch.

2. Die kindisch-pomphafte Weise, in der Kriege diese Tendenz vertritt, ist im höchsten Grade kompromittierend für die kommunistische Partei in Europa sowohl als in Amerika, insofern er für den literarischen Repräsentanten des deutschen Kommunismus in New York gilt.

3. Die phantastische Gemütsschwärmerei, die Kriege unter dem Namen „Kommunismus" in New York predigt, muß im höchsten Grade demoralisierend auf die Arbeiter wirken, falls sie von ihnen adoptiert wird.

4. Gegenwärtige Beschlüsse nebst deren Begründung werden den Kommunisten in Deutschland, Frankreich und England mitgeteilt.

5. Ein Exemplar wird der Redaktion des „Volks-Tribunen" mit der Aufforderung zugeschickt, diese Beschlüsse nebst deren Begründung in den nächsten Nummern des „Volks-Tribunen" abdrucken zu lassen.

Brüssel, den 11. Mai 1846

Engels Phil. Gigot Louis Heilberg
K. Marx Seiler
v. Westphalen Wolff

---

[1] Im Original: Wolf

ERSTER ABSCHNITT

Verwandlung des Kommunismus in Liebesduselei

Nr. 13 des *„Volks-Tribunen"* enthält einen Artikel: „An die Frauen."

1) „Die Frauen, Priesterinnen der *Liebe*."

2) „Die *Liebe* ist es, welche uns gesandt hat."

3) „Apostel der *Liebe*."

a) Belletristisches Intermezzo: „Flammenblicke der Humanität", „Töne der Wahrheit."

b) Heuchlerische und unwissende Captatio benevolentiae[1] des Weibes: „Selbst im Gewande der Königin verleugnet Ihr das *Weib* nicht ... auch habt Ihr nicht gelernt, zu spekulieren mit den Tränen des Unglücklichen; Ihr seid zu weich, um das arme Kind einer *Mutter* zu Eurem Besten verhungern zu lassen."

4) „Zukunft des *geliebten* Kindes."

5) „*Geliebte* Schwestern."

6) „O höret uns an, Ihr begeht einen Verrat an der *Liebe*, wenn Ihr's nicht tut."

7) „Der *Liebe*."

8) „Der *Liebe*."

9) „Um der *Liebe* willen."

10) „Das heiligste *Liebes*werk, welches wir von Euch flehen" (winseln).

c) Belletristisch-biblische Trivialität: „Das Weib ist bestimmt, des Menschen Sohn zu gebären", wodurch konstatiert wird, daß die Männer keine Kinder gebären.

11) „Aus dem *Herzen der* Liebe muß sich der *heilige Geist* der Gemeinschaft entwickeln."

---

[1] Haschen nach Wohlwollen

d) Episodisches Ave Maria: „*Gesegnet, dreimal gesegnet* seid Ihr Frauen, die Ihr auserkoren seid, dem lang *verheißenen* Reich der Glückseligkeit die *erste Weihe* zu geben."

12) „*Geliebte* Schwestern."

13) „Statt *Liebe* Haß" (Gegensatz der bürgerlichen und kommunistischen Gesellschaft).

14) „Ihr *Lieben*."

15) „Die *Liebe* auf den Thron erheben."

16) „Tätige Menschen in *liebender* Gemeinschaft."

17) „Echte Priesterinnen der *Liebe*."

e) Ästhetische Parenthese: „wenn Eure zitternde Seele den schönen Flug noch nicht verlernt hat" – (ein Kunststück, dessen Ausführbarkeit erst nachzuweisen ist).

18) „Die Welt der *Liebe*."

19) „Reich des Hasses und Reich der *Liebe*."

f) Wird den Frauen vorgeschwindelt: „Und darum habt Ihr auch in der Politik eine sehr gewichtige Stimme. Ihr braucht nur Euren Einfluß zu gebrauchen, und das ganze alte Reich des Hasses sinkt in Trümmer, um dem neuen Reich der *Liebe* Platz zu machen."

g) Philosophischer Tusch zur Übertäubung des Nachdenkens: „Ein ewig heitrer Selbstgenuß der ganzen Menschheit ist das Endziel ihres Wirkens."

20) „Eure *Liebe*." Bei dieser Gelegenheit wird von den Weibern verlangt, ihre Liebe soll „nicht zu klein" sein, „alle Menschen mit gleicher Hingebung zu umfassen". Ebenso unanständige wie überschwengliche Forderung.

h) Fuge: „Daß Tausende und aber Tausende von verlassenen Waisen dem gräßlichen Mord der Verhältnisse preisgegeben werden." Worin besteht hier das „Gräßliche"? Darin, daß die „Waisen" die „Verhältnisse" oder daß die „Verhältnisse" die „Waisen" morden?

i) Enthüllung der neukommunistischen Politik: „Wir wollen keines Menschen Privateigentum antasten, was der Wucherer einmal hat, mag er behalten; wir wollen nur dem ferneren Raub an des Volkes Gut zuvorkommen und das Kapital hindern, noch länger der Arbeit ihr rechtmäßiges Eigentum vorzuenthalten." Dieser Zweck soll erreicht werden wie folgt: „Jeder Arme wird auf der Stelle in ein nützliches Glied der menschlichen Gesellschaft verwandelt, sobald man ihm Gelegenheit bietet, produzierend tätig zu sein." (Hiernach erwirbt sich niemand größeres Verdienst um die „menschliche Gesellschaft" als die Kapitalisten, auch die von New York, gegen die Kriege so gewaltig poltert.) „Diese ist ihm aber für immer gesichert, sobald die Gesellschaft ihm ein Stück Land gibt, darauf er sich mit seiner Familie ernähren kann ... Wird diese ungeheure Bodenfläche (die 1400 Millionen Acres[1] amerikanischer Staatsländereien) *dem Handel entzogen und in begrenzten Quantitäten* der Arbeit zugesichert, so ist mit *einem* Schlage aller Armut in Amerika ein Ende gemacht; denn jedermann erhält Gelegenheit, sich mit Hülfe seiner Hände eine unantastbare Heimat zu gründen." Daß es nicht in der Macht der Gesetzgeber liegt, durch Dekrete die Fortentwicklung des von Kriege gewünschten patriarchalischen Zustandes zum industriellen Zustande zu hemmen oder die industriellen und kommerziellen Staaten der Ostküste der Vereinigten Staaten in die patriarchalische Barbarei zurückzuwerfen, diese Einsicht wäre zu erwarten gewesen. Für die Zeit, wo die oben geschilderte Herrlichkeit eingetreten sein wird, bereitet Kriege inzwischen folgende Landpfarrerworte vor: „Und dann können wir die Menschen lehren, *in Frieden beieinander wohnen*, sich gegenseitig ihres Lebens Last und Mühe erleichtern und:

21) dem Himmel der *Liebe* seine ersten Wohnsitze auf Erden bauen" (Stück für Stück 160 Acres groß).

Kriege schließt seine Anrede an die verheirateten Frauen wie folgt: „Zuerst wendet Euch an

22) die Männer Eurer *Liebe*,

bittet sie, der alten Politik den Rücken zu kehren, ... zeigt ihnen ihre Kinder, beschwört sie in *ihren* (der Unvernünftigen) *Namen*, Vernunft anzunehmen." Zweitens an die „Jungfrauen": „Lasset bei

23) Euren *Lieb*habern

die Bodenbefreiung den Prüfstein sein ihres Menschenwerts, und traut nicht

24) ihrer *Liebe*,

eh' sie sich der Menschheit verschworen." (Was soll das heißen?) Wenn die Jungfrauen sich also gebaren, garantiert er ihnen, daß ihre Kinder

25) „*liebend* werden

wie sie" (nämlich „die Vögel des Himmels"), und schließt die Leier mit der Repetition von

26) „echte Priesterinnen der *Liebe*", „großem Reich der Gemeinschaft" und „Weihe".

Nr. 13 des „Volks-Trib[unen]": – „*Antwort an Sollta.*"

27) „Er" (der große Geist der Gemeinschaft) „flammt als Feuer der *Liebe* aus des Bruders Auge."

---

[1] 1 Acre = 4046,7 m² bzw. 40,467 a

28) „Was ist ein Weib ohne den Mann, den es *lieben*, dem es seine *zitternde Seele* dahingeben kann?"

29) „Alle Menschen in *Liebe* verbinden."

30) „Die Mutter*liebe*" ...

31) „Die Menschen*liebe*" ...

32) „Alle ersten Laute der *Liebe*" ...

33) „Die Strahlen der *Liebe*."

k) Der Zweck des Kommunismus ist: „das ganze Leben der Menschheit seinen" (des fühlenden Herzens) „Schlägen zu unterwerfen".

34) „Der Ton der *Liebe* entflieht vor dem Geklapper des Geldes."

35) „Mit *Liebe* und Hingebung läßt sich alles durchsetzen."

Wir haben also in dieser *einen* Nummer die Liebe, schlecht gezählt, in fünfunddreißig Gestalten. Dieser Liebessabbelei entspricht es, daß Kriege in der „Antwort an Sollta" und anderwärts den Kommunismus als den liebevollen Gegensatz des Egoismus darstellt und eine weltgeschichtliche revolutionäre Bewegung auf die paar Worte: Liebe – Haß, Kommunismus – Egoismus reduziert. Ebenfalls gehört dazu die Feigheit, womit er oben dem Wucherer dadurch schmeichelt, daß er ihm das zu lassen verspricht, was er schon hat, und weiter unten beteuert, „die *trauten Gefühle* des *Familienlebens*, der *Heimatlichkeit*, des *Volkstums* nicht zerstören", sondern „nur erfüllen" zu wollen. Diese feige, heuchlerische Darstellung des Kommunismus nicht als „Zerstörung", sondern als „Erfüllung" der bestehenden schlechten Verhältnisse und der Illusionen, die sich die Bourgeois darüber machen, geht durch alle Nummern des „Volks-Tribunen". Zu dieser Heuchelei und Feigheit paßt die Stellung, die er in den Diskussionen mit Politikern einnimmt. Er erkennt es (Nr. 10) für eine Sünde gegen den Kommunismus an, wenn man gegen katholizisierende politische Phantasten wie Lamennais und Börne schreibt, wodurch also Männer wie Proudhon, Cabet, Dézamy, mit einem Wort sämtliche französische Kommunisten bloß Leute sind, „die sich Kommunisten nennen". Daß die deutschen Kommunisten ebensoweit über Börne hinaus sind, wie die französischen über Lamennais, hätte Kriege schon in Deutschland, Brüssel und London lernen können.

Welche entnervende Wirkung auf beide Geschlechter diese Liebesduselei ausüben und welche massenweise Hysterie und Bleichsucht sie bei den „Jungfrauen" hervorrufen muß, darüber möge Kriege selbst nachdenken.

ZWEITER ABSCHNITT

Ökonomie des „Volks-Tribunen" und seine *Stellung zum Jungen Amerika*[3]

Wir erkennen die Bewegung der amerikanischen Nationalreformer in ihrer historischen Berechtigung vollständig an. Wir wissen, daß diese Bewegung ein Resultat erstrebt, das zwar für den Augenblick den Industrialismus der modernen bürgerlichen Gesellschaft befördern würde, das aber als Resultat einer proletarischen Bewegung, als Angriff auf das Grundeigentum überhaupt und speziell unter den in Amerika bestehenden Verhältnissen durch seine eigenen Konsequenzen zum Kommunismus forttreiben muß. Kriege, der sich mit den deutschen Kommunisten in New York der Anti-Rent-Bewegung angeschlossen hat, überklebt diese dünne Tatsache mit seinen herkömmlichen kommunistischen und überschwenglichen Redensarten, ohne sich je auf den positiven Inhalt der Bewegung einzulassen, und beweist dadurch, daß er über den Zusammenhang des Jungen Amerika mit den amerikanischen Verhältnissen im höchsten Grade unklar ist. Außer den schon gelegentlich angeführten einzelnen Stellen wollen wir noch ein Beispiel geben, wie er eine agrarisch zugestutzte Parzellierung des Grundbesitzes im amerikanischen Maßstabe mit seiner Menschheitsbegeisterung überschüttet.

Nr. 10, „Was wir wollen", heißt es:

„Sie" – nämlich die amerik[anischen] Nationalreformer – „nennen den Boden das *gemeinschaftliche* Erbteil aller Menschen ... und wollen durch die gesetzgebende Macht des Volkes Mittel getroffen wissen, die 1400 Mill[ionen] Acker Land, welche noch nicht in die Hände räuberischer Spekulanten gefallen sind, *der ganzen Menschheit als unveräußerliches Gemeingut zu erhalten*."

Um dies „*gemeinschaftliche* Erbteil", dies „unveräußerliche *Gemeingut*" in seiner Gemeinschaftlichkeit „der ganzen Menschheit zu erhalten", adoptiert er den Plan der Nationalreformer: „jedem Bauern, weß Landes er auch sei, zu seiner Ernährung 160 Acker amerikanischer Erde zu Gebote zu stellen", oder wie dies Nr. 14, „Antwort an Conze", ausgedrückt wird:

„Von diesem noch unberührten Gut des Volkes soll niemand mehr als 160 Acker in Besitz nehmen und auch diese nur, wenn er sie selbst bebaut."

Der Boden soll also dadurch „unveräußerliches *Gemein*gut" und zwar „der ganzen Menschheit" bleiben, daß man unverzüglich anfängt, ihn zu *teilen*;

Kriege bildet sich dabei ein, er könne die notwendigen Folgen dieser Teilung: Konzentration, industriellen Fortschritt pp. durch Gesetze *verbieten*. 160 Acres Land gelten ihm für ein stets gleichbleibendes Maß, als ob der Wert einer solchen Bodenfläche nicht nach ihrer Qualität verschieden sei. Die „Bauern" werden, wenn auch nicht ihren Boden, doch ihre Bodenprodukte untereinander und mit andern austauschen müssen, und wenn die Leute so weit gekommen sind, wird es sich bald zeigen, daß der eine „Bauer" auch ohne Kapital, bloß durch seine Arbeit und die größere ursprüngliche Produktivität seiner 160 Acres den andern wieder zu seinem *Knecht* herabdrückt. Und dann, ist es nicht einerlei, ob „der Boden" oder die *Produkte* des Bodens „in die Hände räuberischer Spekulanten fallen"?

Nehmen wir einmal Krieges Geschenk an die Menschheit ernsthaft.

1400 Millionen Acres sollen „der ganzen Menschheit als unveräußerliches Gemeingut erhalten" werden. Und zwar sollen auf jeden „Bauer" 160 Acres kommen. Hiernach läßt sich berechnen, wie stark Krieges „ganze Menschheit" ist – genau $8^3/_4$ Millionen „Bauern", die als Familienväter jeder eine Familie von fünf Köpfen, also eine Gesamtmasse von $43^3/_4$ Millionen Menschen repräsentieren. Wir können ebenfalls berechnen, wie lange die „alle Ewigkeit" dauert, für deren Dauer „das Proletariat in seiner Eigenschaft als Menschheit die ganze Erde", wenigstens der Vereinigten Staaten, „in Anspruch nehmen" kann. Wenn die Bevölkerung der Vereinigten Staaten in demselben Maße zunimmt wie bisher (d.h. sich in 25 Jahren verdoppelt), so dauert diese „alle Ewigkeit" nicht volle 40 Jahre; in dieser Zeit sind die 1400 Mill[ionen] Acres okkupiert, und es bleibt den Nachkommenden *nichts* mehr „in Anspruch zu nehmen". Da aber die Freigebung des Bodens die Einwanderung sehr vermehren würde, so könnte Krieges „Ewigkeit" schon eher „alle" werden. Besonders wenn man bedenkt, daß Land für 44 Millionen nicht einmal für den jetzt existierenden europäischen Pauperismus ein zureichender Abzugskanal sein würde, da in Europa der zehnte Mann ein Pauper ist und die britischen Inseln allein 7 Millionen liefern. Eine ähnliche ökonomische Naivität findet sich Nr. 13, „An die Frauen", wo Kriege meint, wenn die Stadt New York ihre 52000 Acker auf Long Island freigäbe, so reiche das hin, um „mit einem Male" New York von allem Pauperismus, Elend und Verbrechen auf ewige Zeiten zu befreien.

Hätte Kriege die Bodenfreiheits-Bewegung als eine unter bestimmten Verhältnissen notwendige erste Form der proletarischen Bewegung, als eine Bewegung gefaßt, die durch die Lebensstellung der Klasse, von der sie ausgeht, notwendig zu einer kommunistischen sich fortentwickeln muß, hätte er gezeigt, wie die kommunistischen Tendenzen in Amerika ursprünglich in dieser scheinbar allem Kommunismus widersprechenden agrarischen Form auftreten mußten, so wäre nichts dagegen zu sagen gewesen. So aber erklärt er eine allerdings noch untergeordnete Bewegungsform wirklicher, bestimmter Menschen für eine Sache *der* Menschheit, stellt sie wider sein besseres Wissen als letztes, höchstes Ziel aller Bewegung überhaupt hin und verwandelt dadurch die bestimmten Zwecke der Bewegung in baren überschwenglichen Unsinn.

Er singt indes ungestört in demselben Aufsatz (Nr. 10) seinen Triumphgesang weiter:

„Also damit gingen endlich die alten Träume der Europäer in Erfüllung, es würde ihnen auf dieser Seite des Ozeans eine Stätte bereitet, die sie nur zu beziehen und mit ihrer Hände Arbeit zu befruchten brauchten, um allen Tyrannen der Welt mit Stolz entgegenrufen zu können:

> Das ist *meine* Hütte,
> Die Ihr nicht gebaut,
> Das ist *mein* Herd,
> Um dessen Glut Ihr mich beneidet.[4]"

Er hätte hinzufügen können: Das ist *mein* Misthaufen, den Ich und mein Weib, Kind, Knecht, Magd und Vieh produziert haben. Welche Europäer sind denn das, deren „Träume" hier in Erfüllung gehen? Nicht die kommunistischen Arbeiter, sondern bankrute Krämer und Handwerksmeister oder ruinierte Kotsassen, die nach dem Glücke streben, in Amerika wieder Kleinbürger und Bauern zu werden. Und was für ein „Wunsch" ist es, der durch die 1400 Millionen Acres realisiert werden soll? Kein anderer als der, *alle Menschen in Privateigentümer* zu verwandeln, ein Wunsch, der ebenso ausführbar und kommunistisch ist, wie der, alle Menschen in Kaiser, Könige und Päpste zu verwandeln. Als schließliche Probe von Krieges Einsicht in kommunistisch-revolutionäre Bewegungen und ökonomische Verhältnisse möge hier noch folgender Satz stehen:

„*Jeder* Mensch sollte wenigstens so viel von *jedem* Gewerbe erlernen, daß er nötigenfalls eine *Zeitlang allein fertig werden könnte*, wenn ein ungünstiges Geschick ihn von der menschlichen Gesellschaft losgerissen."

Es ist allerdings viel leichter, „Liebe" und „Hingebung" „auszuströmen", als sich mit Entwicklung wirklicher Verhältnisse und praktischer Fragen zu befassen.

DRITTER ABSCHNITT

Metaphysische Fanfaronnaden

Nr. 13 des „Volks-Trib[unen]": „Antwort an Sollta."

1) Kriege behauptet hier, er sei „nicht gewohnt, in der kahlen Wüste der Abstraktion logische Seiltänze aufzuführen". Daß er zwar nicht „logisch", aber doch auf einem [aus] philosophischen und liebeseligen Phrasen gedrehten „Seile tanzt", geht aus jeder Nummer des „Volks-Tribunen" hervor.

2) Den Satz, daß „der einzelne Mensch individuell lebt" (was schon ein Unsinn ist), drückt Kriege in folgendem unlogischen „Seiltanze" aus: „solange die menschliche Gattung überhaupt noch in Individuen ihre Darstellung findet",

3) soll es von dem „Gefallen", des „schöpferischen Geistes der Menschheit", der nirgends existiert, abhängen, „der heutigen Lage der Dinge ein Ende zu machen".

4) Folgendes ist das Ideal des kommunistischen Menschen: „Er trägt den Stempel der Gattung" (wer tut das nicht schon jetzt ganz von selbst?), „bestimmt seine eigenen Zwecke nach den Zwecken der Gattung" (als ob die Gattung eine Person wäre, die Zwecke haben könnte) „und sucht nur darum ganz sein eigen zu werden, um sich mit allem, was er ist und werden kann, der Gattung hingeben zu können" (vollständige Aufopferung und Selbstdemütigung vor einem phantastischen Nebelbilde).

5) Die Stellung des einzelnen Menschen zur Gattung wird auch in folgendem überschwenglichen Unsinn charakterisiert: „Wir alle und unsere besondre Tätigkeit sind nur Symptome der großen Bewegung, die tief im Innern der Menschheit vor sich geht." „Tief im Innern der Menschheit" – wo ist das? Nach diesem Satze sind also die wirklichen Menschen nur „Symptome", Kennzeichen einer „im Innern" eines Gedankenphantoms vor sich gehenden „Bewegung".

6) Den Kampf um die kommunistische Gesellschaft verwandelt dieser Landpfarrer in „das Suchen nach jenem großen Geiste der Gemeinschaft". Diesen „großen Geist" läßt er „aus dem *Becher der Kommunion* schäumen schön und voll" und als „den *heiligen Geist* aus des Bruders Auge flammen".

Nachdem so die revolutionäre kommunistische Bewegung in das „Suchen" nach dem heiligen Geist und dem heiligen Abendmahl verwandelt ist, kann Kriege natürlich auch behaupten, daß dieser Geist „*nur erkannt zu sein* braucht, um alle Menschen in Liebe zu verbinden".

7) Diesem metaphysischen Resultat geht vorher folgende Verwechselung des *Kommunismus* mit der *Kommunion*: „Der Geist, der die Welt überwindet, der Geist, der dem Sturm gebietet und dem Gewitter (!!!!), der Geist, der die Blinden heilt und die Aussätzigen, der Geist, der allen Menschen zu trinken beut von *einem* Wein" (wir ziehen die mehrfachen Sorten vor) „und zu essen von *einem* Brot" (die französischen und englischen Kommunisten machen mehr Ansprüche), „der Geist, *der da ewig ist und allgegenwärtig*, das ist der Geist der Gemeinschaft." Wenn dieser „Geist" „ewig und allgegenwärtig" ist, so ist gar nicht abzusehen, wie nach Kriege das Privateigentum so lange hat existieren können. Aber freilich, er war nicht „erkannt" und war daher „ewig und allgegenwärtig" bloß in seiner eigenen Einbildung.

Hier predigt also Kriege *im Namen des Kommunismus* die alte religiöse und deutschphilosophische Phantasie, die *dem Kommunismus direkt widerspricht*. Der *Glaube*, und zwar der Glaube an den „heiligen Geist der Gemeinschaft" ist das Letzte, was für die Durchführung des Kommunismus verlangt wird.

VIERTER ABSCHNITT

Religiöse Tändeleien

Es versteht sich, daß Krieges Liebessabbeleien und Gegensatz gegen den Egoismus weiter nichts sind als die schwellenden Offenbarungen eines durch und durch in Religion aufgegangenen Gemütes. Wir werden sehen, wie Kriege, der sich in Europa immer für einen Atheisten ausgab, hier sämtliche Infamien des Christentums unter dem Wirtshausschilde des Kommunismus an den Mann zu bringen sucht und ganz konsequent mit der *Selbstschändung des Menschen* endigt.

Nr. 10. „Was wir wollen" und „H[ermann] Kriege an Harro Harring" bestimmen den Zweck des kommunistischen Kampfes dahin:

1) „Die *Religion der Liebe* zu einer Wahrheit und die langersehnte Gemeinschaft der seligen Himmelsbewohner zu einer Wirklichkeit zu machen." Kriege übersieht bloß, daß diese christlichen Schwärmereien nur der phantastische Ausdruck der bestehenden Welt sind und daher ihre „Wirklichkeit" in den schlechten Verhältnissen dieser bestehenden Welt *schon existiert*.

2) „Wir fordern im Namen jener *Religion der Liebe*, daß der Hungrige gespeist, der Dürstende getränkt und der Nackende gekleidet werde." – Welche Forderung bereits seit 1800 Jahren bis zum Ekel und ohne den geringsten Erfolg wiederholt worden ist.

3) „Wir lehren *Liebe* üben", um

4) „*Liebe* zu empfangen."

5) „In ihrem *Reich der Liebe*, da können keine Teufel hausen."

6) „Es ist sein" (des Menschen) „*heiligstes* Bedürfnis, sich mit seiner ganzen Individualität *aufzulösen* in die Gesellschaft *liebender Wesen*, denen gegenüber er nichts mehr festhalten kann als

7) seine *grenzenlose Liebe*." Mit dieser Grenzenlosigkeit, sollte man meinen, hat die Liebestheorie ihre höchste Spitze erreicht, die so hoch ist, daß man sich gar nichts mehr dabei denken kann; indessen geht es noch höher.

8) „Dieses heiße Ausströmen der Liebe, diese Hingebung an alle, dieser *göttliche Drang* nach Gemeinschaft – was ist das anders als die *innereste Religion* des Kommunisten, die nur einer entsprechenden Außenwelt ermangelt, um sich im vollen Menschenleben auszusprechen." Die jetzige „Außenwelt" scheint indes vollständig hinzureichen, damit Kriege seine „innereste Religion", seinen „göttlichen Drang", seine „Hingebung an alle" und sein „heißes Ausströmen" in seinem „vollen Menschenleben" aufs breiteste „aussprechen" kann.

9) „Haben wir nicht ein Recht, mit den langverhaltenen Wünschen des religiösen Herzens Ernst zu machen und im Namen der Armen, der Unglücklichen, der Verstoßenen für die endliche Realisation des schönen Reiches der Bruderliebe in den Kampf zu ziehen?" Kriege zieht also in den Kampf, um mit den Wünschen, nicht des wirklichen, profanen, sondern des religiösen, nicht des von der wirklichen Not erbitterten, sondern von der seligen Phantasie aufgeblähten Herzens Ernst zu machen. Er beweist sein „religiöses Herz" sogleich dadurch, daß er als Priester, unter fremdem Namen, nämlich im Namen der „Armen", und so in den Kampf zieht, daß er deutlich zu verstehen gibt, er habe für sich selbst den Kommunismus nicht nötig, er ziehe in den Kampf aus bloßer großmütiger, hingebender, zerfließender Aufopferung für die „Armen, Unglücklichen und Verstoßenen", die seiner bedürftig sind –, ein Hochgefühl, das die Brust des Biedermannes in einsamen, trüben Stunden höher schwellt und allen Kummer der schlechten Welt aufwiegt.

10) schließt Kriege seinen Bombast: „Wer solch eine Partei nicht unterstützt, kann mit Recht als ein Feind der Menschheit behandelt werden." Dieser intolerante Satz scheint der „Hingebung an *alle*", der „Religion der Liebe" gegen alle zu widersprechen. Er ist aber ein ganz konsequenter Schluß aus dieser neuen Religion, die wie jede andere alle ihre Feinde tödlich haßt und verfolgt. Der Feind der Partei wird ganz konsequent in einen Ketzer verwandelt, indem man ihn aus dem Feinde der wirklich existierenden

Partei, mit dem man *kämpft*, in einen Sünder gegen die nur in der Einbildung existierende *Menschheit* verwandelt, den man *bestrafen* muß.

11) Im Briefe an Harro Harring heißt es: „Wir wollen alle Armen der Welt in Aufstand bringen gegen den Mammon, unter dessen Zuchtrute sie sich totzuquälen verdammt sind, und wenn wir den fürchterlichen Tyrannen herabgestürzt von seinem alten Thron, da wollen wir die Menschheit durch *Liebe verbinden*, da wollen wir sie *lehren* gemeinschaftlich arbeiten und gemeinschaftlich genießen, auf daß das langverheißene Reich der Freude endlich erfüllt werde." Um gegen die moderne Geldherrschaft in Zorn zu geraten, muß er sie sich erst in das Götzenbild Mammon verwandeln. Dies Götzenbild wird gestürzt – wie, erfahren wir nicht; die revolutionäre Bewegung des Proletariats aller Länder schrumpft zu einem Aufstande zusammen – und wenn dieser Sturz vollzogen, dann kommen die Propheten, die „Wir", die den Proletarier „lehren", was nun weiter zu tun sei. Diese Propheten „lehren" ihre Jünger, die hier in einer merkwürdigen Unwissenheit über ihre eigenen Interessen auftreten, wie sie „gemeinschaftlich arbeiten und genießen sollen", und zwar nicht, um „gemeinschaftlich zu arbeiten und zu genießen", sondern vielmehr bloß, auf daß die Schrift erfüllt werde und einige Phantasten vor 1800 Jahren nicht umsonst prophezeit haben. – Diese Manier der Prophezeiung wiederholt sich anderswo, z. B.:

Nr. 8. „Was ist das Proletariat?" und „Andreas Dietsch", wie

a) „Proletarier, die Stunde euerer Erlösung ist gekommen",

b) „Tausend Herzen schlugen frohlockend der großen Zeit der Verheißung entgegen" – nämlich „jenes großen Reichs der Liebe ... für das langersehnte Reich der Liebe".

c) Nr. 12. „Antwort an Koch, den Antipfaffen."

„Schon zuckt das Evangelium der endlosen Welterlösung von Auge zu Auge" und – sogar – „von Hand zu Hand." Dies Wunder von dem „zuckenden Evangelium", dieser Unsinn von der „endlosen Welterlösung" entspricht ganz dem andern Wunder, daß die längst aufgegebenen Prophezeiungen der alten Evangelisten durch Kriege wider Erwarten erfüllt werden.

12) Von diesem religiösen Standpunkt aus kann die Antwort auf alle *wirklichen Fragen* nur in einigen religiös-überschwenglichen und allen Sinn umnebelnden *Bildern*, in einigen pomphaften Etiketten, wie „Menschheit", „Humanität", „Gattung" usf., und in einer Verwandlung jeder *wirklichen Tat* in eine *phantastische Phrase* bestehen. Dies zeigt sich besonders in dem Aufsatze: „Was ist das Proletariat?" (Nr. 8.) Auf diese Titelfrage wird geantwortet: „Das Proletariat ist die *Menschheit*", – eine *wissentliche* Lüge, nach der die Kommunisten auf die Abschaffung der Menschheit ausgehen. Diese Ant-

wort, „Die Menschheit", soll dieselbe sein, die Sieyès auf die Frage gab: Was ist der tiers-état?[5] Beweis, wie Kriege die historischen Tatsachen verduselt. Dies beweist er sogleich nochmals in seiner Verfrömmelung der amerikanischen Anti-Rent-Bewegung: „Und wie endlich, wenn dann dieses Proletariat in seiner Eigenschaft als Menschheit" (notwendige Charaktermaske, in der es auftreten muß – eben war das Proletariat die Menschheit, jetzt ist die Menschheit nur Eigenschaft des Proletariats) „für alle Ewigkeit die ganze Erde als ihr unbestreitbares Besitztum in Anspruch nähme?" Man sieht, wie selbst eine höchst einfache, praktische Bewegung in leere Phrasen, wie „Menschheit", „unbestreitbares Besitztum", „alle Ewigkeit" usf., sich verwandelt und es daher auch bei dem bloßen „Anspruch" sein Bewenden hat. – Außer den gewöhnlichen Stichwörtern „Geächtete" usw., wozu sich noch das religiöse „Verfluchte" gesellt, beschränken sich alle Mitteilungen Krieges über das Proletariat auf folgende mythologisch-biblische Bilder:

„der gefesselte Prometheus",
„das Lamm Gottes, das der Welt Sünden trägt",
„der wandernde Jude",

und schließlich wird dann die merkwürdige Frage aufgeworfen: „Soll die Menschheit denn ewig, ein heimatloser Vagabund, auf der Erde umherirren?" Während doch gerade das ausschließliche Festsiedeln eines Teiles der „Menschheit" auf der Erde der Dorn in seinem Auge ist!

13) Die Kriegesche Religion kehrt ihre schlagende Pointe hervor in folgendem Passus: „Wir haben noch etwas mehr zu tun, als für unser **lumpiges Selbst** zu sorgen, wir gehören der Menschheit." Mit diesem infamen und ekelhaften Servilismus gegen eine von dem „Selbst" getrennte und unterschiedene „Menschheit", die also eine metaphysische und bei ihm sogar eine religiöse Fiktion ist, mit dieser allerdings höchst „lumpigen" Sklavendemütigung endigt diese Religion, wie jede andere. Eine solche Lehre, welche die Wollust der Kriecherei und die Selbstverachtung predigt, ist ganz geeignet für tapfere – *Mönche*, aber nimmer für energische Männer, und gar in einer Zeit des Kampfes. Es fehlt nur, daß diese tapfern Mönche ihr „lumpiges Selbst" kastrieren und dadurch ihr Vertrauen auf die Fähigkeit der „Menschheit", sich selbst zu erzeugen, genügend beweisen! – Wenn Kriege nichts Besseres vorzubringen weiß als diese erbärmlich stilisierten Sentimentalitäten, so täte er allerdings klüger, seinen „Vater Lamennais" in jeder Nummer des „Volks-Tribunen" aber und abermal zu übersetzen.

Welche praktischen Folgen diese Kriegesche Religion des unendlichen Erbarmens und der endlosen Hingebung hat, beweisen die Betteleien um

Arbeit, die fast in jeder Nummer des „Volks-Tribunen" figurieren. So lesen wir Nr. 8:

„Arbeit! Arbeit! Arbeit!"

„Ist denn niemand unter all den weisen[1] Herrn, der es nicht für verlorene Mühe hält, braven Familien Nahrung zu verschaffen und hülflose junge Leute vor Elend und Verzweiflung zu bewahren? Da ist zuerst der Johann Stern aus Mecklenburg, noch immer ohne Arbeit, und er verlangt doch nichts, als sich zu schinden zum Vorteil eines Kapitalisten und dabei soviel Brot zu machen, als hinreicht, ihn aufrechtzuerhalten für seine Arbeit, – ist denn das zuviel verlangt in der zivilisierten Gesellschaft? – Und dann Karl Gescheidtle aus Baden, ein junger Mann von den trefflichsten Anlagen und nicht ohne höhere Schulbildung – er sieht so treu, so gut darein, ich garantiere dafür, er ist die Redlichkeit selbst... Und auch ein Greis und noch mehrere junge Leute flehen für ihrer Hände Arbeit um ihr tägliches Brot. – Wer helfen kann, säume nicht länger, oder sein Gewissen wird ihm einst seinen Schlaf rauben, wo er ihn am meisten bedarf. Freilich könntet Ihr sagen: Da sind Tausende, die vergebens nach Arbeit schreien, und allen können wir doch nicht helfen – Ihr könntet wohl, doch Ihr seid Knechte des Egoismus und habt kein Herz, etwas zu tun. Solange Ihr aber nicht allen helfen wollt, zeigt wenigstens, daß Ihr noch ein Restchen menschliches Gefühl übrigbehalten habt, und helft so vielen Einzelnen, als Euch möglich."

Natürlich, wenn sie wollten, so könnten sie mehreren helfen, als ihnen möglich ist. Das ist die Praxis, die wirkliche Ausübung der Selbsterniedrigung und Wegwerfung, die jene neuere Religion lehrt.

FÜNFTER ABSCHNITT

Krieges persönliches Auftreten

Wie das persönliche Auftreten Krieges in seinem Journale beschaffen ist, geht schon mit Notwendigkeit aus den obigen Stellen hervor; wir heben daher nur einige Punkte heraus.

Kriege tritt als *Prophet* auf, daher auch notwendig als Emissär eines geheimen Essäerbundes[6], des „Bundes der Gerechtigkeit". Wenn er daher nicht im Namen der „Unterdrückten" spricht, so spricht er im Namen der „Gerechtigkeit", die aber nicht die gewöhnliche Gerechtigkeit, sondern die Gerechtigkeit des „Bundes der Gerechtigkeit" ist. Nicht bloß *sich selbst* mystifiziert er, er mystifiziert auch die *Geschichte*. Die wirkliche geschichtliche Entwicklung des Kommunismus in den verschiedenen Ländern Europas, die

[1] Im „Volks-Tribun" Nr. 8: reichen

er nicht kennt, mystifiziert er dadurch, daß er den Ursprung und die Fortschritte des Kommunismus auf fabelhafte, romanhafte und erlogene Intrigen dieses Essäerbundes schiebt. Hierüber sieh alle Nummern, namentlich die Antwort an Harro Harring, wo auch die wahnwitzigsten Phantasien über die Macht dieses Bundes gegeben werden.

Als echter *Liebesapostel* wendet sich Kriege zunächst an die Frauen, denen er die Verworfenheit nicht zutraut, einem liebepochenden Herzen widerstehen zu können, dann an die vorgefundenen Agitatoren „söhnlich und versöhnlich" – als „Sohn" – als „Bruder" – als „Herzensbruder" – und endlich als *Mensch* an die Reichen. Kaum in New York angekommen, erläßt er Sendschreiben an alle reichen deutschen Kaufleute, setzt ihnen die Knallbüchse der Liebe auf die Brust, hütet sich sehr wohl zu sagen, was er von ihnen will, unterzeichnet sich bald „Ein Mensch", bald „Ein Menschenfreund", bald „Ein Narr" – und, „solltet Ihr's glauben, meine Freunde?", kein Mensch läßt sich auf seine hochtönenden Alfanzereien ein. Darüber kann sich niemand wundern als Kriege selbst. – Die bekannten, schon zitierten Liebesphrasen werden zuweilen gepfeffert durch Ausrufungen, wie (Nr. 12, „Antwort an Koch"): „Hurra! Es lebe die Gemeinschaft, es lebe die Gleichheit, es lebe die Liebe!" Praktische Fragen und Zweifel (cf. Nr. 14, „Antwort" an Conze) weiß er nur aus vorsätzlicher Bosheit und Verstocktheit sich zu erklären. Als echter Prophet und Liebesoffenbarer spricht er die ganze hysterische Gereiztheit einer geprellten schönen Seele über die Spötter, die Ungläubigen und die Menschen der alten Welt aus, die sich nicht durch seine süße Liebeswärme in „selige Himmelsbewohner" umzaubern lassen. In solcher malkontent-sentimentalen Stimmung ruft er ihnen Nr. 11 unter der Etikett „Frühling" zu: „Darum, die Ihr uns heute verspottet, Ihr werdet bald *fromm* werden, denn wisset, es wird Frühling."

Geschrieben am 11. Mai 1846.

Als lithographisches Zirkular
im Mai 1846 verbreitet.

The Northern Star,
AND NATIONAL TRADES' JOURNAL.
VOL. X. NO. 446 LONDON, SATURDAY, MAY 30, 1846. PRICE FIVEPENCE or Five Shillings and Sixpence per Quarter

[Friedrich Engels]

Die Verletzung der preußischen Verfassung

[„The Northern Star",
Nr. 446 vom 30. Mai 1846]

In Preußen gibt es ein Gesetz, datiert vom 17. Januar[1] 1820, das dem König verbietet, irgendwelche Staatsschulden zu machen ohne die Genehmigung der Generalstände[2], einer Körperschaft, die, wie man weiß, in Preußen noch gar nicht existiert[7]. Dieses Gesetz ist die einzige Garantie für die Preußen, jemals die ihnen seit 1815 versprochene Verfassung zu erhalten. Da die Tatsache der Existenz eines solchen Gesetzes außerhalb Preußens nicht allgemein bekannt ist, gelang es der Regierung, sich im Jahre 1823 *drei Millionen Pfund* in England zu borgen[8] – das war die erste Verletzung der Verfassung. Nach der französischen Revolution von 1830, als die preußische Regierung gezwungen war, ausgedehnte Vorbereitungen für einen Krieg zu treffen, der damals auszubrechen drohte, veranlaßte sie, da sie selbst kein Geld besaß, die „Seehandlung"[9], ein Regierungsunternehmen, zwölf Millionen Taler (£ 1 700 000) zu leihen, für die sich natürlich die Regierung verbürgte und die die Regierung auch ausgab – das war die zweite Verletzung der Verfassung. Abgesehen von den kleinen Übertretungen wie die Anleihenaufnahme von ein paar hunderttausend Pfund durch dasselbe Unternehmen, hat der König von Preußen gerade jetzt eine dritte große Gesetzesübertretung begangen. Da der Kredit des Unternehmens anscheinend erschöpft ist, wurde die Preußische Bank, die ebenso ausschließlich ein Regierungsunternehmen ist, vom König ermächtigt, Banknoten im Werte von zehn Millionen Taler (£ 1 350 000) herauszugeben. Diese Summe, abzüglich drei ein Drittel Millionen hinter-

[1] In „The Northern Star" irrtümlich: 22. Juni – [2] des späteren Vereinigten Landtags

legter Gelder und zwei Drittel Millionen für die vermehrten Kosten des Unternehmens, läuft in Wirklichkeit auf eine „indirekte Anleihe" von sechs Millionen Taler oder nahezu einer Million Pfund hinaus, für die die Regierung die Verantwortung trägt, da bis jetzt noch keine Privatkapitalisten Teilhaber der Preußischen Bank sind. Es ist zu hoffen, daß die Preußen, und besonders die Bourgeoisie, die am meisten an der Verfassung interessiert ist, das nicht ohne energischen Protest geschehen lassen...

Geschrieben im Mai 1846.
Aus dem Englischen.

Karl Marx/Friedrich Engels

[Brief des Brüsseler kommunistischen Korrespondenz-Komitees an G. A. Köttgen[10]]

Bruxelles, 15. Juni 1846

An G[ustav] A[dolph] Köttgen zur weiteren Mitteilung.

Auf Euren uns vor ein paar Tagen übersandten Zuruf beeilen wir uns folgendes zu erwidern:

Mit Eurer Ansicht, daß die deutschen Kommunisten aus ihrer bisherigen Vereinzelung heraus und in fortdauernden gegenseitigen Verkehr treten müssen, sind wir ganz einverstanden; ebenso auch, daß Lese- und Diskussionsvereine not tun. Denn die Kommunisten müssen zuerst unter sich klarwerden, was ohne regelmäßige Zusammenkünfte behufs der Diskussion von kommunistischen Fragen nicht genügend erreicht werden kann. Sodann stimmen wir Euch auch in dem Punkte vollkommen bei, daß wohlfeile, verständliche Schriften und Broschüren kommunistischen Inhalts verbreitet werden müssen. Beides, das erste wie das zweite, ist bald und energisch anzufassen. Ihr erkennt die Notwendigkeit, regelmäßige Geldbeiträge festzusetzen; wir müssen dabei aber Euren Vorschlag, mittelst dieser Beiträge die Schriftsteller zu unterstützen und ihnen ein gemächliches Leben zu verschaffen, unsererseits verwerfen. Die Beiträge dürfen unserer Ansicht nach nur zum Druck von wohlfeilen kommunistischen Flugblättern und Broschüren sowie zur Deckung der Kosten, welche die Korrespondenz und darunter auch die von hier ins Ausland [verursacht], verwandt werden. Es wird nötig sein, ein Minimum der monatlichen Beiträge zu bestimmen, damit sich zu jeder Zeit und mit Gewißheit übersehen läßt, wieviel für die gemeinschaftlichen Zwecke benutzt werden kann. Es ist ferner nötig, daß Ihr uns die Namen der Mitglieder Eures Kommunistenvereins mitteilt – da man wissen muß, wie Ihr es von uns wißt, mit welchen Leuten man zu tun hat. Endlich erwarten wir Eure Angabe über [die] Höhe der monatlichen zu gemeinschaftlichen Zwecken bestimmten Beiträge, da baldmöglichst an den Druck von einigen populären Broschüren geschritten werden soll. Daß diese Broschüren nicht in Deutschland erscheinen können, leuchtet ein und bedarf keines Beweises.

Über den Bundestag, den König von Preußen, die Landstände usw. hegt Ihr wirklich weitgehende Illusionen. Eine Denkschrift könnte nur dann Wirkung tun, wenn es in Deutschland bereits eine starke und organisierte kommunistische Partei gäbe, was beides nicht der Fall ist. Eine Petition ist nur dann gut, wenn sie zugleich als Drohung auftritt, hinter der eine kompakte und organisierte Masse steht. Das einzige, was Ihr tun könnt, falls die Verhältnisse Eurer Gegend dazu angetan sind, wäre, eine mit *zahlreichen*, imposanten Unterschriften von Arbeitern versehene Petition zustande zu bringen.

Einen kommunistischen Kongreß halten wir jetzt noch nicht an der Zeit. Erst wenn sich in ganz Deutschland kommunistische Vereine gebildet und Mittel zur Aktion zusammengebracht haben, können die Deputierten der einzelnen Vereine mit Aussicht auf Erfolg zu einem Kongreß zusammentreten. Dies wird also wohl vorm nächsten Jahre nicht geschehen können.

Bis dahin ist briefliche Verständigung und regelmäßige Korrespondenz das alleinige Mittel des Zusammenwirkens.

Von hier aus findet schon von Zeit zu Zeit Korrespondenz mit den englischen und französischen Kommunisten sowie mit den deutschen Kommunisten im Auslande statt. Wir werden Euch, sooft uns Berichte über die kommunistische Bewegung in England und Frankreich zugehen, Mitteilung davon machen, und was sonst zu unserer Kunde gelangt, unserer jedesmaligen Korrespondenz an Euch beifügen.

Wir ersuchen Euch, uns eine **sichere** Adresse anzugeben (und auf dem Siegel nicht mehr den ganzen Namen auszudrücken wie G.A. Köttgen, so daß man gleich den Absender wie den Adressaten erkennt).

An uns aber schreibt unter folgender *vollständig sichern* Adresse:

Monsieur Ph[ilippe] Gigot, 8, rue de Bodembroek, Bruxelles.

K. Marx F. Engels Ph. Gigot F. Wolff[1]

Weerth läßt grüßen, ist augenblicklich in Amiens.

Wenn Ihr Eure Ansicht mit der Petition durchführtet, so würde Euch das zu weiter nichts führen, als daß die k[ommunistische] Partei ihre Schwäche öffentlich proklamiert und zugleich der Regierung die Leute namhaft macht, auf die sie speziell zu vigilieren hat. Wenn Ihr keine Arbeiterpetition mit

[1] Im Original: Wolf; es handelt sich um (Friedrich) Wilhelm Wolff

mindestens 500 Unterschriften zustande bringen könnt, so petitioniert lieber, wie die Bourgeois in Trier tun wollen, für progressive Vermögenssteuer, und wenn die dortigen Bourgeois sich da auch nicht anschließen, eh bien[1], so schließt Euch ihnen einstweilen in öffentlichen Demonstrationen an, verfahrt jesuitisch, hängt die deutschtümliche Ehrlichkeit, Treuherzigkeit und Biederkeit an den Nagel, und unterzeichnet und betreibt die Bourgeoispetitionen für Preßfreiheit, Konstitution usw. Wenn das durchgesetzt ist, bricht eine neue Ära für die k[ommunistische] Propaganda an. Die Mittel für uns werden vermehrt, der Gegensatz zwischen Bourgeoisie und Proletariat wird verschärft. Man muß in einer Partei alles unterstützen, was voranhilft, und sich da keine langweiligen moralischen Skrupel machen. Im übrigen müßt Ihr für die Korrespondenz ein regelmäßiges Komitee wählen, das die an uns zu schreibenden Briefe entwirft und diskutiert und regelmäßig zusammenkommt. Sonst wird die Sache unordentlich. Zum Entwerfen der Briefe müßt Ihr den wählen, den Ihr für den Tüchtigsten haltet. Persönliche Rücksichten müssen ganz wegfallen, die verderben alles. Die Namen der Komiteemitglieder sind uns natürlich mitzuteilen.

Salut

Umstehende

Nach der Handschrift.

[1] nun gut

[Friedrich Engels]

Über die Preußische Bank

[„The Northern Star"
Nr. 451 vom 4. Juli 1846]

Sie werden wahrscheinlich schon gehört haben, daß der Plan des Königs von Preußen, Geld aus Papier zu machen, sich als undurchführbar erwiesen hat. Zwei der Verwalter der Staatsschulden weigerten sich, die neuen Banknoten zu unterzeichnen, weil sie sie als neue öffentliche Schuldanleihe betrachteten, die deshalb von der Bewilligung durch die Generalstände[1] abhängig sei. Friedrich Wilhelm IV. ist, um zu zeigen, daß er soviel Geld machen kann, wie er will, auf einen weitaus besseren Plan verfallen. Statt zehn Millionen macht er dreißig – zwanzig Millionen Papiergeld und zehn Millionen in guter solider Gold- und Silbermünze. Er schlägt vor, daß zehn Millionen des Kapitals durch Aktien aufgebracht werden, „Aktien, die offenbar keine Dividenden, sondern nur $3^1/_2$ Prozent Zinsen bringen und die bis zum Tod des Eigentümers nicht übertragbar sein sollen, damit sie nicht der Spekulation ausgesetzt sind"!!! Würden Sie so etwas als *Aktien* bezeichnen? Warum nicht? Seine Majestät von Preußen hat verfügt, daß es Aktien *sind*, und er nährt die einfältige Hoffnung, daß er eine Menge Kapitalisten finden wird, die dumm genug sind, zehn Millionen Taler in dieses nicht übertragbare, schwerfällige, $3^1/_2$prozentige Bankkapital zu stecken! Und das ausgerechnet zu einer Zeit, wo sie durch Spekulation mit Eisenbahnaktien einen ganz anderen Prozentsatz erreichen können. Wenn der König den Haufen von Narren gefunden hat, den er braucht, und sich so zehn Millionen *gemünztes Geld* geborgt hat, wird er *zwanzig* Millionen in Banknoten herausgeben, wodurch die Staatsschuld um „eine Gesamtsumme von dreißig Millionen" vermehrt wird. Wahrhaftig, das ist eine saubere Art, sich Geld zu verschaffen! Man verschafft sich dreißig Millionen, weil man nicht zehn bekommen kann.

Geschrieben Ende Juni 1846.
Aus dem Englischen.

[1] den späteren Vereinigten Landtag

Karl Marx/Friedrich Engels

Grußadresse der deutschen demokratischen Kommunisten zu Brüssel an Herrn Feargus O'Connor

[„The Northern Star"
Nr. 454 vom 25. Juli 1846]

Sehr geehrter Herr!

Wir nehmen Ihren glänzenden Wahlerfolg in Nottingham zum Anlaß, Ihnen und durch Ihre Person den englischen Chartisten zu diesem großartigen Sieg zu gratulieren. Wir halten die Wahlniederlage eines Freihandelsministers[1] durch das Handerheben[11] einer überwältigenden Mehrheit der Chartisten – gerade zu einer Zeit, in der die Freihandelsprinzipien in der gesetzgebenden Körperschaft gesiegt haben[12] – für ein Zeichen, daß sich die Arbeiterklasse Englands vollauf der Stellung bewußt ist, die sie nach dem Sieg des Freihandels einzunehmen hat. Wir schließen aus dieser Tatsache, daß sie sehr gut weiß, daß nun, nachdem die Bourgeoisie ihre Hauptmaßnahmen getroffen und sie nur noch das jetzige schwache lavierende Kabinett durch eine tatkräftige und eindeutige Regierung der Bourgeoisie zu ersetzen hat, um die anerkannt herrschende Klasse Ihres Landes zu sein, der große Kampf zwischen Kapital und Arbeit, zwischen *Bourgeois* und *Proletarier* entschieden werden muß. Das Feld ist jetzt frei, da sich der Landadel vom Kampf zurückgezogen hat; die Bourgeoisie und die Arbeiterklasse sind die einzigen Klassen, zwischen denen ein Kampf möglich sein kann. Den streitenden Parteien werden ihre entsprechenden Schlachtrufe von ihren Interessen und ihrer Stellung zueinander aufgezwungen: Die Bourgeoisie fordert – „Ausdehnung des Handels auf jede erdenkliche Weise und eine Regierung der Baumwollkönige von Lancashire", um dies durchzuführen – die Arbeiterklasse dagegen „eine demokratische Umgestaltung der Verfassung auf der Grundlage der Volks-Charte"[13], durch die die Arbeiterklasse zur herrschenden Klasse Englands werden wird. Wir freuen uns dar-

[1] J. C. Hobhouse

über, daß sich die englischen Arbeiter des veränderten Standes der Parteien, des neuen Stadiums, in das die Agitation der Chartisten mit der endgültigen Niederlage der dritten Partei, der Aristokratie, getreten ist, der führenden Stellung, die der Chartismus von nun an einnehmen wird und einnehmen muß – wenngleich sich die Bourgeoispresse auch verschworen hat, ihn totzuschweigen –, und schließlich der neuen Aufgabe, die ihnen durch die neuen Bedingungen gestellt wurde, vollauf bewußt sind. Daß sie sich dieser neuen Aufgabe durchaus bewußt sind, beweist ihre Absicht, bei der nächsten allgemeinen Wahl *zur Abstimmung zu gehen.*

Wir müssen Ihnen, sehr geehrter Herr, ganz besonders zu Ihrer glänzenden Wahlrede in Nottingham gratulieren und zu der darin enthaltenen treffenden Schilderung des Gegensatzes zwischen der Demokratie der Arbeiterklasse und dem Liberalismus der Bourgeoisie.

Wir gratulieren Ihnen außerdem zu dem einstimmigen Vertrauensvotum, das Ihnen von der gesamten Körperschaft der Chartisten spontan ausgesprochen wurde anläßlich der Verleumdungen durch Thomas Cooper, diesen Möchtegern-*Ehrenmann.* Für die Partei der Chartisten kann der Ausschluß solcher verkappter Bourgeois nur von Nutzen sein, die, während sie um der Beliebtheit willen mit dem Namen der Chartisten renommieren, sich bei der Bourgeoisie in Gunst setzen wollen, indem sie deren literarische Vertreter (wie die Gräfin von Blessington, Charles Dickens, D[ouglas] Jerrold und andere „Freunde" von Cooper) mit persönlichen Schmeicheleien bedenken und derartig gemeines und niederträchtiges Altweibergewäsch predigen wie die Lehre der „non-résistance"[1].

Abschließend, sehr geehrter Herr, möchten wir Ihnen und Ihren Mitarbeitern für die hervorragende und kluge Leitung des *„Northern Star"*[14] danken. Wir dürfen ohne Bedenken feststellen, daß der *„Star"* die einzige englische Zeitung ist (vielleicht außer dem *„People's Journal"*, das uns nur durch den *„Star"* bekannt wurde), die die wirkliche Lage der Parteien in England kennt, die wirklich und dem Wesen nach demokratisch ist, die frei ist von nationalen und religiösen Vorurteilen, die mit Arbeitern und Demokraten der ganzen Welt (heutzutage sind beide fast identisch) sympathisiert, die in all diesen Punkten die Meinung der englischen Arbeiterklasse vertritt und die daher die einzige englische Zeitung darstellt, die für die Demokraten des europäischen Kontinents wirklich lesenswert ist. Wir erklären hiermit, daß wir alles tun werden, was in unseren Kräften steht, um den Leserkreis des *„Northern Star"* auf dem Kontinent zu erweitern und übersetzte

[1] des „Nicht-Widerstandes"

Auszüge davon in möglichst vielen Zeitungen des Kontinents zu veröffentlichen.

Als die anerkannten Vertreter vieler deutscher Kommunisten in Deutschland erlauben wir uns, sehr geehrter Herr, diesen Gefühlen der Freundschaft zu den Demokraten anderer Länder Ausdruck zu verleihen.

Für die deutschen demokratischen Kommunisten zu Brüssel.

Das Komitee:

Brüssel, den 17. Juli 1846 *Engels Ph. Gigot Marx*

Aus dem Englischen.

[Friedrich Engels]

[Regierung und Opposition in Frankreich]

[„The Northern Star"
Nr. 460 vom 5. September 1846]

Die Kammern sind zur Beratung zusammengetreten. Die Pairskammer hat jetzt, nachdem sie den Fall des modernen Königsmörders Joseph Henri entschieden hat, wie üblich nichts zu tun. Die Deputiertenkammer ist eifrig damit beschäftigt, die Wahl der Mitglieder zu verifizieren, und sie benutzt diese Gelegenheit, um den Geist zu zeigen, der sie beseelt. Es hat seit der Revolution von 1830 keine derartig schamlose Dreistigkeit und Mißachtung der öffentlichen Meinung gegeben. Mindestens drei Fünftel der Abgeordneten sind enge Freunde der Regierung, mit anderen Worten entweder Großkapitalisten, Effektenhändler und Eisenbahnspekulanten der Pariser Börse, Bankiers, Großfabrikanten etc. oder deren gehorsame Diener. Die jetzige Legislative stellt in weit größerem Maße als jede vorhergehende die Erfüllung des von Laffitte am Tage nach der Julirevolution gemachten Ausspruchs dar: „Von nun an werden wir Bankiers Frankreich regieren." Sie ist der schlagendste Beweis dafür, daß Frankreichs Regierung in den Händen der Geldaristokratie, der *haute bourgeoisie*[1], liegt. Frankreichs Schicksal wird nicht im Kabinett der Tuilerien, nicht in der Pairskammer und nicht einmal in der Deputiertenkammer entschieden, sondern auf der Pariser Börse. Die wirklichen Minister sind nicht die Herren Guizot und Duchâtel, sondern die Herren Rothschild, Fould und die übrigen Pariser Großbankiers, deren riesiges Vermögen sie zu den hervorragendsten Vertretern ihrer Klasse macht. Sie beherrschen die Regierung, und die Regierung sorgt dafür, daß nur Männer, die dem gegenwärtigen System ergeben sind oder die aus diesem System profitieren, bei den Wahlen durchkommen. Diesmal hatten sie einen höchst bemerkenswerten Erfolg: Protektion seitens der Regierung und Bestechungen

[1] Großbourgeoisie

jeder Art vereinigt mit dem Einfluß der Großkapitalisten auf eine beschränkte Anzahl von Wählern (weniger als 200000), die alle mehr oder weniger zu ihrer eigenen Klasse gehören, der Schrecken, der sich unter den Begüterten nach dem im rechten Moment unternommenen Versuch, den König zu erschießen, ausbreitete, und schließlich die Gewißheit, daß Louis-Philippe das jetzige Parlament (dessen Regierungszeit 1851 abläuft) nicht überleben wird – all das zusammengenommen genügte, um jede ernsthafte Opposition in den meisten Wahlversammlungen zu unterdrücken. Und jetzt, da sich diese vortreffliche Kammer versammelt hat, sorgt sie schön für sich selbst. Die unabhängigen Wähler haben Hunderte von Petitionen und Protestresolutionen gegen die Wahl der Regierungsmitglieder eingesandt, in denen sie feststellten und bewiesen oder sich bereit erklärten, Beweise zu liefern, daß die Wahlsiege in fast jedem Fall durch gröbste Gesetzesübertretungen seitens der Regierungsbeamten zustande kamen; in denen sie nachwiesen, daß Bestechung, Korruption, Einschüchterung und Begünstigung jeder Art angewandt wurden. Aber die Majorität der Kammer nimmt von diesen Tatsachen nicht die geringste Notiz. Jeder Deputierte der Opposition, der seine Stimme zum Protest gegen derartige Schändlichkeiten erhebt, wird durch Zischen, Lärmen oder die Zwischenrufe „Abstimmen, abstimmen!" zum Schweigen gebracht. Jede Ungesetzlichkeit wird durch eine sanktionierende Abstimmung bemäntelt. Die money lords freuen sich ihrer Macht, und im Vorgefühl der Tatsache, daß ihre Macht nicht sehr lange währen wird, nützen sie den Augenblick nach Kräften aus.

Man kann sich leicht vorstellen, daß neben diesem kleinen Kreis von Kapitalisten eine allgemeine Opposition gegen die derzeitige Regierung und diejenigen besteht, deren Interessen sie dient. Das Zentrum dieser Opposition ist Paris, wo die money lords einen so geringen Einfluß auf die Wahlkreise haben, daß von den vierzehn Deputierten des Seine-Departements nur zwei Anhänger der Regierung sind und zwölf der Opposition angehören. Die meisten Wähler der Bourgeoisie in Paris gehören der Partei von Thiers und O[dilon] Barrot an; sie wollen die Vorherrschaft von Rothschild und Co. beseitigen, eine angesehene und unabhängige Stellung Frankreichs in seinen Auslandsbeziehungen und vielleicht auch eine kleine Wahlreform erlangen. Die meisten Händler, Ladenbesitzer etc., die kein Wahlrecht haben, sind ein radikalerer Menschenschlag und fordern eine Reform, die ihnen das Wahlrecht gibt; teilweise sind sie auch Parteigänger des „*National*" oder der „*Réforme*"[15] und schließen sich der demokratischen Partei an, die die große Masse der Arbeiterklasse umfaßt und in verschiedene Sektionen gegliedert ist, unter denen – zumindest in Paris – die kommunistische die größte darstellt. Das heutige System wird von allen diesen verschiedenen Sektionen angegriffen und von jeder natürlich auf ganz verschiedene Weise. Aber vor kurzer Zeit hat eine neue Art des Angriffs begonnen, die der Erwähnung wert ist. Ein Arbeiter hat eine Broschüre gegen das Oberhaupt des Systems geschrieben, nicht gegen Louis-Philippe, sondern gegen „Rothschild I., König der Juden"[16]. Der Erfolg dieser Broschüre (sie hatte bis jetzt etwa zwanzig Auflagen) zeigt, wie sehr dieser Angriff den Nagel auf den Kopf getroffen hat. König Rothschild sah sich gezwungen, zu seiner Verteidigung zweimal in der Presse aufzutreten gegen die Angriffe eines Mannes, den niemand kennt und dessen ganzes Eigentum aus den paar Kleidungsstücken besteht, die er trägt. Die Öffentlichkeit hat die Kontroverse mit größtem Interesse aufgenommen. Etwa dreißig Pamphlete dafür und dagegen sind veröffentlicht worden. Der Haß gegen Rothschild und gegen die money lords ist ungeheuer groß, und eine deutsche Zeitung schreibt, Rothschild möge dies als Warnung dienen, sein Hauptquartier besser woanders aufschlagen und nicht auf dem ständig brodelnden Vulkan von Paris.

Geschrieben um den 1. September 1846.
Aus dem Englischen.

Friedrich Engels

Die preußische Verfassung

[„The Northern Star"
Nr. 489 vom 6. März 1847]

Endlich ist das lang erwartete Kunstwerk da![17] Endlich ist Preußen – wenn wir der „Times", dem „Globe"[18], einigen französischen und einigen deutschen Blättern Glauben schenken – in die Reihen der konstitutionellen Länder eingetreten. Der „Northern Star" hat jedoch bereits genügend bewiesen, daß diese sogenannte Verfassung nichts anderes ist als eine dem preußischen Volk gestellte Falle, um es um die Rechte zu betrügen, die der verstorbene König[1] zu einer Zeit, als er die Hilfe des Volkes brauchte, versprochen hatte. Daß dem so ist, daß Friedrich Wilhelm mit dieser sogenannten Verfassung Geld zu bekommen versucht, ohne verpflichtet zu sein, der öffentlichen Meinung Konzessionen zu machen, steht völlig außer Zweifel. Die demokratischen Zeitungen aller Länder – in Frankreich besonders der „National" und die „Réforme", ja sogar das ministerielle „Journal des Débats"[19] – stimmen darin überein. Die gefesselte deutsche Presse stammelt Worte, die keinen anderen Schluß zulassen, als daß die Bewegungspartei in Preußen sich völlig im klaren ist über die schlauen Absichten ihres „offenherzigen, edelmütigen" Königs. Es ergibt sich also folgende Frage: Wird der König mit seinen Plänen Erfolg haben? Wird der Vereinigte Landtag entweder dumm oder feige genug sein, eine neue Anleihe zu bewilligen, ohne dem Volke umfassende Freiheiten zu sichern, und auf diese Weise dem König die Mittel geben, das gegenwärtige System beliebig lange fortzusetzen?

Wir antworten: Nein, er wird es nicht, er kann es nicht.

Der bisher befolgte Regierungsplan in Preußen war das Ergebnis der Wechselbeziehungen des Adels und der Bourgeoisie in Preußen. Der Adel

[1] Friedrich Wilhelm III.

hat zuviel von seiner früheren Kraft, seinem Wohlstand und Einfluß verloren, um den König so zu beherrschen, wie er das früher getan hatte. Die Bourgeoisie war noch nicht stark genug, das Bleigewicht des Adels, das ihren kommerziellen und industriellen Fortschritt einengte, abzuwerfen. So war der König, der die Zentralmacht des Staates repräsentiert und unterstützt wird von der zahlenmäßig starken Klasse der Regierungsbeamten und Offiziere, abgesehen davon, daß ihm die Armee zur Verfügung steht, in der Lage, die Bourgeoisie durch den Adel und den Adel durch die Bourgeoisie niederzuhalten, indem er einmal den Interessen der einen und ein andermal den Interessen der andern schmeichelte und soviel wie möglich den Einfluß beider im Gleichgewicht hielt. Durch dieses Stadium der absoluten Monarchie sind fast alle zivilisierten Länder Europas hindurchgegangen, und in den fortgeschrittensten Ländern hat es jetzt der Regierung der Bourgeoisie Platz gemacht.

Preußen, das fortgeschrittenste deutsche Land, ermangelte bisher einer Bourgeoisie, wohlhabend, stark, vereinigt und energisch genug, die Herrschaft des Absolutismus abzuschütteln und die Überreste des Feudaladels zu vernichten. Die beiden einander bekämpfenden Elemente, Adel und Bourgeoisie, befinden sich jedoch in einer solchen Lage, daß durch den natürlichen Fortschritt der Industrie und der Zivilisation das eine (die Bourgeoisie) an Wohlstand und Einfluß zunehmen muß, während das andere (der Adel) abnehmen, verarmen und seinen Vorrang mehr und mehr verlieren muß. Während sich daher der preußische Adel und die Großgrundbesitzer jedes Jahr in einer schlechteren Lage befanden, einmal durch die verheerenden Kriege mit Frankreich zu Beginn dieses Jahrhunderts, dann durch die englischen Korngesetze[12], die sie vom Markte Englands ausschlossen, schließlich durch die Konkurrenz Australiens in einem ihrer Hauptproduktionszweige, der Wolle, und durch viele andere Umstände – hat die Bourgeoisie Preußens an Wohlstand, Produktivkräften und Einfluß überhaupt gewaltig zugenommen. Die Kriege mit Frankreich, die Schließung der kontinentalen Märkte für die englischen Manufakturwaren riefen in Preußen eine Industrie ins Leben, und als der Frieden wiederhergestellt war, waren die emporgekommenen Fabrikanten stark genug, der Regierung Schutzzölle abzuzwingen (1818). Bald danach wurde der Zollverein gegründet, eine Union, die fast ausschließlich die Interessen der Bourgeoisie förderte[20]. Vor allem aber zwang der heftige Konkurrenzkampf, der zwischen den verschiedenen handel- und gewerbetreibenden Nationen in den vergangenen dreißig Friedensjahren entbrannt ist, der etwas indolenten preußischen Bourgeoisie die Entscheidung auf, entweder zuzulassen, daß sie durch die fremde Konkurrenz völlig ruiniert wird, oder, ebenso wie ihre Nachbarn, allen Ernstes ans Werk zu gehen.

Der Fortschritt der Bourgeoisie war sehr wenig sichtbar, bis ihr im Jahre 1840 bei der Thronbesteigung des neuen Königs[21] der geeignete Augenblick gekommen schien, zu zeigen, daß sich die Verhältnisse in Preußen seit 1815 in einem ziemlichen Maße geändert haben. Ich brauche nicht zu rekapitulieren, welche Fortschritte die Bewegung der Bourgeoisie seit jener Zeit gemacht hat, wie sie alle Teile des Königreichs erfaßte, bis schließlich die ganze Bourgeoisie, ein großer Teil der Bauernschaft und nicht wenige Adlige sich ihr anschlossen. Eine Repräsentativverfassung, Freiheit der Presse, öffentliches Gerichtsverfahren, Unabsetzbarkeit der Richter, Geschworenengerichte – solcherart waren die Forderungen der Bourgeoisie. Die Bauernschaft oder die kleinen Grundbesitzer sahen sehr wohl – zum mindesten in den aufgeklärteren Teilen des Königreichs –, daß solche Maßnahmen auch in ihrem Interesse lagen, weil sie nur durch diese hoffen konnten, sich von den Überresten des Feudalismus zu befreien und jenen Einfluß auf die Gesetzgebung zu erlangen, der für sie wünschenswert war. Der ärmere Teil des Adels dachte, daß das konstitutionelle System ihm vielleicht eine seinen Interessen gemäße Stellung in der Gesetzgebung verleihen würde und daß dieses System jedenfalls für ihn nicht ruinöser sein könnte als dasjenige, unter welchem er lebte. Hauptsächlich der Adel des eigentlichen Preußens und Posens, durch Mangel an Märkten für seine Produkte schwer bedrückt, schloß sich aus solchen Erwägungen der liberalen Bewegung an.

Die Bourgeoisie geriet mehr und mehr in eine schwierige Lage. Sie hatte ihre Manufaktur- und Bergbauunternehmungen ebenso wie ihre Schiffahrt in erheblichem Maße ausgedehnt; sie war der Hauptlieferant für den gesamten Markt des Zollvereins; ihr Wohlstand und ihre zahlenmäßige Stärke hatten sich sehr vergrößert. Aber während der letzten zehn bis fünfzehn Jahre hat der enorme Fortschritt der englischen Manufaktur- und Bergbauunternehmungen sie mit einer gefährlichen Konkurrenz bedroht. Jede Überfüllung des englischen Marktes warf große Mengen englischer Waren in das Gebiet des Zollvereins, wo sie zu Preisen verkauft wurden, die die Deutschen mehr ruinierten als die Engländer, denn diese machten in Zeiten der Prosperität große Profite auf dem amerikanischen Markt und anderen Märkten, während die Preußen ihre Produkte nirgends verkaufen konnten außer im Bereich ihrer eigenen Zollgrenze. Ihren Schiffen war fast völlig der Zugang zu den Häfen der anderen Staaten verwehrt, während Schiffe aller Flaggen die preußischen Häfen unter gleichen Bedingungen wie die preußischen Schiffe anliefen. So entstanden, obwohl es in Preußen verhältnismäßig wenig Kapital

Karikatur von Engels auf die Thronrede Friedrich Wilhelms IV.
bei der Eröffnung des Vereinigten Landtags in Berlin am 11. April 1847

gibt, Schwierigkeiten für profitable Kapitalanlagen. Das Geschäft schien unter ständigem Druck zu stehen; die Fabriken, die Maschinerie, der Warenbestand wurden langsam, aber stetig entwertet; und nur für kurze Zeit wurde diese allgemeine Flaute durch die Eisenbahnspekulationen unterbrochen, die in den vergangenen acht Jahren in Preußen ihren Anfang nahmen. Da diese Spekulationen den Wert des flüssigen Geldes in die Höhe trieben, steigerten sie die Entwertung des Warenvorrats, während sie selbst im Durchschnitt, wegen der verhältnismäßig dünnen Bevölkerung und des schwach entwickelten Gewerbes im größten Teil des Landes nicht sehr gewinnbringend waren. Sie boten jedoch immer noch eine bessere Profitchance als andere industrielle Anlagen, so daß jeder, der über einiges Kapital verfügte, sich an ihnen beteiligte. Wie gewöhnlich nahmen diese Spekulationen sehr bald fieberhaften Charakter an und endeten in einer Krise, die seit etwa zwölf Monaten auf den preußischen Geldmärkten lastet. So befand sich die Bourgeoisie zu Anfang dieses Jahres in einer sehr unangenehmen Lage: die Geldmärkte standen unter dem Druck eines außergewöhnlichen Bargeldmangels; die Industriegebiete verlangen mehr denn je nach den Schutzzöllen, die ihnen die Regierung verweigert hat; die Küstenstädte fordern Navigationsgesetze, das einzige Mittel zur Erleichterung ihrer Lage; und darüber hinaus – eine Preissteigerung auf den Getreidemärkten, die das Land an den Rand einer Hungersnot brachte. Alle diese Ursachen der Unzufriedenheit wirkten gleichzeitig und daher um so stärker auf das Volk: die schlesischen Leineweber im größten Elend; die Baumwollbetriebe stillgelegt; in dem großen Industriegebiet am Rhein fast alle Arbeiter feiernd; die Kartoffelernte größtenteils vernichtet und Brot zu Wucherpreisen. Der Augenblick war offensichtlich für die Bourgeoisie gekommen, die Regierungsgewalt einem schwachsinnigen König, einem schwachen Adel und einer dünkelhaften Bürokratie aus den Händen zu nehmen, um sie sich selbst zu sichern.

Es ist eine merkwürdige Tatsache, die jedoch in jeder revolutionären Epoche wieder auftritt, daß in dem gleichen Augenblick, da die führende Klasse einer Bewegung in der günstigsten Lage ist, jene Bewegung zu vollenden, die alte, überlebte Regierung nichts anderes mehr tun kann, als eben diese führende Klasse um Beistand zu ersuchen. So 1789 in Frankreich, als Hungersnot, schlechte Geschäfte und Spaltungen im Adel die Bourgeoisie sozusagen in eine Revolution hineintrieben – gerade zu diesem Zeitpunkt fand die Regierung ihre Geldquellen erschöpft und war genötigt, durch die Einberufung der Generalstände[22] die Revolution einzuleiten. So 1847 in Preußen. Zur gleichen Zeit, da die gleichgültigere preußische Bourgeoisie durch die Umstände beinahe gezwungen ist, das Regierungssystem zu ändern, ist der König durch Geldmangel gezwungen, diese Systemänderung zu beginnen und seinerseits die preußischen Generalstände[1] einzuberufen. Es steht außer Zweifel, daß die Stände ihm viel weniger Widerstand leisten würden, als es jetzt der Fall ist, wenn der Geldmarkt flüssig wäre, die Fabriken vollauf zu tun hätten (was eintreten würde durch einen blühenden Handel, schnellen Absatz und die sich daraus ergebenden hohen Preise für Manufakturwaren in England) und wenn Getreide zu einem einigermaßen niedrigen Preise zu haben wäre. Aber so ist es: In Zeiten einer herannahenden Revolution haben die fortschrittlichen Klassen der Gesellschaft stets alle Chancen auf ihrer Seite.

Im Laufe der Jahre 1845 und 1846 habe ich den Lesern des „Star" mehr als einmal dargetan, daß der König von Preußen in einer argen finanziellen Klemme saß; gleichzeitig habe ich ihre Aufmerksamkeit auf die verschiedenen klugen Pläne gelenkt, mit denen seine Minister ihm herauszuhelfen suchten; ich habe vorausgesagt, daß die ganze Geschichte mit einer Einberufung der Generalstände enden müsse. Das Ereignis war also weder unerwartet noch, wie man es jetzt hinstellt, durch die großmütige Huld seiner verschwenderischen Majestät verursacht; nichts als reine Notwendigkeit, Armut und Elend konnten ihn zu einem solchen Schritt bewegen, und jedes Kind in Preußen weiß das. Die einzige Frage ist also: Wird die preußische Bourgeoisie durch die Auflegung einer neuen Anleihe mit ihrer Garantie dem König gestatten, so weiterzumachen wie bisher und ihre Petitionen und Bedürfnisse abermals für sieben Jahre zu ignorieren?

Wir haben diese Frage bereits beantwortet. Sie kann das nicht. Wir haben das an der Lage der jeweiligen Klasse nachgewiesen, und wir werden es jetzt nachweisen an der Zusammensetzung des Vereinigten Landtages:

Vertreter des hohen und niederen Adels 311
Vertreter der Städte und der Bauernschaft .... 306.

Da der König seine Absicht bekanntgegeben hat, die Zahl der Vertreter des hohen Adels (insgesamt 80) durch Neuernennungen zu erhöhen, können wir die Zahl der Adligen um dreißig erhöhen, wodurch die Gesamtzahl der Adligen, nämlich der Regierungspartei, auf 341 steigt. Man subtrahiere von dieser Zahl die liberalen Fraktionen des niederen Adels, nämlich den gesamten Adel des eigentlichen Preußens, zwei Drittel des posenschen Adels sowie einige Mitglieder des rheinischen, schlesischen, brandenburgischen und westfälischen Adels, sagen wir siebzig liberale Mitglieder, die mit den

[1] d.h. den preußischen Vereinigten Landtag

Städten und der Bauernschaft stimmen werden, und die Stellung der Parteien ist folgende:

Adel oder Regierungspartei 271
Städte und Bauernschaft oder liberale Opposition ...... 376.

Somit wird, selbst wenn wir einräumen, daß dreißig oder vierzig Vertreter der Städte oder der Bauernschaft entlegener Gebiete für die Regierung stimmen könnten, stets eine liberale Mehrheit von fünfundzwanzig bis fünfzig Stimmen übrigbleiben, und mit geringer Energie von seiten der Liberalen wird es leicht sein, auf jede Geldforderung mit einer anderen Forderung nach liberalen Institutionen zu antworten. Es besteht außerdem kein Zweifel, daß das Volk unter den gegenwärtigen Umständen die Bourgeoisie unterstützen und durch seinen Druck von außen, der in der Tat sehr wünschenswert wäre, den Vertretern im Parlament die Courage stärken und ihre Energien wecken wird.

Somit ist die Verfassung Preußens, obgleich an sich unbedeutend, dennoch der Beginn einer neuen Epoche für dieses Land und für ganz Deutschland. Sie kennzeichnet den Sturz des Absolutismus und des Adels und den Aufstieg der Bourgeoisie; sie kennzeichnet den Beginn einer Bewegung, die sehr bald zu einer Repräsentativverfassung für die Bourgeoisie, einer freien Presse, unabhängigen Richtern und Geschworenengerichten führen und die wer weiß wo enden wird. Sie kennzeichnet die Wiederholung des Jahres 1789 in Preußen. Wenn nun die revolutionäre Bewegung, die jetzt beginnt, nur die Bourgeoisie direkt interessieren wird, so ist sie doch keineswegs ohne Belang für die Interessen des Volkes. Von dem Augenblick an, da die Macht der Bourgeoisie konstituiert ist, beginnt die besondere und ausgeprägte demokratische Bewegung. In dem Kampf gegen Despotismus und Aristokratie kann das Volk, die demokratische Partei, nur eine sekundäre Rolle spielen; die erste Rolle gebührt der Bourgeoisie. Jedoch von dem Moment an, da die Bourgeoisie ihre eigene Regierung errichtet, sich identifiziert mit einem neuen Despotismus, einer neuen Aristokratie gegen das Volk, von diesem Moment an tritt die Demokratie als die einzige, ausschließliche Bewegungspartei auf; von diesem Augenblick an ist der Kampf vereinfacht, auf zwei Parteien reduziert und schlägt durch diesen Umstand um in einen „Krieg bis aufs Messer". Die Geschichte der französischen und englischen demokratischen Parteien beweist das vollauf.

Ein anderer Umstand verdient vermerkt zu werden. Die Eroberung der politischen Macht durch die Bourgeoisie Preußens wird die politische Stellung aller europäischen Länder ändern. Die nordische Allianz wird aufgelöst werden. Österreich und Rußland, die bei der Beraubung Polens die Hauptbeteiligten waren[23], werden völlig isoliert werden von dem übrigen Europa, denn Preußen zieht die kleineren Staaten Deutschlands, die alle konstitutionelle Regierungen haben, mit sich. So wird das Gleichgewicht der Kräfte in Europa völlig verändert werden durch die Folgen dieser unbedeutenden Verfassung, das Hinüberwechseln von drei Vierteln Deutschlands aus dem Lager des stagnierenden Osteuropas in das Lager des progressiven Westeuropas. – Im Februar 1846 brach der letzte polnische Aufstand[24] aus. Im Februar 1847 beruft Friedrich Wilhelm seine Generalstände ein. *Die Rache Polens ist im Anmarsch!*

E.

Geschrieben Ende Februar 1847.
Aus dem Englischen.

Karl Marx

[Erklärung gegen Karl Grün[25]]

[„Deutsche-Brüsseler-Zeitung"
Nr. 28 vom 8. April 1847]

Unter dem Datum *„Berlin*, den 20. März" bringt die „Trier'sche Zeitung"[26] einen Artikel über meine noch im Druck befindliche Broschüre: „Contradictions dans le système des contradictions économiques de M. Proudhon ou les misères de la philosophie"[1]. Der Berliner Korrespondent macht mich zum Verfasser einer in der „Rhein- u. Moselzeitung" u. a. O. abgedruckten Korrespondenz über diese Broschüre, das Werk Proudhons[27] und das Wirken seines Übersetzers, des Herrn Grün. Er begrüßt mich aber und abermals als „Redakteur der *ehemaligen* ‚Rheinischen Zeitung'"[28] – Stil des Brüsseler oder sonstigen Korrespondenten. „Gestützt auf die Kenntnis der zeitweiligen Preßzustände in Deutschland", debitiert unser Freund seine Insinuation. Nicht nur seine Insinuation, seine ganze literarische Existenz mag meinetwegen „auf die Kenntnis der zeitweiligen Preßzustände in Deutschland *gestützt*" sein. Ich konzediere ihm die praktisch erprobteste „Kenntnis der zeitweiligen Preßzustände in Deutschland". Aber diesmal hat sie ihn nicht *„gestützt"*.

Der angebliche Berliner Korrespondent brauchte nur meine Beurteilung Proudhons in der „Kritischen Kritik"[29] nachzulesen, um einzusehen, daß die angefeindete Korrespondenz möglicherweise aus Brüssel, unmöglich aber von mir herrühren konnte, schon deshalb, weil sie Proudhon und H[er]rn Grün als *„gleich wertvoll setzt"*.

Meine Kritik Proudhons ist *französisch* geschrieben. Proudhon selbst wird antworten können. Ein Brief, den er mir vor dem Erscheinen seines Buches schrieb[30], zeigt durchaus keine Neigung, im Falle einer Kritik von meiner Seite Herrn Grün und Konsorten die Revanche zu überlassen.

[1] „Widersprüche im System der ökonomischen Widersprüche des Herrn Proudhon oder die Miseren der Philosophie"

„Was ferner den Übersetzer des P[roudhon]schen Werkes über Ökonomie betrifft", so braucht der Berliner Freund nur zu Protokoll zu geben, daß *„Wir hier in Berlin"* aus Herrn Grüns „Sozialer Bewegung in Frankreich und Belgien" – *„viel und mancherlei gelernt* haben", um den Wert dieser Schrift über jeden Zweifel zu erheben. Man erwäge aber auch wohl, was es heißt, wenn „Wir hier in Berlin" überhaupt etwas *„lernen"* und nun gar „viel und mancherlei", quantitativ und qualitativ zumal! Wir hier in Berlin!

Indem der Berliner oder angebliche Berliner mich mit dem Brüsseler oder sonstigen Korrespondenten identifiziert, ruft er aus:

Grün „hat wahrscheinlich das Unglück zu büßen, die deutsche Welt *vor* Herrn Dr. Marx, ‚Redakteur der *ehemaligen* „Rheinischen Zeitung"' mit den Ergebnissen des ausländischen Sozialismus bekannt gemacht zu haben".

Unser Freund verrät unleugbar ein sehr heiteres Ingenium in der Bildung seiner Konjekturen! Ich will ihm sub rosa[1] anvertrauen, daß nach meiner Ansicht allerdings Herrn Grüns „Soziale Bewegung in Frankreich und Belgien" und Frankreichs wie Belgiens soziale Bewegung, einzelne Namen und Data ausgenommen, nichts miteinander gemein haben. Ich muß ihm aber zugleich anvertrauen, daß es mich so wenig drängte, „die deutsche Welt" mit den Ergebnissen meiner Studien über Herrn Grüns „Soziale Bewegung in F[rankreich] und B[elgien]" bekannt zu machen, daß ich eine seit einem Jahre verfertigte ausführlichere Rezension des Grünschen Buches als Manuskript ruhig den Schlaf des Gerechten schlafen ließ und sie erst jetzt, durch den Berliner Freund herausgefordert, dem *„Westphälischen Dampfboot"*[31] zum Abdruck zuschicken werde. Die Rezension bildet ein Anhängsel zu der von *Fr[iedrich] Engels* und mir gemeinschaftlich verfaßten Schrift über *„Die deutsche Ideologie"* (Kritik der neuesten deutschen Philosophie in ihren Repräsentanten, Feuerbach, B[runo] Bauer und Stirner, und *des deutschen Sozialismus* in seinen verschiedenen Propheten)[32]. Die Umstände, welche den Druck dieses Manuskripts verhindert haben und noch verhindern, werden vielleicht als Beitrag zur Schilderung der „zeitweiligen Preßzustände in Deutschland" an einem andern Orte dem Publikum auseinandergesetzt werden. Dem besondern Abdruck der durchaus nicht zensurwidrigen Rezension des Grünschen Buches stand nichts im Wege als das kleine Hindernis, daß man dieses Buch keines besonderen Angriffs werthielt und nur in einer Schilderung der gesamten faden und geschmacklosen Literatur des deutschen Sozialismus die Bezugnahme auf Herrn Grün nicht umgehen zu können glaubte. Jetzt aber, nach dem Auftreten des Berliner Freundes, erhält der besondere

[1] insgeheim

Abdruck dieser Rezension die mehr oder minder humoristische Bedeutung, zu zeigen, auf welche Weise sich „die deutsche Welt" mit den „Ergebnissen des ausländischen Sozialismus bekannt macht", und speziell, welche Begierde und Fähigkeit *„Wir hier in Berlin"* besitzen, „viel und mancherlei zu lernen". Man wird zugleich einsehen, wie sehr ich genötigt war, zu kleinen Ausfällen in kleinen Zeitungsartikelchen meine Zuflucht zu nehmen, lag mir anders daran, Herrn Grüns „Soziale Bewegung in Frankreich und Belgien" in ihrer Bewegung aufzuhalten. Endlich wird selbst der Berliner Freund sich nicht versagen können, mir öffentlich das Testimonium auszustellen, daß, hegte ich wirklich die Absicht, in seinem Sinne „die deutsche Welt mit den Ergebnissen des ausländischen Sozialismus bekannt zu machen", fürchtete ich wirklich in einem Vorgänger einen Konkurrenten, ich täglich das Schickal anflehen müßte: „Gib mir keinen Vorgänger, oder noch lieber: gib mir Herrn Grün zum Vorgänger!"

Noch ein Wort über „meinen Dünkel, die höchste Staffel menschlicher Weisheit erklommen zu haben".

Wer anders könnte mir diese Krankheit inokuliert haben als Herr Grün, der (siehe z.B. die Vorrede zu seinen *„Bausteinen"*) in meinen Entwicklungen in den „Deutsch-Französischen Jahrbüchern"[33] ebenso das letzte Rätsel gelöst fand wie jetzt in Proudhons Ökonomie; der, wie er jetzt in Proudhon den wahren Standpunkt feiert, ebenso von mir versicherte (s. Grüns *„Neue Anekdota"*[34]), ich habe „den konstitutionellen und radikalen Standpunkt aufgehoben". Herr Grün vergiftet mich erst, um mir hinterher vorwerfen lassen zu können, sein Gift habe gewirkt! Doch der Berliner Freund beruhige sich: ich erfreue mich einer vollständigen Gesundheit.

Brüssel, den 6. April

Karl Marx

[Friedrich Engels]

[Der Status quo in Deutschland[35]]

I

Die deutsche sozialistische Literatur wird von Monat zu Monat schlechter. Sie beschränkt sich immer mehr auf die breiten Expektorationen jener *wahren Sozialisten*, deren ganze Weisheit sich auf ein Amalgam deutscher Philosophie und deutsch-biedermännischer Sentimentalität mit einigen verkümmerten kommunistischen Stichwörtern beläuft. Sie trägt eine Friedlichkeit zur Schau, die ihr sogar möglich macht, unter Zensur ihre tiefste Herzensmeinung zu sagen. Selbst die deutsche Polizei findet wenig an ihr auszusetzen – Beweis genug, daß sie nicht zu den progressiven, revolutionären, sondern zu den stabilen, reaktionären Elementen der deutschen Literatur gehört.

Zu diesen *wahren Sozialisten* gehören nicht nur diejenigen, die sich par excellence[1] Sozialisten nennen, sondern auch der größte Teil der Schriftsteller in Deutschland, die den Parteinamen *Kommunisten* akzeptiert haben. Letztere sind sogar womöglich noch schlimmer.

Es versteht sich unter diesen Umständen von selbst, daß diese soi-disant[2] kommunistischen Schriftsteller die *Partei* der deutschen Kommunisten keineswegs vertreten. Weder sind sie von der Partei als ihre literarischen Repräsentanten anerkannt, noch repräsentieren sie ihre Interessen. Sie nehmen im Gegenteil ganz andre Interessen wahr, sie verteidigen ganz andre Prinzipien, die denen der kommunistischen Partei in jeder Beziehung entgegengesetzt sind.

Die wahren Sozialisten, wozu wie gesagt auch die meisten deutschen soidisant kommunistischen Schriftsteller gehören, haben von den französischen Kommunisten gelernt, daß der Übergang von der absoluten Monarchie zum modernen Repräsentativstaat keineswegs die Not der großen Masse des Volks

[1] gemeinhin – [2] sogenannten

aufhebt, sondern nur eine neue Klasse, die Bourgeoisie, zur Herrschaft bringt. Sie haben ferner von ihnen gelernt, daß gerade diese Bourgeoisie vermittelst ihrer Kapitalien am meisten auf die Masse des Volks drückt und deshalb der Gegner par excellence der Kommunisten, resp. Sozialisten, als der Repräsentanten der Masse des Volks ist. Sie haben sich nicht die Mühe gegeben, die gesellschaftliche und politische Entwicklungsstufe Deutschlands mit der von Frankreich zu vergleichen oder die in Deutschland faktisch vorliegenden Bedingungen zu studieren, von denen alle weitere Entwicklung abhängt; sie haben die im Fluge erworbenen Kenntnisse flugs und ohne langes Besinnen nach Deutschland übertragen. Wären sie Parteimänner gewesen, die auf ein praktisches, handgreifliches Resultat hinarbeiteten, die bestimmte, einer ganzen Klasse gemeinsame Interessen vertreten, so hätten sie wenigstens beachtet, wie die Gegner der Bourgeoisie in Frankreich, von den Redakteuren der „Réforme“[15] bis zu den Ultrakommunisten, wie namentlich der anerkannte Repräsentant der großen Masse der französischen Proletarier, der alte Cabet, sich in seiner Polemik gegen die Bourgeoisie benimmt. Es hätte ihnen schon auffallen müssen, daß diese Parteirepräsentanten sich nicht nur fortwährend auf die Tagespolitik einlassen, sondern selbst politische Maßregeln, z.B. Wahlreformvorschläge, die oft für das Proletariat kein *direktes* Interesse haben, dennoch ganz anders als mit souveräner Verachtung behandeln. Aber unsre wahren Sozialisten sind keine Parteimänner, sondern deutsche Theoretiker. Es handelt sich für sie nicht um praktische Interessen und Resultate, sondern um die ewige Wahrheit. Die Interessen, die sie zu vertreten streben, sind die „des Menschen“, die Resultate, denen sie nachjagen, beschränken sich auf philosophische „Errungenschaften“. So brauchten sie ihre neuen Aufklärungen nur mit ihrem eignen philosophischen Gewissen in Einklang zu bringen, um alsdann vor ganz Deutschland auszuposaunen, daß politischer Fortschritt wie alle Politik vom Übel sei, daß namentlich die konstitutionelle Freiheit die dem Volk gefährlichste Klasse, die Bourgeoisie, auf den Thron erhebe und daß die Bourgeoisie überhaupt nicht genug angegriffen werden könne.

In Frankreich herrscht die Bourgeoisie seit siebzehn Jahren so vollständig wie in keinem andern Lande der Welt. Die Angriffe der französischen Proletarier, ihrer Parteichefs und literarischen Repräsentanten auf die Bourgeoisie waren also Angriffe auf die herrschende Klasse, auf das bestehende politische System, sie waren *entschieden revolutionäre* Angriffe. Wie gut die herrschende Bourgeoisie dies weiß, beweisen die zahllosen Preßprozesse und Verbindungsprozesse, die Aufhebungen von Versammlungen und Banketts, die hundert Polizeischikanen, womit sie die Reformisten[36] und Kommunisten verfolgt.

In Deutschland ist das alles anders. In Deutschland ist die Bourgeoisie nicht nur nicht an der Herrschaft, sie ist sogar die gefährlichste Feindin der existierenden Regierungen. Diesen kam die Diversion der wahren Sozialisten gerade recht. Der Kampf gegen die Bourgeoisie, der den französischen Kommunisten nur zu oft Gefängnis oder Exil zuzog, zog unsern wahren Sozialisten nichts anders zu als das Imprimatur. Die revolutionäre Hitze der französischen Proletarierpolemik schwand in der kühlen Brust der deutschen Theoretiker zur lauen Zensurmäßigkeit herab und war in diesem Zustande der Entmannung den deutschen Regierungen ein ganz willkommener Bundesgenosse gegen die andrängende Bourgeoisie. Der wahre Sozialismus hatte es fertiggebracht, die revolutionärsten Sätze, die je aufgestellt wurden, zu einem Schutzwall für den Morast des deutschen Status quo zu verwenden. Der wahre Sozialismus ist durch und durch reaktionär.

Die Bourgeoisie hat diese reaktionäre Tendenz des wahren Sozialismus längst gemerkt. Sie hat aber diese Richtung ohne weiteres für die literarische Repräsentantin auch des deutschen Kommunismus genommen und den *Kommunisten* öffentlich und privatim vorgeworfen, daß sie mit ihrer Polemik gegen Repräsentativverfassung, Geschwornengerichte, Preßfreiheit, mit ihrem Geschrei gegen die Bourgeoisie nur den Regierungen, der Bürokratie, dem Adel in die Hände arbeiteten.

Es ist hohe Zeit, daß die deutschen Kommunisten endlich diese ihnen zugemutete Verantwortlichkeit für die reaktionären Taten und Gelüste der wahren Sozialisten ablehnen. Es ist hohe Zeit, daß die deutschen Kommunisten, die das deutsche Proletariat mit seinen sehr deutlichen, sehr handgreiflichen Bedürfnissen repräsentieren, sich aufs allerentschiedenste trennen von jener literarischen Clique – denn weiter ist sie nichts –, die selbst nicht weiß, wen sie repräsentiert, und deshalb wider Willen den deutschen Regierungen in die Arme taumelt, die „den Menschen zu realisieren" glaubt und nichts realisiert als die Vergötterung des deutschen Bürgerjammers. In der Tat, wir Kommunisten haben nichts gemein mit den theoretischen Hirngespinsten und Gewissensskrupeln dieser spitzfindigen Gesellschaft. Unsre Angriffe auf die Bourgeoisie unterscheiden sich ebensosehr von denen der wahren Sozialisten, wie sie sich von denen des reaktionären Adels, z.B. der französischen Legitimisten[37] oder des Jungen Englands[38], unterscheiden. Unsre Angriffe kann der deutsche Status quo gar nicht exploitieren, weil sie sich noch viel mehr gegen ihn als gegen die Bourgeoisie richten. Wenn die Bourgeoisie, sozusagen, unser *natürlicher* Feind, der Feind ist, dessen Sturz unsre Partei zur Herrschaft bringt, so ist der deutsche Status quo noch viel mehr unser Feind, weil er zwischen der Bourgeoisie und uns steht, weil er uns hindert, der Bourgeoisie auf den Leib zu rücken. Darum schließen wir uns auch keineswegs aus von der großen Masse der Opposition gegen den deutschen Status quo. Wir bilden nur ihre avancierteste Fraktion – eine Fraktion, die zugleich durch ihre unverhohlene arrière-pensée[1] gegen die Bourgeoisie eine ganz bestimmte Stellung einnimmt.

Mit der Zusammenkunft des preußischen Vereinigten Landtags tritt in dem Kampf gegen den deutschen Status quo ein Wendepunkt ein. Von dem Auftreten dieses Landtags hängt das Fortbestehen oder der Untergang dieses Status quo ab. Die noch sehr unklaren, durcheinanderwogenden und durch ideologische Spitzfindigkeiten zersplitterten Parteien in Deutschland sind hiermit in die Notwendigkeit versetzt, sich über die Interessen, die sie repräsentieren, über die Taktik, die sie befolgen müssen, aufzuklären, sich zu sondern und praktisch zu werden. Die jüngste dieser Parteien, die kommunistische, kann sich dieser Notwendigkeit nicht entziehen. Sie ebenfalls muß sich über ihre Stellung, über ihren Feldzugsplan, über ihre Mittel klarwerden, und der erste Schritt dazu ist die Desavouierung der sich an sie herandrängenden reaktionären Sozialisten. Sie kann diesen Schritt um so eher tun, als sie stark genug ist, um den Beistand aller kompromittierlichen Bundesgenossen zurückweisen zu dürfen.

II

Der Status quo und die Bourgeoisie

Der Status quo in Deutschland ist folgender.

Während in Frankreich und England die Bourgeoisie mächtig genug geworden ist, um den Adel zu stürzen und sich zur herrschenden Klasse im Staat emporzuschwingen, hat die deutsche Bourgeoisie diese Macht bisher noch nicht gehabt. Sie hat zwar einen gewissen Einfluß auf die Regierungen, aber dieser Einfluß muß in allen Fällen, wo die Interessen kollidieren, vor dem des grundbesitzenden Adels zurücktreten. Während in Frankreich und England die *Städte* das *Land* beherrschen, beherrscht in Deutschland das Land die Städte, der Ackerbau den Handel und die Industrie. Dies ist der Fall nicht nur in den absoluten, sondern auch in den konstitutionellen Monarchien Deutschlands, nicht nur in Östreich und Preußen, sondern auch in Sachsen, Württemberg und Baden.

Die Ursache hiervon ist die gegen die westlichen Länder zurückgebliebene Zivilisationsstufe Deutschlands. In jenen sind Handel und Industrie, bei uns

[1] Grundhaltung

ist die Agrikultur der entscheidende Nahrungszweig der Masse des Volks. England exportiert gar keine Ackerbauprodukte, sondern hat fortwährend auswärtige Zufuhren nötig; Frankreich importiert wenigstens ebensoviel davon, als es ausführt, und beide Länder stützen ihren Reichtum vor allem auf ihre Ausfuhr von Industrieerzeugnissen. Deutschland dagegen exportiert wenig Industrieprodukte, aber große Massen von Korn, Wolle, Vieh usw. Die überwiegende Bedeutung des Ackerbaus war noch viel größer als jetzt zu der Zeit, als Deutschlands politische Verfassung festgesetzt wurde – im Jahre 1815, und wurde damals noch durch den Umstand vermehrt, daß gerade die fast ausschließlich ackerbautreibenden Teile Deutschlands sich am eifrigsten an dem Sturz des französischen Kaiserreichs beteiligt hatten.

Der politische Repräsentant des Ackerbaus ist in Deutschland wie in den meisten europäischen Ländern der *Adel*, die Klasse der großen Grundbesitzer. Die der ausschließlichen Herrschaft des Adels entsprechende politische Verfassung ist das Feudalsystem. Das Feudalsystem ist überall in demselben Maße zerfallen, in welchem der Ackerbau aufgehört hat, entscheidender Produktionszweig eines Landes zu sein, in welchem sich neben der ackerbauenden eine gewerbtreibende Klasse, neben den Dörfern Städte gebildet haben.

Diese neben dem Adel und den mehr oder weniger von ihm abhängigen Bauern sich neu bildende Klasse ist nicht die Bourgeoisie, die heute in den zivilisierten Ländern herrscht und in Deutschland nach der Herrschaft strebt, es ist die Klasse der *Kleinbürger*.

Die gegenwärtige Verfassung Deutschlands ist weiter nichts als ein Kompromiß zwischen dem Adel und den Kleinbürgern, der darauf hinausläuft, die Verwaltung in den Händen einer dritten Klasse niederzulegen: der Bürokratie. An der Zusammensetzung dieser Klasse beteiligen sich die beiden hohen kontrahierenden Parteien je nach ihrer gegenseitigen Stellung: Der Adel, der den wichtigeren Produktionszweig vertritt, behält sich die höheren Stellen vor, die Kleinbürgerschaft begnügt sich mit den niederen und bringt nur ausnahmsweise Kandidaten in die höhere Verwaltung. Wo die Bürokratie, wie in den konstitutionellen Staaten Deutschlands, einer direkten Kontrolle unterworfen ist, teilen sich Adel und Kleinbürger auf dieselbe Weise darin; und daß auch hier der Adel sich den Anteil des Löwen vorbehält, ist leicht begreiflich. Die Kleinbürger können den Adel nie stürzen, sich ihm nicht einmal gleichstellen; sie bringen es nur dahin, ihn zu schwächen. Um den Adel zu stürzen, bedarf es einer andern Klasse mit umfassenderen Interessen, größerem Besitz und entschiedenerem Mut: der *Bourgeoisie*.

Die Bourgeoisie ist in allen Ländern mit der Entwicklung des Welthandels und der großen Industrie, mit der damit eintretenden freien Konkurrenz und Zentralisation des Eigentums aus den Kleinbürgern hervorgegangen. Der Kleinbürger repräsentiert den binnenländischen und Küstenhandel, das Handwerk, die auf der Handarbeit beruhende Manufaktur – Erwerbszweige, die sich auf einem beschränkten Terrain bewegen, geringe Kapitalien erfordern, diese Kapitalien langsam umschlagen und nur eine lokale und schläfrige Konkurrenz erzeugen. Der Bourgeois repräsentiert den Welthandel, den direkten Austausch der Produkte aller Zonen, den Handel mit Geld, die große auf Maschinenarbeit beruhende Fabrikindustrie – Erwerbszweige, die ein möglichst großes Terrain, möglichst große Kapitalien und raschen Umschlag erfordern und eine universelle und stürmische Konkurrenz erzeugen. Der Kleinbürger repräsentiert *lokale*, der Bourgeois *universelle* Interessen. Der Kleinbürger findet seine Stellung hinreichend gesichert, wenn er bei indirektem Einfluß auf die Staatsgesetzgebung direkt an der Provinzialverwaltung beteiligt und Herr seiner lokalen Munizipalverwaltung ist. Der Bourgeois kann ohne direkte, stete Kontrolle der Zentralverwaltung, der auswärtigen Politik, der Gesetzgebung seines Staats seine Interessen nicht sicherstellen. Die klassische Schöpfung des Kleinbürgers waren die deutschen Reichsstädte; die klassische Schöpfung des Bourgeois ist der französische Repräsentativstaat. Der Kleinbürger ist konservativ, sobald ihm die herrschende Klasse nur einige Konzessionen macht, der Bourgeois ist revolutionär, bis er selbst herrscht.

Wie steht nun die deutsche Bourgeoisie zu den beiden Klassen, die sich in die politische Herrschaft teilen?

Während in England seit dem siebzehnten, in Frankreich seit dem achtzehnten Jahrhundert sich eine reiche und mächtige Bourgeoisie bildete, kann in Deutschland erst seit dem Anfang des neunzehnten Jahrhunderts von einer Bourgeoisie die Rede sein. Bis dahin existierten allerdings einzelne reiche Reeder in den Hansestädten, einige reiche Bankiers im Inlande, aber keine Klasse von großen Kapitalisten, und am allerwenigsten von großen *industriellen* Kapitalisten. Der Schöpfer der deutschen Bourgeoisie war Napoleon. Sein Kontinentalsystem[39] und die durch seinen Druck in Preußen nötig gemachte Gewerbefreiheit gaben den Deutschen eine Industrie und dehnten ihren Bergbau aus. Diese neuen oder ausgedehnten Produktionszweige wurden schon nach wenig Jahren so wichtig und die durch sie geschaffene Bourgeoisie so einflußreich, daß schon 1818 die preußische Regierung sich genötigt sah, ihnen Schutzzölle zu bewilligen. Dies preußische Zollgesetz von 1818 war die erste offizielle Anerkennung der Bourgeoisie durch die Regierung. Man gestand ein – freilich schweren Herzens und widerwillig genug –, daß die Bourgeoisie eine für das Land unentbehrliche Klasse geworden sei. Die nächste Konzession an die Bourgeoisie war der Zollverein[20]. Die Aufnahme der meisten deutschen Staaten in das preußische Zollsystem wurde zwar ursprünglich durch bloß fiskalische und politische Rücksichten veranlaßt, kam aber niemand zugut als der deutschen, ganz besonders der preußischen Bourgeoisie. Wenn der Zollverein hie und da dem Adel und der Kleinbürgerschaft einige Detailvorteile gebracht hat, so schadete er beiden doch weit mehr im ganzen und großen durch den Aufschwung der Bourgeoisie, die lebhaftere Konkurrenz und die Verdrängung der bisherigen Produktionsmittel. Seitdem hat sich die Bourgeoisie namentlich in Preußen ziemlich schnell entwickelt. Wenn sie auch während der letzten dreißig Jahre bei weitem nicht den Aufschwung genommen hat wie die englische und französische Bourgeoisie, so hat sie doch die meisten Zweige der modernen Industrie eingeführt, in einigen Distrikten den bäuerlichen oder kleinbürgerlichen Patriarchalismus verdrängt, die Kapitalien einigermaßen konzentriert, einiges Proletariat erzeugt und ziemlich lange Strecken Eisenbahnen gebaut. Sie hat es wenigstens dahin gebracht, daß sie jetzt entweder weitergehen, sich zur herrschenden Klasse machen oder auf ihre bisherigen Eroberungen verzichten muß; dahin, daß sie die einzige Klasse ist, die für den Augenblick in Deutschland einen Fortschritt machen, für den Augenblick Deutschland regieren kann. Sie ist bereits faktisch die leitende Klasse in Deutschland, und ihre ganze Existenz hängt davon ab, daß sie es auch rechtlich wird.

In der Tat fällt mit dem Emporkommen und dem wachsenden Einfluß der Bourgeoisie zusammen die steigende Impotenz der bisher offiziell herrschenden Klassen. Der Adel ist seit der napoleonischen Zeit immer mehr verarmt und verschuldet. Die Ablösung der Frondienste vermehrte die Produktionskosten seines Korns und setzte ihn der Konkurrenz einer neuen Klasse unabhängiger Kleinbauern aus – Nachteile, die durch die Übervorteilung der Bauern bei der Ablösung keineswegs auf die Dauer aufgewogen wurden. Den Absatz seines Korns beschränkt die russische und amerikanische, den seiner Wolle die australische und in einzelnen Jahren die südrussische Konkurrenz. Und je mehr die Produktionskosten und die Konkurrenz stiegen, desto mehr trat die Unfähigkeit des Adels an den Tag, seine Güter mit Vorteil zu bebauen, sich die neuesten Fortschritte der Agrikultur anzueignen. Wie der französische und englische Adel des vorigen Jahrhunderts benutzte er die steigende Zivilisation nur dazu, sein Vermögen in den großen Städten herrlich und in Freuden zu verjubeln. Zwischen Adel und Bourgeoisie trat jene Konkurrenz der gesellschaftlichen und intellektuellen Bildung, des Reichtums und des Aufwandes ein, die der politischen Herrschaft der Bourgeoisie überall vorhergeht und die wie jede andere Konkurrenz mit dem Siege des reicheren Teils endigt. Der Landadel verwandelte sich in Hofadel, um desto rascher und sicherer ruiniert zu werden. Die drei Prozent Einkünfte des Adels erlagen vor den fünfzehn Prozent Profit der Bourgeoisie; die drei Prozent nahmen Zuflucht zu Hypothekengeldern, zu ritterschaftlichen Kreditkassen usw., um den standesmäßigen Aufwand machen zu können, und ruinierten sich nur um so schneller. Die wenigen Landjunker, die weise genug waren, sich nicht zu ruinieren, bildeten mit den neu aufkommenden bürgerlichen Gutsbesitzern die neue Klasse der *industriellen Grundeigentümer*. Diese Klasse betreibt den Ackerbau ohne feudalistische Illusionen und ohne ritterliche Nonchalance als ein Geschäft, eine Industrie, mit den bürgerlichen Hilfsmitteln Kapital, Sachkenntnis und Arbeit. Sie ist so wenig unverträglich mit der Herrschaft der Bourgeoisie, daß sie in Frankreich ganz ruhig neben ihr steht und nach Verhältnis ihres Reichtums an ihrer Herrschaft teilnimmt. Sie ist die den Ackerbau exploitierende Fraktion der Bourgeoisie.

Der Adel ist also so impotent geworden, daß er teilweise selbst schon zur Bourgeoisie übergegangen ist.

Die Kleinbürger waren schon dem Adel gegenüber schwach; der Bourgeoisie gegenüber können sie noch viel weniger sich halten. Die Kleinbürgerschaft ist nächst den Bauern die miserabelste Klasse, die zu irgendeiner Zeit in die Geschichte hineingepfuscht hat. Mit ihren kleinlichen Lokalinteressen brachte sie es in ihrer glorreichsten Zeit, im späteren Mittelalter, nur zu lokalen Organisationen, lokalen Kämpfen und lokalen Fortschritten, zu einer *geduldeten* Existenz neben dem Adel, nirgends zur allgemeinen, politischen Herrschaft. Mit dem Entstehen der Bourgeoisie verliert sie selbst den *Schein* historischer Initiative. Zwischen Adel und Bourgeoisie eingeklemmt, von dem politischen Übergewicht des ersteren, von der Konkurrenz der schweren Kapitalien der zweiten gleich gedrückt, teilt sie sich in zwei Fraktionen. Die eine, die der reicheren und großstädtischen Kleinbürger, schließt sich der revolutionären Bourgeoisie mit mehr oder weniger Zaghaftigkeit an, die andre, die sich aus den ärmeren Bürgern, besonders der Landstädtchen, rekrutiert, klammert sich an das Bestehende und unterstützt den Adel mit dem ganzen Gewicht ihrer Trägheitskraft. Je weiter die Bourgeoisie sich entwickelt, desto schlimmer wird die Lage der Kleinbürger. Allmählich sieht auch diese zweite Fraktion ein, daß bei den bestehenden Verhältnissen ihr Ruin sicher ist, während sie unter der Herrschaft der Bourgeoisie neben der *Wahrscheinlichkeit* des gleichen Ruins wenigstens die *Möglichkeit* genießt, zur Bourgeoisie zu avancieren. Je sicherer ihr Ruin wird, desto mehr stellt sie sich unter die Fahnen der Bourgeoisie. Kaum ist die Bourgeoisie zur Herrschaft gekommen, so spalten sich die Kleinbürger wieder. Jeder Fraktion der Bourgeoisie liefert sie Rekruten und bildet außerdem zwischen der Bourgeoisie und dem nun mit seinen Interessen und Forderungen hervortretenden Proletariat eine Kette von mehr oder weniger radikalen politischen und sozialistischen Sekten, die man in der englischen oder französischen Deputiertenkammer und Tagespresse des näheren studieren kann. Je schärfer die Bourgeoisie mit dem schweren Geschütz ihrer Kapitalien, mit den geschlossenen Kolonnen ihrer Aktiengesellschaften auf diese undisziplinierten und schlechtbewehrten Kleinbürgerschwärme eindringt, desto ratloser werden sie, desto unordentlicher wird ihre Flucht, bis ihnen kein andrer Rettungsweg übrigbleibt, als sich entweder hinter den langen Linien des Proletariats zu sammeln und seinen Fahnen sich anzuschließen – oder sich der Bourgeoisie auf Gnade und Ungnade zu ergeben. Dies ergötzliche Schauspiel kann man in England bei jeder Handelskrisis, in Frankreich in diesem Augenblick beobachten. In Deutschland sind wir erst bei jener Phase angelangt, wo die Kleinbürgerschaft in einem Moment der Verzweiflung und Geldklemme den heroischen Entschluß faßt, den Adel aufzugeben und sich der Bourgeoisie anzuvertrauen.

Die Kleinbürger sind also ebensowenig imstande wie der Adel, sich zur herrschenden Klasse in Deutschland aufzuwerfen. Im Gegenteil, auch sie stellen sich täglich mehr und mehr unter das Kommando der Bourgeoisie.

Bleiben noch die Bauern und die besitzlosen Klassen.

Die Bauern, worunter wir hier nur die kleinen Ackerwirte, Pächter oder Eigentümer mit Ausschluß der Landtaglöhner und Ackerknechte verstehen – die Bauern bilden eine ähnliche hilflose Klasse wie die Kleinbürger, von denen sie sich übrigens vorteilhaft durch größeren Mut unterscheiden. Dafür sind sie aber auch aller historischen Initiative durchaus unfähig. Selbst ihre Befreiung aus den Ketten der Leibeigenschaft kommt nur unter dem Schutz der Bourgeoisie zustande. Wo die Abwesenheit von Adel und Bourgeoisie ihnen die Herrschaft gestattet, wie in den Bergkantonen der Schweiz und in Norwegen, herrscht mit ihnen vorfeudale Barbarei, Lokalborniertheit, dumpfe, fanatische Bigotterie, Treu und Redlichkeit. Wo, wie in Deutschland, der Adel neben ihnen bestehenbleibt, werden sie ganz wie die Kleinbürger zwischen Adel und Bourgeoisie eingeklemmt. Um die Interessen des Ackerbaus gegenüber der steigenden Macht des Handels und der Industrie zu schützen, müssen sie sich an den Adel anschließen. Um sich vor der überwiegenden Konkurrenz des Adels und namentlich der bürgerlichen Grundbesitzer zu sichern, müssen sie sich der Bourgeoisie anschließen. Auf welche Seite sie sich definitiv schlagen, hängt von der Beschaffenheit ihres Besitzes ab. Die großen Bauern des östlichen Deutschlands, die selbst eine gewisse Feudalhoheit über ihre Ackerknechte ausüben, hängen in allen ihren Interessen zu sehr mit dem Adel zusammen, als daß sie sich ernstlich von ihm lossagen sollten. Die kleinen, aus der Zersplitterung adliger Güter hervorgegangenen Grundbesitzer des Westens und die der Patrimonialgerichtsbarkeit[40] und zum Teil noch den Fronden unterworfenen Kleinbauern des Ostens werden zu direkt vom Adel gedrückt oder stehen zu sehr im Gegensatz zu ihm, um sich nicht auf die Seite der Bourgeoisie zu schlagen. Daß dies auch wirklich der Fall ist, beweisen die preußischen Provinziallandtage.

An eine Herrschaft der Bauern ist also glücklicherweise auch nicht zu denken. Die Bauern selbst denken so wenig daran, daß sie sich größtenteils schon jetzt zur Verfügung der Bourgeoisie gestellt haben.

Und die besitzlosen, vulgo[1] arbeitenden Klassen? Wir werden bald ausführlicher auf diese zu sprechen kommen; einstweilen genügt, auf ihre Zersplitterung hinzuweisen. Diese Zersplitterung in Ackerknechte, Tagelöhner, Handwerksgesellen, Fabrikarbeiter und Lumpenproletariat, verbunden mit ihrer Zerstreuung über eine große, dünnbevölkerte Landfläche mit wenigen und schwachen Zentralpunkten, macht es ihnen schon unmöglich, sich gegenseitig über die Gemeinschaftlichkeit ihrer Interessen klarzuwerden[2], sich zu verständigen, sich zu *einer* Klasse zu konstituieren. Diese Zersplitterung und Zerstreuung läßt ihnen nichts anderes übrig, als die Beschränkung auf ihre nächsten, alltäglichen Interessen, auf den Wunsch nach gutem Lohn für gute Arbeit. Das heißt, sie beschränkt die Arbeiter darauf, ihr Interesse in dem ihrer Arbeitgeber zu sehen, und macht so jede einzelne Fraktion der Arbeiter zu einer Hilfsarmee für die sie beschäftigende Klasse. Der Ackerknecht und Tagelöhner unterstützt die Interessen des Adligen oder Bauern, auf dessen Gut er arbeitet. Der Gesell steht in der intellektuellen und politischen Botmäßigkeit seines Meisters. Der Fabrikarbeiter läßt sich vom Fabrikanten in der Schutzzollagitation benutzen. Der Lump ficht für ein paar Taler die Häkeleien zwischen Bourgeoisie, Adel und Polizei mit seinen Fäusten aus. Und wo zwei Klassen von Arbeitgebern widersprechende Interessen durchzusetzen haben, da existiert derselbe Kampf auch unter den von ihnen beschäftigten Klassen von Arbeitern.

So wenig ist die Masse der Arbeiter in Deutschland darauf vorbereitet, die Leitung der öffentlichen Angelegenheiten zu übernehmen.

Fassen wir zusammen. Der Adel ist zu heruntergekommen, die Kleinbürger und Bauern sind ihrer ganzen Lebensstellung nach zu schwach, die

[1] gemeinhin – [2] in der Handschrift: klarzumachen

Arbeiter sind noch lange nicht reif genug, um in Deutschland als herrschende Klasse auftreten zu können. Bleibt nur die Bourgeoisie.

Die Misere des deutschen Status quo besteht hauptsächlich darin, daß keine einzige Klasse bisher stark genug gewesen ist, ihren Produktionszweig zum nationalen Produktionszweig par excellence und damit sich selbst zur Vertreterin der Interessen der ganzen Nation aufzuwerfen. Alle Stände und Klassen, die seit dem zehnten Jahrhundert in der Geschichte aufgetaucht sind, Adel, Leibeigne, Fronbauern, freie Bauern, Kleinbürger, Gesellen, Manufakturarbeiter, Bourgeois und Proletarier existieren nebeneinander. Diejenigen dieser Stände oder Klassen, die vermöge ihres Besitzes einen Produktionszweig vertreten, nämlich Adel, freie Bauern, Kleinbürger und Bourgeois, haben sich in die politische Herrschaft geteilt, nach Verhältnis ihrer Anzahl, ihres Reichtums und ihres Anteils an der Gesamtproduktion des Landes. Das Resultat dieser Teilung ist, daß, wie gesagt, der Adel den Anteil des Löwen, die Kleinbürgerschaft den geringeren Anteil bekommen haben, daß *offiziell* die Bourgeois nur als Kleinbürger und die Bauern *als Bauern* gar nicht zählen, weil sie sich mit ihrem geringen Einfluß auf die übrigen Klassen repartieren. Dies durch die Bürokratie vertretene Regime ist die politische Zusammenfassung der allgemeinen Ohnmacht und Verächtlichkeit, der dumpfen Langeweile und des Schmutzes der deutschen Gesellschaft. Ihm entspricht die Zerlumpung Deutschlands in achtunddreißig Lokal- und Provinzialstaaten, nebst der Zerlumpung von Österreich und Preußen in selbständige Provinzen nach innen, die schmähliche Hilflosigkeit gegen Exploitation und Fußtritte nach außen. Der Grund dieser allgemeinen Misere liegt in dem allgemeinen Mangel an Kapitalien. Jede einzelne Klasse hat in dem pauvren Deutschland von Anfang an den Stempel der bürgerlichen Mittelmäßigkeit getragen, ist im Vergleich mit derselben Klasse andrer Länder pauvre und gedrückt gewesen. Wie kleinbürgerlich steht der hohe und niedrige deutsche Adel seit dem zwölften Jahrhundert da neben dem reichen, sorglosen, lebenslustigen und in seinem ganzen Auftreten entschiedenen französischen und englischen Adel! Wie winzig, wie unbedeutend und lokalborniert erscheinen die deutschen reichsstädtischen und hanseatischen Bürger neben den rebellischen Pariser Bürgern des vierzehnten und fünfzehnten, neben den Londoner Puritanern des siebzehnten Jahrhunderts! Wie kleinbürgerlich nehmen sich noch jetzt unsre ersten Größen der Industrie, der Finanz, der Seefahrt aus neben den Börsenfürsten von Paris, Lyon, London, Liverpool und Manchester! Selbst die arbeitenden Klassen sind in Deutschland durchaus kleinbürgerlich. So hat die Kleinbürgerschaft bei ihrer gedrückten gesellschaftlichen und politischen Stellung wenigstens den Trost, die Normalklasse von Deutschland zu sein und allen übrigen Klassen ihre spezifische Gedrücktheit und ihre Nahrungssorgen mitgeteilt zu haben.

Wie ist aus dieser Misere herauszukommen? Es ist nur *ein* Weg möglich. *Eine* Klasse muß stark genug werden, um von *ihrem* Emporkommen das der ganzen Nation, von dem Fortschritt und der Entwicklung ihrer Interessen den Fortschritt der Interessen aller andern Klassen abhängig zu machen. Das Interesse dieser *einen* Klasse muß für den Augenblick Nationalinteresse, diese Klasse selbst für den Augenblick Repräsentantin der Nation werden. Von diesem Augenblick an befindet sich diese Klasse, und mit ihr die Majorität der Nation, im Widerspruch mit dem politischen Status quo. Der politische Status quo entspricht einem Zustande, der aufgehört hat zu existieren: dem Widerstreit der Interessen der verschiedenen Klassen. Die neuen Interessen finden sich beengt, und selbst ein Teil der Klassen, zu deren Gunsten der Status quo eingesetzt war, sieht seine Interessen nicht mehr in ihm repräsentiert. Die Aufhebung des Status quo, auf friedlichem oder gewaltsamem Wege, ist die notwendige Folge davon. An seine Stelle tritt die Herrschaft der Klasse, welche für den Augenblick die Majorität der Nation vertritt, und unter ihrer Herrschaft beginnt eine neue Entwicklung.

Wie der Mangel an Kapitalien der Grund des Status quo, der allgemeinen Schwäche ist, so kann nur der Besitz von Kapitalien, ihre Konzentration in den Händen *einer* Klasse dieser Klasse die Macht geben, den Status quo zu verdrängen.

Existiert nun diese Klasse, die den Status quo stürzen kann, in Deutschland? Sie existiert, allerdings verglichen mit der entsprechenden Klasse in England und Frankreich, in etwas sehr kleinbürgerlicher Weise, aber sie existiert doch, und zwar in der Bourgeoisie.

Die Bourgeoisie ist die Klasse, die in allen Ländern den in der bürokratischen Monarchie etablierten Kompromiß zwischen Adel und Kleinbürgerschaft stürzt und dadurch zunächst für sich die Herrschaft erobert.

Die Bourgeoisie ist die einzige Klasse in Deutschland, die wenigstens einen großen Teil der industriellen Grundeigentümer, der Kleinbürger, der Bauern, der Arbeiter und selbst eine Minorität des Adels an ihren Interessen beteiligt und unter ihren Fahnen vereinigt hat.

Die Partei der Bourgeoisie ist die einzige in Deutschland, die bestimmt weiß, was sie an die Stelle des Status quo zu setzen hat; die einzige, die sich nicht auf abstrakte Prinzipien und historische Deduktionen beschränkt, sondern sehr bestimmte, handgreifliche und sofort ausführbare Maßregeln durchsetzen will; die einzige, die wenigstens lokal und provinziell einigermaßen organisiert ist und eine Art von Feldzugsplan hat; kurz, diejenige

Partei, die gegen den Status quo in erster Linie kämpft und direkt an seinem Sturz beteiligt ist.

Die Partei der Bourgeoisie ist also die einzige, die zunächst Chance auf Erfolg hat.

Es fragt sich hiernach nur: Ist die Bourgeoisie in die Notwendigkeit versetzt, sich durch den Sturz des Status quo die Herrschaft zu erobern, und ist sie durch ihre eigne Macht und durch die Schwäche ihrer Gegner stark genug, um den Status quo stürzen zu können?

Wir wollen zusehen.

Die entscheidende Fraktion der deutschen Bourgeoisie sind die Fabrikanten. Von dem Aufblühen der Industrie hängt das Aufblühen des ganzen Binnenhandels, des Hamburger und Bremer und zum Teil des Stettiner Seehandels, des Bankgeschäfts, hängt der Ertrag der Eisenbahnen und damit der bedeutendste Teil des Börsengeschäfts ab. Unabhängig von der Industrie sind nur die Korn- und Wollexporteurs der Ostseestädte und die unbedeutende Klasse der Importeurs fremder Industrieprodukte. Die Bedürfnisse der Fabrikanten repräsentieren also die Bedürfnisse der ganzen Bourgeoisie und der von der Bourgeoisie augenblicklich abhängigen Klassen.

Die Fabrikanten teilen sich wieder in zwei Sektionen: Die eine gibt dem Rohstoff die erste Verarbeitung und bringt ihn halbfertig in den Handel, die zweite übernimmt den halbfertigen Rohstoff und bringt ihn als fertige Ware auf den Markt. Zu der ersten Sektion gehören die Spinner, zu der zweiten die Weber. Der ersten Sektion schließen sich in Deutschland ebenfalls die Eisenproduzenten an.

...[1] neuerfundnen Hilfsmittel möglich zu machen, gute Kommunikationen herzustellen, wohlfeile Maschinen und Rohstoffe zu bekommen, geschickte Arbeiter zu bilden, dazu gehört ein ganzes industrielles System; dazu gehört das Ineinandergreifen sämtlicher Industriezweige, dazu gehören Seestädte, die dem industriellen Binnenland tributär sind und einen blühenden Handel betreiben. Dieser Satz ist von den Nationalökonomen längst nachgewiesen. Zu einem solchen industriellen System gehört aber auch heutzutage, wo fast allein die Engländer keine Konkurrenz zu scheuen haben, ein vollständiges, alle durch auswärtige Konkurrenz gefährdeten Branchen umfassendes Schutzzollsystem, dessen Modifikationen sich stets nach dem Stande der Industrie richten müssen. Ein solches System *kann* die bestehende preu-

[1] Hier fehlen vier Seiten des Manuskripts.

ßische Regierung, können sämtliche Zollvereinsregierungen nicht geben. Ein solches System ist nur einzurichten und zu handhaben durch die regierende Bourgeoisie selbst. Und auch deshalb kann die deutsche Bourgeoisie die politische Macht nicht länger entbehren.

Ein solches Schutzzollsystem ist aber in Deutschland um so nötiger, als dort die Manufaktur im Sterben liegt. Ohne systematische Schutzzölle erliegt die Manufaktur der Konkurrenz der englischen Maschinen, und die bisher von ihr unterhaltenen Bourgeois, Kleinbürger und Arbeiter gehen zugrunde. Grund genug für die deutschen Bourgeois, den Rest der Manufaktur lieber durch *deutsche* Maschinen zu ruinieren.

Die Schutzzölle sind der deutschen Bourgeoisie also nötig und können nur durch sie selbst eingeführt werden. Schon deshalb also muß sie sich der Staatsgewalt bemächtigen.

Die Fabrikanten werden aber nicht nur durch ungenügende Zölle an der vollständigen Verwertung ihrer Kapitalien gehindert, sie werden es auch durch die *Bürokratie*. Stoßen sie in der Zollgesetzgebung auf die Gleichgültigkeit, so stoßen sie hier, in ihren Beziehungen zur Bürokratie, auf die direkteste Feindseligkeit der Regierung.

Die Bürokratie ist eingesetzt worden, um Kleinbürger und Bauern zu regieren. Diese Klassen, in kleinen Städten oder Dörfern zersplittert, mit Interessen, die nicht über den engsten Lokalkreis hinausreichen, haben notwendig einen ihren beschränkten Lebensverhältnissen entsprechenden beschränkten Gesichtskreis. Sie können keinen großen Staat regieren, sie können weder Überblick noch Kenntnisse genug besitzen, um die verschiedenen miteinander kollidierenden Interessen gegenseitig auszugleichen. Und gerade auf *der* Zivilisationsstufe, in die die Blüte der Kleinbürgerschaft fällt, laufen die verschiednen Interessen am allerverwickeltsten durcheinander (man denke nur an die Zünfte und ihre Kollisionen). Die Kleinbürger und Bauern können also eine mächtige und zahlreiche Bürokratie nicht entbehren. Sie müssen sich bevormunden lassen, um der größten Verwirrung zu entgehen, um sich nicht durch Hunderte und Tausende von Prozessen zu ruinieren.

Die Bürokratie, die den Kleinbürgern Bedürfnis ist, wird aber den Bourgeois sehr bald zur unerträglichen Fessel. Schon bei der Manufaktur wird die Beamtenüberwachung und Einmischung sehr lästig; die Fabrikindustrie ist kaum möglich unter einer solchen Aufsicht. Die deutschen Fabrikanten haben sich bisher die Bürokratie durch Bestechung möglichst vom Halse gehalten, was ihnen gar nicht zu verdenken ist. Aber dies Mittel befreit sie doch nur von der geringeren Hälfte der Last; abgesehen von der Unmöglichkeit, *alle*

Beamte, mit denen ein Fabrikant in Berührung kommt, zu bestechen, befreit ihn die Bestechung nicht von Sporteln, Honoraren für Juristen, Architekten, Mechaniker und sonstigen durch die Überwachung hervorgerufenen Ausgaben, von Extraarbeiten und Zeitverlust. Und je weiter sich die Industrie entwickelt, desto mehr „pflichttreue Beamte" tauchen auf, d.h. solche, die entweder aus purer Borniertheit oder aus bürokratischem Haß gegen die Bourgeoisie den Fabrikanten die ärgsten Schikanen antun.

Die Bourgeoisie ist also genötigt, die Macht dieser übermütigen und schikanensüchtigen Bürokratie zu brechen. Von dem Augenblick an, da[1] die Staatsverwaltung und Gesetzgebung unter die Kontrolle der Bourgeoisie gerät, fällt die Selbständigkeit der Bürokratie zusammen; ja, von diesem Augenblick an verwandeln sich die Plagegeister der Bourgeois in ihre untertänigen Knechte. Die bisherigen Reglements und Reskripte, die nur dazu dienten, den Beamten die Arbeit auf Unkosten der industriellen Bourgeois zu erleichtern, machen neuen Reglements Platz, wodurch den Industriellen die Arbeit auf Unkosten der Beamten erleichtert wird.

Die Bourgeoisie ist um so eher gezwungen, dies so bald als möglich zu tun, als, wie wir gesehen haben, alle ihre Fraktionen direkt an der möglichst raschen Hebung der Fabrikindustrie beteiligt sind und die Fabrikindustrie sich unter dem Regime der bürokratischen Trakasserie unmöglich heben kann.

Die Unterordnung der Douane und der Bürokratie unter das Interesse der industriellen Bourgeoisie sind die beiden Maßregeln, an deren Durchsetzung die Bourgeoisie am direktesten beteiligt ist. Damit aber sind ihre Bedürfnisse noch lange nicht erschöpft. Sie ist genötigt, das ganze Gesetzgebungs-, Verwaltungs- und Justizsystem fast aller deutschen Länder einer durchgreifenden Revision zu unterwerfen, denn dies ganze System dient der Erhaltung und Stützung eines gesellschaftlichen Zustandes, an dessen Umwälzung die Bourgeoisie fortwährend arbeitet. Die Bedingungen, unter denen Adel und Kleinbürger nebeneinander bestehen können, sind durchaus verschieden von den Lebensbedingungen der Bourgeoisie, und nur die ersteren sind in den deutschen Staaten offiziell anerkannt. Nehmen wir den preußischen Status quo als Beispiel. Wenn die Kleinbürger, wie der administrativen Bürokratie, so auch der juristischen Bürokratie, sich unterwerfen, wenn sie ihr Vermögen und ihre Person der Diskretion und Schläfrigkeit einer „unabhängigen", d.h. bürokratisch-selbständigen Richterklasse anvertrauen konnten, die ihnen dafür Schutz vor den Übergriffen des Feudaladels und

[1] In der Handschrift: daß

zuweilen auch der administrativen Bürokratie gewährte, so können die Bourgeois dies nicht. Die Bourgeois bedürfen für Eigentumsprozesse mindestens des Schutzes der Öffentlichkeit, für Kriminalprozesse außerdem noch der Jury, der steten Kontrolle der Justiz durch eine Deputation von Bourgeois. – Der Kleinbürger kann sich die Exemtion der Adligen und Beamten vom gewöhnlichen Gerichtsstande gefallen lassen, weil diese seine offizielle Erniedrigung seiner niedrigen gesellschaftlichen Stellung vollständig entspricht. Der Bourgeois, der entweder zugrunde gehen oder seine Klasse zur ersten in Gesellschaft und Staat machen muß, kann es nicht. – Der Kleinbürger kann, seinem stillen Lebenswandel unbeschadet, dem Adel die Gesetzgebung über den Grundbesitz allein überlassen; er muß es, weil er genug zu tun hat, seine eignen städtischen Interessen vor dem Einfluß und den Übergriffen des Adels zu schützen. Der Bourgeois kann die Regulierung der Eigentumsverhältnisse auf dem Lande keineswegs dem Gutdünken des Adels anheimstellen, denn die vollständige Entwicklung seiner eignen Interessen fordert die möglichst industrielle Exploitation auch des Ackerbaus, die Herstellung einer Klasse industrieller Ackerwirte, die freie Verkäuflichkeit und Mobilisierung des Grundeigentums. Das Bedürfnis der Grundbesitzer, sich Geld auf Hypothek zu verschaffen, bietet den Bourgeois hier eine Handhabe und zwingt den Adel, der Bourgeoisie wenigstens in Beziehung auf die Hypothekengesetze Einfluß auf die Gesetzgebung über das Grundeigentum zu bewilligen. – Wenn der Kleinbürger bei seinen kleinen Geschäftchen, seinem langsamen Umschlag und der beschränkten Anzahl seiner auf einen kleinen Raum konzentrierten Kunden von der miserablen altpreußischen Handelsgesetzgebung nicht besonders gedrückt wurde, sondern wohl gar noch dankbar war für das bißchen Garantie, das sie bot, so kann der Bourgeois sie nicht mehr ertragen. Der Kleinbürger, dessen höchst einfache Transaktionen selten Geschäfte von Kaufmann zu Kaufmann, fast immer nur Verkäufe vom Detaillisten oder Verfertiger direkt an den Konsumenten sind – der Kleinbürger gerät selten in Bankerotte und kann sich den alten preußischen Bankerottgesetzen leicht fügen. Nach diesem Gesetze werden Wechselschulden vor allen Buchschulden aus der Masse abbezahlt, gewöhnlich aber die ganze Masse von der Justiz gefressen. Sie sind zunächst im Interesse der die Masse verwaltenden juristischen Bürokraten und dann im Interesse aller Nichtbourgeois gegen die Bourgeois entworfen. Der Adel besonders, der für sein abgeschicktes Korn Wechsel auf den Käufer oder Konsignatär zieht oder erhält, wird dadurch gedeckt; überhaupt alle, dic nur einmal im Jahre etwas zu verkaufen haben und den Ertrag durch einen Wechsel ein- und aus dem Handel zurückziehen. Von den Handeltreibenden sind wieder die Bankiers und Grossisten geschützt, die

Fabrikanten eher vernachlässigt. Der Bourgeois, der *nur* Geschäfte von Kaufmann zu Kaufmann macht, dessen Kunden zerstreut wohnen, der Wechsel auf alle Welt erhält, der mitten in einem höchst verwickelten System von Transaktionen sich bewegen muß, der jeden Augenblick in einen Bankerott verwickelt ist, der Bourgeois kann sich bei diesen absurden Gesetzen nur ruinieren. – Der Kleinbürger hat nur insofern Interesse an der allgemeinen Politik seines Landes, als er den Frieden wünscht; sein bornierter Lebenskreis macht ihn unfähig, Relationen von Staat zu Staat zu übersehen. Der Bourgeois, der mit dem entferntesten Ausland Geschäfte macht oder zu konkurrieren hat, kann ohne den direktesten Einfluß auf die auswärtige Politik seines Staats sich nicht in die Höhe arbeiten. – Der Kleinbürger konnte sich von der Bürokratie und vom Adel Steuern auflegen lassen, aus denselben Gründen, aus denen er sich der Bürokratie unterwarf; der Bourgeois hat ein ganz direktes Interesse daran, die öffentlichen Lasten so zu verteilen, daß sie *seinen* Erwerb möglichst wenig treffen.

Kurz, wenn der Kleinbürger sich damit begnügen konnte, dem Adel und der Bürokratie seine träge Masse entgegenzusetzen, sich durch seine vis inertiae[1] einen Einfluß auf die öffentliche Macht zu sichern, so kann der Bourgeois dies nicht. Er muß seine Klasse zur herrschenden, sein Interesse zum entscheidenden machen in Gesetzgebung, Verwaltung, Justiz, Besteuerung und auswärtiger Politik. Die Bourgeoisie muß sich vollständig entwickeln, ihre Kapitalien täglich vermehren, die Produktionskosten ihrer Waren täglich erniedrigen, ihre Handelsverbindungen, ihre Märkte täglich ausdehnen, ihre Kommunikationen täglich verbessern, *um nicht zugrunde zu gehen*. Die Konkurrenz auf dem Weltmarkt treibt sie dazu. Und um sich frei und vollständig entwickeln zu können, bedarf sie eben der politischen Herrschaft, der Unterordnung aller andern Interessen unter das ihrige.

Daß aber die deutsche Bourgeoisie gerade *jetzt* der politischen Herrschaft bedarf, um nicht zugrunde zu gehen, haben wir oben in der Schutzzollfrage und in ihrer Stellung zur Bürokratie nachgewiesen. Der schlagendste Beweis dafür ist aber die *augenblickliche Lage des deutschen Geld- und Warenmarktes*.

Die Prosperität der englischen Industrie im Jahre 1845 und die daraus hervorgehenden Eisenbahnspekulationen übten diesmal eine stärkere Rückwirkung als zu irgendeiner früheren lebhaften Periode auf Frankreich und Deutschland aus. Die deutschen Fabrikanten machten gute Geschäfte, und mit dem ihrigen hob sich das deutsche Geschäft überhaupt. Die Acker-

[1] Beharrungsvermögen

baudistrikte fanden einen willigen Markt für ihr Korn in England. Die allgemeine Prosperität belebte den Geldmarkt, erleichterte den Kredit und lockte eine Menge kleiner Kapitalien, wie ihrer in Deutschland so viele halb brachliegen, auf den Markt. Wie in England und Frankreich, nur etwas später und in etwas[1]

Geschrieben März/April 1847.
Nach der Handschrift.

[1] Hier bricht das Manuskript ab.

[Friedrich Engels]

Schutzzoll oder Freihandels-System

[„Deutsche-Brüsseler-Zeitung“
Nr. 46 vom 10. Juni 1847]

Von dem Augenblick an, wo der König von Preußen aus Geld- und Kredit-Mangel zur Erlassung der Patente vom 3. Februar[17] gezwungen wurde, konnte es keinem verständigen Menschen zweifelhaft sein, daß das absolute Königtum in Deutschland, die bisherige „christlich-germanische“ Wirtschaft, auch unter dem Namen „väterliche Regierung“ bekannt, trotz alles Sträubens und aller geharnischten Thronreden für immer abgedankt habe. Damit war der Tag angebrochen, von welchem die Bourgeoisie in Deutschland ihre Herrschaft datieren kann. Die Patente selbst sind nichts, als ein noch mit vielem Potsdamer Dunst und Nebel umhülltes Anerkenntnis der Macht des Bürgertums. Ein großer Teil jenes Dunstes und Nebels ist bereits durch einiges schwache Pusten des Vereinigten Landtags auseinandergetrieben, und sehr bald wird die ganze christlich-germanische Nebel- und Spukgestalt in ihr Nichts aufgelöst sein.

So wie aber die Herrschaft der Mittelklassen begann, so mußte auch in erster Reihe die Forderung hervortreten, daß die ganze Handelspolitik Deutschlands, respektive des Zollvereins[20], den unfähigen Händen deutscher Fürsten, ihrer Minister und hochmütigen, aber in Handels- und Industriesachen höchst geistesbeschränkten und unwissenden Bürokraten entrissen und von denen abhängig gemacht und entschieden werde, die sowohl die nötige Einsicht als das nächste Interesse bei der Sache besitzen. Mit andern Worten: die Frage der Schutz- und Differentialzölle oder des freien Handels mußte der alleinigen Entscheidung des Bürgertums anheimfallen.

Der Vereinigte Landtag in Berlin hat der Regierung gezeigt, daß die Bourgoisie weiß, was ihr not tut; bei den neulichen Zollverhandlungen ist dem Spandauer Regierungssystem[41] in ziemlich klaren und bitteren Worten eröffnet worden, daß es unfähig ist, die materiellen Interessen zu begreifen, zu schützen und zu fördern. Die Krakauer Angelegenheit[42] allein wäre hinreichend gewesen, um den heiligen Allianz-Wilhelme[1] und seinen Ministern den Stempel der gröblichsten Unwissenheit oder der strafbarsten Verräterei gegen die Wohlfahrt des Landes auf die Stirn zu drücken. Zum Schrecken des allerhöchsten Herrn und seiner Exzellenzen kamen aber noch eine Menge anderer Dinge zur Sprache, bei denen sich die königlichen und ministeriellen Fähigkeiten und Einsichten – lebende wie verstorbene – alles andere, nur nicht geschmeichelt fühlen konnten.

Unter dem Bürgertume selbst herrschen zwar in betreff der Industrie und des Handels zwei verschiedene Ansichten. Es unterliegt indes keinem Zweifel, daß die Partei für die Schutz-, respektive Differentialzölle weitaus die mächtigste, zahlreichste und überwiegendste ist. Das Bürgertum kann sich auch in der Tat nicht halten, nicht befestigen, nicht zu unumschränkter Macht gelangen, wenn es nicht seine Industrie und seinen Handel durch künstliche Mittel schirmt und pflegt. Ohne Schutz gegen die ausländische Industrie wäre es in einem Jahrzehnt zerquetscht und niedergestampft. Sehr leicht möglich, daß ihm selbst der Schutz nicht viel und nicht lange hilft. Es hat zu lange gewartet, es hat zu ruhig in den Windeln gelegen, in die es von seinen teuern Fürsten so viele Jahre hindurch eingeschnürt gewesen. Man hat es auf allen Seiten überflügelt, überholt, ihm seine besten Positionen weggenommen, während es sich daheim ruhig „Handschmitze" geben ließ und nicht einmal so viel Energie besaß, um sich der teils idioten, teils höchst verschmitzten väterlichen Schul- und Zuchtmeister zu entledigen.

Jetzt hat sich das Blatt gewendet. Die deutschen Fürsten können fernerhin nur die Bedienten des Bürgertums, nur der Punkt über dem i der Bourgeoisie sein. Soweit es für die Macht der letzteren noch Zeit und Gelegenheit gibt, ist der Schutz der deutschen Industrie und des deutschen Handels die einzige Grundlage, auf der jene zu fußen vermag. Und was das Bürgertum gegenüber den deutschen Fürsten will und wollen muß, das wird es auch durchzusetzen wissen.

Neben dem Bürgertum gibt es jedoch eine recht ansehnliche Zahl von Menschen, die man Proletarier nennt – die arbeitende und besitzlose Klasse.

Es fragt sich daher: was gewinnt diese durch Einführung des Schutzsystems? Wird sie deshalb mehr Lohn erhalten, sich besser nähren und kleiden, gesünder wohnen, etwas mehr Zeit zur Erholung und Bildung, einige Mittel zur vernünftigeren, sorgsameren Erziehung ihrer Kinder erübrigen können?

---

[1] Friedrich Wilhelm IV.

Die Herren von der Bourgeoisie, welche das Schutzsystem befürworten, verfehlen nie, das Wohl der arbeitenden Klasse in den Vordergrund zu schieben. Ihren Worten nach zu urteilen, beginne zugleich mit der Beschützung der Industrie ein wahrhaft paradiesisches Leben für die Arbeiter, ja Deutschland wird dadurch zu einem Kanaan, wo für den Proletarier „Milch und Honig innen fließt". Hört man andererseits die Freihandelsmänner sprechen, so würden erst bei Anwendung *ihres* Systems die Besitzlosen „wie Gott in Frankreich", das heißt: höchst fidel und lustig leben können.

Unter beiden Parteien gibt es noch beschränkte Köpfe genug, die so ziemlich an die Wahrheit ihrer eigenen Worte glauben. Die Klugen darunter wissen sehr wohl, daß dies alles eitle Täuschung und auch lediglich auf Irreleitung und Gewinnung der Masse berechnet ist.

Den klugen Bourgeois braucht es niemand zu sagen, daß der Arbeiter, herrsche nun das Schutzzoll- oder das Freihandels- oder ein aus beiden gemischtes System, keinen höheren Arbeitslohn erhält, als gerade zu seiner notdürftigsten Unterhaltung hinreicht. Der Arbeiter bekommt auf der einen wie auf der andern Seite netto das, was er braucht, um als Arbeitsmaschine im Gange zu bleiben.

Dem Proletarier, dem Besitzlosen, könnte es also dem Anschein nach sehr gleichgültig sein, ob die Schutz- oder Freihandelsmänner das entscheidende Wort führen.

Da aber, wie oben gesagt, die Bourgeoisie in Deutschland des Schutzes gegen das Ausland bedarf, um mit den mittelalterlichen Überresten einer Feudal-Aristokratie und dem modernen Ungeziefer von „Gottes Gnaden" aufzuräumen, und ihr eigenstes, innerstes Wesen rein und lauter zur Entfaltung zu bringen! so hat auch die arbeitende Klasse ein Interesse an dem, was der Bourgeoisie zur ungeschmälerten Herrschaft verhilft.

Erst wenn nur noch *eine* Klasse – die Bourgeoisie – ausbeutend und unterdrückend dasteht, wenn Not und Elend nicht mehr bald dem, bald jenem Stande, oder bloß dem unbeschränkten Königtume nebst seinen Bürokraten in das Schuldbuch geschrieben werden können: erst dann entspinnt sich der letzte entscheidende Kampf, der Kampf zwischen den Besitzenden und Besitzlosen, zwischen der Bourgeoisie und dem Proletariat.

Dann ist das Schlachtfeld von allen unnötigen Schranken, von jedem irreführenden Beiwerk gesäubert; die Stellung der beiden feindlichen Heere klar und übersichtlich.

Mit der Herrschaft des Bürgertums gelangen auch die Arbeiter, von den Verhältnissen gezwungen, zu dem unendlich wichtigen Fortschritt, daß sie nicht mehr als Einzelne, als höchstens ein paar Hunderte oder Tausende gegen das Bestehende auftreten und sich empören, sondern daß sie allesamt als *eine* Klasse mit ihren besondern Interessen und Grundsätzen, ihrem letzten und schlimmsten Erbfeinde – der Bourgeoisie – nach gemeinsamem Plane und mit vereinter Macht zu Leibe rücken.

Der Ausgang dieses Kampfes kann nicht zweifelhaft sein. Die Bourgeoisie wird und muß vor dem Proletariat ebenso zu Boden sinken, wie die Aristokratie und das unbeschränkte Königtum von der Mittelklasse den Todesstoß erhalten hat.

Mit der Bourgeoisie zugleich stürzt das Privateigentum, und der Sieg der arbeitenden Klasse macht aller Klassen- und Kastenherrschaft für immer ein Ende.

Geschrieben Anfang Juni 1847.

KARL MARX

Das Elend der Philosophie

Antwort auf Proudhons „Philosophie des Elends“[43]

Deutsch von E. Bernstein und K. Kautsky

Mit Vorwort und Noten

von

Friedrich Engels

Geschrieben zwischen Ende Dezember 1846 und Anfang April 1847.
Erschien 1885 erstmalig in einer von Karl Kautsky
und Eduard Bernstein besorgten deutschen Ausgabe,
die von Friedrich Engels überprüft
und mit einem Vorwort versehen worden war.

Engels nahm bei der Revision des Textes der deutschen Übersetzung eine Reihe von Änderungen vor, über die er in seinem Vorwort Auskunft gibt. Diese Änderungen waren von Engels auch für eine geplante neue französische Ausgabe vorgesehen. Die Grundlage dafür bot ihm ein von Karl Marx Frau Natalja Utina im Jahre 1876 gewidmetes Exemplar des französischen Originals (in unseren Fußnoten kurz „Widmungsexemplar" genannt), das eine Reihe von Marx vorgenommene Verbesserungen und Ergänzungen enthielt.

Außerdem existiert noch eine von Engels offenbar für die schon 1884 geplante französische Ausgabe zusammengestellte Liste von „notes et changements" [Anmerkungen und Abänderungen] (in unseren Fußnoten kurz mit „Liste von Engels" bezeichnet), die sich mit den Eintragungen in dem Widmungsexemplar größtenteils decken.

Wir bringen den unveränderten Text der ersten Ausgabe der deutschen Übersetzung. Nur bei den Hervorhebungen haben wir uns eng an die des französischen Originals gehalten. Darüber hinaus sind von uns die von Marx stammenden Hervorhebungen (in unserem Text *kursiv*) und die der von ihm zitierten Autoren (in unserem Text g e s p e r r t) voneinander unterschieden. Hervorhebungen anderer, die Marx nicht übernommen hat, blieben unberücksichtigt.

Die Quellen sind sorgsam geprüft; dabei erwiesen sich einmal stillschweigende Korrekturen vor allem einiger Seitenangaben als notwendig; zum anderen konnten wir zusätzlich viele Quellenhinweise – in eckigen Klammern – nachtragen. Bei Zitaten wurde grundsätzlich die Marxsche Fassung beibehalten; wurde das betreffende Zitat von Marx besonders stark zusammengezogen, so haben wir in einer Anmerkung den vollen Wortlaut des Autors wiedergegeben. Unter die Beilagen des vorliegenden Bandes ist neben dem Vorwort von Friedrichs Engels (1885) auch der Brief von Karl Marx an P.W. Annenkow vom 28. Dezember 1846 aufgenommen worden, in dem Marx sich zum erstenmal, unmittelbar nach der Lektüre von Proudhons „Philosophie des Elends", über diese Schrift äußert.

MISÈRE

DE

LA PHILOSOPHIE.

RÉPONSE À

LA PHILOSOPHIE DE LA MISÈRE

DE M. PROUDHON.

Par Karl Marx.

PARIS.
A. FRANK,
69, rue Richelieu

BRUXELLES.
C. G. VOGLER,
2, petite rue de la Madeleine.

1847

Umschlagseite der französischen Erstausgabe
„Das Elend der Philosophie“

Vorrede

Herr Proudhon genießt das Unglück, auf eigentümliche Art verkannt zu werden. In Frankreich hat er das Recht, ein schlechter Ökonom zu sein, weil man ihn für einen tüchtigen deutschen Philosophen hält; in Deutschland dagegen darf er ein schlechter Philosoph sein, weil er für einen der stärksten französischen Ökonomen gilt. In unserer Doppeleigenschaft als Deutscher *und* Ökonom sehen wir uns veranlaßt, gegen diesen doppelten Irrtum Protest einzulegen.

Der Leser wird begreifen, daß wir bei dieser undankbaren Arbeit mehrfach die Kritik des Herrn Proudhon über die der deutschen Philosophie in den Hintergrund treten lassen und nebenbei uns einige Bemerkungen über die politische Ökonomie überhaupt gestatten mußten.

Brüssel, den 15. Juni 1847

Karl Marx

Das Werk des Herrn Proudhon ist nicht ganz einfach eine Abhandlung über politische Ökonomie, ein gewöhnliches Buch, es ist eine Bibel: „Mysterien", „Geheimnisse, dem Busen Gottes entrissen", „Offenbarungen", nichts davon fehlt. Aber da heutzutage die Propheten gewissenhafter geprüft werden als die profanen Autoren, muß sich der Leser schon darein ergeben, mit uns die trockene und dunkle Gelehrsamkeit der „Genesis" zu durchwandern, um sich dann mit Herrn Proudhon in die ätherischen und fruchtbaren Gefilde des *Übersozialismus* zu erheben (s. Proudhon, „*Phil[osophie] de la misère*", Prolog, S. III, Zeile 20).[1]

[1] Diese Einführung ist in den ersten vier Auflagen der deutschen Ausgabe nicht enthalten.

ERSTES KAPITEL

Eine wissenschaftliche Entdeckung

§ 1. Gegensatz von Gebrauchswert und Tauschwert

„Die Eigenschaft aller Produkte, seien sie industrielle oder Naturprodukte: dem Unterhalt des Menschen zu dienen, wird im besonderen *Gebrauchswert* genannt, ihre Eigenschaft, sich gegeneinander auszutauschen, *Tauschwert*... Wie wird der Gebrauchswert Tauschwert? ... Die Erzeugung der Idee des (Tausch-)[1]Wertes ist von den Ökonomen nicht mit hinreichender Sorgfalt gekennzeichnet worden, wir haben daher hier haltzumachen. Da nämlich unter den Dingen, deren ich bedarf, eine große Zahl nur in mäßiger Menge oder selbst gar nicht in der Natur sich vorfindet, so bin ich gezwungen, der Produktion dessen, was mir fehlt, nachzuhelfen, und da ich nicht an so viele Dinge selbst Hand anlegen kann, so werde ich anderen Menschen, meinen Mitarbeitern in verschiedenen Tätigkeitszweigen, *den Vorschlag machen*, mir einen Teil ihrer Produkte im *Austausch* gegen meines abzutreten." (Proudhon, Bd. I, Kap. 2 [S. 33–34].)

Herr Proudhon nimmt sich vor, uns vor allen Dingen die doppelte Natur des Wertes, *„die Unterscheidung des Wertes in sich"* [I, S. 34], das Hervorgehen des Tauschwertes aus dem Gebrauchswerte, auseinanderzusetzen. Mit Herrn Proudhon müssen auch wir bei diesem Transsubstantiationsakt haltmachen. Sehen wir, wie sich dieser Akt nach unserm Verfasser vollzieht.

Eine sehr große Zahl von Produkten findet sich nicht in der Natur, sondern ist nur herzustellen durch die Industrie. Sobald die Bedürfnisse die freiwillige Produktion der Natur überschreiten, ist der Mensch gezwungen, zur industriellen Produktion seine Zuflucht zu nehmen. Was ist diese Industrie in der Vorstellung des Herrn Proudhon? Welches ist ihr Ursprung? Ein einzelner Mensch, der das Bedürfnis nach einer großen Anzahl von Dingen empfindet, „kann nicht an soviel Dinge selbst Hand anlegen". Soviel zu befriedigende Bedürfnisse setzen voraus soviel zu produzierende Dinge. Kein Pro-

[1] (Tausch-): Einfügung von Marx

dukt ohne Produktion. Soviel zu produzierende Dinge setzen aber schon mehr voraus als die aushelfende Hand eines einzelnen Menschen. Von dem Augenblick jedoch, wo mehr als eine zur Produktion beitragende Hand vorausgesetzt wird, wird bereits eine ganze, auf Teilung der Arbeit begründete Produktion unterstellt. So unterstellt das Bedürfnis, wie Herr Proudhon es annimmt, die Arbeitsteilung vollständig. Die Arbeitsteilung vorausgesetzt, haben wir den Austausch und folglich auch den Tauschwert. Ebensogut konnten wir den Tauschwert von vornherein als gegeben voraussetzen.

Aber Herr Proudhon hat es vorgezogen, im Kreise zu laufen; folgen wir ihm also auf seinen Umwegen, die uns stets wieder zu seinem Ausgangspunkt zurückführen werden.

Um aus dem Zustand, wo jeder als Einsiedler für sich produziert, heraus und zum Austausch zu gelangen, „wende ich mich", sagt Herr Proudhon, „an meine Mitarbeiter in verschiedenen Tätigkeitszweigen". Ich habe also Mitarbeiter, die alle verschiedenen Beschäftigungen obliegen, ohne daß wir darum, ich und alle anderen – immer nach der Voraussetzung des Herrn Proudhon – aus der vereinsamten und wenig sozialen Stellung der Robinsons herausgetreten wären. Die Mitarbeiter und die verschiedenen Tätigkeitszweige, Arbeitsteilung und Austausch, den letztere in sich begreift, sind da, vom Himmel gefallen.

Fassen wir zusammen: Ich habe Bedürfnisse, die sich auf Arbeitsteilung und Austausch gründen. Indem Herr Proudhon diese Bedürfnisse voraussetzt, hat er auch bereits den Austausch und den Tauschwert vorausgesetzt, „dessen Entstehung er gerade mit größerer Sorgfalt als die übrigen Ökonomen zu kennzeichnen" sich vornimmt.

Herr Proudhon hätte ebensogut die Reihenfolge der Vorgänge umkehren können, ohne die Richtigkeit seiner Schlüsse zu beeinträchtigen. Um den Tauschwert zu erklären, bedarf es des Austausches. Um den Austausch zu erklären, bedarf es der Arbeitsteilung. Um die Arbeitsteilung zu erklären, bedarf es der Bedürfnisse, welche die Arbeitsteilung nötig machen. Um diese Bedürfnisse zu erklären, muß man sie einfach *„voraussetzen"*, was keineswegs heißt sie leugnen, entgegen dem ersten Axiom im Prolog des Herrn Proudhon: „Gott voraussetzen, heißt ihn leugnen" (Prolog, S. I).

Wie verfährt nun Herr Proudhon mit der Teilung der Arbeit, die er als bekannt voraussetzt, um den Tauschwert zu erklären, der für ihn stets das Unbekannte bleibt?

„Ein Mensch" macht sich auf, „anderen Menschen, seinen Mitarbeitern in verschiedenen Tätigkeitszweigen, *vorzuschlagen*", den Austausch herzustellen und einen Unterschied zwischen Gebrauchswert und Tauschwert zu machen. Mit der Annahme dieser vorgeschlagenen Unterscheidung haben die Mitarbeiter Herrn Proudhon keine weitere „Sorgfalt" überlassen als die, von dieser Tatsache Akt zu nehmen, die „Entstehung der Idee des Wertes" in seiner Abhandlung über politische Ökonomie zu vermerken, sie „zu kennzeichnen". Aber er soll uns noch immer die „Entstehung" dieses Vorschlages erklären, uns endlich einmal sagen, wie dieser einzelne Mensch, dieser Robinson, plötzlich auf den Einfall gekommen ist, „seinen Mitarbeitern" einen Vorschlag der *bekannten* Art zu machen, und wie diese Mitarbeiter ihn ohne irgendwelchen Einwand angenommen haben.

Herr Proudhon geht auf diese genealogischen Einzelnheiten nicht ein. Er gibt einfach der Tatsache des Austausches eine Art historischen Gepräges, indem er sie vorführt unter der Form eines Antrages, welchen ein Dritter gestellt, dahingehend, den Austausch einzuführen.

Hier haben wir eine kleine Probe von *„der historischen und beschreibenden Methode"* des Herrn Proudhon, der eine so souveräne Verachtung für die „historische und beschreibende Methode" von Adam Smith und Ricardo an den Tag legt.

Der Austausch hat seine eigene Geschichte. Er macht verschiedene Phasen durch.

Es gab eine Zeit, wo man, wie im Mittelalter, nur den Überfluß austauschte, den Überschuß der Produktion über den Verbrauch.

Es gab ferner eine Zeit, wo nicht nur der Überfluß, sondern alle Produkte, das ganze industrielle Dasein in den Handel übergegangen waren, wo die ganze Produktion vom Austausch abhing. Wie diese zweite Phase des Austausches, den Tauschwert auf seiner zweiten Potenz, erklären?

Herrn Proudhons Antwort ist sofort fertig: Man nehme an, daß ein Mensch „anderen Menschen, seinen Mitarbeitern in verschiedenen Tätigkeitszweigen, *vorgeschlagen*" habe, den Tauschwert auf seine zweite Potenz zu erheben.

Kam endlich eine Zeit, wo alles, was die Menschen bisher als unveräußerlich betrachtet hatten, Gegenstand des Austausches, des Schachers, veräußert wurde. Es ist dies die Zeit, wo selbst Dinge, die bis dahin mitgeteilt wurden, aber nie ausgetauscht, gegeben, aber nie verkauft, erworben, aber nie gekauft: Tugend, Liebe, Überzeugung, Wissen, Gewissen etc., wo mit einem Wort alles Sache des Handels wurde. Es ist die Zeit der allgemeinen Korruption, der universellen Käuflichkeit oder, um die ökonomische Ausdrucksweise zu gebrauchen, die Zeit, in der jeder Gegenstand, ob physisch oder moralisch, als Handelswert auf den Markt gebracht wird, um auf seinen richtigsten Wert abgeschätzt zu werden.

Wie nun diese neue und letzte Phase des Austausches – den Tauschwert auf seiner dritten Potenz – erklären?

Herrn Proudhons Antwort wäre sofort fertig: Nehmt an, eine Person habe „anderen Personen, ihren Mitarbeitern in verschiedenen Tätigkeitszweigen, *vorgeschlagen*", aus der Tugend, der Liebe etc. einen Handelswert zu machen, den Tauschwert auf seine dritte und letzte Potenz zu erheben.

Man sieht, „die historische und beschreibende Methode" des Herrn Proudhon ist zu allem gut, beantwortet alles, erklärt alles. Handelt es sich darum, „die Erzeugung einer ökonomischen Idee" historisch zu erklären, so setzt er einen Menschen voraus, der anderen Menschen, „seinen Mitarbeitern in verschiedenen Tätigkeitszweigen", vorschlägt, diesen Akt der Erzeugung zu vollziehen, und alles ist fertig.

Von nun ab akzeptieren wir „die Erzeugung" des Tauschwertes als einen vollzogenen Akt; es bleibt jetzt nur noch die Beziehung des Tauschwertes zum Gebrauchswert auseinanderzusetzen. Hören wir Herrn Proudhon:

„Die Ökonomen haben den doppelten Charakter des Wertes sehr gut hervorgehoben, was sie aber nicht mit derselben Deutlichkeit ausgedrückt haben, ist seine sich selbst *widersprechende Natur* – hier beginnt unsere Kritik... Es bedeutet wenig, beim Gebrauchswert und Tauschwert auf jenen überraschenden Kontrast hinzuweisen, bei dem die Ökonomen nur etwas sehr Einfaches zu sehen gewohnt sind, es gilt zu zeigen, daß diese vorgebliche Einfachheit ein tiefes Mysterium verbirgt, welches zu durchdringen unsere Pflicht ist... Um uns technisch auszudrücken, stehen Gebrauchswert und Tauschwert im umgekehrten Verhältnis zueinander." [I, S.36 u. 38.]

Wenn wir den Gedanken des Herrn Proudhon richtig erfaßt haben, so will er folgende vier Punkte feststellen:

1. Gebrauchswert und Tauschwert bilden „einen überraschenden Kontrast", stehen im Gegensatz zueinander.
2. Gebrauchswert und Tauschwert stehen im umgekehrten Verhältnis zueinander, widersprechen sich.
3. Die Ökonomen haben weder den Gegensatz noch den Widerspruch gesehen oder erkannt.
4. Die Kritik des Herrn Proudhon fängt an mit dem Ende.

Auch wir fangen an mit dem Ende, und um die Ökonomen von den Anklagen des Herrn Proudhon zu entlasten, wollen wir zwei ziemlich bedeutende Ökonomen sprechen lassen.

Sismondi: „Der Handel hat alle Dinge auf den Gegensatz zwischen Gebrauchswert und Tauschwert zurückgeführt, etc." („*Études*"[1], Bd.II, S.162, Brüsseler Ausgabe.)

[1] „*Studien*"

Lauderdale: „Im allgemeinen nimmt der Nationalreichtum (Gebrauchswert)[1] in dem Verhältnis ab, wie die Einzelvermögen durch das Steigen des Tauschwertes anwachsen; und in dem Maße, wie dieselben durch das Fallen dieses Wertes abnehmen, steigt in der Regel der erstere." (*„Recherches sur la nature et l'origine de la richesse publique*"; traduit par Lagentie de Lavaïsse[2], Paris 1808 [S.33].)

Sismondi hat auf den *Gegensatz* zwischen Gebrauchswert und Tauschwert seine Haupttheorie begründet, nach welcher das Einkommen abnimmt im Verhältnis, wie die Produktion gesteigert wird.

Lauderdale hat sein System auf das umgekehrte Verhältnis beider Wertarten begründet, und seine Theorie war zur Zeit *Ricardos* so populär, daß dieser von ihr wie von einer bekannten Sache sprechen durfte.

„Durch Verwirrung der Begriffe von Tauschwert und Reichtum (Gebrauchswert)[1] kam man zur Behauptung, man könne den Reichtum vermehren durch Verminderung der Menge der zum Leben notwendigen, nützlichen oder angenehmen Dinge." (Ricardo, *„Principes d'économie politique*", traduits par Constancio, annotés par J.-B.Say[3], Paris 1835, Bd.II, Kapitel *„Über Wert und Reichtum*" [S.65].)

Wir sehen, daß die Ökonomen vor Herrn Proudhon auf das tiefe Mysterium vom Gegensatz und Widerspruch „hingewiesen" haben. Sehen wir jetzt, wie Herr Proudhon nach den Ökonomen seinerseits dieses Mysterium erklärt.

Der Tauschwert eines Produkts fällt in dem Maße, wie das Angebot zunimmt, wenn die Nachfrage dieselbe bleibt; mit anderen Worten: Je mehr ein Produkt *im Verhältnis zur Nachfrage* überreichlich vorhanden ist, um so niedriger ist sein Tauschwert oder Preis. *Umgekehrt:* Je schwächer das Angebot im Verhältnis zur Nachfrage ist, um so höher steigt der Tauschwert oder Preis des Produkts; mit anderen Worten: Je größer die Seltenheit der angebotenen Produkte im Verhältnis zur Nachfrage, um so größer die Preiserhöhung. Der Tauschwert eines Produktes hängt von seinem Überfluß oder seiner Seltenheit ab, aber stets im Verhältnis zur Nachfrage. Man nehme ein mehr als seltenes, meinetwegen in seiner Art einziges Produkt – es wird mehr als überreichlich vorhanden, es wird überflüssig sein, wenn keine Nachfrage dafür da ist. Umgekehrt, man nehme ein ins Millionenfache vervielfältigtes Produkt, es wird stets selten sein, wenn es nicht die Nachfrage deckt, d.h., wenn zuviel Nachfrage nach ihm ist.

Das sind, möchten wir sagen, fast gemeinplätzliche Wahrheiten, und doch

[1] (Gebrauchswert): Einfügung von Marx – [2] *„Untersuchungen über das Wesen und den Ursprung des öffentlichen Reichtums*"; übersetzt von Lagentie de Lavaïsse – [3] *„Grundsätze der politischen Ökonomie*", übersetzt von Constancio, mit Anmerkungen versehen von J.-B. Say

mußten wir sie hier wieder vorführen, um die Mysterien des Herrn Proudhon verständlich zu machen.

„So daß, wenn man das Prinzip bis zu seinen letzten Konsequenzen verfolgen wollte, man zu diesem logischsten aller Schlüsse gelangen müßte, daß die Dinge, deren Gebrauch notwendig und deren Menge unbegrenzt ist, umsonst zu haben sein, und diejenigen, deren Nutzwert Null und deren Seltenheit außerordentlich ist, unendlich hoch im Preise stehen müßten. Was die Verwirrung auf den Gipfel steigert, ist, daß in der Praxis diese beiden Extreme nicht vorkommen: Einerseits kann kein menschliches Produkt je zu unendlicher Menge anwachsen; andererseits müssen die seltensten Dinge bis zu einem gewissen Grade nützlich sein, sonst würden sie gar keinen Wert haben können. Gebrauchswert und Tauschwert sind also notwendigerweise miteinander verbunden, obwohl sie ihrer Natur nach sich beständig auszuschließen streben." (Bd. I, S. 39.)

Was steigert die Verwirrung des Herrn Proudhon auf den höchsten Gipfel? Ganz einfach, daß er die *Nachfrage* vergessen hat und daß ein Ding nur überreichlich oder selten vorhanden ist, je nachdem es verlangt wird. Einmal die Nachfrage beiseite gelassen, setzt er den Tauschwert der *Seltenheit* und den Gebrauchswert dem *Überfluß* gleich. In der Tat, wenn er sagt, daß die Dinge, „deren *Nutzwert Null* und deren *Seltenheit außerordentlich* ist, *unendlich hoch im Preise* stehen", sagt er ganz einfach, daß Tauschwert lediglich Seltenheit ist. „Äußerste Seltenheit und Nützlichkeit gleich Null", das ist Seltenheit schlechtweg. „Unendlich hoher Preis" ist das Maximum des Tauschwertes, ist der reine Tauschwert. Diese beiden Ausdrücke stellt er in Gleichung. Tauschwert und Seltenheit sind somit gleichbedeutende Bezeichnungen. Indem er zu diesen angeblich „äußersten Konsequenzen" gelangt, hat Herr Proudhon allerdings die Worte aufs Äußerste getrieben, aber nicht den Inhalt, den sie ausdrücken, und er treibt damit mehr Rhetorik als Logik. Da, wo er neue Konsequenzen gefunden zu haben glaubt, findet er nur seine ursprünglichen Voraussetzungen in ihrer ganzen Nacktheit wieder. Dank demselben Verfahren bringt er es fertig, Gebrauchswert und reinen Überfluß als gleichbedeutend hinzustellen.

Nachdem er Tauschwert und Seltenheit, Gebrauchswert und Überfluß gleichgesetzt hat, ist Herr Proudhon ganz verwundert, daß er weder den Gebrauchswert in Seltenheit und Tauschwert noch den Tauschwert in Überfluß und Gebrauchswert findet; und da er ferner einsieht, daß in der Praxis diese Extreme nicht vorkommen, bleibt ihm nichts übrig, als an ein Mysterium zu glauben. Er kennt einen Preis, der unendlich hoch ist, eben weil es keine Käufer für ihn gibt, und Käufer wird er nie finden, solange er von der Nachfrage absieht.

Andererseits scheint der Überfluß des Herrn Proudhon von selbst zu entstehen. Er vergißt ganz, daß es Leute gibt, die ihn produzieren, und daß es in ihrem Interesse liegt, die Nachfrage nie aus dem Auge zu verlieren. Wenn nicht, wie käme Herr Proudhon sonst dazu, zu behaupten, daß die Dinge, die einen sehr großen Nutzwert haben, sehr billig sein oder sogar nichts kosten müßten? Er hätte im Gegenteil zu dem Schluß kommen müssen, daß man den Überfluß, die Produktion der sehr nützlichen Dinge, einschränken müsse, wenn man ihren Preis, ihren Tauschwert erhöhen will.

Wenn früher die französischen Weinbauern ein Gesetz verlangten, welches die Anlage neuer Weinberge untersagte, wenn die Holländer die Gewürze Asiens verbrannten, die Nelkenbäume auf den Molukken[44] ausrotteten, so wollten sie einfach den Überfluß vermindern, um den Tauschwert zu erhöhen. Das ganze Mittelalter verfuhr nach demselben Prinzip, als es durch Gesetze die Anzahl der Gesellen einschränkte, die jeder einzelne Meister beschäftigen, die Zahl der Werkzeuge, die er in Anwendung bringen durfte. (Vgl. Anderson, *„Geschichte des Handels"*.)

Nachdem er nun Überfluß als Gebrauchswert und Seltenheit als Tauschwert hingestellt – nichts leichter als der Nachweis, daß Überfluß und Seltenheit sich umgekehrt zueinander verhalten –, identifiziert Herr Proudhon den Gebrauchswert mit dem *Angebot* und den Tauschwert mit der *Nachfrage*. Um die Antithese noch krasser erscheinen zu lassen, schiebt er einen andern Ausdruck unter und setzt *„Meinungswert"* statt *Tauschwert*. So ist der Streit auf ein anderes Gebiet verlegt, und wir haben auf der einen Seite die *Nützlichkeit* (Gebrauchswert, Angebot), auf der anderen die *Meinung* (Tauschwert, Nachfrage).

Wie diese einander widersprechenden Faktoren aussöhnen? Was tun, um sie in Einklang zu setzen? Läßt sich zum mindesten ein Punkt finden, der ihnen gemeinsam ist?

„Sicher", ruft Herr Proudhon aus, „es gibt einen: der *freie Wille*. Der Preis, der aus diesem Kampf zwischen Angebot und Nachfrage, zwischen Nutzen und Meinung, sich ergibt, kann nicht der Ausdruck der ewigen Gerechtigkeit sein."

Herr Proudhon entwickelt diese Antithese weiter:

„In meiner Eigenschaft als *freier Käufer* bin ich Richter über mein Bedürfnis, Richter über die Zweckmäßigkeit des Gegenstandes, Richter über den Preis, den ich dafür anlegen *will*. Andererseits bist du als *freier Produzent* Herr über die *Herstellungsmittel* und folglich imstande, deine Kosten zu verringern." (Bd. I, S. 41.)

Und da Nachfrage oder Tauschwert identisch ist mit Meinung, so sieht sich Herr Proudhon veranlaßt zu sagen:

„Es ist erwiesen, daß es der *freie Wille* ist, der den Gegensatz zwischen Gebrauchswert und Tauschwert herbeiführt. Wie diesen Gegensatz auflösen, solange der freie Wille besteht? Und wie den freien Willen opfern, ohne den Menschen preiszugeben?" (Bd. I, S. 41.)

Hier ist es also nicht möglich, zu einem Resultat zu gelangen. Wir haben einen Kampf zwischen zwei sozusagen inkommensurablen Mächten, zwischen Nutzen und Meinung, zwischen freiem Käufer und freiem Produzenten.

Sehen wir die Dinge etwas näher an.

Das Angebot stellt nicht ausschließlich den Nutzen, die Nachfrage nicht lediglich die Meinung dar. Bietet derjenige, der nachfragt, nicht ebenfalls selbst irgendein Produkt oder das Vertretungszeichen aller Produkte: Geld, an, und vertritt er nicht als Anbietender nach Herrn Proudhon den Nutzen oder Gebrauchswert?

Der Anbietende, andererseits, hält er nicht gleichzeitig Nachfrage nach irgendeinem Produkt oder dem Vertretungszeichen aller Produkte: Geld? Und wird er damit nicht Vertreter der Meinung, des Meinungs- oder Tauschwertes?

Die Nachfrage ist gleichzeitig ein Angebot, das Angebot gleichzeitig eine Nachfrage. Somit beruht die Antithese des Herrn Proudhon, die einfach Angebot und Nachfrage mit Nutzen und Meinung identifiziert, lediglich auf einer hohlen Abstraktion.

Was Herr Proudhon Gebrauchswert nennt, nennen andere Ökonomen mit ebensoviel Recht Meinungswert. Wir wollen nur Storch anführen. („*Cours d'économie politique*"[1], Paris 1823, S. 48 u. 49.)

Nach ihm heißen die Dinge, für die wir Bedürfnis empfinden, *Bedürfnisse*; *Werte* diejenigen, denen wir einen Wert beilegen. Die meisten Dinge haben nur Wert, weil sie die durch die Meinung geschaffenen Bedürfnisse befriedigen. Die Meinung über unsere Bedürfnisse kann wechseln, und so auch die Nützlichkeit der Dinge, die nur die Beziehung dieser Dinge zu unseren Bedürfnissen ausdrückt. Selbst die natürlichen Bedürfnisse wechseln beständig. In der Tat, welche Verschiedenheit besteht nicht z. B. zwischen den Gegenständen, die bei den verschiedenen Völkern als Hauptnahrung dienen!

Der Kampf findet nicht zwischen Nutzen und Meinung statt: Er geht vor zwischen dem Handelswert, den der Anbietende fordert, und dem Handelswert, den der Nachfragende anbietet. Der Tauschwert des Produktes ist stets die Resultante dieser einander widersprechenden Abschätzungen.

[1] „*Kursus der politischen Ökonomie*"

In letzter Instanz stellen Angebot und Nachfrage die Produktion und die Konsumtion einander gegenüber, aber Produktion und Konsumtion begründet auf den Austausch zwischen einzelnen.

Das Produkt, welches man anbietet, ist nicht das Nützliche an und für sich. Der Konsument erst bestimmt seine Nützlichkeit. Und selbst wenn man ihm die Eigenschaft der Nützlichkeit zuerkennt, so stellt es nicht die Nützlichkeit als solche dar. Im Verlauf der Produktion ward es gegen alle Produktionskosten ausgetauscht, gegen Rohstoffe, Arbeitslöhne etc., alles Dinge, die einen Handelswert haben. Somit vertritt das Produkt in den Augen des Produzenten eine Summe von Handelswerten. Was er anbietet, ist nicht nur ein nützlicher Gegenstand, sondern auch, und zwar vor allem, ein Tauschwert.

Was die Nachfrage anbetrifft, so ist sie nur wirksam, soweit sie über Tauschmittel verfügt. Diese Mittel sind selbst wiederum Produkte, Tauschwerte.

In Angebot und Nachfrage finden wir somit einerseits ein Produkt, welches Tauschwerte gekostet hat, und das Bedürfnis zu verkaufen; andererseits Mittel, die Tauschwerte gekostet haben, und den Wunsch zu kaufen.

Herr Proudhon stellt den *freien Käufer* dem *freien Produzenten* gegenüber. Er legt beiden rein metaphysische Eigenschaften bei. Daher kann er auch sagen: „Es ist erwiesen, daß der *freie Wille* des Menschen es ist, der den Gegensatz zwischen Gebrauchswert und Tauschwert hervorruft." [I, S.41.]

Solange der Produzent in einer auf Arbeitsteilung und Einzelaustausch begründeten Gesellschaft produziert – und das ist die Voraussetzung des Herrn Proudhon –, ist er gezwungen zu verkaufen. Herr Proudhon macht den Produzenten zum Herrn der Produktionsmittel; er wird uns aber zugeben, daß der Besitz dieser Produktionsmittel nicht vom *freien Willen* abhängt. Mehr noch: Diese Produktionsmittel sind zum großen Teil Produkte, die er vom Ausland bezieht, und in der modernen Produktion ist er nicht einmal frei, die Menge, die er will, zu produzieren; der jeweilige Stand der Entwicklung der Produktionskräfte zwingt ihn, auf dieser oder jener bestimmten Stufenleiter zu produzieren.

Der Konsument ist nicht freier als der Produzent. Seine Meinung hängt ab von seinen Mitteln und seinen Bedürfnissen. Beide werden durch seine soziale Lage bestimmt, die wiederum selbst abhängt von der allgemeinen sozialen Organisation. Allerdings, der Arbeiter, der Kartoffeln kauft, und die ausgehaltene Mätresse, die Spitzen kauft, folgen beide nur ihrer respektiven Meinung; aber die Verschiedenheit ihrer Meinungen erklärt sich durch die Verschiedenheit der Stellung, die sie in der Welt einnehmen und die selbst wiederum ein Produkt der sozialen Organisation ist.

Ist das System der Bedürfnisse in seiner Gesamtheit auf die Meinung oder auf die gesamte Organisation der Produktion begründet? In den meisten Fällen entspringen die Bedürfnisse aus der Produktion oder aus einem auf die Produktion begründeten allgemeinen Zustand. Der Welthandel dreht sich fast ausschließlich um Bedürfnisse – nicht der Einzelkonsumtion, sondern der Produktion. Um ein anderes Beispiel zu wählen, setzt nicht das Bedürfnis nach Notaren ein gegebenes Zivilrecht voraus, das nur der Ausdruck einer bestimmten Entwicklung des Eigentums, d.h. der Produktion, ist?

Es genügt Herrn Proudhon nicht, aus dem Verhältnis von Angebot und Nachfrage die Elemente auszumerzen, von denen wir gesprochen. Er treibt die Abstraktion auf die Spitze, indem er alle Produzenten in *einen einzigen* Produzenten, alle Konsumenten in *einen einzigen* Konsumenten zusammenschweißt und den Kampf zwischen diesen beiden chimärischen Personen sich ausspielen läßt. Aber in der wirklichen Welt wickeln sich die Dinge anders ab. Die Konkurrenz zwischen den Anbietenden sowohl wie die Konkurrenz zwischen den Nachfragenden bildet ein notwendiges Element des Kampfes zwischen Käufern und Verkäufern, dessen Ergebnis der Tauschwert ist.

Nachdem er Produktionskosten und Konkurrenz ausgemerzt hat, kann Herr Proudhon die Formel von Angebot und Nachfrage nach Belieben aufs Absurde reduzieren.

> „Angebot und Nachfrage", sagt er, „sind nichts anderes als zwei *zeremonielle Formen*, die dazu dienen, Gebrauchswert und Tauschwert einander gegenüberzustellen und ihre Versöhnung[1] zu veranlassen. Es sind die beiden elektrischen Pole, die, in Verbindung gesetzt, die Wahlverwandtschaftserscheinung, Austausch genannt, zur Folge haben müssen." (Bd. I, S. 49.)

Ebensogut könnte man sagen, der Austausch sei nur eine „zeremonielle Form", um den Konsumenten und den Konsumtionsgegenstand zusammenzuführen. Ebensogut könnte man sagen, alle ökonomischen Beziehungen seien nur „zeremonielle Formen", um den unmittelbaren Konsum zu vermitteln. Angebot und Nachfrage sind Verhältnisse[45] einer gegebenen Produktion, nicht mehr und nicht weniger als der Einzelaustausch.

Worin besteht somit die ganze Dialektik des Herrn Proudhon? Darin, daß er für Gebrauchs- und Tauschwert, für Angebot und Nachfrage abstrakte und sich widersprechende Begriffe setzt, wie Seltenheit und Überfluß, Nützlichkeit und Meinung, *einen* Produzenten und *einen* Konsumenten, beide *Ritter vom freien Willen*.

[1] *(1847)* circulation [Zirkulation], in der Druckfehlerberichtigung der französischen Erstausgabe korrigiert in conciliation [Versöhnung]; *(1885, 1892* u. *1895)* irrtümlich: Zirkulation

Und worauf wollte er hinaus?

Sich das Mittel freihalten, früher oder später eines der ausgemerzten Elemente, die *Produktionskosten*, einzuführen als die *Synthese* zwischen Gebrauchswert und Tauschwert. Und so bilden denn in seinen Augen die Produktionskosten den *synthetischen* oder *konstituierten Wert*.

§ 2. Der konstituierte oder synthetische Wert

„Der (Tausch-)[1]Wert ist der Eckstein des ökonomischen Gebäudes." [I, S.32.] Der „*konstituierte*" Wert ist der Eckstein des Systems der ökonomischen Widersprüche.

Was ist nun dieser „*konstituierte Wert*", der die ganze Entdeckung des Herrn Proudhon in der politischen Ökonomie ausmacht?

Die Nützlichkeit einmal vorausgesetzt, ist die Arbeit die Quelle des Wertes. Das Maß der Arbeit ist die Zeit. Der relative Wert der Produkte wird bestimmt durch die Arbeitszeit, die zu ihrer Herstellung aufgewendet werden mußte. Der Preis ist der in Geld ausgedrückte relative Wert eines Produktes. Der *konstituierte* Wert endlich eines Produktes ist ganz einfach der Wert, der konstituiert wird durch die in demselben enthaltene Arbeitszeit.

Wie Adam Smith die *Arbeitsteilung* entdeckt hat, so behauptet Herr Proudhon, den „*konstituierten Wert*" entdeckt zu haben. Das ist nicht just „etwas Unerhörtes"; indes muß man zugeben, daß in keiner Entdeckung der ökonomischen Wissenschaft etwas Unerhörtes liegt. Immerhin sucht Herr Proudhon, der die ganze Bedeutung seiner Entdeckung ahnt, das Verdienst derselben abzuschwächen, „um den Leser über seine Ansprüche auf Originalität zu beruhigen und die Geister wieder auszusöhnen, deren Ängstlichkeit neuen Ideen wenig günstig ist". Nach Maßgabe jedoch, wie er seinen Vorläufern den Anteil zumißt, den jeder von ihnen an der Feststellung des Wertes gehabt, kommt er gezwungenermaßen dahin, laut zu verkünden, daß ihm der größte, der Löwenanteil gebührt.

> „Die synthetische Wertidee wurde von Adam Smith in unbestimmter Weise erfaßt... Aber diese Wertidee war bei Adam Smith ganz intuitiv: Die Gesellschaft jedoch ändert ihre Gewohnheiten nicht auf bloße Intuitionen hin, sie folgt erst der Autorität der Tatsache. Die Antinomie mußte auf eine eindrucksvollere und präzisere Art und Weise hervorgehoben werden: J.-B. Say war ihr hauptsächlicher Dolmetscher." [I, S.66.]

Da haben wir die Geschichte der Entdeckung des synthetischen Wertes

[1] (Tausch-): Einfügung von Marx

fix und fertig: Adam Smith gebührt die vage Intuition, J.-B. Say die Antinomie, Herrn Proudhon die konstituierende und „konstituierte" Wahrheit. Und man täusche sich nicht: Alle andern Ökonomen, von Say bis Proudhon, haben sich im Geleise der Antinomie bewegt.

„Es ist unglaublich, daß so viele verständige Menschen sich seit vierzig Jahren gegen eine so einfache Idee abquälen. Aber nein, die Vergleichung der Werte wird vollzogen, ohne daß es zwischen ihnen irgendeinen Vergleichspunkt gäbe und ohne Maßeinheit: – das haben die *Ökonomen des 19. Jahrhunderts*, anstatt die revolutionäre Theorie der Gleichheit zu erfassen, gegen alle und jeden zu behaupten sich entschlossen. *Was wird die Nachwelt dazu sagen?*" (Bd. I, S. 68.)

Die auf so brüske Art angerufene Nachwelt wird zunächst über die Chronologie in Zweifel geraten. Sie muß sich notwendig fragen: Sind denn Ricardo und seine Schule keine Ökonomen des 19. Jahrhunderts? Das System Ricardos, der als Prinzip aufstellte, „daß der relative Wert der Waren ausschließlich auf der zu ihrer Herstellung erforderten Arbeit beruht", datiert vom Jahre 1817. Ricardo ist das Haupt einer ganzen Schule, die seit der Restauration [46] in England herrscht. Die Ricardosche Lehre repräsentiert schroff, unbarmherzig die ganze englische Bourgeoisie, die selbst wiederum der Typus der modernen Bourgeoisie überhaupt ist. „Was die Nachwelt dazu sagen wird?" Sie wird nicht sagen, daß Herr Proudhon Ricardo nicht gekannt hat, denn er spricht von ihm, lang und breit, er kommt immer wieder auf ihn zurück und sagt schließlich, daß sein System „Kohl" ist. Wenn sich die Nachwelt jemals hineinmischt, so wird sie vielleicht sagen, daß Herr Proudhon, aus Furcht, die Anglophobie seiner Leser zu verletzen, es vorgezogen hat, sich zum verantwortlichen Herausgeber der Ideen Ricardos herzugeben. Wie dem jedoch sei, wird sie es sehr naiv finden, daß Herr Proudhon das als „revolutionäre Zukunftstheorie" hinstellt, was Ricardo wissenschaftlich nachgewiesen hat als die Theorie der gegenwärtigen, der bürgerlichen Gesellschaft, und daß er somit als Auflösung der Antinomie zwischen Gebrauchswert und Tauschwert das annimmt, was Ricardo und dessen Schule lange vor ihm als die wissenschaftliche Formel der einen Seite der Antinomie, des *Tauschwertes*, aufgestellt haben. Aber lassen wir ein für allemal die Nachwelt beiseite, und konfrontieren wir Herrn Proudhon mit seinem Vorgänger Ricardo. Folgende Stellen aus diesem Schriftsteller fassen seine Werttheorie zusammen:

„Nicht die Nützlichkeit ist das Maß des *Tauschwertes*, obwohl sie ein notwendiges Element desselben ist." (S. 3, Bd. I, von „*Principes de l'économie politique* etc.", traduit de l'anglais[1] par F.-S. Constancio, Paris 1835.)

[1] übersetzt aus dem Englischen

„Die Dinge, sobald sie einmal als an sich nützlich anerkannt sind, ziehen ihren Tauschwert aus zwei Quellen: aus ihrer Seltenheit und der zu ihrer Gewinnung nötigen Arbeitsmenge. Es gibt Dinge, deren Wert nur von ihrer Seltenheit abhängt. Da keine Arbeit ihre Zahl vermehren kann, so kann ihr Wert nicht sinken[1] auf Grund ihres größeren Überflusses. Hierhin gehören Bildsäulen, kostbare Gemälde etc. Dieser Wert hängt einzig von dem Vermögen, dem Geschmack und der Laune derer ab, die Lust verspüren, diese Gegenstände zu besitzen." (Bd. I, S. 4 u. 5, a. a. O.) „Sie machen jedoch nur ein sehr geringes Quantum der Waren aus, die täglich ausgetauscht werden. Da die größte Anzahl der Gegenstände, die man zu besitzen wünscht, Erzeugnisse der Industrie sind, kann man sie, sobald man die zu ihrer Herstellung notwendige Arbeit aufwenden will, nicht nur in einem Lande, sondern in mehreren Ländern in fast unbegrenzter Menge vervielfältigen." (Bd. I, S. 5, a. a. O.) „Wenn wir also von Waren, ihrem Tauschwert und den Prinzipien reden, nach denen sich ihr Preis regelt, so haben wir nur diejenigen Waren im Auge, deren Menge durch menschliche Arbeit beliebig vermehrt werden kann, deren Produktion durch die Konkurrenz gefördert wird und auf keine Hindernisse stößt." (Bd. I, S. 5.)

Ricardo zitiert Adam Smith, der nach ihm „die erste Quelle des Tauschwertes mit großer Genauigkeit entwickelt hat" (Smith, I, Kap. 5 [S. 9][47]), und fügt hinzu:

„Daß dies (die Arbeitszeit nämlich) in Wahrheit die Grundlage des Tauschwertes aller Dinge ist, die ausgenommen, welche durch menschliche Arbeit nicht beliebig vermehrt werden können, ist ein höchst wichtiger Lehrsatz der politischen Ökonomie: Denn aus keiner Quelle sind soviel Irrtümer geflossen, soviel Meinungsverschiedenheiten in dieser Wissenschaft entsprungen wie aus der oberflächlichen und wenig präzisen Auslegung des Wortes Wert." (Bd. I, S. 8.) „Wenn die in einen Gegenstand hineingelegte Arbeitsmenge es ist, die seinen Tauschwert bestimmt, so folgt daraus, daß jede Vermehrung der Arbeitsmenge notwendigerweise den Wert des Gegenstandes vermehren muß, auf den sie verwendet wurde, und daß ebenso jede Verminderung der Arbeit den Preis desselben vermindern muß." (Bd. I, S. 9.)

Ricardo macht dann Adam Smith den Vorwurf:

1. Daß er „für den Wert einen anderen Maßstab als die Arbeit aufstellte, bald den Wert des Getreides, bald die Arbeitsmenge, welche eine Sache zu kaufen vermag etc." (Bd. I, S. 9 u. 10.)

2. Daß er „das Prinzip ohne Vorbehalt einräume und doch seine Anwendung auf den ursprünglichen rohen Zustand der Gesellschaft beschränke, der der Anhäufung der Kapitalien und dem Privateigentum an Grund und Boden vorhergeht". (Bd. I, S. 21.)

---

[1] *(1847)* wie bei Ricardo: ne peut baisser [kann ... nicht sinken]; *(1885)* irrtümlich: nur sinken

Ricardo sucht den Nachweis zu liefern, daß das Grundeigentum, d.h. die (Boden-)[1]Rente, den Wert der Lebensmittel nicht beeinflussen kann und daß die Akkumulation der Kapitalien nur einen zeitweiligen und oszillierenden Einfluß auf das Verhältnis der Werte ausübt, die bestimmt werden durch das Verhältnis der zu ihrer Herstellung aufgewendeten Arbeitsmenge. Um diesen Satz zu beweisen, entwickelt er seine berühmte Grundrententheorie, analysiert er das Kapital und gelangt in letzter Instanz dahin, in demselben nur aufgehäufte Arbeit zu finden. Alsdann entwickelt er eine ganze Theorie über das Verhältnis von Arbeitslohn und Profit und beweist, daß Lohn und Profit im umgekehrten Verhältnis zueinander steigen und fallen, ohne den Wert des Produktes zu beeinflussen. Er übersieht dabei nicht den Einfluß, den die Anhäufung der Kapitalien und ihre verschiedene Natur (fixes und flüssiges Kapital) sowie die Lohnhöhe auf den verhältnismäßigen Wert der Produkte ausüben können. Es sind das sogar die hauptsächlichsten Probleme, die Ricardo beschäftigen.

„Keine Ersparnis von Arbeit", sagt er, „ermangelt je, den relativen Wert* einer Ware sinken zu machen, sei es, daß diese Ersparnis die Arbeit, die zur Verfertigung des Gegenstandes selbst nötig ist, betrifft, sei es, daß sie sich auf die zur Bildung des bei dieser Verfertigung angewendeten Kapitals bezieht." (Bd. I, S. 28.) „Solange daher ein Arbeitstag dem einen die gleiche Menge Fisch und dem andern ebensoviel Wildbret abwirft, wird die natürliche Höhe der bezüglichen Tauschpreise stets dieselbe bleiben, welche Veränderungen auch sonst in den Arbeitslöhnen und Profiten vorgehen mögen und unbeschadet aller Einwirkungen der Kapitalanhäufung." (Bd. I, S. 32.) „Wir haben die Arbeit als die Grundlage des Wertes der Dinge betrachtet und die zu deren Herstellung notwendige Arbeitsmenge als den Maßstab, der die Menge der Waren bestimmt, die im Austausch für andere hingegeben werden müssen; aber wir haben nicht die Absicht zu leugnen, daß in dem jeweiligen Preis der Waren zufällige und vorübergehende Abweichungen von diesem ursprünglichen natürlichen Preise vorkommen." (Bd. I, S. 105, a. a. O.) „Die Produktionskosten sind es, die in letzter Instanz den Preis der Dinge bestimmen, und nicht, wie man oft behauptet hat, das Verhältnis zwischen Angebot und Nachfrage." (Bd. II, S. 253.)

* Ricardo bestimmt bekanntlich den Wert einer Ware durch die „Menge der Arbeit, die zu ihrer Erlangung erforderlich ist" [Ricardo, a. a. O., I, S. 4]. Die in jeder auf Warenproduktion beruhenden Produktionsweise, also auch in der kapitalistischen, herrschende Austauschform bringt es aber mit sich, daß dieser Wert nicht direkt in Mengen von Arbeit ausgedrückt wird, sondern in Mengen einer anderen Ware. Der Wert einer Ware, ausgedrückt in einem Quantum einer anderen Ware (Geld oder nicht), heißt bei Ricardo ihr relativer Wert. *F. E.*

[1] (Boden-): Einfügung der Übersetzer

Lord Lauderdale hatte die Veränderungen des Tauschwertes nach dem Gesetz von Angebot und Nachfrage oder von Seltenheit und Überfluß in Beziehung zur Nachfrage entwickelt. Nach ihm kann der Wert einer Sache steigen, wenn deren Menge abnimmt, aber die Nachfrage nach ihr wächst; er kann sinken, je nachdem ihre Menge zunimmt oder die Nachfrage nach ihr abnimmt. So kann der Wert eines Gegenstandes sich verändern durch die Einwirkung von acht verschiedenen Ursachen, nämlich der vier Ursachen, welche auf diesen selbst Bezug haben, und der vier Ursachen, welche sich auf das Geld oder jede andere Ware beziehen, die als Maß ihres Wertes dient. Ricardo widerlegt das folgendermaßen:

„Produkte, welche das *Monopol* eines einzelnen oder einer Gesellschaft sind, ändern ihren Wert nach dem Gesetz, welches Lord Lauderdale aufgestellt hat; sie sinken entsprechend dem Wachsen des Angebots und steigen mit dem Verlangen, welches die Käufer an den Tag legen, sie zu erwerben; ihr Preis steht in keinem notwendigen Verhältnis zu ihrem natürlichen Wert. Was aber die Dinge betrifft, die der Konkurrenz unter den Verkäufern unterliegen und deren Menge bis zu einem gewissen Grade vermehrt werden kann, so hängt ihr Preis endgiltig nicht von dem Stande der Nachfrage und Zufuhr, sondern von der Vermehrung oder Verminderung der Produktionskosten ab." (Bd. II, S. 259.)

Wir überlassen es dem Leser, die so präzise, klare, einfache Sprache Ricardos mit den rhetorischen Anstrengungen zu vergleichen, die Herr Proudhon anstellt, um zur Festsetzung des Tauschwertes durch die Arbeitszeit zu gelangen.

Ricardo zeigt uns die wirkliche Bewegung der bürgerlichen Produktion, die den Wert konstituiert. Herr Proudhon abstrahiert von dieser wirklichen Bewegung und quält sich ab, um neue Prozesse zu erfinden und die Welt nach einer angeblich neuen Formel einzurichten, die nur der theoretische Ausdruck der von Ricardo so schön dargelegten wirklichen Bewegung ist. Ricardo nimmt seinen Ausgangspunkt aus der bestehenden Gesellschaft, um uns zu zeigen, wie sie den Wert konstituiert; Herr Proudhon nimmt als Ausgangspunkt den konstituierten Wert, um vermittelst dieses Wertes eine neue soziale Welt zu konstituieren. Für Herrn Proudhon muß der konstituierte Wert sich im Kreis bewegen und für eine bereits auf Grund dieses Wertmaßstabes völlig konstituierte Welt neuerdings konstituierend werden. Die Bestimmung des Wertes durch die Arbeitszeit ist für Ricardo das Gesetz des Tauschwertes; für Herrn Proudhon ist sie die Synthesis von Gebrauchswert und Tauschwert. Ricardos Theorie der Werte ist die wissenschaftliche Darlegung des gegenwärtigen ökonomischen Lebens; die Werttheorie des Herrn Proudhon ist die utopische Auslegung der Theorie Ricardos. Ricardo konstatiert die Wahrheit seiner Formel, indem er sie aus allen wirtschaftlichen Vorgängen ableitet und auf diese Art alle Erscheinungen erklärt, selbst diejenigen, welche im ersten Augenblick ihr zu widersprechen scheinen, wie die Rente, die Akkumulation der Kapitalien und das Verhältnis der Löhne zu den Profiten. Gerade das ist es, was seine Lehre zu einem wissenschaftlichen System macht; Herr Proudhon, der diese Formel Ricardos mittelst rein willkürlicher Hypothesen neuerdings gefunden hat, ist demgemäß gezwungen, einzelne ökonomische Tatsachen zu suchen, die er martert und fälscht, um sie als Beispiele, als bereits bestehende Anwendungen, als Keime der Verwirklichung seiner neuschöpferischen Idee hinstellen zu können. (Siehe unten § 3, „*Anwendung des konstituierten Wertes*".)

Gehen wir jetzt zu den Schlüssen über, welche Herr Proudhon aus seinem (durch die Arbeitszeit) konstituierten Wert zieht.

Eine gewisse Menge der Arbeit ist gleichwertig dem Produkt, welches durch diese Arbeitsmenge geschaffen worden.

Jeder Arbeitstag gilt soviel wie ein anderer Arbeitstag; d.h. bei gleicher Menge gilt die Arbeit des einen soviel wie die Arbeit des andern: Es gibt keinen qualitativen Unterschied. Bei gleicher Arbeitsmenge tauscht sich das Produkt des einen für das Produkt des andern. Alle Menschen sind Lohnarbeiter, und zwar für gleiche Arbeitszeit gleich bezahlt. Vollständige Gleichheit beherrscht den Tausch.

Sind diese Schlüsse die natürlichen und notwendigen Konsequenzen des „konstituierten", d.h. des durch die Arbeitszeit bestimmten Wertes?

Wenn der Wert einer Ware bestimmt wird durch die zu ihrer Herstellung erforderliche Arbeitsmenge, so folgt daraus notwendigerweise, daß der Wert der Arbeit, d.h. der Arbeitslohn, gleichfalls durch die Arbeitsmenge bestimmt wird, die zu seiner Herstellung erforderlich ist. Der Lohn, d.h. der relative Wert oder der Preis der Arbeit, wird demnach bestimmt durch die Arbeitszeit, die erforderlich ist zur Erzeugung alles dessen, was der Arbeiter zu seinem Unterhalt bedarf.

„*Vermindert die Herstellungskosten* der Hüte, und ihr Preis wird schließlich auf ihren neuen natürlichen Preis herabgehen, mag auch die Nachfrage sich verdoppeln, verdreifachen oder vervierfachen. *Vermindert die Unterhaltskosten der Menschen* durch Ermäßigung des natürlichen Preises der zum Leben notwendigen Nahrung und Kleidung, und ihr werdet sehen, wie die Löhne fallen, selbst wenn die Nachfrage nach Arbeitern erheblich steigen sollte." (Ricardo, Bd. II, S. 253.)

Gewiß, die Sprache Ricardos ist so zynisch wie nur etwas. Die Fabrikationskosten von Hüten und die Unterhaltskosten des Menschen in ein und dieselbe Reihe stellen, heißt die Menschen in Hüte verwandeln. Aber man schreie nicht zu sehr über den Zynismus. Der Zynismus liegt in der Sache und nicht in den Worten, welche die Sache bezeichnen. Französische Schriftsteller, wie die Herren Droz, Blanqui, Rossi und andere, machen sich das unschuldige Vergnügen, ihre Erhabenheit über die englischen Ökonomen[1] dadurch zu dokumentieren, daß sie den Anstand einer „humanitären" Sprache zu beobachten suchen; wenn sie Ricardo und seiner Schule ihre zynische Sprache vorwerfen, so nur, weil es sie verletzt, die ökonomischen Beziehungen in ihrer ganzen Nacktheit aufgedeckt, die Mysterien der Bourgeoisie verraten zu sehen.

Fassen wir zusammen: Die Arbeit, wo sie selbst Ware ist, mißt sich als solche durch die Arbeitszeit, welche zur Herstellung der Ware Arbeit notwendig ist. Und was ist zur Herstellung der Ware Arbeit nötig? Genau die Arbeitszeit, die notwendig ist zur Herstellung der Gegenstände, die unerläßlich sind zum ununterbrochenen Unterhalt der Arbeit, d.h. um den Arbeiter in den Stand zu setzen, sein Leben zu fristen und seine Rasse fortzupflanzen. Der natürliche Preis der Arbeit ist nichts anderes als das Minimum des Lohnes.* Wenn der Marktpreis des Lohnes sich über seinen natürlichen Preis erhebt, so kommt dies gerade daher, daß das von Herrn Proudhon als Prinzip aufgestellte Wertgesetz in dem Wechsel des Verhältnisses von Angebot und Nachfrage sein Gegengewicht findet. Aber das Lohnminimum bleibt nichtsdestoweniger der Mittelpunkt, nach welchem der Marktpreis des Lohnes gravitiert.

* Der Satz, daß der „natürliche", d.h. normale Preis der Arbeitskraft zusammenfällt mit dem Minimum des Lohnes, d.h. mit dem Wertäquivalent der zum Leben und zur Fortpflanzung des Arbeiters absolut notwendigen Lebensmittel – dieser Satz wurde zuerst von mir aufgestellt in den „Umrissen zu einer Kritik der Nationalökonomie" („Deutsch-Französische Jahrbücher", Paris 1844[33]) und in der „Lage der arbeitenden Klasse in England"[2]. Wie man hier sieht, hatte Marx diesen Satz damals akzeptiert. Von uns beiden hat Lassalle ihn übernommen. Wenn aber auch in der Wirklichkeit der Arbeitslohn die beständige Tendenz hat, sich seinem Minimum zu nähern, so ist der obige Satz dennoch falsch. Die Tatsache, daß die Arbeitskraft in der Regel und im Durchschnitt unter ihrem Wert bezahlt wird, kann ihren Wert nicht ändern. Im „Kapital" hat Marx sowohl den obigen Satz richtiggestellt (Abschnitt: „Kauf und Verkauf der Arbeitskraft") wie auch (Kap. XXIII, „Das allgemeine Gesetz der kapitalistischen Akkumulation") die Umstände entwickelt, welche der kapitalistischen Produktion erlauben, den Preis der Arbeitskraft mehr und mehr unter ihren Wert zu drücken. *F.E.*

[1] *(1847)* économistes; *(1885, 1892 u. 1895)* Schriftsteller – [2] siehe Band 2 unserer Ausgabe, S. 225 – 506

So ist der durch die Arbeitszeit gemessene Wert notwendigerweise die Formel der modernen Sklaverei der Arbeiter, anstatt, wie Herr Proudhon behauptet, die „revolutionäre Theorie" der Emanzipation des Proletariats zu sein.

Sehen wir nunmehr zu, in wie vielen Fällen die Arbeitszeit als Maßstab des Wertes unverträglich ist mit dem bestehenden Antagonismus der Klassen und der ungleichen Verteilung des Arbeitsertrages zwischen dem unmittelbaren Produzenten (dem Arbeiter)[1] und dem Besitzer des Produktes.

Nehmen wir irgendein Produkt, z.B. die Leinwand. Als solches enthält dieselbe ein bestimmtes Quantum Arbeit. Dieses Arbeitsquantum wird stets das gleiche sein, wie immer die Lage derer sich zueinander gestalten möge, die zur Herstellung dieses Produktes mitgewirkt haben.

Nehmen wir ein anderes Produkt: Tuch, welches dasselbe Arbeitsquantum erfordert haben möge wie die Leinwand.

Wenn ein Austausch dieser beiden Produkte stattfindet, so findet Austausch gleicher Arbeitsmengen statt. Tauscht man diese gleichen Mengen von Arbeitszeit aus, so tauscht man keineswegs die gegenseitige Lage der Produzenten aus, noch ändert man irgend etwas an der Lage von Arbeitern und Fabrikanten unter sich. Behaupten, daß dieser Austausch von durch Arbeitszeit gemessenen Produkten zur Folge habe eine gleiche Bezahlung aller Produzenten, heißt voraussetzen, daß dem Tausch eine gleiche Beteiligung am Produkte vorausgegangen sei. Ist der Austausch des Tuches gegen Leinwand vollzogen, so werden die Produzenten des Tuches denjenigen Anteil an der Leinwand haben, der ihrem früheren Anteil am Tuche entspricht.

Herrn Proudhons Illusion kommt daher, daß er für Konsequenz nimmt, was höchstens als eine unbewiesene Voraussetzung gelten kann.

Gehen wir weiter.

Setzt die Arbeitszeit als Maßstab des Wertes wenigstens voraus, daß die (Arbeits-)[2]Tage *gleichwertig* sind, das heißt, daß der Arbeitstag des einen soviel wert ist wie der Arbeitstag des anderen? Nein.

Nehmen wir einmal an, der Arbeitstag eines Goldarbeiters sei drei Arbeitstagen eines Webers gleichwertig, so wird jeder Wechsel im Wertverhältnis der Schmuckwaren gegen Gewebe, soweit er nicht eine vorübergehende Folge der Schwankungen von Angebot und Nachfrage ist, zur Ursache haben eine Verminderung oder Vermehrung der zur Herstellung der einen oder der anderen Art Produkte angewendeten Arbeitszeit. Gesetzt, drei Arbeitstage verschiedener Arbeiter verhalten sich zueinander wie 1, 2, 3, so

[1] (dem Arbeiter): Einfügung der Übersetzer – [2] (Arbeits-): Einfügung der Übersetzer

wird jeder Wechsel im relativen Wert ihrer Produkte auch eine Änderung sein nach diesem selben Verhältnis von 1, 2, 3. Auf diese Art kann man den Wert durch die Arbeitszeit messen, trotz der Ungleichheit des Wertes der verschiedenen Arbeitstage; doch müssen wir, um ein solches Maß anwenden zu können, einen vergleichenden Maßstab für die verschiedenen Arbeitstage haben: Diesen Maßstab liefert die Konkurrenz.

Gilt deine Arbeitsstunde soviel wie die meinige? Diese Frage wird durch die Konkurrenz entschieden.

Die Konkurrenz bestimmt, nach einem amerikanischen Ökonomen, wieviel Tage einfacher (unqualifizierter) Arbeit in einem Tage zusammengesetzter (qualifizierter)[1] Arbeit enthalten sind. Setzt diese Reduktion von Arbeitstagen zusammengesetzter Arbeit in Arbeitstage einfacher Arbeit nicht voraus, daß man die einfache Arbeit an sich als Wertmaß annimmt? Wird das Quantum der Arbeit an sich, ohne Rücksicht auf die Qualität, als Wertmesser genommen, so setzt dies voraus, daß die einfache Arbeit der Angelpunkt der Industrie geworden ist. Sie setzt voraus, daß die Arbeiten durch die Unterordnung des Menschen unter die Maschine oder die äußerste Arbeitsteilung gleichgemacht sind, daß die Menschen gegenüber der Arbeit verschwinden, daß das Pendel der Uhr der genaue Messer für das Verhältnis der Leistungen zweier Arbeiter geworden, wie er es für die Schnelligkeit zweier Lokomotiven ist. So muß es nicht mehr heißen, daß eine (Arbeits-)[2]Stunde eines Menschen gleichkommt der Stunde eines andern Menschen, sondern daß vielmehr ein Mensch während einer Stunde soviel wert ist wie ein anderer Mensch während einer Stunde. Die Zeit ist alles, der Mensch ist nichts mehr, er ist höchstens noch die Verkörperung der Zeit. Es handelt sich nicht mehr um die Qualität. Die Quantität allein entscheidet alles: Stunde gegen Stunde, Tag gegen Tag; aber diese Gleichmachung der Arbeit ist keineswegs das Werk von Herrn Proudhons ewiger Gerechtigkeit. Sie ist ganz einfach ein Ergebnis der modernen Industrie.

In der mit Maschinen arbeitenden Fabrik unterscheidet sich die Arbeit des einen Arbeiters fast in nichts mehr von der Arbeit eines anderen Arbeiters: Die Arbeiter können sich voneinander nur unterscheiden durch das Quantum von Zeit, welches sie bei der Arbeit aufwenden. Nichtsdestoweniger erscheint dieser quantitative Unterschied von einem gewissen Gesichtspunkte aus qualitativ, insofern die für die Arbeit aufgewendete Zeit abhängt einerseits von rein materiellen Bedingungen wie physische Konstitution, Alter,

[1] (unqualifizierter) u. (qualifizierter): Einfügungen der Übersetzer – [2] (Arbeits-): Einfügung der Übersetzer

Geschlecht, anderseits von moralischen, rein negativen Umständen wie Geduld, Unempfindlichkeit und Emsigkeit. Endlich, wenn es einen qualitativen Unterschied in der Arbeit der Arbeiter gibt, so ist dies höchstens eine Qualität von der schlechtesten Qualität, die weit entfernt ist, eine unterscheidende Spezialität zu sein. Das ist in letzter Instanz der Stand der Dinge in der modernen Industrie. Und auf diese bereits in der Maschinenarbeit verwirklichte Gleichheit setzt Herr Proudhon seinen Hobel der „Gleichmachung" an, die er universell zu verwirklichen vorhat in der „Zeit, die kommen wird".

Alle „egalitären" Folgerungen, welche Herr Proudhon aus der Theorie Ricardos zieht, beruhen auf einem fundamentalen Irrtum. Er verwechselt nämlich den durch die aufgewendete Arbeitsmenge bestimmten Warenwert mit dem Warenwert, bestimmt durch den „*Wert der Arbeit*". Wenn diese beiden Arten, den Wert der Waren zu messen, dasselbe ausdrückten, so könnte man unterschiedslos sagen: Der Wert irgendeiner Ware wird gemessen durch die in ihr verkörperte Arbeitsmenge; oder aber: er wird gemessen durch die Menge von Arbeit, die er zu kaufen imstande ist; oder endlich: er wird gemessen durch die Menge von Arbeit, welche ihn zu erwerben vermag. Aber dem ist bei weitem nicht so. Der Wert der Arbeit kann ebensowenig als Maßstab des Wertes dienen wie der Wert jeder anderen Ware. Einige Beispiele werden genügen, das eben Gesagte dem Verständnis näherzubringen.

Wenn ein Scheffel Getreide zwei Arbeitstage an Stelle eines einzigen kostete, so würde er das Doppelte seines ursprünglichen Wertes besitzen; aber er würde nicht die doppelte Arbeitsmenge in Bewegung setzen, denn er würde nicht mehr Nährstoff enthalten als zuvor. So wäre der Wert des Getreides, gemessen durch die zu dessen Hervorbringung angewendete Arbeitsmenge, verdoppelt; aber gemessen, sei es durch die Arbeitsmenge, die er kaufen kann, oder durch die Arbeitsmenge, die ihn kaufen kann, ist er weit entfernt, verdoppelt zu sein. Anderseits, wenn dieselbe Arbeit doppelt soviel Kleidungsstücke wie früher erzeugt, so fiele der Wert derselben um die Hälfte; aber nichtsdestoweniger wäre diese doppelte Menge von Kleidern dadurch nicht so weit herabgedrückt, daß sie nur über die halbe Menge Arbeit verfügen könnte, noch wäre dieselbe Arbeit imstande, über die doppelte Menge von Kleidungsstücken zu verfügen; denn die Hälfte der Kleider würde nach wie vor den Arbeitern denselben Dienst leisten.

Es widerspricht somit den ökonomischen Tatsachen, den Wert der Lebensmittel durch den Wert der Arbeit zu messen; das hieße, sich in einem fehlerhaften Kreislauf bewegen, den relativen Wert durch einen relativen Wert bestimmen, der seinerseits erst wieder bestimmt werden muß.

Es unterliegt keinem Zweifel, daß Herr Proudhon diese beiden Maßstäbe durcheinanderwirft: die zur Herstellung einer Ware notwendige Arbeitszeit und den Wert der Arbeit.

„Die Arbeit eines jeden Menschen", sagt er, „kann den Wert kaufen, den sie in sich schließt." [I, S.81.]

Somit gilt nach ihm ein gewisses in einem Produkt fixiertes Arbeitsquantum ebensoviel wie die Entlohnung des Arbeiters, d.h. wie der Wert der Arbeit. Dies ist auch derselbe Schluß, der ihm erlaubt, Produktionskosten und Löhne gleichzusetzen.

„Was ist der Lohn? Der Herstellungspreis von Getreide etc., der vollständige Preis jedes Dinges. Mehr noch: Der Lohn ist die Proportionalität der Elemente, die den Reichtum bilden." [I, S.110.]

Was ist der Lohn? Der Wert der Arbeit.

Adam Smith nimmt zum Maßstab des Wertes bald die zur Herstellung einer Ware notwendige Arbeitszeit, bald den Wert der Arbeit. Ricardo hat diesen Irrtum aufgedeckt, indem er die Verschiedenheit dieser beiden Messungsarten klar nachwies. Herr Proudhon überbietet noch den Irrtum von Adam Smith, indem er zwei Dinge identifiziert, die jener nur nebeneinander gebraucht.

Um das rechte Verhältnis zu finden, nach welchem die Arbeiter an den Produkten teilhaben sollen, oder, mit anderen Worten, um den relativen Wert der Arbeit zu bestimmen, sucht Herr Proudhon einen Maßstab für den relativen Wert der Waren. Um den Maßstab für den relativen Wert der Waren zu bestimmen, weiß er nichts Besseres auszuklügeln, als uns als Äquivalent für eine gewisse Menge von Arbeit die Summe der durch sie geschaffenen Produkte hinzustellen, was vermuten läßt, daß die ganze Gesellschaft aus nichts als Arbeitern besteht, die als Lohn ihr eigenes Produkt bekommen. In zweiter Linie behauptet er die Gleichwertigkeit der Arbeitstage der verschiedenen Arbeiter als Tatsache, mit einem Wort, er sucht den Maßstab für den relativen Wert der Waren, um zur gleichen Entlohnung der Arbeiter zu gelangen, und nimmt die Gleichheit der Löhne als bereits fertige Tatsache hin, um sich auf die Suche nach dem relativen Wert der Waren zu machen. Welch bewunderungswürdige Dialektik!

„Say und die Ökonomen, welche ihm folgen, haben bemerkt, daß, da die Arbeit selbst der Schätzung unterworfen, kurz, eine Ware wie jede andere ist, es ein fehlerhafter Kreislauf sei, sie als Prinzip und entscheidenden Faktor des Wertes zu nehmen. Diese Ökonomen haben damit, mit Verlaub zu sagen, eine ungeheuerliche Unachtsamkeit an den Tag gelegt. Man sagt von der Arbeit, daß sie einen *Wert (valoir)* hat, nicht sowohl als eigentliche Ware als im Hinblick auf die Werte, welche man in ihr potentiell enthalten annimmt. Der Wert der Arbeit ist ein figürlicher Ausdruck, eine Antizipierung der Ursache vor der Wirkung; er ist eine Fiktion von demselben Kaliber wie die Produktivität des Kapitals. Die Arbeit produziert, das Kapital hat Wert (vaut)... Durch eine Art Ellipse sagt man Wert der Arbeit... Die Arbeit wie die Freiheit ... ist etwas seiner Natur nach Vages und Unbestimmtes, was jedoch gemäß seinem Objekt bestimmte Form annimmt, d.h. welches durch das Produkt Realität wird." [I, S. 61.]

„Aber wozu sich dabei aufhalten? Sobald der Ökonom" (lies: Herr Proudhon)[1] „den Namen des Dinges, vera rerum vocabula[2], wechselt, gesteht er implizite seine Ohnmacht ein und streckt die Waffen." (Proudhon, I, S. 188.)

Wir haben gesehen, wie Herr Proudhon aus dem Wert der Arbeit den „entscheidenden Faktor" des Wertes der Produkte macht, in einer Weise, daß für ihn der *Lohn*, wie der „Wert der Arbeit" gemeinhin genannt wird, den vollständigen Preis jedes Dinges bildet. Darum verwirrt ihn der Einwand von Say. Er sieht in der Ware Arbeit, die eine furchtbare Realität ist, nur eine grammatische Ellipse. Demgemäß ist die ganze heutige, auf den Warencharakter der Arbeit begründete Gesellschaft von jetzt an eine poetische Lizenz, auf einen figürlichen Ausdruck begründet. Will die Gesellschaft „alle Unzuträglichkeiten ausmerzen" [I, S. 97], unter denen sie zu leiden hat, nun, so merze sie die anstößigen Ausdrücke aus, so ändere sie die Sprache; und sie braucht sich zu diesem Behufe nur an die Akademie zu wenden, um von ihr eine neue Ausgabe ihres Wörterbuchs zu verlangen. Nach allem, was wir gesehen haben, begreifen wir leicht, warum Herr Proudhon in einem Werk über politische Ökonomie lange Dissertationen über Etymologie und andere Teile der Grammatik abhandeln muß. So diskutiert er noch gelehrt über die veraltete Ableitung des Wortes *servus*[3] von *servare*[4]. Diese philologischen Dissertationen haben einen tiefen Sinn, einen esoterischen Sinn, sie machen einen wesentlichen Teil der Beweisführung des Herrn Proudhon aus.

Die Arbeit[5] ist, soweit sie gekauft und verkauft wird, eine Ware wie jede andere Ware und hat daher einen Tauschwert. Aber der Wert der Arbeit oder die Arbeit als Ware produziert ebensowenig, wie der Wert des Getreides oder das Getreide als Ware zur Nahrung dient.

Die Arbeit „gilt" mehr oder weniger, je nachdem die Lebensmittelpreise höher oder niedriger sind, je nachdem Angebot von und Nachfrage nach Arbeitskräften in diesem oder jenem Grade vorhanden ist etc.

[1] (lies: Herr Proudhon): Einfügung von Marx – [2] die wahren Namen der Dinge – [3] *Diener, Sklave* – [4] *dienen* – [5] Im Widmungsexemplar waren hinter dem Wort „Le travail" (Die Arbeit) die Worte „la force du travail" (die Arbeitskraft) eingefügt.

Die Arbeit ist nicht etwas „Vages", es ist immer eine bestimmte Arbeit, nie Arbeit im allgemeinen, die man kauft und verkauft. Es ist nicht nur die Arbeit, deren Beschaffenheit durch das Objekt bestimmt wird, auch das Objekt wird bestimmt durch die spezifische Beschaffenheit der Arbeit.

Insofern die Arbeit gekauft und verkauft wird, ist sie selbst Ware. Warum kauft man sie? „Im Hinblick auf die Werte, welche man in ihr potentiell enthalten annimmt." Aber wenn man sagt, daß irgendeine Sache Ware ist, so handelt es sich nicht mehr um den Zweck, zu dem sie gekauft wird, das heißt um den Nutzen, den man aus ihr ziehen, den Gebrauch, den man von ihr machen will. Sie ist Ware als Gegenstand des Handels. Alle Klügeleien des Herrn Proudhon beschränken sich auf folgendes: Man kauft die Arbeit nicht als Objekt unmittelbarer Konsumierung. Nein, man kauft sie als Produktionsmittel, wie man eine Maschine kauft. Solange die Arbeit Ware ist, hat sie Wert, aber produziert nicht. Herr Proudhon hätte ebensogut sagen können, daß es absolut keine Waren gibt, da jede Ware nur zu irgendeinem bestimmten Gebrauchszweck gekauft wird und niemals als Ware an sich.

Wenn Herr Proudhon den Wert der Waren durch die Arbeit mißt, so überkommt ihn ein unbestimmtes Gefühl, daß es unmöglich ist, die Arbeit, soweit sie einen Wert hat, die Ware Arbeit, nicht auch diesem selben Maßstab zu unterwerfen. Er ahnt, daß er damit das Lohnminimum zum natürlichen und normalen Preis der unmittelbaren Arbeit stempelt, daß er also den gegenwärtigen Zustand der Gesellschaft akzeptiert. Und so, um sich dieser fatalen Konsequenz zu entziehen, macht er kehrt und behauptet, daß die Arbeit keine Ware ist, daß sie keinen Wert haben kann. Er vergißt, daß er selbst den Wert der Arbeit als Maßstab genommen hat; er vergißt, daß sein ganzes System auf der Ware Arbeit beruht, auf der Arbeit, die man verschachert, kauft und verkauft, die sich austauscht gegen Produkte etc., auf der Arbeit endlich, die unmittelbar Einkommensquelle des Arbeiters ist – er vergißt alles.

Um sein System zu retten, entschließt er sich, die Basis desselben zu opfern.

„Et propter vitam vivendi perdere causas!"[1]

Wir gelangen jetzt zu einer neuen Erklärung des „*konstituierten* Wertes".

„Der Wert ist das *Proportionalitätsverhältnis* (rapport de proportionnalité) der Produkte, welche den Reichtum bilden." [I, S.62.]

Bemerken wir zunächst, daß das einfache Wort „relativer oder Tauschwert" die Idee irgendeines Verhältnisses einschließt, in welchem sich die

[1] „Und wegen des Lebens die Gründe zum Leben preisgeben!" (Juvenal, „Satiren", 8/84)

Produkte gegenseitig austauschen. Wenn man diesem Verhältnis den Namen „Proportionalitätsverhältnis" gibt, so hat man nichts am relativen Wert geändert außer dem Namen. Weder die Herabdrückung noch die Steigerung des Wertes eines Produktes nehmen ihm die Eigenschaft, sich in irgendeinem „Proportionalitätsverhältnis" zu den anderen Produkten, die den Reichtum bilden, zu befinden.

Warum also dieser neue Ausdruck, der keine neue Idee zutage fördert?

Das „Proportionalitätsverhältnis" läßt an viele andere ökonomische Verhältnisse denken, wie an die Proportionalität der Produktion, die rechte Proportion zwischen Angebot und Nachfrage etc.; und Herr Proudhon hat an alles das gedacht, als er diese didaktische Paraphrase des Tauschwertes formulierte.

Da zunächst der relative Wert der Produkte bestimmt wird durch die zur Herstellung eines jeden derselben aufgewendete entsprechende Arbeitsmenge, so bedeutet das Proportionalitätsverhältnis, auf diesen speziellen Fall angewendet, die entsprechende Menge von Produkten, die in einer gegebenen Zeit hergestellt werden und infolgedessen gegeneinander ausgetauscht werden können.

Sehen wir nun, welchen Gebrauch Herr Proudhon von diesem Proportionalitätsverhältnis macht.

Alle Welt weiß, daß, wenn Angebot und Nachfrage sich ausgleichen, der relative Wert eines Produktes genau bestimmt wird durch die in ihm fixierte Arbeitsmenge, d.h., daß dieser relative Wert das Proportionalitätsverhältnis genau in dem Sinne ausdrückt, in dem wir es soeben erklärt haben. Herr Proudhon stellt die Reihenfolge der Dinge auf den Kopf. Man fange an, sagt er, den relativen Wert eines Produktes durch die in ihm fixierte Arbeitsmenge zu messen, und Angebot und Nachfrage werden sich unfehlbar ausgleichen. Die Produktion wird der Konsumtion entsprechen, das Produkt wird stets ausgetauscht werden können, sein laufender Marktpreis wird genau seinen richtigen Wert ausdrücken. Anstatt mit jedermann zu sagen: Wenn das Wetter schön ist, sieht man viele Leute spazierengehen, läßt Herr Proudhon seine Leute spazierengehen, um ihnen gutes Wetter zusichern zu können.

Was Herr Proudhon als Folgerung aus dem *a priori*[1] durch die Arbeitszeit bestimmten Tauschwert hinstellt, könnte nur gerechtfertigt werden vermittelst eines Gesetzes, das ungefähr folgenden Wortlaut haben müßte:

[1] *von vornherein*

Die Produkte werden künftig ausgetauscht im genauen Verhältnis der Arbeitszeit, die sie gekostet haben. Welches auch das Verhältnis von Angebot und Nachfrage sei, der Austausch der Waren soll stets so vor sich gehen, als ob dieselben im Verhältnis zur Nachfrage produziert worden wären. Möge Herr Proudhon es übernehmen, ein solches Gesetz zu formulieren und durchzusetzen, und wir wollen ihm die Beweise erlassen. Wenn er im Gegenteil darauf Wert legt, seine Theorie nicht als Gesetzgeber zu rechtfertigen, sondern als Ökonom, so wird er zu beweisen haben, daß die zur Herstellung einer Ware nötige *Zeit* genau ihren *Nützlichkeits*grad anzeigt und außerdem ihr Proportionalitätsverhältnis zur Nachfrage und folglich zur Summe des gesellschaftlichen Reichtums feststellt. In diesem Falle werden, wenn ein Produkt sich zu einem seinen Herstellungskosten gleichen Preise verkauft, Angebot und Nachfrage sich stets ausgleichen; denn die Produktionskosten gelten als der Ausdruck des wahren Verhältnisses von Angebot zu Nachfrage.

Herr Proudhon versucht in der Tat den Beweis zu liefern, daß die Arbeitszeit, die zur Herstellung eines Produktes erforderlich ist, sein richtiges Verhältnis zu den Bedürfnissen ausdrückt, so daß die Gegenstände, deren Produktion am wenigsten Zeit kostet, solche von unmittelbarstem Nutzen sind, und so Schritt vor Schritt weiter. Bereits die bloße Produktion eines Luxusobjekts beweist, nach dieser Lehre, daß die Gesellschaft Zeit überflüssig hat, die ihr erlaubt, ein Luxusbedürfnis zu befriedigen.

Den Beweis für seine Behauptung findet Herr Proudhon in der Beobachtung, daß die nützlichsten Dinge am wenigsten Produktionszeit erfordern, daß die Gesellschaft stets mit den leichtesten Industrien beginnt und daß sie sich „allmählich auf die Produktion von Gegenständen wirft, die mehr Arbeitszeit kosten und höheren Bedürfnissen entsprechen" [I, S.57].

Herr Proudhon entlehnt Herrn Dunoyer das Beispiel der extraktiven Industrie – Einsammlung, Weide, Jagd, Fischerei usw. –, welche die einfachste, am wenigsten kostspielige Industrie ist und mittelst derer der Mensch „den ersten Tag seiner zweiten Schöpfung" begonnen hat. [I, S.78.] Der erste Tag seiner ersten Schöpfung ist in der Genesis[1] geschildert, die uns Gott als den ersten Industriellen der Welt vorführt.

Die Dinge vollziehen sich ganz anders, als Herr Proudhon denkt. Mit dem Moment, wo die Zivilisation beginnt, beginnt die Produktion sich aufzubauen auf den Gegensatz der Berufe, der Stände, der Klassen, schließlich auf den Gegensatz zwischen angehäufter und unmittelbarer Arbeit. Ohne Gegensatz

[1] dem 1. Buch Mose im Alten Testament

kein Fortschritt; das ist das Gesetz, dem die Zivilisation bis heute gefolgt ist. Bis jetzt haben sich die Produktivkräfte auf Grund dieser Herrschaft des Klassengegensatzes entwickelt. Heute behaupten, daß, weil alle Bedürfnisse aller Arbeiter befriedigt waren, sich die Menschen der Erzeugung von Produkten höherer Ordnung, komplizierteren Industrien haben widmen können, das hieße, von dem Klassengegensatz abstrahieren und die ganze historische Entwicklung auf den Kopf stellen. Das wäre dasselbe, als ob man sagen wollte, daß, weil man unter den römischen Kaisern Muränen in künstlichen Teichen ernährte, man die ganze römische Bevölkerung im Überfluß ernähren konnte; während gerade im Gegenteil das römische Volk des Nötigsten entbehrte, um Brot zu kaufen, die römischen Aristokraten hingegen nicht der Sklaven ermangelten, um sie den Muränen als Futter vorzuwerfen.

Der Preis der Lebensmittel ist fast stetig gestiegen, während der Preis der Manufaktur- und Luxusartikel fast stetig gesunken ist. Man nehme die Landwirtschaft selbst: Die unentbehrlichsten Gegenstände, wie Getreide, Fleisch usw., steigen im Preis, während Baumwolle, Zucker, Kaffee usw. in überraschendem Grade stetig fallen. Und selbst unter den eigentlichen Eßwaren sind die Luxusartikel, wie Artischocken, Spargel etc., heute verhältnismäßig billiger als die nötigsten Lebensmittel. In unserer Epoche ist das Überflüssige leichter herzustellen als das Notwendige. Endlich sind in verschiedenen historischen Epochen die gegenseitigen Verhältnisse der Preise nicht sowohl verschiedene, sondern vielmehr entgegengesetzte. Im ganzen Mittelalter waren die landwirtschaftlichen Produkte verhältnismäßig billiger als die Manufakturprodukte; in der Neuzeit ist das Verhältnis ein entgegengesetztes. Hat deshalb die Nützlichkeit der landwirtschaftlichen Produkte seit dem Mittelalter abgenommen?

Die Verwendung der Produkte wird bestimmt durch die sozialen Verhältnisse, in welchen sich die Konsumenten befinden, und diese Verhältnisse selbst beruhen auf dem Gegensatze der Klassen.

Die Baumwolle, die Kartoffel und der Branntwein sind Gegenstände des allgemeinsten Gebrauches. Die Kartoffeln haben die Skrofeln erzeugt; die Baumwolle hat zum großen Teil die Schafwolle und das Leinen verdrängt, obwohl Leinen und Schafwolle in vielen Fällen von viel größerem Nutzen sind, sei es auch nur in hygienischer Beziehung. Endlich hat der Branntwein über Bier und Wein gesiegt, obwohl der Branntwein als Genußmittel allgemein als Gift anerkannt ist. Während eines ganzen Jahrhunderts kämpften die Regierungen vergeblich gegen das europäische Opium; die Ökonomie gab den Ausschlag, sie diktierte dem Konsum ihre Befehle.

Warum aber sind Baumwolle, Kartoffeln und Branntwein die Angelpunkte der bürgerlichen Gesellschaft? Weil zu ihrer Herstellung am wenigsten Arbeit erforderlich ist und sie infolgedessen am niedrigsten im Preise stehen. Warum entscheidet das Minimum des Preises in bezug auf das Maximum der Konsumtion? Vielleicht etwa wegen der absoluten Nützlichkeit dieser Gegenstände, wegen der ihnen innewohnenden Nützlichkeit, wegen ihrer Nützlichkeit, insofern sie auf die nützlichste Art den Bedürfnissen des Arbeiters als Mensch und nicht des Menschen als Arbeiter entsprechen? Nein – sondern weil in einer auf das *Elend* begründeten Gesellschaft die *elendesten* Produkte das naturnotwendige Vorrecht haben, dem Gebrauch der großen Masse zu dienen.

Behaupten wollen, daß, weil die wenigst teuren Dinge mehr im Gebrauch sind, sie deshalb von größerem Nutzen sein müssen, heißt behaupten, daß der infolge der geringen Produktionskosten desselben so verbreitete Gebrauch des Branntweins der zwingendste Beweis seiner Nützlichkeit ist; heißt, dem Proletarier vorreden, daß die Kartoffel ihm heilsamer ist als das Fleisch; heißt, den gegenwärtigen Stand der Dinge akzeptieren; heißt endlich, mit Herrn Proudhon eine Gesellschaft verherrlichen, ohne sie zu verstehen.

In einer künftigen Gesellschaft, wo der Klassengegensatz verschwunden ist, wo es keine Klassen mehr gibt, würde der Gebrauch nicht mehr von dem *Minimum* der Produktionszeit abhängen, sondern die Produktionszeit, die man den verschiedenen Gegenständen widmet, würde bestimmt werden durch ihre gesellschaftliche Nützlichkeit.

Um zur Behauptung des Herrn Proudhon zurückzukommen, so kann, sobald einmal die zur Produktion eines Gegenstandes notwendige Arbeitszeit nicht der Ausdruck seines Nützlichkeitsgrades ist, der im voraus durch die Arbeitszeit bestimmte Tauschwert dieses Gegenstandes niemals maßgebend sein für das richtige Verhältnis von Angebot zur Nachfrage, d.h. für das Proportionalitätsverhältnis in dem Sinne, den Herr Proudhon zur Zeit mit diesem Wort verbindet.

Es ist nicht der Verkauf irgendeines Produktes zu seinem Kostenpreise, der das „Proportionalitätsverhältnis" von Angebot und Nachfrage, d.h. die verhältnismäßige Quote dieses Produktes gegenüber der Gesamtheit der Produktion konstituiert; es sind vielmehr die *Schwankungen von Angebot und Nachfrage*, die den Produzenten die Menge angeben, in welcher eine gegebene Ware produziert werden muß, um im Austausch wenigstens die Produktionskosten erstattet zu erhalten, und da diese Schwankungen beständig stattfinden, so herrscht auch eine beständige Bewegung in Anlegung und Zurückziehung von Kapitalien in den verschiedenen Zweigen der Industrie.

„Nur nach Maßgabe solcher Schwankungen werden die Kapitalien gerade in dem erforderlichen *Verhältnis* und nicht darüber hinaus zur Produktion der verschiedenen Waren verwendet, nach denen Nachfrage besteht. Durch Steigen oder Sinken des Preises erheben sich die Profite über, beziehungsweise fallen sie unter ihr allgemeines Niveau, und dadurch werden die Kapitalien angezogen zu oder abgelenkt von dem besonderen Geschäftszweig, welcher die eine oder die andere dieser Schwankungen erfahren hat." – „Wenn wir unsere Augen auf die Märkte der großen Städte werfen, so sehen wir, mit welcher Regelmäßigkeit sie mit allen Sorten von Waren, einheimischen wie ausländischen, in der erforderlichen Menge versehen werden, und wie verschieden auch die Nachfrage sich gestalte durch die Wirkung von Laune und Geschmack oder der Bevölkerungsveränderung, ohne daß Stockung infolge überreichlicher, noch übertriebene Teurung infolge mangelnder Zufuhr oft vorkommen: und man muß zugestehen, daß das Prinzip, welches das Kapital den verschiedenen Industriebranchen in dem *genau erforderlichen Verhältnis* zuführt, mächtiger wirkt, als man gewöhnlich annimmt." (Ricardo, Bd. I, S. 105 [, 106] u. 108.)

Wenn Herr Proudhon zugibt, daß der Wert der Produkte durch die Arbeitszeit bestimmt wird, so muß er gleichfalls die oszillatorische Bewegung anerkennen, die[1] allein aus der Arbeitszeit das Maß des Wertes macht. Es gibt kein fertig konstituiertes „Proportionalitätsverhältnis", es gibt nur eine konstituierende Bewegung.

Wir haben gesehen, in welchem Sinne es richtig ist, von der „Proportionalität" als einer Konsequenz des durch die Arbeitszeit bestimmten Wertes zu sprechen. Wir werden nunmehr sehen, wie diese Messung durch die Zeit, von Herrn Proudhon „Gesetz der Proportionalität" genannt, sich in ein Gesetz der *Disproportionalität* verwandelt.

Jede neue Erfindung, welche es ermöglicht, in einer Stunde zu produzieren, was bisher in zwei Stunden produziert wurde, entwertet alle gleichartigen Produkte, die sich auf dem Markte befinden. Die Konkurrenz zwingt den Produzenten, das Produkt von zwei Stunden ebenso billig zu verkaufen wie das Produkt einer Stunde. Die Konkurrenz führt das Gesetz durch, nach welchem der Wert eines Produktes durch die zu seiner Herstellung notwendige Arbeitszeit bestimmt wird. Die Tatsache, daß die Arbeitszeit als Maß des Tauschwertes dient, wird auf diese Art zum Gesetz einer beständigen *Ent-*

[1] In der Liste von Engels war für diese Stelle folgende Einfügung vorgemerkt: dans les sociétés fondées sur les échanges individuels [in den auf den Einzelaustausch gegründeten Gesellschaften]. Im Widmungsexemplar war dieselbe Einfügung vermerkt ohne das Wort: individuels.

wertung der Arbeit. Noch mehr; die Entwertung erstreckt sich nicht nur auf die dem Markt zugeführten Waren, sondern auch auf die Produktionsinstrumente und auf ganze Werkstätten. Diese Tatsache deutet bereits Ricardo an, indem er sagt:

„Durch das beständige Wachstum der Produktivität wird der Wert verschiedener bereits früher produzierter Dinge beständig vermindert." (Bd. II, S. 59.)

Sismondi geht noch weiter. Er sieht in diesem durch die Arbeitszeit „*konstituierten* Wert" die Quelle aller heutigen Widersprüche zwischen Handel und Industrie.

„Der Tauschwert", sagt er, „wird in letzter Instanz stets durch die Menge von Arbeit bestimmt, die notwendig ist, um den abgeschätzten Gegenstand zu beschaffen: nicht durch die, welche er seinerzeit gekostet hat, sondern durch die, welche er künftighin kosten würde, infolge vielleicht verbesserter Hilfsmittel; und obwohl diese Menge schwer abzuschätzen ist, wird sie doch stets genau durch die Konkurrenz bestimmt ... Sie ist die Basis, auf Grund deren sowohl die Forderung des Verkäufers wie das Angebot des Käufers berechnet wird. Der erstere wird vielleicht behaupten, daß der Gegenstand ihn zehn Arbeitstage gekostet hat; aber wenn der andere sich überzeugt, daß derselbe künftig in acht Arbeitstagen hergestellt werden kann, und die Konkurrenz beiden Kontrahenten den Beweis dafür liefert, so wird der Wert auf nur acht Tage herabgesetzt und der Handel auf diesen Preis hin abgeschlossen. Beide Kontrahierenden sind allerdings überzeugt, daß der Gegenstand nützlich ist, daß er verlangt wird, daß ohne Verlangen nach ihm kein Verkauf möglich wäre; aber die Festsetzung des Preises hängt in keiner Beziehung ab von der Nützlichkeit." („*Études* etc.", Bd. II, S. 267, édition Bruxelles.)

Es ist wichtig, den Umstand im Auge zu behalten, daß, was den Wert bestimmt, nicht die Zeit ist, in welcher eine Sache produziert wurde, sondern das *Minimum* von Zeit, in welchem sie produziert werden kann, und dieses Minimum wird durch die Konkurrenz festgestellt. Man nehme für einen Augenblick an, daß es keine Konkurrenz mehr gebe und folglich kein Mittel, das zur Produktion einer Ware erforderliche Arbeitsminimum zu konstatieren, was wäre die Folge davon? Es genügte, auf die Produktion eines Gegenstandes sechs Stunden Arbeit zu verwenden, um nach Herrn Proudhon berechtigt zu sein, beim Austausch sechsmal soviel zu verlangen wie derjenige, der auf die Produktion desselben Gegenstandes nur eine Stunde aufgewendet hat.

An Stelle eines „Proportionalitätsverhältnisses" haben wir ein Disproportionalitätsverhältnis, wenn wir uns überhaupt auf Verhältnisse, schlechte oder gute, einlassen wollen.

Die beständige Entwertung der Arbeit ist nur eine Seite, nur eine Konsequenz der Abschätzung der Waren durch die Arbeitszeit; übermäßige Preissteigerungen, Überproduktion und viele andere Erscheinungen industrieller Anarchie finden in diesem Abschätzungsmodus ihre Erklärung.

Aber schafft die als Wertmaß dienende Arbeitszeit wenigstens die verhältnismäßige Varietät in den Produkten, die Herrn Proudhon so entzückt?

Ganz im Gegenteil bemächtigt in ihrer Folge das Monopol in seiner ganzen Monotonie sich der Produktenwelt, ebenso wie alle Welt weiß und sieht, daß das Monopol sich der Welt der Produktionsmittel bemächtigt. Nur einige Zweige der Industrie, wie die Baumwollenindustrie, sind imstande, sehr schnelle Fortschritte zu machen. Die natürliche Konsequenz dieser Fortschritte ist z.B. ein rapides Fallen der Preise der Produkte der Baumwollenmanufaktur; aber in dem Maße, wie der Preis der Baumwolle fällt, muß der Preis der Leinwand im Verhältnis steigen. Was ist die Folge davon? Die Leinwand wird durch die Baumwolle verdrängt. Auf diese Art ist die Leinwand aus fast ganz Nordamerika verdrängt worden. Und statt der proportionellen Varietät der Produkte haben wir das Reich der Baumwolle.

Was bleibt also von diesem „Proportionalitätsverhältnis"? Nichts als der Wunsch eines Biedermannes, der gern möchte, daß die Waren in solchen Proportionen hergestellt würden, daß man sie zu einem Biedermannspreise losschlagen könnte. Zu allen Zeiten haben gute Bürger und philanthropische Ökonomen sich darin gefallen, diesen unschuldigen Wunsch auszusprechen.

Geben wir dem alten *Boisguillebert* das Wort:

„Der Preis der Waren", sagt er, „muß stets *proportioniert* sein, da nur ein solches gegenseitiges Einverständnis ihnen eine Existenz ermöglicht, *worin sie einander in jedem Augenblick wieder erzeugen*" (hier haben wir die beständige Austauschbarkeit des Herrn Proudhon) „...Da also der Reichtum nichts anderes ist als dieser beständige Tauschverkehr zwischen Mensch und Mensch und Geschäft und Geschäft, so wäre es eine erschreckliche Verblendung, die Ursache des Elends woanders zu suchen als in der durch eine Verschiebung der Preisproportionen hervorgerufenen Störung eines solchen Handels." („*Dissertation sur la nature des richesses*", édit. Daire[1] [S.405 u. 408.])

Hören wir auch einen modernen Ökonomen:

„Ein großes Gesetz, welches auf die Produktion angewendet werden muß, ist das *Gesetz der Proportionalität* (the law of proportion), das allein die Kontinuität des Wertes erhalten kann... Das Äquivalent muß garantiert sein... Alle Nationen haben zu verschiedenen Epochen mittelst zahlreicher kommerzieller Reglements und Einschränkungen dieses Gesetz der Proportionalität bis zu einem gewissen Punkt zu verwirk-

[1] „*Abhandlung über das Wesen der Reichtümer*", herausgegeben von Daire

lichen versucht; aber der der menschlichen Natur innewohnende Egoismus hat sie dahin getrieben, dieses ganze System der Regulierung über den Haufen zu werfen. Eine proportionierte Produktion *(proportionate production)* ist die Verwirklichung der wahren sozial-ökonomischen Wissenschaft." (W. Atkinson, *„Principles of Political Economy"*[1], London 1840, S. 170–195.)

Fuit Troja![2] Diese richtige Proportion zwischen Angebot und Nachfrage, die wiederum der Gegenstand so vieler Wünsche zu werden beginnt, hat seit langem zu bestehen aufgehört. Sie hat das Greisenalter überschritten; sie war nur möglich in jenen Zeiten, wo die Produktionsmittel beschränkt waren, wo der Austausch sich in außerordentlich engen Grenzen vollzog. Mit dem Entstehen der Großindustrie mußte diese richtige Proportion verschwinden, und mit Naturnotwendigkeit muß die Produktion in beständiger Aufeinanderfolge den Wechsel von Prosperität und Depression, Krisis, Stockung, neuer Prosperität und so fort durchmachen.

Diejenigen, welche, wie Sismondi, zur richtigen Proportionalität der Produktion zurückkehren und dabei die gegenwärtigen Grundlagen der Gesellschaft erhalten wollen, sind reaktionär, da sie, um konsequent zu sein, auch alle anderen Bedingungen der Industrie früherer Zeiten zurückzuführen bestrebt sein müssen.

Was hielt die Produktion in richtigen oder beinahe richtigen Proportionen? Die Nachfrage, welche das Angebot beherrschte, ihm vorausging; die Produktion folgte Schritt für Schritt der Konsumtion. Schon durch die Instrumente, über welche sie verfügt, gezwungen, in beständig größerem Maße zu produzieren, kann die Großindustrie nicht die Nachfrage abwarten. Die Produktion geht der Konsumtion voraus, das Angebot erzwingt die Nachfrage.

In der heutigen Gesellschaft, in der auf den individuellen Austausch basierten Industrie, ist die Produktionsanarchie, die Quelle so vieles Elends, gleichzeitig die Ursache alles Fortschritts.

Demnach von zwei Dingen eins:

Entweder man will die richtigen Proportionen früherer Jahrhunderte mit den Produktionsmitteln unserer Zeit, und dann ist man Reaktionär und Utopist in einem.

Oder man will den Fortschritt ohne Anarchie: und dann verzichte man, um die Produktivkräfte beizubehalten, auf den individuellen Austausch.

Der individuelle Austausch verträgt sich nur mit der kleinen Industrie früherer Jahrhunderte und der ihr eigentümlichen „richtigen Proportion"

[1] *„Grundsätze der politischen Ökonomie"* – [2] *Troja ist nicht mehr!*

oder aber mit der Großindustrie und ihrem ganzen Gefolge von Elend und Anarchie.

Es ergibt sich also schließlich: Die Bestimmung des Wertes durch die Arbeitszeit, d.h. die Formel, welche Herr Proudhon uns als diejenige hinstellt, welche die Zukunft regenerieren soll, ist nur der wissenschaftliche Ausdruck der ökonomischen Verhältnisse der gegenwärtigen Gesellschaft, wie Ricardo lange vor Herrn Proudhon klar und deutlich bewiesen hat.

Gebührt aber wenigstens die „*egalitäre*" Anwendung dieser Formel Herrn Proudhon? Ist er der erste, der sich eingebildet hat, die Gesellschaft dadurch zu reformieren, daß er alle Menschen in unmittelbare, gleiche Arbeitsmengen austauschende Arbeiter verwandelt? Kommt es ihm zu, den Kommunisten – diesen aller Kenntnis der politischen Ökonomie ermangelnden Menschen, diesen „hartnäckig dummen Menschen", diesen „paradiesischen Träumern" – den Vorwurf zu machen, nicht vor ihm diese „Lösung des Problems des Proletariats" gefunden zu haben?

Wer nur ein wenig mit der Entwicklung der politischen Ökonomie in England vertraut ist, dem ist nicht unbekannt, daß fast alle Sozialisten dieses Landes zu den verschiedensten Zeiten die egalitäre Anwendung der Ricardoschen Theorie vorgeschlagen haben. Wir könnten Herrn Proudhon zitieren: „*Die politische Ökonomie*" von Hopkins, 1822[48]; William Thompson, „*An Inquiry into the Principles of the Distribution of Wealth, most conducive to Human Happiness*"[1], 1824[49]; T[homas] R[owe] Edmonds, „*Practical Moral and Political Economy*"[2], 1828 etc. etc. und noch vier Seiten Etceteras. Wir beschränken uns darauf, einen englischen *Kommunisten* sprechen zu lassen, Herrn Bray. Wir wollen die entscheidenden Stellen seines bemerkenswerten Werkes, „*Labour's Wrongs and Labour's Remedy*"[3], Leeds 1839, anführen und werden uns ziemlich lange dabei aufhalten, erstens, weil Herr Bray in Frankreich noch wenig bekannt ist, und ferner, weil wir in seinem Buch den Schlüssel gefunden zu haben glauben für die vergangenen, gegenwärtigen und zukünftigen Schriften des Herrn Proudhon.

„Das einzige Mittel, zur Wahrheit zu gelangen, ist, sich über die ersten Grundbegriffe klarzuwerden. Steigen wir zunächst zu der Quelle zurück, von der die Regierungen sich herleiten. Indem wir so der Sache auf den Grund gehen, werden wir finden, daß jede Form der Regierung, jede soziale und politische Ungerechtigkeit dem gegenwärtig herrschenden sozialen System entstammt – der Einrichtung des Eigentums, wie es gegenwärtig besteht (the institution of property as it at pre-

[1] „*Eine Untersuchung über die Grundsätze der Verteilung des Reichtums, die zum menschlichen Glück am meisten beitragen*" – [2] „*Praktische moralische und politische Ökonomie*" – [3] „*Der Arbeit Übel und der Arbeit Heilmittel*"

sent exists), und daß man daher, um ein für allemal der Ungerechtigkeit und dem Elend unserer Zeit ein Ende zu machen, den gegenwärtigen Zustand der Gesellschaft von Grund aus umstürzen muß... Indem wir die Ökonomen auf ihrem eigenen Gebiet und mit ihren eigenen Waffen angreifen, verhindern wir so das absurde Geschwätz von den *Teilern*[1] und *Doktrinären*, welches sie stets anzustimmen geneigt sind. Wenn sie die anerkannten Wahrheiten und Prinzipien, auf welche sie ihre eigenen Argumente basieren, nicht leugnen oder mißbilligen, so werden die Ökonomen nicht imstande sein, die Schlüsse zu bestreiten, zu welchen wir vermittelst dieser Methode gelangen." (Bray, S.17 u. 41.) „*Nur die Arbeit* ist es, *die Wert schafft* (It is labour alone which bestows value)... Jeder Mensch hat ein unzweifelhaftes Recht auf alles, was seine ehrliche Arbeit ihm verschaffen kann. Wenn er sich so die Früchte seiner Arbeit aneignet, begeht er keine Ungerechtigkeit gegen die anderen Menschen, denn er beeinträchtigt nicht dem anderen sein Recht, ebenso zu handeln... Alle Begriffe von höherer und niederer Stellung, von Herr und Knecht kommen daher, daß man die elementarsten Grundsätze außer acht gelassen hat und daß sich infolgedessen die *Ungleichheit* des Besitzes eingeschlichen hat (and to the consequent rise of inequality of possessions). Solange diese Ungleichheit aufrechterhalten bleibt, wird es unmöglich sein, diese Begriffe auszurotten sowie die Einrichtungen aufzuheben, die auf ihnen beruhen. Bis jetzt hegt man immer noch die vergebliche Hoffnung, einem widernatürlichen Zustand, wie dem gegenwärtig bestehenden, dadurch abzuhelfen, daß man die bestehende Ungleichheit zerstört und die *Ursache* der Ungleichheit bestehen läßt; aber wir werden bald nachweisen, daß die Regierung keine Ursache, sondern eine Wirkung ist, daß sie nicht schafft, sondern geschaffen wird – daß sie mit einem Wort das Ergebnis ist der Ungleichheit des Besitzes (the offspring of inequality of possessions) und daß die Ungleichheit des Besitzes unzertrennlich verbunden ist mit dem gegenwärtigen gesellschaftlichen System." (Bray, S.33, 36 u. 37.)

„Das System der Gleichheit hat nicht nur die größten Vorteile für sich, sondern auch die höchste Gerechtigkeit... Jeder Mensch ist ein Glied, und zwar ein unerläßliches Glied in der Kette der Wirkungen, die von einer Idee ausgeht, um vielleicht auf die Produktion eines Stückes Tuch hinauszulaufen. So darf man aus der Tatsache, daß unsere Neigungen für die verschiedenen Berufe nicht die gleichen sind, nicht schließen, daß die Arbeit des einen besser bezahlt werden müsse als die des anderen. Der Erfinder wird stets neben seiner gerechten Belohnung in Geld den Tribut unserer Bewunderung erhalten, den nur das Genie uns abgewinnen kann...

Gemäß der Natur selbst der Arbeit und des Tausches fordert die höchste Gerechtigkeit, daß alle Austauschenden nicht nur gegenseitige, sondern gleiche Vorteile davontragen (all exchangers should be not only mutually, but they should likewise be equally benefited). Zwei Dinge gibt es nur, welche die Menschen unter sich austauschen können, nämlich die Arbeit und das Produkt der Arbeit. Wenn der Tausch nach einem gerechten System vor sich ginge, so würde der Wert aller Gegenstände

[1] Bei Bray: visionaries (Träumern)

durch *ihre gesamten Produktionskosten* bestimmt werden und gleiche Werte würden sich stets gegen gleiche Werte austauschen (If a just system of exchanges were acted upon, the value of all articles would be determined by the entire cost of production, and equal values should always exchange for equal values). Wenn zum Beispiel ein Hutmacher einen Tag braucht, um einen Hut zu machen, und ein Schuhmacher dieselbe Zeit für ein Paar Schuhe (vorausgesetzt, daß der von ihnen verwendete Rohstoff denselben Wert habe) und sie diese Gegenstände unter sich austauschten, so würde der Vorteil, den sie daraus zögen, gleichzeitig ein gegenseitiger und ein gleicher sein. Der Vorteil, der für einen der beiden Teile daraus flösse, könnte kein Nachteil für den anderen sein, da jeder dieselbe Menge Arbeit geliefert hat und die Stoffe, welche sie verwendeten, gleichwertig waren. Aber wenn der Hutmacher zwei Paar Schuhe gegen einen Hut erlangt hätte, immer unter unserer obigen Voraussetzung, so ist es klar, daß der Tausch ungerecht wäre. Der Hutmacher würde den Schuhmacher um einen Arbeitstag bringen; und wenn er so bei allen seinen Tauschgeschäften vorginge, so würde er gegen die Arbeit eines halben Jahres das Produkt eines ganzen Jahres einer anderen Person erhalten. Bisher haben wir stets dieses im höchsten Grade ungerechte Austauschsystem befolgt: Die *Arbeiter* haben dem Kapitalisten die Arbeit eines ganzen Jahres im Austausch gegen den Wert eines halben Jahres *gegeben* (the workmen have given the capitalist the labour of a whole year, in exchange for the value of only half a year) – und hieraus und nicht aus einer vermeintlichen Ungleichheit der physischen und intellektuellen Kräfte der Individuen ist die Ungleichheit von Reichtum und Macht hervorgegangen. Die Ungleichheit im Austausch, die Verschiedenheit der Preise bei Kauf und Verkauf, kann nur unter der Bedingung bestehen, daß die Kapitalisten in alle Ewigkeit Kapitalisten und die Arbeiter Arbeiter bleiben – die einen eine Klasse von Tyrannen, die anderen eine Klasse von Sklaven... Dieser Vorgang beweist also klar, daß die Kapitalisten und Eigentümer dem Arbeiter für die Arbeit einer Woche nur einen Teil des Reichtums geben, den sie von ihm in der abgelaufenen Woche erhalten haben, das heißt, daß sie ihm für Etwas Nichts geben (nothing for something)... Die Vereinbarung zwischen Arbeitern und Kapitalisten ist eine bloße Komödie: Faktisch ist sie in Tausenden von Fällen nur ein unverschämter, wenn auch *gesetzlicher Diebstahl*. (The whole transaction between the producer and the capitalist is a mere farce: it is, in fact, in thousands of instances, no other than a barefaced though *legal robbery*.)" (Bray, S.45, 48, 49 u. 50.)

„Der Profit des Unternehmers wird so lange ein Verlust für den Arbeiter sein – bis der Tausch unter beiden Teilen gleich ist; und der Tausch kann so lange nicht gleich sein, wie die Gesellschaft in Kapitalisten und Produzenten geteilt ist und die letzteren von ihrer Arbeit leben, während die ersteren sich vom Profit dieser Arbeit mästen.

Es ist klar", fährt Herr Bray fort, „daß ihr ganz gut diese oder jene Form der Regierung herstellen..., daß ihr ganz gut im Namen der Moral und der Bruderliebe predigen mögt... Die Gegenseitigkeit ist unverträglich mit der Ungleichheit des Austausches. Die Ungleichheit des Austausches, die Ursache der Ungleichheit des Besitzes, ist der geheime Feind, der uns verschlingt. (No reciprocity can exist where there are unequal exchanges. Inequality of exchanges, as being the cause of inequality of possessions, is the secret enemy that devours us.)" (Bray, S.51 u. 52.)

„Die Betrachtung von Zweck und Ziel der Gesellschaft berechtigt mich zu dem Schlusse, daß nicht nur alle Menschen arbeiten müssen, damit sie in die Lage kommen, austauschen zu können, sondern daß gleiche Werte sich gegen gleiche Werte austauschen müssen. Noch mehr: Da der Vorteil des einen nicht der Verlust des andern sein darf, so muß der Wert bestimmt werden durch die Produktionskosten. Dennoch haben wir gesehen, daß unter dem gegenwärtigen sozialen Regime der Profit des Kapitalisten und des Reichen stets der Verlust des Arbeiters ist – daß dieses Resultat unvermeidlich eintreten muß und daß der Arme unter jeder Regierungsform dem Reichen auf Gnade und Ungnade ausgeliefert ist, solange die Ungleichheit des Austausches fortbesteht – und daß die Gleichheit im Austausch nur durch ein soziales System gesichert werden kann, welches die Universalität der Arbeit anerkennt... Die Gleichheit im Austausch würde den Reichtum nach und nach aus den Händen der gegenwärtigen Kapitalisten in die der arbeitenden Klassen hinüberleiten." (Bray, S.53–55.)

„Solange wie dieses System der Ungleichheit des Tausches fortbesteht, werden die Produzenten stets so arm, so unwissend, so überarbeitet sein, wie sie es heute sind, selbst wenn man alle *Abgaben, alle Steuern abschaffen würde*... Nur eine totale Veränderung des Systems, die Einführung der Gleichheit der Arbeit und des Tausches kann diesem Stand der Dinge abhelfen und den Menschen die wahre Gleichheit der Rechte sichern... Die Produzenten haben nur eine Anstrengung zu machen – und sie selbst sind es, von denen jede Anstrengung für ihr eigenes Heil ausgehen muß –, und ihre Ketten werden auf ewig gesprengt werden... Die politische Gleichheit als Zweck ist ein Irrtum, sie ist sogar ein Irrtum als Mittel. *(As an end, the political equality is there a failure, as a means, also, it is there a failure.)*

Bei der Gleichheit des Austausches kann der Vorteil des einen nicht der Verlust des anderen sein: denn jeder Austausch ist nur eine einfache Übertragung von Arbeit und Reichtum, sie erfordert keinerlei Opfer. So wird unter einem auf die Gleichheit des Tausches basierten System der Produzent es noch mittelst seiner Ersparnisse zum Reichtum bringen; aber sein Reichtum wird nur noch das angesammelte Produkt seiner eigenen Arbeit sein. Er wird seinen Reichtum austauschen oder einem anderen geben können; aber es wird ihm unmöglich sein, auf eine etwas längere Zeit hinaus reich zu bleiben, nachdem er aufgehört hat zu arbeiten. Durch die Gleichheit des Tausches verliert der Reichtum seine heutige Fähigkeit, sich sozusagen von selbst zu erneuern und zu vermehren: Er wird den durch den Verbrauch entstehenden Verlust nicht aus sich ersetzen können; denn wenn er nicht durch die Arbeit neu geschaffen wird, so ist der Reichtum, einmal verzehrt, auf immer verloren. Was wir heute *Profit* und *Zinsen* nennen, wird unter dem System des gleichen Austausches nicht bestehen können. Der Produzent und derjenige, der die Verteilung besorgt, werden gleichmäßig entlohnt werden, und die Summe ihrer Arbeit wird dazu dienen, den Wert jedes verfertigten und dem Konsumenten zugänglich gemachten Gegenstandes zu bestimmen...

Das Prinzip der Gleichheit des Tausches muß also naturnotwendig die allgemeine Arbeit zur Folge haben." (Bray, S.67, 88, 89, 94 u. 109[–110].)

Nachdem er die Einwände der Ökonomen gegen den *Kommunismus* widerlegt hat, fährt Herr Bray folgendermaßen fort:

„Wenn eine Veränderung der Charaktere unumgänglich notwendig ist, um ein auf Gemeinsamkeit beruhendes gesellschaftliches System in seiner vollendeten Form zu ermöglichen, wenn andererseits das gegenwärtige System weder die Möglichkeit noch die Umstände zeitigt, die geboten sind, um diese Veränderung der Charaktere herbeizuführen und die Menschen für einen besseren Zustand, den wir alle wünschen, vorzubereiten, so ist es klar, daß die Dinge notwendigerweise so bleiben müssen, wie sie sind, wenn man nicht einen vorbereitenden Modus der Entwicklung entdeckt und durchführt – einen Prozeß, der sowohl dem gegenwärtigen System als auch dem Zukunftssystem (System der Gemeinschaftlichkeit)[1] angehört – eine Art Übergangsstadium, in welches die Gesellschaft eintreten kann mit allen ihren Ausschreitungen und allen ihren Verrücktheiten, um es alsdann zu verlassen, reich an den Eigenschaften und Fähigkeiten, welche die Lebensbedingungen des Systems der Gemeinschaftlichkeit sind." (Bray, S. 134.)

„Dieser ganze Prozeß würde nichts erfordern als die Kooperation in ihrer einfachsten Form ... Die Produktionskosten würden unter allen Umständen den Wert des Produktes bestimmen, und gleiche Werte würden sich stets gegen gleiche Werte austauschen. Wenn von zwei Personen die eine eine ganze, die andere eine halbe Woche gearbeitet hätte, so würde die erstere doppelt soviel Entschädigung erhalten wie die andere; aber dieses Mehr der Bezahlung würde dem einen nicht auf Kosten des anderen gegeben werden: Der Verlust, den der letztere sich zugezogen hätte, würde in keiner Weise auf den ersteren entfallen. Ein jeder würde seinen individuellen Lohn gegen Dinge vom selben Wert wie sein Lohn umtauschen, und auf keinen Fall könnte der Gewinn, den irgend jemand oder irgendeine Industrie erzielte, den Verlust eines anderen oder einer anderen Industriebranche bilden. Die Arbeit jedes Individuums wäre der *einzige Maßstab* für seinen Gewinn oder Verlust ...

Vermittelst allgemeiner und lokaler Büros *(boards of trade)* würde man die Menge der verschiedenen Gegenstände bestimmen, welche für den Verbrauch benötigt sind, und den relativen Wert jedes einzelnen im Vergleich mit den anderen (die Zahl der in den verschiedenen Arbeitszweigen erforderlichen Arbeiter), mit einem Wort alles, was auf die gesellschaftliche Produktion und Verteilung Bezug hat. Diese Aufstellungen würden für eine Nation in ebenso kurzer Zeit und mit derselben Leichtigkeit gemacht werden können wie heutzutage für eine Privatgesellschaft ... Die Individuen würden sich in Familien gruppieren, die Familien in Gemeinden, wie unter dem gegenwärtigen Regime; man würde nicht einmal die Verteilung der Bevölkerung in Stadt und Land direkt abschaffen, so schädlich sie auch ist ... In dieser Assoziation würde jedes Individuum nach wie vor die Freiheit genießen, welche es heute besitzt, soviel zu akkumulieren, wie ihm gut scheint, und von dem Angesammelten den ihm konvenierenden Gebrauch zu machen ... Unsere Gesellschaft würde sozusagen eine große Aktiengesellschaft sein,

[1] (System der Gemeinschaftlichkeit): Einfügung von Marx

zusammengesetzt aus einer unendlich großen Anzahl kleiner Aktiengesellschaften, die sämtlich arbeiten und ihre Produkte auf dem Fuße der vollständigsten Gleichheit herstellen und austauschen... Unser neues System der Aktiengesellschaften", das nur eine Konzession an die heutige Gesellschaft ist, um zum Kommunismus zu gelangen, „das so eingerichtet ist, daß das individuelle Eigentum an den Produkten fortbesteht neben dem gemeinschaftlichen Eigentum an den Produktivkräften, läßt das Schicksal jedes Individuums von seiner eigenen Tätigkeit abhängen und gewährt ihm einen gleichen Anteil an allen durch die Natur und die Fortschritte der Technik bewirkten Vorteilen. Infolgedessen kann es auf die Gesellschaft, wie sie ist, angewendet werden und sie auf weitere Veränderungen vorbereiten." (Bray, S. 158, 160, 162, [163,] 168, 170 u. 194.)

Wir haben nur wenige Worte Herrn Bray zu entgegnen, der trotz uns und gegen unseren Willen sich in der Lage befindet, Herrn Proudhon ausgestochen zu haben, mit dem Unterschiede, daß Herr Bray, weit entfernt, das letzte Wort der Menschheit sprechen zu wollen, nur die Maßregeln vorschlägt, welche er für eine Epoche des Überganges von der heutigen Gesellschaft in das System der Gemeinschaftlichkeit für geeignet hält.

Eine Arbeitsstunde von Peter tauscht sich gegen eine Arbeitsstunde von Paul aus, das ist das fundamentale Axiom des Herrn Bray.

Nehmen wir an, Peter habe zwölf Stunden Arbeit vor sich und Paul nur sechs, so wird Peter mit Paul nur einen Austausch von sechs gegen sechs vollziehen können. Peter wird daher sechs Arbeitsstunden übrigbehalten; was wird er mit diesen sechs Arbeitsstunden machen?

Entweder nichts, d.h., er wird sechs Stunden für nichts gearbeitet haben, oder er wird sechs andere Stunden feiern, um sich ins Gleichgewicht zu setzen; oder, und dies ist sein letztes Auskunftsmittel, er wird diese sechs Stunden, mit denen er nichts anzufangen weiß, Paul mit in den Kauf geben.

Was wird somit Peter schließlich mehr verdient haben als Paul? Arbeitsstunden? Nein. Er wird nur Mußestunden verdient haben, er wird gezwungen sein, während sechs Stunden den Faulenzer zu spielen. Und damit dieses neue Nichtstuerrecht von der neuen Gesellschaft nicht nur geduldet, sondern sogar geschätzt werde, muß diese ihr höchstes Glück in der Faulheit finden und die Arbeit sie wie eine Fessel bedrücken, der sie sich um jeden Preis zu entledigen hat. Und wenn wenigstens, um auf unser Beispiel zurückzukommen, diese Mußestunden, die Peter an Paul verdient hat, ein wirklicher Profit wären! Nicht im geringsten; Paul, der damit beginnt, nur sechs Stunden zu arbeiten, kommt durch eine regelmäßige und geregelte Arbeit zu demselben Resultat, das auch Peter nur erreicht, obwohl er mit einem Übermaß von Arbeit beginnt. Jeder wird Paul sein wollen, es wird eine Konkurrenz um die Stelle des Paul entstehen – eine Faulheitskonkurrenz.

Was hat uns nun der Austausch gleicher Arbeitsmengen gebracht? Überproduktion, Entwertung, Überarbeit, gefolgt von Stockung, endlich ökonomische Verhältnisse, wie wir sie in der gegenwärtigen Gesellschaft bestehen sehen, ohne die Arbeitskonkurrenz.

Nicht doch, wir täuschen uns; es bleibt noch ein Auskunftsmittel, welches die neue Gesellschaft retten kann, die Gesellschaft der Peter und Paul. Peter wird allein das Produkt der sechs Arbeitsstunden, die ihm bleiben, verzehren. Aber von dem Augenblick an, wo er nicht mehr auszutauschen braucht, weil er produziert hat, wird er nicht mehr zu produzieren brauchen, um auszutauschen, und die ganze Annahme einer auf Tausch und Arbeitsteilung basierten Gesellschaft fiele dahin. Man würde die Gleichheit des Tausches dadurch gerettet haben, daß der Tausch selbst aufhörte: Paul und Peter würden auf den Standpunkt Robinsons gelangen.

Wenn man also annimmt, daß alle Mitglieder der Gesellschaft selbständige Arbeiter sind, so ist ein Tausch gleicher Arbeitsstunden nur unter der Bedingung möglich, daß man von vornherein über die Stundenzahl übereinkommt, welche für die materielle Produktion notwendig ist. Aber eine solche Übereinkunft schließt den individuellen Tausch aus.

Wir kommen auch zur selben Folgerung, wenn wir als Ausgangspunkt nicht mehr die Verteilung der erzeugten Produkte, sondern den Akt der Produktion nehmen. In der Großindustrie steht es Peter nicht frei, seine Arbeitszeit selbst festzusetzen, denn die Arbeit Peters ist nichts ohne die Mitwirkung aller Peter und aller Paule, die in einer Werkstatt vereinigt sind. Daraus erklärt sich auch sehr wohl der hartnäckige Widerstand, den die englischen Fabrikanten der *Zehnstundenbill*[50] entgegensetzten; sie wußten nur zu gut, daß eine Verminderung der Arbeit um zwei Stunden, einmal den Frauen und Kindern bewilligt, gleichermaßen eine Verminderung der Arbeitszeit für die [männlichen] Erwachsenen zur Folge haben müsse. Es liegt in der Natur der Großindustrie, daß die Arbeitszeit für alle gleich sein muß. Was heute durch das Kapital und die Konkurrenz der Arbeiter unter sich bewirkt wird, wird morgen, wenn man das Verhältnis von Arbeit und Kapital aufhebt, das Ergebnis einer Vereinbarung sein, die auf dem Verhältnis der Summe der Produktivkräfte zu der Summe der vorhandenen Bedürfnisse beruht.

Aber eine solche Vereinbarung ist die Verurteilung des individuellen Austausches, und somit sind wir wiederum bei unserem obigen Resultat angelangt.

Im Prinzip gibt es keinen Austausch von Produkten, sondern einen Austausch von Arbeiten, die zur Produktion zusammenwirken. Die Art, wie die Produktivkräfte ausgetauscht werden, ist für die Art des Austausches der

Produkte maßgebend. Im allgemeinen entspricht die Art des Austausches der Produkte der Produktionsweise. Man ändere die letztere, und die Folge wird die Veränderung der ersteren sein. So sehen wir auch in der Geschichte der Gesellschaft die Art des Austausches der Produkte sich nach dem Modus ihrer Herstellung regeln. So entspricht auch der individuelle Austausch einer bestimmten Produktionsweise, welche selbst wieder dem Klassengegensatz entspricht; somit kein individueller Austausch ohne Klassengegensatz.

Aber das Biedermannsgewissen verschließt sich dieser evidenten Tatsache. Solange man Bourgeois ist, kann man nicht umhin, in diesem Gegensatz einen Zustand der Harmonie und ewigen Gerechtigkeit zu erblicken, der niemandem erlaubt, sich auf Kosten des anderen Geltung zu verschaffen. Für den Bourgeois kann der individuelle Austausch ohne Klassengegensatz fortbestehen: Für ihn sind dies zwei ganz unzusammenhängende Dinge. Der individuelle Austausch, wie ihn sich der Bourgeois vorstellt, gleicht durchaus nicht dem individuellen Austausch, wie er wirklich vorgeht.

Herr Bray erhebt die *Illusion* des biedern Bürgers zum *Ideal*, das er verwirklichen möchte. Dadurch, daß er den individuellen Austausch reinigt, daß er ihn von allen widerspruchsvollen Elementen, die er in ihm findet, befreit, glaubt er, ein „*egalitäres*" Verhältnis zu finden, das man in die Gesellschaft einführen müßte.

Herr Bray ahnt nicht, daß dieses egalitäre Verhältnis, dieses *Verbesserungsideal*, welches er in die Welt einführen will, selbst nichts anderes ist als der Reflex der gegenwärtigen Welt und daß es infolgedessen total unmöglich ist, die Gesellschaft auf einer Basis rekonstituieren zu wollen, die selbst nur der verschönerte Schatten dieser Gesellschaft ist. In dem Maße, wie der Schatten Gestalt annimmt, bemerkt man, daß diese Gestalt, weit entfernt, ihre erträumte Verklärung zu sein, just die gegenwärtige Gestalt der Gesellschaft ist.*

* Wie jede andere Theorie hat auch die des Herrn Bray ihre Anhänger gefunden, die sich durch den Schein haben täuschen lassen. Man hat in London, in Sheffield, in Leeds, in vielen anderen Städten Englands *Equitable Labour-Exchange-Bazaars*[1] gegründet, die nach Absorbierung beträchtlicher Kapitalien sämtlich skandalösen Bankerott gemacht haben.[51] Man hat den Geschmack daran für immer verloren: Warnung für Herrn Proudhon! [Anmerkung von Marx.]

(Man weiß, daß Proudhon sich diese Warnung nicht zu Herzen genommen hat. Im Jahre 1849 versuchte er selbst eine neue Tauschbank in Paris. Sie scheiterte aber schon, ehe sie ordentlich in Gang gekommen war; eine gerichtliche Verfolgung Proudhons mußte zur Deckung ihres Zusammenbruchs vorhalten. *F.E.*)

[1] *gerechte Arbeitstauschbanken*

§ 3. *Anwendung des Gesetzes der Proportionalität des Wertes*

a) Das Geld

„Gold und Silber sind die ersten Waren, deren Wert zu seiner Konstituierung gelangt ist." [I, S. 69.]

Somit sind Gold und Silber die ersten Anwendungen des – von Herrn Proudhon – „konstituierten Wertes". Und da Herr Proudhon den Wert der Produkte dadurch konstituiert, daß er ihn durch die in denselben verkörperte Arbeitsmenge bestimmt, so hatte er einzig und allein den Beweis zu liefern, daß die mit dem Wert von Gold und Silber vorgehenden *Veränderungen* stets ihre Erklärung finden in den Veränderungen der zu ihrer Produktion notwendigen Arbeitszeit. Herr Proudhon denkt nicht daran. Er spricht nicht von Gold und Silber als Ware, sondern er spricht von ihnen als Geld.

Seine ganze Logik, soweit bei ihm von Logik die Rede sein kann, besteht darin, die Eigenschaft von Gold und Silber, als *Geld* zu dienen, allen Waren unterzuschieben, welche die Eigenschaft haben, ihr Wertmaß in der Arbeitszeit zu finden. Kein Zweifel, diese Eskamotage zeugt mehr von Naivetät als von Malice.

Ein nützliches Produkt, einmal durch die zu seiner Herstellung notwendige Arbeitszeit abgeschätzt, ist stets tauschfähig (acceptable en échange). Beweis, ruft Herr Proudhon aus, das Gold und das Silber, die sich in der von mir gewollten Lage der „Austauschbarkeit" befinden. Somit sind Gold und Silber der in den Zustand seiner Konstitution gelangte Wert, die Verkörperung der Idee des Herrn Proudhon. Es ist unmöglich, in der Wahl seiner Beispiele glücklicher zu sein. Gold und Silber besitzen außer der Eigenschaft, eine Ware zu sein, die wie jede andere durch die Arbeitszeit geschätzt wird, noch die, allgemeines Tauschmittel, Geld, zu sein. Dadurch nun, daß man Gold und Silber als eine Anwendung des durch die Arbeitszeit *„konstituierten Wertes"* hinstellt, ist nichts leichter als der Beweis, daß jede Ware, deren Wert durch die Arbeitszeit konstituiert sein wird, stets austauschbar, Geld sein wird.

Eine höchst einfache Frage drängt sich dem Geiste des Herrn Proudhon auf: Warum genießen Gold und Silber das Privilegium, der Typus des „konstituierten Wertes" zu sein?

„Die besondere Funktion, welche der Gebrauch den edlen Metallen beigelegt hat, als Vermittler des Verkehrs zu dienen, ist rein konventionell; jede andere Ware könnte, vielleicht weniger bequem, aber ebenso zuverlässig, diese Rolle ausfüllen: Die

Ökonomen erkennen das an, und man zitiert mehr als ein Beispiel dafür. Was ist somit die Ursache dieses allgemein den Metallen eingeräumten Vorzuges, als Geld zu dienen, und wie erklärt sich diese Besonderheit der Funktionen des Geldes, die kein Analogon hat in der politischen Ökonomie?... Nun also, ist es vielleicht möglich, *den Zusammenhang (série) wiederherzustellen*, aus dem das *Geld* herausgerissen zu sein scheint, und somit dieses seinem wirklichen Prinzip wieder zuzuführen?" [I, S.68 u. 69.]

Bereits damit, daß er die Frage in diesen Ausdrücken stellt, setzt Herr Proudhon *das Geld* voraus. Die erste Frage, welche er sich hätte stellen sollen, wäre die, zu erfahren, warum man im Tauschverkehr, wie er sich heute herausgebildet hat, den Tauschwert sozusagen individualisieren mußte durch Schaffung eines besonderen Austauschmittels. Das Geld ist nicht eine Sache, sondern ein gesellschaftliches Verhältnis. Warum ist das Verhältnis des Geldes ein Produktionsverhältnis wie jedes andere ökonomische Verhältnis, wie die Arbeitsteilung etc.? Wenn Herr Proudhon sich von diesem Verhältnis Rechenschaft abgelegt hätte, so würde er in dem Geld nicht eine Ausnahme, nicht ein aus einem unbekannten oder erst wieder zu ermittelnden Zusammenhang herausgerissenes Glied gesehen haben.

Er würde im Gegenteil gefunden haben, daß dieses Verhältnis nur ein einzelnes Glied in der ganzen Verkettung der ökonomischen Verhältnisse und als solches aufs innigste mit ihr verbunden ist und daß dieses Verhältnis ganz in demselben Grade einer bestimmten Produktionsweise entspricht wie der individuelle Austausch. Was aber tut er? Er fängt damit an, das Geld aus dem Zusammenhang der heutigen Produktionsweise herauszureißen, um es später zum ersten Glied eines imaginären, eines noch zu findenden Zusammenhanges zu machen.

Hat man einmal die Notwendigkeit eines besonderen Tauschmittels, d.h. die Notwendigkeit des Geldes eingesehen, so handelt es sich nicht mehr um die Erklärung, warum diese besondere Funktion vor allen anderen Waren dem Gold und Silber zugefallen ist. Es ist das eine sekundäre Frage, die nicht im Zusammenhang der Produktionsverhältnisse ihre Erklärung findet, sondern in den besonderen stofflichen Eigenschaften von Gold und Silber. Wenn demgemäß die Ökonomen bei dieser Gelegenheit „aus dem Gebiet ihrer Wissenschaft herausgetreten sind, wenn sie Physik, Mechanik, Geschichte etc. getrieben haben" [I, S.69], wie ihnen Herr Proudhon vorwirft, so haben sie nur getan, was sie tun mußten. Die Frage gehört nicht mehr in das Gebiet der politischen Ökonomie.

„Was keiner der Ökonomen", sagt Herr Proudhon, „erkannt noch begriffen hat, ist der *ökonomische Grund*, der für die Bevorzugung, deren sich die Edelmetalle erfreuen, maßgebend war." [I, S.69.]

Den ökonomischen Grund, den niemand, und zwar aus guten Gründen, erkannt noch begriffen hat, Herr Proudhon hat ihn erkannt, begriffen und der Nachwelt überliefert.

„Was nämlich niemand bemerkt hat, ist die Tatsache, daß Gold und Silber die ersten Waren sind, deren Wert zur Konstituierung gelangt ist. In der patriarchalischen Periode werden Gold und Silber noch in Barren gehandelt und ausgetauscht, aber schon mit einer sichtbaren Tendenz zur Herrschaft und einer ausgeprägten Bevorzugung. *Nach und nach* bemächtigen sich die Souveräne derselben und drücken ihnen ihr Siegel auf: Und aus dieser souveränen Weihung geht das Geld hervor, das heißt die Ware par excellence[1], die, aller Erschütterungen des Marktes ungeachtet, einen bestimmten proportionellen Wert beibehält und überall als voll in Zahlung genommen wird... Die besondere Stellung, die Gold und Silber einnehmen, ist, wiederhole ich, eine Folge der Tatsache, daß dieselben, dank ihren metallischen Eigenschaften, der Schwierigkeit ihrer Beschaffung und namentlich der Intervention der staatlichen Autorität, sich rechtzeitig, als Waren, Festigkeit und Authentizität erobert haben." [I, S.69 bis 70.]

Behaupten, daß von allen Waren Gold und Silber die ersten sind, deren Wert zu seiner Konstituierung gelangt ist, heißt nach dem Vorstehenden behaupten, daß Gold und Silber die ersten sind, die Geld geworden sind. Dies die große Offenbarung des Herrn Proudhon, dies die Wahrheit, die niemand vor ihm entdeckt hatte.

Wenn Herr Proudhon mit diesen Worten sagen wollte, daß Gold und Silber Waren sind, deren zu ihrer Erzeugung notwendige Arbeitszeit früher bekannt war als die aller andern, so wäre dies wieder eine jener Annahmen, mit denen er seine Leser so bereitwillig beschenkt. Wenn wir uns an diese patriarchalische Gelehrsamkeit halten wollten, so würden wir Herrn Proudhon sagen, daß man zuallererst die Arbeitszeit kannte, die zur Herstellung der allernotwendigsten Gegenstände erforderlich war, wie Eisen usw. Den klassischen Bogen von Adam Smith[52] schenken wir ihm.

Aber wie kann Herr Proudhon nach alledem noch von der Konstituierung eines Wertes sprechen, wo doch ein Wert niemals für sich allein konstituiert wird? Der Wert eines Produkts wird nicht durch die Arbeitszeit konstituiert, die zu seiner Herstellung für sich allein notwendig ist, sondern im Verhältnis zur Menge aller anderen Produkte, die in derselben Zeit erzeugt werden können. Die Konstituierung des Wertes von Gold und Silber setzt also bereits die fertige Konstituierung (des Wertes)[2] einer Menge anderer Produkte voraus.

---

[1] schlechthin – [2] (des Wertes): Einfügung der Übersetzer

Es ist also nicht die Ware, die im Gold und Silber „konstituierter Wert" geworden ist, sondern es ist der „konstituierte Wert" des Herrn Proudhon, der im Gold und Silber Geld geworden ist.

Untersuchen wir jetzt die *ökonomischen Gründe*, die nach Herrn Proudhon dem Gold und Silber den Vorzug verschafft haben, früher als alle anderen Produkte zu Geld erhoben zu werden, vermöge der Konstituierung ihres Wertes.

Diese ökonomischen Gründe sind: die „sichtbare Tendenz zur Herrschaft", die schon in der „patriarchalischen Periode" „ausgeprägte Bevorzugung" und andere Umschreibungen des einfachen Faktums, welche die Schwierigkeit vermehren, indem sie die Tatsache vervielfältigen durch Vervielfältigung der Fälle, die Herr Proudhon vorführt, um die Tatsache zu erklären. Herr Proudhon hat indes noch nicht alle angeblich ökonomischen Gründe erschöpft. Greifen wir einen von überwältigender, souveräner Kraft heraus:

„Aus der souveränen Weihung geht das Geld hervor: Die Souveräne bemächtigen sich des Goldes und Silbers und drücken ihnen ihr Siegel auf." [I, S.69.]

Somit ist für Herrn Proudhon das Belieben der Souveräne der höchste Grund in der politischen Ökonomie!

In der Tat, man muß jeder historischen Kenntnis bar sein, um nicht zu wissen, daß es die Souveräne sind, die zu allen Zeiten sich den wirtschaftlichen Verhältnissen fügen mußten, daß aber niemals sie es gewesen sind, welche ihnen das Gesetz diktiert haben. Sowohl die politische wie die bürgerliche Gesetzgebung proklamieren, protokollieren nur das Wollen der ökonomischen Verhältnisse.

Hat sich der Souverän des Goldes und Silbers bemächtigt, um sie durch Aufprägung seines Siegels zu allgemeinen Tauschmitteln zu machen, oder haben sich nicht vielmehr diese allgemeinen Tauschmittel des Souveräns bemächtigt, indem sie ihn zwangen, ihnen sein Siegel aufzudrücken und ihnen eine politische Weihung zu geben?

Das Gepräge, welches man dem Gold gegeben hat und gibt, drückt nicht seinen Wert, sondern sein Gewicht aus. Die Festigkeit und Authentizität, von denen Herr Proudhon spricht, beziehen sich nur auf den Feingehalt der Münze; dieser Feingehalts-Titre* zeigt an, wieviel Metallstoff in einem Stücke gemünzten Geldes enthalten ist.

„Der einzige innewohnende Wert einer Mark Silber", sagt Voltaire mit seinem bekannten gesunden Menschenverstand, „ist ein halbes Pfund Silber im Gewicht von

* Titre heißt einerseits Titel, Name, andererseits aber auch, bei Gold und Silber, deren *Feingehalt*. Die Übersetzer.

acht Unzen. Gewicht und Feingehalt ergeben allein diesen immanenten Wert." (Voltaire, *„Système de Law"*.)[53]

Aber die Frage: Wieviel ist eine Unze Gold oder Silber wert? besteht darum nicht minder fort. Wenn ein Kaschmir aus dem Magazin zum *Großen Colbert* das Fabrikzeichen *reine Wolle* trägt, so gibt diese Fabrikmarke noch nicht den Wert des Kaschmirs an. Es bleibt noch immer zu ermitteln, wieviel die Wolle wert ist.

„Philipp I., König von Frankreich", sagt Herr Proudhon, „versetzt das Geld-Pfund Tournois[54] (Gewicht Karls des Großen)[1] mit einem Drittel Legierung, indem er sich einbildet, daß, da er allein das Monopol der Geldfabrikation hatte, er auch tun könne, was jeder Kaufmann tut, der das Monopol eines Produktes besitzt. Was war in der Tat diese, Philipp und seinen Nachfolgern so sehr zum Vorwurf gemachte Münzfälschung? Ein vom Standpunkt der geschäftlichen Routine sehr berechtigtes, aber vom Standpunkt der ökonomischen Wissenschaft sehr falsches Räsonnement; daß man nämlich, da Angebot und Nachfrage den Wert regulieren, sowohl durch eine künstlich erzeugte Seltenheit wie durch Monopolisierung der Fabrikation die Schätzung und somit auch den Wert der Dinge steigen machen kann und daß dies ebenso von Gold und Silber gilt wie von Getreide, Wein, Öl und Tabak. Indes, kaum war der Betrug Philipps ruchbar geworden, als sein Geld auf den richtigen Wert reduziert ward und er zur selben Zeit das verlor, um was er seine Untertanen geglaubt hatte prellen zu können. Dasselbe Schicksal hatten in der Folge alle ähnlichen Versuche." [I, S. 70–71.]

Zunächst hat es sich gar oft gezeigt, daß, wenn der Fürst darangeht, die Münzen zu fälschen, er es ist, der dabei verliert. Was er bei der ersten Emission einmal verdient, verliert er so oft, wie die gefälschten Münzen ihm in Form von Steuern usw. wieder zufließen. Aber Philipp und seine Nachfolger wußten sich mehr oder minder gegen diesen Verlust zu schützen; denn kaum daß das gefälschte Geld in Umlauf gesetzt, hatten sie nichts Eiligeres zu tun, als ein allgemeines Umschmelzen des Geldes auf den alten Fuß anzuordnen.

Dann aber, hätte Philipp I. wirklich, wie Herr Proudhon, räsoniert, so hätte Philipp I. vom „kommerziellen Gesichtspunkt" aus nicht gut räsoniert. Weder Philipp I. noch Herr Proudhon legen kaufmännischen Geist an den Tag, wenn sie sich einbilden, daß man den Wert des Goldes wie den jeder anderen Ware aus dem einzigen Grunde ändern könne, daß ihr Wert durch das Verhältnis von Angebot und Nachfrage bestimmt wird.

Wenn König Philipp angeordnet hätte, daß ein Malter[2] Weizen künftig-

[1] (Gewicht Karls des Großen): Einfügung der Übersetzer – [2] früheres deutsches und Schweizer Trockenmaß. Der (oder das) Malter hatte in den einzelnen deutschen Ländern verschiedenen Inhalt: zwischen 182 und 1248 Liter.

hin zwei Malter Weizen heißen solle, so würde er ein Betrüger gewesen sein; er würde alle Rentiers, alle Leute betrogen haben, die hundert Malter Weizen zu empfangen hatten; er wäre die Ursache gewesen, daß alle diese Leute statt hundert Malter Weizen nur fünfzig empfangen hätten. Man nehme an, der König sei Schuldner von hundert Malter Weizen gewesen, so hätte er nur fünfzig zu bezahlen gehabt. Aber im Handel wären hundert Malter nie mehr wert gewesen als vorher fünfzig. Damit, daß man den Namen ändert, ändert man nicht die Sache. Die Menge Weizen, die angebotene wie geforderte, wäre durch diese einfache Veränderung der Namen weder vermindert noch erhöht worden. Da trotz dieser Veränderung des Namens das Verhältnis von Angebot und Nachfrage das gleiche bliebe, so erlitte der Preis des Getreides keinerlei wirkliche Veränderung. Wenn man von Angebot und Nachfrage der Dinge spricht, so spricht man nicht von Angebot und Nachfrage des Namens der Dinge. Philipp I. machte nicht Gold oder Silber, wie Herr Proudhon sagt, er machte nur Namen von Münzen. Gebt eure französischen Kaschmire für indische aus, so ist es möglich, daß ihr ein oder zwei Käufer täuscht, aber sobald der Betrug einmal bekannt ist, werden eure vorgeblich indischen Kaschmire auf den Preis der französischen fallen. Damit, daß er dem Gold und Silber eine falsche Etikette gab, konnte Philipp I. die Leute nur so lange hinters Licht führen, wie der Betrug nicht bekannt war. Wie jeder andere Krämer betrog er seine Kunden durch eine falsche Bezeichnung der Ware: das konnte eine Zeitlang dauern. Früher oder später mußte er die Unerbittlichkeit der Gesetze des Verkehrs erfahren. Wollte Herr Proudhon das beweisen? Nein. Nach ihm empfängt das Geld vom Souverän und nicht vom Verkehr seinen Wert. Und was hat er in Wirklichkeit bewiesen? Daß der Verkehr souveräner ist als der Souverän. Der Souverän ordne an, daß eine Mark künftig zwei Mark sei, und der Verkehr wird stets behaupten, daß diese zwei Mark nur so viel wert sind wie die eine Mark von früher.

Aber damit ist die Frage des durch die Arbeitsmenge bestimmten Wertes um keinen Schritt vorwärtsgerückt. Es bleibt noch immer zu entscheiden, ob diese zwei Mark, die jetzt wieder die Mark von früher geworden, bestimmt werden durch die Produktionskosten oder durch das Gesetz von Angebot und Nachfrage.

Herr Proudhon fährt fort:

„Es bleibt auch noch zu erwägen, daß, wenn es in der Macht des Königs gelegen hätte, statt das Geld zu fälschen, dessen Menge zu verdoppeln, der Tauschwert von Gold und Silber um die Hälfte gefallen wäre, immer auf Grund der Proportionalität und des Gleichgewichtes." [I, S.71.]

Wenn diese, Herrn Proudhon mit den anderen Ökonomen gemeinsame Ansicht richtig ist, so spricht sie zugunsten ihrer Doktrin von Angebot und Nachfrage und keineswegs zugunsten der Proportionalität des Herrn Proudhon. Denn welches auch immer die in der doppelten Masse von Gold und Silber verkörperte Arbeitszeit gewesen wäre, immer wäre ihr Wert um die Hälfte gefallen, wenn die Nachfrage dieselbe geblieben wäre und das Angebot sich verdoppelt hätte. Oder liefe zufällig das „*Gesetz der Proportionalität*" diesmal auf das so verachtete Gesetz von Angebot und Nachfrage hinaus? Die richtige Proportionalität des Herrn Proudhon ist in der Tat so elastisch, sie gestattet so viele Variationen, Kombinationen und Permutationen, daß sie wohl einmal mit dem Verhältnis von Angebot und Nachfrage zusammenfallen kann.

Behaupten, daß „jede Ware (jederzeit)[1], wenn nicht tatsächlich, so wenigstens von Rechts wegen, austauschbar" [I, S. 71] sei, mit dem Hinweis auf die Rolle, welche Gold und Silber spielen, heißt diese Rolle verkennen. Gold und Silber sind nur deswegen von Rechts wegen (jederzeit)[1] austauschbar, weil sie es tatsächlich sind; und sie sind es tatsächlich, weil die gegenwärtige Organisation der Produktion eines allgemeinen Tauschmittels bedarf. Das Recht ist nur die offizielle Anerkennung der Tatsache.

Wir haben gesehen, daß das Beispiel vom Gelde als Darstellung des zu seiner Konstituierung gelangten Wertes von Herrn Proudhon nur gewählt wurde, um seine ganze Lehre von der Austauschbarkeit einschmuggeln zu können, das heißt, um nachzuweisen, daß jede nach ihren Produktionskosten abgeschätzte Ware Geld werden müsse. Alles das wäre schön und gut, bestände nicht der kleine Übelstand, daß gerade Gold und Silber in ihrer Eigenschaft als Münze (als Wertzeichen)[2] von allen Waren die einzigen sind, die nicht durch ihre Produktionskosten bestimmt werden; und das ist so sehr richtig, daß sie in der Zirkulation durch Papier ersetzt werden können. Solange ein gewisses Verhältnis zwischen den Bedürfnissen der Zirkulation und der Menge des ausgegebenen Geldes beobachtet wird, sei dieses Papier-, Gold-, Platin- oder Kupfergeld, so wird es sich nicht darum handeln, ein Verhältnis zwischen dem innewohnenden Wert (Produktionskosten) und dem Nominalwert des Geldes einzuhalten. Kein Zweifel, im internationalen Verkehr wird das Geld, wie jede andere Ware, durch die Arbeitszeit bestimmt. Aber auch Gold und Silber sind im internationalen Verkehr Tauschmittel als Produkte, nicht als Münze, d.h., sie verlieren diesen Charakter der „Festigkeit und Authentizität", der „souveränen Weihe", die für Herrn Proudhon ihren spezi-

[1] (jederzeit): Einfügung der Übersetzer – [2] (als Wertzeichen): Einfügung der Übersetzer

fischen Charakter bilden. Ricardo hat diese Wahrheit so gut begriffen, daß, obwohl er sein ganzes System auf den durch die Arbeitszeit bestimmten Wert aufbaut und erklärt: „*Gold und Silber* haben, wie jede andere Ware, nur Wert im Verhältnis zu der Arbeitsmenge, die notwendig ist, sie zu produzieren und auf den Markt zu bringen" – er nichtsdestoweniger hinzufügt, daß der Wert des *Geldes* nicht durch die in seiner Materie fixierte Arbeitszeit, sondern nur durch das Gesetz von Angebot und Nachfrage bestimmt wird.

„Obwohl das Papier keinen inneren Wert hat, so kann doch, wenn man seine Menge begrenzt, sein Tauschwert dem Wert von Metallgeld im gleichen Betrage oder von nach ihrem Münzwert abgeschätzten Barren gleichkommen. Ganz ebenso, infolge desselben Prinzipes, d.h. dadurch, daß man die Menge des Geldes einschränkt, können unterwertige Geldstücke zu dem Wert zirkulieren, den sie haben würden, wären ihr Gewicht und ihr Gehalt die vom Gesetz vorgeschriebenen, nicht aber nach dem inneren Wert des reinen Metalles, das sie enthalten. Deshalb finden wir in der Geschichte des englischen Geldes, daß unser Hartgeld niemals sich in dem gleichen Verhältnis entwertete, wie es gefälscht wurde. Die Ursache liegt darin, daß es niemals im Verhältnis seiner Entwertung vermehrt wurde." (Ricardo, a. a. O. [II, S. 206–207].)

J[ean]-B[aptiste] Say bemerkt zu diesem Satze Ricardos:

„Dieses *Beispiel* sollte, wie mir scheint, genügen, um den Autor zu überzeugen, daß die Grundlage jedes Wertes nicht die zur Herstellung einer Ware notwendige Arbeitsmenge ist, sondern das Bedürfnis, das man nach ihr empfindet, zusammengehalten mit ihrer Seltenheit."[55]

So wird das Geld, das für Ricardo nicht mehr ein durch die Arbeitszeit bestimmter Wert ist und welches J.-B. Say deshalb als Beispiel nimmt, um Ricardo zu überzeugen, daß die anderen Werte ebensowenig durch die Arbeitszeit bestimmt werden können – so wird dieses Geld, welches J.-B. Say als Beispiel eines ausschließlich durch Angebot und Nachfrage bestimmten Wertes nimmt, für Herrn Proudhon das Beispiel par excellence der Anwendung des – durch die Arbeitszeit – konstituierten Wertes.

Um zum Ende zu kommen: Wenn das Geld kein durch die Arbeitszeit „konstituierter Wert" ist, so kann es noch weit weniger irgend etwas mit der richtigen „Proportionalität" des Herrn Proudhon gemein haben. Gold und Silber sind stets austauschbar, weil sie die besondere Funktion haben, als universelles Tauschmittel zu dienen, und keineswegs, weil sie in einer der Gesamtheit der Güter proportionellen Menge vorhanden sind; oder, um es noch besser auszudrücken, sie sind stets proportionell, weil sie von allen Waren allein als Geld, als universelles Tauschmittel dienen, in welchem Verhältnis auch immer ihre Menge zur Gesamtheit der Güter stehe.

„Das in Zirkulation befindliche Geld kann nie reichlich genug vorhanden sein, um überzuströmen; denn wenn ihr seinen Wert herabsetzt, werdet ihr in demselben Verhältnis seine Menge vermehren, und mit der Vermehrung seines Wertes werdet ihr seine Menge vermindern." (Ricardo [II, S.205].)

„Welches Imbroglio ist die politische Ökonomie!" ruft Herr Proudhon aus. [I, S.72.]

„Verdammtes Gold! ruft possierlich ein Kommunist" (durch den Mund des Herrn Proudhon). „Ebensogut könnte man sagen: Verdammter Weizen! verdammte Weinstöcke! verdammte Hammel! denn ebenso wie Gold und Silber muß *jeder Handelswert* zu seiner peinlich genauen Festsetzung gelangen." [I, S.73.]

Die Idee, Hammeln und Weinstöcken die Eigenschaft des Geldes zu verschaffen, ist nicht neu. In Frankreich gehört sie dem Jahrhundert Ludwigs XIV. an. Zu dieser Epoche, wo das Geld angefangen hatte, seine Allmacht geltend zu machen, beklagte man sich über die Entwertung aller anderen Waren und rief sehnsüchtig den Moment herbei, wo jeder „kommerzielle Wert" zu seiner peinlich genauen Festsetzung gelangen, Geld werden könne. Schon bei Boisguillebert, einem der ältesten Ökonomen Frankreichs, finden wir folgenden Satz:

„Dann wird das Geld, dank diesem unermeßlichen Zufluß von Konkurrenten, den in ihren richtigen Wert wieder eingesetzten Waren selbst, wieder in seine natürlichen Grenzen verwiesen werden." („*Économistes financiers du dix-huitième siècle*", S.422, éd. Daire.[1])

Man sieht: Die ersten Illusionen der Bourgeoisie sind auch ihre letzten.

b) Der Arbeitsüberschuß

„Man findet in den Abhandlungen über politische Ökonomie folgende abgeschmackte Hypothese: Wenn der Preis aller Dinge verdoppelt würde... Als ob der Preis aller Dinge nicht das Verhältnis der Dinge wäre und man eine Proportion, ein Verhältnis, ein Gesetz verdoppeln könnte!" (Proudhon, Bd. I, S.81.)

Die Ökonomen sind in diesen Irrtum verfallen, weil sie die richtige Anwendung des „Gesetzes der Proportionalität" und des „konstituierten Wertes" nicht verstanden.

Leider findet man in dem Werke des Herrn Proudhon selbst, Bd. I, S.110, diese abgeschmackte Hypothese, daß, „wenn der Lohn allgemein stiege, der Preis aller Dinge steigen würde". Zum Überfluß findet man, wenn man in den

[1] „*Finanz-Ökonomen des 18. Jahrhunderts*", herausgegeben von Daire

Abhandlungen über politische Ökonomie die fragliche Phrase findet, ebendaselbst auch ihre Erklärung.

„Wenn man sagt, daß der Preis aller Waren steigt oder sinkt, so schließt man stets die eine oder die andere der Waren aus: Die ausgeschlossene Ware ist gewöhnlich das Geld oder die Arbeit." („*Encyclopaedia Metropolitana or Universal Dictionary of Knowledge*", vol. IV, Artikel „*Political Economy*"[1] von Senior, London 1836. Siehe auch über diesen Ausdruck J. St. Mill, „*Essays on Some Unsettled Questions of Political Economy*"[2], London 1844, und Tooke, „*A History of Prices, etc.*"[3], London 1838.)

Schreiten wir jetzt zur *zweiten Anwendung* des „konstituierten Wertes" und anderer Proportionalitäten, deren einziger Fehler ist, wenig proportioniert zu sein; und sehen wir zu, ob Herr Proudhon dort glücklicher ist als in der *Verwandlung* der Hammel *in Geld*.

„Ein von den Ökonomen einstimmig anerkanntes Axiom sagt, daß jede Arbeit einen Überschuß ergeben muß. Dieser Satz gilt mir als absolut und allgemein wahr: Er ist die Ergänzung des Gesetzes von der Proportionalität, welches man als die Summe aller ökonomischen Wissenschaft betrachten kann. Aber ich bitte die Ökonomen um Verzeihung: Das Prinzip, daß jede Arbeit einen Überschuß ergeben muß, hat in ihrer Theorie keinen Sinn und ist keines *Beweises* fähig." (Proudhon [I, S. 73].)

Um zu beweisen, daß jede Arbeit einen Überschuß ergeben muß, personifiziert Herr Proudhon die Gesellschaft, er macht aus ihr eine *Person Gesellschaft*, eine Gesellschaft, die keineswegs die Gesellschaft der Personen ist, da sie ihre besonderen Gesetze hat, die nichts gemein haben mit den Personen, aus denen sie sich zusammensetzt; die ebenfalls ihren „eigenen Verstand" hat, der nicht der Verstand der gemeinen Menschen ist, sondern ein Verstand, der nicht den gemeinen Menschenverstand hat. Herr Proudhon wirft den Ökonomen vor, die Persönlichkeit dieses Gesamtwesens nicht begriffen zu haben. Es macht uns Vergnügen, ihm den folgenden Satz eines amerikanischen Ökonomen entgegenzuhalten, der den anderen Ökonomen das gerade Gegenteil vorwirft:

„Dem moralischen *Individuum (the moral entity)*, dem grammatikalischen Wesen *(the grammatical being)*, Gesellschaft genannt, wurden Eigenschaften beigelegt, die nur in der Einbildung derer bestehen, welche aus einem Wort eine Sache machen... Dies hat zu vielen Schwierigkeiten und beklagenswerten Irrtümern der politischen Ökonomie Veranlassung gegeben." (Th[omas] Cooper, „*Lectures on the Elements of Political Economy*"[4], Columbia 1826[56].)

[1] „*Hauptstädtische Enzyklopädie oder Universallexikon des Wissens*", Bd. IV, Artikel: „*Politische Ökonomie*" – [2] „*Abhandlungen über einige ungeklärte Fragen der politischen Ökonomie*" – [3] „*Eine Geschichte der Preise etc.*" – [4] „*Vorträge über die Grundlagen der politischen Ökonomie*"

„Dieses Prinzip des Arbeitsüberschusses", fährt Herr Proudhon fort, „trifft in bezug auf die Individuen nur zu, weil es von der Gesellschaft ausgeht, die ihnen so die Wohltat ihrer eigenen Gesetze zukommen läßt." [I, S. 75.]

Will Herr Proudhon damit lediglich sagen, daß die Produktion des Individuums in der Gesellschaft die des isolierten Individuums übertrifft? Will er von diesem Überschuß der Produktion der assoziierten Individuen über die der nicht assoziierten Individuen sprechen? Wenn dem so ist, so können wir ihm hundert Ökonomen zitieren, welche diese einfache Wahrheit ausgesprochen haben ohne den ganzen Mystizismus, in den sich Herr Proudhon hüllt. So sagt z.B. Herr Sadler:

„Die gemeinschaftliche Arbeit ergibt Resultate, welche die individuelle Arbeit niemals hervorzubringen vermag. In dem Maße daher, wie die Menschheit der Zahl nach sich vermehrt, werden die Produkte der vereinigten Arbeit bei weitem die Summe übertreffen, welche sich aus einer einfachen Addition der Menschenzahl-Vermehrung ergibt... In den mechanischen Industrien wie auf wissenschaftlichem Gebiet kann jeder einzelne heute in einem Tage mehr leisten als ein isoliertes Individuum während seines ganzen Lebens. Das mathematische Axiom, daß das Ganze der Summe der Teile gleich ist, ist falsch in Anwendung auf unseren Gegenstand. In bezug auf die Arbeit, diesen großen Grundpfeiler der menschlichen Existenz *(the great pillar of human existence)*, kann man sagen, daß das Produkt der gemeinschaftlichen Anstrengungen bei weitem alles übertrifft, was isolierte Bemühungen der einzelnen je zu produzieren vermögen." (Th[omas] Sadler, „*The Law of Population*"[1], London 1830.)

Kehren wir zu Herrn Proudhon zurück. Der Arbeitsüberschuß, sagt er, findet seine Erklärung in der Person Gesellschaft. Die Lebenstätigkeit dieser Person richtet sich nach Gesetzen, die den Gesetzen widersprechen, welche die Tätigkeit des Menschen als Individuum bestimmen; dies will er durch „*Tatsachen*" beweisen.

„Die Entdeckung eines neuen wirtschaftlichen Verfahrens kann nie dem Erfinder einen Vorteil eintragen, der dem gleich ist, welchen er der Gesellschaft verschafft... Man hat bemerkt, daß die Eisenbahnunternehmungen weit weniger eine Reichtumsquelle für die Unternehmer sind als für den Staat... Der Durchschnittspreis des Gütertransportes per Achse (Fuhre)[2] beträgt 18 Centimes pro Tonne und Kilometer ab und an Lager. Man hat ausgerechnet, daß bei diesem Preise ein gewöhnliches Eisenbahnunternehmen keine 10 Prozent Reingewinn machen würde, ein Resultat, das beinahe dem eines Fuhrunternehmens gleichkommt. Aber nehmen wir an, daß die Geschwindigkeit eines Transportes per Eisenbahn sich zu der eines Fuhrunternehmens wie 4 : 1 verhält, so wird, da in der Gesellschaft die Zeit selbst Wert ist, bei Gleichheit des Preises die Eisenbahn gegenüber der Frachtfuhre einen Gewinn von 400 Prozent dar-

[1] „*Das Bevölkerungsgesetz*" – [2] (Fuhre): Einfügung der Übersetzer

stellen. Indes realisiert sich dieser enorme, für die Gesellschaft sehr reelle Gewinn bei weitem nicht in dem gleichen Verhältnis für den Transportunternehmer, der, während er der Gesellschaft einen Vorteil von 400 Prozent verschafft, selbst keine 10 Prozent bezieht. Nehmen wir in der Tat an, um die Sache noch greifbarer zu machen, daß die Eisenbahn ihren Tarif auf 25 Centimes festsetzt, während der der Fracht per Achse 18 bleibt, so wird sie sofort alle ihre Gütertransporte verlieren. Absender und Empfänger, alle Welt wird, wenn es sein muß, auf die alten Rumpelkästen zurückkommen. Man wird die Lokomotive stehenlassen: Ein gesellschaftlicher Vorteil von 400 Prozent wird einem privaten Verlust von 35 Prozent aufgeopfert werden. Die Ursache davon ist leicht einzusehen: Der Vorteil, den die Geschwindigkeit der Eisenbahn zur Folge hat, ist rein sozial, und jeder einzelne nimmt daran nur im geringsten Maße Anteil (vergessen wir nicht, daß es sich in diesem Augenblick nur um den Gütertransport handelt), während der Verlust den Konsumenten direkt und persönlich trifft. Ein sozialer Vorteil, gleich 400, stellt für das Individuum, wenn die Gesellschaft nur aus einer Million Menschen besteht, $^{4}/_{10000}$ dar, während ein Verlust von 33 Prozent für den Konsumenten ein soziales Defizit von 33 Millionen voraussetzte." (Proudhon [I, S.75–76].)

Es mag noch angehen, daß Herr Proudhon eine vervierfachte Geschwindigkeit mit 400 Prozent der ursprünglichen Geschwindigkeit ausdrückt; aber wenn er die Prozente der Geschwindigkeit mit den Prozenten des Profites in Verbindung bringt und zwischen zwei Dingen ein Verhältnis herstellen will, die zwar jedes für sich nach Prozenten gemessen werden können, aber dessenungeachtet eins mit dem anderen inkommensurabel sind, so heißt dies ein Verhältnis zwischen den Prozenten herstellen und die Dinge selbst beiseite lassen.

Prozente sind immer Prozente. 10 Prozent und 400 Prozent sind kommensurabel, sie verhalten sich zueinander wie 10 : 400; daher, schließt Herr Proudhon, ist ein Profit von 10 Prozent vierzigmal weniger wert als eine vierfache Geschwindigkeit. Um den Schein zu retten, sagt er, daß für die Gesellschaft die Zeit der Wert ist *(time is money*[1]*)*. Dieser Irrtum stammt daher, daß er sich dunkel erinnert, daß ein Verhältnis zwischen Wert und Arbeitszeit besteht, und er hat nichts eiliger zu tun, als die Arbeitszeit der Zeit des Transportes gleichzusetzen, d.h., er identifiziert die paar Heizer, Zugführer und Genossen, deren Arbeitszeit nichts anderes ist als die Zeit des Transportes, mit der ganzen Gesellschaft. So wird mit einem Male die Geschwindigkeit Kapital, und auf diese Art hat er vollauf recht zu sagen: „Ein Vorteil von 400 Prozent wird einem Verlust von 35 Prozent aufgeopfert." Nachdem er diesen sonderbaren Satz als Mathematiker aufgestellt hat, erklärt er ihn uns als Ökonom.

„Ein sozialer Vorteil, gleich 400, stellt für das Individuum, wenn die Ge-

[1] *Zeit ist Geld*

sellschaft nur aus einer Million Menschen besteht, $^4/_{10000}$ dar." Einverstanden; aber es handelt sich nicht um 400, sondern um 400 Prozent, und ein Vorteil von 400 Prozent stellt für das Individuum 400 Prozent dar, nicht mehr und nicht weniger. Welches immer das Kapital sei, die Dividenden werden sich stets im Verhältnis von 400 Prozent berechnen. Was tut Herr Proudhon? Er nimmt die Prozente für das Kapital, und als ob er fürchte, daß seine Konfusion nicht „greifbar", nicht deutlich genug sei, fährt er fort:

„Ein Verlust von 33 Prozent für den Konsumenten würde ein soziales Defizit von 33 Millionen voraussetzen." 33 Prozent Verlust für den Konsumenten bleiben 33 Prozent Verlust für eine Million Konsumenten. Wie kann Herr Proudhon daher vernünftigerweise sagen, daß bei einem Verlust von 33 Prozent sich das gesellschaftliche Defizit auf 33 Millionen belaufe, wo er weder das soziale Kapital noch auch nur das Kapital eines einzigen Interessenten kennt? Es genügte somit Herrn Proudhon nicht, *Kapital* und *Prozente* zusammengeworfen zu haben, er übertrifft sich noch, indem er das in ein Unternehmen gesteckte *Kapital* mit der *Zahl* der Interessenten identifiziert.

„Setzen wir in der Tat, um die Sache noch greifbarer zu gestalten", ein bestimmtes Kapital voraus. Ein sozialer Profit von 400 Prozent, auf eine Million von Teilnehmern repartiert, von denen jeder mit einem Franc beteiligt ist, ergibt vier Francs Profit pro Kopf und nicht 0,0004, wie Herr Proudhon behauptet. Ebenso repräsentiert ein Verlust von 33 Prozent für jeden der Teilnehmer ein gesellschaftliches Defizit von 330000 Francs und nicht von 33 Millionen (100 : 33 = 1000000 : 330000).

Von seiner Theorie der Person Gesellschaft bestochen, vergißt Herr Proudhon, die Teilung durch 100 vorzunehmen. Er erlangt so 330000 Francs Verlust, aber 4 Francs Profit pro Kopf machen für die Gesellschaft 4000000 Francs Profit. Bleibt für die Gesellschaft ein reiner Profit von 3670000 Francs. Diese exakte Rechnung beweist just das Gegenteil von dem, was Herr Proudhon beweisen wollte: nämlich daß Profit und Verlust der Gesellschaft sich keineswegs im umgekehrten Verhältnis zu Profit und Verlust der Individuen verhalten.

Nachdem wir so diese einfachen Rechenfehler berichtigt haben, wollen wir nun einmal die Konsequenzen betrachten, zu denen man gelangen müßte, wollte man für die Eisenbahnen das Verhältnis von Geschwindigkeit und Kapital, wie Herr Proudhon es gibt, ohne die Rechenfehler zugrunde legen. Nehmen wir an, daß ein viermal schnellerer Transport viermal mehr kostet, so würde dieser Transport nicht weniger Profit ergeben als der Transport per Achse, der viermal langsamer geht und den vierten Teil der Fracht kostet.

Wenn also der Achsentransport 18 Centimes nimmt, so könnte die Eisenbahn 72 Centimes nehmen. Das wäre nach „mathematischer Genauigkeit" die Konsequenz der Voraussetzung des Herrn Proudhon, immer von seinen Rechenfehlern abgesehen. Aber da sagt er uns mit einemmal, daß, wenn die Eisenbahn statt 72 Centimes nur 25 nehmen würde, sie sofort alle ihre Gütertransporte verlieren würde. Entschieden, man muß zum alten Rumpelkasten zurückkehren. Wenn wir indes Herrn Proudhon einen Rat zu geben haben, so ist es der, in seinem *„Programme de l'association progressive"*[1] nicht die Division durch 100 zu vergessen. Aber leider ist nicht zu erwarten, daß unser Rat erhört werde, denn Herr Proudhon ist von seiner „progressiven" Berechnung, die seiner „progressiven Assoziation" entspricht, so entzückt, daß er mit großer Emphase ausruft:

„Ich habe bereits im zweiten Kapitel, bei der Lösung der Antinomie des Wertes, gezeigt, daß der Vorteil jeder nützlichen Entdeckung unvergleichlich geringer für den Erfinder ist, was er auch tun möge, als für die Gesellschaft; ich habe den Beweis in dieser Beziehung *bis zur mathematischen Genauigkeit* geführt!"

Kehren wir zur Fiktion von der Person Gesellschaft zurück, die keinen anderen Zweck hatte, als die einfache Tatsache zu beweisen, daß eine neue Erfindung, die mit derselben Arbeitsmenge eine größere Menge Waren verfertigen läßt, den Marktpreis des Produktes sinken macht. Der Gesellschaft fällt damit ein Gewinn zu, nicht dadurch, daß sie mehr Tauschwert erlangt, sondern daß sie mehr Waren für denselben Wert erhält. Was den Erfinder anbetrifft, so bewirkt die Konkurrenz, daß sein Profit sukzessive bis zum allgemeinen Niveau der Profite fällt. Hat Herr Proudhon, wie er wollte, diesen Satz bewiesen? Nein. Das verhindert ihn aber nicht, den Ökonomen vorzuwerfen, diesen Beweis nicht erbracht zu haben. Um ihm das Gegenteil zu beweisen, zitieren wir nur Ricardo und Lauderdale; Ricardo, das Haupt der Schule, die den Wert nach der Arbeitszeit bestimmt, Lauderdale, einen der entschiedensten Verteidiger der Bestimmung des Wertes durch Angebot und Nachfrage. Beide haben denselben Satz aufgestellt.

„Indem wir beständig die Leichtigkeit der Produktion erhöhen, vermindern wir fortgesetzt den Wert einiger der früher produzierten Dinge, obwohl wir durch dieses Mittel nicht nur den Nationalreichtum vermehren, sondern auch die Möglichkeit, für die Zukunft zu produzieren... Sobald wir mittelst Maschinen oder unserer naturwissenschaftlichen Kenntnisse die Naturkräfte zwingen, die Arbeit zu verrichten, die bis dahin der Mensch leistete, so fällt infolgedessen der Tauschwert des Produktes. Wenn zehn Leute notwendig wären, um eine Getreidemühle zu drehen, und man ent-

[1] *„Programm der progressiven Assoziation"*

deckte, daß vermittelst des Windes oder des Wassers die Arbeit dieser zehn Menschen erspart werden könnte, so würde das Mehl, das Produkt der Mühlenarbeit, von diesem Augenblick an im Verhältnis zur Summe der ersparten Arbeit fallen, und die Gesellschaft würde sich um den vollen Wert der Dinge bereichert finden, welche die Arbeit dieser zehn Männer zu erzeugen vermag, da die zur Erhaltung der Arbeiter bestimmten Fonds damit nicht die geringste Verminderung erfahren hätten." (Ricardo [II, S.59].)

Lauderdale seinerseits sagt:

„Der Profit der Kapitalien entstammt stets dem Umstande, daß sie einen Teil der Arbeit auf sich nehmen, welche der Mensch mit seinen Händen verrichten müßte, d.h., daß sie eine Portion Arbeit über die persönlichen Bemühungen des Menschen hinaus verrichten, die er selbst nicht auszuführen vermöchte. Der schmale Profit, den im allgemeinen die Besitzer der Maschinen erzielen im Vergleich zum Preis der Arbeit, welche diese ersetzen, wird vielleicht Zweifel über die Richtigkeit dieser Ansicht hervorrufen. Eine Dampfpumpe befördert z.B. in einem Tage mehr Wasser aus einer Kohlenmine, als dreihundert Menschen auf ihrem Rücken heraustragen könnten, selbst wenn sie eine Eimerkette bildeten, und es unterliegt keinem Zweifel, daß sie die Arbeit derselben zu viel geringeren Kosten ersetzt. Dasselbe ist der Fall mit allen Maschinen. Die bisherige Menschenarbeit, an deren Stelle sie getreten sind, müssen sie zu billigerem Preise verrichten... Angenommen, dem Erfinder einer Maschine, welche die Arbeit von vieren verrichtet, sei ein Patent erteilt worden, so ist es klar – da das ausschließliche Privilegium jede Konkurrenz verhindert, außer der, welche die Arbeit der Arbeiter bewirkt –, daß der Lohn dieser Arbeiter während der ganzen Dauer des Privilegiums der Maßstab des Preises sein wird, den der Erfinder für seine Produkte bestimmen wird: d.h., um sich der Aufträge zu versichern, wird er etwas weniger fordern als den Lohn für die Arbeit, die seine Maschine ersetzt. Sobald aber das Privilegium verfallen ist, werden andere Maschinen derselben Art aufgestellt und rivalisieren mit der seinigen. Alsdann wird er seinen Preis nach dem allgemeinen Prinzip festsetzen, indem er ihn von der Menge der Maschinen abhängig macht. Der Profit der angelegten Fonds..., obwohl das Resultat ersetzter Arbeit, regelt sich schließlich nicht nach dem Werte dieser Arbeit, sondern wie in allen übrigen Fällen nach Maßgabe der Konkurrenz unter den Kapitalbesitzern, und die Höhe desselben wird stets durch das Verhältnis der Menge der zu diesem Zweck disponiblen Kapitalien zur Nachfrage nach denselben bestimmt." [S.119, 123, 124, 125 u. 134.]

In letzter Instanz wird es somit, solange der Profit größer ist als in anderen Industriezweigen, Kapitalien geben, die sich auf die neue Industrie werfen, bis der Profitsatz auf das allgemeine Niveau gefallen ist.

Wir haben gesehen, wie das Exempel von der Eisenbahn keineswegs geeignet war, einiges Licht auf die Fiktion der Person Gesellschaft zu werfen. Nichtsdestoweniger setzt Herr Proudhon seine Rede kühn fort:

„Diese Punkte einmal klargelegt, ist nichts leichter als die Erklärung, warum die Arbeit jedem Produzenten einen Überschuß lassen muß." [I, S.77.]

Was nunmehr folgt, gehört dem klassischen Altertum an. Es ist eine poetische Erzählung, die den Zweck hat, den Leser sich erholen zu lassen nach der Anstrengung, welche ihm die Genauigkeit der vorhergegangenen mathematischen Demonstrationen verursacht haben dürfte. Herr Proudhon gibt seiner Person Gesellschaft den Namen *Prometheus* und verherrlicht dessen Taten folgendermaßen:

„Im Anfang erwacht Prometheus, hervorgegangen aus dem Schoße der Natur, zu einem Leben in einer Untätigkeit voller Reize etc. etc. Prometheus geht ans Werk, und von dem ersten Tage an, dem ersten Tage der zweiten Schöpfung, ist das Produkt des Prometheus, das heißt sein Reichtum, sein Wohlbefinden, gleich zehn. Am zweiten Tage teilt Prometheus seine Arbeit, und sein Produkt wird gleich hundert. Am dritten und den folgenden Tagen erfindet Prometheus Maschinen, entdeckt er neue Eigenschaften in den Körpern, neue Kräfte in der Natur... Bei jedem Schritt, den seine industrielle Tätigkeit macht, steigt die Ziffer seiner Produktion und verkündet ihm einen Zuwachs von Glück. Und da schließlich für ihn Konsumieren Produzieren ist, so ist es klar, daß jeder Tag des Konsums, indem er nur das Produkt des vorigen Tags verbraucht, einen Produktionsüberschuß für den nächsten Tag liefert." [I, S.77–78.]

Dieser Prometheus des Herrn Proudhon ist ein sonderbarer Heiliger, ebenso schwach in der Logik wie in der politischen Ökonomie. Solange er uns nur lehrt, wie die Arbeitsteilung, die Anwendung von Maschinen, die Ausbeutung der Naturkräfte und der technischen Wissenschaften die Produktivkraft der Menschen vermehrt und einen Überschuß gibt gegenüber dem, was die isolierte Arbeit hervorbringt, hat dieser neue Prometheus nur das Pech, zu spät zu kommen. Aber sobald Prometheus sich darangibt, von Produktion und Konsumtion zu sprechen, wird er in der Tat grotesk. Konsumieren heißt für ihn produzieren; er konsumiert am folgenden Tage, was er tags vorher produziert hat; auf diese Art ist er stets einen Tag voraus. Dieser Tag voraus ist sein „Arbeitsüberschuß". Aber indem er den folgenden Tag verzehrt, was er tags zuvor produziert hat, so muß er wohl am ersten Tage, der keinen Vorläufer hatte, für zwei Tage gearbeitet haben, um in der Folge einen Tag vorauszuhaben. Wie hat Prometheus am ersten Tage, wo es weder Arbeitsteilung noch Maschinen, noch andere Kenntnisse von Naturkräften als die des Feuers gab, diesen Überschuß erzielt? Wie wir sehen, ist die Frage damit, daß sie „bis auf den ersten Tag der zweiten Schöpfung" zurückgeschoben wurde, keinen Schritt vorwärtsgerückt. Diese Art, die Dinge zu erklären, tappt gleichzeitig ins Griechische und Hebräische, sie ist mystisch und allegorisch zu gleicher Zeit, sie erlaubt Herrn Proudhon, unbedingt zu verkünden:

„Ich habe theoretisch und durch Tatsachen das Prinzip nachgewiesen, daß jede Arbeit einen Überschuß lassen muß." [I, S.79.]

Die Tatsachen sind die famose progressive Rechnung; die Theorie ist der Mythus von Prometheus.

„Aber", fährt Herr Proudhon fort, „dieses Prinzip, welches so feststeht wie ein Satz der Arithmetik, ist weit entfernt, sich für alle Welt zu realisieren. Während durch den Fortschritt der gemeinschaftlichen Arbeit der Arbeitstag jedes einzelnen Arbeiters ein immer größeres Produkt erzielt und während daher in notgedrungener Folge der Arbeiter bei demselben Lohn von Tag zu Tag reicher werden müßte, gibt es in der Gesellschaft Stände, die sich bereichern, und andere, die am Verkommen sind." [I, S.79–80.]

Im Jahre 1770 betrug die Bevölkerung des vereinigten Königreiches Großbritannien 15 Millionen, die produktive Bevölkerung 3 Millionen. Die Leistungsfähigkeit der technischen Produktivkräfte entsprach ungefähr einer Bevölkerung von 12 Millionen; infolgedessen gab es in Summa 15 Millionen produktiver Kräfte. Somit verhielt sich die produktive Leistungsfähigkeit zur Bevölkerung wie 1 : 1 und die technische Leistungsfähigkeit zur Leistungsfähigkeit der menschlichen Arbeit wie 4 : 1.

1840 belief sich die Bevölkerung nicht über 30 Millionen, die produktive Bevölkerung betrug 6 Millionen, während die technische Leistungsfähigkeit auf 650 Millionen stieg, d.h. sich zur Gesamtbevölkerung wie 21 : 1 und zur Leistungsfähigkeit der menschlichen Arbeit wie 108 : 1 verhielt.

In der englischen Gesellschaft hat somit der Arbeitstag in siebzig Jahren einen Überschuß von 2700 Prozent an Produktivität gewonnen, d.h., im Jahre 1840 produzierte er siebenundzwanzigmal mehr als 1770. Nach Herrn Proudhon müßte man die Frage folgendermaßen stellen: Warum war der englische Arbeiter von 1840 nicht siebenundzwanzigmal reicher als der von 1770? Um eine solche Frage zu stellen, muß man natürlich voraussetzen, daß die Engländer diesen Reichtum ohne die historischen Bedingungen hätten produzieren können, unter denen er produziert wurde, wie: Anhäufung von Privatkapitalien, moderne Arbeitsteilung, Maschinenbetrieb, anarchische Konkurrenz, Lohnsystem, mit einem Wort lauter Dinge, die auf dem Klassengegensatz beruhen. Das waren nämlich gerade die Existenzbedingungen für die Entwicklung der Produktivkräfte und des Arbeitsüberschusses. Es war somit, um diese Entwicklung der Produktivkräfte und diesen Arbeitsüberschuß zu erlangen, notwendig, daß es Klassen gab, die profitierten, und andere, die am Verkommen waren.

Was ist also in letzter Instanz dieser von Herrn Proudhon auferweckte Prometheus? Es ist die Gesellschaft, es sind die gesellschaftlichen Verhältnisse, basiert auf den Klassengegensatz. Diese Verhältnisse sind nicht die von Individuum zu Individuum, sondern die von Arbeiter zu Kapitalist, von Pächter zu Grundbesitzer etc. Streicht diese Verhältnisse, und ihr habt die ganze Gesellschaft aufgehoben; euer Prometheus ist nur mehr ein Phantom ohne Arme und Beine, d.h. ohne Maschinenbetrieb, ohne Arbeitsteilung, dem mit einem Worte alles fehlt, was ihr ihm ursprünglich gegeben habt, um ihn diesen Arbeitsüberschuß erlangen zu machen.

Wenn es somit in der Theorie genügte, die Formel des Arbeitsüberschusses mit Herrn Proudhon im Sinne der Gleichheit aufzufassen, ohne Rücksicht auf die gegenwärtigen Bedingungen der Produktion, so müßte es in der Praxis genügen, unter den Arbeitern eine gleiche Verteilung aller heute erworbenen Reichtümer vorzunehmen, ohne irgend etwas an den heutigen Produktionsbedingungen zu ändern. Diese Verteilung würde sicherlich den einzelnen Beteiligten keinen ausnehmend großen Wohlstand sichern.

Aber Herr Proudhon ist nicht so pessimistisch, wie man wohl glauben könnte. Da die Proportionalität alles für ihn ist, so muß er wohl oder übel in dem fertig gegebenen Prometheus, d.h. in der heutigen Gesellschaft, einen Anfang zur Verwirklichung seiner Lieblingsidee erblicken.

„Aber auch überall ist der Fortschritt des Reichtums, d.h. die *Proportionalität der Werte*, das herrschende Gesetz; und wenn die Ökonomen den Klagen der sozialistischen Partei das fortschreitende Anwachsen des Nationalreichtums und die Verbesserungen in der Lage selbst der unglücklichsten Klassen entgegenhalten, so verkünden sie damit, ohne es zu ahnen, eine Wahrheit, welche die Verurteilung ihrer Theorien ist.“ [I, S.80.]

Was ist in Wirklichkeit das gemeinschaftliche Vermögen, der Nationalreichtum? Der Reichtum der Bourgeoisie, aber nicht der jedes einzelnen Bourgeois. Nun wohl; die Ökonomen haben nichts anderes getan, als den Nachweis zu liefern, wie unter den gegenwärtig bestehenden Produktionsverhältnissen der Reichtum der Bourgeoisie sich entwickelt hat und noch anwachsen muß. Was die arbeitenden Klassen anbetrifft, so ist es eine noch sehr bestrittene Frage, ob ihre Lage sich infolge der Vermehrung des angeblichen öffentlichen Reichtums verbessert hat. Wenn die Ökonomen uns als Stütze für ihren Optimismus das Beispiel der englischen Baumwollenarbeiter zitieren, so berücksichtigen sie deren Situation nur in den seltenen Momenten der industriellen Prosperität. Diese Momente der Prosperität verhalten sich zu den Epochen der Krise und Stagnation in der „richtigen Proportionalität“ von 3:10. Aber vielleicht haben die Ökonomen, wenn sie von Verbesserung sprachen, von den Millionen Arbeitern sprechen wollen, die in Ostindien umkommen mußten, damit den eineinhalb Millionen in der gleichen Industrie in

England beschäftigter Arbeiter drei Jahre Prosperität auf zehn verschafft würden.

Was die zeitweilige Teilnahme an dem Anwachsen des Nationalreichtums betrifft, so ist das etwas anderes. Das Faktum der zeitweiligen Teilnahme findet seine Erklärung in der Theorie der Ökonomen. Es ist keineswegs ihre „Verurteilung", wie Herr Proudhon sagt, sondern ihre Bekräftigung. Wenn etwas zu verurteilen wäre, so wäre es sicher das System des Herrn Proudhon, welches den Arbeiter, wie wir gezeigt haben, trotz des Anwachsens des Reichtums auf das Lohnminimum reduzieren würde. Nur dadurch, daß er ihn auf das Lohnminimum reduziert, würde er eine Anwendung der richtigen Proportionalität der Werte, des durch die Arbeitszeit „konstituierten Wertes", vollziehen. Gerade weil der Lohn infolge der Konkurrenz über oder unter dem Preis der zur Erhaltung des Arbeiters notwendigen Lebensmittel schwankt, kann dieser in gewissem Grade an der Entwicklung des gesellschaftlichen Reichtums teilnehmen oder auch ebensogut vor Elend umkommen. Das ist die ganze Theorie der Ökonomen, die sich darüber keinen Illusionen hingeben.

Nach seinen langen Abschweifungen auf die Frage der Eisenbahnen, auf den Prometheus, die neue, auf den „konstituierten Wert" zu rekonstituierende Gesellschaft, sammelt sich Herr Proudhon, das Gefühl übermannt ihn, und er ruft in väterlichem Tone aus:

„*Ich beschwöre* die Ökonomen, einen Augenblick in der Tiefe ihres Herzens, fern von den Vorurteilen, die sie verwirren, und ohne Rücksicht auf die Ämter, die sie einnehmen oder erstreben, auf die Interessen, denen sie dienen, auf die Stimmen, um welche sie werben, auf die Auszeichnungen, in denen ihre Eitelkeit sich gefällt, sich zu fragen und zu antworten, ob ihnen bis heute das Prinzip, daß jede Arbeit einen Überschuß lassen muß, mit dieser Kette von Prämissen und Folgen erschienen ist, die wir enthüllt haben." [I, S.80.]

ZWEITES KAPITEL

Die Metaphysik der politischen Ökonomie

§ 1. Die Methode

Wir befinden uns jetzt mitten in Deutschland! Wir werden Metaphysik treiben müssen, wo und während wir politische Ökonomie treiben. Und auch hierin folgen wir nur den „Widersprüchen" des Herrn Proudhon. Soeben zwang er uns noch, englisch zu sprechen, selbst ein wenig Engländer zu werden. Jetzt ändert sich die Szene. Herr Proudhon versetzt uns in unser geliebtes Vaterland und zwingt uns, wieder einmal in unserer Eigenschaft als Deutscher wider Willen aufzutreten.

Wenn der Engländer die Menschen in Hüte verwandelt, so verwandelt der Deutsche die Hüte in Ideen. Der Engländer ist Ricardo, der reiche Bankier und ausgezeichnete Ökonom. Der Deutsche ist Hegel, simpler Professor der Philosophie an der Universität zu Berlin.

Ludwig XV., der letzte absolute König und der Repräsentant des Verfalls des französischen Königtums, hatte einen Leibarzt, der der erste Ökonom Frankreichs war. Dieser Arzt, dieser Ökonom, repräsentierte den bevorstehenden und sichern Triumph der französischen Bourgeoisie. Der Arzt Quesnay hat die politische Ökonomie zu einer Wissenschaft gemacht; er hat sie in seinem berühmten „*Ökonomischen Tableau*" zusammengefaßt. Neben den tausendundein Kommentaren, die zu diesem Tableau erschienen sind, besitzen wir einen von Quesnay selbst. Es ist dies die „Analyse des ökonomischen Tableau", der „sieben *wichtige Bemerkungen*"[57] angehängt sind.

Herr Proudhon ist ein zweiter Doktor Quesnay. Er ist der Quesnay der Metaphysik der politischen Ökonomie.

Nun faßt sich nach Hegel die Metaphysik, die ganze Philosophie, in der Methode zusammen. Wir müssen daher suchen, die Methode des Herrn Proudhon klarzustellen, die mindestens ebenso dunkel ist wie das „*Ökonomische Tableau*". Wir werden deshalb sieben mehr oder weniger wichtige

Bemerkungen folgen lassen. Wenn Herr Doktor Proudhon mit unseren Bemerkungen nicht zufrieden ist, so möge er den Abbé Baudeau spielen und selbst die „Erklärung der ökonomisch-metaphysischen Methode“[58] geben.

Erste Bemerkung

„Wir geben keine *Geschichte nach der Ordnung der Zeit*, sondern *nach der Folge der Ideen*. Die ökonomischen *Phasen* oder *Kategorien* treten in ihrer *Manifestation* bald gleichzeitig, bald in verkehrter Reihenfolge auf... Die ökonomischen Theorien haben nicht minder ihre *logische Abfolge* und ihre *Gliederung in der Vernunft*; diese Ordnung schmeicheln wir uns entdeckt zu haben.“ (Proudhon, Bd. I, S.[145–]146.)

Ganz sicher hat Herr Proudhon den Franzosen einen Schreck einjagen wollen, indem er ihnen quasi Hegelsche Phrasen an den Kopf warf. Wir haben also mit zwei Männern zu tun: zuerst mit Herrn Proudhon und dann mit Hegel. Wodurch zeichnet sich Herr Proudhon vor den anderen Ökonomen aus? Und welche Rolle spielt Hegel in der politischen Ökonomie des Herrn Proudhon?

Die Ökonomen stellen die bürgerlichen Produktionsverhältnisse, Arbeitsteilung, Kredit, Geld etc., als fixe, unveränderliche, ewige Kategorien hin. Herr Proudhon, der diese Kategorien fertig vorfindet, will uns den Akt der Bildung und Erzeugung dieser Kategorien, Prinzipien, Gesetze, Ideen, Gedanken explizieren.

Die Ökonomen erklären uns, wie man unter den obigen gegebenen Verhältnissen produziert; was sie uns aber nicht erklären, ist, wie diese Verhältnisse selbst produziert werden, d.h. die historische Bewegung, die sie ins Leben ruft. Herr Proudhon, der diese Verhältnisse als Prinzipien, als Kategorien, als abstrakte Gedanken nimmt, hat nur diese Gedanken in eine bestimmte *Ordnung* zu bringen, die sich bereits in alphabetischer Reihenfolge am Schlusse jeder Abhandlung über politische Ökonomie vorfinden. Die Materialien der Ökonomen sind das bewegte und bewegende Leben der Menschen; die Materialien des Herrn Proudhon sind die Dogmen der Ökonomen. Sobald man aber die historische Entwicklung der Produktionsverhältnisse nicht verfolgt – und die Kategorien sind nur der theoretische Ausdruck derselben –; sobald man in diesen Kategorien nur von selbst entstandene Ideen, von den wirklichen Verhältnissen unabhängige Gedanken sieht, ist man wohl oder übel gezwungen, den Ursprung dieser Gedanken in die Bewegung der reinen Vernunft zu verlegen. Wie erzeugt die reine, ewige, unpersönliche Vernunft diese Gedanken? Wie stellt sie es an, um sie zu erzeugen?

Hätten wir die Unerschrockenheit des Herrn Proudhon in Sachen des Hegelianismus, so würden wir sagen: Sie unterscheidet sich in sich selbst von sich selbst. Was will das sagen? Da die unpersönliche Vernunft außer sich weder einen Boden hat, auf den sie sich stellen kann, noch ein Objekt, dem sie sich entgegenstellen kann, noch ein Subjekt, mit dem sie sich verbinden kann, sieht sie sich gezwungen, einen Purzelbaum zu schlagen und sich selbst zu ponieren, zu opponieren und zu komponieren – Position, Opposition, Komposition. Um griechisch zu sprechen, haben wir These, Antithese und Synthese. Für die, welche die Hegelsche Sprache nicht kennen, lassen wir die Weihungsformel folgen: Affirmation, Negation, Negation der Negation. Das nennt man reden. Es ist zwar kein Hebräisch, mit Verlaub des Herrn Proudhon; aber es ist die Sprache dieser reinen, vom Individuum getrennten Vernunft. An Stelle des gewöhnlichen Individuums und seiner gewöhnlichen Art zu reden und zu denken, haben wir lediglich diese gewöhnliche Art an sich, ohne das Individuum.

Ist es zum Verwundern, daß in letzter Abstraktion – denn es handelt sich um Abstraktion, nicht um Analyse – jedes Ding sich als logische Kategorie darstellt? Ist es zum Verwundern, daß, wenn man nach und nach alles fallen läßt, was die Individualität eines Hauses ausmacht, wenn man von den Baustoffen absieht, woraus es besteht, von der Form, die es auszeichnet, man schließlich nur noch einen Körper vor sich hat; daß, wenn man von den Umrissen dieses Körpers absieht, man schließlich nur einen Raum hat; daß, wenn man endlich von den Dimensionen dieses Raumes abstrahiert, man zum Schluß nichts mehr übrig hat als die Quantität an sich, die logische Kategorie der Quantität? Wenn wir solchermaßen konsequent abstrahieren, von jedem Subjekt, von allen seinen belebten oder unbelebten angeblichen Akzidenzien, Menschen oder Dingen, so haben wir ein Recht zu sagen, daß man in letzter Abstraktion nur noch die logischen Kategorien als Substanz übrigbehält. So haben die Metaphysiker, die sich einbilden, vermittelst solcher Abstraktionen zu analysieren, und die, je mehr sie sich von den Gegenständen entfernen, sie desto mehr zu durchdringen wähnen – diese Metaphysiker haben ihrerseits recht zu sagen, daß die Dinge dieser Welt nur Stickereien sind auf einem Stramingewebe, gebildet durch die logischen Kategorien. Da haben wir den Unterschied zwischen dem Philosophen und dem Christen. Der Christ kennt nur eine Fleischwerdung des *Logos*[1], trotz der Logik; der Philosoph kommt mit den Fleischwerdungen gar nicht zu Ende. Daß alles, was existiert, daß alles, was auf der Erde und im Wasser lebt, durch Abstraktion auf eine

[1] *Wortes*

logische Kategorie zurückgeführt werden kann, daß man auf diese Art die gesamte wirkliche Welt ersäufen kann in der Welt der Abstraktionen, der Welt der logischen Kategorien – wen wundert das?

Alles, was existiert, alles, was auf der Erde und im Wasser lebt, existiert nur, lebt nur vermittelst irgendwelcher Bewegung. So erzeugt die Bewegung der Geschichte die sozialen Beziehungen[1], die industrielle Bewegung gibt uns die industriellen Produkte etc.

Ebenso wie wir durch Abstraktion jedes Ding in eine logische Kategorie verwandelt haben, braucht man nur von jeder unterscheidenden Eigenschaft der verschiedenen Bewegungen zu abstrahieren, um zur Bewegung im abstrakten Zustande, zur rein formellen Bewegung, zu der rein logischen Formel der Bewegung zu gelangen. Hat man erst in den logischen Kategorien das Wesen aller Dinge gefunden, so bildet man sich ein, in der logischen Formel der Bewegung die *absolute Methode* zu finden, die nicht nur alle Dinge erklärt, sondern die auch die Bewegung der Dinge umfaßt.

Es ist dies die absolute Methode, von der Hegel sagt:

„Die Methode ist die absolute, die einzige, die höchste, unendliche Kraft, der kein Ding widerstehen kann. Sie ist die Tendenz der Vernunft, sich selbst in jedem Dinge wiederzufinden, wiederzuerkennen."[59] (*„Logik"*, Bd. III, [S.320–321].)

Ist jedes Ding auf eine logische Kategorie und jede Bewegung, jeder Produktionsakt auf die Methode reduziert, so folgt daraus, daß jeder Zusammenhang von Produkten und Produktion, von Dingen und Bewegung sich auf eine angewandte Metaphysik reduziert. Was Hegel für die Religion, das Recht etc. getan hat, sucht Herr Proudhon für die politische Ökonomie zu tun.

Was ist somit diese absolute Methode? Die Abstraktion der Bewegung. Was ist die Abstraktion der Bewegung? Die Bewegung im abstrakten Zustande. Was ist die Bewegung im abstrakten Zustande? Die rein logische Formel der Bewegung oder die Bewegung der reinen Vernunft. Worin besteht die Bewegung der reinen Vernunft? Sich zu setzen, sich sich selbst entgegenzusetzen, und schließlich wieder sich mit sich selbst in eins zu setzen, sich als These, Antithese, Synthese zu formulieren, oder schließlich sich zu setzen, sich zu negieren und ihre Negation zu negieren.

Wie stellt es die Vernunft an, um sich als bestimmte Kategorie hinzustellen, zu setzen? Das ist die Sache der Vernunft selbst und ihrer Apologeten.

Aber, einmal dahin gelangt, sich als These zu setzen, spaltet sich diese

[1] *(1847)* rapports (siehe Anmerkung 45)

These, indem sie sich selbst entgegenstellt, in zwei widersprechende Gedanken, in Positiv und Negativ, in Ja und Nein. Der Kampf dieser beiden gegensätzlichen, in der Antithese enthaltenen Elemente bildet die dialektische Bewegung. Das Ja wird Nein, das Nein wird Ja, das Ja wird gleichzeitig Ja und Nein, das Nein wird gleichzeitig Nein und Ja; auf diese Weise halten sich die Gegensätze die Waage, neutralisieren sie sich, heben sie sich auf. Die Verschmelzung dieser beiden widersprechenden Gedanken bildet einen neuen Gedanken, die Synthese derselben. Dieser neue Gedanke spaltet sich wiederum in zwei widersprechende Gedanken, die ihrerseits wiederum eine neue Synthese bilden. Aus dieser Zeugungsarbeit erwächst eine Gruppe von Gedanken. Diese Gedankengruppe verfolgt dieselbe dialektische Bewegung wie eine einfache Kategorie und hat zur Antithese eine gegensätzliche Gruppe. Aus diesen zwei Gedankengruppen entsteht eine neue Gedankengruppe, die Synthese beider.

Wie aus der dialektischen Bewegung der einfachen Kategorien die Gruppe entsteht, so entsteht aus der dialektischen Bewegung der Gruppen die Reihe (série) und aus der dialektischen Bewegung der Reihen das ganze System.

Man wende diese Methode auf die Kategorien der politischen Ökonomie an, und man hat die Logik und die Metaphysik der politischen Ökonomie, oder mit anderen Worten: Man hat die aller Welt bekannten ökonomischen Kategorien in eine wenig bekannte Sprache übersetzt, in der sie aussehen, als seien sie soeben funkelneu einem reinen Vernunftskopf entsprungen; dergestalt scheinen diese Kategorien einander zu erzeugen, sich zu verketten und aneinanderzugliedern, vermittelst der bloßen Tätigkeit der dialektischen Bewegung. Der Leser braucht indes vor dieser Metaphysik mit ihrem ganzen Gerüst von Kategorien, Gruppen, Serien und Systemen nicht zu erschrecken. Trotz aller der sauren Arbeit, womit Herr Proudhon die Höhe dieses *Systems der Widersprüche* zu erklimmen strebt, bringt er es doch nie über die zwei ersten Stufen der einfachen These und Antithese; und auch sie hat er nur zweimal erstiegen, bei welcher Gelegenheit er einmal obendrein auf den Rücken gefallen ist.

Auch haben wir bis jetzt nur die Dialektik Hegels auseinandergesetzt; wir werden später sehen, wie Herr Proudhon es fertigbringt, sie auf das kläglichste Maß herunterzubringen. So ist für Hegel alles, was geschehen ist und noch geschieht, genau das, was in seinem eigenen Denken vor sich geht. So ist die Philosophie der Geschichte nur mehr die Geschichte der Philosophie, seiner eigenen Philosophie. Es gibt keine „Geschichte nach der Ordnung der Zeit“ mehr, sondern nur noch die „Aufeinanderfolge der Ideen in der

Vernunft". Er glaubt, die Welt mittelst der Bewegung des Gedankens konstruieren zu können, während er nur die Gedanken, die in jedermanns Kopf sind, systematisch rekonstruiert und nach der absoluten Methode klassifiziert.

Zweite Bemerkung

Die ökonomischen Kategorien sind nur die theoretischen Ausdrücke, die Abstraktionen der gesellschaftlichen Produktionsverhältnisse. Herr Proudhon stellt als echter Philosoph die Dinge auf den Kopf und sieht in den wirklichen Verhältnissen nur die Fleischwerdung jener Prinzipien, jener Kategorien, die, wie uns wiederum Herr Proudhon, der Philosoph, sagt, im Schoß der „unpersönlichen Vernunft der Menschheit" schlummerten.

Herr Proudhon, der Ökonom, hat ganz gut begriffen, daß die Menschen Tuch, Leinwand, Seidenstoffe unter bestimmten Produktionsverhältnissen anfertigen. Aber was er nicht begriffen hat, ist, daß diese bestimmten sozialen Verhältnisse ebensogut Produkte der Menschen sind wie Tuch, Leinen etc. Die sozialen Verhältnisse sind eng verknüpft mit den Produktivkräften. Mit der Erwerbung neuer Produktivkräfte verändern die Menschen ihre Produktionsweise, und mit der Veränderung der Produktionsweise, der Art, ihren Lebensunterhalt zu gewinnen, verändern sie alle ihre gesellschaftlichen Verhältnisse. Die Handmühle ergibt eine Gesellschaft mit Feudalherren, die Dampfmühle eine Gesellschaft mit industriellen Kapitalisten.

Aber dieselben Menschen, welche die sozialen Verhältnisse gemäß ihrer materiellen Produktivität[1] gestalten, gestalten auch die Prinzipien, die Ideen, die Kategorien gemäß ihren gesellschaftlichen Verhältnissen.

Somit sind diese Ideen, diese Kategorien, ebensowenig ewig wie die Verhältnisse, die sie ausdrücken. Sie sind *historische, vergängliche, vorübergehende Produkte.*

Wir leben inmitten einer beständigen Bewegung des Anwachsens der Produktivkräfte, der Zerstörung sozialer Verhältnisse, der Bildung von Ideen; unbeweglich ist nur die Abstraktion von der Bewegung – *„mors immortalis"*[60].

Dritte Bemerkung

Die Produktionsverhältnisse jeder Gesellschaft bilden ein Ganzes. Herr Proudhon betrachtet die ökonomischen Verhältnisse als ebenso viele soziale Phasen, die einander erzeugen, von denen die eine aus der anderen sich ergibt,

1 *(1847)* productivité materielle; *(1885, 1892* u. *1895)* Produktionsweise

wie die Antithese aus der These, und die in ihrer logischen Aufeinanderfolge die unpersönliche Vernunft der Menschheit verwirklichen.

Der einzige Übelstand bei dieser Methode ist der, daß Herr Proudhon, sobald er eine einzelne dieser Phasen getrennt untersuchen will, er sie nicht erklären kann, ohne auf die anderen gesellschaftlichen Verhältnisse zurückzukommen, obwohl er diese Verhältnisse noch nicht vermittelst seiner dialektischen Bewegung hat entstehen lassen. Wenn Herr Proudhon dann mittelst der reinen Vernunft zur Erzeugung der anderen Phasen übergeht, so stellt er sich, als ob er neugeborene Kinder vor sich habe, und vergißt, daß sie ebenso alt sind wie die erste.

So konnte er, um zur Konstituierung des Wertes zu gelangen, die für ihn die Grundlage aller ökonomischen Entwicklung ist, die Arbeitsteilung, die Konkurrenz etc. nicht entbehren. In der *Serie*, in der *Vernunft* des Herrn Proudhon, in der *logischen Aufeinanderfolge* sind diese Beziehungen aber noch gar nicht vorhanden.

Sobald man mit den Kategorien der politischen Ökonomie das Gebäude eines ideologischen Systems errichtet, verrenkt man die Glieder des gesellschaftlichen Systems. Man verwandelt die verschiedenen Teilstücke der Gesellschaft in ebenso viele Gesellschaften für sich, von denen eine nach der anderen auftritt. Wie kann in der Tat die logische Formel der Bewegung, der Aufeinanderfolge, der Zeit allein den Gesellschaftskörper erklären, in dem alle Beziehungen gleichzeitig existieren und einander stützen?

Vierte Bemerkung

Sehen wir nunmehr, welchen Änderungen Herr Proudhon die Dialektik Hegels unterwirft, sobald er sie auf die politische Ökonomie anwendet.

Für Herrn Proudhon hat jede ökonomische Kategorie zwei Seiten, eine gute und eine schlechte. Er betrachtet die Kategorien, wie der Spießbürger die großen Männer der Geschichte betrachtet: *Napoleon* ist ein großer Mann, er hat viel Gutes getan, er hat auch viel Schlechtes getan.

Die *gute Seite* und die *schlechte Seite*, der *Vorteil* und der *Nachteil* zusammengenommen bilden für Herrn Proudhon den *Widerspruch* in jeder ökonomischen Kategorie.

Zu lösendes Problem: Die gute Seite bewahren und die schlechte beseitigen.

Die *Sklaverei* ist eine ökonomische Kategorie wie eine andere. Sie hat also gleichfalls ihre zwei Seiten. Halten wir uns nicht bei der schlechten Seite auf und sprechen wir von der schönen Seite der Sklaverei. Wohlverstanden, es handelt sich hier nur um die direkte Sklaverei, um die Sklaverei der Schwarzen in Surinam, in Brasilien, in den Südstaaten Nordamerikas.

Die direkte Sklaverei ist der Angelpunkt der bürgerlichen Industrie, ebenso wie die Maschinen etc. Ohne Sklaverei keine Baumwolle; ohne Baumwolle keine moderne Industrie. Nur die Sklaverei hat den Kolonien ihren Wert gegeben; die Kolonien haben den Welthandel geschaffen; und der Welthandel ist die Bedingung der Großindustrie. So ist die Sklaverei eine ökonomische Kategorie von der höchsten Wichtigkeit.

Ohne die Sklaverei würde Nordamerika, das vorgeschrittenste Land, sich in ein patriarchalisches Land verwandeln. Man streiche Nordamerika von der Weltkarte, und man hat die Anarchie, den vollständigen Verfall des Handels und der modernen Zivilisation. Laßt die Sklaverei verschwinden, und ihr streicht Amerika von der Weltkarte.*

So hat die Sklaverei, weil sie eine ökonomische Kategorie ist, stets in den Institutionen der Völker figuriert. Die modernen Völker haben die Sklaverei in ihren Ländern lediglich zu maskieren gewußt, während sie sie in der Neuen Welt unverhüllt eingeführt haben.

Wie wird es Herr Proudhon anfangen, die Sklaverei zu retten? Er wird das *Problem* stellen: die gute Seite dieser ökonomischen Kategorie zu erhalten und die schlechte auszumerzen.

Hegel hat keine Probleme zu stellen. Er kennt nur die Dialektik. Herr Proudhon hat von der Hegelschen Dialektik nur die Redeweise. Seine eigene dialektische Methode besteht in der dogmatischen Unterscheidung von gut und schlecht.

Nehmen wir einmal Herrn Proudhon selbst als Kategorie; untersuchen wir seine gute und seine schlechte Seite, seine Vorteile und seine Nachteile.

Wenn er vor Hegel den Vorteil voraus hat, Probleme zu stellen, die er sich vorbehält zum Besten der Menschheit zu lösen, so hat er den Nachteil

* Dies war vollkommen richtig für das Jahr 1847. Damals beschränkte sich der Welthandel der Vereinigten Staaten hauptsächlich auf die Einfuhr von Einwanderern und Industrieprodukten und auf die Ausfuhr von Baumwolle und Tabak, also von Produkten der südlichen Sklavenarbeit. Die nördlichen Staaten produzierten hauptsächlich Korn und Fleisch für die Sklavenstaaten. Erst seitdem der Norden Korn und Fleisch für die Ausfuhr produzierte und daneben ein Industrieland wurde und seitdem dem amerikanischen Baumwollmonopol in Indien, Ägypten, Brasilien etc. eine mächtige Konkurrenz entstanden, war die Abschaffung der Sklaverei möglich. Und selbst dann hatte sie zur Folge den Ruin des Südens, dem es nicht gelungen ist, die offene Negersklaverei durch die verdeckte Sklaverei indischer und chinesischer Kulis zu ersetzen. *F.E.*

vollständiger Unfruchtbarkeit, sobald es sich darum handelt, durch die Tätigkeit der dialektischen Zeugung eine neue Kategorie ins Leben zu rufen. Was die dialektische Bewegung ausmacht, ist gerade das Nebeneinanderbestehen der beiden entgegengesetzten Seiten, ihr Widerstreit und ihr Aufgehen in eine neue Kategorie. Sowie man sich nur das Problem stellt, die schlechte Seite auszumerzen, schneidet man die dialektische Bewegung entzwei. Es ist nicht die Kategorie mehr, die sich hier selbst, infolge ihrer widerspruchsvollen Natur, setzt und entgegensetzt; es ist vielmehr Herr Proudhon, der zwischen den beiden Seiten sich hin- und herzerrt, zerarbeitet und abquält.

So in einer Sackgasse gefangen, aus der es schwer ist mittelst erlaubter Mittel freizukommen, macht Herr Proudhon plötzlich einen wahren Riesenkraftsprung, der ihn mit einem einzigen Satz in eine neue Kategorie versetzt. Und nun enthüllt sich vor seinen erstaunten Augen die *Reihenfolge in der Vernunft.*

Er nimmt die erste beste Kategorie und legt ihr willkürlich die Eigenschaft bei, den Nachteilen der Kategorie abzuhelfen, die er weißzuwaschen hat. So beseitigen die Steuern, wenn wir nämlich Herrn Proudhon glauben, die Nachteile des Monopols; die Handelsbilanz die Nachteile der Steuern; der Grundbesitz die Nachteile des Kredits.

Indem er so nach und nach die ökonomischen Kategorien einzeln vornimmt und aus der einen das *Gegengift* der anderen macht, bringt es Herr Proudhon fertig, mit diesem Mischmasch von Widersprüchen und Gegenmitteln für Widersprüche zwei Bände Widersprüche herzustellen, die er ganz richtig betitelt: *„System der ökonomischen Widersprüche“*.

Fünfte Bemerkung

“In der absoluten Vernunft sind alle diese Ideen ... gleich einfach und generell ... In der Tat gelangen wir zur Wissenschaft nur dadurch, daß wir unsere Ideen zu einer *Art von Gerüst* aufbauen. Aber die Wahrheit an sich ist unabhängig von diesen dialektischen Figuren und frei von den Kombinationen unseres Geistes.“ (Proudhon, Bd. II, S. 97.)

Da sehen wir plötzlich, vermittelst einer Kehrtwendung, deren Geheimnis wir jetzt kennen, die Metaphysik der politischen Ökonomie zur Illusion geworden! Niemals hat Herr Proudhon wahrer gesprochen. Ganz gewiß, von dem Augenblick an, wo der Prozeß der dialektischen Bewegung sich reduziert auf die einfache Prozedur, Gut und Schlecht einander gegenüberzuhalten, Probleme zu stellen, die darauf hinauskommen, das Schlechte auszumerzen und eine Kategorie als Gegengift gegen die andere zu verabreichen, von da an haben die Kategorien keine Selbsttätigkeit mehr; die Idee *„funktioniert* nicht mehr", es ist kein Leben mehr in ihr. Weder setzt noch zersetzt sie sich fernerhin in Kategorien. Die Aufeinanderfolge der Kategorien hat sich verwandelt in ein bloßes *Gerüst*. Die Dialektik ist nicht mehr die Bewegung der absoluten Vernunft. Es gibt keine Dialektik mehr, es gibt höchstens nur noch pure Moral.

Als Herr Proudhon von der *Reihenfolge im Verstande*, von der *logischen Aufeinanderfolge der Kategorien* sprach, erklärte er positiv, daß er nicht die *Geschichte nach der Ordnung der Zeit* geben wolle, das heißt nach Herrn Proudhon die historische Aufeinanderfolge, in welcher die Kategorien *sich offenbart* haben. Alles vollzog sich damals für ihn in dem *reinen Äther der Vernunft*. Alles sollte sich mittelst der Dialektik aus diesem reinen Äther ableiten. Jetzt, wo es sich darum handelt, diese Dialektik in die Praxis zu übersetzen, läßt ihn die Vernunft im Stich. Die Dialektik des Herrn Proudhon schlägt der Dialektik Hegels ein Schnippchen, und so muß Herr Proudhon uns mitteilen, daß die Ordnung, in der er uns die ökonomischen Kategorien gibt, nicht mehr die Ordnung ist, in der sie sich auseinanderentwickeln. Die ökonomischen Evolutionen sind nicht mehr die Evolutionen der reinen Vernunft.

Was denn gibt uns eigentlich Herr Proudhon? Die wirkliche Geschichte, das heißt nach dem Verstande des Herrn Proudhon die Aufeinanderfolge, in der sich die Kategorien in der Zeitordnung *offenbart* haben? Nein. Die Geschichte, wie sie sich in der Idee selbst vollzieht? Noch weniger. Also weder die profane Geschichte der Kategorien noch ihre heilige Geschichte! Welche Geschichte gibt er uns denn nun? Die Geschichte seiner eigenen Widersprüche. Sehen wir, wie sie marschieren und Herrn Proudhon hinter sich herschleppen.

Bevor wir uns an diese Untersuchung machen, welche zu der sechsten wichtigen Bemerkung Veranlassung gibt, haben wir noch eine weniger wichtige Bemerkung zu machen.

Nehmen wir einmal mit Herrn Proudhon an, die wirkliche Geschichte nach der Zeitordnung sei die historische Aufeinanderfolge, in welcher die Ideen, die Kategorien, die Prinzipien sich offenbart haben.

Jedes Prinzip hat sein Jahrhundert gehabt, worin es sich enthüllte. Das Autoritätsprinzip hat z. B. das 11. Jahrhundert gehabt wie das Prinzip des Individualismus das 18. Folgerichtigerweise gehörte das Jahrhundert dem Prinzip, nicht das Prinzip dem Jahrhundert. Mit anderen Worten: Das Prinzip macht die Geschichte, nicht die Geschichte das Prinzip. Fragt man sich endlich, um Prinzipien wie Geschichte zu retten: warum dieses Prinzip sich gerade im 11. oder im 18. Jahrhundert und nicht in irgendeinem andern offenbart hat, so sieht man sich notwendigerweise gezwungen, im einzelnen zu untersuchen, welches die Menschen des 11. und die des 18. Jahrhunderts waren, welches ihre jedesmaligen Bedürfnisse, ihre Produktivkräfte, ihre Produktionsweise, die Rohstoffe ihrer Produktion, welches endlich die Beziehungen von Mensch zu Mensch waren, die aus allen diesen Existenzbedingungen hervorgingen. Alle diese Fragen ergründen, heißt das nicht, die wirkliche, profane Geschichte der Menschen eines jeden Jahrhunderts erforschen, diese Menschen darstellen, wie sie in einem Verfasser und Schausteller ihres eigenen Dramas waren? Aber von dem Augenblick an, wo man die Menschen als die Schausteller und Verfasser ihrer eigenen Geschichte hinstellt, ist man auf einem Umweg zum wirklichen Ausgangspunkt zurückgekehrt, weil man die ewigen Prinzipien fallengelassen hat, von denen man ausging.

Aber Herr Proudhon hat sich nicht einmal weit genug vorgewagt auf dem Querpfad, den der Ideologe einschlägt, um die große Heerstraße der Geschichte zu gewinnen.

Sechste Bemerkung

Schlagen wir mit Herrn Proudhon den Querpfad ein.

Wir wollen annehmen, daß die ökonomischen Beziehungen, als *unwandelbare Gesetze*, als *ewige Prinzipien*, als *ideale Kategorien* betrachtet, früher da waren als die tätigen und handelnden Menschen; wir wollen sogar annehmen, daß diese Gesetze, diese Prinzipien, diese Kategorien von Anbeginn der Zeit an „in der unpersönlichen Vernunft der Menschheit" geschlummert haben. Wir haben bereits gesehen, daß es bei diesen unwandelbaren, unveränderlichen Ewigkeiten keine Geschichte mehr gibt; es gibt höchstens eine Geschichte in der Idee, d.h. die Geschichte, die sich in der dialektischen Bewegung der reinen Vernunft abspiegelt. Damit aber, daß Herr Proudhon sagt, in der dialektischen Bewegung *„differenzierten"* sich die Ideen nicht mehr, hat er sowohl den *Schatten der Bewegung* wie die *Bewegung der Schatten* ausgestrichen, mittelst deren man noch allenfalls etwas hätte zuwege bringen können, was nach Geschichte aussieht. Statt dessen schiebt er der Geschichte seine eigene Ohnmacht in die Schuhe, er schiebt die Schuld auf alles, sogar auf die französische Sprache.

„Es stimmt also nicht genau", sagt Herr Proudhon, der Philosoph, „wenn man sagt, daß irgend etwas sich ereignet, daß irgend etwas produziert wird: In der Zivilisation wie im Weltall existiert alles, wirkt alles von jeher ... *Es verhält sich ebenso mit der ganzen Sozialökonomie.*" (Bd. II, S. 102.)

So gewaltig ist die schöpferische Kraft der Widersprüche, die auf Herrn Proudhon *wirken* und ihn wirken machen, daß er da, wo er die Geschichte erklären will, sich gezwungen sieht, sie zu leugnen, daß, wo er die Aufeinanderfolge der sozialen Verhältnisse erklären will, er leugnet, daß *etwas sich ereignen* kann, daß, wo er die Produktion in allen ihren Phasen erklären will, er bestreitet, daß *etwas produziert werden kann*.

So gibt es für Herrn Proudhon weder Geschichte noch Aufeinanderfolge der Ideen, und doch ist sein Buch noch da; und just dieses Buch ist, nach seinen eigenen Worten, „*die Geschichte nach der Aufeinanderfolge der Ideen*". Wie eine Formel finden – denn Herr Proudhon ist der Mann der Formeln –, die ihm erlaubt, *mit einem Sprung* über all seine Widersprüche hinwegzusetzen?

Zu diesem Zweck hat er eine neue Vernunft erfunden, die weder die reine und jungfräuliche absolute Vernunft noch die gemeine Vernunft der in den verschiedenen Jahrhunderten auftretenden und handelnden Menschen ist, sondern eine ganz absonderliche Vernunft, die Vernunft der Gesellschaft als Person, der *Menschheit* als Subjekt, die unter der Feder des Herrn Proudhon auch zuweilen als „*Genius der Gesellschaft*", als „*allgemeine Vernunft*", und in letzter Linie „*Vernunft der Menschheit*" sich vorführt. Diese, mit soviel Namen ausstaffierte Vernunft verrät sich jedoch bei jeder Gelegenheit als die individuelle Vernunft des Herrn Proudhon mit ihrer guten und ihrer schlechten Seite, ihren Gegengiften und ihren Problemen.

„Die menschliche Vernunft schafft nicht die Wahrheit", die in den Tiefen der absoluten, ewigen Vernunft sich verbirgt. Sie kann sie nur enthüllen. Aber die Wahrheiten, die sie bis jetzt enthüllt hat, sind unvollständig, unzulänglich und folglich widersprechend. Somit sind auch die ökonomischen Kategorien selbst nur von der Vernunft der Menschheit, von dem Genius der Gesellschaft entdeckte und enthüllte Wahrheiten, weshalb sie ebenfalls unvollständig sind und den Keim des Widerspruchs in sich tragen. Vor Herrn Proudhon sah der Genius der Gesellschaft nur die *gegensätzlichen Elemente*, nicht aber die einheitliche *synthetische Formel*, die beide gleichzeitig in der *absoluten Vernunft* stecken. Die ökonomischen Verhältnisse sind aber nichts anderes als die Verwirklichung auf Erden dieser unzulänglichen Wahrheiten, dieser unvollständigen Kategorien, dieser sich widersprechenden Begriffe, und deshalb sind auch sie in sich widerspruchsvoll und bieten die beiden Seiten dar, von denen die eine gut, die andere schlecht ist.

Die ganze Wahrheit, den Begriff in seiner ganzen Fülle, die synthetische Formel, die den Widerspruch aufhebt, zu finden, das ist die Aufgabe des Genius der Gesellschaft. Deshalb ist auch in der Einbildung des Herrn Proudhon dieser selbe Genius der Gesellschaft von einer Kategorie zur anderen herumgejagt worden, ohne daß er es bisher mit der ganzen Batterie seiner Kategorien fertiggebracht hätte, Gott, der absoluten Vernunft, eine synthetische Formel abzuringen.

„Zuerst stellt die Gesellschaft (der Genius der Gesellschaft)[1] ein erstes Faktum, eine erste *Hypothese* auf..., eine wahrhafte Antinomie, deren gegensätzliche Resultate sich in der sozialen Ökonomie in derselben Art entwickeln, wie ihre Konsequenzen im Geiste hätten abgeleitet werden können; so daß die industrielle Entwicklung, durchaus der Ableitung der Ideen folgend, sich in zwei Richtungen teilt, die der nützlichen und die der zerstörenden Wirkungen... Um dieses Prinzip mit doppeltem Antlitz harmonisch zu konstituieren und diesen Widerspruch aufzuheben, läßt die Gesellschaft aus demselben einen *zweiten* hervorgehen, dem bald ein dritter folgt, und dies wird der *Weg des Genius der Gesellschaft* sein, bis er nach Erschöpfung aller seiner Widersprüche – ich setze voraus, was jedoch nicht bewiesen ist, daß der Widerspruch in der Menschheit einmal ein Ende haben werde – mit einem Sprung auf alle seine früheren Positionen zurückkommt und alle seine Aufgaben in *einer einzigen Formel* löst." (Bd. I, S. 133.)

Wie früher sich der *Gegensatz* in ein *Gegengift* verwandelte, so wird jetzt die *These* zur *Hypothese*. Dies Vertauschen der Worte kann uns bei Herrn Proudhon nicht wundernehmen. Die Vernunft der Menschheit, die nichts weniger als rein, da ihr Gesichtskreis beschränkt ist, stößt mit jedem Schritt auf neue zu lösende Aufgaben. Jede neue These, die sie in der absoluten Vernunft entdeckt und die die Negation der vorhergehenden These ist, wird für sie zur Synthese, die sie ziemlich naiv für die Lösung der in Frage stehenden Aufgabe nimmt. So quält sich diese Vernunft in stets neuen Widersprüchen ab, bis sie am Ende dieser Widersprüche anlangt und merkt, daß alle ihre Thesen und Synthesen nichts anderes sind als sich widersprechende Hypothesen. In ihrer Verblüfftheit „kommt die menschliche Vernunft, der Genius der Gesellschaft, mit einem Sprung auf alle seine früheren Positionen zurück und löst alle seine Aufgaben in einer einzigen Formel". Diese einzige Formel bildet beiläufig die veritable Entdeckung des Herrn Proudhon. Sie ist der *konstituierte Wert*.

Man macht Hypothesen nur im Hinblick auf ein bestimmtes Ziel. Das Ziel, welches sich der Genius der Gesellschaft, der durch den Mund des Herrn Proudhon spricht, in erster Linie setzte, war die Ausmerzung des Schlechten aus jeder ökonomischen Kategorie, um nur Gutes übrigzubehalten. Für ihn ist dies Gute das höchste Gut, das wahre praktische Ziel – die *Gleichheit*. Und warum zog der Genius der Gesellschaft die Gleichheit der Ungleichheit, der Brüderlichkeit, dem Katholizismus, kurz jedem andern Prinzip vor? Weil „die Menschheit eine solche Anzahl besonderer Hypothe-

[1] (der Genius der Gesellschaft): Einfügung von Marx

sen nacheinander verwirklicht hat, nur mit Rücksicht auf eine höhere Hypothese", die eben die Gleichheit ist. Mit anderen Worten: weil die Gleichheit das Ideal des Herrn Proudhon ist. Er bildet sich ein, daß die Teilung der Arbeit, der Kredit, die Kooperation in der[1] Werkstatt, kurz alle ökonomischen Verhältnisse nur erfunden worden sind zum Besten der Gleichheit, und doch sind sie schließlich stets zu ihrem Schaden ausgefallen. Wenn die Geschichte und die Fiktion des Herrn Proudhon einander auf Schritt und Tritt widersprechen, so schließt dieser, daß ein Widerspruch besteht. Wenn aber ein Widerspruch besteht, so besteht er nur zwischen seiner fixen Idee und den wirklichen Vorgängen.

Von jetzt ab ist die gute Seite eines ökonomischen Verhältnisses stets diejenige, welche die Gleichheit bekräftigt, die schlechte diejenige, welche sie verneint und die Ungleichheit stärkt. Jede neue Kategorie ist eine Hypothese des Genius der Gesellschaft behufs Ausmerzung der von der vorhergehenden Hypothese geschaffenen Ungleichheit. Mit einem Wort: Die Gleichheit ist die *ursprüngliche Absicht*, die *mystische Tendenz*, das *providentielle Ziel*, welches der Genius der Gesellschaft beständig vor Augen hat, indem er sich im Zirkel der ökonomischen Widersprüche herumdreht. Daher ist auch die *Vorsehung* die Lokomotive, die das ökonomische Rüstzeug des Herrn Proudhon besser in Gang bringt als seine luftige, reine Vernunft. Er hat der Vorsehung ein ganzes Kapitel gewidmet, welches auf das über die Steuern folgt.

Vorsehung, providentielles Ziel, das ist das große Wort, dessen man sich heute bedient, um den Gang der Geschichte zu erklären. Tatsächlich erklärt dieses Wort nichts. Es ist höchstens eine rhetorische Form, eine der vielen Arten, die Tatsachen zu umschreiben.

Es ist Tatsache, daß der Grundbesitz in Schottland durch die Entwicklung der Industrie neuen Wert erhielt, diese Industrie eröffnete der Wolle neue Märkte. Um die Wolle im großen Maßstabe zu produzieren, mußte man das Ackerland in Weideland verwandeln. Um diese Umwandlung zu bewirken, mußte man die Güter konzentrieren. Um die Güter zu konzentrieren, mußte man die kleinen Pachtungen abschaffen, Tausende von Pächtern aus ihrer Heimat verjagen und an ihre Stelle einige Hirten setzen, die Millionen von Schafen bewachen. So hatte der Grundbesitz in Schottland infolge sukzessiver Umwandlungen das Resultat, daß Menschen durch Hammel verdrängt wurden. Man sage jetzt, daß es das providentielle Ziel der Institution des Grundbesitzes in Schottland war, Menschen durch Hammel verdrängen zu lassen, und man hat providentielle Geschichte getrieben.

---

[1] ...Kooperation in der ...: Einfügung der Übersetzer

Gewiß, die Tendenz zur Gleichheit ist unserem Jahrhundert eigen. Wer nun sagt, daß die vorhergegangenen Jahrhunderte mit vollständig verschiedenen Bedürfnissen, Produktionsmitteln etc. providentiell für die Verwirklichung der Gleichheit wirkten, der substituiert zunächst die Mittel und die Menschen unseres Jahrhunderts den Menschen und Mitteln der früheren Jahrhunderte und verkennt die historische Bewegung, mittelst derer die aufeinanderfolgenden Generationen die von den ihnen vorhergehenden Generationen erreichten Resultate umformten. Die Ökonomen wissen sehr gut, daß dasselbe Ding, das für den einen verarbeitetes Produkt, für den anderen nur Rohmaterial zu neuer Produktion ist.

Man nehme an, wie Herr Proudhon es tut, daß der Genius der Gesellschaft die Feudalherren in der providentiellen Absicht geschaffen oder vielmehr improvisiert habe, die *Zinsbauern* in *verantwortliche* und *gleichheitliche Arbeiter* zu verwandeln, und man wird eine Unterschiebung von Zielen und Personen vollzogen haben, würdig der Vorsehung, welche in Schottland das Grundeigentum einführte, um sich das böswillige Vergnügen zu machen, Menschen durch Hammel zu ersetzen.

Da aber Herr Proudhon ein so zärtliches Interesse für die Vorsehung empfindet, so verweisen wir ihn auf die *„Geschichte der politischen Ökonomie“* des Herrn de Villeneuve-Bargemont, der gleichfalls einem providentiellen Ziel nachläuft. Dieses Ziel ist nicht mehr die Gleichheit, sondern der Katholizismus.

Siebente und letzte Bemerkung

Die Ökonomen verfahren auf eine sonderbare Art. Es gibt für sie nur zwei Arten von Institutionen, künstliche und natürliche. Die Institutionen des Feudalismus sind künstliche Institutionen, die der Bourgeoisie natürliche. Sie gleichen darin den Theologen, die auch zwei Arten von Religionen unterscheiden. Jede Religion, die nicht die ihre ist, ist eine Erfindung der Menschen, während ihre eigene Religion eine Offenbarung Gottes ist. Wenn die Ökonomen sagen, daß die gegenwärtigen Verhältnisse – die Verhältnisse der bürgerlichen Produktion – natürliche sind, so geben sie damit zu verstehen, daß es Verhältnisse sind, in denen die Erzeugung des Reichtums und die Entwicklung der Produktivkräfte sich gemäß den Naturgesetzen vollziehen. Somit sind diese Verhältnisse selbst von dem Einfluß der Zeit unabhängige Naturgesetze. Es sind ewige Gesetze, welche stets die Gesellschaft zu regieren haben. Somit hat es eine Geschichte gegeben, aber es gibt keine mehr; es hat eine Geschichte gegeben, weil feudale Einrichtungen bestanden haben und weil man in diesen feudalen Einrichtungen Produktionsverhältnisse findet, vollständig verschieden von denen der bürgerlichen Gesellschaft, welche die Ökonomen als natürliche und demgemäß ewige angesehen wissen wollen.

Auch der Feudalismus hatte sein Proletariat – die Leibeigenschaft, welche alle Keime des Bürgertums enthielt. Auch die feudale Produktion hatte zwei antagonistische Elemente, die man gleichfalls als *gute* und *schlechte Seite* des Feudalismus bezeichnet, ohne zu berücksichtigen, daß es stets die schlechte Seite ist, welche schließlich den Sieg über die gute Seite davonträgt. Die schlechte Seite ist es, welche die Bewegung ins Leben ruft, welche die Geschichte macht, dadurch, daß sie den Kampf zeitigt. Hätten zur Zeit der Herrschaft des Feudalismus die Ökonomen, begeistert von den ritterlichen Tugenden, von der schönen Harmonie zwischen Rechten und Pflichten, von dem patriarchalischen Leben der Städte, von dem Blühen der Hausindustrie auf dem Lande, von der Entwicklung der in Korporationen, Zünften, Innungen organisierten Industrie, mit einem Wort von allem, was die schöne Seite des Feudalismus bildet, sich das Problem gestellt, alles auszumerzen, was einen Schatten auf dies Bild wirft – Leibeigenschaft, Privilegien, Anarchie –, wohin wären sie damit gekommen? Man hätte alle Elemente vernichtet, welche den Kampf hervorriefen, man hätte die Entwicklung der Bourgeoisie im Keim erstickt. Man hätte sich das absurde Problem gestellt, die Geschichte auszustreichen.

Als die Bourgeoisie obenauf gekommen war, fragte man weder nach der guten noch nach der schlechten Seite des Feudalismus. Die Produktivkräfte, welche sich durch sie unter dem Feudalismus entwickelt hatten, fielen ihr zu. Alle alten ökonomischen Formen, die privatrechtlichen Beziehungen, welche ihnen entsprachen, der politische Zustand, welcher der offizielle Ausdruck der alten Gesellschaft war, wurden zerbrochen.

Will man somit die feudale Produktion richtig beurteilen, so muß man sie als eine auf dem Gegensatz basierte Produktionsweise betrachten. Man muß zeigen, wie der Reichtum innerhalb dieses Gegensatzes produziert wurde, wie die Produktivkräfte sich gleichzeitig mit dem Widerstreit der Klassen entwickelten, wie die eine dieser Klassen, die schlechte Seite, das gesellschaftliche Übel, stets anwuchs, bis die materiellen Bedingungen ihrer Emanzipation zur Reife gediehen waren. Sagt das nicht deutlich genug, daß die Produktionsweise, die Verhältnisse, in denen die Produktivkräfte sich entwickeln, nichts weniger als ewige Gesetze sind, sondern einem bestimmten Entwicklungszustande der Menschen und ihrer Produktivkräfte entsprechen und daß eine in den Produktivkräften der Menschen eingetretene Veränderung notwendigerweise eine Veränderung in ihren Produktionsverhältnissen herbeiführt? Da es vor allen Dingen darauf ankommt, nicht von den Früchten der

Zivilisation, den erworbenen Produktivkräften ausgeschlossen zu sein, so wird es notwendig, die überkommenen Formen, in welchen sie geschaffen worden, zu zerbrechen. Von diesem Augenblick an wird die revolutionäre Klasse konservativ.

Die Bourgeoisie beginnt mit einem Proletariat, das selbst wiederum ein Überbleibsel des Proletariats[1] des Feudalismus ist. In dem Verlauf ihrer historischen Entwicklung entwickelt die Bourgeoisie notwendigerweise ihren antagonistischen Charakter, der sich bei ihrem ersten Auftreten mehr oder minder verhüllt vorfindet, nur im latenten Zustande existiert. In dem Maße, wie die Bourgeoisie sich entwickelt, entwickelt sich in ihrem Schoße ein neues Proletariat, ein modernes Proletariat: Es entwickelt sich ein Kampf zwischen der Proletarierklasse und der Bourgeoisklasse, ein Kampf, der, bevor er auf beiden Seiten empfunden, bemerkt, gewürdigt, begriffen, eingestanden und endlich laut proklamiert wird, sich vorläufig nur in teilweisen und vorübergehenden Konflikten, in Zerstörungswerken äußert. Anderseits, wenn alle Angehörigen der modernen Bourgeoisie das gleiche Interesse haben, insoweit sie eine Klasse gegenüber einer anderen Klasse bilden, so haben sie entgegengesetzte, widerstreitende Interessen, sobald sie selbst einander gegenüberstehen. Dieser Interessengegensatz geht aus den ökonomischen Bedingungen ihres bürgerlichen Lebens hervor. Von Tag zu Tag wird es somit klarer, daß die Produktionsverhältnisse, in denen sich die Bourgeoisie bewegt, nicht einen einheitlichen, einfachen Charakter haben, sondern einen zwieschlächtigen; daß in denselben Verhältnissen, in denen der Reichtum produziert wird, auch das Elend produziert wird; daß in denselben Verhältnissen, in denen die Entwicklung der Produktivkräfte vor sich geht, sich eine Repressionskraft entwickelt; daß diese Verhältnisse den *bürgerlichen Reichtum*, d. h. den Reichtum der Bourgeoisklasse, nur erzeugen unter fortgesetzter Vernichtung des Reichtums einzelner Glieder dieser Klasse und unter Schaffung eines stets wachsenden Proletariats.

Je mehr dieser gegensätzliche Charakter zutage tritt, desto mehr geraten die Ökonomen, die wissenschaftlichen Repräsentanten der bürgerlichen Produktion, mit ihrer eigenen Theorie in Widerspruch, und verschiedene Schulen bilden sich.

Wir haben die *fatalistischen* Ökonomen, die in ihrer Theorie ebenso gleichgiltig gegen das sind, was sie die Übelstände der bürgerlichen Produktionsweise nennen, wie die Bourgeois selbst es in der Praxis sind gegenüber

[1] Im Widmungsexemplar steht hier die Randbemerkung: de la classe travailleur [der arbeitenden Klasse].

den Leiden der Proletarier, die ihnen die Reichtümer erwerben helfen. In dieser fatalistischen Schule gibt es Klassiker und Romantiker. Die Klassiker, wie Adam Smith und Ricardo, vertreten eine Bourgeoisie, die, noch im Kampf mit den Resten der feudalen Gesellschaft, nur daran arbeitet, die ökonomischen Verhältnisse von den feudalen Flecken zu reinigen, die Produktivkräfte zu vermehren und der Industrie und dem Handel neue Triebkraft zu geben. Das an diesem Kampfe teilnehmende Proletariat kennt, von dieser fieberhaften Arbeit absorbiert, nur vorübergehende, zufällige Leiden, betrachtet sie selbst als solche. Die Ökonomen, wie Adam Smith und Ricardo, welche die Historiker dieser Epoche sind, haben lediglich die Mission, nachzuweisen, wie der Reichtum unter den Verhältnissen der bürgerlichen Produktion erworben wird, diese Verhältnisse in Kategorien, in Gesetze zu formulieren und nachzuweisen, um wieviel diese Gesetze, diese Kategorien für die Produktion der Reichtümer überlegen sind den Gesetzen und Kategorien der feudalen Gesellschaft. Das Elend ist in ihren Augen nur der Schmerz, der jede Geburt begleitet, in der Natur wie in der Industrie.

Die Romantiker gehören unserer Epoche an, in der die Bourgeoisie sich im direkten Gegensatz mit dem Proletariat befindet, wo das Elend in ebenso großem Übermaß anwächst wie der Reichtum. Die Ökonomen spielen sich alsdann als blasierte Fatalisten auf und werfen von der Höhe ihres Standpunktes einen stolzen Blick der Verachtung auf die menschlichen Maschinen, die den Reichtum erzeugen. Sie wiederholen alle von ihren Vorläufern gegebenen Ausführungen, aber die Indifferenz, die bei jenen Naivetät war, wird bei ihnen Koketterie.

Kommt alsdann die *humanitäre Schule*, welche sich die schlechte Seite der heutigen Produktionsverhältnisse zu Herzen nimmt. Diese sucht, um ihr Gewissen zu beruhigen, die wirklichen Kontraste, so gut es eben geht, zu bemänteln; sie beklagt aufrichtig die Not des Proletariats, die zügellose Konkurrenz der Bourgeois unter sich; sie rät den Arbeitern, mäßig zu sein, fleißig zu arbeiten und wenig Kinder zu zeugen; sie empfiehlt den Bourgeois Überlegung in ihrem Produktionseifer. Die ganze Theorie dieser Schule besteht in endlosen Unterscheidungen zwischen Theorie und Praxis, zwischen den Prinzipien und den Resultaten, zwischen der Idee und der Anwendung, zwischen dem Inhalt und der Form, zwischen dem Wesen und der Wirklichkeit, zwischen dem Recht und der Tatsache, zwischen der guten und schlechten Seite.

Die *philanthropische* Schule ist die vervollkommte humanitäre Schule. Sie leugnet die Notwendigkeit des Gegensatzes, sie will aus allen Menschen Bourgeois machen; sie will die Theorie verwirklichen, soweit dieselbe sich von der Praxis unterscheidet und den Antagonismus nicht einschließt. Selbstverständlich ist es in der Theorie leicht, von den Widersprüchen zu abstrahieren, auf die man auf jedem Schritt in der Wirklichkeit stößt. Diese Theorie würde alsdann die idealisierte Wirklichkeit werden. Die Philanthropen wollen also die Kategorien erhalten, welche der Ausdruck der bürgerlichen Verhältnisse sind, ohne den Widerspruch, der ihr Wesen ausmacht und der von ihnen unzertrennlich ist. Sie bilden sich ein, ernsthaft die bürgerliche Praxis zu bekämpfen, und sie sind mehr Bourgeois als die anderen.

Wie die *Ökonomen* die wissenschaftlichen Vertreter der Bourgeoisklasse sind, so sind die *Sozialisten* und *Kommunisten* die Theoretiker der Klasse des Proletariats. Solange das Proletariat noch nicht genügend entwickelt ist, um sich als Klasse zu konstituieren, und daher der Kampf des Proletariats mit der Bourgeoisie noch keinen politischen Charakter trägt; solange die Produktivkräfte noch im Schoße der Bourgeoisie selbst nicht genügend entwickelt sind, um die materiellen Bedingungen durchscheinen zu lassen, die notwendig sind zur Befreiung des Proletariats und zur Bildung einer neuen Gesellschaft – solange sind diese Theoretiker nur Utopisten, die, um den Bedürfnissen der unterdrückten Klassen abzuhelfen, Systeme ausdenken und nach einer regenerierenden Wissenschaft suchen. Aber in dem Maße, wie die Geschichte vorschreitet und mit ihr der Kampf des Proletariats sich deutlicher abzeichnet, haben sie nicht mehr nötig, die Wissenschaft in ihrem Kopfe zu suchen; sie haben nur sich Rechenschaft abzulegen von dem, was sich vor ihren Augen abspielt, und sich zum Organ desselben zu machen. Solange sie die Wissenschaft suchen und nur Systeme machen, solange sie im Beginn des Kampfes sind, sehen sie im Elend nur das Elend, ohne die revolutionäre umstürzende Seite darin zu erblicken, welche die alte Gesellschaft über den Haufen werfen wird. Von diesem Augenblick an wird die Wissenschaft bewußtes Erzeugnis der historischen Bewegung, und sie hat aufgehört, doktrinär zu sein, sie ist revolutionär geworden.

Kehren wir zu Herrn Proudhon zurück.

Jedes ökonomische Verhältnis hat eine gute und eine schlechte Seite; das ist der einzige Punkt, in dem Herr Proudhon sich nicht selbst ins Gesicht schlägt. Die gute Seite sieht er von den Ökonomen hervorgehoben, die schlechte von den Sozialisten angeklagt. Er entlehnt den Ökonomen die Notwendigkeit der ewigen Verhältnisse; er entlehnt den Sozialisten die Illusion, in dem Elend nur das Elend zu erblicken. Er ist mit beiden einverstanden, wobei er sich auf die Autorität der Wissenschaft zu stützen sucht. Die Wissenschaft reduziert sich für ihn auf den zwerghaften Umfang einer wissenschaftlichen Formel; er ist der Mann auf der Jagd nach Formeln. Demgemäß schmeichelt sich Herr Proudhon, die Kritik sowohl der politischen Ökonomie als des Kommunismus gegeben zu haben – er steht tief unter beiden. Unter den Ökonomen, weil er als Philosoph, der eine magische Formel bei der Hand hat, sich erlassen zu können glaubt, in die rein ökonomischen Details einzugehen; unter den Sozialisten, weil er weder genügend Mut noch genügend Einsicht besitzt, sich, und sei es auch nur spekulativ, über den Bourgeoishorizont zu erheben.

Er will die Synthese sein, und er ist ein zusammengesetzter Irrtum.

Er will als Mann der Wissenschaft über Bourgeois und Proletariern schweben; er ist nur der Kleinbürger, der beständig zwischen dem Kapital und der Arbeit, zwischen der politischen Ökonomie und dem Kommunismus hin- und hergeworfen wird.

§ 2. Arbeitsteilung und Maschinen

Die Arbeitsteilung eröffnet nach Herrn Proudhon die Reihe der *ökonomischen Entwicklungen*.

Gute Seite der Arbeitsteilung	„Ihrem Wesen nach ist die Arbeitsteilung der Modus, nach welchem die *Gleichheit* der Bedingungen und Intelligenzen sich realisiert.“ (Bd. I, S. 93.)
Schlechte Seite der Arbeitsteilung	„Die Arbeitsteilung ist für uns eine Quelle des Elends geworden.“ (Bd. I, S. 94.) Variante: „Die Arbeit gelangt dadurch, daß sie sich nach dem Gesetz teilt, welches ihr eigen und die vornehmste Bedingung ihrer Fruchtbarkeit ist, zu der Negation ihrer Ziele und hebt sich selbst auf.“ (Bd. I, S. 94.)
Zu lösendes Problem	„Die Rekomposition“ finden, „die die Unzuträglichkeiten der Teilung beseitigt und dabei ihre nützlichen Wirkungen erhält.“ (Bd. I, S. 97.)

Die Arbeitsteilung ist nach Herrn Proudhon ein ewiges Gesetz, eine einfache und abstrakte Kategorie. Somit muß auch die Abstraktion, die Idee, das bloße Wort ihm genügen, um die Arbeitsteilung in den verschiedenen Epochen der Geschichte zu erklären. Die Kasten, die Zünfte, die Manufaktur, die Großindustrie, alles muß durch das einfache Wort *„teilen"* erklärt sein. Man studiere zunächst gehörig den Sinn des Wortes „teilen", und man wird nicht mehr nötig haben, die zahlreichen Einflüsse zu erforschen, die in jeder Epoche der Arbeitsteilung einen bestimmten Charakter gegeben haben.

Man vereinfacht in der Tat die Sachen gar zu sehr, wenn man sie auf die Kategorien des Herrn Proudhon zurückführt. Die Geschichte geht nicht so kategorisch vor. Es bedurfte in Deutschland ganzer drei Jahrhunderte, um die erste bedeutende Arbeitsteilung herzustellen – nämlich die Trennung von Stadt und Land. In dem Maße, wie sich bloß dies Verhältnis der Stadt zum Land modifiziert, modifiziert sich die ganze Gesellschaft. Um nur diese eine Seite der Arbeitsteilung ins Auge zu fassen, so ergibt sie uns hier die antiken Republiken, dort den christlichen Feudalismus, hier das alte England mit seinen Landbaronen, dort das moderne England mit seinen Baumwollenbaronen *(cotton-lords)*. Im 14. und 15. Jahrhundert, als es noch keine Kolonien gab, als Amerika noch nicht und Asien nur durch die Vermittlung von Konstantinopel für Europa existierte, als das Mittelmeer noch das Zentrum der Handelstätigkeit war, hatte die Arbeitsteilung einen ganz anderen Charakter, ein ganz anderes Aussehen als im 17. Jahrhundert, wo Spanier, Portugiesen, Holländer, Engländer, Franzosen in allen Weltteilen Kolonien errichtet hatten. Die Ausdehnung des Marktes, seine Physiognomie gaben der Arbeitsteilung in den verschiedenen Epochen eine Physiognomie, einen Charakter, den man Mühe hätte, von dem bloßen Wort *„teilen"*, von der Idee, von der Kategorie der „Teilung" abzuleiten.

„Alle Ökonomen seit Adam Smith", sagt Herr Proudhon, „haben auf die Vorteile und Unzuträglichkeiten des Gesetzes der Teilung aufmerksam gemacht, aber dabei viel mehr Gewicht auf die ersteren als auf die letzteren gelegt, weil das ihrem Optimismus besser paßte, und ohne daß einer von ihnen sich je gefragt hätte, was die Unzuträglichkeiten eines Gesetzes sein könnten... Wie führt dasselbe Prinzip, streng in seine Konsequenzen verfolgt, zu diametral entgegengesetzten Wirkungen? Nicht ein Ökonom, weder vor noch nach Adam Smith, hat je gemerkt, daß es hier ein Problem zu lösen gilt. Say geht so weit, anzuerkennen, daß in der Arbeitsteilung dieselbe Ursache, welche den Vorteil bewirkt, auch den Schaden zur Folge hat." [I, S. 95–96.]

Adam Smith hat viel weiter gesehen, als Herr Proudhon meint. Er hat sehr wohl gesehen, daß „in Wirklichkeit die Verschiedenheit der natürlichen Anlagen zwischen den Individuen weit geringer ist, als wir glauben. Diese so verschiedenen Anlagen, welche die Angehörigen der verschiedenen Professionen zu unterscheiden scheinen, Leute, die bereits in das reife Alter getreten sind, sind nicht sowohl die *Ursache* als die *Wirkung* der Arbeitsteilung." [Smith, a. a. O., I, S. 33–34.] Ursprünglich unterscheidet sich ein Lastträger weniger von einem Philosophen als ein Kettenhund von einem Windhund. Es ist die Arbeitsteilung, welche einen Abgrund zwischen beiden aufgetan hat. Alles dies hindert Herrn Proudhon nicht, an einer anderen Stelle zu behaupten, daß Adam Smith von den Unzuträglichkeiten, welche die Arbeitsteilung bewirkt, keine Ahnung hatte; und zu behaupten, J[ean]-B[aptiste] Say habe *zuerst* anerkannt, „daß in der Arbeitsteilung dieselbe Ursache, welche den Vorteil bewirkt, auch den Schaden zur Folge hat".

Hören wir indes Lemontey; *suum cuique*[1].

„Herr J.-B. Say hat mir die Ehre erwiesen, in seinem vortrefflichen Werk über politische Ökonomie das Prinzip zu adoptieren, *welches ich* in dem Fragment" über den moralischen Einfluß der Arbeitsteilung „*zuerst dargetan habe*. Der ein wenig frivole Titel meines Buches[61] hat ihm ohne Zweifel nicht erlaubt, mich zu zitieren. Ich finde nur diese Erklärung für das Schweigen eines Schriftstellers, der zu reich an eigenem Fonds ist, um eine so bescheidene Anleihe in Abrede zu stellen." (Lemontey, *Œuvres complètes*[2], Bd. I, S. 245, Paris 1840.)

Lassen wir ihm diese Gerechtigkeit widerfahren: Lemontey hat die schlimmen Folgen der Arbeitsteilung, wie sie sich heute vollzieht, geistreich dargelegt, und Herr Proudhon hat nichts hinzuzufügen gewußt. Da wir aber einmal durch Herrn Proudhons Schuld uns auf diese Frage der Priorität eingelassen haben, so sei beiläufig bemerkt, daß sehr lange vor Lemontey und siebzehn Jahre vor Adam Smith, dem Schüler von Adam Ferguson, dieser letztere diesen Punkt in einem Kapitel, welches speziell die Arbeitsteilung behandelt, klar und deutlich auseinandergesetzt hat.

„Man könnte sogar zweifeln, ob die allgemeine Befähigung einer Nation im Verhältnis zum Fortschritt der Technik zunimmt. In mehreren Zweigen der Technik ... wird der Zweck vollkommen erreicht, auch wenn sie vollständig der Mitwirkung der Vernunft und des Gefühles entledigt sind, und die Unwissenheit ist ebenso die Mutter der Industrie wie des Aberglaubens. Reflexion und Phantasie sind Verirrungen unterworfen; aber die Gewohnheit, den Fuß oder die Hand zu bewegen, hängt weder von dieser noch von jener ab. So könnte man sagen, daß die Vollkommenheit der Manufakturarbeit darin besteht, daß der Geist entbehrlich gemacht und die ohne Mitarbeit des Kopfes betriebene Werkstatt als ein Mechanismus betrachtet werden kann, dessen einzelne Teile Menschen sind ... Der General kann in der Kriegskunst sehr erfahren sein, während sich das Verdienst des Soldaten darauf beschränkt, einige Hand- und Fußbewegungen auszuführen. Der eine kann gewonnen haben, was der andere verloren ... In einer Periode, in der alles geschieden ist, kann selbst die Kunst zu denken einen

[1] *jedem das Seine* – [2] *Sämtliche Werke*

besonderen Beruf bilden." (A. Ferguson, „*Essai sur l'histoire de la société civile*"[1], Paris 1783 [II, S. 134, 135 u. 136].)

Um mit unserer literarischen Abschweifung zu enden, stellen wir ausdrücklich in Abrede, daß „alle Ökonomen viel mehr Gewicht auf die Vorteile als auf die Nachteile der Arbeitsteilung gelegt haben". Es genügt, Sismondi zu nennen.

So hat Herr Proudhon, was die *Vorteile* der Arbeitsteilung betrifft, weiter nichts zu tun, als die allgemeinen und allgemein bekannten Redensarten mehr oder weniger schwülstig zu paraphrasieren.

Sehen wir nunmehr, wie er von der Arbeitsteilung, als allgemeinem Gesetz, als Kategorie, als Idee gefaßt, die *Unzuträglichkeiten* ableitet, die mit ihr verbunden sind. Wie kommt es, daß diese Kategorie, dieses Gesetz eine ungleiche Verteilung der Arbeit einschließt, zum Nachteil von Herrn Proudhons egalitärem System?

„Mit dieser feierlichen Stunde der Arbeitsteilung beginnt der Sturmwind über die Menschheit zu wehen. Der Fortschritt vollzieht sich nicht für alle auf eine gleiche und einheitliche Art... Er beginnt damit, sich einer kleinen Zahl von Privilegierten zu bemächtigen... Diese Bevorzugung von Personen von seiten des Fortschritts ist es, die so lange an die natürliche und providentielle Ungleichheit der Lebenslagen glauben gemacht, die Kasten ins Leben gerufen und alle Gesellschaften hierarchisch aufgebaut hat." (Proudhon, Bd. I, S. 94.)

Die Arbeitsteilung hat die Kasten geschaffen: Nun sind aber die Kasten die Unzuträglichkeiten der Arbeitsteilung; also hat die Arbeitsteilung Unzuträglichkeiten geschaffen. *Quod erat demonstrandum.*[2] Will man weitergehen und fragen, was die Arbeitsteilung dahin brachte, die Kasten, die hierarchischen Konstitutionen und die Privilegien zu schaffen, so wird Herr Proudhon antworten: der Fortschritt. Und was hat den Fortschritt veranlaßt? Die Schranke. Die Schranke, für Herrn Proudhon, ist die Bevorzugung von Personen von seiten des Fortschritts.

Nach der Philosophie die Geschichte – aber weder die beschreibende noch die dialektische, sondern die vergleichende Geschichte. Herr Proudhon zieht eine Parallele zwischen dem Buchdrucker von heute und dem Buchdrucker des Mittelalters, zwischen dem Arbeiter der riesigen Hüttenwerke des Creusot[62] und dem Hufschmied auf dem Lande, zwischen dem Schriftsteller unserer Tage und dem Schriftsteller des Mittelalters, und er läßt die Waagschale auf Seite derer sinken, welche mehr oder weniger der Arbeitsteilung angehören, wie sie das Mittelalter erzeugt oder überliefert hat. Er stellt die Arbeits-

[1] „*Abhandlung über die Geschichte der bürgerlichen Gesellschaft*" – [2] *Was zu beweisen war.*

teilung einer historischen Epoche der Arbeitsteilung einer anderen historischen Epoche gegenüber. War es das, was Herr Proudhon darzutun hatte? Nein. Er sollte uns die Unzuträglichkeiten der Arbeitsteilung im allgemeinen, der Arbeitsteilung als Kategorie zeigen. Wozu übrigens auf dieser Partie der Proudhonschen Werke beharren, da, wie wir sehen werden, er selbst ein wenig später alle diese angeblichen Entwicklungen ausdrücklich widerruft?

„Die erste Wirkung der zerstückelten Arbeit", fährt Herr Proudhon fort, „nächst der *Depravation der Seele*, ist die Verlängerung des Arbeitstages, der im umgekehrten Verhältnis zur Summe der verausgabten Intelligenz wächst... Da jedoch die Dauer des Arbeitstages sechzehn bis achtzehn Stunden nicht überschreiten kann, so wird von dem Augenblick an, wo die Kompensation nicht mehr in der Form von Zeit genommen werden kann, sie auf den Preis genommen werden und der Lohn sinken... Was feststeht und was lediglich hier zu vermerken gilt, ist, daß das *allgemeine Gewissen* die Arbeit eines Werkmeisters und die eines Handlangers nicht als gleichwertig taxiert. Die Herabsetzung des Preises des Arbeitstages wird *hierdurch* eine Notwendigkeit, so daß der Arbeiter, nachdem seine Seele durch eine degradierende Tätigkeit niedergedrückt ist, nicht umhinkann, auch in seinem Körper durch die Geringfügigkeit der Entlohnung getroffen zu werden." [I, S.97–98.]

Wir gehen weg über den logischen Wert dieser Syllogismen, die Kant abseitsführende Paralogismen genannt haben würde.

Dies der Inhalt:

Die Arbeitsteilung reduziert den Arbeiter auf eine degradierende Funktion. Dieser degradierenden Funktion entspricht eine depravierte Seele. Dieser Depravation der Seele entspricht eine stets wachsende Lohnsenkung. Und um zu beweisen, daß diese Lohnsenkung einer depravierten Seele entspricht, behauptet Herr Proudhon zur Beruhigung des Gewissens, daß es das allgemeine Gewissen ist, welches es so will. Zählt die Seele des Herrn Proudhon mit in dem allgemeinen Gewissen?

Die *Maschinen* sind für Herrn Proudhon „der logische Gegensatz der Arbeitsteilung" [I, S.135], und mit Hilfe seiner Dialektik beginnt er damit, Maschine in *Werkstatt* umzuwandeln.

Nachdem er die moderne Werkstatt (die Fabrik)[1] unterstellt hat, um aus der Arbeitsteilung das Elend hervorgehen zu lassen, setzt Herr Proudhon das durch die Arbeitsteilung geschaffene Elend voraus, um zur Fabrik gelangen und sie als die dialektische Negation dieses Elends hinstellen zu können. Nachdem er den Arbeiter in moralischer Beziehung mit einer *degradierenden Funktion*, in physischer mit der Geringfügigkeit des Lohnes bedacht hat,

[1] (die Fabrik): Einfügung der Übersetzer. Auf den folgenden Seiten wird der von Marx verwendete Begriff atelier (Werkstatt) meist mit Fabrik übersetzt.

nachdem er den Arbeiter unter die *Abhängigkeit vom Werkführer* gestellt und seine Arbeit auf die *Leistung eines Handlangers* herabgedrückt hat, schiebt er die Schuld von neuem auf Fabrik und Maschinen, um den Arbeiter „dadurch, daß er ihm einen *Meister* gibt" [I, S. 164], *zu degradieren*, und vollendet seine Erniedrigung dadurch, daß er ihn „von dem Range eines Handwerkers zu dem eines *Handlangers* sinken" [I, S. 164] läßt. Schöne Dialektik! Und wenn er hiebei noch stehenbliebe; aber nein, er braucht eine neue Geschichte der Arbeitsteilung, nicht mehr, um daraus die Widersprüche abzuleiten, sondern um die Fabrik auf seine Art zu rekonstruieren. Um das zu erreichen, sieht er sich genötigt, alles zu vergessen, was er über die Arbeitsteilung gesagt.

Die Arbeit organisiert und teilt sich verschieden, je nach den Werkzeugen, über die sie verfügt. Die Handmühle setzt eine andere Arbeitsteilung voraus als die Dampfmühle. Es heißt somit der Geschichte ins Gesicht schlagen, wenn man mit der Arbeitsteilung im allgemeinen beginnt, um in der Folge zu einem speziellen Produktionsinstrument, den Maschinen, zu gelangen.

Die Maschinen sind ebensowenig eine ökonomische Kategorie wie der Ochse, der den Pflug zieht, sie sind nur eine Produktivkraft. Die moderne Fabrik, die auf der Anwendung von Maschinen beruht, ist ein gesellschaftliches Produktionsverhältnis, eine ökonomische Kategorie.

Sehen wir nun, wie die Dinge in der glänzenden Einbildung des Herrn Proudhon sich vollziehen.

„In der Gesellschaft ist das Auftreten der Maschinen und immer neuen Maschinen die Antithese, die Gegenformel der Arbeit: Sie ist der *Protest* des Genius der Industrie gegen die *zerstückelte und menschenmörderische Arbeit*. Was in der Tat ist eine Maschine? *Eine Art, die verschiedenen Teile der Arbeit*, welche die Arbeitsteilung geschieden hat, *zu vereinigen*. Jede Maschine kann definiert werden als eine Zusammenfassung verschiedener Operationen... Somit haben wir in der Maschine die *Wiederherstellung des Arbeiters*... Die Maschinen, die sich in der politischen Ökonomie gegensätzlich zur Arbeitsteilung stellen, repräsentieren die Synthese, die sich im menschlichen Geist der Analyse gegenüberstellt... Die Teilung trennte nur die verschiedenen Teile der Arbeit, indem sie es einem jeden überließ, sich der Spezialität, die ihm am meisten zusagte, zu widmen. Die Fabrik gruppiert die Arbeiter nach der Beziehung jedes Teiles zum Ganzen...", sie führt das Prinzip der Autorität in die Arbeit ein... Aber das ist nicht genug. Die *Maschine* oder die *Fabrik*, nachdem sie den Arbeiter dadurch degradiert hat, daß sie ihm einen Meister gibt, vollendet seine Erniedrigung damit, daß sie ihn vom Range eines Handwerkers zu dem eines Handlangers fallen läßt... Die Periode, die wir in diesem Moment durchleben, die der Maschinen, zeichnet sich durch einen besonderen Charakter aus, die *Lohnarbeit*... Die Lohnarbeit ist *späteren Datums* als Arbeitsteilung und Tausch." [I, S. 135, 136, 161 u. 164.]

Eine einfache Bemerkung für Herrn Proudhon. Die Trennung der verschiedenen Arbeitsteile, die einem jeden die Möglichkeit gibt, sich der Spezialität zu widmen, die ihm am meisten zusagt, eine Trennung, welche Herr Proudhon von Anfang der Welt datiert, gibt es erst in der modernen Industrie unter der Herrschaft der Konkurrenz.

Herr Proudhon gibt uns sodann eine mehr als „interessante Genealogie" [I, S. 161], um nachzuweisen, wie die Fabrik aus der Arbeitsteilung und die Lohnarbeit aus der Fabrik entstanden ist.

1. Er setzt einen Menschen voraus, der „bemerkt hat", daß man die Produktivkräfte vermehrt, „wenn man die Produktion in ihre verschiedenen Teile zerlegt und jeden von einem besonderen Arbeiter ausführen läßt" [I, S. 161].

2. Dieser Mensch „ergreift den Faden dieser Idee und sagt sich, daß, wenn er eine ständige Gruppe von Arbeitern bildet, assortiert für den besonderen Zweck, den er sich *vornimmt*, er dann eine stetigere Produktion erzielen würde etc." [I, S. 161.]

3. Dieser Mensch macht anderen Menschen einen *Vorschlag*, damit sie seine Idee und den Faden seiner Idee ergreifen.

4. Dieser Mensch „verhandelt im Beginn der Industrie mit seinen *Genossen*, die später seine Arbeiter geworden, auf dem *Fuße der Gleichheit*." [I, S. 163.]

5. „Es leuchtet in der Tat ein, daß diese ursprüngliche Gleichheit bald verschwinden mußte angesichts der vorteilhaften Stellung des Meisters und der Abhängigkeit des Lohnarbeiters." [I, S. 163.]

Hier haben wir wiederum eine Probe der *historischen* und *beschreibenden Methode* des Herrn Proudhon.

Untersuchen wir nunmehr vom historischen und ökonomischen Gesichtspunkte aus, ob die Fabrik und die Maschine in der Tat das *Autoritätsprinzip* später als die Arbeitsteilung in die Gesellschaft eingeführt hat; ob auf der einen Seite der Arbeiter rehabilitiert worden ist, trotzdem daß er auf der anderen Seite der Autorität unterworfen wurde; ob die Maschine die Rekomposition der geteilten Arbeit, die ihrer *Analyse* entgegengesetzte *Synthese* der Arbeit ist.

Die Gesellschaft als Ganzes hat das mit dem Innern einer Fabrik gemein, daß auch sie ihre Arbeitsteilung hat. Nimmt man die Arbeitsteilung in einer modernen Fabrik als Beispiel, um sie auf eine ganze Gesellschaft anzuwenden, so wäre unzweifelhaft diejenige Gesellschaft am besten für die Produktion ihres Reichtums organisiert, welche nur einen einzigen Unternehmer als Führer hätte, der nach einer im voraus festgesetzten Ordnung die Funktionen unter die verschiedenen Mitglieder der Gemeinschaft verteilt. Aber dem ist keineswegs so. Während innerhalb der modernen Fabrik die Arbeitsteilung durch die Autorität des Unternehmers bis ins einzelnste geregelt ist, kennt die moderne Gesellschaft keine andere Regel, keine andere Autorität für die Verteilung der Arbeit als die freie Konkurrenz.

Unter dem patriarchalischen Regime, unter dem Regime der Kasten, des feudalen und Zunftsystems, gab es Arbeitsteilung in der ganzen Gesellschaft nach bestimmten Regeln. Sind diese Regeln von einem Gesetzgeber angeordnet worden? Nein. Ursprünglich aus den Bedingungen der materiellen Produktion hervorgegangen, wurden sie erst viel später zum Gesetz erhoben. So wurden diese verschiedenen Formen der Arbeitsteilung ebenso viele Grundlagen sozialer Organisationen. Was die Arbeitsteilung in der Werkstatt anbetrifft, so war sie in allen diesen Gesellschaftsformen sehr wenig entwickelt.

Man kann als allgemeine Regel aufstellen: Je weniger die Autorität der Teilung der Arbeit innerhalb der Gesellschaft vorsteht, desto mehr entwickelt sich die Arbeitsteilung im Innern der Werkstatt und um so mehr ist sie der Autorität eines einzelnen unterworfen. Danach steht die Autorität in der Werkstatt und die in der Gesellschaft, in bezug auf die Arbeitsteilung, im *umgekehrten Verhältnis* zueinander.

Es kommt nunmehr darauf an nachzusehen, was das für eine Werkstatt ist, in der die Beschäftigungen sehr getrennt sind, wo die Aufgabe jedes Arbeiters auf eine sehr einfache Operation reduziert ist und wo die Autorität, das Kapital, die Arbeiter gruppiert und leitet. Wie ist diese Werkstatt, die Fabrik, entstanden? Um diese Frage zu beantworten, haben wir zu prüfen, wie die eigentliche Manufakturindustrie sich entwickelt hat. Ich spreche hier von jener Industrie, die noch nicht die moderne große Industrie mit ihren Maschinen ist, die aber bereits weder die Industrie des Mittelalters noch die Hausindustrie mehr ist. Wir wollen nicht zu sehr ins Detail eingehen; wir wollen nur einige Hauptpunkte feststellen, um zu zeigen, wie man mit Formeln noch keine Geschichte macht.

Eine der unerläßlichsten Bedingungen für die Bildung der Manufakturindustrie war die Akkumulation der Kapitalien, erleichtert durch die Entdeckung Amerikas und die Einfuhr seiner Edelmetalle.

Es ist hinlänglich erwiesen, daß die Vermehrung der Tauschmittel zur Folge hatte einerseits die Entwertung der Löhne und Grundrenten und anderseits die Vermehrung der industriellen Profite. Mit anderen Worten: Um so viel, wie die Klasse der Grundbesitzer und die Klasse der Arbeiter, die Feudalherren und das Volk sanken, um so viel hob sich die Klasse der Kapitalisten, die Bourgeoisie.

Es gab noch andere Umstände, die gleichzeitig zur Entwicklung der Manufakturindustrie beitrugen: die Vermehrung der auf den Markt gebrachten Waren, sobald einmal die Verbindung mit Ostindien auf dem Seewege um das Kap der Guten Hoffnung hergestellt war, ferner das Kolonialsystem und die Entwicklung des Seehandels.

Eine andere Seite, die in der Geschichte der Manufakturindustrie noch nicht genügend gewürdigt wurde, ist die Entlassung der zahlreichen Gefolgschaften der Feudalherren, deren untergeordnete Angehörige Landstreicher wurden, ehe sie in die Werkstatt eintraten. Der Schöpfung der in die Fabrik übergehenden Werkstatt ging im 15. und 16. Jahrhundert ein fast universelles Landstreichertum voraus. Die Werkstatt fand ferner einen mächtigen Rückhalt in den zahlreichen Landleuten, die infolge der Umwandlung der Äcker in Wiesen und infolge der Fortschritte in der Landwirtschaft, die weniger Arbeiter für die Bearbeitung der Äcker nötig machten, fortgesetzt aus dem Dienst gejagt wurden und ganze Jahrhunderte hindurch in die Städte strömten.

Das Anwachsen des Marktes, die Akkumulation von Kapitalien, die in der sozialen Stellung der Klassen eingetretenen Veränderungen, eine Menge von Personen, die sich ihrer Einnahmequellen beraubt sehen – das sind ebenso viele historische Vorbedingungen für die Entstehung der Manufaktur. Es waren nicht, wie Herr Proudhon sagt, freundschaftliche Vereinbarungen und dergleichen, welche die Menschen in Werkstätten und Fabriken vereinigten. Nicht einmal im Schoß der alten Zünfte ist die Manufaktur erwachsen. Der Kaufmann war es, der der Prinzipal der modernen Werkstatt wurde, und nicht der alte Zunftmeister. Fast überall herrschte ein erbitterter Kampf zwischen Manufaktur und Handwerk.

Die Akkumulation, die Konzentration von Werkzeugen und Arbeitern ging der Entwicklung der Arbeitsteilung im Innern des Ateliers voraus. Eine Manufaktur bestand weit mehr in der Vereinigung vieler Arbeiter und vieler Handwerke in einem und demselben Lokal, in einem Saal unter dem Kommando eines Kapitals, als in der Auflösung der Arbeiten und der Anpassung eines speziellen Arbeiters an eine sehr einfache Aufgabe.

Der Nutzen einer Fabrikswerkstatt bestand viel weniger in der eigentlichen Arbeitsteilung als in dem Umstande, daß man in größerem Maßstabe arbeitete, viele unnütze Unkosten sparte etc. Ende des 16. und Anfang des 17. Jahrhunderts kannte die holländische Manufaktur die Teilung der Arbeit noch kaum.

Die Entwicklung der Arbeitsteilung setzt die Vereinigung der Arbeiter in einer Werkstatt voraus. Es gibt sogar nicht ein einziges Beispiel dafür, weder im 16. noch im 17. Jahrhundert, daß die verschiedenen Zweige eines und desselben Handwerks in dem Maße getrennt betrieben wurden, daß es genügt hätte, sie in einem Ort zu vereinigen, um damit die Fabrikwerkstatt fix und fertig herzustellen. Aber einmal die Menschen und Werkzeuge vereinigt, reproduzierte sich die Arbeitsteilung, wie sie zur Zeit der Zünfte bestanden, und spiegelt sich notwendig im Innern der Fabrikswerkstatt wider.

Für Herrn Proudhon, der die Dinge auf dem Kopf stehend sieht, wenn er sie überhaupt sieht, geht die Arbeitsteilung im Sinne von Adam Smith der Fabrikwerkstatt, die eigentlich ihre Existenzbedingung ist, voraus.

Die eigentlichen *Maschinen* datieren seit dem Ende des 18. Jahrhunderts. Nichts abgeschmackter, als in den Maschinen die *Antithese* der Arbeitsteilung zu erblicken, die *Synthese*, die die Einheit in der zerstückelten Arbeit wiederherstellt.

Die Maschine ist eine Vereinigung von Arbeitswerkzeugen und keineswegs eine Verbindung der Arbeiten für den Arbeiter selbst.

„Wenn durch die Arbeitsteilung jede besondere Arbeitsleistung auf die Handhabung eines einfachen Instrumentes reduziert wurde, so bildet die Vereinigung aller dieser durch einen einzigen Motor in Bewegung gesetzten Werkzeuge eine Maschine." (Babbage, „*Traité sur l'économie des machines, etc.*"[1], Paris 1833 [S. 230].)

Einfache Werkzeuge; Akkumulation von Werkzeugen; zusammengesetzte Werkzeuge; In-Bewegung-Setzen eines zusammengesetzten Werkzeuges durch einen einzigen Handmotor, den Menschen; In-Bewegung-Setzen dieser Instrumente durch die Naturkräfte; Maschinen; System von Maschinen, die nur einen Motor haben; System von Maschinen, die einen automatischen Motor haben – das ist die Entwicklung der Maschine.

Die Konzentration der Produktionsinstrumente und die Arbeitsteilung sind ebenso untrennbar voneinander wie auf dem Gebiete der Politik die Zentralisation der öffentlichen Gewalten und die Teilung der Privatinteressen. England mit seiner Konzentrierung des Grund und Bodens, dieses Werkzeugs der agrikolen Arbeit, hat ebenfalls die Arbeitsteilung in der Agrikultur und die Anwendung der Maschinerie beim Landbau. Frankreich, welches die Teilung des Werkzeugs, des Bodens[2] hat, das Parzellensystem, hat im allgemeinen weder Arbeitsteilung in der Agrikultur noch Anwendung von Maschinen beim Landbau.

Für Herrn Proudhon ist die Konzentration der Arbeitsinstrumente die Negation der Arbeitsteilung. In der Wirklichkeit finden wir abermals das

[1] „*Abhandlung über die Ökonomie der Maschinen etc.*" – [2] des Bodens: Einfügung der Übersetzer

Gegenteil. In dem Maße, wie die Konzentrierung der Werkzeuge sich entwickelt, entwickelt sich auch die Arbeitsteilung, und umgekehrt. Dies die Ursache, weshalb jede große Erfindung in der mechanischen Technik eine größere Arbeitsteilung zur Folge hat und jede Steigerung der Arbeitsteilung ihrerseits neue mechanische Erfindungen hervorruft.

Wir brauchen nicht daran zu erinnern, daß die großen Fortschritte der Arbeitsteilung in England nach der Erfindung der Maschinen begonnen haben. So waren die Weber und die Spinner meistenteils Bauern, wie man sie noch in rückständigen Ländern antrifft. Die Erfindung der Maschinen hat die Trennung der Manufakturindustrie von der Agrikulturindustrie vollendet. Weber und Spinner, früher in einer Familie vereinigt, wurden durch die Maschine getrennt. Dank der Maschine kann der Spinner in England wohnen, während der Weber gleichzeitig in Ostindien lebt. Vor der Erfindung der Maschinen erstreckte sich die Industrie eines Landes hauptsächlich auf die Rohstoffe, die sein eigener Boden hervorbrachte: so in England Wolle, in Deutschland Flachs, in Frankreich Seide und Flachs, in Ostindien und in der Levante Baumwolle etc. Dank der Anwendung der Maschinen und des Dampfes hat die Arbeitsteilung eine derartige Ausdehnung nehmen können, daß die von nationalem Boden losgelöste Großindustrie einzig und allein vom Welthandel, vom internationalen Austausch, von einer internationalen Arbeitsteilung abhängt. Kurz, die Maschine übt einen solchen Einfluß auf die Teilung der Arbeit aus, daß, wenn bei der Fabrikation irgendeines Gegenstandes das Mittel gefunden ist, Teile desselben mechanisch herzustellen, seine Fabrikation sich alsbald in zwei voneinander unabhängige Betriebe sondert.

Brauchen wir noch von dem *providentiellen* und philanthropischen *Zweck* zu reden, welchen Herr Proudhon in der Erfindung und ursprünglichen Anwendung der Maschine entdeckt?

Als in England der Markt eine solche Entwicklung gewonnen hatte, daß die Handarbeit ihm nicht mehr genügen konnte, empfand man das Bedürfnis nach Maschinen. Man sann nun auf die Anwendung der mechanischen Wissenschaft, die bereits im 18. Jahrhundert fertig da war.

Das erste Auftreten der Fabrik mit Kraftbetrieb ist durch Akte bezeichnet, die nichts weniger als philanthropisch waren. Kinder wurden mit der Peitsche zur Arbeit angehalten; sie wurden ein Gegenstand des Schachers; man schloß mit Waisenhäusern Kontrakte. Man schaffte alle Gesetze über die Lehrzeit der Arbeiter ab, weil man, um uns der Phrasen des Herrn Proudhon zu bedienen, nicht mehr der *synthetischen* Arbeiter bedurfte. Endlich waren seit 1825[63] fast alle neuen Erfindungen das Ergebnis von Kollisionen zwischen

Arbeiter und Unternehmer, der um jeden Preis die Fachbildung des Arbeiters zu entwerten suchte. Nach jedem neuen einigermaßen bedeutenden Strike erstand eine neue Maschine. So wenig sah der Arbeiter in der Anwendung der Maschinen eine Art Rehabilitierung, eine Art *Wiederherstellung*, wie Herr Proudhon es nennt, daß er im 18. Jahrhundert der erstehenden Herrschaft der Kraftautomaten sehr lange Widerstand leistete.

„Wyatt", sagt Dr. Ure, „hatte die künstlichen Spinnfinger" (die drei Reihen geriffelter Walzen) "lange vor Arkwright erfunden.[64] Die Hauptschwierigkeit bestand nicht so sehr in der Erfindung eines selbsttätigen Mechanismus ... Die Schwierigkeit bestand vor allem in der Disziplin, notwendig, damit die Menschen auf ihre unregelmäßigen Gewohnheiten bei der Arbeit verzichten und sich mit der unveränderlichen Regelmäßigkeit der Bewegung einer großen selbsttätigen Maschine identifizieren. Aber einen den Bedürfnissen, der Geschwindigkeit des automatischen Systems entsprechenden Disziplinarkodex zu erfinden und mit Erfolg auszuführen, war ein Unternehmen des Herkules würdig. Das ist das edle Werk Arkwrights."[65]

Alles in allem hat die Einführung der Maschinen die Teilung der Arbeit innerhalb der Gesellschaft gesteigert, das Werk des Arbeiters innerhalb der Werkstatt vereinfacht, das Kapital konzentriert und den Menschen zerstückelt.

Will Herr Proudhon Ökonom sein und für eine Weile die „Entwicklung in der Reihe der Gedanken, nach der Gliederung der Vernunft" beiseite lassen, so wird er seine Belehrung bei Adam Smith suchen, zur Zeit, wo die automatische Fabrik erst im Entstehen war. In der Tat, welcher Unterschied zwischen der Teilung der Arbeit, wie sie zur Zeit von Adam Smith bestand und wie wir sie in der automatischen Fabrik sehen! Um ihn gut zu erfassen, genügt es, einige Stellen aus der „Philosophie der Manufaktur" von Dr. Ure zu zitieren.

„Als Adam Smith sein unsterbliches Werk über die Grundzüge der politischen Ökonomie schrieb, war das automatische Industriesystem kaum noch bekannt. Die Teilung der Arbeit erschien ihm mit Recht als das große Prinzip der Vervollkommnung in der Manufaktur. Er zeigte an der Fabrikation der Nadeln, wie ein Arbeiter, der sich durch die Beschäftigung mit einem und demselben Gegenstand vervollkommnet, leistungsfähiger und weniger kostspielig wird. In jedem Zweig der Manufaktur sah er, wie nach diesem Prinzip gewisse Verrichtungen, wie das Schneiden von Messingdrähten in gleiche Abschnitte, leicht ausführbar werden; wie andere Arbeiten, z. B. die Herstellung und Ansetzung der Nadelköpfe, verhältnismäßig schwerer sind: er schloß also daraus, daß man jeder dieser Verrichtungen einen Arbeiter anpassen kann, dessen Lohn seiner Geschicklichkeit entspräche. Diese *Anpassung* ist das Wesen der Arbeitsteilung. Aber was zur Zeit des Dr. Smith als passendes Beispiel dienen konnte, kann heute das Publikum in bezug auf das wirkliche Prinzip der Fabrikindustrie nur irreführen. In der Tat paßt die Verteilung oder vielmehr die Anpassung der Arbeiten an die verschiedenen individuellen Fähigkeiten nicht in den Operationsplan der automatischen Fabrik: im Gegenteil, überall, wo ein Prozeß große Geschicklichkeit und eine sichere Hand erfordert, entzieht man ihn dem zu geschickten und oft zu allerhand Unregelmäßigkeiten geneigten Arbeiter, um ihn einem besonderen Mechanismus zu übertragen, dessen automatische Tätigkeit so gut reguliert ist, daß ein Kind sie überwachen kann.

Das Prinzip des automatischen Systems besteht also darin, an die Stelle der Handarbeit die mechanische Arbeit zu setzen und die Arbeitsteilung unter den Handwerkern durch die Zerlegung eines Prozesses in die ihn ausmachenden Teile zu ersetzen. Nach dem System der Handarbeit war die menschliche Arbeit in der Regel das teuerste Element eines Produkts; aber nach dem automatischen System sehen wir die geschickten Handarbeiter allmählich verdrängt durch einfache Maschinenwärter.

Die Schwäche der menschlichen Natur ist so groß, daß, je geschickter der Arbeiter, er um so anspruchsvoller und schwerer zu behandeln und infolgedessen weniger für ein mechanisches System geeignet ist, in dessen Getriebe seine launenhaften Einfälle beträchtlichen Schaden anrichten können. Die Hauptaufgabe des heutigen Fabrikanten besteht also darin, durch Verbindung von Wissenschaft und Kapital die Tätigkeit seiner Arbeiter darauf zu reduzieren, daß sie ihre Wachsamkeit und ihre Gewandtheit ausüben, Eigenschaften, die sie in ihrer Jugend sehr vervollkommnen, *wenn man sie nur ausschließlich mit einem bestimmten Gegenstand beschäftigt*.

Nach dem System der Abstufung der Arbeit braucht es eine Lehrzeit von mehreren Jahren, bevor Augen und Hand geschickt genug werden, um gewisse mechanische Kunststücke zu verrichten; aber nach dem System, das einen Prozeß zerlegt, indem es ihn in seine einzelnen wesentlichen Bestandteile teilt, und welches alle seine Teile durch eine selbsttätige Maschine ausführen läßt, kann man diese elementaren Teile einer Person mit gewöhnlicher Begabung nach kurzer Probezeit anvertrauen; man kann sogar in dringenden Fällen diese Person von einer Maschine an die andere stellen, nach dem Belieben des Betriebsleiters. Solche Änderungen stehen im offenen Widerspruch mit der alten Routine, welche die Arbeit teilt und einen Arbeiter Nadelköpfe verfertigen, einen anderen Nadelspitzen schärfen heißt, eine Beschäftigung, deren langweilige Einförmigkeit sie entnervt... Aber nach dem Prinzip der *Gleichmachung* oder dem automatischen System werden die Fähigkeiten des Arbeiters nur einer angenehmen Übung unterworfen etc.... Da seine Tätigkeit darin besteht, die Arbeit eines wohlgeregelten Mechanismus zu überwachen, kann er sie in kurzer Zeit erlernen; indem er seine Leistungen von einer Maschine auf eine andere überträgt, wechselt er seine Tätigkeit und entwickelt er seine Ideen, indem er über die allgemeinen Kombinationen nachdenkt, welche aus seiner und seiner Kollegen Arbeit resultieren. So kann dieses Einzwängen der Fähigkeiten, diese Verengerung der Ideen, dieser Zustand der Störung der körperlichen Entwicklung, die nicht ohne Grund der Arbeitsteilung zugeschrieben werden, unter gewöhnlichen Umständen nicht statthaben in einem System der *gleichen Verteilung der Arbeiten*.

Das beständige Ziel, die Tendenz aller Vervollkommnung der Technik, geht in der Tat dahin, die Arbeit des Menschen möglichst entbehrlich zu machen oder den Preis derselben zu verringern, indem man die Arbeit von Frauen und Kindern an die Stelle der von erwachsenen Arbeitern oder die grobe Arbeit an Stelle der geschickten Arbeit setzt... Diese Tendenz, nur noch Kinder mit lebhaften Augen und gelenken Fingern an Stelle von geübten Arbeitern zu beschäftigen, zeigt, daß das Schuldogma von der Teilung der Arbeit nach den verschiedenen Graden der Geschicklichkeit von unseren aufgeklärten Fabrikanten endlich beiseite geworfen ist." (André Ure, „*Philosophie des manufactures ou économie industrielle*", Bd. I, Kap. 1[66].)

Was die Arbeitsteilung in der modernen Gesellschaft charakterisiert, ist die Tatsache, daß sie die Spezialitäten, die Fachleute und mit ihnen den Fachidiotismus erzeugt.

„Bewunderung erfaßt uns", sagt Lemontey, „wenn wir bei den Alten dieselbe Person gleichzeitig in hohem Grade sich auszeichnen sehen als Philosoph, Dichter, Redner, Historiker, Priester, Staatsmann und Feldherr. Unsere Seelen erschrecken bei der Betrachtung eines so umfassenden Gebietes. Jeder steckt sich heute sein Gehege ab und schließt sich darin ein. Ich weiß nicht, ob durch diese Zerstücklung das Feld sich vergrößert, aber ich weiß wohl, daß der Mensch kleiner wird." [Lemontey, a. a. O., S. 213.]

Was die Teilung der Arbeit in der mechanischen Fabrik kennzeichnet, ist, daß sie jeden Spezialcharakter verloren hat. Aber von dem Augenblick an, wo jede besondere Entwicklung aufhört, macht sich das Bedürfnis nach Universalität, das Bestreben nach einer allseitigen Entwicklung des Individuums fühlbar. Die automatische Fabrik beseitigt die Spezialisten und den Fachidiotismus.

Herr Proudhon, der nicht einmal diese eine revolutionäre Seite der automatischen Fabrik begriffen hat, tut einen Schritt rückwärts und schlägt dem Arbeiter vor, nicht lediglich den zwölften Teil einer Nadel, sondern nach und nach alle zwölf Teile anzufertigen. Der Arbeiter würde so zu der Wissenschaft und dem Bewußtsein der Nadel gelangen. Das ist mit einem Wort die synthetische Arbeit des Herrn Proudhon. Niemand wird bestreiten, daß eine Bewegung nach vorwärts und eine andere nach rückwärts machen auch eine synthetische Bewegung machen heißt.

Alles in allem geht Herr Proudhon nicht über das Ideal des Kleinbürgers hinaus. Und um dieses Ideal zu verwirklichen, fällt ihm nichts Besseres ein, als uns zum Handwerksgesellen oder höchstens zum Handwerksmeister des Mittelalters zurückzuführen. Es genügt, sagt er irgendwo in seinem Buche, ein einziges Mal in seinem Leben ein Meisterstück gemacht, sich ein einziges Mal als Mensch gefühlt zu haben. Ist das nicht nach Form wie Inhalt das von den Zünften des Mittelalters verlangte Meisterstück?

§ 3. *Konkurrenz und Monopol*

Gute Seite der Konkurrenz	„Die Konkurrenz gehört ebenso wesentlich zur Arbeit wie die Teilung ... Sie ist notwendig zur *Herbeiführung der Gleichheit.*" [I, S. 186 u. 188.]
Schlechte Seite der Konkurrenz	„Das Prinzip ist die Verneinung seiner selbst. Seine sicherste Wirkung ist, diejenigen, welche es mit sich reißt, zu verderben." [I, S. 185.]
Allgemeine Betrachtung	„Die Unzuträglichkeiten, die es zur Folge hat, entstammen ebenso wie das Gute, welches es mit sich bringt ..., beide logisch dem Prinzip." [I, S. 185–186.]
Zu lösende Aufgabe	„Das Prinzip der *Vermittlung* suchen, welches von einem Gesetz sich ableiten muß, das höher steht als die Freiheit selbst." [I, S. 185.] Variante: „Es kann sich also hier nicht darum handeln, die Konkurrenz aufzuheben, eine Sache, die ebenso unmöglich ist wie die Aufhebung der Freiheit; es handelt sich darum, das Gleichgewicht, ich sagte gern die *Polizei*, derselben zu finden." [I, S. 223.]

Herr Proudhon beginnt damit, die ewige Notwendigkeit der Konkurrenz gegen diejenigen zu verteidigen, die sie durch den *Wetteifer* ersetzen wollen.*

> Es gibt keinen „Wetteifer ohne Zweck", und da „der Gegenstand jeder Leidenschaft notwendigerweise der Leidenschaft analog ist – eine Frau für den Liebenden, Macht für den Ehrgeizigen, Gold für den Geizhals, ein Lorbeerkranz für den Dichter – so ist der Gegenstand des industriellen Wetteifers notwendig der *Profit*. Der Wetteifer ist nichts anderes als die Konkurrenz selbst." [I, S. 187.]

Die Konkurrenz ist der Wetteifer im Hinblick auf den Profit. Ist der industrielle Wetteifer notwendigerweise der Wetteifer im Hinblick auf den Profit, d.h. die Konkurrenz? Herr Proudhon beweist es, indem er es behauptet.

---

* Die Fourieristen. *F.E.*

Wir haben es gesehen: Behaupten heißt für ihn beweisen, wie voraussetzen leugnen heißt.

Wenn das unmittelbare *Objekt* des Liebenden die Frau ist, so ist das unmittelbare Objekt des industriellen Wetteifers das Produkt und nicht der Profit.

Die Konkurrenz ist nicht der industrielle Wetteifer, sondern der kommerzielle. Heute besteht der industrielle Wetteifer nur im Hinblick auf den Handel. Es gibt sogar Phasen im ökonomischen Leben der Völker, wo alle Welt von einer Art Taumel ergriffen ist, Profit zu machen, ohne zu produzieren. Dieser Spekulationstaumel, der periodisch wiederkehrt, enthüllt den wahren Charakter der Konkurrenz, die den notwendigen Bedingungen des industriellen Wetteifers zu entschlüpfen sucht.

Hätte man einem Handwerker des 14. Jahrhunderts gesagt, man werde die Privilegien und die ganze feudale Organisation der Industrie abschaffen, um an deren Stelle den industriellen Wetteifer, Konkurrenz genannt, zu setzen, er hätte euch geantwortet, daß die Privilegien der verschiedenen Korporationen, Zünfte, Innungen gerade die organisierte Konkurrenz bilden. Herr Proudhon drückt sich nicht besser aus, wenn er behauptet, „daß der Wetteifer nichts anderes ist als die Konkurrenz". [II, S. 187.]

„Verordnet, daß vom 1. Januar 1847 an Arbeit und Lohn jedermann garantiert seien, und sofort wird auf die hochgradige Spannung der Industrie eine ungeheure Erschlaffung folgen." [I, S. 189.]

An Stelle einer Voraussetzung, einer Position und einer Negation haben wir jetzt eine Verordnung, die Herr Proudhon ausdrücklich erläßt, um die Notwendigkeit der Konkurrenz, ihre Ewigkeit als Kategorie usw. zu beweisen.

Wenn man sich einbildet, daß es nur Verordnungen bedarf, um aus der Konkurrenz herauszukommen, wird man niemals von ihr befreit werden. Und wenn man die Dinge so weit treibt, die Abschaffung der Konkurrenz unter Beibehaltung des Lohnes vorzuschlagen, so schlägt man vor, einen Unsinn zu verordnen. Aber die Völker entwickeln sich nicht auf Königs Befehl. Bevor sie solche Verordnungen fabrizieren, müssen sie mindestens ihre industriellen und politischen Existenzbedingungen, folglich ihre ganze Daseinsweise von Grund aus verändern.

Herr Proudhon wird mit seiner unerschütterlichen Unverfrorenheit antworten, daß dies eine Voraussetzung einer „Umwandlung unserer Natur ohne historische Vorbedingungen" [I, S. 191] sei und daß er das Recht habe, „uns von der Diskussion *auszuschließen*" [ebenda], wir wissen nicht auf Grund welcher Verordnung.

Herr Proudhon weiß nicht, daß die ganze Geschichte nur eine fortgesetzte Umwandlung der menschlichen Natur ist.

„Bleiben wir bei den Tatsachen. Die französische Revolution wurde ebensosehr für die industrielle wie für die politische Freiheit gemacht; und obwohl Frankreich, sagen wir es offen, im Jahre 1789 nicht alle Konsequenzen des Prinzips erkannt hat, dessen Verwirklichung es verlangte, so hat es sich weder in seinen Wünschen noch in seinen Erwartungen getäuscht. Wer den Versuch machen sollte, das zu leugnen, der verliert in meinen Augen das Recht auf Kritik. Ich werde nie mit einem Gegner disputieren, der den freiwilligen Irrtum von fünfundzwanzig Millionen Menschen im Prinzip aufstellt... Wenn die Konkurrenz nicht ein *Prinzip* der sozialen Ökonomie, ein *Dekret des Schicksals*, eine *Notwendigkeit der menschlichen Seele* wäre, warum denn dachte man, statt Korporationen, Innungen und Zünfte abzuschaffen, nicht vielmehr daran, das alles wiederherzustellen?" [I, S. 191–192.]

Da also die Franzosen des 18. Jahrhunderts Korporationen, Innungen und Zünfte abgeschafft haben, anstatt sie zu modifizieren, so müssen die Franzosen des 19. Jahrhunderts die Konkurrenz modifizieren, anstatt sie abzuschaffen. Da die Konkurrenz in Frankreich im 18. Jahrhundert als Konsequenz der historischen Bedürfnisse zur Herrschaft kam, darf diese Konkurrenz im 19. Jahrhundert nicht auf Grund anderer historischer Bedürfnisse beseitigt werden. Herr Proudhon, der nicht begreift, daß die Herstellung der Konkurrenz mit der wirklichen Entwicklung der Menschen des 18. Jahrhunderts verknüpft war, macht aus der Konkurrenz eine Notwendigkeit der *menschlichen Seele in partibus infidelium*[67]. Was hätte er aus dem Großen Colbert für das 17. Jahrhundert gemacht?

Nach der Revolution kam der gegenwärtige Stand der Dinge. Herr Proudhon greift aus ihm ebenfalls Tatsachen heraus, um die Ewigkeit der Konkurrenz zu zeigen, indem er beweist, daß alle Industrien, in denen diese Kategorie noch nicht genügend entwickelt ist, wie die Agrikultur, sich in einem niedrigeren, hinfälligen Zustand befinden.

Sagen, daß es Industrien gibt, die noch nicht auf der Höhe der Konkurrenz sind, daß andere noch unter dem Niveau der bürgerlichen Produktion sich befinden, ist hohles Geschwätz, welches keineswegs die Ewigkeit der Konkurrenz beweist.

Die ganze Logik des Herrn Proudhon faßt sich in folgendem zusammen: Die Konkurrenz ist ein soziales Verhältnis, in welchem wir heute unsere Produktivkräfte entwickeln. Er gibt dieser Wahrheit zwar keine logischen Entwicklungen, sondern Formen, und zwar oft recht drollige Formen, indem er sagt, daß die Konkurrenz der industrielle Wetteifer ist, die heutige Art, frei zu sein, die Verantwortlichkeit in der Arbeit, die Konstituierung des Wertes, eine Bedingung für das Kommen der Gleichheit, ein Prinzip der Sozialökonomie, ein Dekret des Schicksals, eine Notwendigkeit der menschlichen Seele, eine Inspiration der ewigen Gerechtigkeit, die Freiheit in der Teilung, die Teilung in der Freiheit, eine ökonomische Kategorie.

„*Konkurrenz* und *Assoziation* stützen einander. Weit entfernt, sich auszuschließen, gehen sie nicht einmal *auseinander*. Wer Konkurrenz sagt, setzt bereits *gemeinsames Ziel* voraus; die Konkurrenz ist also nicht der *Egoismus*, und es ist der beklagenswerteste Irrtum des Sozialismus, in ihr den Umsturz der Gesellschaft gesehen zu haben." [I, S.223.]

Wer Konkurrenz sagt, sagt gemeinsames Ziel, und das beweist einerseits, daß die Konkurrenz die Assoziation ist, andererseits, daß Konkurrenz nicht Egoismus ist. Und sagt, wer *Egoismus* sagt, nicht auch gemeinsames Ziel? Jeder Egoismus spielt sich ab in der Gesellschaft und vermittelst der Gesellschaft. Er setzt also die Gesellschaft voraus, das heißt gemeinsame Ziele, gemeinsame Bedürfnisse, gemeinsame Produktionsmittel etc. etc. Ist es daher reiner Zufall, wenn die Konkurrenz und die Assoziation, von denen die Sozialisten reden, nicht einmal auseinandergehen?

Die Sozialisten wissen sehr wohl, daß die gegenwärtige Gesellschaft auf der Konkurrenz beruht. Wie sollten sie der Konkurrenz den Vorwurf machen, daß sie die heutige Gesellschaft umstürze, die Gesellschaft, die sie selbst umstürzen wollen? Und wie sollten sie der Konkurrenz vorwerfen, daß sie die zukünftige Gesellschaft umstürze, in welcher sie im Gegenteil den Umsturz der Konkurrenz erblicken?

Herr Proudhon sagt weiter unten, daß die Konkurrenz der *Gegensatz des Monopols* ist und infolgedessen nicht der *Gegensatz der Assoziation* sein kann.

Der Feudalismus stand bei seinem Aufkommen in Gegensatz zur patriarchalischen Monarchie; er stand aber in keinem Gegensatz zur Konkurrenz, die noch gar nicht bestand. Folgt daraus, daß die Konkurrenz nicht im Gegensatz zum Feudalismus steht?

Tatsächlich sind *Gesellschaft*, *Assoziation* Benennungen, die man allen Gesellschaften geben kann, der feudalen sowohl wie der bürgerlichen Gesellschaft, welche die auf die Konkurrenz begründete Assoziation ist. Wie kann es also Sozialisten geben, welche durch das bloße Wort *Assoziation* die Konkurrenz glauben widerlegen zu können? Und wie kann Herr Proudhon selbst die Konkurrenz gegen den Sozialismus dadurch verteidigen wollen, daß er sie mit dem einzigen Wort *Assoziation* bezeichnet?

Alles, was wir bis jetzt gesagt haben, bildet die gute Seite der Konkurrenz, wie sie Herr Proudhon versteht. Gehen wir nunmehr zur schofeln Seite über, das heißt zur negativen Seite der Konkurrenz, zu ihren Unzuträglichkeiten, zu dem, was sie Destruktives, Umstürzlerisches, was sie an schädlichen Eigenschaften hat.

Das Gemälde, das uns Herr Proudhon davon entwirft, hat etwas gar Düsteres.

Die Konkurrenz zeugt das Elend, sie nährt den Bürgerkrieg, sie „verändert die natürlichen Zonen", vermischt die Nationalitäten, zerstört die Familien, korrumpiert das öffentliche Gewissen, sie „stürzt die Begriffe der Billigkeit, der Gerechtigkeit", der Moral um, und, was noch schlimmer ist, sie zerstört den redlichen und freien Handel und gibt nicht einmal als Ersatz den *synthetischen Wert*, den fixen und rechtlichen Preis. Sie enttäuscht alle Welt, selbst die Ökonomen; sie treibt die Sache so weit, sich selbst zu zerstören.

Kann es nach allem, was Herr Proudhon Schlimmes vorbringt, für seine Prinzipien und seine Illusionen, für die Verhältnisse der bürgerlichen Gesellschaft ein zersetzenderes, destruktiveres Element geben als die Konkurrenz?

Halten wir im Auge, daß die Konkurrenz immer zerstörender für die bürgerlichen *Verhältnisse* wird, je mehr sie zur fieberhaften Schaffung neuer Produktivkräfte anreizt, das heißt der materiellen Bedingungen einer neuen Gesellschaft. Unter diesem Gesichtspunkt hätte die schlechte Seite der Konkurrenz wenigstens ihr Gutes.

„Die Konkurrenz als Position oder ökonomische Phase, ihrem Entstehen nach betrachtet, ist das notwendige Resultat... der Theorie der Herabsetzung der Produktionskosten." [I, S.235.]

Für Herrn Proudhon scheint der Kreislauf des Blutes eine Konsequenz der Theorie Harveys zu sein.

„Das *Monopol* ist das notwendige Ende der Konkurrenz, die es durch eine fortgesetzte Negation ihrer selbst erzeugt. Diese Erzeugung des Monopols ist bereits eine Rechtfertigung... Das Monopol ist der natürliche Gegensatz zur Konkurrenz... Aber sobald die Konkurrenz notwendig ist, schließt sie die Idee des Monopols ein, da das Monopol gewissermaßen der Sitz jeder konkurrierenden Individualität ist." [I, S. 236 u. 237.]

Wir freuen uns mit Herrn Proudhon, daß er wenigstens einmal seine Formel von These und Antithese gut anbringen kann. Alle Welt weiß, daß das moderne Monopol durch die Konkurrenz selbst geschaffen wird.

Was den Inhalt anbelangt, so hält sich Herr Proudhon an poetische Bilder. Die Konkurrenz machte „aus jeder Unterabteilung der Arbeit gleichsam eine Souveränetät, wo jedes Individuum sich in seiner Kraft und Unabhängigkeit aufstellte". [I, S. 186.] Das Monopol ist *„der Sitz* jeder konkurrierenden Individualität". Die Souveränetät ist mindestens ebenso schön wie der Sitz.

Herr Proudhon spricht nur vom modernen Monopol, das durch die Konkurrenz geschaffen wird, aber wir wissen alle, daß die Konkurrenz aus dem feudalen Monopol hervorging. So war die Konkurrenz ursprünglich das Gegenteil des Monopols und nicht das Monopol das Gegenteil der Konkurrenz. Das moderne Monopol ist somit nicht eine einfache Antithese, sondern im Gegenteil die wahre Synthese.

These: das feudale Monopol, Vorgänger der Konkurrenz.

Antithese: die Konkurrenz.

Synthese: das moderne Monopol, welches die Negation des feudalen Monopols ist, insofern es die Herrschaft der Konkurrenz voraussetzt, und welches die Negation der Konkurrenz ist, insofern es Monopol ist.

Somit ist das moderne Monopol, das bürgerliche Monopol, das synthetische Monopol, die Negation der Negation, die Einheit der Gegensätze. Es ist das Monopol in seinem reinen, normalen, rationellen Zustande. Herr Proudhon befindet sich im Widerspruche mit seiner eigenen Philosophie, wenn er das bürgerliche Monopol für das Monopol im rohen, *urwüchsigen*, widerspruchsvollen, spasmodischen Zustande erklärt. Herr Rossi, den Herr Proudhon wiederholt mit Bezug auf das Monopol zitiert, scheint den synthetischen Charakter des bürgerlichen Monopols besser erfaßt zu haben. In seinem *„Cours d'économie politique"*[1] unterscheidet er zwischen künstlichem und natürlichem Monopol. Die feudalen Monopole, erklärt er, sind künstliche, das heißt willkürliche; die bürgerlichen Monopole sind natürliche, das heißt rationelle.

Das Monopol ist ein gutes Ding, argumentiert Herr Proudhon, weil es eine ökonomische Kategorie, eine Emanation der „unpersönlichen Vernunft der Menschheit" ist. Die Konkurrenz ist gleichfalls ein gutes Ding, da auch sie eine ökonomische Kategorie ist. Was aber nicht gut ist, ist die Art der Verwirklichung des Monopols und der Konkurrenz. Was noch schlimmer ist, ist, daß Konkurrenz und Monopol sich gegenseitig auffressen: Was tun? Man suche die Synthese dieser beiden Ideen, entreiße sie dem Schoße Gottes, wo sie seit unvordenklichen Zeiten ruht.

In der Praxis des Lebens findet man nicht nur Konkurrenz, Monopol und ihren Widerstreit, sondern auch ihre Synthese, die nicht eine Formel, sondern eine Bewegung ist. Das Monopol erzeugt die Konkurrenz, die Konkurrenz erzeugt das Monopol. Die Monopolisten machen sich Konkurrenz, die Konkurrenten werden Monopolisten. Wenn die Monopolisten die Konkurrenz unter sich durch partielle Assoziationen einschränken, so wächst die Konkur-

[1] *„Vorlesung über politische Ökonomie"*

renz unter den Arbeitern, und je mehr die Masse der Proletarier gegenüber den Monopolisten einer Nation wächst, um so zügelloser gestaltet sich die Konkurrenz unter den Monopolisten der verschiedenen Nationen. Die Synthese ist derart beschaffen, daß das Monopol sich nur dadurch aufrechterhalten kann, daß es beständig in den Konkurrenzkampf eintritt.

Um den dialektischen Übergang zu den *Steuern* zu machen, die nach dem *Monopol* kommen, erzählt uns Herr Proudhon von dem *Genius der Gesellschaft*, der, nachdem er *unerschrocken seinen Zickzackweg* gegangen, nachdem er,

„*ohne Reue* und ohne Zaudern, mit sicherem Schritt, *bei der Ecke des Monopols angelangt ist*, einen *melancholischen* Blick nach rückwärts wirft und nach einer tiefen Überlegung alle Gegenstände der Produktion mit Steuern belegt und eine ganze administrative Organisation schafft, damit *alle Stellungen dem Proletariat ausgeliefert* und *von den Männern des Monopols bezahlt werden*". [I, S. 284–285.]

Was soll man zu diesem Genius sagen, der ungefrühstückt im Zickzack spaziert? Und was zu diesem Spaziergang, der keinen anderen Zweck haben soll, als die Bourgeois durch die Steuern zu vernichten, während gerade die Steuern den Zweck haben, den Bourgeois die Mittel zu verschaffen, sich als herrschende Klasse zu behaupten?

Um nur die Art und Weise beiläufig zu zeigen, wie Herr Proudhon mit den wirtschaftlichen Details umspringt, genügt es, darauf hinzuweisen, daß nach ihm die *Verbrauchssteuer* eingeführt worden ist im Interesse der Gleichheit und um dem Proletariat zu Hilfe zu kommen.

Die Verbrauchssteuer hat ihre volle Entwicklung erst seit dem Sieg der Bourgeoisie genommen. In den Händen des industriellen Kapitals, das heißt des mäßigen und sparsamen Reichtums, der sich durch direkte Ausbeutung der Arbeit erhält, reproduziert und vergrößert – war die Verbrauchssteuer ein Mittel, den frivolen, lebenslustigen, verschwenderischen Reichtum der großen Herren auszubeuten, die nichts taten als konsumieren. James Steuart hat diesen ursprünglichen Zweck der Verbrauchssteuer sehr gut entwickelt in seiner „*Inquiry into the Principles of Political Economy*"[1], die er zehn Jahre vor Adam Smith veröffentlicht hat.

„In der reinen Monarchie", sagt er, „scheinen die Fürsten in gewisser Beziehung eifersüchtig auf das Anwachsen der Vermögen und erheben daher Steuern auf diejenigen, welche reich werden – Steuern auf die Produktion. In der konstitutionellen Regierung fallen sie hauptsächlich auf diejenigen, die arm werden – Steuern auf den Konsum. So legen die Monarchen eine Steuer auf die Industrie ..., zum Beispiel sind

[1] „*Untersuchung über die Grundsätze der politischen Ökonomie*"

Kopfsteuer und Vermögenssteuer (taille) proportional zu dem vorausgesetzten Reichtum derer, die ihnen unterworfen sind. Jeder wird besteuert nach Maßgabe des Gewinnes, den er nach der Einschätzung macht. In konstitutionellen Ländern werden die Steuern gewöhnlich auf den Konsum erhoben.“ [II, S. 190–191.][68]

Jeder wird besteuert nach Maßgabe dessen, was er ausgibt.

Was die *logische Aufeinanderfolge* der Steuern, der Handelsbilanz, des Kredits – im Kopfe des Herrn Proudhon – anbetrifft, so wollen wir nur bemerken, daß die englische Bourgeoisie, unter Wilhelm von Oranien zur politischen Geltung gelangt, sofort ein neues Steuersystem, die Staatsschulden und das System der Schutzzölle schuf, sobald sie imstande war, ihre Existenzbedingungen frei zu entwickeln.

Dieser Hinweis wird genügen, um dem Leser eine richtige Idee von den tiefsinnigen Erörterungen des Herrn Proudhon über die Polizei oder Steuer, die Handelsbilanz, den Kredit, den Kommunismus und die Bevölkerung zu geben. Wir möchten die Kritik sehen – und sei sie die nachsichtigste –, die diese Kapitel ernsthaft zu erörtern imstande ist.

§ 4. Das Grundeigentum oder die Rente

In jeder historischen Epoche hat sich das Eigentum anders und unter ganz verschiedenen gesellschaftlichen Verhältnissen entwickelt. Das bürgerliche Eigentum definieren heißt somit nichts anderes, als alle gesellschaftlichen Verhältnisse der bürgerlichen Produktion darstellen.

Eine Definition des Eigentums als eines unabhängigen Verhältnisses, einer besonderen Kategorie, einer abstrakten und ewigen Idee geben wollen, kann nichts anderes sein als eine Illusion der Metaphysik oder der Jurisprudenz.

Herr Proudhon, der anscheinend vom Eigentum im allgemeinen spricht, behandelt nur das *Grundeigentum*, die *Grundrente*.

„Der Ursprung des Grundeigentums ist, sozusagen, außerökonomisch: Er beruht in Erwägungen der Psychologie und Moral, die nur sehr entfernten Bezug auf die Produktion der Reichtümer haben.“ (Bd. II, S. 269.)

Somit erklärt sich Herr Proudhon unfähig, den ökonomischen Ursprung von Grundeigentum und Rente zu begreifen. Er gesteht, daß ihn diese Unfähigkeit zwingt, zu Erwägungen der Psychologie und Moral seine Zuflucht zu nehmen, die, wenn sie auch in der Tat „nur sehr entfernten Bezug auf die Produktion der Reichtümer haben“, dennoch sehr nahen Bezug haben zu der Enge seines historischen Gesichtskreises. Herr Proudhon behauptet, daß der Ursprung des Grundeigentums etwas *Mystisches* und *Mysteriöses* enthält. Nun, in dem Ursprung des Grundeigentums ein Mysterium sehen, also das Verhältnis der Produktion zur Verteilung der Produktionsmittel in ein Mysterium verwandeln, heißt das nicht, um uns der Worte des Herrn Proudhon zu bedienen, auf jeden Anspruch auf ökonomische Wissenschaft verzichten?

Herr Proudhon

„*beschränkt* sich darauf, daran zu erinnern, daß in der siebenten Epoche der ökonomischen Entwicklung – der des *Kredits* –, wo die Fiktion die Wirklichkeit verschwinden gemacht, die menschliche Tätigkeit sich ins Leere zu verlieren drohte, es notwendig geworden war, *den Menschen stärker an die Natur zu fesseln*: Nun wohl, die Rente war der Preis für diesen neuen Kontrakt." (Bd. II, S. 265.)

Der Mann mit den vierzig Talern[69] hat seinen Proudhon vorgeahnt:

„Mit Verlaub, Herr Schöpfer: Jeder ist Herr in seiner Welt; aber Sie werden mich niemals glauben machen, daß diejenige, in der wir uns befinden, von Glas ist."

In eurer Welt, wo der Kredit ein Mittel war, *sich ins Leere zu verlieren*, ist es sehr möglich, daß das Grundeigentum notwendig ward, *um den Menschen an die Natur zu fesseln*. In der Welt der wirklichen Produktion, wo das Grundeigentum stets vor dem Kredit besteht, kann der *horror vacui*[1] des Herrn Proudhon nicht vorkommen.

Die Existenz der Rente einmal zugegeben, welches auch im übrigen ihr Ursprung sei, so wird über sie kontradiktorisch verhandelt zwischen Pächter und Grundbesitzer. Welches ist das Endergebnis dieser Verhandlungen? Mit anderen Worten: Welches ist der durchschnittliche Betrag der Rente? Hören wir, was Herr Proudhon sagt:

„Die Theorie Ricardos antwortet auf diese Frage. Im Anfang der Gesellschaft, als der Mensch, ein Neuling auf der Erde, nichts vor sich hatte als ungeheure Wälder, als der Boden noch unermeßlich und die Industrie erst im Entstehen war, mußte die Rente Null sein. Die Erde, noch nicht bearbeitet, war ein Gebrauchsgegenstand, sie war noch kein Tauschwert: sie war gemeinsam, nicht gesellschaftlich. Nach und nach lehrten die Vermehrung der Familien und der Fortschritt des Ackerbaues den Wert des Grund und Bodens schätzen. Die Arbeit gab dem Boden seinen Wert: so entstand die Rente. Je mehr Früchte ein Feld mit derselben Menge Arbeit zu tragen imstande war, desto höher wurde es geschätzt; auch war es stets das Bestreben der Besitzer, sich die Gesamtheit der Früchte des Bodens anzueignen, abzüglich des Lohnes des Pächters, d.h. abzüglich der Produktionskosten. So kommt das Eigentum hinter der Arbeit her, um ihr alles, was im Produkt die wirklichen Kosten überschreitet, fortzunehmen. Da der

---

[1] die *Scheu vor der Leere*

Eigentümer eine mystische Aufgabe erfüllt und gegenüber dem Zinsbauer die Gemeinschaft vertritt, so ist der Pächter in den Bestimmungen der Vorsehung nichts anderes als ein verantwortlicher Arbeiter, welcher der Gesellschaft über alles, was er mehr als seinen legitimen Lohn empfängt, Rechenschaft ablegen muß... Nach Wesen und Bestimmung ist somit die Rente ein Instrument der verteilenden Gerechtigkeit, eines der tausend Mittel, welche der Genius der Ökonomik anwendet, um zur Gleichheit zu gelangen. Es ist ein ungeheurer Kataster, kontradiktorisch hergestellt von Pächter und Grundbesitzer, wobei aber jeder Konflikt ausgeschlossen ist in einem höheren Interesse, und dessen Endresultat die Ausgleichung des Besitzes der Erde zwischen den Ausbeutern des Bodens und den Industriellen sein wird... Es bedurfte nichts Geringerem als dieser Magie des Eigentums, um dem Zinsbauer den Überschuß des Produktes zu entreißen, den er nicht umhinkann, als sein zu betrachten und für dessen ausschließlichen Urheber er sich hält. Die Rente, oder, um es besser auszudrücken, das Grundeigentum, hat den agrikolen Egoismus gebrochen und eine Solidarität geschaffen, die keine Macht, keine Teilung des Bodens hätte ins Leben rufen können... Gegenwärtig, wo die moralische Wirkung des Grundeigentums erreicht ist, bleibt die Verteilung der Rente zu vollziehen." [II, S.270–272.]

Dieses ganze Wortgedresch reduziert sich zunächst auf folgendes: Ricardo sagt, daß der Überschuß des Preises der Ackerbauprodukte über ihre Produktionskosten, den landläufigen Kapitalgewinn und Kapitalzins eingeschlossen, den Maßstab für die Rente gibt. Herr Proudhon macht es besser; er läßt den Grundeigentümer als einen *deus ex machina*[70] intervenieren, der dem *Zinsbauer*[71] den ganzen Überschuß seiner Produktion über die Produktionskosten entreißt. Er bedient sich der Intervention des Grundeigentümers, um das Grundeigentum, der des Rentiers, um die Rente zu erklären. Er antwortet auf die Frage, indem er dieselbe Frage stellt und sie noch um eine Silbe vermehrt.

Bemerken wir außerdem, daß, wenn Herr Proudhon die Rente durch die Verschiedenheit der Fruchtbarkeit des Bodens bestimmt, er ihr einen neuen Ursprung gibt, da der Boden, bevor er nach den verschiedenen Graden der Fruchtbarkeit abgeschätzt wurde, nach ihm „nicht ein Tauschwert, sondern gemeinsam war". Was ist also aus dieser Fiktion geworden, von der Rente, die *aus der Notwendigkeit* entsprang, den Menschen, der *sich in das Unendliche des Leeren zu verlieren drohte, zur Erde zurückzuführen*?

Lösen wir nunmehr die Lehre Ricardos von den providentiellen, allegorischen und mystischen Redensarten los, in die Herr Proudhon sie so sorgsam eingewickelt hat.

Die Rente, im Sinne Ricardos, ist das Grundeigentum in seiner bürgerlichen Gestalt: das heißt das feudale Eigentum, welches sich den Bedingungen der bürgerlichen Produktion unterworfen hat.

Wir haben gesehen, daß nach der Lehre Ricardos der Preis aller Gegenstände endgiltig bestimmt wird durch die Produktionskosten, inbegriffen den industriellen Profit, mit anderen Worten: durch die aufgewendete Arbeitszeit. In der Manufakturindustrie regelt der Preis des mit dem Minimum von Arbeit erlangten Produktes den Preis aller anderen Waren gleicher Natur, vorausgesetzt, daß man die billigsten und produktivsten Arbeitsmittel unbeschränkt vermehren kann und daß die freie Konkurrenz einen Marktpreis herbeiführt, das heißt, einen gemeinsamen Preis für alle Produkte derselben Art.

In der Ackerbauindustrie ist es im Gegenteil der Preis des mit der größten Menge von Arbeit hergestellten Produktes, welcher den Preis aller gleichartigen Produkte regelt. Erstens kann man nicht, wie in der Manufakturindustrie, die Produktionsinstrumente von gleicher Produktivität, das heißt die gleich fruchtbaren Ländereien, nach Belieben vermehren. Dann geht man in dem Grade, wie die Bevölkerung anwächst, dazu über, Land geringerer Qualität zu bearbeiten oder in denselben Acker neues Kapital hineinzustecken, welches verhältnismäßig weniger produktiv ist als das zuerst hineingesteckte. In beiden Fällen wendet man eine größere Menge Arbeit an, um ein verhältnismäßig geringeres Produkt zu erlangen. Da das Bedürfnis der Bevölkerung diese Vermehrung der Arbeit notwendig gemacht hat, so findet das Produkt des mit größeren Kosten bearbeiteten Bodens ebensogut seinen notwendigen Absatz als das des mit geringeren Kosten zu bewirtschaftenden. Da die Konkurrenz den Marktpreis ausgleicht, so wird das Produkt des besseren Bodens ebenso teuer bezahlt wie das des geringeren Bodens. Der Überschuß des Preises der Produkte des besseren Bodens über ihre Produktionskosten bildet eben die Rente. Wenn man stets Boden oder Ländereien von gleicher Fruchtbarkeit zur Verfügung hätte, wenn man, wie in der Manufakturindustrie, stets zu den mindest teueren und produktiveren Maschinen zurückgreifen könnte oder wenn die zweiten Kapitalanlagen ebensoviel produzierten wie die ersten, so würde der Preis der Ackerbauprodukte durch den Preis der mittelst der besten Produktionsinstrumente erzeugten Früchte bestimmt werden, wie wir das bei dem Preis der Manufakturprodukte gesehen haben. Aber von diesem Moment an ist auch die Rente verschwunden.

Soll die Ricardosche Lehre[1] allgemein giltig sein, so ist erforderlich, daß die verschiedenen Industriezweige dem Kapital offenstehen; daß eine stark entwickelte Konkurrenz unter den Kapitalisten eine Gleichmäßigkeit

[1] Im Widmungsexemplar sind hier die Worte eingefügt: – les prémisses une fois accordées – [– die Vorbedingungen einmal angenommen –]

in den Profiten bewirkt hat; daß der Pächter lediglich ein industrieller Kapitalist ist, der, soll er sein Kapital im Boden geringerer Qualität[1] anlegen, einen Profit erwartet gleich demjenigen, den ihm sein Kapital in einer beliebigen Manufaktur abwerfen würde; daß die Landwirtschaft nach dem System der Großindustrie betrieben wird; endlich daß der Grundbesitzer selbst nur noch auf den Geldertrag Wert legt.

Es kann vorkommen, wie in Irland, daß die Rente noch gar nicht existiert, obgleich das Pachtsystem im höchsten Grade entwickelt ist. Da die Rente der Überschuß nicht nur über den Lohn, sondern auch über den Kapitalprofit ist, so kann sie in Ländern nicht vorkommen, wo das Einkommen des Grundbesitzers nur ein einfacher Abzug vom Arbeitslohn ist.

Die Rente also, weit entfernt, aus dem Bewirtschafter des Bodens, dem Pächter, einen *einfachen Arbeiter* zu machen und „dem Kolonen den Überschuß des Produktes zu entreißen, den er nicht umhinkann, als den seinen zu betrachten", stellt dem Grundbesitzer gegenüber, statt des Sklaven, des Hörigen, des Tributpflichtigen, des Lohnarbeiters, den industriellen Kapitalisten[2], der den Boden vermittelst seiner Lohnarbeiter ausbeutet und der nur den Überschuß über die Produktionskosten, mit Einschluß des Kapitalprofits, als Pacht an den Grundbesitzer zahlt. So hat es lange Zeit gedauert, bevor der feudale Pächter durch den industriellen Kapitalisten ersetzt wurde. In Deutschland hat diese Umgestaltung erst im letzten Drittel des 18. Jahrhunderts begonnen. In England allein ist dieses Verhältnis zwischen industriellem Kapitalisten und Grundbesitzer vollständig entwickelt.

Solange es nur den *Kolonen* des Herrn Proudhon gab, gab es keine Rente. Seitdem es Rente gibt, ist nicht der Pächter der Kolone, sondern der Arbeiter der Kolone des Pächters. Die Herabdrückung des Arbeiters, der nur noch die Rolle eines einfachen Taglöhners, eines für den industriellen Kapitalisten arbeitenden Lohnarbeiters, spielt, das Auftreten des industriellen Kapitali-

[1] Im Widmungsexemplar sind die Worte ... à des terrains inférieurs... [im Boden geringerer Qualität] in à la terre... [im Boden] korrigiert – [2] In der Ausgabe von *1847* folgen hinter „...den industriellen Kapitalisten..." an Stelle der hier stehenden Worte zwei selbständige Sätze: La propriété foncière, une fois constituée en rente, n'a plus en sa possession que l'excédant sur les frais de production, déterminés nonseulement par le salaire, mais aussi par le profit industriel. C'est donc au propriétaire foncier que la rente arrachait une partie de son revenu. [Das Grundeigentum, einmal als Rente konstituiert, hat zu seiner Verfügung nur mehr den Überschuß über die Produktionskosten, die nicht nur durch den Lohn, sondern auch durch den industriellen Profit bestimmt werden. Die Rente hat also dem Grundeigentümer einen Teil seiner Revenue entrissen.] In der deutschen Ausgabe von *1885, 1892* u. *1895* wurden hierbei offenbar Verbesserungen, die das Widmungsexemplar enthielt, berücksichtigt.

sten, der die Landwirtschaft wie jede andere Fabrikation betreibt, die Umwandlung des Grundbesitzers aus einem kleinen Souverän in einen gewöhnlichen Wucherer: das sind die verschiedenen Verhältnisse, welche in der Rente ihren Ausdruck finden.

Die Rente im Sinne Ricardos heißt die Umwandlung der patriarchalischen Bodenwirtschaft in die industrielle, die Anwendung des industriellen Kapitals auf den Boden, die Verpflanzung der Bourgeoisie der Städte auf das Land. Statt *den Menschen an die Natur zu fesseln,* hat die Rente lediglich die Ausbeutung des Bodens an die Konkurrenz gefesselt. Einmal als Rente konstituiert, ist der Grundbesitz selbst *Resultat der Konkurrenz,* da er von da an von dem Marktwert der landwirtschaftlichen Produkte abhängt. Als Rente ist der Grundbesitz mobilisiert und wird ein Handelsartikel. Die Rente ist erst von dem Moment an möglich, wo die Entwicklung der städtischen Industrie und die durch dieselbe geschaffene soziale Organisation den Grundbesitzer zwingen, nur auf den Handelsprofit, auf den Geldertrag seiner landwirtschaftlichen Produkte zu sehen, in seinem Grundbesitz schließlich nichts anderes zu erblicken als eine Maschine zum Geldschlagen. Die Rente hat den Grundbesitzer so vollständig vom Boden, von der Natur losgelöst, daß er nicht einmal nötig hat, seine Ländereien zu kennen, wie wir das in England sehen. Was den Pächter, den industriellen Kapitalisten und den Landarbeiter angeht, so sind sie nicht mehr an den Boden, den sie bewirtschaften, gefesselt, als der Unternehmer und der Arbeiter in der Industrie an die Baumwolle oder Schafwolle, die sie verarbeiten. Sie fühlen sich an nichts anderes gefesselt als an den Preis ihrer Bewirtschaftung, als an den Geldertrag. Daher die Jeremiaden der reaktionären Parteien, die vom Grunde ihrer Seele nach der Rückkehr des Feudalismus, des schönen patriarchalischen Lebens, der einfachen Sitten und großen Tugenden unserer Vorfahren schreien. Die Unterwerfung des Bodens unter die Gesetze, die alle anderen Industrien regieren, ist und wird stets der Gegenstand interessierten Gejammers sein. So kann man sagen, daß die Rente die bewegende Kraft geworden ist, welche das Idyll in die Bewegung der Geschichte hineingeworfen hat.

Ricardo, der die bürgerliche Produktion als notwendig zur Bestimmung der Rente voraussetzt, wendet die Vorstellung der Bodenrente nichtsdestoweniger auf den Grundbesitz aller Zeiten und aller Länder an. Es ist das der Irrtum aller Ökonomen, welche die Verhältnisse der bürgerlichen Produktion als ewige hinstellen.

Von dem providentiellen Zweck der Rente, der für ihn in der Umwandlung des *Kolonen* in einen *verantwortlichen Arbeiter* besteht, geht Herr Proudhon zur Verteilung der Rente nach dem Gleichheitsprinzip über.

Die Rente wird, wie wir gesehen haben, gebildet durch den *gleichen Preis* der Produkte von Ländereien *ungleicher Fruchtbarkeit*, so daß ein Hektoliter Getreide, der 10 Francs gekostet hat, für 20 Francs verkauft wird, wenn die Produktionskosten für schlechteren Boden sich auf 20 Francs belaufen.

Solange das Bedürfnis zwingt, alle auf den Markt gebrachten landwirtschaftlichen Produkte zu kaufen, wird der Marktpreis durch die Kosten der teuersten Produkte bestimmt. Diese aus der Konkurrenz und nicht aus der ungleichen Fruchtbarkeit des Bodens resultierende Ausgleichung des Preises ist es daher, die dem Besitzer des besseren Bodens für jeden Hektoliter, den sein Pächter verkauft, eine Rente von 10 Francs verschafft.

Nehmen wir einmal an, daß der Preis des Getreides durch die zu seiner Herstellung notwendige Arbeitszeit bestimmt wird, so wird sofort der auf dem besseren Boden erzielte Hektoliter Getreide um 10 Francs verkauft werden, während der auf dem schlechteren Boden erzielte 20 Francs kosten wird. Dies angenommen, wird der durchschnittliche Marktpreis 15 Francs sein, während er nach dem Gesetz der Konkurrenz 20 Francs beträgt. Wenn der durchschnittliche Preis 15 Francs wäre, so würde es sich um gar keine Verteilung handeln, weder um eine gleichheitliche noch um eine andere, denn es gäbe keine Rente. Die Existenz der Rente leitet sich nur daher ab, daß der Hektoliter Getreide, der den Produzenten 10 Francs gekostet hat, um 20 Francs verkauft wird. Herr Proudhon unterstellt die Gleichheit des Marktpreises bei ungleichen Produktionskosten, um zur gleichheitlichen Verteilung des Produktes der Ungleichheit zu gelangen.

Wir begreifen, daß Ökonomen, wie Mill[72], Cherbuliez, Hilditch und andere, die Forderung gestellt haben, daß die Rente dem Staate überwiesen werde behufs Aufhebung der Steuern. Es ist dies der unverhüllte Ausdruck des Hasses, den der industrielle Kapitalist gegen den Grundbesitzer hegt, der ihm ein nutzloses, überflüssiges Ding in dem Getriebe der bürgerlichen Produktion ist.

Aber den Hektoliter Getreide erst mit 20 Francs bezahlen lassen, um hinterher eine allgemeine Verteilung der 10 Francs, welche man zuviel von den Konsumenten erhoben hat, vorzunehmen, das ist ein hinreichender Grund für den *sozialen Genius*, daß er *seinen Zickzackweg melancholisch* verfolgt und sich den Kopf gegen irgendeine *Ecke* einrennt.

Die Rente wird unter den Händen des Herrn Proudhon

„ein ungeheurer *Kataster*, kontradiktorisch zwischen Pächter und Grundbesitzer hergestellt ... in einem höheren Interesse, und dessen Endresultat die Ausgleichung des Besitzes der Erde zwischen den Ausbeutern des Bodens und den Industriellen sein wird". [II, S.271.]

Nur innerhalb der Verhältnisse der bestehenden Gesellschaft wird irgendein durch die Rente gebildeter Kataster einen praktischen Wert haben.

Nun haben wir nachgewiesen, daß die von dem Pächter dem Eigentümer gezahlte Pacht nur in den Ländern, wo Handel und Industrie am meisten entwickelt sind, annähernd genau die Rente ausdrückt. Oft enthält diese Pacht außerdem noch den Zins, der dem Besitzer für das in das Grundstück hineingesteckte Kapital gezahlt wird. Die Lage der Grundstücke, die Nähe von Städten und noch viele andere Umstände wirken auf die Höhe der Rente ein. Schon diese Gründe würden genügen, die Ungenauigkeit eines auf die Rente basierten Katasters darzulegen.

Andererseits kann die Rente nicht als beständiger Maßstab für den Grad der Fruchtbarkeit eines Grundstückes dienen, da die moderne Anwendung der Chemie jeden Augenblick die Natur des Grundstückes ändern kann und da gerade heute die geologischen Kenntnisse die ganze frühere Abschätzung der relativen Fruchtbarkeit umzuwälzen beginnen: Es sind kaum zwanzig Jahre her, daß man in den östlichen Grafschaften Englands weite, bisher unbebaute Gebiete in Anbau genommen hat, weil man den Zusammenhang zwischen dem Humus und der Zusammensetzung des Untergrundes erst neuerdings schätzen gelernt hatte.

So sehen wir, wie die Geschichte, weit entfernt, in der Rente einen fertigen Kataster zu liefern, die bestehenden Kataster beständig verändert, vollständig umwälzt.

Endlich ist die Fruchtbarkeit nicht eine so bloß natürliche Eigenschaft, wie man wohl glauben könnte: sie steht in engem Zusammenhang mit den jeweiligen gesellschaftlichen Verhältnissen. Ein Grundstück kann für den Getreidebau sehr fruchtbar sein, und doch kann der Marktpreis den Bebauer bestimmen, es in künstliche Wiesen umzuwandeln und so unfruchtbarer zu machen.

Herr Proudhon hat seinen Kataster, der nicht einmal soviel wert ist wie der gewöhnliche Kataster, nur deshalb erfunden, um dem *providentiell gleichheitlichen Zweck* der Rente Realität zu verleihen.

„Die Rente", fährt Herr Proudhon fort, „ist der für ein Kapital, das niemals zugrunde geht, nämlich den Boden, gezahlte Zins. Und wie dieses Kapital keiner Vergrößerung, was die Materie anbelangt, fähig ist, sondern lediglich einer unbegrenzten Verbesserung in der Verwendung, so kommt es, daß, während der Zins oder der Profit vom Darlehen *(mutuum)* infolge des Überflusses an Kapitalien beständig zu fallen strebt, die Rente infolge der Vervollkommnung der Industrie und der von ihr bewirkten Verbesserung der Bodenbewirtschaftung beständig zu steigen strebt... Dies ist, ihrem Wesen nach, die Rente." (Bd. II, S. 265.)

Hier sieht Herr Proudhon in der Rente alle Eigentümlichkeiten des Zinses, ausgenommen daß sie einem Kapital spezieller Art entstammt. Dieses Kapital ist die Erde, ewiges Kapital, „das keiner Vergrößerung, was die Materie anbelangt, fähig ist, sondern lediglich einer unbegrenzten Verbesserung in der Verwendung". In dem fortschreitenden Verlauf der Zivilisation hat der Zins eine beständige Tendenz zum Fallen, während die Rente beständig zum Steigen strebt. Der Zins fällt wegen des Überflusses an Kapitalien; die Rente steigt mit der Vervollkommnung der Technik, die zur Folge hat eine stets bessere Ausnutzung des Bodens.

Das ist ihrem Wesen nach die Meinung des Herrn Proudhon.

Untersuchen wir zunächst, inwieweit es richtig ist, daß die Rente der Zins eines Kapitals ist.

Für den Grundbesitzer selbst repräsentiert die Rente den Zins des Kapitals, welches ihn das Grundstück gekostet hat oder welches er beim Verkauf desselben bekäme. Aber beim Kauf oder Verkauf des Grundstückes kauft oder verkauft er nur die Rente. Der Preis, den er anlegt, um die Rente zu erwerben, regelt sich nach dem allgemeinen Zinsfuß und hat nichts mit der Natur der Rente als solcher zu tun. Der Zins der in Grundstücken angelegten Kapitalien ist im allgemeinen niedriger als der Zins der im Handel oder der Industrie angelegten Kapitalien. So sinkt für denjenigen, der den Zins, den das Grundstück für den Eigentümer darstellt, nicht von der Rente selbst unterscheidet, der Zins für das im Boden angelegte Kapital noch mehr als der Zins der anderen Kapitalien. Aber es handelt sich nicht um den Kauf- oder Verkaufspreis, um den Marktwert der Rente, um die kapitalisierte Rente, sondern um die Rente selbst.

Die Pacht kann außer der eigentlichen Rente noch den Zins für das in den Boden gesteckte Kapital enthalten. Dann empfängt der Grundbesitzer diesen Teil der Pacht nicht als Grundbesitzer, sondern als Kapitalist; das ist indes nicht die eigentliche Rente, von der wir zu sprechen haben.

Solange der Boden nicht als Produktionsmittel ausgenutzt wird, solange ist er nicht Kapital. Die Bodenkapitalien können ebensogut vermehrt werden wie die anderen Produktionsmittel. Man fügt, um mit Herrn Proudhon zu reden, nichts der Materie hinzu, aber man vermehrt die Grundstücke, die als Produktionsmittel dienen. Man braucht nur in bereits in Produktionsmittel verwandelte Grundstücke weitere Kapitalanlagen hineinzustecken, um das Bodenkapital zu vermehren, ohne etwas an dem Bodenstoff, das heißt der Ausdehnung des Bodens hinzuzufügen. Der Bodenstoff des Herrn Proudhon ist der Boden in seiner Begrenztheit. Was die Ewigkeit anbetrifft, die er dem Boden beilegt, so haben wir nichts dagegen, daß er diese Eigenschaft als

Materie hat. Das Bodenkapital ist ebensowenig ewig wie jedes andere Kapital.

Gold und Silber, die Zins abwerfen, sind ebenso dauerhaft und ewig wie der Boden. Wenn der Preis von Gold und Silber sinkt, während der des Bodens steigt, so kommt das sicherlich nicht von seiner mehr oder weniger ewigen Natur her.

Das Bodenkapital ist ein fixes Kapital, aber das fixe Kapital nutzt sich ebensogut ab wie die zirkulierenden Kapitalien. Die Meliorationen des Bodens bedürfen der Reproduktion und der Erhaltung. Sie dauern nur eine bestimmte Zeit wie alle anderen Verbesserungen, die dazu dienen, den Naturstoff in Produktionsmittel umzuwandeln. Wäre das Bodenkapital ewig, so würden gewisse Gebiete einen ganz anderen Anblick darbieten als es heute der Fall. Die römische Campagna, Sizilien, Palästina würden sich im ganzen Glanze ihrer ehemaligen Üppigkeit zeigen.

Es gibt sogar Fälle, wo das Bodenkapital verschwinden kann, selbst wenn die Bodenverbesserungen bleiben.

Erstens geschieht das stets, wenn die eigentliche Rente durch die Konkurrenz neuer, fruchtbarerer[1] Ländereien verschwindet; ferner verlieren die Verbesserungen, welche in einer gewissen Epoche einen Wert haben, denselben von dem Augenblick an, wo sie infolge der Entwicklung der Agronomie allgemein geworden sind.

Der Repräsentant des Bodenkapitals ist nicht der Grundbesitzer, sondern der Pächter. Der Ertrag, den der Boden als Kapital ergibt, ist der Zins und der Unternehmergewinn und nicht die Rente. Es gibt Ländereien, welche diesen Zins und Gewinn tragen, aber keine Rente abwerfen.

Alles in allem ist der Boden, insoweit er Zins abwirft, Bodenkapital, und als Bodenkapital gibt er keine Rente, macht er nicht den Grundbesitz aus. Die Rente resultiert aus den gesellschaftlichen Verhältnissen, unter denen der Ackerbau vor sich geht. Sie kann nicht Folge sein der mehr oder minder handfesten, mehr oder minder dauerhaften Natur des Bodens. Die Rente entstammt der Gesellschaft und nicht dem Boden.

Nach Herrn Proudhon ist die „Verbesserung der Bewirtschaftung des Bodens" – die Folge „der Vervollkommnung der Technik" – die Ursache des beständigen Steigens der Rente. Diese Verbesserung macht sie im Gegenteil zeitweise fallen.

Worin besteht im allgemeinen jede Verbesserung, sei es im Ackerbau, sei es in der Industrie? Darin, mit derselben Arbeit mehr, mit weniger Arbeit

[1] *(1847)* de ... plus fertiles [fruchtbarerer]; *(1885, 1892* u. *1895)* fruchtbarer

ebensoviel oder sogar mehr zu produzieren. Dank diesen Verbesserungen braucht der Pächter nicht eine größere Menge von Arbeit für ein verhältnismäßig geringes Produkt aufzuwenden. Er braucht nicht zu schlechterem Boden seine Zuflucht zu nehmen, und die in denselben Acker nach und nach hineingesteckten Kapitalbeträge bleiben gleich produktiv. Somit sind diese Verbesserungen, weit entfernt, die Rente, wie Herr Proudhon sagt, beständig steigen zu machen, im Gegenteil ebenso viele zeitweilige Hindernisse ihres Steigens.

Die englischen Grundbesitzer des 17. Jahrhunderts merkten das so gut, daß sie sich gegen den Fortschritt der Agrikultur sträubten, aus Furcht, ihr Einkommen verringert zu sehen. (*Siehe* Petty, englischer Ökonom aus der Zeit Karls II.[73])

§ 5. Strikes und Arbeiterkoalitionen

„Jedes Steigen der Löhne kann keine andere Wirkung haben als ein Steigen der Preise des Getreides, des Weines etc.: die Wirkung einer Teuerung. Denn was ist der Lohn? Er ist der Kostenpreis des Getreides etc.; er ist der volle Preis jeder Sache. Gehen wir noch weiter. Der Lohn ist die Proportionalität der Elemente, die den Reichtum bilden und die täglich von der Masse der Arbeiter reproduktiv verzehrt werden. Nun, den Lohn verdoppeln ... heißt also, jedem Produzenten einen größern Anteil als sein Produkt zukommen lassen, was ein Widerspruch ist; und wenn die Steigerung nur auf eine kleine Zahl von Industrien sich erstreckt, so heißt es, eine allgemeine Störung im Austausch, mit einem Wort, eine *Teuerung* hervorrufen ... Es ist unmöglich, erkläre ich, daß Arbeitseinstellungen, die Lohnerhöhung zur Folge haben, nicht auf eine *allgemeine Preissteigerung* hinauslaufen: Das ist ebenso sicher, wie daß zwei mal zwei vier ist." (Proudhon, Bd. I, S. 110 u. 111.)

Wir bestreiten alle diese Behauptungen, ausgenommen die, daß zwei mal zwei vier ist.

Erstens gibt es keine *allgemeine Verteuerung*. Wenn der Preis aller Dinge gleichzeitig mit dem Lohne um das Doppelte steigt, so ist das keine Veränderung in den Preisen, sondern eine Veränderung in den Ausdrücken.

Ferner kann eine allgemeine Steigerung der Löhne niemals eine mehr oder minder allgemeine Verteuerung der Waren herbeiführen. In der Tat, wenn alle Industrien die gleiche Anzahl Arbeiter im Verhältnis zum fixen Kapital (zu den Werkzeugen, die sie verwenden) beschäftigten, so würde eine allgemeine Steigerung der Löhne ein allgemeines Sinken der Profite bewirken und der Marktpreis der Waren keine Veränderung erleiden.

Da indes das Verhältnis der Handarbeit zum fixen Kapital in den verschiedenen Industrien ungleich ist, werden alle Industriezweige, welche ein verhältnismäßig größeres fixes Kapital und weniger Arbeiter verwenden, früher oder später gezwungen sein, den Preis ihrer Waren herabzusetzen. Im entgegengesetzten Fall, wenn der Preis ihrer Ware nicht fällt, wird sich ihr Profit über den durchschnittlichen Profitsatz erheben. Die Maschinen sind keine Lohnempfänger. Das allgemeine Steigen der Löhne wird somit die Industrien weniger treffen, welche im Verhältnis zu den anderen mehr Maschinen als Arbeiter verwenden. Da indes die Konkurrenz stets die Tendenz hat, die Profite auszugleichen, können Profite, die sich über den Durchschnittssatz erheben, nur vorübergehend sein. So wird, von einigen Schwankungen abgesehen, ein allgemeines Steigen der Löhne, anstatt nach Herrn Proudhon einer allgemeinen Verteuerung, vielmehr ein teilweises Sinken der Preise zur Folge haben, das heißt ein Sinken des Marktpreises der Waren, die vorzugsweise mit Hilfe von Maschinen hergestellt werden.

Das Steigen und Fallen des Profits und der Löhne drücken nur das Verhältnis aus, in welchem Kapitalisten und Arbeiter an dem Produkt eines Arbeitstages teilnehmen, ohne in den meisten Fällen den Preis des Produkts zu beeinflussen. Daß aber „Arbeitseinstellungen, die Lohnerhöhung zur Folge haben, auf eine allgemeine Preissteigerung, sogar auf eine Teuerung, hinauslaufen“ [I, S. 111] – sind Ideen, die nur dem Hirn eines unverstandenen Poeten entspringen können.

In England sind die Strikes regelmäßig Veranlassung zur Erfindung und Anwendung neuer Maschinen gewesen. Die Maschinen waren, man darf es behaupten, die Waffe, welche die Kapitalisten anwendeten, um die Revolte der Geschick erfordernden Arbeit niederzuschlagen. Die *self-acting mule*[64], die größte Erfindung der modernen Industrie, schlug die rebellischen Spinner aus dem Felde. Hätten Gewerkschaften[1] und Strikes keine andere Wirkung als die, mechanische Erfindungen gegen sich wachzurufen, schon dadurch hätten sie einen ungeheuren Einfluß auf die Entwicklung der Industrie ausgeübt.

„Ich finde“, fährt Herr Proudhon fort, „in einem von Herrn Léon Faucher ... im September 1845 veröffentlichten Artikel[74], daß die englischen Arbeiter seit einiger Zeit sich weniger mit *Koalitionen* abgeben – sicherlich ein Fortschritt, zu dem man ihnen nur Glück wünschen kann –, daß jedoch diese Besserung in der Moral der Arbeiter vorzugsweise ihrer wirtschaftlichen Bildung entstammt. Nicht von den Fabrikanten, rief auf einem Meeting in Bolton ein Spinnereiarbeiter aus, hängen die Löhne ab; in den Zeiten schlechten Geschäftsganges sind die Meister sozusagen nur die Peitsche, deren sich die Notwendigkeit bedient, und ob sie es wollen oder nicht, sie

[1] *(1847)* coalitions [Koalitionen]

müssen zuschlagen. Das regulierende Prinzip ist das Verhältnis von Angebot und Nachfrage, und die Meister besitzen nicht die Macht... ‚A la bonne heure[1]‘“, ruft Herr Proudhon aus, „das sind einmal wohlerzogene Arbeiter, Musterarbeiter etc. etc. etc.“ „Dieses Elend fehlte England noch: Es wird den Kanal nicht überschreiten.“ (Proudhon, Bd. I, S. 261 u. 262.)

Von allen Städten Englands ist Bolton diejenige, wo der Radikalismus am meisten entwickelt ist. Die Arbeiter von Bolton sind bekannt als so revolutionär, wie es nur irgend möglich. Während der großen Agitation gegen die Kornzölle[75] glaubten die englischen Fabrikanten, den Grundbesitzern nur dadurch die Spitze bieten zu können, daß sie die Arbeiter ins Feld führten. Aber die Interessen der Arbeiter waren denen der Fabrikanten nicht minder entgegengesetzt als die Interessen der Fabrikanten denen der Grundbesitzer, und so mußten natürlich die Fabrikanten in den Arbeitermeetings stets unterliegen. Was taten sie daher? Um den Schein zu retten, organisierten sie Meetings, bestehend zum großen Teil aus Werkführern, aus der kleinen Anzahl der ihnen ergebenen Arbeiter und aus den eigentlichen *Freunden des Handels* selbst. Wenn dann die wirklichen Arbeiter daran teilzunehmen versuchten, wie in Bolton und Manchester, um gegen diese künstlichen Demonstrationen zu protestieren, verbot man ihnen den Eintritt mit der Erklärung, es sei ein *ticket-meeting*. Man versteht darunter Versammlungen, wo nur Personen zugelassen werden, die mit Einlaßkarten versehen sind. Nichtsdestoweniger hatten die Maueranschläge öffentliche Meetings angekündigt. Jedesmal, wenn ein solches Meeting stattgefunden, brachten die Fabrikantenblätter einen pomphaften, detaillierten Bericht über die auf demselben gehaltenen Reden. Selbstverständlich waren es die Werkführer, die diese Reden verübt. Die Londoner Zeitungen reproduzierten sie wörtlich. Herrn Proudhon passiert das Malheur, die Werkführer für gewöhnliche Arbeiter zu halten, und er verbietet ihnen ausdrücklich, den Kanal zu überschreiten.

Wenn in den Jahren 1844 und 1845 die Strikes weniger die Blicke auf sich lenkten als früher, so kommt das daher, daß dies die ersten Prosperitätsjahre für die englische Industrie seit 1837 waren. Nichtsdestoweniger hat sich keine einzige der *Gewerkschaften* aufgelöst.

Hören wir nunmehr die Werkführer von Bolton. Nach ihnen sind die Fabrikanten nicht Herren des Lohnes, weil sie nicht Herren des Preises der Produkte sind, und sie sind nicht Herren des Preises der Produkte, weil sie nicht Herren des Weltmarktes sind. Aus diesem Grunde, geben sie zu ver-

[1] Alle Achtung

stehen, soll man keine Koalitionen machen, die den Zweck haben, den Meistern[1] eine Lohnerhöhung abzuzwingen. Herr Proudhon hingegen verbietet ihnen die Koalitionen aus Furcht, daß eine Koalition ein Steigen der Löhne zur Folge habe, das eine allgemeine Teuerung mit sich bringen würde. Wir brauchen nicht hervorzuheben, daß in einem Punkte die Werkführer und Herr Proudhon ein Herz und eine Seele sind: darin, daß ein Steigen der Löhne dem Steigen der Produkte[2] gleichkommt.

Aber ist die Furcht vor einer Teuerung die wirkliche Ursache des Hasses des Herrn Proudhon? Nein. Er ist auf die Werkführer von Bolton bloß deshalb ungehalten, weil sie den Wert durch *Angebot und Nachfrage* bestimmen und sich nicht um den *konstituierten Wert* kümmern, um den zu seiner Konstituierung gelangten Wert, um die Konstituierung des Wertes, die in sich begreift die *beständige Austauschbarkeit* und alle anderen *Proportionalitäten der Verhältnisse* und *Verhältnisse der Proportionalitäten*, mit der Vorsehung obendrein in den Kauf.

„Der Strike der Arbeiter ist illegal, und es ist nicht nur das Strafgesetzbuch, welches das verkündet, sondern auch das ökonomische System, die Notwendigkeit der bestehenden Ordnung... Daß jeder einzelne Arbeiter freie Verfügung über seine Person und seinen Arm hat, kann geduldet werden; aber daß die Arbeiter mittelst Koalitionen dem Monopol Gewalt anzutun sich erfrechen, kann die Gesellschaft nicht zugeben." (Bd. I, S. 334 u. 335.)

Herr Proudhon will uns einen Artikel des Strafgesetzbuches als ein allgemeines und notwendiges Resultat der Verhältnisse der bürgerlichen Produktion auftischen.

In England sind die Koalitionen durch eine Parlamentsakte autorisiert, und es war das ökonomische System, welches das Parlament gezwungen hat, diese Autorisierung von Gesetzes wegen zu verkünden. Als im Jahre 1825 das Parlament unter dem Minister Huskisson die Gesetzgebung abändern mußte, um sie mehr und mehr mit einem aus der freien Konkurrenz hervorgegangenen Zustand der Dinge in Einklang zu setzen, mußte es notwendig alle Gesetze abschaffen, welche die Koalitionen der Arbeiter verboten. Je mehr die moderne Industrie und die Konkurrenz sich entwickeln, desto mehr Elemente treten auf, welche die Koalitionen hervorrufen und fördern; sobald die Koalitionen eine ökonomische Tatsache geworden sind, von Tag zu Tag an Bestand gewinnend, kann es nicht lange dauern, bis sie auch eine gesetzliche Tatsache werden.

[1] *(1847)* aux maîtres [den Meistern], hier im Sinne von: Fabrikherren – [2] *(1847)* à une hausse dans le prix des produits [dem Steigen des Preises der Produkte]

Somit beweist der Artikel des Code pénal[1] höchstens, daß die moderne Industrie und die Konkurrenz unter der Konstituante und dem Kaiserreich noch nicht genügend entwickelt waren[76].

Die Ökonomen und die Sozialisten* sind über einen einzigen Punkt einig: die *Koalitionen* zu verurteilen. Nur motivieren sie ihre Verurteilung verschieden.

Die Ökonomen sagen zu den Arbeitern: Koaliert euch nicht. Indem ihr euch koaliert, hemmt ihr den regelmäßigen Gang der Industrie, verhindert ihr die Fabrikanten, den Bestellungen nachzukommen, stört ihr den Handel und beschleunigt das Eindringen der Maschinen, die eure Arbeit zum Teil überflüssig machen und dadurch euch zwingen, einen noch niedrigeren Lohn zu akzeptieren. Übrigens ist euer Tun umsonst; euer Lohn wird stets durch das Verhältnis der gesuchten Hände zu den angebotenen Händen bestimmt werden. Und es ist ein ebenso lächerliches wie gefährliches Beginnen, euch gegen die ewigen Gesetze der politischen Ökonomie aufzulehnen.

Die Sozialisten sagen zu den Arbeitern: Koaliert euch nicht, denn was werdet ihr schließlich dabei gewinnen? Eine Lohnsteigerung? Die Ökonomen werden euch bis zur Evidenz beweisen, daß auf den Gewinn von wenigen Pfennigen, den ihr günstigenfalls dabei für eine kurze Zeit erzielen könnt, ein dauernder Rückschlag folgen wird. Geschickte Rechner werden euch beweisen, daß ihr Jahre braucht, um mittelst der Lohnerhöhung nur die Kosten herauszuschlagen, die ihr zur Organisation und Erhaltung der Koalitionen ausgeben mußtet. Wir, in unserer Eigenschaft als Sozialisten, sagen euch, daß, abgesehen von dieser Geldfrage, ihr darum nicht minder die Arbeiter sein werdet, wie die Meister stets die Meister bleiben, nach wie vor. Darum keine Koalitionen, keine Politik; denn sich koalieren, heißt das nicht Politik treiben?

Die Ökonomen wollen, daß die Arbeiter in der Gesellschaft bleiben, wie dieselbe sich gestaltet hat und wie sie sie in ihren Handbüchern gezeichnet und besiegelt haben.

Die Sozialisten wollen, daß sie die alte Gesellschaft beiseite lassen, um desto besser in die neue Gesellschaft eintreten zu können, die sie ihnen mit so vieler Vorsorge ausgearbeitet haben.

Trotz beider, trotz Handbücher und Utopien, haben die Arbeiterkoalitionen keinen Augenblick aufgehört, mit der Entwicklung und der Zunahme

* Das heißt: die damaligen, die Fourieristen in Frankreich, die Owenisten in England. *F.E.*

[1] (Französisches) Strafgesetzbuch

der modernen Industrie sich zu entwickeln und zu wachsen. Das ist heute so sehr der Fall, daß der Entwicklungsgrad der Koalitionen in einem Lande genau den Rang bezeichnet, den dasselbe in der Hierarchie des Weltmarktes einnimmt. England, wo die Industrie am höchsten entwickelt ist, besitzt die umfangreichsten und bestorganisierten Koalitionen.

In England hat man sich nicht auf partielle Koalitionen beschränkt, die keinen anderen Zweck hatten als einen augenblicklichen Strike und mit demselben wieder verschwanden. Man hat dauernde Koalitionen geschaffen, *trades unions*[1], die den Arbeitern in ihren Kämpfen mit den Unternehmern als Schutzwehr dienen. Und gegenwärtig finden alle diese lokalen *trades unions* einen Sammelpunkt in der *National Association of United Trades*[77], deren Zentralkomitee in London sitzt und die bereits 80000 Mitglieder zählt. Diese Strikes, Koalitionen und *trades unions* traten ins Leben gleichzeitig mit den politischen Kämpfen der Arbeiter, die gegenwärtig unter dem Namen der *Chartisten*[78] eine große politische Partei bilden.

Die ersten Versuche der Arbeiter, *sich* untereinander *zu assoziieren*, nehmen stets die Form von Koalitionen an.

Die Großindustrie bringt eine Menge einander unbekannter Leute an einem Ort zusammen. Die Konkurrenz spaltet sie in ihren Interessen; aber die Aufrechterhaltung des Lohnes, dieses gemeinsame Interesse gegenüber ihrem Meister, vereinigt sie in einem gemeinsamen Gedanken des Widerstandes – *Koalition*. So hat die Koalition stets einen doppelten Zweck, den, die Konkurrenz der Arbeiter unter sich aufzuheben, um dem Kapitalisten eine allgemeine Konkurrenz machen zu können. Wenn der erste Zweck des Widerstandes nur die Aufrechterhaltung der Löhne war, so formieren sich die anfangs isolierten Koalitionen in dem Maß, wie die Kapitalisten ihrerseits sich behufs der Repression vereinigen zu Gruppen, und gegenüber dem stets vereinigten Kapital wird die Aufrechterhaltung der Assoziationen notwendiger für sie als die des Lohnes. Das ist so wahr, daß die englischen Ökonomen ganz erstaunt sind zu sehen, wie die Arbeiter einen großen Teil ihres Lohnes zugunsten von Assoziationen opfern, die in den Augen der Ökonomen nur zugunsten des Lohnes errichtet wurden. In diesem Kampfe – ein veritabler Bürgerkrieg – vereinigen und entwickeln sich alle Elemente für eine kommende Schlacht. Einmal auf diesem Punkte angelangt, nimmt die Koalition einen politischen Charakter an.

Die ökonomischen Verhältnisse haben zuerst die Masse der Bevölkerung in Arbeiter verwandelt. Die Herrschaft des Kapitals hat für diese Masse eine

---

[1] *Gewerkschaften*

gemeinsame Situation, gemeinsame Interessen geschaffen. So ist diese Masse bereits eine Klasse gegenüber dem Kapital, aber noch nicht für sich selbst. In dem Kampf, den wir nur in einigen Phasen gekennzeichnet haben, findet sich diese Masse zusammen, konstituiert sie sich als Klasse für sich selbst. Die Interessen, welche sie verteidigt, werden Klasseninteressen. Aber der Kampf von Klasse gegen Klasse ist ein politischer Kampf.

Mit Bezug auf die Bourgeoisie haben wir zwei Phasen zu unterscheiden: die, während derer sie sich unter der Herrschaft des Feudalismus und der absoluten Monarchie als Klasse konstituierte, und die, wo sie, bereits als Klasse konstituiert, die Feudalherrschaft und die Monarchie umstürzte, um die Gesellschaft zu einer Bourgeoisgesellschaft zu gestalten. Die erste dieser Phasen war die längere und erforderte die größeren Anstrengungen. Auch das Bürgertum hatte mit partiellen Koalitionen gegen die Feudalherrn begonnen.

Man hat viel Untersuchungen angestellt, um den verschiedenen historischen Phasen nachzuspüren, welche die Bourgeoisie von der Stadtgemeinde an bis zu ihrer Konstituierung als Klasse durchlaufen hat.

Aber wenn es sich darum handelt, sich genau Rechenschaft abzulegen über die Strikes, Koalitionen und die anderen Formen, unter welchen die Proletarier vor unseren Augen ihre Organisation als Klasse vollziehen, so werden die einen von einer wirklichen Furcht befallen, während die anderen eine *transzendentale* Geringschätzung an den Tag legen.

Eine unterdrückte Klasse ist die Lebensbedingung jeder auf den Klassengegensatz begründeten Gesellschaft. Die Befreiung der unterdrückten Klasse schließt also notwendigerweise die Schaffung einer neuen Gesellschaft ein. Soll die unterdrückte Klasse sich befreien können, so muß eine Stufe erreicht sein, auf der die bereits erworbenen Produktivkräfte und die geltenden gesellschaftlichen Einrichtungen nicht mehr nebeneinander bestehen können. Von allen Produktionsinstrumenten ist die größte Produktivkraft[79] die revolutionäre Klasse selbst. Die Organisation der revolutionären Elemente als Klasse setzt die fertige Existenz aller Produktivkräfte voraus, die sich überhaupt im Schoß der alten Gesellschaft entfalten konnten.

Heißt dies, daß es nach dem Sturz der alten Gesellschaft eine neue Klassenherrschaft geben wird, die in einer neuen politischen Gewalt gipfelt? Nein.

Die Bedingung der Befreiung der arbeitenden Klasse ist die Abschaffung jeder Klasse, wie die Bedingung der Befreiung des dritten Standes, der bürgerlichen Ordnung, die Abschaffung aller Stände* war.

---

* Stände hier im historischen Sinn der Stände des Feudalstaats, Stände mit bestimmten und begrenzten Vorrechten. Die Revolution der Bourgeoisie schaffte die

Die arbeitende Klasse wird im Laufe der Entwicklung an die Stelle der alten bürgerlichen Gesellschaft eine Assoziation setzen, welche die Klassen und ihren Gegensatz ausschließt, und es wird keine eigentliche politische Gewalt mehr geben, weil gerade die politische Gewalt der offizielle Ausdruck des Klassengegensatzes innerhalb der bürgerlichen Gesellschaft ist.

Inzwischen ist der Gegensatz zwischen Proletariat und Bourgeoisie ein Kampf von Klasse gegen Klasse, ein Kampf, der, auf seinen höchsten Ausdruck gebracht, eine totale Revolution bedeutet. Braucht man sich übrigens zu wundern, daß eine auf den Klassen*gegensatz* begründete Gesellschaft auf den brutalen *Widerspruch* hinausläuft, auf den Zusammenstoß Mann gegen Mann als letzte Lösung?

Man sage nicht, daß die gesellschaftliche Bewegung die politische ausschließt. Es gibt keine politische Bewegung, die nicht gleichzeitig auch eine gesellschaftliche wäre.

Nur bei einer Ordnung der Dinge, wo es keine Klassen und keinen Klassengegensatz gibt, werden die *gesellschaftlichen Evolutionen* aufhören, *politische Revolutionen* zu sein. Bis dahin wird am Vorabend jeder allgemeinen Neugestaltung der Gesellschaft das letzte Wort der sozialen Wissenschaft stets lauten:

> „Kampf oder Tod; blutiger Krieg oder das Nichts. So ist die Frage unerbittlich gestellt.“[81]
>
> George Sand

Stände samt ihren Vorrechten ab. Die bürgerliche Gesellschaft kennt nur noch *Klassen*. Es war daher durchaus im Widerspruch mit der Geschichte, wenn das Proletariat als „vierter Stand“[80] bezeichnet worden ist. *F.E.*

[Friedrich Engels]

Der Niedergang und der nahende Sturz von Guizot – Die Stellung der französischen Bourgeoisie

[„The Northern Star"
Nr. 506 vom 3. Juli 1847]

Die englische Bühne täte besser daran, *„The School for Scandal"*[82] vom Spielplan abzusetzen, denn die größte Schule dieser Art ist tatsächlich in Paris, in der Kammer der Deputierten errichtet worden. Die Menge an skandalösem Tatsachenmaterial, das dort während der letzten vier oder fünf Wochen gesammelt und vorgebracht wurde, ist wahrlich in den Annalen parlamentarischer Diskussion ohne Beispiel. Ich erinnere an die Inschrift, die Herr Duncombe einstmals für Ihr ruhmreiches Unterhaus vorschlug: *„Die würdelosesten und schändlichsten Dinge geschehen innerhalb dieser Mauern."* Hier haben Sie also ein Gegenstück zu Ihrer Sippschaft von Bourgeoisgesetzgebern; hier geschehen Dinge, deren sich sogar die britischen Gauner schämen würden. Die Ehre des guten alten Englands ist gerettet; Mister Roebuck ist von Monsieur de Girardin übertroffen worden; Sir James Graham wurde von Monsieur Duchâtel geschlagen.

Ich werde mir nicht die Mühe machen, Ihnen die ganze Liste der Skandalaffären zu unterbreiten, die hier in den letzten Wochen aufgedeckt wurden; ich werde kein Wort über die vielen Fälle von Bestechungen verlieren, die vor den Richter gebracht wurden; kein Wort über Herrn Gudin, den Ordonnanzoffizier des Königs, der, nicht ganz ungeschickt, den Versuch unternahm, die Gewohnheiten der Hochstaplerwelt in die Tuilerien einzuführen; ich werde Ihnen keinen weitschweifigen Bericht über die schmutzige Affäre des Generals Cubières, Pair von Frankreich, ehemals Kriegsminister, geben, der unter dem Vorwand, die Genehmigung der Regierung zur Bildung einer Bergwerksgesellschaft zu erkaufen, besagte Gesellschaft um 40 Aktien prellte, die er kaltblütig in die eigene Tasche steckte, weshalb er sich nun vor der Pairskammer zu verantworten hat. Nein, ich will Ihnen nur einige kleine Kostproben – einige wenige Beispiele aus zwei oder drei Sitzungen der Deputiertenkammer geben, die es Ihnen ermöglichen werden, die übrigen zu beurteilen.

Herr Emile de Girardin, Deputierter und Herausgeber der Tageszeitung „*La Presse*", der in beiden Eigenschaften die neue Partei der *Progressiven Konservativen* unterstützt und seit geraumer Zeit einer der heftigsten Gegner der Regierung ist (die er bis vor kurzem noch unterstützt hatte), ist ein Mann von großer Begabung und großer Aktivität, aber ohne Grundsätze. Seit Beginn seiner politischen Karriere wandte er ohne Zögern alle Mittel an, um sich zu einer bedeutenden Persönlichkeit des öffentlichen Lebens zu machen. Er war es, der Armand Carell, den berühmten Herausgeber des „*National*", zum Duell zwang und erschoß, wodurch er sich von einem gefährlichen Konkurrenten befreite. Die Unterstützung eines solchen Mannes, Besitzer einer einflußreichen Zeitung und Mitglied der Deputiertenkammer, war natürlich für die Regierung von großer Bedeutung; aber Herr de Girardin verkaufte seine Unterstützung (denn er *verkaufte* sie immer) zu einem sehr hohen Preis. Eine Anzahl Geschäfte wurden zwischen Herrn de Girardin und der Regierung abgewickelt, jedoch nicht immer zur vollen Zufriedenheit beider Parteien. Inzwischen bereitete sich Herr de Girardin auf jede mögliche Wendung der Dinge vor. Da er die Wahrscheinlichkeit eines Bruchs mit dem Guizot-Kabinett voraussah, sammelte er Berichte von Skandalaffären, Bestechungen und Schachereien, die er in seiner Stellung am besten in Erfahrung bringen konnte und die ihm seine hochgestellten Freunde und Agenten hinterbrachten. Der Verlauf der Parteidiskussionen in dieser Session zeigte ihm, daß der Sturz von Guizot und Duchâtel näherrückt. Er war eine der Hauptpersonen bei der Gründung der neuen Partei der „Progressiven Konservativen" und drohte der Regierung zu wiederholten Malen mit der ganzen Schwere seines Zornes, wenn sie auf ihrem Kurs beharre. Herr Guizot wies mit ziemlich verächtlichen Ausdrücken jeden Kompromiß mit der neuen Partei zurück. Diese sonderte sich von der Mehrheit ab und beunruhigte die Regierung durch ihre Opposition. Finanz- und andere Diskussionen in der Kammer brachten so viel Skandal ans Tageslicht, daß die Herren Guizot und Duchâtel gezwungen waren, mehrere ihrer Kollegen über Bord zu werfen, um sich selbst zu retten. Die freien Sitze wurden jedoch mit so unbedeutenden Männern besetzt, daß keine Partei zufrieden und das Ministerium eher geschwächt als gestärkt war. Dann kam die Affäre Cubières, die selbst bei der Mehrheit einige Zweifel aufkommen ließ hinsichtlich der Möglichkeit, Herrn Guizot im Amt zu belassen. Jetzt endlich, als er das Kabinett völlig zerrüttet und geschwächt sah, hielt Herr de Girardin den Augenblick für gekommen, an dem er seine Pandorabüchse[83] des Skandals hervorholen und den Sturz einer wankenden Regierung durch Enthüllungen erreichen könne, die geeignet waren, sogar den Glauben des „BELLY“[84] der Kammer zu erschüttern.

Er begann damit, daß er die Regierung beschuldigte, eine Pairswürde für 80000 Francs verkauft, aber das Versprechen nicht gehalten zu haben, nachdem sie bereits das Geld eingesteckt hatte! Die Pairskammer fühlte sich durch diese in der Zeitung *„La Presse“* veröffentlichte Behauptung beleidigt und bat die Deputierten um Erlaubnis, Herrn de Girardin vor ihren Richtertisch zu bringen. Diese Forderung führte eine Diskussion in der Deputiertenkammer herbei, in deren Verlauf Herr de Girardin seine Behauptung völlig aufrechterhielt und erklärte, im Besitze von Beweisen zu sein; er lehne es aber ab, irgendwelche Namen zu nennen, da er nicht die Rolle eines *Denunzianten* spielen wolle. Jedenfalls, so sagte er, habe er die Angelegenheit persönlich dreimal Herrn Guizot gegenüber erwähnt, der den Tatbestand nie abgestritten. Auch mit Herrn Duchâtel habe er einmal darüber gesprochen und folgende Antwort erhalten: „Es geschah während meiner Abwesenheit, und später mißbilligte ich die Sache; Herr Guizot hat es getan.“ Das Ganze wurde von Herrn Duchâtel rundweg abgeleugnet. „Nun wohl“, sagte Herr de Girardin, „ich werde Ihnen den Beweis liefern, daß es durchaus zu den Gepflogenheiten der Regierung gehört, solche Geschäfte vorzuschlagen“, und er verlas einen Brief von General Alexander de Girardin (wie ich glaube, der Vater von Herrn Emile de Girardin; letzterer ist ein illegitimes Kind) an den König. Dieser Brief drückte die Dankbarkeit des Generals de Girardin aus für das Angebot einer Pairswürde, das man ihm gemacht hatte; er besagte jedoch gleichzeitig, daß Herr Guizot später die Bedingung stellte, daß er (General de G[irardin]), seinen Einfluß auf Herrn Emile de G[irardin] geltend machen solle, um ihn von der Opposition gegen die Regierung abzubringen. An einem solchen Geschäft wollte General de G[irardin] nicht teilhaben und lehnte daher die Pairswürde ab. „Oh“, sagte Herr Duchâtel, „wenn es weiter nichts ist, so möchten wir nur erwähnen, daß uns Herr Emile de Girardin selbst das Angebot machte, seine Opposition aufzugeben, wenn wir ihn zum Pair machen würden; wir aber lehnten dieses Angebot ab.“ *Hinc illae lacrimae!*[1] Auf die in diesem Brief enthaltene Behauptung antwortete Duchâtel jedoch mit keiner Silbe. Die Kammer stimmte dann dafür, daß Herr Emile de G[irardin] den Pairs zu einem Untersuchungsverfahren überantwortet werden sollte. Er wurde verhört, hielt die Behauptung aufrecht, erklärte aber, da ja die verkauften Pairswürden nicht erwiesen seien, könne er nicht die Pairskammer, sondern nur die Regierung angegriffen haben. Er

---

[1] *Daher diese Tränen!* In übertragener Bedeutung: Das also ist der Grund!

wurde daraufhin von den Pairs *freigesprochen*. Dann holte Girardin eine andere Skandalaffäre hervor. Im vergangenen Jahr rief man eine große Zeitung, die „*Époque*", ins Leben, die die Regierung unterstützen, alle oppositionellen Zeitungen aus dem Felde schlagen und den kostspieligen Unterhalt der Zeitung von Herrn de Girardin, „*La Presse*", überflüssig machen sollte. Das Experiment schlug in einem auffallenden Maße fehl, zum Teil auch durch die Intrigen von Herrn de Girardin persönlich, der seine Hand bei jeder Angelegenheit dieser Art im Spiele hat. Jetzt, als man Herrn Duchâtel anklagte, die Presse bestochen zu haben, antwortete er, daß die Regierung niemals an irgendeine Zeitung irgendeine Geldbeihilfe gezahlt hätte. Gegenüber dieser Behauptung hielt Herr de Girardin die offenkundige Tatsache aufrecht, daß Herr Duchâtel nach vieler Bettelei von seiten der Herausgeber der „*Époque*", ihnen gesagt habe: „Nun gut, Gold und Silber habe ich nicht, aber was ich habe, das will ich Ihnen geben" –, und er gab ihnen das Privileg für ein drittes Opernhaus in Paris. Dieses Privileg verkauften die „feinen Herren" von der „*Époque*" für 100000 Francs, wovon 60000 Francs für die Unterstützung der Zeitung verwendet wurden und die restlichen 40000 Francs Gott weiß wohin wanderten. Auch das wurde von Herrn Duchâtel entschieden abgeleugnet; aber die Tatsache ist doch allgemein bekannt.

Übrigens wurden von Herrn de Girardin noch einige ähnliche Geschäfte ans Tageslicht gebracht; diese Beispiele mögen jedoch genügen.

Gestern stand Herr de Girardin in der Deputiertenkammer wieder auf und las einige Briefe vor, aus denen hervorging, daß Herr Duchâtel veranlaßt hatte, die Diskussion über die obenerwähnte Pairswürdenaffäre auf Staatskosten drucken zu lassen und allen Stadträten im Lande zu übersenden, daß aber in diesem amtlichen Bericht weder die Reden von Herrn de Girardin, noch die von Herrn Duchâtel korrekt wiedergegeben, sondern daß im Gegenteil beide zurechtfrisiert worden waren, um Herrn de Girardin als lächerlichen Verleumder und Herrn Duchâtel als den reinsten und tugendhaftesten aller Männer erscheinen zu lassen. Im Hinblick auf die Angelegenheit selbst wiederholte er alle seine Behauptungen und forderte die Regierung heraus, diese entweder durch ein parlamentarisches Komitee wiederlegen zu lassen oder ihn als Verleumder vor eine Jury zu bringen. In beiden Fällen, sagte er, sähe er sich gezwungen, die Namen der Beteiligten und alle Einzelheiten bekanntzugeben, damit er seine Anschuldigungen beweisen könne, ohne dabei die Rolle eines gemeinen Spitzels zu spielen. Das erregte allgemeinen Aufruhr in der Kammer. Herr Duchâtel lehnte ab; Herr de Girardin wiederholte seine Forderung; Herr Duchâtel lehnte wieder ab; Herr de Girardin wiederholte seine Forderung noch einmal, und so weiter; das Ganze wurde begleitet von den Rufen und Gegenrufen der „Chöre" der Kammer. Andere Mitglieder der Opposition forderten die Regierung erneut auf, die Angelegenheit entweder in einer parlamentarischen Untersuchung oder in einem Gerichtsverfahren zu klären. Schließlich sagte Herr Duchâtel:

„Eine parlamentarische Untersuchung, meine Herren, würde Zweifel an der Rechtschaffenheit der Regierung von seiten der Majorität voraussetzen; deshalb würden an dem Tag der Billigung dieser Untersuchung unsere Plätze von anderen besetzt sein; wenn Sie irgendeinen Zweifel hegen, so sagen Sie es uns offen, und wir werden sofort zurücktreten."

„Dann", sagte Herr de Girardin, „bleibt nichts weiter übrig, als ein Gerichtsverfahren. Ich bin bereit, mich einem solchen zu unterziehen. Stellen Sie mich vor eine Jury, wenn Sie es wagen."

„Nein", entgegnete Herr Hébert, der Justizminister, „das werden wir nicht tun, denn die Mehrheit der Kammer wird urteilen."

„Aber", wandte Herr Odilon Barrot ein, „das hier ist keine politische Frage; es ist eine *juristische*, und eine solche Frage unterliegt nicht unserer Kompetenz, sondern der der öffentlichen Gerichte. Wenn Herr de Girardin in seiner Zeitung die Regierung verleumdet hat, warum stellt man ihn deswegen nicht vor ein Gericht?"

„Wir wollen es nicht!"

„Gut, aber es gibt auch eine klare Anschuldigung gegen andere Beteiligte hinsichtlich des Schachers mit Pairswürden; warum bringt man diese nicht zur Sprache? Und diese Affäre mit der ‚*Époque*' und dem Opernhausprivileg – wenn Sie daran nicht beteiligt sind, wie Sie sagen, warum klagen Sie nicht die an, die an einem so schändlichen Handel beteiligt *sind*? Eindeutige Anschuldigungen und sogar Teilbeweise für dem Vernehmen nach begangene Verbrechen sind vorhanden; warum gehen die Anwälte der Krone nicht, wie es ihre Pflicht gebietet, gegen diejenigen gerichtlich vor, die dieser Verbrechen beschuldigt werden?"

„Wir erheben deshalb keine Anklage", antwortete Herr Hébert, „weil der Charakter der Behauptungen und der Charakter derer, die sie vorbringen, nicht so ist, daß die Räte der Krone diese Anschuldigungen überhaupt für begründet halten könnten!"

Alles das wurde ständig durch Zischen, Schreien, Klopfen und durch allen möglichen anderen Lärm unterbrochen. Diese unvergleichliche Sitzung, die das Kabinett Guizot bis in seine Grundfesten erschüttert hat, endete mit einer Abstimmung, aus der hervorgeht, daß es zwar möglich ist, das Vertrauen der Mehrheit zu erschüttern, nicht aber ihr Abstimmungssystem!

„Die Kammer geht, nachdem sie die Erklärungen der Regierung zur Kenntnis genommen und als *zufriedenstellend* befunden hat, zur Tagesordnung über!"

Was halten Sie davon? Was ziehen Sie vor, die Regierung oder die Mehrheit, die Deputiertenkammer Frankreichs oder Ihr Unterhaus? Monsieur

Duchâtel oder Sir James Graham? Ich darf wohl behaupten, daß es eine schwierige Wahl sein wird. Ein Unterschied ist jedoch vorhanden. Die englische Bourgeoisie hat bis zum heutigen Tage gegen eine Aristokratie zu kämpfen, die noch nicht beseitigt ist, obwohl sie sich im Zustand der Auflösung und Zersetzung befindet. Die Aristokratie Englands hat in dem einen oder anderen Teil der Bourgeoisie immer Unterstützung gefunden, und es war diese Zersplitterung der Bourgeoisie, die die Aristokratie vor dem völligen Zusammenbruch rettete. Gegenwärtig wird die Aristokratie Englands von Besitzern von Wertpapieren, Bankiers und Leuten mit garantiertem Einkommen, sowie von einem großen Teil der Schiffseigentümer im Kampf gegen die Fabrikanten unterstützt. Die ganze Bewegung für die Aufhebung der Korngesetze ist ein Beweis dafür. Deshalb wird der fortgeschrittene Teil der englischen Bourgeoisie (ich meine die Fabrikanten) nunmehr einige fortschrittliche politische Maßnahmen durchführen können, die die Aristokratie mehr und mehr zersetzen werden. Die Fabrikanten werden sogar *gezwungen* sein, so zu handeln. Sie müssen ihre Märkte erweitern, was sie nicht können ohne Senkung der Preise; dieser muß eine Senkung der Produktionskosten vorausgehen, welche in erster Linie durch Senkung der Löhne erreicht wird, und für die Senkung der Löhne gibt es kein sichereres Mittel als gesenkte Preise für die notwendigen Lebensmittel; und um das zu erreichen, bleibt ihnen kein anderes Mittel als die Senkung der Steuern. Das ist die Logik der Dinge, die die Fabrikanten Englands zwingt, die Staatskirche zu beseitigen und die Staatsschulden zu verringern, oder „auf gerechte Weise auszugleichen". Sie werden gezwungen sein, diese beiden Maßnahmen und andere in dem gleichen Sinne zu ergreifen, sobald sie herausfinden, und das müssen sie, daß der Weltmarkt nicht ausreicht, um ununterbrochen und regelmäßig ihre Produkte aufzukaufen. So hat die englische Bourgeoisie bis jetzt eine fortschrittliche Richtung eingeschlagen; sie muß eine Aristokratie und einen privilegierten Klerus stürzen; sie wird gezwungen sein, gewisse fortschrittliche Maßnahmen durchzuführen, und dazu sind die Bourgeois die richtigen und geeigneten Personen. Die französische Bourgeoisie jedoch befindet sich in einer anderen Lage. In Frankreich gibt es weder einen Geburtsadel noch einen Landadel. Die Revolution hat ihn völlig hinweggefegt. Es gibt dort auch keine privilegierte oder Staatskirche; im Gegenteil, sowohl die katholische als auch die protestantische Geistlichkeit empfangen ihre Gehälter von der Regierung und sind einander völlig gleichgestellt. In Frankreich ist kein ernster Kampf zwischen den Besitzern von Wertpapieren, Bankiers, Schiffseigentümern und den Fabrikanten möglich, weil von allen Teilen der Bourgeoisie die Besitzer von Wertpapieren und Bankiers (die gleichzeitig die

Hauptaktionäre in den Eisenbahn-, Bergwerks- und anderen Gesellschaften sind) zweifellos den stärksten Teil darstellen und – von wenigen Unterbrechungen abgesehen – seit 1830 die Zügel der Regierung in der Hand halten. Die Fabrikanten, die von der ausländischen Konkurrenz auf dem fremden Markt niedergehalten und auf ihrem eigenen bedroht werden, haben keine Chance, eine solche Stufe der Macht zu erreichen, bei der sie erfolgreich gegen Bankiers und Besitzer von Wertpapieren kämpfen könnten. Im Gegenteil, ihre Chancen werden mit jedem Jahr geringer; ihre Partei in der Deputiertenkammer, früher die Hälfte, zählt jetzt nicht mehr als ein Drittel der Deputierten. Aus alledem ergibt sich, daß weder ein einzelner Teil noch die ganze herrschende Bourgeoisie in der Lage ist, so etwas wie „Fortschritt" einzuführen, daß in Frankreich seit der Revolution von 1830 die Herrschaft der Bourgeoisie so vollkommen errichtet wurde, daß die herrschenden Klassen nichts anderes tun konnten als *sich selbst zugrunde zu richten*. Das haben sie getan. Anstatt vorwärts zu schreiten, waren sie gezwungen, rückwärts zu gehen, die Preßfreiheit einzuschränken, das Recht auf Vereins- und Versammlungsfreiheit aufzuheben und alle möglichen Ausnahmegesetze zu erlassen, um die Arbeiterklasse niederzuhalten. Und die Skandalaffären, die während der letzten Wochen zur Sprache gebracht wurden, sind der klare Beweis, daß die herrschende Bourgeoisie Frankreichs völlig entkräftet, total „verbraucht" ist.

In der Tat, die große Bourgeoisie befindet sich in einer mißlichen Lage. Sie hatte endlich in Guizot und Duchâtel die geeigneten Männer zur Führung ihrer Staatsgeschäfte gefunden. Sie hielt sie sieben Jahre im Amt und sorgte dafür, daß sie bei jeder Wahl eine immer größere Mehrheit erhielten. Und nun, da man alle Oppositionsgruppen der Kammer in den Zustand äußerster Hilflosigkeit versetzt hatte, nun, da die Tage des Ruhms von Guizot und Duchâtel gekommen schienen, gerade in diesem Augenblick deckte man in den Handlungen der Regierung viele Skandalaffären auf, die ihr Verbleiben im Amt unmöglich machen, selbst wenn sie durch die Kammern einstimmig unterstützt werden sollten. Es steht außer Zweifel, daß Guizot und Duchâtel mit ihren Mitarbeitern sehr bald zurücktreten werden; sie können sich noch einige Wochen in ihren Ministersesseln halten, aber ihr Ende steht nahe –, sehr nahe bevor. Und wer wird nach ihnen regieren? Wer weiß! Es ist möglich, daß sie mit Louis XV. sagen: „Nach mir die Sintflut, Ruin und Chaos." Thiers ist unfähig, eine Mehrheit zusammenzubringen. Molé ist ein alter verbrauchter und unbedeutender Mann, der auf alle möglichen Schwierigkeiten stoßen wird und der, um sich die Unterstützung der Mehrheit zu sichern, ähnliche skandalöse Handlungen begehen und folglich ebenso wie Guizot enden müßte. Das ist die größte Schwierigkeit. Die gegenwärtigen Wähler werden immer eine Mehrheit wählen, die der jetzt bestehenden gleicht; die gegenwärtige Mehrheit wird immer ein Ministerium wie das von Guizot und Duchâtel erfordern, das in alle möglichen Affären verwickelt ist; und jedes Kabinett, das so handelt, wird durch den bloßen Druck der öffentlichen Meinung gestürzt werden. Das ist der fehlerhafte Kreislauf, in dem sich das gegenwärtige System bewegt. Aber wie bisher fortzufahren, ist unmöglich. Was ist also zu tun? Es gibt keinen anderen Weg als den, diesen Kreislauf zu verlassen und eine Wahlreform durchzuführen; Wahlreform – das heißt Zulassung der kleinen Gewerbetreibenden zur Abstimmung, und das bedeutet in Frankreich „den Anfang vom Ende". Rothschild und Louis-Philippe wissen beide sehr wohl, daß die Zulassung der kleinen „Bourgeoisie" zur Wahlurne nichts anderes bedeutet als *„LA REPUBLIQUE!"*

Paris, den 26. Juni 1847

Aus dem Englischen.

[Karl Marx]

Der Kommunismus des „Rheinischen Beobachters"[85]

[„Deutsche-Brüsseler-Zeitung"
Nr. 73 vom 12. September 1847]

⊙ *Brüssel*, 5. September. – In Nr. 70 dieses Blattes[86] wird ein Artikel des „Rh[einischen] Beobachters" mit den Worten eingeleitet:

„Der ‚Rh[einische] B[eobachter]' predigt in Nr. 206 Kommunismus wie folgt."

Mag diese Bemerkung ironisch gemeint sein oder nicht, die Kommunisten müssen dagegen protestieren, daß der „Rheinische Beobachter" „Kommunismus" predigen könne, speziell dagegen, daß der in Nr. 70 der „D[eutschen]-B[rüsseler]-Z[eitung]" mitgeteilte Artikel kommunistisch sei.

Wenn eine gewisse Fraktion deutscher Sozialisten fortwährend gegen die liberale Bourgeoisie gepoltert hat, und zwar in einer Weise, die niemandem Vorteil brachte als den deutschen Regierungen, wenn jetzt Regierungsblätter wie der „Rh[einische] Beobachter", auf die Phrasen dieser Leute gestützt, behaupten, nicht die liberale Bourgeoisie, sondern die Regierung repräsentiere die Interessen des Proletariats, so haben die Kommunisten weder mit der ersteren noch mit der letzteren etwas gemein.

Man hat den deutschen Kommunisten allerdings die Verantwortlichkeit hierfür zuschieben wollen, man hat sie der Allianz mit der Regierung beschuldigt.

Diese Anschuldigung ist lächerlich. Die Regierung kann sich nicht mit den Kommunisten, die Kommunisten können sich nicht mit der Regierung verbinden, aus dem einfachen Grunde, weil die Kommunisten von allen revolutionären Parteien Deutschlands die allerrevolutionärste sind und weil die Regierung das besser weiß als irgend jemand anders.

Die Kommunisten sollten sich mit einer Regierung verbinden, von welcher sie zu Hochverrätern erklärt und als solche behandelt werden?

Die Regierung sollte in ihren Organen Grundsätze propagieren, welche in Frankreich für anarchisch, brandstifterisch, zersetzend für alle gesellschaftlichen Verhältnisse gelten und welchen diese selbe Regierung eben dieselbigen Eigenschaften fortwährend zuschreibt?

Es ist kein Gedanke daran. Betrachten wir den sogenannten Kommunismus des „Rheinischen Beobachters", und wir werden finden, daß er sehr unschuldig ist.

Der Artikel hebt an:

„Wenn wir *unsre* (!) soziale Lage betrachten, so zeigen sich überall die größten Übelstände und die dringendsten Bedürfnisse (!), und wir müssen es sagen, es ist viel versäumt. Das liegt tatsächlich vor, und es entsteht *nur* (!) die Frage, woher es kommt. Wir sind überzeugt, unsre Verfassung ist nicht schuld daran, denn (!) in Frankreich und England steht es (!) mit der sozialen Lage noch viel schlimmer. Gleichwohl (!) sucht der Liberalismus das Heilmittel nur in der Repräsentation; wäre das Volk vertreten, so würde es sich ja helfen. Das ist freilich ganz illusorisch, aber ebenso (!) höchst (!!) plausibel."

In diesem Satze sieht man den „Beobachter" leibhaftig vor sich, wie er verlegen um einen Anfang an der Feder kaut, spekuliert, schreibt, ausstreicht, wieder schreibt und so endlich nach einem beträchtlichen Zeitraum den obigen prächtigen Passus zustande bringt. Um auf den Liberalismus zu kommen, sein erbeigentümliches Steckenpferd, fängt er an mit „unsrer sozialen Lage", also genaugenommen der sozialen Lage des „Beobachters", die allerdings ihre Unannehmlichkeiten haben mag. Vermittelst der höchst trivialen Beobachtung, daß unsere soziale Lage miserabel und daß viel versäumt ist, gelangt er auf dem Wege einiger sehr dornenvollen Sätze auf einem Punkte an, wo ihm *nur* die Frage entsteht, woher es kommt. Diese Frage entsteht ihm aber *nur*, um sofort wieder zu verschwinden. Der „Beobachter" sagt es uns nämlich nicht, woher es kommt, er sagt uns auch nicht, woher es *nicht* kommt, er sagt uns bloß, wovon er *überzeugt* ist, daß es nicht kommt, und das ist natürlich die preußische Verfassung. Von der preußischen Verfassung gelangt er vermittelst eines kühnen „denn" nach Frankreich und England, und von hier hat er natürlich bis zum preußischen Liberalismus nur einen kleinen Sprung, den er, gestützt auf ein möglichst unmotiviertes „Gleichwohl", mit Leichtigkeit vollbringt. Und so ist er endlich auf jenem beliebten Terrain angelangt, wo er ausrufen kann: „Das ist freilich ganz illusorisch, aber ebenso höchst plausibel." *Aber ebenso höchst!!!*

Sollten die Kommunisten so gesunken sein, daß man ihnen die Vaterschaft solcher Sätze, solcher klassischen Übergänge, solcher mit Leichtigkeit entstehenden und verschwindenden Fragen, solcher famosen *Nur*, *Denn* und

Deutsche-Brüsseler-Zeitung.

Nº 73. Brüssel, Sonntag den 12. September 1847.

Einzelne Exemplare der „Deutschen-Brüsseler-Zeitung" zu 50 Cent., und einzelne Exemplare der König Ludwig-Lola-Montez-Lithographie, so wie von der allegorischen Darstellung des Königs von Preussen, auch der Eröffnung der Stände in Berlin, sind zu haben zu 50 Cent. im Bureau der Zeitung, 23, rue Botanique, vor dem Kölnischen- und Scharbecker-Thore, hinter dem botanischen Garten und an den Eisenbahn-Stationen zu Brüssel, Lüttich, Verviers, Mecheln u. s. w.

Zur Nachricht.

„Deutsche-Brüsseler-Zeitung" Nr. 73 vom 12. September 1847
mit Marx' Artikel „Der Kommunismus des ‚Rheinischen Beobachters' "
und dem Anfang von Engels' Aufsatz „Deutscher Sozialismus in Versen und Prosa"

Gleichwohl und namentlich der Wendung: „aber ebenso höchst“ zumuten könnte?

Außer dem „alten Feldherrn“ Arnold Ruge gibt es nur wenig Männer in Deutschland, die so schreiben können, und diese wenigen sind sämtlich Konsistorialräte im Ministerium des Herrn Eichhorn.[87]

Auf den Inhalt dieses Einleitungspassus einzugehen, kann nicht verlangt werden. Er hat keinen andern Inhalt als seine unbeholfene Form, er ist nur das Tor, durch welches wir in die Hallen treten, wo unser beobachtender Konsistorialrat einen Kreuzzug gegen den Liberalismus predigt.

Hören wir zu:

„Der Liberalismus hat vorweg den Vorteil, daß er sich dem Volke in leichteren und gefälligeren Formen nähert als die Bürokratie.“ (Allerdings, so schwerfällig und eckig schreibt selbst Herr Dahlmann oder Gervinus nicht.) „Er spricht von Volkswohl und Volksrechten. In Wahrheit aber schiebt er das Volk nur vor, um damit die Regierung einzuschüchtern; es gilt ihm nur als Kanonenfutter in dem großen Sturme gegen die Regierungsgewalt. Die Staatsgewalt an sich zu reißen, das ist die wahre Tendenz des Liberalismus, das Volkswohl ist ihm nur Nebensache.“

Glauben der Herr Konsistorialrat, dem Volke hiermit irgend etwas Neues gesagt zu haben? Das Volk, und namentlich der kommunistische Teil des Volkes, weiß sehr wohl, daß die liberale Bourgeoisie nur ihr eigenes Interesse verfolgt, daß auf ihre Sympathien fürs Volk wenig zu bauen ist. Wenn aber der Herr Konsistorialrat hieraus den Schluß ziehen, daß die liberalen Bourgeois das Volk, soweit es sich an der politischen Bewegung beteiligt, für ihre Zwecke exploitieren, so müssen wir ihm antworten: Das ist freilich ganz plausibel für einen Konsistorialrat, aber ebenso höchst illusorisch.

Das Volk oder, um an die Stelle dieses weitschichtigen, schwankenden Ausdrucks den bestimmten zu setzen, das Proletariat räsoniert ganz anders, als man im geistlichen Ministerium[87] sich träumen läßt. Das Proletariat fragt nicht, ob den Bourgeois das Volkswohl Nebensache oder Hauptsache sei, ob sie die Proletarier als Kanonenfutter gebrauchen *wollen* oder nicht. Das Proletariat fragt nicht, was die Bourgeois bloß *wollen*, sondern was sie *müssen*. Es fragt, ob der jetzige politische Zustand, die Herrschaft der Bürokratie, oder der von den Liberalen erstrebte, die Herrschaft der Bourgeoisie, ihm mehr Mittel bieten wird, seine eignen Zwecke zu erreichen. Dazu hat es nur nötig, die politische Stellung des Proletariats in England, Frankreich und Amerika mit der in Deutschland zu vergleichen, um zu sehen, daß die Herrschaft der Bourgeoisie dem Proletariat nicht nur ganz neue Waffen zum Kampf *gegen* die Bourgeoisie in die Hand gibt, sondern ihm auch eine ganz andere Stellung, eine Stellung als anerkannte Partei verschafft.

Glauben denn der Herr Konsistorialrat, das Proletariat, das mehr und mehr der kommunistischen Partei sich anschließt, das Proletariat werde die Preßfreiheit, die Assoziationsfreiheit nicht zu benutzen wissen? Er lese doch die englischen und französischen Arbeiterblätter, er besuche doch einmal ein einziges Chartisten-Meeting!

Aber im geistlichen Ministerium, wo der „Rh[einische] Beobachter" redigiert wird, hat man absonderliche Vorstellungen vom Proletariat. Man glaubt, mit pommerschen Bauern oder Berliner Eckenstehern zu tun zu haben. Man meint, die äußersten Grenzen des Tiefsinns erreicht zu haben, wenn man dem Volke nicht mehr panem et circenses[1], sondern panem et religionem[2] verspricht. Man bildet sich ein, das Proletariat wünsche, daß ihm geholfen werde, man denkt nicht daran, daß es von niemand anders als von sich selbst Hülfe erwartet. Man ahnt nicht, daß das Proletariat den Redensarten der Herren Konsistorialräte von „Volkswohl" und schlechter sozialer Lage ebensosehr auf den Grund sieht wie den ähnlichen Redensarten der liberalen Bourgeois.

Und warum ist den Bourgeois das Volkswohl Nebensache? Der „Rh[einische] Beobachter" antwortet:

„Der Vereinigte Landtag hat es bewiesen, die Perfidie des Liberalismus liegt vor Augen. An der Einkommensteuer sollte der Liberalismus die Probe bestehen, und er hat sie nicht bestanden."

Diese wohlmeinenden Konsistorialräte, die sich in ihrer ökonomischen Unschuld einbilden, sie könnten dem Proletariat mit der Einkommensteuer Sand in die Augen streuen!

Die Schlacht- und Mahlsteuer[88] liegt direkt auf dem Arbeitslohn, die Einkommensteuer liegt auf dem Profit des Kapitals. Höchst plausibel, Herr Konsistorialrat, nicht wahr? Aber die Kapitalisten werden und können sich ihre Profite nicht so ungestraft besteuern lassen. Die Konkurrenz führt das schon mit sich. In wenig Monaten nach Einführung der Einkommensteuer würde also der Arbeitslohn um gerade so viel herabgesetzt sein, als er durch die Aufhebung der Schlacht- und Mahlsteuer, durch die damit erniedrigten Preise der Lebensmittel effektiv gestiegen war.

Der Stand des nicht in Geld, sondern in den dem Arbeiter nötigen Lebensbedürfnissen ausgedrückten Arbeitslohns, d.h. der Stand des *reellen*, nicht *nominellen* Arbeitslohns hängt von dem Verhältnis von Nachfrage und Angebot ab. Ein veränderter Steuermodus kann für den Augenblick eine Störung verursachen, auf die Dauer aber nichts daran ändern.

---

[1] Brot und (Zirkus-) Spiele – [2] Brot und Religion

Der einzige ökonomische Vorteil der Einkommensteuer ist der, daß sie wohlfeiler zu erheben ist, und davon spricht der Konsistorialrat nicht. Das Proletariat gewinnt übrigens auch durch diesen Umstand nichts.

Worauf läuft also das ganze Gerede von der Einkommensteuer hinaus?

Erstens, das Proletariat ist bei der ganzen Sache gar nicht oder nur momentan interessiert.

Zweitens, die Regierung, die bei der Erhebung der Schlacht- und Mahlsteuer täglich mit dem Proletariat direkt in Berührung kommt, ihm gehässigerweise gegenübertritt, die Regierung steht bei der Einkommensteuer im Hintergrunde und zwingt die Bourgeoisie, die gehässige Tätigkeit des Lohndrückens ganz zu übernehmen.

Die Einkommensteuer würde also nur der Regierung vorteilhaft sein und daher der Ärger der Konsistorialräte über ihre Verwerfung.

Aber wir wollen selbst für einen Augenblick zugeben, daß das Proletariat bei der Sache interessiert sei; durfte dieser Landtag sie bewilligen?

Keineswegs. Er durfte gar keine Gelder bewilligen, er mußte das Finanzsystem ganz so lassen, wie es war, solange die Regierung nicht alle seine Forderungen erfüllt hatte. Die Verweigerung der Gelder ist in allen parlamentarischen Versammlungen das Mittel, wodurch die Regierung gezwungen wird, der Majorität nachzugeben. Diese konsequente Geldverweigerung[89] ist das einzige, worin der Landtag sich energisch benahm, und daher müssen die enttäuschten Konsistorialräte gerade diese vor dem Volk zu verdächtigen suchen.

„Und doch", heißt es weiter im „Rh[einischen] Beob[achter]", „haben die Organe des Liberalismus recht eigentlich die Einkommensteuer aufs Tapet gebracht."

Ganz recht, und sie ist auch eine reine Bourgeois-Maßregel. Darum können die Bourgeois sie doch verweigern, wenn sie ihnen zur unrechten Zeit von Ministern vorgeschlagen wird, denen sie keine drei Schritt weit trauen können.

Wir nehmen übrigens dies Geständnis über die Vaterschaft der Einkommensteuer zu den Akten; es wird uns später von Nutzen sein.

Nach einigem möglichst leeren und verworrenen Geschwätz stolpert der Konsistorialrat plötzlich folgendermaßen über das Proletariat:

„Was heißt das, Proletariat?" (Dies ist abermals eine von den Fragen, die *nur* entstehen, um nicht beantwortet zu werden.) „Es ist keine Übertreibung, wenn wir" (d.h. die Konsistorialräte vom „Rh[einischen] B[eobachter]", nicht aber die übrigen profanen Zeitungen) „sagen: Ein Drittel des Volks hat keinen Boden seiner Existenz, und ein anderes Drittel steht auf der Neige. Die Sache der Proletarier ist die Sache der großen Majorität des Volks, die Kardinalfrage."

Wie schnell doch ein einziger Vereinigter Landtag mit etwas Opposition diese Bürokraten zur Räson bringt! Wie lange ist es her, seit die Regierung den Zeitungen verbot, solche Übertreibungen zu behaupten, als hätten wir in Preußen ein Proletariat? seit der „Trier'schen Zeitung" u.a. – dieser Unschuldigen! – mit dem Verbot gedroht wurde, weil sie französische und englische schlechte Proletariatszustände böswilligerweise als auch in Preußen existierend vorstellig machen wollte? Doch wie die Regierung will. Nehmen wir ebenfalls zu den Akten, daß die große Majorität des Volks Proletarier sind.

„Der Landtag", heißt es weiter, „hat die Prinzipienfrage für die Kardinalfrage angesehen, d.h. die Frage, ob die hohe Versammlung die Staatsgewalt bekommen solle. Und was sollte das Volk bekommen? Keine Eisenbahn, keine Rentenbanken, keine Steuererleichterung! Glückseliges Volk!"

Man merke, wie unser glattgescheitelter Konsistorialrat allmählich das Fuchsohr zu zeigen beginnt. „Der Landtag hat die Prinzipienfrage für die Hauptfrage angesehen." Heilige Einfalt dieser liebevollen Blindschleichen! Die Frage, ob man der Regierung 30 Millionen Anleihe, eine Einkommensteuer von nicht vorauszubestimmendem Ertrag, eine Rentenbank, womit sie 400–500 Millionen auf die Domänen aufnehmen kann – ob man das alles dieser gegenwärtigen liederlichen und reaktionären Regierung zur Disposition stellen und sie dadurch auf ewige Zeiten unabhängig machen, oder ob man sie knapp halten, sie durch Entziehung der Gelder zur Unterwerfung unter die öffentliche Meinung bringen soll, das nennt so ein Leisetreter von Konsistorialrat die Prinzipienfrage!

„Und was soll das Volk bekommen?" fragt der teilnehmende Konsistorialrat. *„Keine Eisenbahn"* – es wird also auch keine Steuern zu zahlen haben, um die Zinsen der Anleihe und den bei dem Betrieb dieser Bahn unausbleiblichen großen Verlust zu decken.

„Keine Rentenbanken!". Tut unser Konsistorialrat nicht gerade so, als habe die Regierung den Proletariern Renten geben wollen? Aber im Gegenteil, sie wollte dem *Adel* Renten geben, die das Volk bezahlen sollte. Den Bauern sollte dadurch der Abkauf der Frondienste erleichtert werden. Wenn die Bauern noch einige Jahre warten, so werden sie wahrscheinlich nicht mehr nötig haben, sie *abzukaufen*. Wenn die Fronherren unter die Heugabeln der Bauern geraten, und das könnte sehr leicht einmal kommen, so hören die Frondienste von selbst auf.

„Keine Einkommensteuer." Aber solange die Einkommensteuer dem Volk kein Einkommen bringt, kann sie ihm ganz gleichgültig sein.

„Glückseliges Volk", fährt der Konsistorialrat fort, „du hast doch die Prinzipienfrage gewonnen! Und wenn du nicht verstehst, was das für ein Ding ist, so laß es dir von deinen Repräsentanten erklären; während der langen Rede wirst du vielleicht deinen Hunger vergessen!“

Wer wagt noch zu sagen, die deutsche Presse sei nicht frei? Der „Rh[einische] Beob[achter]“ gebraucht hier ganz ungestraft eine Wendung, die manche französische Provinzialjury ohne weiteres für eine Aufreizung der verschiedenen Klassen der Gesellschaft gegeneinander erklären und bestrafen lassen würde.

Der Konsistorialrat benimmt sich übrigens schrecklich unbeholfen. Er will dem Volk schmeicheln und traut ihm nicht einmal zu, zu wissen, was die Prinzipienfrage für ein Ding sei. Dafür, daß er an seinem *Hunger* Teilnahme heucheln muß, rächt er sich, indem er es für dumm, für politisch unfähig erklärt. Das Proletariat weiß so gut, was die Prinzipienfrage für ein Ding ist, daß es dem Landtage nicht vorwirft, sie gewonnen zu haben, sondern, sie *nicht* gewonnen zu haben. Das Proletariat wirft dem Landtage vor, daß er sich defensiv gehalten, daß er nicht angegriffen hat, daß er nicht zehnmal weiter gegangen ist. Es wirft ihm vor, daß er nicht entschieden genug auftrat, um dem Proletariat die Beteiligung an der Bewegung möglich zu machen. Das Proletariat konnte sich freilich nicht für die *ständischen Rechte* interessieren. Aber ein Landtag, der Geschworenengerichte, Gleichheit vor dem Gesetz, Aufhebung der Frondienste, Preßfreiheit, Assoziationsfreiheit und eine wirkliche Repräsentation verlangt, ein Landtag, der ein für allemal mit der Vergangenheit gebrochen und seine Forderungen nach den Bedürfnissen der Zeit eingerichtet hätte statt nach den alten Gesetzen, solch ein Landtag konnte auf die kräftigste Unterstützung des Proletariats rechnen.

Der „Beobachter“ fährt fort:

„Und möge Gott geben, daß dieser Landtag nicht die Regierungsgewalt absorbiert, sonst wäre allen sozialen Verbesserungen ein unüberwindlicher Hemmschuh angelegt.“

Der Herr Konsistorialrat möge sich beruhigen. Ein Landtag, der mit der preußischen Regierung nicht einmal fertig wurde, mit dem wird das Proletariat im Notfall schon fertig werden.

„Es ist gesagt worden“, beobachtet der Konsistorialrat weiter, „die Einkommensteuer führe zur Revolution, zum Kommunismus. Zur Revolution – allerdings, d.h. zu einer *Umgestaltung* der sozialen Verhältnisse, zur Beseitigung des *grenzenlosen Elends*.“

Entweder will der Konsistorialrat sich über sein Publikum mokieren und nur sagen: Die Einkommensteuer beseitigt das *grenzenlose* Elend, um das begrenzte Elend an seine Stelle zu setzen, und dergleichen schlechte Berliner

Witze mehr –, oder er ist der größte und unverschämteste Ignorant in ökonomischen Dingen, den es gibt. Er weiß nicht, daß in England die Einkommensteuer seit sieben Jahren besteht und kein einziges soziales Verhältnis umgestaltet, kein Haarbreit grenzenlosen Elends beseitigt hat. Er weiß nicht, daß da, wo in Preußen das *grenzenloseste* Elend existiert, in den schlesischen und ravensbergischen Weberdörfern, bei den kleinen schlesischen, posenschen, Mosel- und Weichselbauern, daß da gerade die Klassensteuer, d.h. die Einkommensteuer *besteht*.

Doch wer kann auf solche Abgeschmacktheiten ernsthaft antworten. Weiter heißt es:

„Auch zum *Kommunismus*, wie man ihn eben versteht... Wo durch Handel und Gewerbe alle Verhältnisse so miteinander verflochten und in Fluß gebracht sind, daß der einzelne sich im Strome der Konkurrenz nicht halten kann, da ist er durch die Natur der Verhältnisse an die Gesellschaft *gewiesen*, welche die Folgen der *allgemeinen* Fluktuationen im *einzelnen* ausgleichen *muß*. Da ist die Gesellschaft für das Bestehen ihrer Mitglieder *solidarisch verpflichtet*."

Da hätten wir ja den Kommunismus des „Rh[einischen] Beobachters". Also: In einer Gesellschaft wie der unsrigen, wo kein Mensch seiner Existenz, seiner Lebenslage *sicher* ist, hat die Gesellschaft die Verpflichtung, jedem seine Existenz sicherzustellen. Erst gesteht der Konsistorialrat, daß die bestehende Gesellschaft dies nicht *kann*, und dann verlangt er von ihr, sie soll dies ihr Unmögliche doch tun.

Aber sie soll das im einzelnen nachholen, worauf sie in ihren allgemeinen Fluktuationen keine Rücksicht nehmen kann, so versteht es der Konsistorialrat.

„Ein Drittel des Volks hat keinen Boden seiner Existenz und ein anderes Drittel steht auf der Neige."

Also zehn Millionen Individuen, bei denen im einzelnen *auszugleichen* ist. Glaubt der Konsistorialrat allen Ernstes, die pauvre[1] preußische Regierung werde das fertigbringen?

Allerdings, und zwar vermittelst der Einkommensteuer, welche zum Kommunismus führt, wie der „Rh[einische] Beobachter" *ihn eben versteht*.

Vortrefflich. Nachdem man uns verworrenes Zeug über angeblichen Kommunismus vorgeschwatzt, nachdem man erklärt hat, die Gesellschaft sei für das Bestehen ihrer Mitglieder solidarisch verpflichtet, sie *müsse* für sie sorgen, obwohl sie dies nicht könne, nach allen diesen Verirrungen, Widersprüchen,

[1] armselige

unmöglichen Forderungen wird uns noch zugemutet, die Einkommensteuer als die Maßregel anzunehmen, die alle Widersprüche lösen, alle Unmöglichkeiten möglich machen, die die Solidarität aller Gesellschaftsglieder herstellen soll.

Wir verweisen auf Herrn von Duesbergs Denkschrift über die Einkommensteuer, die dem Landtag vorgelegt wurde. In dieser Denkschrift war bereits für den letzten Groschen des Ertrags der Einkommensteuer Verwendung gefunden. Die bedrängte Regierung hatte keinen Heller übrig zur Ausgleichung der allgemeinen Fluktuationen im einzelnen, zur Erfüllung der solidarischen Verpflichtungen der Gesellschaft. Und wenn statt zehn Millionen nur zehn Einzelne durch die Natur der Verhältnisse an den Herrn von Duesberg gewiesen worden wären, der Herr von Duesberg hätte die zehn abweisen müssen.

Aber nein, wir täuschen uns; außer der Einkommensteuer hat der Herr Konsistorialrat noch ein anderes Mittel zur Einführung des Kommunismus, wie er ihn eben versteht:

„Was ist das A und das O des christlichen Glaubens? Das Dogma von der Erbsünde und der Erlösung. Und darin liegt die solidarische Verbindung der Menschheit in ihrer höchsten Potenz; Einer für Alle und Alle für Einen."

Glückseliges Volk! Die *Kardinalfrage* ist für ewige Zeiten gelöst. Das Proletariat wird unter den doppelten Fittichen des preußischen Adlers und des heiligen Geistes zwei unerschöpfliche Lebensquellen finden: erstens den Überschuß der Einkommensteuer über die gewöhnlichen und außergewöhnlichen Staatsbedürfnisse, welcher Überschuß gleich Null ist; und zweitens die Revenüen aus den himmlischen Domänen der Erbsünde und Erlösung, welche ebenfalls gleich Null sind. Diese beiden Nullen geben einen prächtigen Boden ab für das eine Drittel des Volks, welches keinen Boden seiner Existenz hat, eine gewaltige Stütze für das andere Drittel, welches auf der Neige steht. Allerdings imaginäre Überschüsse, Erbsünde und Erlösung werden den Hunger des Volks ganz anders stillen als die langen Reden der liberalen Deputierten! Weiter heißt es:

„Wir beten auch im ‚Vaterunser': ‚Führe uns nicht in Versuchung'. Und was wir für uns erbitten, das sollen wir selbst gegen unsere Nebenmenschen üben. Unsre sozialen Zustände versuchen aber allerdings den Menschen, und das Übermaß der Not reizt zum Verbrechen."

Und *wir*, die Herren Bürokraten, Richter und Konsistorialräte des preußischen Staats, üben diese Rücksicht, indem wir nach Herzenslust rädern, köpfen, einsperren und auspeitschen lassen und dadurch die Proletarier „in

Versuchung führen", uns später ebenfalls rädern, köpfen, einsperren und auspeitschen zu lassen. Was auch nicht ausbleiben wird.

„Solche Zustände", erklärt der Herr Konsistorialrat, „*darf* ein christlicher Staat nicht dulden, er muß dem abhelfen."

Ja, mit absurden Windbeuteleien über die solidarischen Verpflichtungen der Gesellschaft, mit imaginären Überschüssen und nicht akzeptablen Wechseln auf Gott Vater, Sohn und Kompanie.

„Auch das ohnehin langweilige Gerede über den Kommunismus kann man sparen", meint unser beobachtender Herr Konsistorialrat. „Wenn nur diejenigen, die den Beruf dazu haben, die sozialen Prinzipien des Christentums entwickeln, dann werden die Kommunisten bald verstummen."

Die sozialen Prinzipien des Christentums haben jetzt achtzehnhundert Jahre Zeit gehabt, sich zu entwickeln, und bedürfen keiner ferneren Entwicklung durch preußische Konsistorialräte.

Die sozialen Prinzipien des Christentums haben die antike Sklaverei gerechtfertigt, die mittelalterliche Leibeigenschaft verherrlicht und verstehen sich ebenfalls im Notfall dazu, die Unterdrückung des Proletariats, wenn auch mit etwas jämmerlicher Miene, zu verteidigen.

Die sozialen Prinzipien des Christentums predigen die Notwendigkeit einer herrschenden und einer unterdrückten Klasse und haben für die letztere nur den frommen Wunsch, die erstere möge wohltätig sein.

Die sozialen Prinzipien des Christentums setzen die konsistorialrätliche Ausgleichung aller Infamien in den Himmel und rechtfertigen dadurch die Fortdauer dieser Infamien auf der Erde.

Die sozialen Prinzipien des Christentums erklären alle Niederträchtigkeiten der Unterdrücker gegen die Unterdrückten entweder für gerechte Strafe der Erbsünde und sonstigen Sünden oder für Prüfungen, die der Herr über die Erlösten nach seiner unendlichen Weisheit verhängt.

Die sozialen Prinzipien des Christentums predigen die Feigheit, die Selbstverachtung, die Erniedrigung, die Unterwürfigkeit, die Demut, kurz alle Eigenschaften der Kanaille, und das Proletariat, das sich nicht als Kanaille behandeln lassen will, hat seinen Mut, sein Selbstgefühl, seinen Stolz und seinen Unabhängigkeitssinn noch viel nötiger als sein Brot.

Die sozialen Prinzipien des Christentums sind duckmäuserisch, und das Proletariat ist revolutionär.

Soviel über die sozialen Prinzipien des Christentums.

Weiter:

„Wir haben die soziale Reform als den vornehmsten Beruf der Monarchie erkannt."

Haben wir? Bisher war davon die Rede gar nicht. Doch es sei. Und worin besteht die soziale Reform der Monarchie? In der Durchsetzung einer den Organen des Liberalismus gestohlenen Einkommensteuer, die Überschüsse bieten soll, von denen der Finanzminister nichts weiß, in den verunglückten Landrentenbanken, in der preußischen Ostbahn und namentlich in dem Profit eines ungeheuren Kapitals von Erbsünde und Erlösung!

„Dazu rät das Interesse des Königtums selbst" – wie tief muß also das Königtum gesunken sein!

„Dies fordert die Not der Gesellschaft" – welche für den Augenblick viel mehr Schutzzölle als Dogmen fordert.

„Dies empfiehlt das Evangelium" – dies empfiehlt überhaupt alles, nur nicht der erschrecklich öde Zustand der preußischen Staatskasse, jenes Abgrundes, der binnen drei Jahren die 15 russischen Millionen unwiederbringlich verschlungen haben wird. Das Evangelium empfiehlt übrigens sehr viel, unter anderem auch die Kastration, als Anfang der sozialen Reform bei sich selbst. Matth[äus] 25.

„Das Königtum", erklärt unser Herr Konsistorialrat, „ist mit dem Volke eins."

Diese Redensart ist nur eine andere Form für das alte „l'état c'est moi"[1], und zwar ganz genau dieselbe Form, die Ludwig XVI. am 23. Juni 1789 gegen seine rebellischen Stände gebrauchte: Wo Ihr nicht gehorcht, so schicke ich Euch nach Hause – „et seul je ferai le bonheur de mon peuple"[2].

Das Königtum muß schon sehr bedrängt sein, wenn es sich zu dem Gebrauche dieser Form entschließt, und unser gelehrter Herr Konsistorialrat weiß gewiß, wie sich das französische Volk damals bei Ludwig XVI. für ihre Anwendung bedankte.

„Der Thron", versichert der Herr Konsistorialrat ferner, „muß auf der breiten Basis des Volks ruhen, da steht er am besten."

Solange nämlich die breiten Schultern diesen beschwerlichen Überbau nicht mit einem gewaltigen Ruck in die Gosse werfen.

„Die *Aristokratie*", so schließt der Herr Konsistorialrat, „läßt dem Königtum seine Würde und gibt ihm einen poetischen Schmuck, entzieht ihm aber die reelle Macht. Das *Bürgertum* raubt ihm die Macht wie die Würde und gibt ihm nur eine Zivilliste. Das *Volk* bewahrt dem Königtum seine Macht, seine Würde und seine Poesie."

---

[1] „der Staat bin ich" (Ludwig XIV. zugeschriebener Ausspruch) – [2] „dann werde ich allein für das Wohl meines Volkes sorgen"

In diesem Passus nimmt der Herr Konsistorialrat unglücklicherweise den renommistischen Appell Friedrich Wilhelms *an Sein Volk* in der Thronrede[90] zu ernsthaft. Sein letztes Wort ist: Sturz der Aristokratie, Sturz der Bourgeoisie, Herstellung einer auf das Volk sich stützenden Monarchie.

Wären diese Forderungen nicht reine Phantasien, so würden sie eine vollständige Revolution in sich schließen.

Wir wollen gar nicht einmal darauf eingehen, daß die Aristokratie nicht anders gestürzt werden kann als durch die Bourgeoisie und das Volk zusammen, daß eine Herrschaft des Volks in einem Lande, wo Aristokratie und Bourgeoisie noch nebeneinander bestehen, ein reiner Unsinn ist. Auf solche Fabeleien eines Eichhornschen Konsistorialrats kann man nicht durch ernsthafte Entwicklungen antworten.

Wir wollen denjenigen Herren, die das geängstete preußische Königtum durch einen Salto mortale ins Volk retten möchten, nur einige wohlwollende Bemerkungen machen.

Das Volk ist von allen politischen Elementen für einen König das allergefährlichste. Nicht das Volk, von dem Friedrich Wilhelm spricht, das sich für einen Fußtritt und einen Silbergroschen mit tränenden Augen bedankt; dies Volk ist durchaus ungefährlich, denn es existiert nur in der Einbildung des Königs. Aber das wirkliche Volk, die Proletarier, die kleinen Bauern und der Pöbel, das ist, wie Hobbes sagt, puer robustus, sed malitiosus, ein robuster und bösartiger Knabe, und läßt sich weder von mageren noch von fetten Königen zum besten haben.

Dies Volk würde vor allen Dingen von Sr. Majestät eine Konstitution nebst allgemeinem Stimmrecht, Assoziationsfreiheit, Preßfreiheit und andere unangenehme Dinge erzwingen.

Und wenn es das alles hätte, so würde es dies dazu benutzen, um möglichst rasch die *Macht*, die *Würde* und die *Poesie* des Königtums zu erklären.

Der gegenwärtige würdige Inhaber dieses Königtums würde sich glücklich schätzen können, wenn das Volk ihn als öffentlichen Deklamator beim Berliner Handwerkerverein mit 250 Taler Zivilliste und einer kühlen Blonden täglich anstellte.

Wenn die Herren Konsistorialräte, die jetzt das Geschick der preußischen Monarchie und des „Rhein[ischen] Beobachters" lenken, daran zweifeln sollten, so mögen sie sich nur einmal die Geschichte ansehen. Die Geschichte stellt den Königen, die an Ihr Volk appellierten, noch ganz andere Horoskope.

Karl I. von England appellierte auch *an Sein Volk* von seinen Ständen. Er rief sein Volk zu den Waffen gegen das Parlament. Das Volk aber erklärte sich gegen den König, warf alle Mitglieder, die nicht das Volk repräsentierten, zum Parlament hinaus und ließ schließlich durch das so zum wirklichen Repräsentanten des Volks gewordene Parlament den König köpfen. Damit endigte der Appell Karls I. an Sein Volk. Solches geschah am 30. Januar 1649 und erlebt im Jahre 1849 sein zweihundertjähriges Jubiläum.

Ludwig XVI. von Frankreich appellierte ebenfalls *an Sein Volk*. Er appellierte drei Jahre hindurch immer von einem Teil des Volks an den andern, er suchte *Sein* Volk, das wahre Volk, das für ihn begeisterte Volk und fand es nirgends. Zuletzt fand er es im Lager von Koblenz, hinter den Reihen der preußischen und österreichischen Armee. Das ward aber seinem Volke in Frankreich zu arg. Am 10. August 1792 sperrte es den Appellanten in den Temple[1] und berief den Nationalkonvent, der es in jeder Beziehung repräsentierte.

Dieser Konvent erklärte sich kompetent, um über den *Appell* des Exkönigs zu urteilen, und schickte nach einigen Beratungen den Appellanten auf den Revolutionsplatz, wo er am 21. Januar 1793 guillotiniert wurde.

Das kommt davon, wenn die Könige *an Ihre Völker appellieren*. Was aber davon kommt, wenn die Konsistorialräte eine demokratische Monarchie stiften wollen, müssen wir erst abwarten.

Geschrieben am 5. September 1847.

[1] Staatsgefängnis während der Französischen Revolution (1789–1794)

FRIEDRICH ENGELS

Zwei Aufsätze über die „wahren“ Sozialisten

[Friedrich Engels]

Deutscher Sozialismus in Versen und Prosa[91]

[„Deutsche-Brüsseler-Zeitung“
Nr. 73 vom 12. September 1847]

1

Karl Beck: „,Lieder vom armen Mann‘, oder die Poesie des wahren Sozialismus“

Die „Lieder vom armen Mann“ beginnen mit einem Liede an ein reiches Haus.

An das Haus Rothschild

Um Mißverständnissen vorzubeugen, redet der Dichter Gott mit „HERR“ und das Haus Rothschild mit *Herr* an.

Gleich in der Ouvertüre konstatiert er seine kleinbürgerliche Illusion, daß das Gold nach Rothschilds „Launen herrscht“; eine Illusion, die eine ganze Reihe von Einbildungen über die Macht des Hauses Rothschild nach sich zieht.

Nicht die Vernichtung der wirklichen Macht Rothschilds, der gesellschaftlichen Zustände, worauf sie beruht, droht der Dichter; er wünscht nur ihre menschenfreundliche Anwendung. Er jammert, daß die Bankiers keine sozialistischen Philanthropen sind, keine Schwärmer, keine Menschheitsbeglücker, sondern eben Bankiers. Beck besingt die feige kleinbürgerliche Misère, den „armen Mann“, den pauvre honteux[1] mit seinen armen, frommen und inkonsequenten Wünschen, den „kleinen Mann“ in allen seinen Formen, nicht den stolzen, drohenden und revolutionären Proletarier. Die Drohungen und Vorwürfe, womit Beck das Haus Rothschild überschüttet, wirken allem guten Willen zum Trotz noch burlesker auf den Leser als eine Kapuzinerpredigt. Sie beruhen auf der kindlichsten Illusion über die Macht

[1] verschämten Armen

der Rothschilde, auf einer gänzlichen Unkenntnis des Zusammenhangs dieser Macht mit den bestehenden Zuständen, auf einer vollkommenen Täuschung über die Mittel, welche die Rothschilde anwenden mußten, um eine Macht zu werden und um eine Macht zu bleiben. Der Kleinmut und der Unverstand, die weibliche Sentimentalität, die jämmerliche, prosaisch-nüchterne Kleinbürgerlichkeit, welche die Musen dieser Leier sind, tun sich vergebens Gewalt an, um fürchterlich zu werden. Sie werden nur lächerlich. Ihr forcierter Baß schlägt beständig in ein komisches Falsett um, ihre dramatische Darstellung des gigantischen Ringens eines Enceladus[92] bringt es nur zu den possierlichen Gliederverrenkungen eines Hampelmanns.

> Nach deinen Launen herrscht das Gold
> . . . .
> O wär' dein Werk so schön! O wäre
> Dein Herz so groß wie deine Macht! p.4.

Es ist schade, daß Rothschild die *Macht* und unser Dichter das *Herz* hat. „Wären sie beide vereint, wär's für die Erde zuviel." (Herr Ludwig von Baierland.)[93]

Die erste Gestalt, die Rothschild gegenübergestellt wird, ist natürlich der Sänger selbst, und zwar der *deutsche* Sänger, der in „hohen, heiligen Mansarden" wohnt.

> Es tönt von Recht und Licht und Freiheit,
> Vom echten GOTT in seiner Dreiheit,
> Die liedergesegnete Laute der Barden:
> Da folgt das horchende Menschenkind
> Den Geistern. p.5.

Dieser dem Motto der „Leipziger Allgemeinen Zeitung"[94] entlehnte „GOTT", der auf den Juden Rothschild, schon weil er dreieinig ist, keinen Effekt macht, übt dagegen auf die deutsche Jugend ganz magische Wirkungen aus.

> Es mahnt die wiedergenesene Jugend
> . . . .
> Und der Begeisterung zeugender Samen
> Geht auf in hundert herrlichen Namen. p.6.

Rothschild urteilt anders über die deutschen Poeten:

> Das Lied, was uns die Geister geboten,
> Du nennst es Hunger nach Ruhm und Broten. [p.6.]

Trotzdem, daß die Jugend mahnt und ihre hundert herrlichen Namen aufgehen, deren Herrlichkeit eben darin besteht, daß sie bei der bloßen Begeisterung stehenbleiben, trotzdem, daß „mutig zum Kampf die Hörner blasen", daß „das Herz so laut in der Nacht pocht".

> Das törichte Herz, es fühlt die Bedrängnis
> Von einer göttlichen Empfängnis. p. 7.

Dies törichte Herz, diese Jungfrau Maria! – trotzdem, daß

> Die Jugend, ein finstrer *Saul* (von Karl Beck,
> Leipzig bei Engelmann 1840),
> Mit GOTT und mit sich selber grollt [p. 8],

trotz alledem und alledem hält Rothschild den bewaffneten Frieden aufrecht, der nach Becks Glauben von ihm allein abhängt.

Die Zeitungsnachricht, daß der heilige Kirchenstaat Rothschild den Erlöserorden geschickt hat, bietet unserem Dichter Gelegenheit nachzuweisen, daß Rothschild kein Erlöser ist, wie sie ebensogut zu dem gleich interessanten Beweis Anlaß geben konnte, daß Christus zwar ein Erlöser, aber dennoch kein Ritter des Erlöserordens war.

> Du ein Erlöser? p. 11.

Und er beweist ihm nun, daß er nicht in bitterer Nacht, wie Christus, *rang*, daß er nie hingeopfert habe die stolze, die irdische Macht

> Für eine milde, beglückende Sendung,
> Vom großen GEIST dir anvertraut. p. 11.

Man muß dem großen GEIST nachsagen, daß er nicht viel Geist in der Auswahl seiner Missionäre beweist und sich wegen *milden* Stiftungen an den unrechten Mann adressiert. Das einzig *Große* an ihm sind die Buchstaben.

Das wenige Talent Rothschilds zum Erlöser wird ihm nun an drei Fällen ausführlich nachgewiesen: an seinem Benehmen gegenüber der Julirevolution, den Polen und den Juden.

> Auf stand das mutige Frankenkind, p. 12,

mit einem Wort, die Julirevolution brach aus.

> Warst du bereit? Erklang dein Gold
> Wie Lerchengezwitscher jubelnd und hold
> Zum Lenz, der in der Welt sich rührte?
> Der, was an sehnlichen Wünschen tief
> In unsrer Brust verschüttet schlief,
> Verjüngt zurück ins Leben führte? p. 12.

Der Lenz, der sich rührte, war der Lenz der Bourgeois, dem allerdings das Gold, Rothschilds Gold so gut wie jedes andere, wie Lerchengezwitscher jubelnd und hold erklingt. Allerdings, die Wünsche, die während der Restauration nicht nur in der Brust, sondern auch in den Carbonari-Venten[95] verschüttet schliefen, wurden damals verjüngt ins Leben geführt, und Becks *armer Mann* hatte das Nachsehen. Sobald übrigens Rothschild von den soliden Basen der neuen Regierung sich überzeugt hatte, ließ er unbedenklich seine Lerchen zwitschern – gegen übliche Zinsen – versteht sich.

Becks gänzliche Befangenheit in den kleinbürgerlichen Illusionen beweist die Apotheose Laffittes gegenüber Rothschild:

Dicht rankt sich an deine beneideten Hallen
Ein heiliggesprochenes Bürgerhaus, p. 13,

nämlich das Laffittes. Der begeisterte Kleinbürger ist stolz auf die Bürgerlichkeit seines Hauses gegenüber den beneideten Hallen des Hotel Rothschild. Sein Ideal, der Laffitte seiner Einbildung, muß natürlich auch recht einfach bürgerlich wohnen; das Hotel Laffitte schrumpft zusammen zu einem deutschen Bürgerhaus. Laffitte selbst wird geschildert als ein segnend Waltender, Herzensreiner, wird verglichen mit Mucius Scävola[96], soll sein Vermögen geopfert haben, um *den* Menschen und das Jahrhundert (denkt Beck vielleicht an den Pariser „Siècle"[97]?) auf den Strumpf zu bringen. Ein schwärmender Knabe wird er genannt, schließlich ein Bettler. Sein Begräbnis wird rührend geschildert:

Es ging im Leichenzuge mit
Gedämpften Schritts die Marseillaise. p. 14.

Neben der Marseillaise marschierten die Wagen der königlichen Familie und dicht hinter ihnen Herr Sauzet, Herr Duchâtel und sämtliche ventrus[84] und loups-cerviers[1] der Deputiertenkammer.

Wie aber muß die Marseillaise erst ihren Schritt *gedämpft* haben, als Laffitte nach der Julirevolution seinen Kompère[2], den Herzog von Orléans, im Triumph auf das Hôtel de Ville[3] führte und das frappante Wort aussprach, daß *von nun an die Bankiers herrschen würden*?

Bei den *Polen* beschränken sich die Vorwürfe ganz darauf, daß Rothschild nicht wohltätig genug gegen die Emigration gewesen sei. Hier wird der Angriff auf Rothschild zu einer ganz kleinstädtischen Anekdote und verliert allen Schein eines Angriffs auf die in Rothschild repräsentierte Geldmacht

[1] Bäuche und habgierige Wucherer – [2] vom französischen „compère", doppelsinnig: einerseits Gevatter, andererseits Komplice – [3] Pariser Rathaus

überhaupt. Die Bourgeois haben bekanntlich überall, wo sie herrschen, die Polen sehr liebreich und sogar enthusiastisch empfangen.

Ein Beispiel des Katzenjammers: Ein Pole tritt auf, bettelt und betet. Rothschild gibt ihm einen Silberling, der Pole

> Nimmt freudezitternd das Silberstück
> Und segnet dich und deinen Samen [p. 16],

eine Lage, wovor das Polen-Comité in Paris die Polen bisher im ganzen sichergestellt hat. Der ganze Auftritt mit den Polen dient unserm Poeten nur dazu, sich selbst in Positur zu werfen:

> Ich aber schleudre des Bettlers Glück
> Verächtlich in deinen Beutel zurück,
> In der beleidigten Menschheit Namen! p. 16,

zu welchem Treffer in den Beutel große Übung und Geschicklichkeit im Werfen gehört. Schließlich stellt sich Beck von einer Klage wegen Realinjurie sicher, indem er nicht im eigenen Namen, sondern in dem der Menschheit funktioniert.

Schon p. 9 wurde Rothschild aufgemutzt, daß er den Bürgerbrief aus Österreichs fetter Kaiserstadt angenommen hat,

> Wo dein gehetzter Glaubensgenosse
> Sein Licht und seine Luft bezahlt.

Ja, Beck glaubt, daß Rothschild mit diesem Wiener Bürgerbrief der Freien Glück erworben hat.

Jetzt wird p. 19 die Frage an ihn gestellt:

> Hast du den eignen Stamm befreit,
> Der ewig hofft und ewig duldet?

Rothschild hätte also der Erlöser der Juden werden sollen. Und wie sollte Rothschild dies anfangen? Die Juden hatten ihn zum *König* gewählt, weil er das schwerste Gold besaß. Er hätte sie lehren sollen, wie man das Gold verachtet, „wie man fürs Wohl der Welt entbehrt". p. 21.

Er hätte die Eigenliebe, die List und den Wucher aus ihrem Gedächtnis streichen, mit einem Wort, er hätte als Moral- und Bußprediger im Sack und in der Asche auftreten sollen. Die brave Forderung unseres Poeten ist dieselbe, als wenn er von Louis-Philippe verlangte, er solle den Bourgeois der Julirevolution lehren, das Eigentum abzuschaffen. Wenn beide so verrückt wären, so würden sie alsbald ihre Macht verlieren, aber weder die Juden den

Schacher, noch die Bourgeois das Eigentum sich aus dem Gedächtnis streichen.

p.24 wird dem Rothschild vorgeworfen, daß er des Bürgers Mark aussaugt, als wäre es nicht wünschenswert, daß dem Bürger das Mark ausgesogen wird.

p.25 soll er die Fürsten verführt haben. *Sollen* sie nicht *verführt* werden?

Wir haben schon Beweise genug gehabt von der märchenhaften Macht, die Beck dem Rothschild andichtet. Aber es geht immer crescendo[1]. Nachdem er sich p.26 in Phantasien ergangen hat, was er (Beck) nicht alles tun würde, wenn er Propriétaire[2] der *Sonne* wäre, nämlich noch nicht den hundertsten Teil von dem, was die Sonne ohne ihn tut – fällt ihm plötzlich ein, daß Rothschild nicht allein der *Sünder* ist, sondern neben ihm auch noch andere Reiche existieren. Allein:

Du saßest beredt im Lehrerstuhle,
Es lernten die Reichen in deiner Schule;
Du mußtest sie führen ins Leben hinein,
Du konntest ihr *Gewissen* sein.
Sie sind verwildert – du hast es geduldet,
Sie sind verworfen – du hast es verschuldet. p.27.

Also die Entwickelung des Handels und der Industrie, die Konkurrenz, die Konzentration des Eigentums, die Staatsschulden und Agiotage[3], kurz die ganze Entwickelung der modernen bürgerlichen Gesellschaft hätte Herr von Rothschild verhindern können, wenn er nur etwas *gewissenhafter* gewesen wäre. Es gehört wirklich toute la désolante naiveté de la poésie allemande[4] dazu, um zu wagen, solche Ammenmärchen drucken zu lassen. Rothschild wird förmlich in Aladdin verwandelt.

Noch nicht zufrieden, verleiht Beck dem Rothschild

Der Sendung schwindelnde Größe,
. . . .
Zu lindern *der Welt gesamte Leiden* [p.28],

eine Sendung, welche alle Kapitalisten der ganzen Welt zusammen nicht im entferntesten zu erfüllen vermögen. Sieht unser Dichter denn nicht, daß er um so lächerlicher wird, je erhabener und gewaltiger er werden will? daß alle seine Vorwürfe gegen Rothschild in die hündischsten Schmeicheleien umschlagen? daß er die Macht Rothschilds auf eine Weise feiert, wie sie der

[1] anschwellend – [2] Eigentümer – [3] das Börsenspiel – [4] die ganze trostlose Naivität der deutschen Dichtkunst

durchtriebenste Panegyriker nicht feiern könnte? Rothschild muß sich selbst Beifall zuklatschen, wenn er sieht, als welche gigantische Schreckgestalt seine kleine Persönlichkeit im Hirn eines deutschen Poeten sich widerspiegelt.

Nachdem unser Poet sich bisher die romanhaften und unwissenden Phantasien eines deutschen Kleinbürgers über die Macht eines großen Kapitalisten, wenn er nur guten Willen hätte, versifiziert hat, nachdem er die Phantasie dieser Macht aufs Höchste geschwindelt hat in seiner Sendung schwindelnder Größe, spricht er die moralische Entrüstung des Kleinbürgers über den Abstand zwischen Ideal und Wirklichkeit in einem pathetischen Paroxysmus aus, der sogar die Lachmuskeln eines pennsylvanischen Quäkers in krampfhafte Aktion setzen würde:

> Weh mir, wenn ich in langer Nacht (21.Dezember)
> Mit heißer Stirn es durchgedacht
> . . . .
> Dann hob sich *bäumend* meine Locke,
> Mir war's, als riß ich an GOTTES Herzen,
> Ein Glöckner an der Feuerglocke p.28,

was dem alten Mann gewiß der letzte Nagel an seinem Sarge war. Er glaubt, die „Geister der Geschichte" hätten ihm da Gedanken anvertraut, die er noch leise noch laut sagen *dürfe*. Ja, er kommt zu dem verzweifelten Entschluß, in seinem Grabe noch den Cancan zu tanzen:

> Doch einst im modernden Leichentuch
> Wird wonnig schaudern mein Gerippe,
> Wenn nieder zu mir (dem Gerippe) die Kunde taucht,
> Daß auf den Altären das Opfer raucht. p.29.

Der Knabe Karl fängt an, mir fürchterlich zu werden.[98]

Der Gesang über das Haus Rothschild wäre geschlossen. Folgt nun, wie gewöhnlich bei den *modernen* Lyrikern, eine gereimte Reflektion über diesen Gesang und die Rolle, die der Dichter in ihm gespielt hat.

> Ich weiß, es kann
> Dein mächtiger Arm mich blutig schlagen p.30,

d.h. ihm fünfzig aufzählen lassen. Der Österreicher vergißt den Haselstock nie. Dieser Gefahr gegenüber stärkt ihn das Hochgefühl:

> Wie's GOTT *befahl* und sonder Zagen,
> So sang ich offen, was ich sann. [p.30.]

Der deutsche Poet singt immer auf Befehl. Natürlich, der Herr ist verantwortlich, nicht der Knecht, und so hat Rothschild es mit GOTT zu tun, nicht mit Beck, seinem Knecht. Es ist überhaupt die Methode der *modernen* Lyriker:

1. mit der Gefahr zu renommieren, der sie sich in ihren harmlosen Gesängen auszusetzen glauben;

2. Prügel zu bekommen und sich dann Gott zu befehlen.

Das Lied „An das Haus Rothschild" schließt mit einigen Hochgefühlen über eben dasselbe Lied, dem hier verleumderisch nachgesagt wird:

Frei ist's und stolz, es darf dich meistern,
Dir sagen, worauf es gläubig schwört p.32,

nämlich auf seine eigene, in diesem Schluß nachgewiesene Vortrefflichkeit. Wir fürchten, daß Rothschild den Beck nicht wegen des Liedes, sondern wegen dieses Meineides den Gerichten denunzieren wird.

[„Deutsche-Brüsseler-Zeitung"
Nr. 74 vom 16. September 1847]

O, streutet Ihr den goldenen Segen!

Die Reichen werden aufgefordert, dem *Dürftigen* eine Unterstützung angedeihen zu lassen,

Bis dir der Fleiß ein sicheres Habe
Für Weib und Kind gewann. [p.35.]

Und alles dies geschehe:

Daß du *gut* verbleiben könnest,
Ein *Bürger* und ein *Mann*, [p.35]

also summa summarum ein guter *Bürgersmann*. Beck ist hiermit auf sein Ideal reduziert.

Knecht und Magd

Der Poet besingt zwei gottgefällige Seelen, die, wie höchst langweilig beschrieben wird, erst nach vieljährigem Knickern und moralischem Lebenswandel dazu kommen, ein keusches Ehebett zu besteigen.

Sich küssen? sie täten es schämig! Sich necken? sie täten es leise!
Ach, Blumen waren es wohl, doch waren es Blumen im Eise;

Ein Tanz auf Krücken, o Gott! ein armer verspäteter Falter,
Der halb ein blühendes Kind und halb ein verwelkender Alter. [p.50.]

Statt mit dieser einzigen guten Strophe im ganzen Gedicht zu schließen, läßt er sie hinterher noch jauchzen und beben, und zwar aus Freude am kleinen Eigentum, daß „am *eigenen* Herd die *eigenen* Pfühle sich heben", eine Phrase, die nicht ironisch, sondern mit ernsten Wehmutstränen ausgesprochen wird. Aber auch damit noch nicht:

Nur Gott ist ihr Herr, der die Sterne beruft, zu leuchten, wenn's nachtet,
Den Knecht, der die Kette zerbricht, mit seligem Auge betrachtet. [p.50.]

Somit wäre denn alle Pointe glücklich abgebrochen. Der Kleinmut und die Unsicherheit Becks verraten sich immer darin, daß er jedes Gedicht möglichst lang ausspinnt und nie enden kann, bis er durch eine Sentimentalität seine Kleinbürgerei dokumentiert hat. Die Kleistschen Hexameter scheinen absichtlich gewählt zu sein, um den Leser dieselbe Langeweile ertragen zu lassen, die die beiden Liebenden während ihrer langen Prüfungszeit sich durch ihre feige Moralität zuziehen.

Der Trödeljude

In der Beschreibung des Trödeljuden finden sich einige naive, nette Sachen, z.B.:

Die Woche flieht, die Woche bietet
Nur fünf der Tage deinem Fleiß.
O, spute dich, du Atemloser,
Wirb, wirb um deinen Tagelohn.
Am Samstag will es nicht der *Vater*,
Am Sonntag will es nicht der *Sohn*. [p.55.]

Später aber verfällt Beck ganz in den liberal-jungdeutschen[99] Judensabbel. Die Poesie hört so sehr auf, daß man glauben könnte, eine skrofulöse Rede der skrofulösen sächsischen Stände-Kammer zu hören: Du kannst nicht Handwerker werden, nicht „Krämermeister", nicht Ackerbauer, nicht Professor, aber die medizinische Karriere steht dir frei. Dies wird poetisch so ausgedrückt:

Sie gönnen dir kein Handgewerke,
Sie gönnen dir kein Ackerfeld.
Du darfst ja nicht zur Jugend sprechen
Von eines Lehrers hohem Pfühl;
. . . .
Du darfst im Land die Kranken heilen. [p.57.]

Könnte man in dieser Weise nicht die preußische Gesetzsammlung in Verse setzen und Herrn Ludewigs von Baierland Verse in Musik?

Nachdem der Jude seinem Sohn vordeklamiert:

> Du mußt ja schaffen, mußt erraffen
> In steter Gier nach Gut und Geld, [p.57]

tröstet er ihn:

> Doch *ehrlich* bleibst du fort und fort. [p.58.]

Lorelei

Diese Lorelei ist niemand anders als das Gold.

> Da trat in des Gemütes Reinheit
> Mit breiten Wogen die Gemeinheit,
> Und jedes Heil ertrank. [p.64.]

In dieser Gemütssündflut und dem Ertrinken des Heils liegt eine höchst niederschlagende Mischung von Plattheit und Bombast. Folgen triviale Tiraden über die Verwerflichkeit und Immoralität des Geldes.

> Sie (die Minne) späht nach Talern, nach Juwelen,
> Nach Herzen nicht und gleichen Seelen,
> Und eines Hüttleins Raum. [p.67.]

Hätte das Geld nicht mehr getan, als das deutsche Spähen nach Herzen und gleichen Seelen und der Schillerschen *kleinsten Hütte*, in der für ein glücklich liebend Paar Raum ist[100], um den Kredit zu bringen, so wären seine revolutionären Wirkungen schon anzuerkennen.

Trommellied

In diesem Gedicht zeigt unser sozialistischer Poet wieder, wie er durch seine Befangenheit in der deutschen Kleinbürgermisère fortwährend gezwungen wird, den wenigen Effekt zu verderben, den er hervorbringt.

Es zieht ein Regiment mit klingendem Spiele aus. Das Volk fordert die Soldaten auf, mit ihm gemeinschaftliche Sache zu machen. Man freut sich, daß der Dichter endlich Mut faßt. Aber, o weh, schließlich erfährt man, daß es sich bloß um Kaisers Namenstag handelt und die Anrede des Volks nur die träumerische, verheimlichte Improvisation eines Jünglings bei der Parade ist. Wahrscheinlich eines Gymnasiasten:

> So träumt ein Jüngling, dem's Herze brennt. [p.76.]

Während derselbe Stoff mit derselben Pointe, von Heine behandelt, die bitterste Satire auf das deutsche Volk enthalten würde, kommt bei Beck nur eine Satire auf den Dichter selbst heraus, der sich selbst mit dem ohnmächtig schwärmenden Jüngling identifiziert. Bei Heine werden die Schwärmereien des Bürgers absichtlich in die Höhe geschraubt, um sie nachher ebenso absichtlich in die Wirklichkeit herabfallen zu lassen, bei Beck ist es der Dichter selbst, der sich diesen Phantasien assoziiert und natürlich auch den Schaden mit trägt, wenn er in die Wirklichkeit herunterstürzt. Bei dem einen fühlt sich der Bürger empört über die Keckheit des Dichters, bei dem andern beruhigt durch seine Seelenverwandtschaft mit ihm. Die Prager Insurrektion[101] bot ihm übrigens Gelegenheit, ganz andere Dinge als diese Farce zu reproduzieren.

Der Auswanderer

Ich brach den Zweig vom Stamme,
Der Förster gab Rapport,
Da band der Herr mich stramme
Und schlug mir diese Schramme. [p.86.]

Fehlt nur noch, daß auch der *Rapport* in ähnlichen Versen vorgetragen wird.

Der Stelzfuß

Hier sucht der Dichter zu erzählen und scheitert auf eine wirklich jämmerliche Weise. Diese vollendete Ohnmacht zu erzählen und darzustellen, die sich in dem ganzen Buch zeigt, ist charakteristisch für die Poesie des wahren Sozialismus. Der wahre Sozialismus bietet in seiner Unbestimmtheit keine Gelegenheit, einzelne zu erzählende Fakta an allgemeine Verhältnisse anzuknüpfen und ihnen dadurch die frappante, bedeutende Seite abzugewinnen. Die wahren Sozialisten hüten sich deshalb auch in ihrer Prosa sehr vor der Geschichte. Wo sie ihr nicht entgehen können, begnügen sie sich damit, entweder philosophisch zu konstruieren oder einzelne Unglücksfälle und *soziale Casus* in ein trockenes und langweiliges Register einzutragen. Auch geht ihnen allen in Prosa und Poesie das zum Erzählen nötige Talent ab, was mit der Unbestimmtheit ihrer ganzen Anschauungsweise zusammenhängt.

Die Kartoffel

Melodie: „Morgenrot, Morgenrot!“

Heilig Brot!
Daß du kamst für unsre Not,
Daß du kamst *um Himmels Willen*
In die Welt, das Volk zu stillen –
Fahre wohl, du bist nun tot! [p.105.]

In der zweiten Strophe heißt er die Kartoffel:

...den kleinen Rest,
Der aus Eden uns geblieben,

und charakterisiert die Kartoffelkrankheit:

Unter Engeln tobt die Pest!

In der dritten Strophe rät Beck dem *armen Mann*, Trauer anzulegen:

Armer Mann!
Gehe hin, leg Trauer an.
Völlig bist du nun gerichtet,
Ach, dein Letztes ist vernichtet,
Weine, wer noch weinen kann!

Tot im Sand
Liegt dein *Gott*, du trauernd Land.
Laß jedoch den Trost dir sagen:
Kein Erlöser ward erschlagen,
Der nicht wieder auferstand! [p.106.]

Weine, wer da weinen kann, mit dem Dichter! Wäre er nicht so arm an Energie, wie sein *armer Mann* an gesunden Kartoffeln, so würde er sich über den Stoff gefreut haben, den die Kartoffel, dieser Bourgeoisgott, einer der Pivots[1] der bestehenden bürgerlichen Gesellschaft, vorigen Herbst erhielt. Die Grundbesitzer und Bürgersleute Deutschlands hätten dies Gedicht ohne Schaden in den Kirchen absingen lassen können.

Beck verdient für diesen Effort einen Kranz von Kartoffelblüten.

Die alte Jungfer

Wir gehen auf dies Gedicht nicht näher ein, da es gar kein Ende nimmt und sich in unsäglich langweiliger Breite über volle neunzig Seiten ausdehnt.

[1] Drehpunkte

Die alte Jungfer, die in zivilisierten Ländern meist nur nominell vorkommt, ist in Deutschland allerdings ein bedeutender „sozialer Casus".

Die allergewöhnlichste Manier, sozialistisch-selbstgefällig zu reflektieren, besteht darin, zu sagen, es sei alles gut, wenn nur nicht auf der andern Seite die Armen wären. Bei jedem beliebigen Stoff kann diese Reflexion angestellt werden. Der eigentliche Gehalt dieser Reflexion ist die philanthropisch-heuchlerische Kleinbürgerlichkeit, die mit den *positiven* Seiten der bestehenden Gesellschaft vollkommen einverstanden ist und nur darüber jammert, daß auch die *negative* Seite der Armut daneben besteht, die über und über in der gegenwärtigen Gesellschaft befangen ist und nur wünscht, daß diese Gesellschaft *ohne ihre Existenzbedingungen* fortexistieren möge.

Beck stellt in diesem Gedicht diese Reflexion oft möglichst trivial an, z.B. bei Gelegenheit des Christfestes:

> O Zeit, die mild des Menschen Herz erbaut,
> Du wärest milder und doppelt traut –
> Wenn nicht in der Brust des *armen* Buben,
> Der elternlos in die festlichen Stuben
> Des reichen Spielgenossen schaut,
> Der Neid mit seiner ersten Sünde
> Bei wüster Gotteslästerung stünde!
> Ja . . . .
> . . . . süßer, klänge beim Weihnachtslicht
> Der Kinder Jubel in meinem Gehöre,
> Wenn nur in feuchten Höhlen nicht
> Auf schlechter Streu das Elend fröre. [p. 149.]

Es finden sich übrigens schöne Einzelheiten in diesem formlosen und endlosen Gedicht, z.B. die Darstellung des Lumpenproletariats:

> Was täglich und unverdrossen
> Nach Kehricht sucht in verpesteten Gossen;
> Was wie der Spatz nach Futter schweift,
> Was Töpfe flickt und Scheren schleift,
> Was starren Fingers die Wäsche steift,
> Was keuchend schiebt des Karrens Wucht,
> Beladen mit kaum gereifter Frucht,
> Und weinerlich singt: Wer kauft, wer kauft?
> Was um den Heller im Schmutze rauft;
> Was täglich an den Steinen der Ecken
> Den Gott besingt, an den es glaubt,
> Kaum wagt die Hände hinzustrecken,

Dieweil das Betteln nicht erlaubt;
Was tauben Ohrs in Hungers Nöten
Die Harfen spielt und bläst die Flöten,
Jahraus, jahrein denselben Chor –
Vor allen Fenstern, an jedem Tor –
Die Kindermagd zum Tanze stimmt,
Doch selber nicht das Lied vernimmt;
Was nachts die große Stadt erhellt
Und selbst kein Licht im Hause hat;
Was Lasten trägt, was Holz zerspellt,
Was herrenlos, was herrensatt;
Was beten und kuppeln und stehlen läuft,
Den Rest des Gewissens wüst versäuft. [p. 158–160.]

Beck erhebt sich hier zum ersten Male über die gewöhnliche deutschbürgerliche Moralität, indem er diese Verse einem alten Bettler in den Mund legt, dessen Tochter seine Einwilligung zu einem Rendezvous mit einem Offizier verlangt. Er gibt ihr darauf in obigen Versen eine erbitterte Schilderung der Klassen, wozu ihr Kind dann gehören würde, greift seine Einwendungen aus ihrer unmittelbaren Lebenslage und hält ihr keine Moralpredigt, was anzuerkennen ist.

Du sollst nicht stehlen

Der moralische Bediente eines Russen, den der Bediente selbst als braven Gebieter qualifiziert, bestiehlt seinen scheinbar schlummernden Herrn in der Nacht, um seinen alten Vater zu unterstützen. Der Russe schleicht ihm nach und sieht über seine Schultern, da er eben das nachfolgende Brieflein an denselbigen Alten richtet:

Nimm das Geld! Ich hab' gestohlen!
Vater, bete zum Erlöser,
Daß er mir von seinem Throne
Einst Verzeihung senden möge!
Schaffen will ich und verdienen,
Von der Streu den Schlummer hetzen,
Bis ich meinem braven Gebieter
Das Geraubte kann ersetzen. [p. 241.]

Der brave Gebieter des moralischen Dienstboten ist so gerührt über diese furchtbaren Entdeckungen, daß er nicht sprechen kann, jedoch segnend seine Hand auf das Haupt des Knechtes legt.

Aber der ist eine *Leiche* –
Und *es brach sein Herz im Schrecken*. [p.242.]

Kann man etwas Komischeres schreiben? Beck sinkt hier unter Kotzebue und Iffland herab, die Bediententragödie übertrifft noch das bürgerliche Trauerspiel.

Neue Götter und alte Leiden

In diesem Gedicht werden Ronge, die Lichtfreunde[102], die Neujuden, der Barbier, die Wäscherin, der Leipziger Bürger mit seiner gelinden Freiheit oft treffend verhöhnt. Zum Schluß verteidigt sich der Poet gegen die Philister, die ihn deshalb anklagen werden, obgleich auch er

Das Lied vom Licht
In Sturm und Nacht hinausgesungen. [p.298.]

Er trägt dann selbst eine sozialistisch modifizierte, auf eine Art von Naturdeismus begründete Lehre der Bruderliebe und praktischen Religion vor und macht so eine Seite seiner Gegner gegen die andere geltend. So kann Beck nie enden, bis er sich selbst wieder verdorben hat, weil er selbst zu sehr in der deutschen Misère befangen ist und zuviel auf sich, auf den Dichter in seinem Dichten reflektiert. Der Sänger ist überhaupt wieder eine fabelhaft zugestutzte, abenteuerlich sich aufspreizende Figur bei den *modernen* Lyrikern. Er ist keine aktive, in der wirklichen Gesellschaft stehende Person, welche dichtet, sondern „*der* Dichter", der in den Wolken schwebt, welche Wolken aber nichts anderes sind als die nebelhaften Phantasien des deutschen Bürgers. – Beck fällt immer vom abenteuerlichsten Bombast in die allernüchternste Bürgerprosa und von einem kleinen kriegerischen Humor gegen die bestehenden Zustände in ein sentimentales Abfinden mit ihnen. Jeden Augenblick ertappt er sich, daß er selbst es ist, de quo fabula narratur[1]. Seine Lieder wirken daher nicht revolutionär, sondern wie

Drei Brausepülverchen,
Das Blut zu stillen. [p.293.]

Den Schluß des ganzen Bandes bildet daher auch ganz passend der folgende schlaffe Jammer der Resignation:

Wann soll es auf der Erden,
O Gott, erträglich werden?

[1] über den die Geschichte erzählt wird

Ich bin an *Sehnsucht* doppelt frisch,
Drum an Geduld ein doppelt Müder. [p.324.]

Beck hat unstreitig mehr Talent und ursprünglich auch mehr Energie als die Mehrzahl des deutschen Literatenpacks. Sein einziges Leiden ist die deutsche Misère, zu deren theoretischen Formen auch der pomphaft-weinerliche Sozialismus und die jungdeutschen Reminiszenzen Becks gehören. Ehe nicht in Deutschland die gesellschaftlichen Gegensätze eine schärfere Form erhalten haben durch eine bestimmtere Sonderung der Klassen und momentane Eroberung der politischen Herrschaft durch [die] Bourgeoisie, ist für einen deutschen Poeten in Deutschland selbst wenig zu hoffen. Einerseits ist es ihm in der deutschen Gesellschaft unmöglich, revolutionär aufzutreten, weil die revolutionären Elemente selbst noch zu unentwickelt sind, andererseits wirkt die ihn von allen Seiten umgebende chronische Misère zu erschlaffend, als daß er sich darüber erheben, sich frei zu ihr verhalten und sie verspotten könnte, ohne selbst wieder in sie zurückzufallen. Einstweilen kann man allen deutschen Poeten, die noch einiges Talent haben, nichts raten, als auszuwandern in zivilisierte Länder.

[„Deutsche-Brüsseler-Zeitung"
Nr. 93 vom 21. November 1847]

2

Karl Grün: „Über Goethe vom menschlichen Standpunkte". Darmstadt, 1846.

Herr Grün erholt sich von den Strapazen seiner „Sozialen *Bewegung* in Frankreich und Belgien", indem er einen Blick auf den sozialen *Stillstand* seines Vaterlandes wirft. Er sieht sich zur Abwechselung einmal den alten Goethe „vom menschlichen Standpunkte" an. Er hat seine Siebenmeilenstiefel mit Pantoffeln vertauscht, sich in den Schlafrock geworfen und dehnt sich selbstzufrieden in seinem Armsessel:

„Wir schreiben keinen Kommentar, nur was auf der Hand liegt, nehmen wir mit." p.244.

Er hat sich's recht behaglich gemacht:

„Rosen und Kamelien hatte ich mir ins Zimmer gesetzt, Reseda und Veilchen ins offene Fenster", p.III. „Und vor allem keine Kommentare! ... Sondern hier, die sämtlichen Werke auf den Tisch und etwas Rosen- und Resedaduft ins Zimmer! Wir wollen sehen, wie weit wir damit kommen. ... Ein Schuft gibt mehr als er hat!" p.IV, V.

Bei aller Nonchalance verrichtet Herr Grün indes die größten Heldentaten in diesem Buche. Aber das wird uns nicht wundern, nachdem wir von ihm selbst gehört haben, daß er der Mann ist, der „an der *Nichtigkeit* der öffentlichen und Privatverhältnisse verzweifeln wollte" (p. III), der „Goethes Zügel empfand, wenn er sich im Überschwenglichen und Unförmlichen zu verlieren drohte" (ibid.), der „das Vollgefühl menschlicher Bestimmung" in sich trägt, „der unsere Seele gehört – und ging' es in die Hölle!" (p. IV.) Wir wundern uns über nichts mehr, nachdem wir erfahren haben, daß er schon früher „einmal eine Frage an den Feuerbachschen Menschen gerichtet" hat, die zwar „leicht zu beantworten" war, aber doch für den besagten Menschen zu schwierig gewesen zu sein scheint (p. 277); wenn wir sehen, wie Herr Grün p. 198 das „Selbstbewußtsein aus einer Sackgasse holt", p. 102 sogar „an den Hof des russischen Kaisers" gehen will und p. 305 mit Donnerstimme in die Welt hinausruft: „Wer durch ein Gesetz einen neuen Zustand aussprechen will, welcher dauern soll, *der sei Anathema*!" Wir sind aufs äußerste gefaßt, wenn Herr Grün p. 187 unternimmt, „seine Nasenspitze an den Idealismus zu legen" und ihn „zum Straßenjungen zu machen", wenn er darauf spekuliert, „Eigentümer zu werden", ein „reicher, reicher Eigentümer, den Zensus zahlen zu können, um in die Repräsentantenkammer der Menschheit einzurücken, um auf die Liste der Geschwornen zu kommen, welche über menschlich und unmenschlich entscheiden".

Wie sollte ihm das nicht gelingen, ihm, der „auf dem namenlosen Grund des allgemeinen Menschlichen" steht? (p. 182.) Ihn schrecken nicht einmal „die Nacht und ihre *Greuel*" (p. 312), als da sind Mord, Ehebruch, Dieberei, Hurerei, Unzucht und hoffärtiges Wesen. Freilich gesteht er p. 99 ein, er habe auch schon „den unendlichen Schmerz empfunden, wenn der Mensch sich auf dem Punkte seiner Nichtigkeit ertappt", freilich „ertappt" er sich vor den Augen des Publikums auf diesem „Punkte", bei Gelegenheit des Satzes:

> Du gleichst dem Geist, den Du begreifst,
> Nicht mir[103] –

und zwar folgendermaßen:

„Dies Wort ist, wie wenn Blitz und Donner zusammenfallen und zu gleicher Zeit die Erde sich auftäte. In diesem Wort ist der Vorhang am Tempel zerrissen, die Gräber tun sich auf ... die Götterdämmerung ist hereingebrochen und das alte Chaos ... die Sterne fahren widereinander, ein einziger Kometenschwanz brennt im Nu die kleine Erde weg, und alles, was ist, ist nur noch Qualm und Rauch und Dunst. Und wenn man sich die gräßlichste Zerstörung denkt, ... so ist das alles *noch gar nichts* gegen die Vernichtung, die in diesen neun Wörtern liegt!" p. 235, 236.

Freilich, „an der alleräußersten Grenze der Theorie", nämlich auf p. 295, „läuft es" dem Herrn Grün „wie eiskaltes Wasser den Rücken hinab, ein wahrer Schrecken durchzittert seine Glieder" – aber in dem allen überwindet er weit, denn er ist ja Mitglied „des großen Freimaurerordens der Menschheit"! (p. 317.)

Take it all in all[1], so wird Herr Grün mit solchen Eigenschaften auf jedem Felde sich bewähren. Ehe wir zu seiner ergiebigen Betrachtung Goethes übergehen, wollen wir ihn auf einige Nebenschauplätze seiner Tätigkeit begleiten.

Zuerst auf das Feld der Naturwissenschaft, denn „das Wissen von der Natur" ist nach p. 247 „die einzig positive Wissenschaft" und zugleich „nicht minder die Vollendung des humanistischen" (vulgo[2] menschlichen) „Menschen". Sammeln wir sorgfältig, was uns Herr Grün von dieser einzig positiven Wissenschaft Positives verkündigt. Er läßt sich zwar nicht weitläuftig auf sie ein, er läßt nur, so zwischen Tag und Dunkel in seinem Zimmer auf und ab gehend, einiges fallen, aber er verrichtet darum „nicht minder" die „positivsten" Mirakel.

Bei Gelegenheit des Holbach zugeschriebenen „Système de la nature"[104] enthüllt er:

„Es kann hier nicht auseinandergesetzt werden, wie das System der Natur auf der Hälfte des Weges abbricht, wie es an dem Punkte abbricht, *wo aus der Notwendigkeit des Zerebralsystems die Freiheit und die Selbstbestimmung herausschlagen müßten.*" p. 70.

Herr Grün könnte ganz genau den Punkt angeben, wo „aus der Notwendigkeit des Zerebralsystems" dies und jenes „herausschlägt" und der Mensch also auch auf die innere Seite seines Schädels Ohrfeigen bekommt. Herr Grün könnte die sichersten und detailliertesten Nachrichten geben über einen Punkt, der sich bisher den Beobachtungen gänzlich entzog, nämlich über den Produktionsprozeß des Bewußtseins im Gehirn. Aber leider! in einem Buche über Goethe vom menschlichen Standpunkte „kann dies nicht auseinandergesetzt werden".

Dumas, Playfair, Faraday und Liebig huldigten bisher arglos der Ansicht, der Sauerstoff sei ein ebenso geschmackloses wie geruchloses Gas. Herr Grün aber, der da weiß, daß alles *Saure* auf der Zunge *beißt*, erklärt p. 75 den „Sauerstoff" für „beißend". Desgleichen bereichert er p. 229 die Akustik und Optik mit neuen Tatsachen; indem er dort „ein reinigendes Tosen und

[1] Alles in allem genommen – [2] gemeinhin

Leuchten" vor sich gehen läßt, stellt er die reinigende Kraft des Schalls und des Lichtes außer Zweifel.

Nicht zufrieden mit diesen glänzenden Bereicherungen der „einzig positiven Wissenschaft", nicht zufrieden mit der Theorie der inwendigen Ohrfeigen, entdeckt Herr Grün p. 94 einen neuen Knochen:

„Werther ist der Mensch, dem der Wirbelknochen fehlt, der noch nicht Subjekt geworden ist."

Die bisherige falsche Ansicht war, der Mensch habe an die zwei Dutzend Wirbelknochen. Herr Grün reduziert diese vielen Knochen nicht nur auf ihre normale Einheit, sondern entdeckt auch noch, daß dieser Exklusiv-Wirbelknochen die merkwürdige Eigenschaft hat, den Menschen zum „Subjekt" zu machen. Das „Subjekt" Herr Grün verdient für diese Entdeckung einen Extra-Wirbelknochen.

Unser beiläufiger Naturforscher faßt schließlich seine „einzig positive Wissenschaft" von der Natur folgendermaßen zusammen:

„Ist nicht der Kern der Natur
Menschen im Herzen?[105]

Der Kern der Natur ist Menschen im Herzen. Im Menschenherzen ist der Kern der Natur. Die Natur hat ihren Kern im Herzen des Menschen." p. 250.

Und wir setzen hinzu mit Herrn Grüns Erlaubnis: Menschen im Herzen ist der Kern der Natur. Im Herzen ist der Kern der Natur Menschen. In des Menschen Herzen hat die Natur ihren Kern.

Mit dieser eminenten „positiven" Aufklärung verlassen wir das naturwissenschaftliche Feld, um zur *Ökonomie* überzugehen, die leider nach dem Obigen *keine* „positive Wissenschaft" ist. Dessenungeachtet verfährt Herr Grün auch hier auf gut Glück äußerst „positiv".

„Individuum setzte sich wider Individuum, *und so* entstand die allgemeine Konkurrenz." p. 211.

Das heißt, die düstre und mysteriöse Vorstellung der deutschen Sozialisten von der „allgemeinen Konkurrenz" trat ins Leben, „und so entstand die Konkurrenz". Gründe werden nicht angegeben, ohne Zweifel, weil die Ökonomie keine positive Wissenschaft ist.

„Im Mittelalter war das schnöde Metall noch gebunden durch Treue, Minne und Devotieren; diese Fessel zersprengte das sechzehnte Jahrhundert, und das Geld wurde frei." p. 241.

MacCulloch und Blanqui, die bisher in dem Irrtum befangen waren, das Geld sei „im Mittelalter gebunden" gewesen durch die mangelnde Kommunikation mit Amerika und die Granitmassen, welche die Adern des „schnöden Metalls" in den Andes bedeckten[106], Mac Culloch und Blanqui werden Herrn Grün für diese Enthüllung eine Dankadresse votieren.

Der *Geschichte*, die ebenfalls keine „positive Wissenschaft" ist, sucht Herr Grün einen positiven Charakter zu geben, indem er den Tatsachen der Tradition eine Reihe von Tatsachen seiner Imagination gegenüberstellt.

Pag. 91 „erdolcht sich Addisons Cato ein Jahrhundert vor Werther auf der englischen Bühne" und beweist dadurch einen merkwürdigen Lebensüberdruß. Er „erdolcht" sich hiernach nämlich, als sein 1672 geborner Verfasser noch ein Säugling war.[107]

Pag. 175 berichtigt Herr Grün Goethes „Tag- und Jahreshefte" dahin, daß 1815 von den deutschen Regierungen die Preßfreiheit keineswegs „ausgesprochen", sondern nur „versprochen" wurde. Es ist also alles nur ein Traum, was uns die sauerländischen und sonstigen Spießbürger Erschreckliches von den vier Jahren Preßfreiheit 1815 bis 1819 zu erzählen wissen, wie damals alle ihre kleinen Schmutzereien und Skandalosa durch die Presse ans Licht gezogen wurden und wie endlich die Bundesbeschlüsse von 1819[108] dieser Schreckensherrschaft der Öffentlichkeit ein Ende machten.

Herr Grün erzählt uns ferner, daß die freie Reichsstadt Frankfurt gar kein Staat war, sondern „nichts als ein Stück bürgerlicher Gesellschaft". p. 19. Überhaupt gebe es in Deutschland keine Staaten, und man fange endlich „mehr und mehr an, die eigentümlichen Vorzüge dieser Staatslosigkeit Deutschlands einzusehen", p. 257, welche Vorzüge besonders in der großen Wohlfeilheit der Stockprügel bestehen. Die deutschen Selbstherrscher werden also sagen müssen: „la société civile, c'est moi"[1] – wobei sie sich aber schlecht stehen, denn nach p. 101 ist die bürgerliche Gesellschaft nur „eine Abstraktion".

Wenn aber die Deutschen keinen Staat haben, so haben sie dafür „einen ungeheuren Wechsel auf die Wahrheit, und dieser Wechsel muß realisiert werden, ausgezahlt, in klingende Münze umgesetzt". p. 5. Dieser Wechsel ist ohne Zweifel auf demselben Büro zahlbar, wo Herr Grün den „Zensus" zahlt, „um in die Repräsentantenkammer der Menschheit einzurücken".

[„Deutsche-Brüsseler-Zeitung"
Nr. 94 vom 25. November 1847]

Die wichtigsten „positiven" Aufschlüsse erhalten wir indes über die französische Revolution, über deren „Bedeutung" er eine eigne „Zwischen-

[1] „die bürgerliche Gesellschaft bin ich"

rede" hält. Er beginnt mit dem Orakelspruch, der Gegensatz zwischen historischem Recht und Vernunftrecht sei ein durchaus wichtiger, denn beide seien historischen Ursprungs. Ohne Herrn Grüns ebenso neue wie wichtige Entdeckung, daß auch das Vernunftrecht im Laufe der Geschichte entstanden sei, irgendwie herabsetzen zu wollen, wagen wir die bescheidne Bemerkung, daß ein stilles Zwiegespräch im stillen Kämmerlein mit den ersten Bänden der „Histoire parlementaire"[1] von *Buchez* ihm zeigen dürfte, welche Rolle dieser Gegensatz in der Revolution gespielt hat.

Herr Grün zieht es indes vor, uns einen ausführlichen Beweis von der Schlechtigkeit der Revolution zu geben, der sich schließlich auf den einzigen, aber zentnerschweren Vorwurf reduziert: daß sie den „Begriff des Menschen nicht untersucht habe". In der Tat ist eine so grobe Unterlassungssünde unverzeihlich. Hätte die Revolution nur den Begriff des Menschen untersucht, so wäre[2] von einem neunten Thermidor, von einem achtzehnten Brumaire[109] keine Rede; Napoleon begnügte sich mit der Generals-Charge und schrieb vielleicht auf seine alten Tage ein Exerzierreglement „vom menschlichen Standpunkte". – Weiter erfahren wir zur Aufklärung „über die Bedeutung der Revolution", daß der Deismus sich im Grunde vom Materialismus nicht unterscheide, und warum nicht. Wir sehen daraus mit Vergnügen, daß Herr Grün seinen Hegel noch nicht ganz vergessen hat. Vergl. z.B. Hegels „Geschichte der Philosophie", III., p.458, 459, 463 der zweiten Ausgabe. – Dann wird, ebenfalls zur Aufklärung „über die Bedeutung der Revolution", mehres über Konkurrenz mitgeteilt, wovon wir oben die Hauptsache vorwegnahmen, ferner lange Auszüge aus Holbachs Schriften gegeben, um zu beweisen, daß er die Verbrechen aus dem Staat erklärte; nicht minder wird „die Bedeutung der Revolution" durch eine reichliche Blumenlese aus des Thomas Morus' „Utopia" erläutert, welche „Utopia" wieder dahin erläutert wird, daß sie Anno 1516 nichts Geringeres als – „das *heutige* England" p.225 bis in die geringsten Einzelheiten prophetisch darstellte. Und endlich, nach allen diesen auf beiläufig 36 Seiten breitgetretenen Vues und Considérants[3] folgt das Schlußurteil p.226: „Die Revolution ist die Verwirklichung des Machiavellismus." Warnendes Exempel für alle, die den Begriff des „Menschen" noch nicht untersucht haben!

Zum Trost für die armen Franzosen, die nichts erreicht haben als die Verwirklichung des Machiavellismus, läßt Herr Grün p.73 ein Balsamtröpflein fallen:

---

[1] „Parlamentarischen Geschichte" – [2] in „Deutsche-Brüsseler-Zeitung": war – [3] Ansichten und Erwägungen

„Das französische Volk war im 18. Jahrhundert der Prometheus unter den Völkern, der die *menschlichen Rechte* denen der Götter gegenüber geltend machte."

Heften wir uns nicht daran, daß es also doch wohl „den Begriff des Menschen untersucht" haben mußte, oder daran, daß es die menschlichen Rechte nicht „denen der Götter", sondern denen des Königs, des Adels und der Pfaffen „gegenüber geltend machte", lassen wir diese Bagatellen und verhüllen wir in stiller Trauer unser Haupt: denn dem Herrn Grün selbst passiert hier etwas „Menschliches".

Herr Grün vergißt nämlich, daß er in früheren Schriften (vgl. z. B. den Artikel im 1. Bande der „Rheinischen Jahrbücher" [110], die „soziale Bewegung" usw.) eine gewisse Entwicklung über die Menschenrechte aus den „Deutsch-Französischen Jahrbüchern" [111] nicht nur breitgetreten, „popularisiert", sondern sogar mit dem echtesten Plagiarien-Eifer ins Unsinnige outriert hatte. Er vergißt, daß er dort die Menschenrechte als die Rechte des Epiciers[1], des Spießbürgers usw. an den Pranger gestellt hatte, und macht sie hier plötzlich zu „den *menschlichen* Rechten", zu den Rechten des „Menschen". Dasselbe passiert dem Herrn Grün p. 251, 252, wo „das Recht, das mit uns geboren und von dem leider keine Frage ist", aus dem „Faust" in „dein Naturrecht, dein Menschenrecht, das Recht, von innen heraus zu wirken und sein eigenes Werk zu genießen" verwandelt wird; obwohl Goethe es direkt in Gegensatz bringt mit „Gesetz und Rechten", die „sich wie eine ew'ge Krankheit *forterben*" [112], d. h. mit dem traditionellen Recht des ancien régime[2], zu dem nur die „*angebornen*, unverjährbaren und unveräußerlichen Menschenrechte" der Revolution, keineswegs aber die Rechte „*des* Menschen" den Gegensatz bilden. Diesmal freilich mußte Herr Grün seine Antezedentien vergessen, damit Goethe nicht den menschlichen Standpunkt verliere.

Ganz übrigens hat Herr Grün noch nicht vergessen, was er aus den „Deutsch-Französischen Jahrbüchern" und andern Schriften derselben Richtung gelernt hat. Pag. 210 definiert er z. B. die dermalige französische Freiheit als „die Freiheit von unfreien (!), allgemeinen (!!) Wesen (!!!)". Dies Unwesen ist entstanden aus dem *Gemeinwesen* von p. 204 und 205 der „Deutsch-Französischen Jahrbücher" [113] und den Übersetzungen dieser Seiten in die kurrente Sprache des dermaligen deutschen Sozialismus. Die wahren Sozialisten haben überhaupt die Gewohnheit, Entwicklungen, die ihnen unverständlich bleiben, weil sie von der Philosophie abstrahieren und juristische, ökonomische usw. Ausdrücke enthalten, im Handumdrehen in eine einzige kurze, mit philosophischen Ausdrücken versetzte Phrase zu-

[1] des Krämers – [2] der alten Ordnung

sammenzufassen und diesen Unsinn zu beliebigem Gebrauch auswendig [zu] lernen. Auf diese Weise ist das juristische „Gemeinwesen" der „Deutsch-Französischen Jahrbücher" in obiges philosophisch-unsinnige „allgemein Wesen" verwandelt worden, die politische Befreiung, die Demokratie hat in der „Befreiung vom unfreien allgemeinen Wesen" ihre philosophische kurze Formel erhalten, und diese kann der wahre Sozialist in die Tasche stecken, ohne befürchten zu müssen, daß seine Gelehrsamkeit ihm zu schwer falle.

Auf p. XXVI exploitiert Herr Grün in ähnlicher Weise, was in der „Heiligen Familie" über Sensualismus und Materialismus[114] gesagt ist, wie er den Wink jener Schrift, daß in den Materialisten des vorigen Jahrhunderts, u.a. in Holbach, Anknüpfungspunkte für die sozialistische Bewegung der Gegenwart zu finden seien, zu obenerwähnten Zitaten aus Holbach nebst sozialistischer Interpretation derselben benutzt.

Gehen wir über zur *Philosophie*. Gegen diese hegt Herr Grün eine gründliche Verachtung. Er verkündigt uns schon p. VII, daß er „fürder nichts mehr mit Religion, Philosophie und Politik zu schaffen hat", daß diese drei „gewesen sind und sich nie wieder aus ihrer Auflösung erheben werden" und daß er von ihnen allen und namentlich von der Philosophie „weiter nichts übrigbehält als den Menschen *und* das gesellschaftsfähige, soziale Wesen". Das gesellschaftsfähige, gesellschaftliche Wesen und der obige menschliche Mensch sind allerdings hinreichend, um uns über den unrettbaren Untergang von Religion, Philosophie und Politik zu trösten. Aber Herr Grün ist viel zu bescheiden. Er hat nicht nur den „humanistischen Menschen" und diverse „Wesen" von der Philosophie „übrigbehalten", sondern erfreut sich auch des Besitzes einer, wenn auch verworrenen, doch beträchtlichen Masse Hegelscher Tradition. Wie wäre das Gegenteil auch möglich, nachdem er vor verschiedenen Jahren vor Hegels Büste zu wiederholten Malen andächtig gekniet hat? Man wird uns bitten, dergleichen skurrile und skandalöse Personalia[1] aus dem Spiele zu lassen; aber Herr Grün selbst hat dies Geheimnis dem Preßbengel anvertraut. Wir werden diesmal nicht sagen, wo. Wir haben dem Herrn Grün bereits so häufig seine Quellen mit Kapitel und Vers zitiert, daß wir auch einmal den gleichen Dienst von Herrn Grün verlangen können. Um ihm gleich wieder einen Beweis von unserer Gefälligkeit zu geben, wollen wir ihm vertrauen, daß er die schließliche Entscheidung in der Streitfrage vom freien Willen, die er p. 8 gibt, aus Fouriers „Traité de l'Association", Abschnitt „du libre arbitre", genommen hat. Nur, daß die Theorie vom

[1] persönliche Dinge

freien Willen eine „Verirrung des *deutschen* Geistes" sei, ist eine eigentümliche „Verirrung" des Herrn Grün selbst.

Wir kommen Goethe endlich näher. Auf p. 15 weist Herr Grün das Recht Goethes nach zu existieren. Goethe und Schiller sind nämlich die Aufhebung des Gegensatzes zwischen „tatlosem Genuß", d.h. Wieland, und „genußloser Tat", d.h. Klopstock. „Lessing stellte den Menschen zuerst auf sich selbst." (Ob ihm Herr Grün dies akrobatische Kunststück wohl nachmachen kann?) – In dieser philosophischen Konstruktion haben wir alle Quellen des Herrn Grün zusammen. Die Form der Konstruktion, die Grundlage des Ganzen – der weltbekannte Hegelsche Kunstgriff der Vermittelung der Gegensätze. „Der auf sich selbst gestellte Mensch" – Hegelsche Terminologie, angewandt auf Feuerbach. „Tatloser Genuß" und „Genußlose Tat", dieser Gegensatz, über den Herr Grün Wieland und Klopstock obige Variationen spielen läßt, ist entlehnt aus den Sämtlichen Werken von M[oses] Heß. Die einzige Quelle, die wir vermissen, ist die Literaturgeschichte selbst, die von den obigen Siebensachen nicht das Geringste weiß und dafür von Herrn Grün mit Recht ignoriert wird.

Da wir gerade von Schiller sprechen, dürfte folgende Bemerkung des Herrn Grün an ihrem Orte sein: „Schiller war alles, was man sein kann, wofern man nicht Goethe ist." p. 311. Pardon, man kann auch Monsieur Grün sein. – Übrigens pflügt unser Autor hier mit dem Kalbe Ludewigs von Baierland:

> Rom, Dir fehlt das, was Neapel hat, diesem just, was Du besitzest;
> Wäret ihr beide vereint, wär's für die Erde zu viel.[115]

Durch diese Geschichtskonstruktion ist Goethes Auftreten in der deutschen Literatur vorbereitet. „Der Mensch", von Lessing „auf sich selbst gestellt", kann nur unter den Händen Goethes zu weiteren Evolutionen fortschreiten. Herrn Grün gebührt nämlich das Verdienst, „den Menschen" in Goethe entdeckt zu haben, nicht den natürlichen, von Mann und Weib vergnüglich und fleischlich erzeugten Menschen, sondern den Menschen im höheren Sinne, den dialektischen Menschen, das Caput mortuum[1] im Tiegel, in welchem Gott Vater, Sohn und heiliger Geist kalziniert worden, den cousin germain[2] des Homunculus aus dem „Faust" – kurz, nicht den Menschen, von dem Goethe spricht, sondern „*den* Menschen", von dem Herr Grün spricht. Wer ist nun „der Mensch", von dem Herr Grün spricht?

„Es ist nichts als *menschlicher* Inhalt in Goethe". [p. XVI.] – Pag. XXI hören wir, „daß Goethe *den Menschen* so darstellte und dachte, *wie wir ihn heute verwirklichen*

[1] Destillationsprodukt – [2] das Geschwisterkind

wollen". – Pag. XXII: „Der heutige Goethe, und das sind seine Werke, ist ein *wahrer Kodex des Menschentums.*" – Goethe „ist die *vollendete Menschlichkeit*". Pag. XXV. – „Goethes Dichtungen sind (!) *das Ideal der menschlichen Gesellschaft.*" Pag. 12. – „Goethe konnte kein nationaler Dichter werden, weil er zum *Dichter des Menschlichen* bestimmt war." Pag. 25. – Trotzdem aber soll nach p. 14 „*unser Volk*" – also die Deutschen – in Goethe „sein eigenes Wesen verklärt erblicken".

Hier haben wir den ersten Aufschluß über „das Wesen des Menschen", und wir dürfen uns dabei um so mehr auf Herrn Grün verlassen, als er ohne Zweifel „den Begriff des Menschen" aufs gründlichste „untersucht hat". Goethe stellt „den Menschen" so dar, wie Herr Grün ihn verwirklichen will, und zugleich stellt er das deutsche Volk verklärt dar – hiernach ist „der Mensch" niemand anders als „der verklärte Deutsche". Dies wird überall bestätigt. Wie Goethe „kein nationaler Dichter", sondern „der Dichter des Menschlichen" ist, so ist auch das deutsche Volk „kein nationales" Volk, sondern das Volk „des Menschlichen". Darum heißt es auch p. XVI: „Goethes Dichtungen, aus dem Leben hervorgegangen, ... hatten und haben mit der Wirklichkeit nichts zu schaffen." Gerade wie „der Mensch", gerade wie die Deutschen. Und p. 4: „Noch zur Stunde will der *französische* Sozialismus *Frankreich* beglücken, die *deutschen* Schriftsteller haben *das menschliche Geschlecht* vor Augen." (Während „das menschliche Geschlecht" sie mehrenteils nicht „vor Augen", sondern vor einer ziemlich entgegengesetzten Körperstelle zu „haben" pflegt.) So freut sich Herr Grün auch an zahllosen Stellen darüber, daß Goethe „den Menschen *von innen heraus* befreien" wollte (z. B. p. 225), welche echt germanische Befreiung noch immer nicht „*heraus*" kommen will.

Konstatieren wir also diesen ersten Aufschluß: „Der Mensch" ist der „*verklärte*" *Deutsche.*

[„Deutsche-Brüsseler-Zeitung"
Nr. 95 vom 28. November 1847]

Verfolgen wir nun den Herrn Grün in der Anerkennung, die er „dem Dichter des Menschlichen", dem „menschlichen Inhalt in Goethe" zollt. Sie wird uns am besten enthüllen, wer „der Mensch" ist, von dem Herr Grün spricht. Wir werden finden, daß Herr Grün hier die geheimsten Gedanken des wahren Sozialismus enthüllt, wie er denn überhaupt durch seine Sucht, alle seine Kumpane zu überschreien, dazu verleitet wird, Dinge in die Welt hinauszututen, die die übrige Genossenschaft lieber verschwiege. Es war ihm übrigens um so leichter, Goethe in den „Dichter des Menschlichen" zu verwandeln, als Goethe selbst die Worte: Mensch und menschlich in einem gewissen emphatischen Sinne zu gebrauchen pflegt. Goethe gebrauchte sie freilich nur in dem Sinne, wie sie zu seiner Zeit und später auch von Hegel angewandt, wie das Prädikat menschlich besonders den Griechen im Gegensatz zu heidnischen und christlichen Barbaren beigelegt wurde, lange bevor diese Ausdrücke durch Feuerbach ihren mysteriös-philosophischen Inhalt erhielten. Bei Goethe namentlich haben sie meist eine sehr unphilosophische, fleischliche Bedeutung. Erst Herrn Grün gebührt das Verdienst, Goethe zum Schüler Feuerbachs und zum wahren Sozialisten gemacht zu haben.

Wir können hier natürlich über Goethe selbst nicht ausführlich sprechen. Wir machen nur auf einen Punkt aufmerksam. – Goethe verhält sich in seinen Werken auf eine zweifache Weise zur deutschen Gesellschaft seiner Zeit. Bald ist er ihr feindselig; er sucht der ihm widerwärtigen zu entfliehen, wie in der „Iphigenie" und überhaupt während der italienischen Reise, er rebelliert gegen sie als Götz, Prometheus und Faust, er schüttet als Mephistopheles seinen bittersten Spott über sie aus. Bald dagegen ist er ihr befreundet, „schickt" sich in sie, wie in der Mehrzahl der „Zahmen Xenien" und vielen prosaischen Schriften, feiert sie, wie in den „Maskenzügen", ja verteidigt sie gegen die andrängende geschichtliche Bewegung, wie namentlich in allen Schriften, wo er auf die französische Revolution zu sprechen kommt. Es sind nicht nur einzelne Seiten des deutschen Lebens, die Goethe anerkannt, gegen andre, die ihm widerstreben. Es sind häufiger verschiedene Stimmungen, in denen er sich befindet; es ist ein fortwährender Kampf in ihm zwischen dem genialen Dichter, den die Misère seiner Umgebung anekelt, und dem behutsamen Frankfurter Ratsherrnkind, resp. Weimarschen Geheimrat, der sich genötigt sieht, Waffenstillstand mit ihr zu schließen und sich an sie zu gewöhnen. So ist Goethe bald kolossal, bald kleinlich; bald trotziges, spottendes, weltverachtendes Genie, bald rücksichtsvoller, genügsamer, enger Philister. Auch Goethe war nicht imstande, die deutsche Misère zu besiegen; im Gegenteil, sie besiegte ihn, und dieser Sieg der Misère über den größten Deutschen ist der beste Beweis dafür, daß sie „von innen heraus" gar nicht zu überwinden ist. Goethe war zu universell, zu aktiver Natur, zu fleischlich, um in einer Schillerschen Flucht ins Kantsche Ideal Rettung vor der Misère zu suchen; er war zu scharfblickend, um nicht zu sehen, wie diese Flucht sich schließlich auf die Vertauschung der platten mit der überschwenglichen Misère reduzierte. Sein Temperament, seine Kräfte, seine ganze geistige Richtung wiesen ihn aufs praktische Leben an, und das praktische Leben, das er vorfand, war miserabel. In diesem Dilemma, in einer Lebenssphäre zu existieren, die er verachten mußte, und doch an diese Sphäre als die einzige, in welcher er sich betätigen konnte, gefesselt zu sein, in diesem Dilemma hat sich Goethe fortwährend befunden, und je älter er wurde, desto mehr zog sich der gewaltige Poet, de guerre lasse[1], hinter den unbedeutenden Weimarschen Minister zurück. Wir werfen Goethe nicht à la Börne und Menzel vor, daß er nicht liberal war[116], sondern daß er zu Zeiten auch Philister sein konnte, nicht, daß er keines Enthusiasmus für deutsche Freiheit fähig war, sondern daß er einer spießbürgerlichen Scheu vor aller gegenwärtigen großen Geschichtsbewegung sein stellenweise hervorbrechendes, richtigeres ästhetisches Gefühl opferte; nicht, daß er Hofmann war, sondern daß er zur Zeit, wo ein Napoleon den großen deutschen Augiasstall ausschwemmte, die winzigsten Angelegenheiten und menus plaisirs[2] eines der winzigsten deutschen Höflein mit feierlichem Ernst betreiben konnte. Wir machen überhaupt weder vom moralischen, noch vom Parteistandpunkte, sondern höchstens vom ästhetischen und historischen Standpunkte aus Vorwürfe; wir messen Goethe weder am moralischen, noch am politischen, noch am „menschlichen" Maßstab. Wir können uns hier nicht darauf einlassen, Goethe im Zusammenhange mit seiner ganzen Zeit, mit seinen literarischen Vorgängern und Zeitgenossen, in seinem Entwicklungsgange und in seiner Lebensstellung darzustellen. Wir beschränken uns daher darauf, einfach das Faktum zu konstatieren.

Wir werden sehen, nach welcher dieser Seiten hin Goethes Werke „ein wahrer Kodex des Menschentums", „die vollendete Menschlichkeit", das „Ideal der menschlichen Gesellschaft" sind.

Nehmen wir zuerst die Kritik der bestehenden Gesellschaft durch Goethe vor, um dann zu der positiven Darstellung des „Ideals der menschlichen Gesellschaft" überzugehen. Es versteht sich bei der Reichhaltigkeit des Grünschen Buchs von selbst, daß wir bei beiden nur einige charakteristische Glanzstellen hervorheben.

In der Tat verrichtet Goethe als Kritiker der Gesellschaft Wunder. Er „verdammt die Zivilisation" p.34–36, indem er einige romantische Klagen darüber verlauten läßt, daß sie alles Charakteristische, Unterscheidende an den Menschen verwische. Er „weissagt die Welt der Bourgeoisie" p.78, indem er im „Prometheus" tout bonnement[3] die Entstehung des Privateigentums schildert. Er ist p.229 „der Weltrichter…, der Minos der Zivilisation". Aber das alles sind nur Bagatellen.

Pag.253 zitiert Herr Grün: „Katechisation":

> Bedenk, o Kind, woher sind diese Gaben?
> Du kannst nichts von dir selber haben. –

---

[1] des Haders müde – [2] kleine Vergnügen (die mit Nebenausgaben verbunden sind) – [3] ganz einfach

Ei, alles hab' ich vom Papa.
Und der, woher hat's der? – Vom Großpapa. –
Nicht doch! Woher hat's denn der Großpapa bekommen?
Der hat's *genommen.*

Hurra! schmettert Herr Grün aus vollem Halse, la propriété c'est le vol[1][117] – leibhaftiger Proudhon!

Leverrier mit seinem Planeten mag nach Hause gehen und seinen Orden an Herrn Grün abtreten – denn hier ist mehr denn Leverrier, hier ist sogar mehr denn Jackson und Schwefelätherrausch. Wer den für viele friedliche Bourgeois allerdings beunruhigenden Diebstahlsatz Proudhons auf die ungefährlichen Dimensionen des obigen Goetheschen Epigramms reduziert hat, den lohnt nur der grand cordon[2] der Ehrenlegion.

Der *„Bürgergeneral"* macht schon mehr Schwierigkeiten. Herr Grün besieht ihn einige Zeit von allen Seiten, schneidet wider Gewohnheit einige zweifelhafte Grimassen, wird bedenklich: „allerdings ... ziemlich fade ... die Revolution ist damit nicht verurteilt" p. 150... Halt! jetzt hat er's! was ist der Gegenstand, um den es sich handelt? Ein *Topf Milch*[118] und so: „Vergessen ... wir nicht, daß es hier wieder ... die *Eigentumsfrage* ist, welche in den Vordergrund gerückt wird" p. 151.

Wenn sich in der Straße des Herrn Grün zwei alte Weiber um einen gesalzenen Heringskopf zanken, so lasse Herr Grün sich die Mühe nicht verdrießen, aus seinem „rosen-" und resedaduftenden Zimmer herabzusteigen und sie zu benachrichtigen, daß auch bei ihnen „die Eigentumsfrage es ist, welche in den Vordergrund gerückt wird". Der Dank aller Wohldenkenden wird ihm die schönste Belohnung sein.

[„Deutsche-Brüsseler-Zeitung"
Nr. 96 vom 2. Dezember 1847]

Eine der größten kritischen Taten hat Goethe verrichtet, als er den *„Werther"* schrieb. „Werther" ist keineswegs, wie die bisherigen Leser Goethes „vom menschlichen Standpunkte" glaubten, ein bloßer sentimentaler Liebesroman.

Im „Werther" „hat der menschliche Inhalt eine so adäquate Form gefunden, daß in keiner Literatur der Welt etwas gefunden werden kann, was ihm auch nur im entferntesten an die Seite gesetzt zu werden verdiente" p. 96. „Die Liebe Werthers zu Lotten ist ein bloßer Hebel, ein Vehikel der Tragödie des radikalen Gefühlspantheismus ... Werther ist der Mensch, dem der Wirbelknochen fehlt, der noch nicht Subjekt

[1] Eigentum ist Diebstahl – [2] Großkordon (Ordensband)

geworden ist" p.93, 94. Werther erschießt sich nicht aus Verliebtheit, sondern „weil er, das unglückselige pantheistische Bewußtsein, mit der Welt nicht aufs reine kommen konnte" p.94. „‚Werther' stellt den ganzen verrotteten Zustand der Gesellschaft mit künstlerischer Meisterschaft dar, er faßt die sozialen Mißstände bei ihrer tiefsten Wurzel, bei dem religiös-philosophischen Fundament" (welches „Fundament" bekanntlich viel jünger ist als die „Mißstände"), „bei der unklaren, nebulösen Erkenntnis... Reine, durchlüftete Begriffe vom wahren Menschentum" (und vor allem Wirbelknochen, Herr Grün, Wirbelknochen!), „das wäre auch der Tod jener Misère, jener wurmstichigen, durchlöcherten Zustände, die man das bürgerliche Leben nennt!" [p.95.]

Ein Beispiel, wie „‚Werther' den verrotteten Zustand der Gesellschaft mit künstlerischer Meisterschaft" darstellt. Werther schreibt:

„Abenteuer? warum brauche ich das alberne Wort ... unsre bürgerlichen, unsre falschen Verhältnisse, das sind die Abenteuer, das sind die Ungeheuer!"[119]

Dieser Jammerschrei eines schwärmerischen Tränensacks über den Abstand zwischen der bürgerlichen Wirklichkeit und seinen nicht minder bürgerlichen Illusionen über diese Wirklichkeit, dieser mattherzige, einzig auf Mangel an der ordinärsten Erfahrung beruhende Stoßseufzer wird von Herrn Grün auf p.84 für tiefschneidende Kritik der Gesellschaft ausgegeben. Herr Grün behauptet sogar, die in obigen Worten ausgesprochene „verzweiflungsvolle Qual des Lebens, dieser krankhafte Reiz, die Dinge auf den Kopf zu stellen, damit sie wenigstens einmal ein andres Ansehen bekämen"(!), habe „sich zuletzt das Bette der französischen Revolution gegraben". Die Revolution, oben die Verwirklichung des Machiavellismus, wird hier zur bloßen Verwirklichung der Leiden des jungen Werthers. Die Guillotine vom Revolutionsplatz ist nur das matte Plagiat von Werthers Pistole.

Hiernach versteht es sich ganz von selbst, daß Goethe auch in *„Stella"* nach p. 108 „einen sozialen Stoff" behandelt, obgleich hier nur „höchst lumpige Zustände" (p. 107) geschildert werden. Der wahre Sozialismus ist viel kulanter als unser Herr Jesus. Wo zwei oder drei beisammen sind, sie brauchen es gar nicht einmal in seinem Namen zu sein, so ist er mitten unter ihnen und hat „einen sozialen Stoff". Er wie sein Jünger Herr Grün hat überhaupt eine frappante Ähnlichkeit mit „jenem platten, selbstzufriedenen Schnüffelwesen, das sich um alles bekümmert, ohne etwas zu ergründen" (p.47).

Unsere Leser erinnern sich vielleicht eines Briefes, den Wilhelm Meister im letzten Bande der „Lehrjahre" an seinen Schwager schreibt, worin nach einigen ziemlich platten Glossen über den Vorteil, in wohlhabenden Verhältnissen heranzuwachsen, die Superiorität des Adels über die Spießbürger anerkannt und die ungeordnete Stellung der letzteren wie aller übrigen nichtadligen Klassen als einstweilen unabänderlich sanktioniert wird. Nur dem einzelnen soll es möglich sein, unter gewissen Umständen sich mit dem Adel auf gleiches Niveau zu stellen.[120] Herr Grün bemerkt hierzu:

„Was Goethe von den Vorzügen der höheren Klassen der Gesellschaft sagt, ist *durchaus wahr*, wenn man höhere Klasse mit gebildeter Klasse für identisch nimmt, und dies ist bei Goethe der Fall" (p. 264).

Wobei es fernerhin sein Bewenden hat.

Kommen wir zu dem vielbesprochenen Hauptpunkt: dem Verhältnis Goethes zur Politik und zur französischen Revolution. Hier kann man aus dem Buche des Herrn Grün lernen, was es heißt, durch dick und dünn waten; hier bewährt sich die Treue des Herrn Grün.

Damit Goethes Verhalten gegenüber der Revolution gerechtfertigt erscheine, muß Goethe natürlich *über* der Revolution stehen, sie schon, ehe sie existierte, überwunden haben. Wir erfahren daher schon p. XXI:

„Goethe war der *praktischen* Entwicklung seiner Zeit so weit vorausgeeilt, daß er sich gegen sie nur abweisend, nur abwehrend verhalten zu können glaubte."

Und p. 84, bei Gelegenheit „Werthers", der, wie wir sahen, schon die ganze Revolution in nuce[1] enthält: „Die Geschichte steht auf 1789, Goethe steht auf 1889." Desgleichen muß Goethe p. 28, 29 „das ganze Freiheitsgeschrei in wenigen Worten gründlich abtun", indem er bereits in den siebziger Jahren in den „Frankfurter gelehrten Anzeigen" einen Artikel[121] drucken läßt, der gar nicht von der Freiheit spricht, die die „Schreier" verlangen, sondern nur über die Freiheit als solche, den Begriff der Freiheit einige allgemeine und ziemlich nüchterne Reflektionen anstellt. Ferner: Weil Goethe in seiner Doktordissertation die These aufstellte, jeder Gesetzgeber sei sogar verpflichtet, einen bestimmten Kultus einzuführen – eine These, die Goethe selbst als ein bloßes amüsantes Paradoxon, veranlaßt durch allerlei kleinstädtischen Frankfurter Pfaffenkrakeel, behandelt (was Herr Grün *selbst* zitiert) – so „lief der Student Goethe den ganzen Dualismus der Revolution und des heutigen französischen Staats an den Schuhsohlen ab" p. 26, 27. Es scheint, als wenn Herr Grün die „abgelaufenen Schuhsohlen" des „Studenten Goethe" geerbt und damit die Siebenmeilenstiefel seiner „sozialen Bewegung" versohlt habe.

Jetzt geht uns natürlich ein neues Licht auf über Goethes Aussprüche in bezug auf die Revolution. Jetzt ist es klar, daß er, der hoch über ihr stand, der sie schon vor fünfzehn Jahren „abgetan", „an den Schuhsohlen ab-

[1] im Keim

gelaufen", sie um ein Jahrhundert devanciert hatte, keine Sympathie für sie haben, sich nicht für ein Volk von „Freiheitsschreiern" interessieren konnte, mit dem er bereits Anno dreiundsiebenzig im reinen war. Jetzt hat Herr Grün leichtes Spiel. Goethe mag noch so banale Erbweisheit in zierliche Distichen setzen, noch so philisterhaft borniert über sie räsonieren, noch so spießbürgerlich zurückschaudern vor dem großen Eisgang, der sein friedfertiges Poeten-Winkelchen bedroht, er mag sich so kleinlich, so feig, so lakaienhaft benehmen, wie er will, er kann es seinem geduldigen Scholiasten nicht zu arg machen. Herr Grün hebt ihn auf seine unermüdlichen Schultern und trägt ihn durch den Dreck; ja, er übernimmt den ganzen Dreck auf Rechnung des wahren Sozialismus, damit nur Goethes Stiefel rein bleiben. Von der „Campagne in Frankreich" bis zur „Natürlichen Tochter" übernimmt Herr Grün p. 133–170 alles, alles ohne Ausnahme, er beweist ein Devouement, das einen Buchez zu Tränen rühren könnte. Und wenn alles nicht hilft, wenn der Dreck gar zu tief ist, dann wird die höhere soziale Exegese vorgespannt, dann paraphrasiert Herr Grün wie folgt:

> Frankreichs traurig Geschick, die Großen mögen's bedenken,
> Aber bedenken fürwahr sollen es Kleine noch mehr.
> Große gingen zugrunde; doch wer beschützte die Menge
> Wider[1] die Menge? Da war Menge der Menge Tyrann.[122]

„Wer beschützt", schreit Herr Grün aus Leibeskräften, mit Sperrschrift, Fragezeichen und allen „Vehikeln der Tragödie des radikalen Gefühlspantheismus" [p. 93], „wer beschützt namentlich die besitzlose Menge, den sogenannten Pöbel, wider die besitzende Menge, den gesetzgebenden Pöbel?" p. 137. „Wer beschützt namentlich" Goethe gegen Herrn Grün?

In dieser Weise erklärt Herr Grün die ganze Reihe altkluger Bürgerregeln aus den venezianischen „Epigrammen", welche „wie von der Hand des *Herkules* Ohrfeigen austeilen, die uns erst jetzt recht behaglich" (nachdem die Gefahr für den Spießbürger vorüber ist) „zu klatschen scheinen, da wir eine große und *bittre* Erfahrung" (allerdings sehr bitter für den Spießbürger) „hinter uns haben" p. 136.

Aus der *„Belagerung von Mainz"*

„möchte" Herr Grün „um alles in der Welt die folgende Stelle nicht übergehen: ‚Dienstag ... eilte ich, meinen *Fürsten* ... zu *verehren*, wobei mir das *Glück* ward, dem Prinzen usw. ... *meinem immer gnädigen Herrn, aufzuwarten*'" usw.

Die Stelle, wo Goethe dem Leibkammerdiener, Leibhahnrei und Leib-

---

[1] Bei Goethe: Gegen

kuppler des Königs von Preußen[1], Herrn Rietz, seine untertänige Devotion zu Füßen legt, findet Herr Grün nicht angemessen zu zitieren.

[„Deutsche-Brüsseler-Zeitung"
Nr. 97 vom 5. Dezember 1847]

Bei Gelegenheit des *„Bürgergenerals"* und der *„Ausgewanderten"* erfahren wir:

„Goethes ganze Antipathie gegen die Revolution, sooft sie sich in dichterischer Weise äußerte, betraf dieses ewige Weh und Ach, daß er die Menschen aus *wohlverdienten* und *wohlerlebten* Besitzzuständen vertrieben sah, welche von Intriganten, Neidischen usw. in Anspruch genommen wurden ... dieses selbe *Unrecht der Beraubung* ... Seine *häusliche, friedliche* Natur empörte sich gegen eine Verletzung des Besitzrechts, die, von der *Willkür* ausgeübt, ganze Menschenmassen in Flucht und Elend jagte" p. 151.

Schreiben wir diese Stelle ohne weiteres auf Rechnung „des Menschen", dessen „friedliche, häusliche Natur" sich in „wohlverdienten und wohlerlebten", also, gerade herausgesagt, wohlerworbenen „Besitzzuständen" so behaglich fühlt, daß sie die Sturmflut der Revolution, die diese Zustände sans facon[2] wegschwemmt, für „Willkür", für das Werk von „Intriganten, Neidischen" usw. erklärt.

Daß Herr Grün die bürgerliche Idylle *„Hermann* und *Dorothea"*, ihre zaghaften und altklugen Kleinstädter, ihre jammernden Bauern, die mit abergläubischer Furcht vor der sanskülottischen Armee und vor den Greueln des Kriegs ausreißen, „mit der reinsten Freude genießt" (p. 165), das wundert uns hiernach nicht. Herr Grün

„nimmt sogar beruhigt vorlieb mit der engherzigen Mission, welche am Ende dem deutschen Volke ... zugeteilt wird:

Nicht dem Deutschen geziemt es, die fürchterliche Bewegung
Fortzuleiten und auch zu schwanken[3] hierhin und dorthin"[123].

Herr Grün tut recht daran, mitleidige Tränen zu vergießen für die Opfer der schweren Zeitläufte und in patriotischer Verzweiflung über solche Schicksalsschläge gegen Himmel zu blicken. Es gibt ohnehin der Verderbten und Entarteten genug, die kein „menschliches" Herz im Busen tragen, die lieber im republikanischen Lager in die Marseillaise einstimmen, ja wohl gar in Dorotheens verlassenem Kämmerlein laszive Witze reißen. Herr Grün ist ein Biedermann, den die Gefühllosigkeit entrüstet, mit welcher z. B. ein

[1] Friedrich Wilhelm II. – [2] ohne Umstände – [3] bei Goethe: wanken

Hegel auf die im Sturmschritt der Geschichte zertretenen „stillen Blümlein" herabsieht und über „die Litanei von Privattugenden der Bescheidenheit, Demut, Menschenliebe und Mildtätigkeit" spottet, die „gegen welthistorische Taten und deren Vollbringer" erhoben wird[124]. Herr Grün tut recht daran. Es wird ihm im Himmel wohl belohnet werden.

Schließen wir die „menschlichen" Glossen über die Revolution mit folgendem: „Ein wirklicher Komiker dürfte es sich herausnehmen, den *Konvent selbst unendlich lächerlich zu finden*", und bis dieser „wirkliche Komiker" sich finde, gibt Herr Grün einstweilen die nötigen Instruktionen dazu, p. 151, 152.

Über Goethes Verhältnis zur Politik nach der Revolution gibt Herr Grün ebenfalls überraschende Aufschlüsse. Nur ein Beispiel. Wir wissen bereits, welchen tiefgefühlten Groll „der Mensch" gegen die Liberalen in seinem Herzen trägt. Der „Dichter des Menschlichen" darf natürlich nicht in die Grube fahren, ohne sich ganz speziell mit ihnen auseinandergesetzt, ohne den Herren Welcker, Itzstein und Konsorten einen ausdrücklichen Denkzettel angehangen zu haben. Diesen Denkzettel spürt unser „selbstzufriedenes Schnüffelwesen" in folgender „Zahmen Xenie" auf (p. 319):

> Das ist doch nur der alte Dreck,
> Werdet doch gescheiter!
> Tretet nicht immer denselben Fleck,
> So geht doch weiter!

Goethes Urteil: „Nichts ist widerwärtiger als die *Majorität*, denn sie besteht aus wenigen kräftigen Vorgängern, aus Schelmen, die sich akkommodieren, aus Schwachen, die sich assimilieren, und der Masse, die nachtrollt, ohne nur im mindesten zu wissen, was sie will"[125] – dies echte Spießbürgerurteil, dessen Unwissenheit und Kurzsichtigkeit nur auf dem beschränkten Terrain eines deutschen Sedezstaats möglich ist, gilt Herrn Grün für „die Kritik des späteren" (d.h. modernen) „Gesetzesstaats". Wie wichtig es sei, erfahre man „z.B. in jeder beliebigen Deputiertenkammer" (p. 268). Hiernach sorge der „Bauch" der französischen Kammer[126] nur aus Unwissenheit so vortrefflich für sich und seinesgleichen. Ein paar Seiten weiter, p. 271, ist dem Herrn Grün „die *Julirevolution*" „fatal", und schon p. 34 wird der *Zollverein* scharf getadelt, weil er „dem Nackten, Frierenden die Lappen zur Bedeckung seiner Blöße noch *verteuert*, um die Stützen des Throns (!!), die freisinnigen Geldherren" (die bekanntlich im ganzen Zollverein „dem Thron" opponieren) „etwas wurmfester zu machen". Die „Nackten" und „Frierenden" werden bekanntlich in Deutschland überall von den Spießbürgern vorgeschoben, wo es gilt, die Schutzzölle oder irgendeine andre progressive Bourgeoismaßregel zu bekämpfen, und „der Mensch" schließt sich ihnen an.

Welche Aufschlüsse gibt uns nun Goethes Kritik der Gesellschaft und des Staats durch Herrn Grün über „das Wesen des Menschen"?

Zuerst besitzt „der Mensch" nach p. 264 einen ganz entschiedenen Respekt vor den „gebildeten Ständen" im allgemeinen und eine geziemende Deferenz gegen einen hohen Adel im besondern. Dann aber zeichnet er sich durch eine gewaltige Furcht vor jeder großen Massenbewegung, vor aller energischen gesellschaftlichen Aktion aus, bei deren Herannahen er sich entweder schüchtern in seinen Ofenwinkel verkriecht oder mit Sack und Pack eiligst davonläuft. Solange sie dauert, ist die Bewegung „eine bittere Erfahrung" für ihn, kaum ist sie vorbei, so pflanzt er sich breit aufs Proszenium und teilt mit der Hand des Herkules Ohrfeigen aus, die ihm erst jetzt recht behaglich zu klatschen scheinen, und findet die ganze Geschichte „unendlich lächerlich". Dabei hängt er mit ganzer Seele an „wohlverdienten und wohlerlebten Besitzzuständen"; im übrigen besitzt er eine sehr „häusliche und friedliche Natur", ist genügsam und bescheiden und wünscht, in seinen kleinen, stillen Genüssen durch keine Stürme gestört zu werden. „Der Mensch weilt gern im Beschränkten" (p. 191, lautet so der *erste Satz* des „zweiten Teils"); er beneidet niemanden und dankt seinem Schöpfer, wenn man ihn in Ruhe läßt. Kurz, „der Mensch", von dem wir schon sahen, daß er ein geborner *Deutscher* ist, fängt allmählich an, einem *deutschen Kleinbürger* aufs Haar zu gleichen.

In der Tat, worauf reduziert sich Goethes durch Herrn Grün vermittelte Kritik der Gesellschaft? Was findet „der Mensch" an der Gesellschaft auszusetzen? Erstens, daß sie seinen Illusionen nicht entspricht. Aber diese Illusionen sind gerade die Illusionen des ideologisierenden, besonders des jugendlichen Spießbürgers – und wenn die spießbürgerliche Wirklichkeit diesen Illusionen nicht entspricht, so kommt das nur daher, weil sie Illusionen sind. Sie entsprechen dafür um so vollständiger der spießbürgerlichen Wirklichkeit. Sie unterscheiden sich von ihr nur, wie sich überhaupt der ideologisierende Ausdruck eines Zustandes von diesem Zustande unterscheidet, und von ihrer Realisierung kann daher weiter keine Rede sein. Ein schlagendes Exempel hierfür liefern Herrn Grüns Glossen zu „Werther".

Zweitens richtet sich die Polemik „des Menschen" gegen alles, was das deutsche Spießbürgerregime bedroht. Seine ganze Polemik gegen die Revolution ist die eines Spießbürgers. Sein Haß gegen die Liberalen, die Julirevolution, die Schutzzölle spricht sich aufs unverkennbarste als der Haß des gedrückten, stabilen Kleinbürgers gegen den unabhängigen, progressiven Bourgeois aus. Geben wir hierfür noch zwei Beispiele.

Die Blüte der Kleinbürgerei war bekanntlich das Zunftwesen. Pag. 40 sagt Herr Grün, im Sinne Goethes, also „des Menschen", sprechend: „Im Mittelalter verband die Korporation den *starken Mann* schützend mit andern *Starken*." Die Zunftbürger jener Zeit sind „starke Männer" vor „dem Menschen".

Aber das Zunftregime war zu Goethes Zeit bereits im Verfall, die Konkurrenz brach von allen Seiten herein. Goethe ergießt sich als echter Spießbürger in einer Stelle seiner Memoiren, die Herr Grün p. 88 zitiert, in herzzerreißenden Klagen über die anfangende Verfaulung der Kleinbürgerei, über den Ruin wohlhabender Familien, über den damit verbundenen Verfall des Familienlebens, Lockerung der häuslichen Bande und sonstigen Bürgerjammer, der in zivilisierten Ländern mit verdienter Verachtung behandelt wird. Herr Grün, der in dieser Stelle eine famose Kritik der modernen Gesellschaft wittert, kann seine Freude so wenig mäßigen, daß er ihren ganzen „menschlichen Inhalt" mit Sperrschrift drucken läßt.

Gehen wir jetzt zum positiven „menschlichen Inhalt" in Goethe über. Wir können jetzt rascher gehen, da wir „dem Menschen" einmal auf der Fährte sind.

Berichten wir vor allen Dingen die erfreuliche Wahrnehmung, daß „Wilhelm Meister das elterliche Haus desertiert" und im „Egmont" „die Brüsseler Bürger auf Privilegien und Freiheiten bestehen", aus keinem andern Grunde, als um „Menschen zu werden" p. XVII.

Herr Grün ertappte schon einmal den alten Goethe auf Proudhonschen Wegen. Er hat dies Vergnügen p. 320 noch einmal:

„Was er wollte, was wir alle wollen, unsre Persönlichkeit retten, die *Anarchie* im wahren Sinne des Worts, darüber spricht Goethe also:

> Warum mir aber in neuster Welt
> Anarchie gar so wohl gefällt?
> Ein jeder lebt nach seinem Sinn,
> Das ist nun also auch mein Gewinn"[127] usw.

Herr Grün ist überselig, die echt „menschliche" gesellschaftliche Anarchie, die von Proudhon zuerst verkündigt und von den deutschen wahren Sozialisten durch Akklamation adoptiert worden ist, bei Goethe wiederzufinden. Diesmal versieht er sich indes. Goethe spricht von der schon existierenden „Anarchie in neuster Welt", die sein Gewinn schon „ist", und wonach jeder nach seinem Sinn lebt, d. h. von der durch die Auflösung des

Feudal- und Zunftwesens, durch das Emporkommen der Bourgeoisie, die Verbannung des Patriarchalismus aus dem gesellschaftlichen Leben der gebildeten Klassen herbeigeführten Unabhängigkeit im geselligen Verkehr. Von des Herrn Grün beliebter *zukünftiger* Anarchie im höhern Sinne kann also schon aus *grammatischen* Gründen keine Rede sein. Goethe spricht hier überhaupt nicht von dem, „was er wollte", sondern von dem, was er vorfand.

Doch so ein kleines Versehen darf nicht stören. Dafür haben wir ja das Gedicht: „Eigentum".

Ich weiß, daß mir nichts angehört
Als der Gedanke, der ungestört
Aus meiner Seele will fließen,
Und jeder günstige Augenblick,
Den mich ein liebendes Geschick
Von Grund aus läßt genießen.

Wenn es nicht klar ist, daß in diesem Gedicht „das bisherige Eigentum in Rauch aufgeht" (p.320), so steht Herrn Grün der Verstand still.

[„Deutsche-Brüsseler-Zeitung"
Nr. 98 vom 9. Dezember 1847]

Doch überlassen wir diese kleinen exegetischen Nebenbelustigungen des Herrn Grün ihrem Schicksal. Ihre Zahl ist ohnehin Legion, und die eine führt immer zu noch überraschenderen als die andere. Sehen wir uns lieber wieder nach „dem Menschen" um.

„Der Mensch weilt gern im Beschränkten", hörten wir. Der Spießbürger tut desgleichen.

„Goethes Erstlinge waren *rein sozialer*" (d.h. menschlicher) „Natur... Goethe hielt sich ans *Allernächste, Kleinste, Häuslichste*" p.88.

Das erste, was wir Positives am Menschen entdecken, ist die Freude am „kleinsten, häuslichen" Stilleben des Kleinbürgers.

„Wenn wir einen Platz in der Welt finden", sagt Goethe von Herrn Grün resümiert, „da mit unsern Besitztümern zu ruhen, ein Feld, uns zu nähren, ein Haus, uns zu decken, haben wir da nicht ein Vaterland?"

Und, ruft Herr Grün aus,

„wie ist uns heute das Wort aus der Seele geschrieben?" p.32.

„Der Mensch" trägt wesentlich eine redingote à la propriétaire[1] und gibt sich auch dadurch als Vollblut-Epicier[2] zu erkennen.

Der deutsche Bürger ist höchstens momentan, in seiner Jugend Frei-

[1] einen Gehrock des Wohlhabenden – [2] Vollblut-Spießbürger

heitsschwärmer, wie jedermann weiß. „Der Mensch" hat dieselbe Eigenschaft. Herr Grün erwähnt mit Wohlgefallen, wie Goethe in seinen späteren Jahren den noch im „Götz", diesem „Produkt eines freien und ungezogenen Knaben", spukenden „Freiheitsdrang" „verdammt", und zitiert sogar den feigen Widerruf in extenso[1] p 43. Was Herr Grün sich unter Freiheit vorstellt, mag man daraus abnehmen, daß er ebendaselbst die Freiheit der Französischen Revolution mit der fryen Schwyzer zur Zeit von Goethes Schweizerreise, also die moderne konstitutionelle und demokratische Freiheit mit der Patrizier- und Zunftherrschaft mittelalterlicher Reichsstädte und vollends mit der urgermanischen Roheit viehzüchtender Alpenstämme identifiziert. Die Montagnards des Berner Oberlandes unterscheiden sich ja nicht einmal dem Namen nach von den Montagnards des Nationalkonvents![2]

Der ehrsame Bürger ist ein großer Feind aller Frivolität und Religionsspötterei: „Der Mensch" desgleichen. Wenn Goethe sich in dieser Beziehung an diversen Stellen echt bürgerlich aussprach, so gehört dies Herrn Grün auch zum „menschlichen Inhalt in Goethe". Und damit man es recht glauben möge, sammelt Herr Grün nicht nur diese Goldkörner, sondern setzt p. 62 noch gar manches Beherzigenswerte von seinem Eignen hinzu, daß die „Religionsspötter ... hohle Töpfe und Tröpfe" seien usw. Was seinem Herzen als „Menschen" und Bürger alle Ehre macht.

Der Bürger kann nicht ohne einen „lieben König", einen teuren Landesvater leben. „Der Mensch" auch nicht. Daher hat Goethe p. 129 an Karl August einen „vortrefflichen Fürsten". Der wackre Herr Grün, der Anno 1846 noch für „vortreffliche Fürsten" schwärmt!

Den Bürger interessiert eine Begebenheit insofern, als sie direkt auf seine Privatverhältnisse einwirkt.

„Selbst die Begebenheiten des Tages werden Goethe zu fremden Objekten, die ihn in der *bürgerlichen Behäbigkeit* entweder stören oder fördern, die ihm ein ästhetisches oder *menschliches* Interesse abgewinnen können, nie aber ein politisches" p. 20.

Herr Grün „gewinnt hiernach einer Sache ein menschliches Interesse ab", wenn er merkt, daß sie ihn „in der bürgerlichen Behäbigkeit entweder stört oder fördert". Herr Grün gesteht hier möglichst geradeheraus, daß die bürgerliche Behäbigkeit die Hauptsache für „den Menschen" ist.

„Faust" und „Wilhelm Meister" geben Herrn Grün zu besondern Kapiteln Anlaß. Nehmen wir zuerst den „Faust".

---

[1] ausführlich – [2] Wortspiel: „montagnards" – wörtlich „Bergbewohner"; so nannten sich auch die Jakobiner, die Vertreter der Bergpartei im Konvent während der Französischen Revolution

Pag. 116 erfahren wir:

„Dadurch, daß Goethe dem Geheimnis der Pflanzen-Organisation auf die Spur kam", wird er „erst in den Stand gesetzt, seinen humanistischen Menschen" (gibt es denn kein Mittel, dem „menschlichen" Menschen aus dem Wege zu gehen), „den Faust, fertig zu gestalten. *Denn* Faust wird ebensowohl ... als auch durch die Naturwissenschaft auf den Gipfel seiner eigenen Natur (!) geführt."

Wir haben unsre Exempel davon gehabt, wie auch „der humanistische Mensch" Herr Grün „durch die Naturwissenschaft auf den Gipfel seiner eigenen Natur geführt wird". Man sieht, wie dies in der Rasse liegt.

Wir hören dann p. 231, daß das „Tiergeripp' und Totenbein" in der ersten Szene „die Abstraktion unsres ganzen Lebens" bedeutet – überhaupt verfährt Herr Grün mit dem „Faust" geradeso, als ob er die Offenbarung Sankt Johannis' des Theologen vor sich hätte. Der Makrokosmus bedeutet „die Hegelsche Philosophie", die damals, als Goethe diese Szene schrieb (1806), zufällig nur noch im Kopfe Hegels und höchstens im Manuskripte der „Phänomenologie" existierte, das Hegel zu derselben Zeit ausarbeitete. Was geht den „menschlichen Inhalt" die Zeitrechnung an?

Die Schilderung des heruntergekommenen Heiligen Römischen Reichs im zweiten Teil des „Faust" versteht Herr Grün p. 240 ohne weiteres für eine Schilderung der Monarchie Ludwigs XIV., „womit", fügt er hinzu, „wir *von selbst* die Konstitution und die Republik haben!" „Der Mensch" „hat" natürlich alles „von selbst", was andre Leute sich erst mit Mühe und Arbeit herstellen müssen.

Pag. 246 vertraut uns Herr Grün, daß der zweite Teil des „Faust" nach seiner naturwissenschaftlichen Seite hin „der moderne Kanon geworden, wie Dantes ‚Göttliche Komödie' der Kanon des Mittelalters war". Zur Nachahmung für die Naturforscher, die bisher hinter dem zweiten Teil des „Faust" sehr wenig, und für die Historiker, die hinter dem ghibellinischen[128] Parteigedicht des Florentiners ganz etwas andres als einen „Kanon des Mittelalters" gesucht hatten! Es scheint, als ob Herr Grün die Geschichte mit ähnlichen Augen ansieht, wie Goethe nach p. 49 seine eigne Vergangenheit: „In Italien überschaute Goethe seine Vergangenheit *aus den Augen* des belvederischen Apoll", welche Augen pour comble de malheur[1] nicht einmal Augäpfel haben.

Wilhelm Meister ist „Kommunist", d.h. „in der Theorie, auf dem Boden der ästhetischen Anschauung" (!!) p. 254.

---

[1] um das Unglück voll zu machen

Er hat sein' Sach' auf nichts gestellt,
Und sein gehört die ganze Welt[129] p.257.

Natürlich, er hat Geld genug, und die Welt gehört ihm, wie sie jedem Bourgeois gehört, ohne daß er sich die Mühe zu geben braucht, „Kommunist auf dem Boden der ästhetischen Anschauung" zu werden. – Unter den Auspizien des Nichts, worauf Wilhelm Meister sein' Sach' gestellt hat und welches, wie p.256 zu ersehen, ein gar weitläuftiges und inhaltsschweres „Nichts" ist, wird auch der Katzenjammer abgeschafft. Herr Grün „trinkt alle Neigen aus, ohne Nachwehen, ohne Kopfschmerz". Desto besser für „den Menschen", der nun ungestraft dem stillen Trunke huldigen darf. Für die Zeit, wo dieses alles erfüllet wird, entdeckt Herr Grün inzwischen schon das Kommerslied des „wahren Menschen" in dem: „Ich hab mein' Sach' auf nichts gestellt" – „dieses Lied wird man singen, wenn die Menschheit sich ihrer würdig eingerichtet hat"; nur hat Herr Grün es auf drei Strophen reduziert und die für die Jugend und „den Menschen" unpassenden Stellen ausgemerzt.

Goethe stellt im „W[ilhelm] M[eister]"

„das Ideal der menschlichen Gesellschaft auf". „Der Mensch ist kein lehrendes, sondern ein lebendes, handelndes und wirkendes Wesen." „Wilhelm Meister ist dieser Mensch." „Das Wesen des Menschen ist die Tätigkeit"

(ein Wesen, das er mit jedem Floh teilt) p.257, 258, 261.

Zum Schluß die „Wahlverwandtschaften". Diesen ohnehin moralischen Roman moralisiert Herr Grün noch mehr, so daß es fast scheint, als ob es ihm darum zu tun wäre, die „Wahlverwandtschaften" als passendes Schulbuch für höhere Töchterschulen zu empfehlen. Herr Grün erklärt, Goethe habe

„unterschieden zwischen Liebe und Ehe, und zwar so, daß ihm die Liebe das *Suchen* der *Ehe* war und die Ehe die *gefundene*, vollendete Liebe", p.286.

Wonach also die Liebe das *Suchen* „der gefundenen Liebe" ist. Dies wird weiter dahin erläutert, daß nach „der Freiheit der Jugendliebe" die Ehe als „Schlußverhältnis der Liebe" einzutreten hat (p.287). Gerade wie in zivilisierten Ländern ein weiser Familienvater seinen Sohn erst einige Jahre austoben läßt und ihm dann als „Schlußverhältnis" eine passende Ehefrau aussucht. Während man aber in zivilisierten Ländern längst darüber hinweg ist, in diesem „Schlußverhältnis" etwas moralisch Bindendes zu sehen, während dort im Gegenteil der Mann sich Maitressen hält und die Frau ihm dafür Hörner aufsetzt, rettet den Herrn Grün wieder der Spießbürger:

„Hat der Mensch wirklich freie Wahl gehabt, ... gründen zwei Menschen ihren Bund auf ihren beiderseitigen vernünftigen Willen" (von Leidenschaft, Fleisch und Blut ist dabei keine Rede), „so hört die Weltansicht eines *Libertins*[1] dazu, die Störung dieses Verhältnisses als eine Kleinigkeit, als nicht so leid- und unglücksvoll zu betrachten, wie Goethe es getan hat. Von *Libertinage*[2] aber kann bei Goethe keine Rede sein" p. 288.

Diese Stelle qualifiziert die schüchterne Polemik gegen die Moral, die sich Herr Grün von Zeit zu Zeit erlaubt. Der Spießbürger ist zu der Einsicht gekommen, daß man den jungen Leuten um so eher etwas durchgehen lassen muß, als gerade die liederlichsten Jungen nachher die besten Ehemänner werden. Sollten sie sich aber nach der Hochzeit noch etwas zuschulden lassen kommen – dann keine Gnade, keine Barmherzigkeit für sie; denn „es gehört die Weltansicht eines Libertins dazu".

„Weltansicht eines Libertins!" „Libertinage!" Man sieht „den Menschen" so leibhaftig als möglich vor Augen, wie er die Hand aufs Herz legt und mit freudigem Stolze ausruft: Nein! ich bin rein von aller Frivolität, von „Kammern und Unzucht", ich habe nie das Glück einer zufriedenen Ehe mutwillig gestört, ich hab' immer Treu und Redlichkeit geübt und mich nie gelüsten lassen nach meines Nächsten Weib – ich bin kein „Libertin"!

„Der Mensch" hat recht. Er ist nicht gemacht für galante Abenteuer mit schönen Frauenzimmern, er hat nie auf Verführung und Ehebruch spekuliert, er ist kein „Libertin", sondern ein Mann von Gewissen, ein ehr- und tugendsamer deutscher Spießbürger. Er ist

> ...l'épicier pacifique,
> Fumant sa pipe au fond de sa boutique;
> Il craint sa femme et son ton arrogant;
> De la maison il lui laisse l'empire,
> Au moindre signe obéit sans mot dire
> Et vit ainsi cocu, battu, content.
>
> (Parny, „Goddam"[3], chant III.)[4]

---

[1] Lüstlings – [2] Ausschweifung – [3] englischer Fluch; in Frankreich Spottname für Engländer – [4] ...der friedliche Krämer,
der seine Pfeife hinten im Laden raucht;
er fürchtet seine Frau und ihren arroganten Ton;
die Herrschaft über das Haus überläßt er ihr,
auf den geringsten Wink gehorcht er stumm.
So lebt er denn gehörnt, geschlagen und zufrieden.
(Parny, „Goddam", Gesang III.)

Es bleibt uns nur noch eine Bemerkung zu machen. Wenn wir in den vorstehenden Zeilen Goethe nur nach einer Seite hin betrachtet haben, so ist das lediglich die Schuld des Herrn Grün. Er stellt Goethe nach seiner kolossalen Seite hin gar nicht dar. Über alle Sachen, in denen Goethe wirklich groß und genial war, schlüpft er entweder eilig hinweg, wie über die „Römischen Elegien" des „Libertins" Goethe, oder er gießt einen breiten Strom von Trivialitäten über sie aus, der nur beweist, daß er mit ihnen nichts anzufangen weiß. Dagegen sucht er mit einem bei ihm sonst nicht häufigen Fleiß alle Philistereien, alle Spießbürgerlichkeiten, alle Kleinigkeiten auf, stellt sie zusammen, outriert sie echt literatenmäßig und freut sich jedesmal, wenn er seine eigene Borniertheit auf die Autorität des, oft noch entstellten, Goethe stützen kann.

Nicht das Gebelfer Menzels, nicht die beschränkte Polemik Börnes war die Rache der Geschichte dafür, daß Goethe sie jedesmal verleugnete, wenn sie ihm Aug in Auge gegenüber trat. Nein,

So wie Titania in Feen- und Zauberland
Klaus Zetteln in den Armen fand[130],

so hat Goethe eines Morgens den Herrn Grün in seinen Armen gefunden. Die Apologie des Herrn Grün, der warme Dank, den er Goethen für jedes philiströse Wort stammelt, das ist die bitterste Rache, die die beleidigte Geschichte über den größten deutschen Dichter verhängen konnte.

Herr Grün aber „kann mit dem Bewußtsein die Augen schließen, daß er der Bestimmung, Mensch zu sein, keine Schande gemacht hat" (p. 248).

Geschrieben Ende 1846 bis Anfang 1847.

Friedrich Engels

Die wahren Sozialisten[131]

Seit die obigen Schilderungen wahrer Sozialisten geschrieben wurden, sind mehrere Monate verflossen. Während dieser Zeit hat der wahre Sozialismus, der bisher nur vereinzelt, hie und da auftauchte, einen großartigen Aufschwung genommen. Er hat in allen Teilen des Gesamtvaterlandes Vertreter gefunden, er hat sich sogar zu einer gewissen literarischen Parteibedeutung emporgehoben. Noch mehr, er sondert sich bereits in mehrere Gruppen, die zwar durch das gemeinsame Band deutscher Innigkeit und Wissenschaftlichkeit, durch gemeinsame Bestrebungen und Zwecke eng verbunden, die aber doch durch die besondre Individualität einer jeden bestimmt voneinander geschieden sind. Auf diese Weise ist „die chaotische Lichtmasse", wie Herr Grün so schön sagt, des wahren Sozialismus mit der Zeit in eine „geordnete Helle" übergegangen; sie hat sich zu Sternen mit Sterngruppen konzentriert, bei deren mildem, ruhig strahlendem Schein der deutsche Bürger seinen Plänen für redliche Erwerbung eines kleinen Vermögens und seinen Hoffnungen für Hebung der niederen Volksklassen sorglos nachhängen kann.

Wir dürfen vom wahren Sozialismus nicht scheiden, ohne vorher wenigstens die entwickeltsten dieser Gruppen näher beobachtet zu haben. Wir werden sehen, wie jede von ihnen, anfangs in der Milchstraße der allgemeinen Menschenliebe verschwimmend, durch die eintretende saure Gärung, die „wahre Begeisterung für die Menschheit" (wie Herr Dr. Lüning, gewiß eine kompetente Autorität, sich ausdrückt), sich als besondre Flocke konstituiert und von den bürgerlich-liberalen Molken scheidet; wie sie dann eine Zeitlang als Nebelfleck am sozialistischen Himmel figuriert, wie der Nebelfleck an Größe und Helligkeit zunimmt und schließlich gleich einer Rakete sich in eine blendende Gruppe von Sternen und Sternbildern zerteilt.

Die älteste, am frühsten selbständig entwickelte Gruppe ist die des *westfälischen Sozialismus*. Dank den überaus wichtigen Händeln dieser Gruppe mit der königlich preußischen Polizei, dank dem Eifer dieser westfälischen

Fortschrittsmänner für Öffentlichkeit, hat das deutsche Publikum den Gewinn gehabt, die ganze Geschichte dieser Gruppe in der „Kölnischen ..."[132], „Trier'schen ..."[26] und andern Zeitungen lesen zu können. Wir brauchen hier daher nur das Nötigste zu erwähnen.

Der westfälische Sozialismus ist in der Gegend von Bielefeld, im Teutoburger Walde zu Hause. Die Zeitungen enthielten ihrer Zeit geheimnisvolle Andeutungen über den mystischen Charakter seiner frühesten Epoche. Aber bald überschritt er die Stufe des Nebelflecks; mit dem ersten Hefte des „Westphälischen Dampfboots"[31] erschloß er sich und zeigte dem erstaunten Auge ein Heer schimmernder Sterne. Wir befinden uns im Norden des Äquators und, sagt ein alter Reim:

> Im Norden sind zu sehn der *Widder* und der *Stier*,
> Die *Zwilling, Krebs* und *Leu*, samt einer *Jungfrau* Zier.

Die Existenz der *„Jungfrauen"* wurde schon früh von der „guten Presse" behauptet; der *„Leu"* war ebenderselbe Hermann der Cherusker, der bald, nachdem der westfälische Nebelfleck sich erschlossen, seine trauten Freunde verließ und nunmehr als Volkstribun[133] von Amerika herüber seine blonden Mähnen schüttelt. Nicht gar zu lange darauf ist ihm der Krebs „wegen unangenehmer Wechselgeschichten" gefolgt, wodurch der westfälische Sozialismus zwar Witwe wurde, aber darum nicht minder das Geschäft fortsetzt. Von den Zwillingen ist der eine ebenfalls nach Amerika gegangen, um eine Kolonie zu stiften; während er dort abhanden kam, erfand der zweite „die Volkswirtschaft in ihrer zukünftigen Gestaltung" (vgl. Lüning, „Dies Buch gehört dem Volke", II. Jahrg.)[134]. Alle diese verschiedenen Figuren sind indes verhältnismäßig unbedeutend. Das Gewicht der Gruppe konzentriert sich im Widder und im Stier, diesen echt westfälischen Gestirnen, unter deren Obhut das „Westphälische Dampfboot" sicher die Wogen durchschneidet[135].

Das „Westphälische Dampfboot" hielt sich eine lange Zeit auf dem mode simple[1] des wahren Sozialismus. „Es verging kein Stund in der Nacht"[136], wo es nicht bittre Tränen vergoß über das Elend der leidenden Menschheit. Es predigte das Evangelium vom Menschen, vom wahren Menschen, vom wahren wirklichen Menschen, vom wahren wirklichen leibhaftigen Menschen aus Leibeskräften, und die waren freilich nicht sonderlich groß. Es hatte ein weiches Gemüt und liebte Milchreis mehr als spanischen Pfeffer. Daher trug seine Kritik einen sehr sanftmütigen Charakter und schloß sich lieber an gleich barmherzige, liebevolle Rezensenten an, als an die neuerdings aufkommende herzlose, kalte Schärfe der Beurteilung. Aber es hatte ein weites Herz bei

[1] einfache Art

wenig Courage, und so fand selbst die gefühllose „Heilige Familie"[29] Gnade vor seinen Augen. Mit der größten Gewissenhaftigkeit berichtete es über die verschiedenen Phasen der Bielefelder, Münsterschen usw. Lokalvereine zur Hebung der arbeitenden Klassen. Größte Aufmerksamkeit wurde den wichtigen Ereignissen im Bielefelder Museum gewidmet. Und damit ja der westfälische Bürger und Landmann erfahre, was die Glocke geschlagen, wurden in dem monatlichen Überblick der „Weltbegebenheiten" am Schluß jeder Nummer dieselben Liberalen belobt, die in den übrigen Artikeln der Nummer angegriffen worden waren. Nebenbei teilte man dem westfälischen Bürger und Landmann noch mit, wann die Königin Victoria niedergekommen war, in Ägypten die Pest wütete und die Russen im Kaukasus eine Schlacht verloren hatten.

Man sieht, das „Westphälische Dampfboot" war eine Zeitschrift, die auf den Dank aller Wohlgesinnten und auf das überquellende Lob des Herrn Fr. Schnake im „Gesellschaftsspiegel"[137] vollen Anspruch machen durfte. Der Stier redigierte mit dem lächelndsten Behagen auf der marschigen Weide des wahren Sozialismus herum. Wenn ihm auch der Zensor zuweilen ins Fleisch schnitt, so brauchte er doch nie zu seufzen: „es war die beste Stelle"; der westfälische Stier war ein Zugstier und kein Zuchtstier. Selbst der „Rheinische Beobachter"[138] hat nie gewagt, weder dem „Westphälischen Dampfboot" im allgemeinen noch dem Dr. Otto Lüning im besondern ein Attentat auf die Sittlichkeit vorzuwerfen. Kurz, man konnte wähnen, das „Dampfboot", das, seit ihm die Weser verboten wurde, nur noch auf dem mythisch unter die Sterne versetzten Flusse Eridanus[139] schwimmt (denn bei Bielefeld fließt kein andres Wasser) – das „Dampfboot" habe den höchsten Grad menschlicher Vollkommenheit erreicht.

Aber in allen seinen bisherigen Efforts hatte das „Dampfboot" nur die einfachste Phase des wahren Sozialismus entwickelt. Gegen den Sommer des Jahres 1846 trat es aus dem Zeichen des Stiers heraus und näherte sich dem des Widders, oder vielmehr, um historisch richtiger zu sprechen, der Widder näherte sich ihm. Der Widder war ein gereister Mann und stand vollständig auf der Höhe der Zeit. Er erklärte dem Stier, wie es jetzt in der Welt eigentlich aussehe, daß die „wirklichen Verhältnisse" jetzt die Hauptsache seien, und daß man deshalb eine neue Wendung machen müsse. Der Stier war vollkommen einverstanden, und von diesem Augenblick an bietet das „Westphälische Dampfboot" ein noch viel erhebenderes Schauspiel dar: den mode composé[1] des wahren Sozialismus.

[1] die zusammengesetzte Art

„Der Widder und der Stier" glaubten diese graziöse Tour nicht besser ausführen zu können als durch den Abdruck unsrer Kritik des New-Yorker „Volks-Tribunen"[140], die wir diesem Blatte im Manuskript eingeschickt hatten und die von ihm aufgenommen war. Das „Dampfboot", das sich jetzt nicht scheute, auf seinen eignen, weit in Amerika befindlichen Leuen anzuschlagen (der mode composé des wahren Sozialismus gibt bei weitem mehr Keckheit als der mode simple), das „Dampfboot" war übrigens pfiffig genug, folgende menschenfreundliche Bemerkung an obige Kritik zu knüpfen: „Sollte jemand im obigen Aufsatz eine *Selbstkritik* (?!) des ‚Dampfboots' erblicken wollen, so haben wir nichts dagegen."

Damit ist der mode composé des wahren Sozialismus genügend eingeleitet, und nun geht es im gestreckten Galopp vorwärts auf der neuen Bahn. Der Widder, von Natur ein kriegerisches Geschöpf, kann sich bei der bisherigen gutmütigen Art der Kritik nicht beruhigen; dem neuen Leithammel der westfälischen Lämmerherde zuckt die Kampflust durch alle Glieder, und eh seine zaghafteren Genossen ihn daran hindern können, trabt er mit gesenkten Hörnern auf den Dr. Georg Schirges in Hamburg los. Der Dr. Schirges war früher gar so übel nicht angesehen bei den Lenkern des „Dampfboots", aber jetzt ist das anders geworden. Der arme Dr. Schirges repräsentiert den mode simplicissimus[1] des wahren Sozialismus, und diese jüngst noch geteilte Einfalt verzeiht ihm der mode composé nicht. Darum rennt ihm der Widder im Septemberheft 1846 des „Dampfboots" pag. 409–414 die unbarmherzigsten Breschen in die Mauern seiner „Werkstatt"[141]. Genießen wir einen Augenblick dies Schauspiel.

Einige wahre Sozialisten und soi-disant[2] Kommunisten haben die brillanten Satiren Fouriers über die Lebensverhältnisse der Bourgeoisie, soweit sie etwas davon kennengelernt hatten, in die Sprache der deutschen bürgerlichen Moralität übersetzt. Sie entdeckten bei dieser Gelegenheit die bereits den Aufklärern und Fabeldichtern des vorigen Jahrhunderts bekannte Theorie von dem Unglück der Reichen und bekamen damit Stoff zu den unerschöpflichsten moralischen Tiraden. Der Dr. Georg Schirges, noch nicht tief genug eingeweiht in die Mysterien der wahren Doktrin, ist keineswegs der Meinung, daß „die Reichen ebenso unglücklich seien als die Armen". Der westfälische Leithammel versetzt ihm dafür einen entrüsteten Stoß, wie ihn ein Mensch verdient, den „ein Gewinn in der Lotterie ... zum glücklichsten und zufriedensten Menschen von der Welt machen könnte".

„Ja", ruft unser stoischer Widder aus, „es ist denn doch trotz Herrn Schirges wahr,

[1] die einfältige Art – [2] sogenannte

daß der Besitz nicht ausreicht, die Leute glücklich zu machen, daß ein sehr großer Teil unsrer Reichen sich ... nichts weniger als glücklich fühlt." (Du hast recht, biedrer Widder, die Gesundheit ist ein Gut, das mit keinem Golde aufzuwiegen ist.) „Hat er auch durch Hunger und Kälte nicht zu leiden, so gibt es doch noch andre Übel" (zum Beispiel venerische Krankheiten, anhaltendes Regenwetter, in Deutschland mitunter auch Gewissensbisse), „deren Druck er sich nicht entziehen kann." (Namentlich ist für den Tod kein Kraut gewachsen.) „Ein Blick in das Innere der meisten Familien ... faul und morsch Alles ... Der Mann durch Börsen- und Handelsgeschäfte ganz absorbiert" (beatus ille qui procul negotiis[1] – es ist erstaunlich, daß der Arme noch Zeit übrig behält, ein paar Kinder zu machen) ... „zum Sklaven des Geldes herabgewürdigt" (der Ärmste!), „die Frau zur inhaltslosen" (außer wenn sie schwanger ist), „hohlen Salondame herangebildet oder zur guten Hausfrau erzogen, die für nichts Sinn hat als für Kochen, Waschen und Kinderwarten" (spricht der Widder noch von den „*Reichen*"?) „und höchstens einige Klatschgesellschaften" (wir sind, sieht man, noch immer auf ausschließlich deutschem Boden, wo die „gute Hausfrau" die schönste Gelegenheit hat, sich dem zu widmen, wofür „sie Sinn hat"; Grund genug, höchst „unglücklich" zu sein); „dabei beide nicht selten in einem ununterbrochenen Kriege miteinander ... selbst das Band zwischen Eltern und Kindern wird durch die sozialen Verhältnisse häufig zerrissen" etc. etc.

Das schlimmste Leiden hat unser Autor vergessen. Ein jeder „reiche" deutsche Hausvater wird ihm sagen können, daß ehelicher Unfriede mit der Zeit ein Bedürfnis werden, daß man ungeratene Kinder nach Batavia expedieren und vergessen kann, daß aber diebische und widerspenstige Dienstboten ein unerträgliches und bei der um sich greifenden Demoralisation des gemeinen Mannes und Weibes nunmehr fast unvermeidliches „Übel" sind.

Wenn die Herren Rothschild, Fulchiron und Decazes in Paris, Samuel Jones Loyd, Baring und Lord Westminster in London diese Schilderung von den Trübsalen der „Reichen" läsen, wie würden sie den guten westfälischen Widder bemitleiden!

... „Dabei aber, *nachzuweisen*" (wie oben geschehen), „daß der Druck unserer Verhältnisse" (namentlich der Druck der Atmosphäre mit 15 Pfund pro Quadratzoll) „auch auf dem Reichen, wenn auch nicht ebenso stark, wie auf dem Armen laste, kommt das heraus, was bei der Schilderung unsrer Verhältnisse und Zustände überhaupt herauskommt: Aufklärung für jeden, der damit bekannt zu werden sucht." (Es scheint fast, daß bei dem mode composé des wahren Sozialismus noch weniger „herauskommt" als bei dem mode simple.) „Aus der Unzufriedenheit des Reichen wird *allerdings* keine Umwälzung zugunsten des Proletariers hervorgehen, dazu gehören mächtigere Triebfedern" (namentlich *Schreib*federn); „*auch* ist es mit dem: ‚Seid umschlungen Millionen, diesen Kuß der ganzen Welt'[142] – nicht abgetan; *aber* ebensowenig

[1] glückselig, wer dem Treiben der Geschäfte fern (Horaz, „Epodon", Ode II, Vers 1)

nützt es, sich mit Flickwerk und Palliativmittelchen" (etwa Versöhnungsversuchen in der obigen unglücklichen Haushaltung) „abzuquälen und darüber das Große, die wirklichen Reformen" (wohl die Ehescheidung) „ganz zu vergessen."

Der Zusammenhang des obigen „allerdings" mit den folgenden „auch" und „aber ebensowenig" liefert „allerdings" ein beklagenswertes Beispiel von der Verwirrung, welche durch den Übergang vom einfachen zum zusammengesetzten wahren Sozialismus im Kopf eines Westfalen herbeigeführt wird; „auch" wird sich unsre Betrübnis nicht vermindern, wenn wir auf der nächsten Seite (p. 413) lesen, daß „in den politisch entwickelten Ländern ... *ein Zustand* ohne alle Schranke besteht"; „aber ebensowenig" spricht es für die geschichtlichen Kenntnisse des westfälischen Sozialismus, wenn nach derselben Seite *„der Egoismus* ... in der glänzendsten Zeit der Revolution, in der Zeit des Konventes sogar *nicht selten bestraft wurde*" – wahrscheinlich mit Stockprügeln. Doch „wir haben keinen Grund, von dem ferneren Wirken ‚unsres Widders' Besseres zu erwarten, und werden deshalb wohl sobald nicht wieder auf ihn zurückkommen".

Sehen wir uns lieber nach dem Stier um. Dieser beschäftigt sich inzwischen mit den „Weltbegebenheiten"[143], wirft p. 421 (Septemberheft 1846) „lauter wohl aufzuwerfende Fragen" auf und stürzt sich köpflings in diejenige Politik, welcher nach dem „Charivari" Herr Guizot den Spitznamen der „großen" gegeben hat. Auch hier ist der Fortschritt gegen die frühere Periode des einfachen Sozialismus augenscheinlich. Ein paar Proben:

Es ist das Gerücht nach Westfalen gedrungen, daß die preußische Regierung durch die Geldnot, in der sie sich befindet, sehr leicht zur Oktroyierung einer Konstitution genötigt werden könnte. Zugleich berichten die Zeitungen von der an der Berliner Börse herrschenden Geldnot. Unser westfälischer Zugstier, der in der politischen Ökonomie eben nicht stark ist, identifiziert tout bonnement[1] die Geldnot der Berliner *Regierung* mit der ganz verschiedenen Geldnot der Berliner *Commerçants*[2] und entwickelt folgende tiefblickende Hypothese:

„... als vielleicht noch in diesem Jahre die Provinzialstände als Reichsstände zusammenberufen werden. *Denn* die Geldnot ist noch immer dieselbe, die Bank scheint ihr nicht abhelfen zu können. *Ja*, es könnten *sogar* die begonnenen und projektierten Eisenbahnbauten ernstlich durch den Geldmangel gefährdet werden, in *welchem Falle dann* der Staat *leicht*" (o sancta simplicitas![3]) „zur Übernahme einzelner Linien veranlaßt sein könnte" (äußerst scharfsinnig), „was wieder ohne Anleihe nicht möglich ist."

[1] ohne weiteres – [2] *Kaufleute* – [3] o heilige Einfalt!

Letzteres ist sehr wahr. In dem biedern Westfalen glaubt man wirklich noch unter einer väterlichen Regierung zu stehen. Selbst unser extremer Sozialist im mode composé traut der preußischen Regierung die Naivität zu, eine Konstitution zu geben, bloß um durch eine auswärtige Anleihe der Berliner Börsenklemme abzuhelfen – glücklicher Köhlerglaube!

Die feine Nase unsres westfälischen Zugstiers zeigt sich aber am feinsten in seinen Glossen über auswärtige Politik. Vor einigen Monaten roch der mode composé des wahren Sozialismus folgende neue Pariser und Londoner Mysterien, die wir zur Erheiterung des Lesers mitteilen wollen:

Septemberheft:

Frankreich. – „Das Ministerium ist siegreich aus dem Wahlkampfe hervorgegangen, wie das nicht anders zu erwarten war" (wo hat wohl je ein Westfale etwas „anders" erwartet, als „zu erwarten war"?). „Mag es immerhin alle Hebel der Korruption in Bewegung gesetzt, mag es das Henrische Attentat ... genug, die *alte* Opposition (Thiers, Barrot) hat eine bedeutende Niederlage erlitten. *Aber* auch Herr Guizot wird nicht mehr auf eine so kompakte, konservative und ministeriell quand même[1] votierende Partei zählen können; *denn* auch die konservative Partei ist in zwei Abteilungen zerfallen, in die conservateurs bornés[2] mit den Journalen ‚Débats' und ‚Époque' und in die conservateurs progressifs[3], deren Organ die ‚Presse' ist." (Der Stier vergißt nur, daß Herr Guizot höchstselbst in seiner Rede vor seinen Wählern zu Lisieux[144] *zuerst* die Redensart vom progressiven Konservatismus ausbeutete.) „*Überhaupt*" (hier fängt die oben schon beim Widder bemerkte sonderbare Zusammenhanglosigkeit wieder an, „wie das nicht anders zu erwarten war") „werden wohl die abstrakt-politischen Parteifragen, die sich nur darum drehten, ob Thiers Minister sein sollte oder Guizot" (das nennt man in Westfalen „abstrakt-politische Parteifragen", und dort glaubt man noch, es habe sich bisher in Frankreich „*nur darum* gedreht"!), „etwas in den Hintergrund gedrängt werden. Die Nationalökonomen Blanqui ... sind in dieKammer gewählt, und mit ihnen werden dort auch wohl" (zur Aufklärung der Westfalen) „nationalökonomische Fragen aufs Tapet kommen" (was man in Westfalen wohl für eine Vorstellung von den „Fragen" haben mag, die bisher „dort auf dem Tapet" waren!). – Pag. 426, 427.

Frage: Warum besteht die englische Aristokratie auf den Peitschenhieben für die Soldaten? Antwort:

„Will man die Prügel abschaffen, so muß man ein andres Rekrutierungssystem anordnen, und *hat man bessere Soldaten, so braucht man auch bessere Offiziere* (!!), die ihre Stelle dem Verdienste verdanken und nicht dem Kaufe oder der Gunst. *Deshalb* ist die Aristokratie gegen ‚die Abschaffung der Peitschenhiebe', weil sie dadurch ein neues Bollwerk, die Versorgung ihrer ‚jüngeren Söhne', verliert. Die Mittelklasse verfolgt aber ihren Vorteil Schritt vor Schritt und wird auch hier noch den Sieg erringen."

[1] trotz allem – [2] eingefleischten Konservativen – [3] fortschrittlichen Konservativen

(Welche Mythen! Die Feldzüge der Engländer in Indien, Afghanistan etc. beweisen, daß sie vorderhand keine „besseren Offiziere brauchen", und die englische Mittelklasse wünscht weder bessere Offiziere noch bessere Soldaten, noch ein andres Rekrutierungssystem, noch liegt ihr viel an der Abschaffung der Peitsche. Das „Dampfboot" wittert aber seit einiger Zeit in England nichts andres als Kampf der Mittelklasse und der Aristokratie.) Pag. 428.

Oktoberheft:

Frankreich. – „Herr Thiers hat sein langjähriges Organ, den ‚Constitutionnel' verloren; das Blatt ist von einem konservativen Deputierten gekauft und wird nun langsam und unmerklich" (allerdings nur für den mode composé des wahren Sozialismus „merklich") „ins konservative Lager hinübergeleitet. Herr Thiers, der schon früher gedroht hat, wenn man es ihm gar zu arg machte, so würde er seine alte Feder vom ‚National' wieder ergreifen, soll jetzt wirklich den ‚National' gekauft haben."

(Leider war der „‚National' von 1830" ein ganz anderer, konstitutioneller und orleanistischer „National" als der republikanische „‚National' von 1834", den Herr Thiers Anno 1846 „wirklich gekauft haben soll". Es ist übrigens ein unverantwortlicher Bubenstreich an dem „Dampfboot" verübt worden. Irgendein gewissenloser Bösewicht und Feind der guten Sache hat dem Redakteur einige Blätter des „Corsaire-Satan"[145] zugeschoben, und nun druckt das „Dampfboot" die in diesem für westfälische Leser keineswegs hinreichend moralischen Blatte figurierenden Tagesgerüchte bona fide[1] als Orakel ab. Wie konnte das „Dampfboot" auch bezweifeln, daß ein „Corsaire-Satan" nicht wenigstens ebensoviel sittlichen Gehalt und Bewußtsein des erhabenen Berufs der Presse habe, wie es selbst?)

„Ob Herr Thiers durch diesen Schritt zu den Republikanern übergetreten ist, wird sich zeigen."

Ehrlicher Cherusker, dies „Ob" verdankst Du nicht dem „Corsaire"; cela sent la forêt teutobourgienne d'une lieue[2]! – Dafür aber läßt er sich vom „Corsaire", der für die Handelsfreiheit Partei ergriffen hat, verleiten, der Agitation für den libre échange[3] in Frankreich einen Erfolg und eine Wichtigkeit zu geben, die sie bei weitem nicht hat.

„Unsre Voraussagungen, daß alle industriellen Länder denselben Gang gehen und zu demselben Ziele gelangen müssen wie England ... scheinen also doch nicht so ganz unrichtig zu sein, da sie jetzt verwirklicht werden. Und wir ‚unpraktischen Theoretiker' scheinen also doch die *wirklichen Verhältnisse*" (hurra!) „ebensogut zu kennen

[1] in gutem Glauben – [2] das riecht meilenweit nach Teutoburger Wald – [3] Freihandel

und besser zu beurteilen als die ‚praktischen Männer', die sich so gerne mit ihrer Erfahrung, mit ihrer Kenntnis der praktischen Zustände breitmachen."

Unglückliche teutoburgische „Theoretiker"! Nicht einmal die „wirklichen Verhältnisse" des „Corsaire-Satan" „kennt" ihr! (Diese schönen Sachen finden sich p. 479.)

Novemberheft:

Frankreich. – „Vergebens zerbrechen sich die Gelehrten die Köpfe darüber, woher diese so häufig wiederkehrenden Überschwemmungen rühren mögen. Früher wurden *durch einen Machtspruch der Akademie* die rauschenden Wälder auf den Bergen als *Ursachen des Übels* niedergehauen, nachher wurden sie wieder angepflanzt, und das Übel blieb dasselbe." Pag. 522.

„Vergebens" würden „sich die Gelehrten die Köpfe darüber zerbrechen", wo hier der größte Unsinn steckt: 1. glaubt der Westfale, in Frankreich könne die Akademie Machtsprüche tun und Wälder niederhauen lassen; 2. glaubt er, die Wälder seien niedergehauen nicht um des Holzes und seines Geldertrags, sondern um der Überschwemmungen willen; 3. glaubt er, die Gelehrten zerbrächen sich die Köpfe über die Ursachen dieser Überschwemmungen; 4. glaubt er, die *Wälder* seien jemals für eine Ursache derselben angesehen worden, wo in Frankreich jedes Kind weiß, daß gerade die *Ausrottung der Wälder* diese Ursache ist, und 5. glaubt er, die Wälder seien wieder angepflanzt, während nirgend so sehr über Forstvernachlässigung und immer fortschreitende, um Reproduktion unbekümmerte Entholzung der Forsten geklagt wird als gerade in Frankreich (vgl. außer den Fachzeitschriften die „Réforme", „National", „Démocratie pacifique" und andre Oppositionsblätter vom Oktober und November 1846). Der westfälische Stier hat in jeder Beziehung Unglück. Folgt er dem „Corsaire-Satan", so verwickelt er sich; folgt er seinem eignen Genius, so verwickelt er sich ebenfalls.

Der wahre Sozialismus in seiner zweiten Potenz hat, wie wir sehen, auf dem Felde der höheren Politik Großes geleistet. Welcher Scharfblick, welche Kombination gegenüber den früheren Berichten über die „Weltbegebenheiten"! Welche gründliche Kenntnis der „wirklichen Verhältnisse"! Das wichtigste „wirkliche Verhältnis" ist aber für das „Dampfboot" die Stellung der königlich preußischen Offiziere. Der seit einiger Zeit in der deutschen periodischen Presse unvermeidliche Leutnant Anneke, die wichtige Diskussion im Bielefelder Museum wegen des Degentragens, die daraus entstehenden ehrengerichtlichen Prozesse usw. machen den Hauptinhalt des Oktober- und Novemberheftes aus. Auch über die nicht zustande gekommene

„Deutsche Zeitung", das im siebzehnten Jahrhundert zugrunde gegangene und von Monteil geschilderte französische Bettlerkönigreich[146] und andere gleich „wirkliche" Verhältnisse erhalten wir interessante Aufschlüsse. Dazwischen treibt sich von Zeit zu Zeit ein Multiplikationskreuz[147] herum, das noch vollständig den mode simple des wahren Sozialismus repräsentiert und mit der größten Unbefangenheit alle seine Stichworte haufenweise von sich gibt: deutsche Theorie und französische Praxis sollen sich vereinigen, der Kommunismus soll durchgesetzt werden, *damit* der Humanismus durchsetzbar sei (p. 455–58) usw. Von Zeit zu Zeit entwischt dem Widder oder dem Stier selbst noch eine ähnliche Reminiszenz, ohne indes die göttliche Harmonie der „wirklichen Verhältnisse" im geringsten zu stören.

Verlassen wir jetzt das Gros der westfälischen Armee, um den Evolutionen eines detachierten Korps zu folgen, das sich im gesegneten Wuppertal unter dem Unterrock einer massiven Nemesis[148] verschanzt hat. Seit längerer Zeit hat ein Herr Fr. Schnake in der Rolle des *Perseus* dem Publikum den Gorgonenschild[149] des *„Gesellschaftsspiegels"* vorgehalten und zwar mit solchem Erfolge, daß nicht nur das Publikum über dem „Gesellschaftsspiegel", sondern auch der „Gesellschaftsspiegel" über dem Publikum eingeschlafen ist. Unser Perseus ist aber ein Spaßvogel. Nachdem er dies beneidenswerte Resultat erreicht, zeigt er (letztes Heft, letzte Seite) an: 1. daß der „Gesellschaftsspiegel" entschlafen sei, 2. daß man, um Verzögerungen zu vermeiden, ihn künftig am besten durch die *Post* beziehe. Womit er, unter Verbesserung seiner letzten Druckfehler, sein Exit nimmt.

Man sieht schon aus dieser Berücksichtigung der „wirklichen Verhältnisse", daß wir es auch hier mit dem mode composé des wahren Sozialismus zu tun haben. Es ist indes ein bedeutender Unterschied zwischen dem Widder und dem Stier und unsrem Perseus. Man muß dem Widder und dem Stier das Zeugnis geben, daß sie den „wirklichen Verhältnissen", nämlich denen Westfalens und überhaupt Deutschlands, möglichst treu bleiben. Beweis die obige Jammerszene des Widders, Beweis die gemütlichen Schilderungen des Stiers – die oben übergangen werden mußten – aus dem deutschen politischen Leben. Sie haben aus dem mode simple besonders die einfache, ungeschminkte Kleinbürgerlichkeit, die deutsche Realität auf ihren neuen Standpunkt mitgenommen; die Geltendmachung des Menschen, der deutschen Theorie usw. bleibt allerhand Multiplikationskreuzen und sonstigen untergeordneten Sternen überlassen. Beim „Gesellschaftsspiegel" ist es gerade umgekehrt. Hier entäußert sich der Heerführer Perseus möglichst der kleinbürgerlichen Realität, die er seinem Gefolge auszubeuten überläßt und schwingt sich, der Mythe getreu, hoch in die Lüfte der deutschen Theorie. Er kann um so eher den „wirklichen Verhältnissen" einige Geringschätzung beweisen, als er auf einem viel bestimmteren Standpunkt steht. Repräsentieren die unmittelbar westfälischen Gestirne den mode composé, so ist Perseus tout ce qu'il y a de plus composé en Allemagne[1]. In seinem kühnsten ideologischen Fluge steht er dennoch stets auf der „materiellen Basis", und dies sichere Untergestell gibt ihm eine Keckheit im Kampf, an die die Herren Gutzkow, Steinmann, Opitz und andere bedeutende Charaktere noch nach Jahren gedenken werden. Die „materielle Basis" unseres Perseus besteht aber hauptsächlich in Folgendem[150]:

1. „Nur mit der Aufhebung der *materiellen Basis* unsrer Gesellschaft, des Privaterwerbs, wird auch der Mensch ein Andrer." (Heft X, p. 53.)

Hätte der mode simple, der diesen uralten Gedanken so oft aussprach, nur gewußt, daß der Privaterwerb die materielle Basis unsrer Gesellschaft sei, so wäre er der mode composé gewesen und hätte unter den Auspizien unsres Perseus fortfahren können, ein ruhiges und demütiges Leben zu führen in aller Gottseligkeit und Ehrbarkeit. So aber hatte er selbst keine materielle Basis, und es erfüllte sich an ihm wie geschrieben steht im Propheten Goethe:

> Und wenn er keinen *Hintern* hat,
> Wie soll der Edle sitzen?[151]

Wie „materiell" diese Basis, der Privaterwerb, ist, geht unter andern aus folgenden Stellen hervor:

„Der Egoismus, der Privaterwerb" (die also identisch sind, und wonach der „Egoismus" auch eine „*materielle Basis*" ist) „zerrüttet die Welt mit dem Grundsatz: Jeder für sich" usw. (p. 53.)

Also eine „*materielle* Basis", die nicht mit „materiellen" Tatsachen, sondern mit ideellen „Grundsätzen" „zerrüttet". – Das Elend ist bekanntlich (wem es noch nicht bekannt sein sollte, dem setzt es Perseus am angeführten Ort selbst auseinander) auch eine Seite „unsrer Gesellschaft". Aber, erfahren wir, nicht die „materielle Basis, der Privaterwerb", sondern au contraire[2] „die Transzendenz hat die Menschheit ins Elend gestürzt" (p. 54 ... alle drei Stellen sind aus einem Aufsatz).

Möge „die Transzendenz" den unglücklichen Perseus schleunigst „aus dem Elende befreien, in welches" die „materielle Basis" ihn „gestürzt hat".

2. „Die wirkliche Masse bringt auch nicht eine Idee, sondern das ‚wohlverstandene Interesse' in Bewegung ... In der sozialen Revolution ... wird dem Egoismus der kon-

[1] alles das, was es in Deutschland an noch Zusammengesetzterem gibt – [2] im Gegenteil

servativen Partei der *edlere* Egoismus des erlösungsbedürftigen Volks" (ein „erlösungsbedürftiges" Volk, das eine Revolution macht!) „gegenübertreten ... es kämpft eben für sein ‚wohlverstandenes Interesse' gegen das ausschließliche, brutale Interesse der Privaten, gestützt und getragen durch eine *sittliche* Kraft und rastlosen Eifer" (Heft XII, p. 86).[152]

Das „wohlverstandene Interesse" unsres „erlösungsbedürftigen" Perseus, ohne Zweifel „gestützt und getragen durch eine sittliche Kraft und rastlosen Eifer", besteht darin, „dem Egoismus der konservativen Partei, den edleren Egoismus" des Schweigens „gegenübertreten" zu lassen; denn er „bringt auch nicht *eine* Idee in Bewegung", ohne zugleich den mode composé des wahren Sozialismus zu kompromittieren.

3. „Die Armut ist eine Folge des Eigentums, welches Privateigentum und seiner Natur nach ausschließend ist!!" (XII, 79.)[153]

4. „*Welche* Assoziationen hier *gemeint sind, läßt sich nicht bestimmen; meint* der Verfasser *aber* die egoistischen Assoziationen der Kapitalisten, *so* hat er die wichtigen Assoziationen der Handwerker gegen die Willkür der Arbeitgeber vergessen"!! (XII, 80).

Perseus ist glücklicher. Welchen Unsinn er hat machen wollen, „läßt sich nicht bestimmen, meinte" er aber den bloß stilistischen, so hat er den ebenso „wichtigen" logischen keineswegs „vergessen". Bei Gelegenheit der Assoziation erwähnen wir noch, daß wir p. 84 Aufschluß erhalten über „die Assoziationen im *eigentlichen Sinne*, welche das Bewußtsein des Proletariers heben und die energische (!) proletarische (!!) gesamte (!!!) Opposition gegen die bestehenden Zustände ausbilden".

Wir sprachen schon oben bei Gelegenheit des Herrn Grün von der Gewohnheit der wahren Sozialisten, unverstandene Entwicklungen durch Auswendiglernen einzelner Sätze und Stichwörter sich anzueignen.[1] Der mode composé unterscheidet sich vom mode simple nur durch die Masse solcher, ihm auf Schleichwegen zugeführten und deshalb um so eiliger verschluckten, unverdauten Bissen und durch das ihm dadurch verursachte entsetzliche Leibschneiden. Wir sahen, wie den Westfalen bei jedem Wort „die wirklichen Verhältnisse", „nationalökonomischen Fragen" usw., aufstießen, wie der unerschrockene Perseus an der „materiellen Basis", dem „wohlverstandenen Interesse", der „proletarischen Opposition" laboriert. Dieser letztere Spiegelritter führt außerdem noch „den Feudalismus des Geldes" zu beliebigem Gebrauch bei sich, den er aber besser seinem Urheber Fourier belassen hätte. Er denkt sich so wenig bei diesem Stichworte, daß er XII,

[1] Siehe vorl. Band, S. 228/229

p. 79 behauptet, dieser Feudalismus „schaffe statt der Feudalaristokratie eine Besitzaristokratie", wonach also 1. der „Feudalismus des Geldes", d. h. die „Besitzaristokratie", *sich selbst* „schafft" und 2. die „Feudalaristokratie" keine „Besitzaristokratie" gewesen ist. Nachher meint er, p. 79, der „Feudalismus des *Geldes*" (d. h. der Bankiers, der die *kleineren Kapitalisten* und *Industriellen* zu Vasallen hat, wenn man im Bilde bleiben will) und der „der Industrie" (der die *Proletarier* zu Vasallen hat) seien „nur *einer*".

An die „materielle Basis" knüpft sich noch ungezwungen folgender fromme Wunsch des Spiegelritters, der an die freudige Hoffnung der Westfalen erinnert, die französische Deputiertenkammer werde zu ihrer, der Teutoburger Belehrung, ein nationalökonomisches Kollegium lesen:

„Nur müssen wir bemerken, daß wir in den uns zugesandten Nummern des (New-Yorker) ,Volks-Tribuns' bis jetzt noch fast gar nichts ... über den *Handel* und die *Industrie* Amerikas erfahren ... Mangel an *belehrender* Mitteilung über die industriellen und nationalökonomischen Verhältnisse Amerikas, von denen *doch*" (ei?) „immer die soziale Reform ausgeht" usw. (X, p. 56.)

Der „Volks-Tribun", ein Blatt, das in Amerika direkt populäre Propaganda machen will, wird also nicht deshalb getadelt, weil er seine Sache verkehrt anfängt, sondern weil er es unterläßt, dem „Gesellschaftsspiegel" „belehrende Mitteilungen" zu machen über Dinge, mit denen er in der hier geforderten Weise allerdings nicht das geringste zu tun hat. Seitdem Perseus die „materielle Basis" erwischt hat, von der er nicht weiß, was er an ihr hat, verlangt er von jedem, daß er ihm Aufschluß darüber geben soll.

Außerdem erzählt uns Perseus noch, daß die Konkurrenz die kleine Mittelklasse ruiniert, daß „der Luxus in der Kleidertracht ... durch die *schweren* Stoffe ... sehr lästig ist" (XII, p. 83 – Perseus glaubt wahrscheinlich, ein Atlaskleid wiege ebenso schwer wie ein Panzerhemd) und dergleichen mehr.

Und damit dem Leser ja kein Zweifel bleibe, was die „materielle Basis" der Vorstellungen unseres Perseus sei, heißt es X, p. 53:

„Herr Gutzkow würde wohl tun, sich erst einmal mit der *deutschen* Wissenschaft der Gesellschaft bekannt zu machen, damit ihm die Erinnerungen an den *verpönten französischen* Kommunismus, Babeuf, Cabet ... nicht in den Weg laufen",

und p. 52:

„der *deutsche* Kommunismus will eine Gesellschaft zur Darstellung bringen, in welcher *Arbeit* und *Genuß identisch* und nicht mehr durch den *äußeren Lohn* voneinander getrennt sind".

Wir haben oben gesehn, worin sowohl die „deutsche Wissenschaft der Gesellschaft", wie die zur „Darstellung" zu bringende Gesellschaft selbst besteht, und haben uns dabei nicht gerade in der besten Gesellschaft befunden.

Was die Genossen des Spiegelritters betrifft, so „bringen" sie eine äußerst langweilige „Gesellschaft" zur „Darstellung". Eine Zeitlang hatten sie sich vorgenommen, die Vorsehung des deutschen Bürgers und Landmanns zu spielen. Ohne Wissen und Willen des „Gesellschaftsspiegels" fiel kein Dachdecker vom Dach und kein kleines Kind ins Wasser. Zum Glück für die Dorfzeitung, der diese Konkurrenz anfing, gefährlich zu werden, gab die Spiegelbruderschaft diese ermüdende Tätigkeit bald auf: einer nach dem anderen schlief vor Ermattung ein. Vergebens wurden alle Mittel aufgeboten, um sie aufzurütteln, um dem Journal neues Lebensblut zuzuführen; der versteinernde Einfluß des Gorgonenschildes[149] äußerte sich auch auf die Mitarbeiter; am Ende stand unser Perseus mit seinem Schild und seiner „materiellen Basis" einsam da, „unter Leichen die einzige fühlende Brust"[154], die unmögliche Taille der massiven Nemesis brach in Trümmer zusammen, und – der „Gesellschaftsspiegel" hatte aufgehört zu existieren.

Friede seiner Asche! Machen wir inzwischen eine Schwenkung und suchen wir an einer benachbarten Stelle der nördlichen Halbkugel ein andres, helleres Gestirn auf. Mit leuchtendem Schweife strahlt uns Ursa Major, der *große Bär* oder Bärenmajor Püttmann entgegen, auch das Siebengestirn genannt, weil er immer selbsiebent auftritt, um die benötigten zwanzig Bogen[155] zustande zu bringen. Ein wackrer Kriegsheld! Er hat sich, seiner alten vierfüßigen Stellung auf der Himmelskarte überdrüssig, endlich auf die Hinterbeine gestellt, er hat sich gerüstet, wie geschrieben steht: So ziehet nun an die Uniform des Charakters und die Schärpe der Gesinnung; heftet auf Eure Achseln die Epauletten des Bombastes, und setzet auf den Dreimaster der Begeisterung und schmückt Eure Mannesbrust mit dem Ordenskreuz der Aufopferung dritter Klasse: seid umgürtet mit dem Krötenspieß des Tyrannenhasses und an Beinen gestiefelt, zu treiben die Propaganda mit möglichst wenigen Produktionskosten. Also ausstaffiert tritt unser Major vor die Front seines Bataillons, zieht seinen Degen, kommandiert: Stillgestanden! und hält folgende Rede:

Soldaten! Von der Höhe jenes Verlegerfensters blicken vierzig Louisd'ore auf Euch! Schaut um Euch, heldenmütige Verteidiger der „gesellschaftlichen Totalreform", seht Ihr die Sonne? Das ist die Sonne von Austerlitz, die uns Sieg verkündet, Soldaten!

„Den Mut, die Unerschrockenheit, standzuhalten bis ans Ende, gibt uns das Bewußtsein, *nur* für die *Armen* und *Verworfenen*, für die *Verratenen* und die *Verzweifelnden* zu kämpfen. Es ist nichts *Halbes*, was wir verteidigen, es ist nichts *Unklares*" (sondern vielmehr etwas total Konfuses), „was wir wollen; und darum sind wir entschieden und bleiben trotz allem dem *Volke*, dem *unterdrückten Volke* für immer treu!" („Rheinische Jahrbücher", II. Band, Vorrede.)

Gewehr auf! – Achtung – präsentiert's Gewehr! Es lebe die neue Gesellschaftsordnung, welche wir nach Babeuf verbessert in 14 Kapitel und 63 Kriegsartikel gebracht haben!

„Es ist freilich zuletzt eins, ob es so kommen wird, als wir angaben, aber es wird anders kommen, als der Feind glaubt, anders als es bisher gewesen! Alle niederträchtigen Institutionen, die mit hundsföttischer Arbeit im Laufe der Jahrhunderte zum Ruin der Völker und Menschen erzeugt wurden, werden untergehen!" („Rheinische Jahrbücher", II, p. 240.)

Kreuzhimmelsackerment! Achtung – Gewehr in Arm! Links um! Gewehr ab! Rühren! Oben gehn! – Aber der Bär ist von Natur ein echt germanisches Tier. Nachdem er mit dieser Rede ein allgemeines stürmendes Hurra erweckt und so eine der kühnsten Taten unsres Jahrhunderts verrichtet, setzt er sich zu Hause hin und läßt seinem weichen, liebevollen Herzen freien Lauf in einer langen, schmelzenden Elegie über „Heuchelei" („Rheinische Jahrbücher", II, p. 129–149). Es gibt in unsrer innerlich verfaulten, an Leib und Seele vom Wurm der Selbstsucht zerfressenen Zeit leider! Individuen, die kein warmes, pochendes Herz im Busen tragen, denen nie eine Träne des Mitgefühls im Auge geblinkt, nie ein schallender Blitz leuchtender Menschheitsbegeisterung durch den öden Schädel gezuckt hat: Leser, findest Du einen solchen, o so laß ihn die „Heuchelei" des großen Bären lesen, und er wird weinen, weinen, weinen! Hier wird er sehen, wie elend, armselig und nackend er ist, denn sei er Theolog, Jurist, Mediziner, Staatsmann, Kaufmann, Besenbinder oder Logenschließer, hier findet er für jeden Stand seine aparte Heuchelei apart aufgedeckt. Hier wird er sehen, wie die Heuchelei sich überall eingenistet und wie namentlich „eine schwere Verdammnis die der Juristen" ist. Wenn ihn dies nicht zur Buße und Bekehrung bringt, so verdient er nicht, im Jahrhundert des großen Bären geboren zu sein. In der Tat, man mußte ein ehrlicher, ein, wie die Engländer sagen, „unsophistizierter" *Bär* sein, um die Heuchelei der bösen Welt so auf jedem Tritt und Schritt herauszuwittern. Wohin er sich dreht und wendet, überall stößt der große Bär auf Heuchelei. Es geht ihm wie seinem Vorgänger in „Lilis Park"[156]:

Denn ha! steh' ich so an der Ecke
Und hör' von weitem das Geschnatter,
Seh' das Geflitter, das Geflatter,
Kehr' ich mich um
Und brumm',
Und renne rückwärts eine Strecke,
Und seh' mich um
Und brumm',
Und laufe wieder eine Strecke
Und kehr doch endlich wieder um.

Natürlich, denn wie wäre der Heuchelei in unsrer grundverderbten Gesellschaft zu entrinnen! Aber es ist traurig!

„Jedermann darf ja medisant, süffisant, perfid, maliziös[1] und alles Andre sein, weil die *schickliche* Form aufgefunden ist" (p. 145).

Es ist wirklich zum Verzweifeln, namentlich, wenn man Ursa Major ist!

Und „leider! auch die *Familie* ist besudelt von der Lüge ... und der Lügenfaden zieht sich mitten durch die Familie und vererbt sich von Glied zu Glied".

Wehe, dreimal wehe über die Hausväter des deutschen Vaterlandes!

Dann fängt's auf einmal an zu rasen,
Ein mächt'ger Geist schnaubt aus der Nasen,
Es wildzt[2] die innere Natur –

und Ursa Major stellt sich wieder auf die Hinterbeine:

„Fluch der Selbstsucht! Wie grausig schwebst du über den Häuptern der Menschen! Mit deinen schwarzen Fittichen ... mit deinem schrillen Gekrächz... Fluch der Selbstsucht! ... Millionen und aber Millionen arme Sklaven ... weinend und schluchzend, klagend und jammernd ... Fluch der Selbstsucht!... Fluch der Selbstsucht!... Rotte der Baalspriester ... Pesthauch ... Fluch der Selbstsucht!... Ungeheuer der Selbstsucht..." (p. 146–148.)

Ich sträube meinen borst'gen Nacken,
Zu dienen ungewöhnt.
Ein jedes aufgestutztes Bäumchen höhnt
Mich an! Ich flieh' vom Bowlinggreen[3],
Vom niedlich glattgemähten Grase;
Der Buchsbaum zieht mir eine Nase,
. . . .
Ich arbeite mich ab, und bin ich matt genug,
Dann lieg' ich an gekünstelten Kaskaden,
Und kau' und wein' und wälze mich halbtot,
Und ach! es hören meine Not
Nur porzellanene Oreaden!

[1] schmähsüchtig, selbstgefällig, hinterlistig, boshaft – [2] offenbart sich in ihrer angebornen Wildheit, Tierheit – [3] Rasenplatz

Die größte „Heuchelei" in der ganzen Jeremiade liegt aber darin, ein solches von platten Literatenphrasen und Romanreminiszenzen zusammengestoppeltes Miserere für eine Schilderung der „Heuchelei" in der heutigen Gesellschaft auszugeben und zu tun, als ob man über diesen Popanz im Interesse der leidenden Menschheit gewaltig in Eifer geriete.

Wer auf der Himmelskarte einigermaßen bewandert ist, weiß, daß Ursa Major sich dort in einer intimen Unterhaltung mit einem Individuum von langweiligem Äußern befindet, welches mehrere Windhunde an einem Strick führt und *Bootes*[157] genannt wird. Diese Unterhaltung reproduziert sich am Sternhimmel des wahren Sozialismus auf pag. 241–256 der „Rheinischen Jahrbücher", II. Band. Die Rolle des Bootes übernimmt derselbe Herr Semmig, dessen Aufsatz über „Socialismus, Communismus, Humanismus" schon oben besprochen wurde.[1] Wir befinden uns bei ihm in der *sächsischen Gruppe*, deren vornehmstes Gestirn er ist, deshalb er auch ein Bändchen über „Sächsische Zustände" geschrieben hat. Über dies Bändchen erläßt Ursa Major an der angeführten Stelle ein wohlgefälliges Gebrumm und rezitiert „mit urkräftigem Behagen"[158] ganze Seiten daraus. Diese Zitate reichen hin, das ganze Büchlein zu charakterisieren, und sind um so willkommener, als die Schriften von Bootes sonst im Auslande nicht zu haben sind.

Obwohl Bootes sich in den „Sächsischen Zuständen" aus der Höhe seiner Spekulation auf die „wirklichen Verhältnisse" herabgelassen hat, so gehört er doch mit seiner ganzen sächsischen Gruppe, wie auch schon Ursa Major, mit Leib und Seele dem mode simple des wahren Sozialismus an. Der mode composé ist überhaupt mit den Westfalen und der Spiegelbruderschaft, speziell mit Widder, Stier und Perseus erschöpft. Die sächsische und alle folgenden Gruppen bieten uns daher nur weitere Entwicklungen des schon oben charakterisierten *einfachen* wahren Sozialismus.

Bootes, als Bürger und Beschreiber des deutsch-konstitutionellen Musterstaats, läßt vor allem eines seiner Windspiele gegen die *Liberalen* los. Auf diese sprudelnde Philippika brauchen wir um so weniger einzugehen als sie, wie alle ähnlichen Tiraden der wahren Sozialisten, nichts weiter ist als eine platte *Verdeutschung* der Kritik desselben Gegenstandes durch die französischen Sozialisten. Es geht Bootes gerade wie den Kapitalisten; er besitzt, um seine eignen Worte zu gebrauchen, „die von den Arbeitern" Frankreichs und ihren literarischen Repräsentanten „erzeugten Produkte infolge *blinder Erbschaft* fremder Kapitalien" („Rheinische Jahrbücher", II, p. 256). Er hat sie nicht einmal verdeutscht, denn dies war schon vor ihm durch andre (vgl.

[1] Siehe Band 3 unserer Ausgabe, S. 445

„Deutsches Bürgerbuch“[159], „Rheinische Jahrbücher“, I, usw.) geschehen. Er hat diese „blinde Erbschaft“ nur durch einige nicht bloß deutsche, sondern speziell *sächsische* „Blindheiten“ vergrößert. So meint er ibidem p. 243, die Liberalen sprächen „für öffentliches Gerichtsverfahren, um im Gerichtssaal ihre rhetorischen Exerzitien zu deklamieren“! Bootes sieht also, trotz seines Eifers gegen die Bourgeoisie, Kapitalisten usw., in den Liberalen nicht sowohl diese, als ihre besoldeten Bedienten, die *Advokaten*.

Das Resultat der scharfsinnigen Untersuchungen unsres Bootes über den Liberalismus ist bemerkenswert. Noch nie hat der wahre Sozialismus seine politisch-reaktionäre Tendenz so entschieden ausgesprochen:

„Ihr ... Proletarier aber ... die ihr euch ehedem von dieser liberalen Bourgeoisie in Bewegung setzen und zu Tumulten verleiten ließet (denkt an 1830), seid vorsichtig! Unterstützt sie nicht in ihren Bestrebungen und Kämpfen ... laßt sie allein ausfechten, was sie ... nur in ihrem Interesse beginnen; vor allem aber nehmt *zu keiner Zeit an politischen Revolutionen teil*, die stets nur von einer unzufriedenen Minderzahl ausgehen, welche selbst herrschsüchtig die herrschende Gewalt stürzen und sich die Regierung anmaßen möchte!“ (p. 245, 246.)

Bootes hat auf den Dank der königlich-sächsischen Regierung die gegründetsten Ansprüche – eine Rautenkrone[160] ist das mindeste, womit sie ihn lohnen kann. Wäre daran zu denken, daß das deutsche Proletariat seinem Rate folgte, so wäre die Existenz des feudalistisch-kleinbürgerlich-bäuerlich-bürokratischen Musterstaats Sachsen auf lange Zeiten gesichert. Bootes träumt, was für Frankreich und England, wo die Bourgeoisie *herrscht*, gut sei, müsse auch für Sachsen gut sein, wo sie noch lange nicht herrscht. Wie wenig übrigens selbst in England und Frankreich das Proletariat gegen Fragen gleichgültig bleiben kann, die zunächst allerdings nur ein Interesse der Bourgeoisie oder einer Fraktion derselben sind, kann Bootes täglich in den dortigen Proletarierjournalen lesen. Dergleichen Fragen sind u. a. in England die Aufhebung der Staatskirche, das sogenannte equitable adjustment[1] der Nationalschuld, die direkte Besteuerung, in Frankreich die Ausdehnung des Wahlrechts auf die kleine Bourgeoisie, Aufhebung der städtischen Oktrois usw.

Schließlich ist dann alle sächsische „gerühmte Freisinnigkeit eitel Wind und Schaum ... Wortfechterei“, nicht weil nichts damit durchgesetzt wird und die Bourgeoisie keinen Schritt weiterkommt, sondern weil „ihr“, die Liberalen, „doch damit nicht vermögt, die kranke Gesellschaft von Grund aus zu heilen“. p. 249. Was sie um so weniger vermögen, als sie die Gesellschaft gar nicht einmal für krank halten.

[1] gerechter Ausgleich

Genug hierüber. Auf pag. 248 läßt Bootes ein zweites ökonomisches Windspiel los.

Zu Leipzig ... „sind ganze Stadtteile *neu* entstanden" (Bootes kennt Stadtteile, die *nicht „neu"*, sondern gleich von vornherein *alt* „entstehen"). „Dabei hat sich aber in den *Logis* ein drückendes Mißverhältnis herausgestellt, indem es an Wohnungen zu einem (!) mittleren Preise fehlt. Jeder Neubauer richtet des hohen Zinses" (! soll heißen des *höheren Miet*zinses) „wegen sein Haus nur für große Haushaltungen ein; schon aus Mangel an anderweitigen Wohnungen ist manche Familie gezwungen, ein größeres Logis zu mieten, als sie braucht und bezahlen kann. *So* häufen sich Schulden, Pfändungen, Wechselarrest u. dgl.!" (Dies „!" verdient ein zweites (!).) *„Kurz, der Mittelstand soll förmlich verdrängt werden."*

Man bewundre die primitive Einfalt dieses ökonomischen Windspieles! Bootes sieht, daß die kleine Bourgeoisie der gebildeten Stadt Leipzig auf eine für uns höchst erheiternde Weise ruiniert wird. „In unsern Tagen, wo alle Unterschiede sich in der Gattung verwischen" (p. 251), müßte ihm dies Phänomen ebenfalls erfreulich sein; aber es betrübt ihn vielmehr und veranlaßt ihn, die Ursachen davon aufzusuchen. Er findet diese Ursachen – in der Malice der Bauspekulanten, die es darauf anlegen, jeden Gevatter Schneider und Handschuhmacher gegen Bezahlung einer übertriebnen Miete in einen Palast einzuquartieren. Die Leipziger „Neubauer" sind, wie uns Bootes in möglichst unbeholfenem und verworrenem Sächsisch – Deutsch ist es nicht – auseinandersetzt, über alle Gesetze der Konkurrenz erhaben. Sie bauen teurere Wohnungen, als ihre Abnehmer nötig haben, sie richten sich nicht nach dem Stand des Marktes, sondern nach dem „hohen Zins"; und während überall anderswo die Folge davon sein würde, daß sie ihre Wohnungen unter dem Preise vermieten müßten, gelingt es ihnen in Leipzig, den Markt ihrem eignen bon plaisir[1] zu unterwerfen und die Mieter zu zwingen, sich selbst durch hohe Miete zu ruinieren! Bootes hat eine Mücke für einen Elefanten, ein momentanes Mißverhältnis zwischen Nachfrage und Angebot im Häusermarkt für einen permanenten Zustand, ja für die Ursache des Ruins der kleinen Bourgeoisie angesehen. Doch dergleichen Bonhomien[2] sind dem sächsischen Sozialismus zu verzeihen, solange er noch „ein Werk vollbringt, das *des* Menschen würdig ist und über das ‚ihn' *die* Menschen segnen werden" (p. 242).

Wir wissen schon, daß der wahre Sozialismus ein großer Hypochonder ist. Man durfte sich indes der Hoffnung hingeben, daß Bootes, der im ersten Band der „Rheinischen Jahrbücher" eine so liebenswürdige Keckheit des

[1] Gutdünken, Willkür – [2] Einfältigkeiten

Urteils bewiesen, von dieser Krankheit frei sein würde. Keineswegs. Bootes läßt p. 252, 253 folgendes wimmernde Windspiel los und versetzt damit Ursam Majorem in Ekstase:

„Das Dresdner Vogelschießen ... ein Volksfest, und kaum betritt man die Wiese, so jammern uns die Leierkasten der Blinden entgegen, die die Konstitution nicht satt macht ... so widern uns schon die Marktschreiereien der ‚Künstler' an, die durch die Verrenkungen ihrer Glieder die Gesellschaft ergötzen, deren Ordnung selbst fratzenhaft und widerlich verrenkt ist."

(Wenn sich ein Seiltänzer auf den Kopf stellt, so bezeichnet das für Bootes die heutige verkehrte Welt; der mystische Sinn des Radschlagens ist der Bankerott; das Geheimnis des Eiertanzes ist die Karriere des wahrhaft sozialistischen Schriftstellers, der trotz aller „Verrenkungen" zuweilen ausgleitet und sich die ganze „materielle Basis" mit Eigelb besudelt; ein Leierkasten bedeutet eine Konstitution, die nicht satt macht, eine Maultrommel die Preßfreiheit, die nicht satt macht, eine Trödelbude den wahren Sozialismus, der ebenfalls nicht satt macht. In diese Symbolik vertieft, wandelt Bootes seufzend durchs Gedränge und bringt es so zu dem stolzen Gefühl, wie oben schon Perseus, „unter Larven die einzige fühlende Brust" zu sein.)

„Und dort in den Zelten, da treiben die Bordellwirte ... ihr schamloses Handwerk" (folgt eine lange Tirade über) ... „Prostitution, pestatmendes Scheusal, du bist die letzte Frucht unsrer heutigen Gesellschaft" (nicht immer die *letzte*, es kommt vielleicht nachträglich noch ein uneheliches Kind) ... „Ich könnte Geschichten erzählen, wie ein Mädchen dem fremden Manne zu Füßen" ... (folgt die Geschichte) ... „ich könnte Geschichten erzählen, aber nein, ich will es nicht" (er hat sie nämlich eben schon erzählt) ... „Nein, nicht *sie* klagt an, die armen Opfer der Not und Verführung, aber *sie* zieht vor den Richterstuhl: die frechen Kuppler ... nein, nein, auch sie nicht! Was tun sie anders, als was andre tun, sie treiben Handel, wo alles Handel treibt" usw.

Damit hat der wahre Sozialist alle Schuld von allen Individuen abgewälzt und sie der unantastbaren „Gesellschaft" zugeschoben. Cosi fan tutti[161] – es handelt sich schließlich nur darum, mit aller Welt gut Freund zu bleiben. Die charakteristischste Seite der Prostitution, daß sie nämlich die handgreiflichste, direkt auf den Leib gehende Exploitation des Proletariats durch die Bourgeoisie ist, die Seite, wo der „tatenzeugende Schmerz des Herzens" von p. 253 mit seinen breiten moralischen Bettelsuppen bankerott macht und wo die Leidenschaft, der rachdurstende Klassenhaß anfängt, diese Seite kennt der wahre Sozialismus nicht. Er bejammert vielmehr in den Prostituierten die verlorengegangenen Epicieren[1] und die Kleinmeisterinnen,

[1] Krämerinnen

in denen er nun nicht mehr „das Meisterstück der Schöpfung", die „Blumenkelche, durchduftet von den heiligsten und süßesten Gefühlen", bewundern kann. Pauvre petit bonhomme![1]

Die Blüte des sächsischen Sozialismus ist ein kleines Wochenblättchen, genannt: „Veilchen. Blätter für die *harmlose* moderne Kritik"[162], redigiert und verlegt von G. Schlüssel zu Bautzen. Die „Veilchen" sind also im Grunde Schlüsselblumen. Diese sanften Blümlein werden in der „Trier'schen Zeitung"[26] (12. Januar dieses Jahres) von einem Leipziger Korrespondenten, der auch von der Kompanie ist, folgendermaßen angezeigt:

„Einen Fortschritt, eine Entwicklung in der sächsischen schönen Literatur können wir in den ‚*Veilchen*' begrüßen; so jung das Blatt ist, so strebsam vermittelt es die alte sächsische politische Halbheit mit der sozialen Theorie der Gegenwart."

Die „alte sächsische Halbheit" ist diesen Erzsachsen noch nicht halb genug, sie müssen sie noch einmal halbieren, indem sie sie „vermitteln". Äußerst „harmlos"!

Wir haben nur ein einziges dieser Veilchen zu Gesicht bekommen; aber:

Gebückt in sich und unbekannt,
Es war ein *herzig's* Veilchen.[163]

Freund Bootes legt in dieser Nummer – der ersten von 1847 – den „harmlosen modernen" Damen einige zierliche Verslein als Huldigung zu Füßen. Es heißt darin u. a.:

Und selbst der Frauen zarte *Herzen*
Schmückt des Tyrannenhasses *Dorn* –[164]

ein Gleichnis, dessen Keckheit inzwischen wohl unsres Bootes „zartes Herz" mit des Gewissensbissens „Dorn" „geschmückt" haben wird.

Es glühn nicht bloß von *Liebesscherzen* –

sollte Bootes, der zwar „Geschichten erzählen *könnte*", aber nicht erzählen „*will*", weil er sie schon erzählt *hat*, der von keinem andern „Dorn" als dem „des Tyrannenhasses" spricht, sollte dieser anständige und gebildete Mann wirklich imstande sein, die „schönen Wangen" der Frauen und Jungfrauen durch zweideutige „Liebesscherze *glühen*" zu machen?

Es glühn nicht bloß von Liebesscherzen,
Es glühn von hellem Freiheitszorn,
Vom heiligen, die schönen Wangen,
Die wie die Rosen lieblich prangen.

[1] Armer kleiner Mann!

Die Glut des „Freiheitszorns" muß allerdings durch eine keuschere, sittlichere, „hellere" Couleur[1] leicht zu unterscheiden sein von der dunkelroten Glut der „Liebesscherze", besonders für einen Mann wie Bootes, der den „Dorn des Tyrannenhasses" von allen andern „Dornen" unterscheiden kann.

Die „Veilchen" geben uns sogleich Gelegenheit, die Bekanntschaft einer jener Schönen zu machen, deren „zartes Herz des Tyrannenhasses Dorn schmückt" und deren „schöne Wangen von hellem Freiheitszorn glühn". Die *Andromeda* des wahrhaft sozialistischen Sternhimmels (Fräulein Louise Otto), das gefesselte, an den Felsen der widernatürlichen Verhältnisse geschmiedete, von der Brandung verjährter Vorurteile umbrauste moderne Weib liefert nämlich eine „harmlose moderne Kritik" der poetischen Werke von Alfred Meißner[165]. Es ist ein eigentümliches, aber reizendes Schauspiel, wie hier die überquellende Begeisterung mit der zarten Verschämtheit der deutschen Jungfrau kämpft, die Begeisterung für den „Dichterkönig", der die tiefsten Saiten des weiblichen Herzens in Schwingungen versetzt und ihnen Töne der Huldigung entlockt, die an tiefere und zartere Empfindungen grenzen, Töne, die in ihrer unschuldigen Offenherzigkeit des Sängers schönster Lohn sind. Man höre in ihrer ganzen naiven Ursprünglichkeit diese schmeichelhaften Bekenntnisse einer jungfräulichen Seele, der noch so manches in dieser bösen Welt dunkel blieb. Man höre und vergesse nicht, daß dem Reinen *alles* rein ist:

Ja, „die tiefe Innerlichkeit, die in Meißners Gedichten atmet, kann man nur nachfühlen, aber davon denen keine Rechenschaft geben, die dazu unfähig sind. Diese Lieder sind der goldene Widerschein von den heißen Flammen, welche der Dichter auf dem Altare der Freiheit im Heiligtum seines Herzens opfernd emporlodern läßt, ein Widerschein, bei dessen Glanz wir an Schillers Worte erinnert werden: den Schriftsteller überhüpfe die Nachwelt, der nicht *mehr* war als seine Werke – wir fühlen es heraus, daß dieser Dichter *selbst* noch *mehr* ist als seine schönen Lieder" (ganz gewiß, Fräulein Andromeda, ganz gewiß), „daß ein *Unaussprechliches* in ihm ist, Etwas ‚*über allen Schein*'[166], wie Hamlet sagt". (Du ahnungsvoller Engel du![167]) „Dieses *Etwas* ist, was so vielen neuen Freiheitsdichtern abgeht, z.B. ganz und gar Hoffmann von Fallersleben und Prutz" (sollte dies wirklich der Fall sein?), „zum Teil auch Herwegh und Freiligrath, dieses *Etwas* – vielleicht ist es der Genius."

Vielleicht ist es der „*Dorn*" des Bootes, schönes Fräulein!

„Doch", heißt es in demselben Artikel, „hat die Kritik ihre Pflicht – aber die Kritik kommt mir sehr *hölzern* vor gegenüber einem solchen Dichter!"

---

[1] Färbung

Wie jungfräulich! Gewiß, eine junge, reine Mädchenseele muß sich „sehr hölzern vorkommen" gegenüber dem Dichter, der im Besitze eines so wundervollen „Etwas" ist.

„Wir lesen fort und fort bis zum letzten Vers, der uns allen treu im Gedächtnis bleiben möge:

> Und endlich kommt er doch ...
> Der Tag ...
> Dann sitzen Völker, Hand in Hand, verschlungen,
> Wie *Kinder* unter'm großen Himmelssaal
> Und wieder wird ein Kelch, ein Kelch geschwungen,
> Der *Liebes*kelch am Völker*liebes*mahl."

Hiermit versinkt Fräulein Andromeda in ein vielsagendes Schweigen, „wie ein Kind, Hand in Hand verschlungen". Hüten wir uns ja, sie zu stören.

Unsre Leser werden hiernach begierig sein, den „Dichterkönig" *Alfred Meißner* und sein „*Etwas*" näher kennenzulernen. Er ist der *Orion* des wahrhaft sozialistischen Sternhimmels, und wahrlich, er macht seinem Posten keine Schande. Umgürtet mit dem leuchtenden Schwert der Poesie, „in seines Kummers Mantel" gehüllt (p. 67 und p. 260 der „Gedichte von A. Meißner, 2te Auflage, Leipzig 1846), schwingt er in nerviger Faust die Keule der Unverständlichkeit, mit der er alle Gegner der guten Sache siegreich niederschmettert. Auf den Fersen folgt ihm als *kleiner Hund* ein gewisser *Moritz Hartmann*, der ebenfalls zum Besten der guten Sache ein energisches Kläffen unter dem Titel: „Kelch und Schwert" (Leipzig 1845) erhebt. Um irdisch zu sprechen, geraten wir mit diesen Helden in eine Gegend, welche schon seit längerer Zeit dem wahren Sozialismus zahlreiche und kräftige Rekruten lieferte, nämlich in die *böhmischen Wälder*.

Der erste wahre Sozialist in den böhmischen Wäldern war bekanntlich Karl Moor. Diesem gelang es nicht, das Werk der Regeneration zu Ende zu führen; seine Zeit verstand ihn nicht, und er überlieferte sich selbst der Gerechtigkeit. Orion-Meißner nun hat es übernommen, in die Fußtapfen dieses Edlen zu treten und wenigstens im Geiste sein erhabenes Werk dem Ziele näher zu führen. Ihm, *Karl Moor dem Zweiten*, steht hierbei der erwähnte Moritz Hartmann, Canis Minor[168], als Biedermann *Schweizer* zur Seite, indem er Gott, König und Vaterland in elegischen Weisen feiert und namentlich auf dem Grabe jenes Bonhomme, des Kaisers Joseph, Tränen dankbarer Erinnerung vergießt. Von dem Rest der Bande bemerken wir bloß, daß keiner unter ihnen bisher Verstand und Witz genug entwickelt zu haben scheint, um die Rolle des Spiegelberg[169] zu übernehmen.

Man sieht es Karl Moor dem Zweiten auf den ersten Blick an, daß er kein gewöhnlicher Mann ist. Er hat in Karl Becks Schule Deutsch gelernt und drückt sich demgemäß mit einer mehr als orientalischen Pracht der Rede aus. Der Glaube ist ihm „ein Falter" (p. 13), das Herz „eine Blume" (p. 16), später ein „öder Forst" (p. 24), endlich ein „Geier" (p. 31). Der Abendhimmel ist ihm (p. 65)

> rot und stier wie eine Augenhöhle,
> Die ohne Auge, ohne Glanz und Seele.

Das Lächeln seiner Geliebten ist „ein Kind der Erde, das mit den Kindern Gottes kost" (p. 19).

Noch weit mehr aber als seine prunkhafte Bildersprache zeichnet ihn sein riesenhafter Weltschmerz vor den gewöhnlichen Sterblichen aus. Er qualifiziert sich durch diesen als echter Sohn und Nachfolger Karl Moors des Ersten, wie er denn p. 65 nachweist, daß der „wilde Weltschmerz" eines der ersten Erfordernisse jedes „Welterlösers" ist. In der Tat, was den Weltschmerz angeht, überbietet Orion-Moor alle seine Vorgänger und Konkurrenten. Hören wir ihn selbst:

„Vom *Gram gekreuzigt*, war ich tot" (p. 7). „Dies Herz dem *Tod geweiht*" (p. 8). „Mein Sinn ist *finster*" (p. 10). Ihm „klagt in des Herzens ödem Forst *uraltes Leid*" (p. 24). „*Nie geboren* wäre besser, aber gut wär auch der Tod" (p. 29).

> In dieser bittren, bösen Stunde,
> Wo dich die kalte Welt vergißt,
> Gesteh's, mein Herz, aus bleichem Munde,
> Daß du *unsäglich elend* bist (p. 30).

p. 100 „blutet" er „aus manch verborgner Wunde" und befindet sich p. 101 im Interesse der Menschheit so unwohl, daß er „um die Brust, die zu zerspringen drohte ... fest wie zwei Klammern" die Arme pressen muß, und p. 79 ist er ein angeschossener Kranich, der nicht mit seinen Brüdern im Herbst gen Süden fliegen kann und der „mit bleidurchschoßnen Schwingen" im Gestrüpp zappelt und „ein breites, blutiges Gefieder schlägt" [p. 78]. Und woher all dieser Schmerz? Sind alle diese Klagen nur Wertherscher alltäglicher Liebesjammer[170], vermehrt durch Unzufriedenheit über Privatleiden unsres Dichters? Keineswegs; – unser Dichter hat zwar viel gelitten, aber er hat allen seinen Leiden eine allgemeine Seite abzugewinnen gewußt. Er deutet häufig, z. B. p. 64, an, daß ihm die Frauenzimmer manchen schlimmen Streich gespielt (gewöhnliches Los der Deutschen, besonders der Poeten), daß er bittre Erfahrungen im Leben gemacht habe; aber alles das beweist für ihn nur die Schlechtigkeit der Welt und die Notwendigkeit einer Veränderung der gesellschaftlichen Verhältnisse. In ihm hat nicht Alfred Meißner, sondern die Menschheit gelitten, und darum zieht er aus allem seinen Kummer nur das Resultat, daß es ein großes Kunststück und ein schweres Leiden ist, ein Mensch zu sein.

Hier (in der Einöde), lerne, Herz, in allen Lebenslagen
Des *Menschseins Schwere* mutig zu ertragen (p. 66).
O süßer Schmerz, o Fluch voll Segen,
O süßes Weh, ein Mensch zu sein (p. 90).

Solch edler Schmerz kann in unsrer gefühllosen Welt nur auf Gleichgültigkeit, verletzende Zurückstoßung und Spott rechnen. Karl Moor der Zweite macht diese Erfahrung auch. Wir sahen schon oben, daß ihn „die kalte Welt vergißt". Es geht ihm wirklich in dieser Beziehung sehr schlecht:

Daß ich der Menschen kalten Hohn vermeide,
Baut' ich den Kerker mir, den grabeskalten (p. 227).

Einmal ermannt er sich noch:

Du, der mich schmäht, du bleicher Heuchler, nenne
Mir einen Schmerz, der nicht dies Herz zerschnitten,
Ein Hochgefühl, in dem ich nicht entbrenne (p. 212).

Aber es wird ihm doch zu arg, er zieht sich zurück, geht p. 65 „in die Einöde" und p. 70 „in die Gebirgswüste". Ganz wie Karl Moor der Erste. Hier läßt er sich von einem Bach auseinandersetzen, weil *alles* leide, z. B. das vom Adler zerfleischte Lamm leide, der Falke leide, das Rohr leide, das im Winde kreischt – „wie klein da eines Menschen Wehe" seien und wie ihm da nichts übrigbleibe, als „jauchzen und untergehn". Da ihm aber das „Jauchzen" nicht recht von Herzen zu kommen, das „Untergehn" ihm vollends nicht zuzusagen scheint, so reitet er aus, um die „Stimmen auf der Heide" zu hören. Hier geht es ihm noch viel schlimmer. Drei geheimnisvolle Reiter reiten einer nach dem andern zu ihm heran und geben ihm in ziemlich dürren Worten den guten Rat, er solle sich begraben lassen:

Traun besser wärs, Du ...
Scharrtest Dich in tote Blätter ein,
Und stürbst bedeckt von Gras und feuchter Erde (p. 75).

Dies ist die Krone seiner Leiden. Die Menschen stoßen ihn mit seinem Jammer zurück, er wendet sich an die Natur, und auch von dieser erhält er nur verdrießliche Gesichter und grobe Antworten. Und nachdem uns so der

Schmerz Karl Moors des Zweiten „sein breites, blutiges Gefieder ..." bis zum Ekel vorgeschlagen hat, finden wir p. 211 ein Sonett, wo der Poet sich verteidigen zu müssen glaubt,

> ... weil *stumm* und *in Verwahrung*
> Ich meinen Schmerz und meine Wunden trage,
> Und weil mein Mund, *verschmähend eitle Klage,*
> *Nicht prahlen mag* mit gräßlicher Erfahrung!!

Aber nicht nur schmerzlich, sondern auch *wild* muß der „Welterlöser" sein. Daher „braust durch seine Brust der *wilde* Drang der Leidenschaft" (p. 24); wenn er liebt, so „lohen seine Sonnen heiß" (p. 17); sein „Lieben ist *Gewitterblitzen*, ein *Sturm* ist seine Poesie" (p. 68). Wir werden bald Exempel davon haben, wie wild diese Wildheit ist.

Gehen wir rasch einige der sozialistischen Gedichte Orion-Moors durch.

Von p. 100 bis 106 schlägt er sein „breites, blutiges Gefieder", um die Übelstände der jetzigen Gesellschaft im Fluge zu überschauen. Er rennt in einem wütenden Anfall von „wildem Weltschmerz" durch die Straßen von Leipzig. Es ist Nacht um ihn und in seinem Herzen. Endlich bleibt er stehen. Ein mysteriöser Dämon tritt an ihn heran und fragt ihn im Ton eines Nachtwächters, was er so spät auf der Straße zu suchen habe. Karl Moor der Zweite, der grade damit beschäftigt war, die „Klammern" seiner Arme fest an seinen „zu zerspringen drohenden" Brustkasten zu pressen, starrt dem Dämon mit den „heiß lohenden Sonnen" seiner Augen wüst ins Gesicht und bricht endlich aus (p. 102):

> *Soviel seh' ich,* in des Geistes Licht
> Aus des Glaubens Sternennacht erwacht:
> Der auf Golgatha, der hat noch nicht
> Die Erlösung dieser Welt gebracht!

„Soviel" sieht Karl Moor der Zweite! Bei des Herzens ödem Forst, bei seines Kummers Mantel, bei des Menschseins Schwere, bei den bleidurchschoßnen Schwingen unsres Dichters und bei allem, was Karl Moor dem Zweiten sonst noch heilig ist – es war nicht der Mühe wert, nachts auf die Straße zu rennen, seine Brust der Gefahr des Zerspringens und der Lungenentzündung auszusetzen und einen aparten Dämon zu zitieren, um uns schließlich diese Entdeckung mitzuteilen! Doch hören wir weiter. Der Dämon will sich dabei nicht beruhigen. Da erzählt Karl Moor der Zweite denn, wie ihn ein prostituiertes Mädchen an der Hand gefaßt und dadurch allerlei schmerzliche Reflexionen in ihm hervorgerufen habe, die zuletzt sich in folgender Apostrophe Luft machten:

Weib, an Deinem Elend ist nur schuld
Die Gesellschaft, die erbarmungslose!
Bleiches Opfer, traurig anzuschau'n,
Auf der Sünde heidnischem (!!) Altare
Liegst Du, daß die Unschuld andrer Frau'n
Sich im Hause unbefleckt bewahre! [p. 103.]

Der Dämon, der sich jetzt als ein ganz ordinärer Bourgeois entwickelt, geht auf die in diesen Zeilen liegende, wahrhaft sozialistische Theorie der Prostitution nicht ein, sondern erwidert ganz einfach: Jeder sei seines Glückes Schmied, „seiner Schuld ist jeder Einzle schuldig" und andre Bourgeoisphrasen; er bemerkt: „die Gesellschaft ist ein leeres Wort" (er hatte wahrscheinlich Stirner gelesen[171]) und fordert Karl Moor den Zweiten auf, weiter zu berichten. Dieser erzählt, wie er die Proletarierwohnungen betrachtet und das Weinen der Kinder gehört:

Weil der Mutter welke Brust für sie
Keinen Tropfen süßer Labung hatte,
Schuldlos sterben in der Mutter Hut!
Und doch (!!) ist's ein Wunder, hold und milde,
Wie in Mutterbrust aus rotem Blut
Weiße Milch sich scheide und sich bilde. [p. 104.]

Wer dies Wunder gesehen, meint er, brauche nicht zu trauern, wenn er nicht glauben könne, daß Christus Wein aus Wasser gemacht habe. Die Geschichte mit der Hochzeit zu Cana scheint unsren Poeten sehr günstig für das Christentum eingenommen zu haben. Der Weltschmerz wird hier so gewaltig, daß Karl Moor der Zweite allen Zusammenhang verliert. Der dämonische Bourgeois sucht ihn zu beruhigen und läßt ihn weiter berichten:

Andre Kinder, eine blasse Brut,
Sah ich dort, wo hohe Essen dampften
Und die ehr'nen Räder, in der Glut,
Einen Tanz in schwerem Takte stampften. [p. 105.]

Was das wohl für eine Fabrik gewesen sein mag, wo Karl Moor der Zweite „Räder in der Glut" und noch dazu „stampfende, einen *Tanz* stampfende Räder" gesehen hat! Es kann nur dieselbe Fabrik sein, wo die ebenfalls „einen Tanz in schwerem Takte stampfenden" Verse unsres Poeten fabriziert werden. Folgt einiges über die Lage der Fabrikkinder. Das greift dem dämonischen Bourgeois, der ohne Zweifel auch Fabrikant ist, an den Geldbeutel. Er wird auch aufgeregt und erwidert, das sei dummes Zeug, an dem Lumpenpack von Proletarierkindern sei nichts gelegen, ein Genie sei noch nie an solchen Kleinigkeiten untergegangen, überhaupt komme es nicht auf die Einzelnen an, sondern nur auf die *Menschheit* im Ganzen, und die werde sich auch ohne Alfred Meißner durchbeißen. Not und Elend seien einmal das Los der Menschen und im übrigen,

> Was der Schöpfer hatte schlecht getan,
> Wird der Mensch doch nie zum Bessern leiten. [p. 107.]

Damit verschwindet er und läßt unsren bedrängten Poeten stehn. Dieser schüttelt sein konfuses Haupt und weiß nichts Beßres zu tun, als nach Hause zu gehen und sich das *alles* wörtlich zu Papier und unter die Presse zu bringen.

Pag. 109 will sich „ein armer Mann" ersäufen; Karl Moor der Zweite hält ihn edelmütig zurück und fragt ihn um seine Gründe. Der arme Mann erzählt, er sei viel gereist:

> Wo Englands Essen blutig (!) flammten,
> Sah ich in Schmerzen *stumpf* und *stumm*
> Die neuen Höllen und Verdammten.

Der arme Mann hat in England, wo die Chartisten in jeder einzelnen Fabrikstadt mehr Tätigkeit entwickeln als alle politischen, sozialistischen und religiösen Parteien in ganz Deutschland zusammen, sonderbare Dinge gesehen. Er muß wohl selbst „stumpf und stumm" gewesen sein.

> Nach Frankreich kommend übers Meer,
> Sah ich *erschrocken* und *mit Grausen*,
> Wie Lava gärend um mich her
> Der Proletarier Massen brausen.

„Erschrocken und mit Grausen" sah er das, der „arme Mann"! So sieht er überall den „Kampf der Armen und der Reichen", er selbst „Einer der Heloten", und weil die Reichen nicht hören wollen und „des Volkes Tage sind noch fern", so glaubt er, daß er nichts Beßres tun könne als ins Wasser springen – und Meißner, überführt, läßt ihn los: „Leb wohl, ich kann Dich nicht – mehr halten!"

Unser Poet hat sehr wohl getan, diesen bornierten Feigling, der in England gar nichts gesehn, den die proletarische Bewegung in Frankreich „erschrocken und mit Grausen" erfüllt hat, und der zu lâche[1] ist, um sich dem Kampf seiner Klasse gegen ihre Unterdrücker anzuschließen, sich ruhig ersäufen zu lassen. Der Kerl war ohnehin zu nichts mehr gut.

---

[1] feige

Pag. 237 richtet Orion-Moor einen tyrtäischen Hymnus[172] „an die Frauen". „Jetzt, da die Männer feige sünd'gen", werden Germaniens blonde Töchter aufgefordert, sich zu erheben und „ein Wort der Freiheit zu verkünd'gen". Unsre sanften Blondinen haben seine Aufforderung nicht erst abgewartet; das Publikum hat „erschrocken und mit Grausen" Exempel davon gesehen, welcher erhabenen Taten Deutschlands Frauenzimmer fähig ist, sobald es erst Hosen trägt und Zigarren rauchen kann.

Suchen wir jetzt, nach dieser Kritik der bestehenden Gesellschaft durch unsern Dichter, seine pia desideria[1] in sozialer Beziehung auf. Wir finden am Schluß eine in zerhackter Prosa abgefaßte „Versöhnung", die die „Auferstehung" am Schluß der gesammelten Gedichte von K. Beck mehr als nachahmt. Dort heißt es u. a.:

„Nicht darum, daß sie den Einzlen gebäre, lebt und ringt die Menschheit. – *Ein* Mensch ist die Menschheit." Wonach unser Dichter, „der Einzle" natürlich, „*kein* Mensch" ist. „Und sie wird kommen, die Zeit ... dann erhebt sich die Menschheit, ein Messias, ein Gott in ihrer Entfaltung ..." Dieser Messias kommt aber erst „in tausend Jahren und tausend, der neue Heiland, der da sprechen wird" (das Durchführen überläßt er andern) „von der Teilung der Arbeit, der brüderlich gleichmäßigen für alle Kinder der Erde" ... und dann wird die „Pflugschar, Symbol der geistbeschatteten Erde ... ein Zeichen inniger Verehrung ... sich erheben, strahlend, rosenbekränzt, *schöner selbst* als das alte christliche Kreuz".

Was nach „tausend Jahren und tausend" kommen wird, kann uns im Grunde ziemlich gleichgültig sein. Wir brauchen daher nicht zu untersuchen, ob die dann existierenden Menschen durch das „Sprechen" des neuen Heilandes um einen Zoll weitergebracht werden, ob sie überhaupt noch einen „Heiland" werden hören wollen und ob die brüderliche Theorie dieses „Heilandes" ausführbar oder vor den Schrecken des Bankerottes sicher ist. „Soviel sieht" unser Poet diesmal nicht. Interessant ist in dem ganzen Passus nur seine andächtige Kniebeugung vor dem Sakrosanktum[2] der Zukunft, der idyllischen „Pflugschar". In den Reihen der wahren Sozialisten fanden wir bisher nur den *Bürger*; wir merken hier schon, daß Karl Moor der Zweite uns auch den *Landmann* im Sonntagsstaat vorführen wird. In der Tat sehen wir ihn p. 154 vom Berge in ein liebliches, sonntägliches Tal herniederschauen, wo die Bauern und Hirten gar still vergnügt, fröhlich und mit Gottvertrauen ihr Tagewerk beschicken; und

In meinem Zweiflerherzen rief es laut:
O horch, so fröhlich kann die Armut singen!

[1] frommen Wünsche – [2] das Unverletzliche, Hochheilige

Hier ist die Armut „kein Weib, das sich verkauft, sie ist ein Kind, und arglos ihre Blöße!"

Und ich verstand, daß fröhlich, fromm und gut
Die vielgeprüfte Menschheit dann nur werde,
Wenn sie in *seligem Vergessen* ruht
Bei Müh' und Arbeit an der Brust der Erde.

Und um uns noch deutlicher zu sagen, was seine ernstliche Meinung ist, schildert er uns p. 159 das Familienglück eines ländlichen Schmiedes und wünscht, daß seine Kinder

... nie die Seuchen kennen,
Die im Triumphatorston
Böse oder Toren nennen:
Bildung, Zivilisation.

Der wahre Sozialismus hatte keine Ruhe, bis neben der bürgerlichen auch die bäuerliche Idylle, neben Lafontaines Romanen auch Geßners Schäferszenen rehabilitiert waren. In der Person des Herrn Alfred Meißner hat er sich auf den Boden von Rochows „Kinderfreund"[173] gestellt und proklamiert von diesem erhabenen Standpunkt, daß es die Bestimmung des Menschen sei, zu verbauern. Wer hätte solche Kindlichkeit von dem Dichter des „wilden Weltschmerzes", von dem Inhaber „heiß lohender Sonnen", von dem „gewitterblitzenden" Karl Moor dem Jüngeren erwartet?

Trotz seiner bäuerlichen Sehnsucht nach dem Frieden des Landlebens erklärt er jedoch, die großen Städte seien sein eigentliches Feld der Tätigkeit. Demgemäß hat unser Poet sich nach Paris begeben, um hier ebenfalls

... erschrocken und mit Grausen
Wie Lava gärend, um sich her
Der Proletarier Massen brausen [p. 111]

zu sehen. Hélas! il n'en fut rien.[1] In den „Grenzboten" erklärt er sich – in einer Korrespondenz aus Paris – für schrecklich enttäuscht. Der ehrliche Poet hat diese brausenden Massen der Proletarier überall gesucht, selbst im Cirque olympique[174], wo damals die französische Revolution mit Pauken und Kanonen aufgeführt wurde; aber statt den gesuchten finstern Tugendhelden und farouchen[2] Republikaner fand er nur ein lachendes, bewegliches Volk von unverwüstlicher Heiterkeit, das für hübsche Frauenzimmer viel mehr Interesse verriet als für die großen Fragen der Menschheit. Gerade so suchte er in der Deputiertenkammer „die Vertreter des französischen Volks"

[1] Aber ach! es wurde nichts daraus. – [2] wilden

und fand nur einen Haufen wohlgenährter, durcheinander schwatzender Ventrus[1].

Es ist in der Tat unverantwortlich, daß die Pariser Proletarier nicht zu Ehren Karl Moors des Jüngeren so eine kleine Julirevolution exekutierten, um ihm Gelegenheit zu geben, „erschrocken und mit Grausen" eine bessere Meinung von ihnen sich anzueignen. Über all dieses Unglück erhebt unser ehrlicher Poet ein großes Wehgeschrei und weissagt als neuer aus dem Bauche des wahren Sozialismus gespiener Jonas den Untergang des Seine-Ninive, wie das des breiteren in den „Grenzboten" von 1847 Nr. [14], Korr[espondenz] „Aus Paris", nachzulesen ist, woselbst unser Poet auch höchst ergötzlich erzählt, wie er einen bon bourgeois du marais[2] für einen Proletarier versehen und was daraus für sonderbare Mißverständnisse entstehen.

Seinen „Žiška" wollen wir ihm schenken, denn der ist bloß langweilig.

Da wir gerade von Gedichten sprechen, so wollen wir mit ein paar Worten der sechs Provokationen zur Revolution erwähnen, die unser Freiligrath unter dem Titel: *„Ça ira"*, Herisau 1846, erlassen hat. Die erste derselben ist eine deutsche Marseillaise und besingt einen „kecken Piraten", der „so in Österreich wie in Preußen Revolution heißt". An dieses Schiff unter eigner Flagge, welche der berühmten deutschen Flotte in partibus infidelium[175] eine bedeutende Verstärkung zuführt, wird die Aufforderung gerichtet:

Auf des Besitzes Silberflotten
Richte kühn der Kanonen Schlund,
Auf des Meeres rottigem Grund
Laß der Habsucht Schätze verrotten. [p. 9.]

Das ganze Lied ist übrigens so gemütlich abgefaßt, daß es trotz des Versmaßes am besten nach der Melodie: „Auf Matrosen, die Anker gelichtet" zu singen ist.

Am bezeichnendsten ist das Gedicht: „Wie man's macht", das heißt, wie Freiligrath eine Revolution macht. Es sind gerade schlechte Zeiten, das Volk hungert und geht in Lumpen: „Wo kriegt es Brot und Kleider her?" Bei dieser Gelegenheit findet sich „ein kecker Bursch", der Rat zu schaffen weiß. Er führt den ganzen Haufen aufs Landwehrzeughaus und verteilt die Uniformen, die sogleich angezogen werden. „Zum Versuch" greift man auch nach den Flinten und findet, daß es „ein Spaß wäre", wenn man sie mitnähme. Bei dieser Gelegenheit fällt es unserm „kecken Burschen" ein, man könne „diesen Kleiderwitz vielleicht noch gar Rebellerei nennen, Einbruch und Raub", und da müsse man „für seinen Rock die Zähne weisen". Daher

[1] Bäuche – [2] biederen Spießbürger

wandern Tschako, Säbel und Patronentasche auch mit, und als Fahne wird ein Bettelsack aufgepflanzt. So kommt man auf die Straße. Bei dieser Gelegenheit präsentiert sich dann „die königliche Linie", der General kommandiert Feuer, aber die Soldaten sinken der kleiderwitzigen Landwehr jubelnd in die Arme. Und da man jetzt einmal im Zuge ist, so zieht man ebenfalls zum „Spaß" nach der Hauptstadt, findet Anhang, und so, bei Gelegenheit eines „Kleiderwitzes":

„Umstürzt der Thron, die Krone fällt, in seinen Angeln bebt das Reich". und „das Volk erhebt sieghaft sein lang zertreten Haupt."

Alles geht so rasch, so flott, daß über der ganzen Prozedur gewiß keinem einzigen Mitgliede des „Proletarier-Bataillons" die Pfeif ausgegangen ist. Man muß gestehen, nirgends machen sich die Revolutionen mit größerer Heiterkeit und Ungezwungenheit als im Kopf unsres Freiligrath. Es gehört wirklich die ganze schwarzgallige Hypochondrie der „Allgemeinen preußischen Zeitung" dazu, um in solch einer unschuldigen, idyllischen Landpartie Hochverrat zu wittern.

Die letzte Gruppe wahrer Sozialisten, zu der wir uns wenden, ist die *Berliner*. Von dieser Gruppe nehmen wir ebenfalls nur ein bezeichnendes Individuum heraus, nämlich den Herrn *Ernst Dronke*, weil er sich durch Erfindung einer neuen Dichtungsart dauernde Verdienste um die deutsche Literatur erworben hat. Die Romanschreiber und Novellisten unsres Vaterlandes waren seit geraumer Zeit um Material verlegen. Noch nie hatte sich eine solche Teuerung des Rohstoffs für ihre Industrie fühlbar gemacht. Die französischen Fabriken lieferten zwar viel Brauchbares, aber diese Zufuhr reichte um so weniger zur Befriedigung der Nachfrage aus, als manches sogleich in der Gestalt der Übersetzung den Konsumenten offeriert und hierdurch auch den Romanschreibern gefährliche Konkurrenz gemacht wurde. Da bewährte sich das Ingenium des Herrn Dronke: in der Gestalt des *Ophiuchus*, des Schlangenträgers am wahrhaft sozialistischen Firmament, hielt er die ringelnde Riesenschlange der deutschen Polizeigesetzgebung empor, um sie in seinen *„Polizei-Geschichten"* zu einer Reihe der interessantesten Novellen zu verarbeiten. In der Tat enthält diese verwickelte, schlangenglatte Gesetzgebung den reichhaltigsten Stoff für diese Art der Dichtung. In jedem Paragraphen steckt ein Roman, in jedem Reglement eine Tragödie. Herr Dronke, der als Berliner Literat selbst gewaltige Kämpfe mit dem Polizeipräsidio bestanden, konnte hier aus eigner Erfahrung sprechen. An Nachfolgern auf der einmal betretenen Bahn wird es nicht fehlen; das Feld ist reichhaltig. Das preußische Landrecht unter andern ist eine unerschöpfliche Fundgrube von spannenden Konflikten und drastischen Effektszenen. An der Ehescheidungs-, Alimentations- und Jungfernkranz-Gesetzgebung allein – von den Kapiteln über unnatürliche Privatvergnügen gar nicht zu reden – hat die ganze deutsche Romanindustrie Rohmaterial für Jahrhunderte. Dazu ist nichts leichter, als solch einen Paragraphen poetisch zu verarbeiten; die Kollision und ihre Lösung ist schon fertig, man hat nichts hinzuzufügen als das Beiwerk, das man aus dem ersten besten Roman von Bulwer, Dumas oder Sue nimmt und etwas zustutzt, und die Novelle ist fertig. So steht zu hoffen, daß der deutsche Bürger und Landmann, ingleichen der Studiosus juris oder cameralium[1] allmählich in den Besitz einer Reihe von Kommentaren über die derzeitige Gesetzgebung kommen wird, die ihm erlauben, sich spielend und mit gänzlicher Beseitigung der Pedanterie mit diesem Fache gründlich bekannt zu machen.

Wir sehen an Herrn Dronke, daß wir uns nicht zuviel versprechen. Aus der Heimatrechtsgesetzgebung allein macht er zwei Novellen. In der einen („Polizeiliche Ehescheidung") heiratet ein kurhessischer Literat (die deutschen Literaten machen immer Literaten zu ihren Helden) eine Preußin ohne die gesetzlich vorgeschriebene Zustimmung seines Stadtrats. Seine Frau und Kinder verlieren dadurch den Anspruch auf kurhessische Untertanenschaft, und daraus entwickelt sich die Trennung der Gatten vermittelst der Polizei. Der Literat wird wütend, spricht sich mißliebig über das Bestehende aus, wird dafür von einem Leutnant gefordert und erstochen. Die polizeilichen Verwicklungen waren mit Kosten verknüpft, die sein Vermögen bereits ruiniert hatten. Madame hat durch ihre Ehe mit einem Ausländer ihre Eigenschaft als preußische Untertanin verloren und fällt nun ins äußerste Elend. – In der zweiten Heimatrechtsnovelle wird ein armer Teufel 14 Jahre lang von Hamburg nach Hannover und von Hannover nach Hamburg transportiert, um hier die Süßigkeiten der Tretmühle, dort die Freuden des Gefängnisses zu schmecken und auf beiden Elbufern Stockprügel zu genießen. In derselben Weise wird der Übelstand behandelt, daß man gegen Übergriffe der Polizei nur bei der Polizei selbst klagen kann. Sehr rührend wird geschildert, wie die Polizei in Berlin durch ihr Reglement wegen Ausweisung arbeitsloser Dienstboten der Prostitution unter die Arme greift, und andre ergreifende Kollisionen.

Der wahre Sozialismus hat sich von Herrn Dronke aufs gutmütigste düpieren lassen. Er hat die „Polizei-Geschichten", weinerliche Schilderungen aus der deutschen Spießbürgermisère im Tone von „Menschenhaß und Reue"[176], für Gemälde von Konflikten aus der modernen Gesellschaft ver-

[1] Student des allgemeinen Rechts oder Verwaltungsrechts

sehen; er hat geglaubt, hier werde sozialistische Propaganda gemacht, er hat keinen Augenblick daran gedacht, daß dergleichen Jammerszenen in Frankreich, England und Amerika, wo das Gegenteil von allem Sozialismus herrscht, ganz unmöglich sind, daß also Herr Dronke keine sozialistische, sondern *liberale* Propaganda macht. Der wahre Sozialismus ist hier indes um so eher zu entschuldigen, als Herr Dronke selbst an das *alles* ebenfalls nicht gedacht hat.

Herr Dronke hat auch Geschichten „Aus dem Volke" geschrieben. Hier erleben wir wieder eine Literatennovelle, in der das Elend der industriellen Schriftsteller dem Mitleiden des Publikums dargelegt wird. Diese Erzählung scheint Freiligrath zu dem rührenden Gedicht begeistert zu haben, worin er um Teilnahme für den Literaten fleht und ausruft: „Er auch ist ein Proletar!"[177] Wenn es einmal dazu kommt, daß die deutschen Proletarier mit der Bourgeoisie und den übrigen besitzenden Klassen die Bilanz abschließen, so werden sie es den Herren Literaten, dieser lumpigsten aller käuflichen Klassen, vermittelst der Laterne beweisen, inwiefern auch sie Proletarier sind. Die übrigen Novellen des Dronkeschen Buchs sind mit einem gänzlichen Mangel an Phantasie und ziemlicher Unkenntnis des wirklichen Lebens zusammengestoppelt und dienen nur dazu, Herrn Dronkes sozialistische Gedanken gerade solchen Leuten in den Mund zu legen, bei denen sie am allerwenigsten angebracht sind.

Ferner hat Herr Dronke ein Buch über Berlin geschrieben, das auf der Höhe der modernen Wissenschaft steht, d. h., in dem sich Junghegelsche, Bauersche, Feuerbachsche, Stirnersche, wahrhaft sozialistische und kommunistische Anschauungen bunt durcheinander finden, wie sie in der Literatur der letzten Jahre in Zirkulation gekommen sind. Das Endresultat des Ganzen ist, daß Berlin trotz alledem und alledem der Mittelpunkt moderner Bildung, das Zentrum der Intelligenz und eine Weltstadt mit zwei fünftel Millionen Einwohner bleibt, vor deren Konkurrenz Paris und London sich in acht nehmen mögen. Sogar *Grisetten* gibt es in Berlin – aber der Himmel weiß es, sie sind auch danach!

Zu der Berliner Couleur des wahren Sozialismus gehört auch Herr Friedrich Saß, der ebenfalls ein Buch über seine geistige Vaterstadt geschrieben hat.[178] Von diesem Herrn ist uns indes nur ein Gedicht vorgekommen, das in dem sogleich näher zu besprechenden Püttmannschen „Album" p. 29 zu lesen steht. In diesem Gedicht wird „Des alten Europas Zukunft" nach der Weise: „Lenore fuhr ums Morgenrot"[179] mit den ekelhaftesten Ausdrücken, die unser Verfasser in der ganzen deutschen Sprache finden konnte, und mit möglichst vielen grammatischen Fehlern besungen. Der Sozialismus Herrn

Saß' reduziert sich darauf, daß Europa, das „buhlerische Weib", nächstens untergehen wird:

Es freit um Dich der Totenwurm,
Hörst Du, hörst Du im Hochzeitssturm
Kosaken und Tartaren
Dein morsches Bett befahren? ...
An Asiens wüstem Sarkophag
Wird sich der Deine reihen – –
Die grauen Riesenleichen
Sie bersten (pfui Teufel) und sie weichen – –
Wie Memphis und Palmyra borst (!)
Baut einst der wilde Aar den Horst
In Deine morsche Stirne,
Du altgewordne Dirne!

Man sieht, die Phantasie und die Sprache des Dichters sind nicht minder „geborsten" als seine Geschichtsauffassung.

Mit diesem Blick in die Zukunft beschließen wir die Übersicht der verschiednen Sterngruppen des wahren Sozialismus. In der Tat, es war eine glänzende Reihe von Konstellationen, die vor unsrem Teleskop vorübergezogen sind, es ist die strahlendste Hälfte des Himmels, die der wahre Sozialismus mit seiner Armee besetzt hält! Und um alle diese lichten Gestirne zieht sich mit dem sanften Glanz bürgerlicher Philanthropie als *Milchstraße* die *„Trier'sche Zeitung"*, ein Blatt, das sich mit Leib und Seele dem wahren Sozialismus angeschlossen hat. Es ist kein Ereignis vorgefallen, das den wahren Sozialismus auch nur im entferntesten berührte, ohne daß die „Trier'sche Zeitung" mit Begeisterung in die Schranken trat. Von dem Lieutenant Anneke bis zur Gräfin Hatzfeld, vom Bielefelder Museum bis zur Madame Aston hat die „Trier'sche Zeitung" mit einer Energie für die Interessen des wahren Sozialismus gekämpft, die ihrer Stirn den Schweiß der Edlen entlockte. Sie ist im wörtlichsten Sinne eine Milchstraße der Sanftmut, Barmherzigkeit und Menschenliebe und pflegt nur in sehr wenigen Fällen mit saurer Milch aufzuwarten. Möge sie still und ungetrübt, wie es einer rechten Milchstraße geziemt, ihres Weges weiterfließen und fortfahren, Deutschlands wackere Bürger mit der Butter der Weichherzigkeit und dem Käse der Spießbürgerei zu versorgen! Daß ihr jemand den Rahm abschöpfe, braucht sie nicht zu besorgen, da sie zu wässerig ist, um welchen anzusetzen.

Damit wir aber in ungetrübter Heiterkeit von ihm scheiden, hat uns der wahre Sozialismus ein schließliches Fest bereitet in dem „Album", herausgegeben von H. Püttmann, Borna, bei Reiche, 1847. Unter der Ägide des großen Bären wird hier eine Girandola abgefeuert, wie man sie am Osterfest in Rom nicht glänzender sehen kann. Alle sozialistischen Poeten haben, freiwillig oder gezwungen, Raketen dazu geliefert, die in zischenden, funkelnden Garben gen Himmel steigen, in den Lüften knallend zu Millionen Sternen verstieben und ringsum Tageshelle in die Nacht unsrer Verhältnisse zaubern. Aber ach, das schöne Schauspiel dauert nur einen Augenblick – das Feuerwerk brennt aus und hinterläßt nur einen qualmenden Rauch, der die Nacht noch dunkler erscheinen läßt, als sie wirklich ist, einen Rauch, durch den als unveränderlich helle Sterne nur die sieben Gedichte von *Heine*[180] hindurchschimmern, die sich zu unserem großen Erstaunen und zu nicht geringer Verlegenheit des großen Bären in dieser Gesellschaft befinden. Lassen wir uns das indes nicht stören, nehmen wir ebensowenig Anstoß daran, daß auch mehrere hier wieder abgedruckte Sachen von *Weerth*[181] sich in solcher Kompanie unbehaglich fühlen müssen, und genießen wir den vollen Eindruck des Feuerwerks.

Wir finden hier sehr interessante Themata behandelt. Der Frühling wird drei oder viermal mit allem Aufwande besungen, dessen der wahre Sozialismus fähig ist. Nicht weniger als *acht* verführte Mädchen werden uns [unter] allen möglichen Gesichtspunkten vorgeführt. Wir bekommen hier nicht nur den Aktus der Verführung zu sehen, sondern auch seine Folgen; jede Hauptepoche der Schwangerschaft ist durch mindestens ein Subjekt vertreten, nachher kommt dann die Niederkunft, wie billig, und in ihrem Gefolge Kindesmord oder Selbstmord. Es ist nur zu bedauern, daß Schillers „Kindesmörderin" nicht auch aufgenommen ist; aber der Herausgeber mochte denken, es sei schon hinreichend, wenn der bekannte Ausruf: „Joseph, Joseph" usw.[182] durch das ganze Buch klinge. Wie diese Verführungslieder beschaffen sind, davon möge eine Strophe – nach einer bekannten Wiegenmelodie – Zeugnis ablegen. Herr Ludwig *Köhler* singt p. 299:

Weine, Mutter, weine!
Deiner Tochter Herz ist krank!
Weine, Mutter, weine!
Deiner Tochter Unschuld sank!
Deinen Spruch: Sei brav mein Kind!
Schlug sie frevelnd in den Wind!

Überhaupt ist das „Album" eine wahre Apotheose des Verbrechens. Außer den erwähnten zahlreichen Kindesmorden wird noch ein „Waldfrevel" von Herrn Karl *Eck* besungen, und der Schwabe Hiller, der seine fünf Kinder ermordete, von Herrn Johannes *Scherr* in einem kurzen und von

Ursa Major höchstselbst in einem endlosen Gedicht gefeiert. Man meint, man wäre auf einem deutschen Jahrmarkt, wo die Orgeldreher ihre Mordgeschichten ableiern:

Rotes Kind, du Kind der Hölle,
Sprich, was war dein Dasein hier?
Vor dir und deiner Mörderhöhle,
Da schaudert jeder Mensch dafür.
Sechsundneunzig Menschenleben
Mordete der Bösewicht;
Er ließ sie nicht länger leben,
Schnell den Hals er ihnen bricht, usw.

Es fällt schwer, unter diesen jugendkräftigen Dichtern und ihren lebenswarmen Produktionen eine Auswahl zu treffen; denn es ist im Grunde einerlei, ob man Theodor Opitz oder Karl Eck, Johannes Scherr oder Joseph Schweitzer heißt, die Sachen sind alle gleich schön. Greifen wir aufs Geratewohl hinein.

Da finden wir zuerst unsern Freund Bootes – *Semmig* wieder, wie er damit beschäftigt ist, den Frühling auf die spekulative Höhe des wahren Sozialismus zu erheben (p. 35):

Wacht auf! Wacht auf! Denn es will Frühling werden – –
In Sturmesgang nimmt über Tal und Berge
Die *Freiheit* ihren fessellosen Lauf –

Was das für eine Freiheit ist, erfahren wir gleich darauf:

Was blickt ihr knechtisch auf des Kreuzes Zeichen?
Ein freier Mann kann vor dem Gott nicht knie'n,
Der uns gestürzt des Vaterlandes Eichen,
Vor dem der Freiheit Götter mußten flieh'n!

also die Freiheit der germanischen Urwälder, in deren Schatten Bootes ruhig über „Socialismus, Communismus, Humanismus" nachdenken und nach Belieben „des Tyrannenhasses Dorn" pflegen kann. Über letzteren erfahren wir:

Es blüht ja keine Rose ohne Dorn,

wonach also zu hoffen steht, daß auch die knospende „Rose" Andromeda bald einen geeigneten „Dorn" finden und sich dann nicht mehr so „hölzern vorkommen" möge wie oben. Auch im Interesse der „Veilchen", die damals freilich noch nicht existierten, operiert Bootes, indem er hier ein apartes

Gedicht erläßt, dessen Titel und Refrain lauten: „Kauft Veilchen! Kauft Veilchen! Kauft Veilchen!" (p. 38.)

Herr N..h..s[1] bemüht sich mit lobenswertem Eifer, 32 Seiten breitzeiliger Verse zustande zu bringen, ohne auch nur einen einzigen Gedanken darin zutage zu fördern. Da ist zum Beispiel ein „Proletarierlied" (p. 166). Die Proletarier treten hervor an die freie Natur – wenn wir sagen wollten, *woraus* sie hervortreten, so würden wir gar nicht zu Ende kommen – und entschließen sich nach langen Präambeln endlich zu folgender Apostrophe:

O Natur! Du Mutter aller Wesen,
Die Du alle willst mit Liebe laben,
Alle hast zu Seligkeit erlesen,
Unerforschlich groß bist und erhaben!
Höre unsre heiligsten Entschlüsse!
Höre, was wir treu und warm Dir schwören!
Tragt die Kunde an das Meer, ihr Flüsse,
Rausch' es, Lenzluft, durch die dunklen Föhren!

Damit ist ein neues Thema gewonnen, und nun geht es eine ganze Weile in diesem Tone fort. Schließlich erfahren wir in der *vierzehnten* Strophe, was die Leute eigentlich wollen, und das ist nicht der Mühe wert, es hieher zu setzen.

Auch Herr Joseph *Schweitzer* ist eine interessante Bekanntschaft:

Der Gedanke ist die Seele, und das Handeln ist der Leib;
Gatte ist der Feuerfunke, und die Tat sein Eheweib,

woran sich ungezwungen knüpft, was Herr J. Schweitzer will, nämlich:

Prasseln will ich, *flammen* will ich, Freiheitslicht
in Wald und Plan,
Bis der große Wassereimer, Tod genannt,
erlöscht den Span. (p. 213.)

Sein Wunsch ist erfüllt. In diesen Gedichten „prasselt" es bereits nach Herzenslust, und ein „Span" ist er auch, das sieht man auf den ersten Blick. Aber ein ergötzlicher Span:

Hoch das Haupt, die Hand geschlossen,
steh ich da, beseligt, frei. (p. 216.)

Er muß in dieser Stellung unbezahlbar gewesen sein. Leider reißt ihn der Leipziger Augustkrawall [183] auf die Straße, und dort sieht er ergreifende Dinge:

[1] Neuhaus

Vor mir *saugt* in gier'gen Zügen, blutgetränkt,
o Schmach, o Greul!
Eine zarte *Menschenknospe* bebend ihren *Todestau* (p. 217).

Hermann *Ewerbeck* macht seinem Vornamen auch keine Schande. Er beginnt p. 227 ein „Schlachtlied", das ohne Zweifel schon von den Cheruskern im Teutoburger Walde gebrüllt wurde:

Wir ringen für die Freiheit,
Für das *Wesen in unsrer Brust*. –

Sollte dies ein Schlachtlied für schwangere Frauenzimmer sein?

Und nicht um Gold noch Orden,
Auch nicht aus eitler Lust.
Wir kämpfen für spätere Geschlechter usw.

In einem zweiten Gedicht [p. 229] erfahren wir:

Des Menschen *Sinne* sind heilig,
Hochheilig ist reiner *Sinn*.
Die Geister all, sie schwinden
Vor Sinn und Sinnen hin.

Ebensogut wie „Sinn und Sinne" uns vor solchen Versen „hinschwinden".

Heiß lieben wir das Gute,
Das Schöne dieser Welt,
Wir wirken und schaffen rastlos
Auf echtem Menschheitsfeld;

und dies Feld lohnt unsre Arbeit mit einer Ernte gesinnungsvoller Knittelverse, wie sie selbst Ludwig der Baier nicht hervorbringen konnte[184].

Ein stiller und gesetzter junger Mann ist Herr Richard Reinhardt. Er „geht in leiser Ruhe lange der stillen Selbstentfaltung Schritt" und liefert ein Geburtstagsgedicht „An die junge Menschheit", in welchem er sich damit begnügt:

Der reinen Freiheit Liebessonne,
Der reinen Liebe Freiheit Licht,
Des Liebefriedens freundlich Licht [p. 234, 236]

zu besingen. Auf diesen sechs Seiten wird uns wohl zumute. Die „Liebe" kommt sechzehnmal, das „Licht" siebenmal, die „Sonne" fünfmal, die „Freiheit" achtmal vor, von den „Sternen", „Klarheiten", „Tagen", „Wonnen", „Freuden", „Frieden", „Rosen", „Gluten", „Wahrheiten" und sonstigen untergeordneten Würzen des Daseins gar nicht zu sprechen. Wenn man das

Glück gehabt hat, *so* besungen zu werden, so kann man wahrlich in Frieden in die Grube fahren.

Doch was halten wir uns bei Stümpern auf, sobald wir Meister wie Herr Rudolf Schwerdtlein und Ursa Major betrachten können! Überlassen wir alle jene zwar liebenswürdigen, aber doch noch sehr unvollkommnen Versuche ihrem Schicksal und wenden wir uns der Vollendung der sozialistischen Poesie zu!

Herr Rudolf Schwerdtlein singt:

„Frisch auf"
Wir sind die Reiter des Lebens. Hurra (ter[1])
Wohin, Ihr Reiter des Lebens?
Wir reiten in den Tod. Hurra!
Wir blasen in die Trompete. Hurra (ter)
Was schmettert Ihr in die Trompete?
Wir schmettern, wettern Tod. Hurra!
Das Heer blieb weit dahinter. Hurra (ter)
Was macht Eu'r Heer dahinter?
Es schläft den ew'gen Schlaf. Hurra!
Horch! Blasen nicht die Feinde? Hurra (ter)
O weh, Ihr armen Trompeter!
Jetzt reiten wir in den Tod. Hurra! [p. 199, 200.]

O weh, du armer Trompeter! – Man sieht, der Reiter des Lebens reitet nicht nur mit lachendem Mut in den Tod, er reitet auch ebenso kecklich in den dicksten Unsinn hinein, in dem er sich so wohl befindet wie die Laus in der Schafwolle. Ein paar Seiten weiter gibt der Reiter des Lebens „Feuer":

Wir sind so weise, wissen tausend Dinge,
Der Fortschritt hat's so rasend weit gebracht – –
Doch kannst Du rudernd keine Welle kräuseln,
Daß Dir nicht Geister um die Ohren säuseln. [p. 204.]

Es ist zu wünschen, daß dem Reiter des Lebens recht bald ein möglichst handfester *Körper* „um die Ohren säuseln" möge, um ihm die Geistersäuselei zu vertreiben.

Beiß in den Apfel! Zwischen Frucht und Zähnen
Steigt ein Gespenst Dir allsogleich hervor;
Faß' einen Renner bei den starken Mähnen,
Es bäumt ein Geist sich mit des Hengstes Ohr –

[1] dreimal

dem Reiter des Lebens „bäumt" sich auch etwas zu beiden Seiten des Kopfes, aber es ist nicht „des Hengstes Ohr" –

> Gedanken schießen um Dich, wie Hyänen,
> Umarmst Du die, die sich Dein Herz erkor.

Es geht dem Reiter des Lebens wie andern tapfern Kriegshelden. Den Tod fürchtet er nicht, aber „Geister", „Gespenster" und besonders „Gedanken" machen ihn zittern wie Espenlaub. Um sich vor ihnen zu retten, beschließt er, die Welt in Brand zu stecken, „den allgemeinen Weltbrand zu wagen":

> Zertrümmern ist die große Zeitparole,
> Zertrümmern ist des Zwiespalts einz'ge Schlichtung;
> Auf daß der Körper und der Geist verkohle
> Zu gründlicher Natur- und Wesens-Sichtung;
> Und wie das Erz im Tiegel, also hole
> Die Welt im Feuer sich die Neu-Verdichtung.
> Der Dämon nach dem Feuer-Weltgerichte
> Ist der Beginn der neuen Weltgeschichte. [p. 206.]

Der Reiter des Lebens hat den Nagel auf den Kopf getroffen. Der Zwiespalt der einz'gen Schlichtung in der großen Zeitparole gründlicher Natur- und Wesenssichtung ist eben, daß das Erz im Tiegel zum Körper und zum Geist verkohle, d. h., das Zertrümmern der neuen Weltgeschichte ist die Neuverdichtung des Feuer-Weltgerichtes oder mit andern Worten, der Dämon hole die Welt im Feuer des Beginns.

Nun zu unserm alten Freunde Ursa Major. Wir erwähnten die Hilleriade schon. Diese beginnt mit einer großen Wahrheit:

> Du Gottes-Gnaden-Volk begreifst es nicht,
> Wie schlimm es ist, als *Lump* die Welt zu grüßen;
> *Man wird's nie los.* [p. 256.]

Nachdem wir dann die ganze Jammerhistorie mit den kleinsten Details haben anhören müssen, bricht Ursa Major abermals in „Heuchelei" aus:

> Wehe, wehe Dir, Du arge, böse Welt –
> Fluch, ew'ger Fluch Dir! Du verdammtes Geld!
> Nicht ohne Dich wär dieser Mord gescheh'n,
> Nicht ohne Euch, ihr reichen Ungeheuer! –
> Der Kinder Blut kommt über Euch allein!
> Die Wahrheit spricht aus meinem Dichtermunde,
> Ich schleud're sie Euch ins Gesicht hinein,
> Und harre auf den Schlag der Rachestunde! [p. 262.]

Sollte man nicht meinen, Ursa Major begehe hier die erschrecklichste Tollkühnheit, indem er den Leuten „Wahrheiten aus seinem Dichtermunde ins Gesicht schleudert"? Aber man beruhige sich, man zittere nicht für seine Leber und seine Sicherheit. Die Reichen tun dem großen Bären ebensowenig etwas, als der große Bär ihnen etwas tut. Aber, meint dieser, man hätte den alten Hiller entweder köpfen lassen müssen oder:

Den weichsten Flaum auf Erden unters Haupt
Des Mörders mußtet ihr sorgfältig legen,
Damit er, was ihr Liebes ihm geraubt,
Im festen Schlaf vergesse – euch zum Segen.
Und wenn er wachte, mußten um ihn her
Zweihundert Harfen schwirren süße Klänge,
Damit der Kinder Röcheln nimmermehr
Sein Ohr zerreiße und sein Herz zersprenge.
Und andres noch zur Sühne – was es sei,
Das Lieblichste, was Liebe kann ersinnen –
Vielleicht dann wurdet ihr der Untat frei,
Und konntet euch Gewissensruh gewinnen. (p. 263.)

Das ist, in der Tat, die Bonhomie aller Bonhomien, die Wahrheit des wahren Sozialismus! „Euch zum Segen!" „Gewissensruh!" Ursa Major wird kindisch und erzählt Ammenmärchen. Daß er noch immer „auf den Schlag der Rachestunde harrt", ist bekannt.

Aber noch viel heiterer als die Hilleriade sind die „Friedhofsidyllen". Erst sieht er einen armen Mann begraben und hört die Klagen seiner Witwe, dann einen jungen im Kriege gefallenen Soldaten, seines greisen Vaters einzige Stütze, dann ein von seiner Mutter ermordetes Kind und schließlich einen reichen Mann. Als er das alles gesehen hat, fängt er an zu „denken", und siehe

... meine Blicke wurden hell und klar
Und strahlend drangen sie tief in die Grüfte; [p. 284]

leider wurden sie nicht „klar", um „tief in" seine Verse zu dringen.

Geheimnisvollstes ward mir offenbar.

Dafür blieb ihm das, was aller Welt „offenbar" ist, nämlich die erschreckliche Nichtswürdigkeit seiner Verse, vollkommen „geheimnisvoll". Und der klarsehende Bär sah, „wie im Fluge schier die größten Wunder sich begaben". Die Finger des armen Mannes werden Korallen, seine Haare Seide, und dadurch kommt seine Witwe zu großem Reichtum. Aus dem Grabe des Soldaten entspringen Flammen, die den Palast des Königs verschlingen. Aus dem Grabe des Kindes entsprießt eine Rose, deren Duft bis in den Kerker der Mutter dringt – und der reiche Mann wird vermöge der Seelenwanderung zu einer Natter, welche Ursa Major sich das Privatvergnügen vorbehält, durch seinen jüngsten Sohn zertreten zu lassen! Und so, meint Ursa Major, „wird uns allen doch Unsterblichkeit".

Übrigens hat unser Bär doch Courage. p. 273 fordert er „sein Unglück" mit Donnerstimme heraus; er trotzt ihm, denn:

Ein starker Löwe mir im Herzen sitzt –
Er ist so mutig, ist so groß und schnell –
Sei Du vor seinen Krallen auf der Hut!

Ja, Ursa Major „fühlt Kampfeslust", „fürchtet Wunden nicht".

Geschrieben Januar bis April 1847.
Nach der Handschrift.

[Friedrich Engels]

Der ökonomische Kongreß[185]

[„Deutsche-Brüsseler-Zeitung"
Nr. 76 vom 23. September 1847]

Bekanntlich gibt es hier einige Advokaten, Beamte, Ärzte, Rentiers, Kaufleute usw., die unter dem Vorwande einer Association pour le libre échange (à l'instar de Paris)[1] sich wechselseitigen Unterricht in den Elementen der politischen Ökonomie geben. Diese Herren haben in den drei letzten Tagen voriger Woche in Seligkeit geschwommen. Sie hielten ihren großen Kongreß der größten Ökonomen aller Länder ab, sie genossen die unaussprechliche Wollust, die Wahrheiten der Ökonomie nicht mehr aus dem Munde eines Herrn Jules Bartels, Le Hardy de Beaulieu, Faider oder Fader[2] oder sonstiger unbekannter Größen, nein, aus dem Munde der ersten Meister der Wissenschaft vorgetragen zu hören. Sie waren beglückt, entzückt, beseligt, in den siebenten Himmel erhoben.

Weniger beglückt aber waren die Meister der Wissenschaft selbst. Sie hatten sich auf einen leichten Kampf gefaßt gemacht, und der Kampf war sehr hart für sie; sie glaubten, sie hätten nur zu kommen, zu sehen und zu siegen, und sie siegten nur in der Abstimmung, während sie in der Diskussion am zweiten Tage entschieden geschlagen wurden[186] und am dritten nur durch Intrigen einer neuen, noch entschiedeneren Niederlage entgingen. Wenn auch ihr beseligtes Publikum das alles nicht merkte, so konnten sie selbst doch nicht umhin, es schmerzlich zu empfinden.

Wir wohnten dem Kongreß bei. Wir hatten von vornherein keinen besonderen Respekt vor diesen Meistern der Wissenschaft, deren Hauptwissenschaft darin besteht, daß sie einander und sich selbst fortwährend mit der größten Seelenruhe widersprechen. Aber wir gestehen, dieser Kongreß

[1] Vereinigung für den Freihandel (nach dem Vorbild von Paris) – [2] Wortspiel: Fader – von fade; Faider – Name eines Teilnehmers des ökonomischen Kongresses

hat uns auch das letzte Restchen von Respekt geraubt, das wir etwa noch vor denen haben konnten, deren Schriften und Reden uns weniger bekannt geworden waren. Wir gestehen, wir waren erstaunt, solche Plattheiten und Fadheiten, solche weltbekannte Trivialitäten hören zu müssen. Wir gestehen, wir hatten nicht erwartet, daß die Herren der Wissenschaft uns nichts Besseres zu sagen wußten als jene Anfangsgründe der Ökonomie, die für Kinder von sieben bis acht Jahren allerdings neu sein dürften, aber bei erwachsenen Leuten und namentlich Mitgliedern von Assoziationen pour le libre échange doch als bekannt vorausgesetzt werden müssen. Indessen, die Herren haben ihr Publikum besser gekannt wie wir.

Am besten benahmen sich auf dem Kongreß die Engländer. Sie waren am meisten interessiert bei der Sache; ihnen liegt die Eröffnung der kontinentalen Märkte am Herzen; für sie ist die Frage über die Handelsfreiheit eine Lebensfrage. Sie zeigten das auch deutlich genug, sie, die sonst nirgends etwas anders sprechen als ihr Englisch, sie ließen sich im Interesse ihres geliebten free-trade[1] dazu herab, französisch zu sprechen. Man sah ihnen deutlich an, wie sehr die Sache ihnen an die Börse griff. Die Franzosen traten als reine Ideologen und wissenschaftliche Schwärmer auf. Sie zeichneten sich nicht einmal durch französischen esprit[2], durch Originalität der Auffassung aus. Aber sie sprachen wenigstens gutes Französisch, und das hört man in Brüssel immer selten. – Die Holländer waren langweilig und doktoral. Der Däne, Herr David, war gar nicht zu verstehen. Die Belgier spielten mehr die Rolle passiver Zuhörer oder erhoben sich wenigstens nie über ihre nationale Industrie, die Contrefaçon[3]. Endlich die Deutschen bildeten, mit Ausnahme Weerths, der aber mehr als Engländer, denn als Deutscher, auftrat, die partie honteuse[4] des ganzen Kongresses. Ihnen würde die Palme gebühren, wenn nicht schließlich ein Belgier sie seiner Nation errungen hätte.

Erster Tag. Allgemeine Diskussion. Belgien eröffnete sie durch Herrn Faider, der in seinem ganzen Auftreten, in Haltung und Sprache ganz jene nachgedruckte Stutzerei zur Schau trug, die sich in den Straßen und Promenaden von Brüssel so widerlich breit macht. Herr Faider debitierte lauter Phrasen und verstieg sich kaum zu den allerursprünglichsten ökonomischen Wahrheiten. Halten wir uns nicht so lange mit ihm auf, wie er uns mit seiner breiten Wassersuppe aufhielt.

Herr Wolowski, Professor etc. in Paris, bestieg die Tribüne. Ein suffisanter, schönrednerischer, oberflächlicher, französierter polnischer Jude, der die schlechten Eigenschaften aller drei Nationen ohne die guten in sich zu ver-

[1] Freihandels – [2] Geist – [3] Nachahmung – [4] den Schandfleck

einigen gewußt hat. Herr Wolowski erregte einen ungeheuern Enthusiasmus durch eine vorher arrangierte, sophistisch-überraschende Rede. Aber leider war diese Rede nicht das Eigentum des Herrn Wolowski, sie war zusammengestoppelt aus den „Sophismes économiques"[1] des Herrn Frédéric Bastiat. Das konnten die Brüsseler Claqueurs[2] natürlich nicht wissen. – Herr Wolowski bedauerte, daß ein *deutscher* Protektionist opponieren werde und die französischen Protektionisten sich so die Initiative nehmen ließen. Er ist dafür bestraft worden. Am Schlusse seiner Rede wurde Herr Wolowski im höchsten Grade komisch. Er kam auf die arbeitenden Klassen zu sprechen, denen er goldne Berge von der Handelsfreiheit versprach, und machte in ihrem Namen einen erheuchelt wütenden Ausfall auf die Protektionisten. Ja, schrie er, sich zum pathetischen Falsett emporarbeitend, ja, diese Protektionisten, „ces gens qui n'ont rien là qui batte pour les classes laborieuses"[3] – dabei klopfte er sich auf sein rundes Bäuchlein – diese Protektionisten sind es, welche uns verhindern, unsere liebsten Wünsche zu erfüllen und den Arbeitern aus ihrem Elend zu helfen! Leider war sein ganzer Grimm zu gemacht, um auf die wenigen, in der Galerie anwesenden Arbeiter irgend Eindruck zu machen.

Herr Rittinghausen aus Köln, der Vertreter des deutschen Vaterlandes, las einen unendlich langweiligen Aufsatz zur Verteidigung des Schutzsystems vor. Er trat als echter Deutscher auf. Er jammerte mit der kläglichsten Miene der Welt über die schlechte Lage Deutschlands, über seine industrielle Impotenz, und flehte die Engländer förmlich an, sie möchten doch Deutschland erlauben, sich gegen ihre überlegene Konkurrenz zu schützen. Wie, sagte er, meine Herren, Sie wollen uns Handelsfreiheit geben, Sie wollen, daß wir frei mit allen Nationen konkurrieren sollen, wo wir noch fast überall Zünfte haben, wo wir *unter uns selbst* nicht einmal frei konkurrieren dürfen?

Herr Blanqui, Professor, Deputierter und progressiver Konservativer aus Paris, Verfasser einer elenden Geschichte der Ökonomie und anderer schlechten Werke, Hauptstütze der sogenannten „École française"[4] der Ökonomie, antwortete Herrn Rittinghausen. Ein wohlgenährter, zugeknöpfter Mann mit einem Gesicht, in dem erheuchelte Strenge, Salbung und Philanthropie sich widerlich mischen. Ritter der Ehrenlegion, cela va sans dire[5]. Herr Blanqui sprach mit möglichst viel Volubilität und möglichst wenig Geist, und das mußte natürlich den Brüsseler Freihändlern imponieren. Was er gesagt hat, ist übrigens noch zehnmal unbedeutender, als was er früher geschrieben hat. Halten wir uns bei diesen Phrasen nicht auf.

[1] „Ökonomischen Sophismen" – [2] Beifallklatschenden – [3] „diese Leute haben an der Stelle nichts, was für die werktätigen Klassen schlägt" – [4] „Französischen Schule" – [5] das versteht sich von selbst

Dann kam der Dr. Bowring, radikales Parlamentsmitglied und Erbe der Weisheit Benthams, dessen Gerippe er besitzt[187]. Er ist selbst eine Art Benthamsches Knochengerüst. Man merkte, daß die Wahlen vorüber sind; Herr Bowring fand es nicht mehr nötig, dem Volke Konzessionen zu machen, sondern trat als echter Bourgeois auf. Er sprach fließendes und korrektes Französisch mit starkem englischen Akzent und unterstützte den Effekt seiner Worte durch die heftigsten und possierlichsten Gestikulationen, die wir je gesehen zu haben uns erinnern. Herr Bowring, der Repräsentant der sehr interessierten englischen Bourgeoisie, erklärte, es sei endlich Zeit, daß man Egoismus beiseite werfe und sein eigenes Glück auf das der andern begründe. Natürlich die alte ökonomische „Wahrheit", daß man mit einem Millionär mehr Geschäfte machen, also auch mehr an ihm verdienen kann als an einem Inhaber von nur tausend Talern. – Schließlich kam noch ein begeisterter Hymnus auf cet envoyé du ciel[1], den Schmuggler.

Nach ihm trat Herr Duchateau auf, Präsident der Valencienner Association pour la protection du travail national[2], und verteidigte, infolge der Provokation des Herrn Wolowski, das französische Schutzsystem. Er wiederholte mit vieler Ruhe und Klarheit die bekannten Sätze der Protektionisten in der ganz richtigen Meinung, daß diese hinreichten, um den Herren Freetradern[3] den ganzen Kongreß zu verbittern. Er war unbedingt der beste Redner des Tages.

Ihm antwortete Herr Ewart, Parlamentsmitglied, in fast unverständlichem Französisch mit den plattesten und abgenutztesten Redensarten der Anti-Korngesetz-Ligue[188], wie sie in England fast jeder Straßenjunge längst auswendig weiß.

Herrn Campan, Abgeordneter der Freihandelsgesellschaft von Bordeaux, erwähnen wir nur der Ordnung wegen. Was er sagte, war so unbedeutend, daß wir uns [an] kein Wort mehr davon erinnern.

Herr Oberst Thompson, Parlamentsmitglied, reduziert die Frage auf eine einfache Geschichte: In einer Stadt existieren Droschkenfahrer, die für $1^1/_2$ Francs eine Fahrt machen. Jetzt wird ein Omnibus eingeführt, der dieselbe Fahrt für 1 Franc macht. Also, werden die Droschkenführer sagen, wird ein $^1/_2$ Franc per Fahrt dem Handel entzogen. Aber ist das wahr? Wo bleibt der halbe Franc? Ei, der Passagier wird etwas anders dafür kaufen, etwa Pasteten, Kuchen usw. Also kommt der halbe Franc doch in den Handel, und der Konsument hat mehr Genuß davon. Das ist der Fall der Protektionisten, die

[1] diesen Gesandten des Himmels – [2] Vereinigung für den Schutz der nationalen Arbeit – [3] Freihändlern

den Droschkenführer verteidigen, und der Freetrader, die den Omnibus einführen wollen. Der gute Oberst Thompson vergißt nur, daß die Konkurrenz diesen Vorteil des Konsumenten sehr bald wieder aufhebt und ihm gerade soviel an einem andern abzieht, wie er an dem einen gewinnt.

Schließlich trat Herr Dunoyer auf, Staatsrat in Paris, Verfasser mehrerer Werke, u.a. „De la liberté du travail"[1], worin er die Arbeiter beschuldigt, viel zu viele Kinder zu machen. Er sprach mit staatsrätlicher Heftigkeit, und zwar sehr unbedeutende Dinge. Herr Dunoyer ist ein wohlgenährter ventru[2] mit kahlem Schädel und rotem, vorwärtsgetriebenen Hundsgesicht und offenbar an keinen Widerspruch gewöhnt, aber lange nicht so fürchterlich, wie er sein möchte. Herr Blanqui sagte von seinen wohlfeilen Invektiven gegen das Proletariat: „M[onsieur] Dunoyer dit aux peuples les mêmes vérités austères qu'au dernier siècle les Voltaire et Rousseau disaient aux princes."[3]

Die allgemeine Diskussion wurde hiermit geschlossen. Über die Diskussion der einzelnen Fragen am zweiten und dritten Tage berichten wir in der nächsten Nummer.[189]

Geschrieben zwischen dem
19. und 22. September 1847.

[1] „Über die Freiheit der Arbeit" – [2] Bauch – [3] „Herr Dunoyer sagt dem Volke dieselben gestrengen Wahrheiten, die die Voltaire und Rousseau im vergangenen Jahrhundert den Fürsten sagten."

[Karl Marx]

Die Schutzzöllner, die Freihandelsmänner und die arbeitende Klasse[190]

Die Schutzzöllner haben niemals die kleine Industrie, die eigentliche Handarbeit protegiert. Haben etwa in Deutschland der Dr. List und seine Schule[1] für die kleine Leinenindustrie, für die Handweberei, für das Handwerk Schutzzölle verlangt? Nein, wenn sie um Schutzzölle baten, taten sie es nur, um die Handarbeit durch die Maschinen, die patriarchalische Industrie durch die moderne Industrie zu verdrängen. Mit einem Worte, sie wollen die Herrschaft der Bourgeoisie, besonders der großen industriellen Kapitalisten verbreiten. Sie gingen so weit, den Verfall und Untergang der kleinen Industrie, der kleinen Bourgeoisie, des kleinen Ackerbaues, der kleinen Bauern laut als ein trauriges, aber unvermeidliches und für die industrielle Entwicklung Deutschlands notwendiges Ereignis auszurufen.

Neben der Schule des Dr. List gibt es in Deutschland, dem Lande der Schulen, noch eine andere Schule, welche nicht allein ein Schutzzollsystem, sondern ein eigentliches Prohibitivsystem verlangt. Der Führer dieser Schule, Herr v. Gülich, hat eine sehr wissenschaftliche Geschichte der Industrie und des Handels geschrieben[191], die auch ins Französische übersetzt ist. Herr v. Gülich ist ein aufrichtiger Philanthrop; es ist ihm ernst mit dem Schutze der Handarbeit, der Nationalarbeit. Nun gut! Was tat er? Er begann mit der Widerlegung des Dr. List, bewies, daß in dem Listschen System das Wohl der arbeitenden Klasse nur falscher Schein, eine hohle und klingende Phrase sei, und machte dann seinerseits folgende Vorschläge:

1. Die Einfuhr der fremden Manufakturprodukte zu verbieten;
2. die Rohstoffe, welche aus dem Ausland kommen, wie Baumwolle, Seide usw. usw., mit sehr hohen Eingangszöllen zu belasten, um die Wolle und die nationale Leinwand zu schützen;
3. ebenso die Kolonialwaren, um durch inländische Produkte den Zucker,

[1] Siehe vorl. Band, S.305

Kaffee, Indigo, Cochenille, die kostbaren Hölzer usw. usw. zu verdrängen;

4. die inländischen Maschinen hoch zu besteuern, um die Handarbeit gegen die Maschine zu schützen.

Man sieht, Herr v. Gülich ist ein Mann, der das System mit allen seinen Konsequenzen annimmt. Und wohin ist es dadurch geführt? Nicht allein den Eingang ausländischer Industrieprodukte, sondern selbst den Fortschritt der nationalen Industrie zu verhindern.

Herr List und Herr v. Gülich bilden die Grenzen, zwischen denen sich das System bewegt. Will es den Fortschritt der Industrie schützen, so opfert es geradezu die Handarbeit, die Arbeit; will es die Arbeit schützen, ist der industrielle Fortschritt das Opfer.

Kehren wir zurück zu den eigentlichen Schutzzöllnern, welche die Illusionen des Herrn v. Gülich nicht teilen.

Sprechen sie wissentlich und frei zu der arbeitenden Klasse, so fassen sie ihre Philanthropie in folgenden Worten zusammen: Es ist besser, von seinen Landsleuten, als von Fremden ausgebeutet zu werden.

Ich denke, die arbeitende Klasse wird sich nicht für immer mit dieser Lösung begnügen, welche, man muß es gestehen, zwar sehr patriotisch, aber doch ein wenig zu asketisch und spiritualistisch ist für Leute, deren einzige Beschäftigung in Produktion der Reichtümer, des materiellen Wohles besteht.

Aber die Schutzzöllner werden sagen: „So erhalten wir nach alledem doch wenigstens den jetzigen Zustand der Gesellschaft. Gut oder schlecht sichern wir dem Arbeiter Beschäftigung seiner Hände und verhindern, daß er durch die fremde Konkurrenz aufs Pflaster geworfen wird." Ich will diese Behauptung nicht bekämpfen, ich nehme sie an. Die Erhaltung, die Konservierung des jetzigen Zustandes ist also das beste Resultat, wozu die Schutzzöllner im günstigsten Falle gelangen werden. Gut, aber für die arbeitende Klasse handelt es sich nicht darum, den jetzigen Zustand zu erhalten, sondern denselben in sein Gegenteil zu verwandeln.

Noch eine letzte Zuflucht bleibt den Schutzzöllnern: sie sagen, ihr System mache gar keinen Anspruch darauf, ein Mittel zu sozialen Reformen zu sein, aber es sei doch notwendig, mit den sozialen Reformen im Innern des Landes zu beginnen, ehe man bei ökonomischen Reformen in internationaler Beziehung anlangen könne. Nachdem das Schutzsystem anfangs reaktionär, dann konservativ gewesen, wird es zuletzt konservativ-progressistisch. Es wird genügen, den Widerspruch hervorzuheben, der sich unter dieser Theorie birgt, die auf den ersten Blick etwas Verführerisches, Praktisches, Rationelles zu haben scheint. Ein befremdender Widerspruch! Das Schutzzollsystem gibt dem Kapital des einen Landes die Waffen in die Hand, um den Kapitalen der anderen Länder trotzen zu können; es verstärkt die Kraft jenes Kapitals gegenüber dem fremden und bildet sich zugleich ein, durch dieselben Mittel dasselbe Kapital klein und schwach zu machen gegenüber der arbeitenden Klasse. Das hieße doch zuletzt an die Philanthropie des Kapitals appellieren, als ob das Kapital als solches Philanthrop sein könnte. Im allgemeinen können die sozialen Reformen aber auch niemals durch die Schwäche des Starken bewirkt werden; sie müssen und werden ins Leben gerufen werden durch die Stärke des Schwachen.

Übrigens brauchen wir uns hierbei nicht aufzuhalten. Von dem Augenblick, wo die Schutzzöllner zugeben, daß die sozialen Reformen nicht in den Bereich ihres Systems gehören, kein Ausfluß desselben sind, daß sie eine besondere Frage bilden: haben sie sich schon von der sozialen Frage entfernt. Ich werde daher die Schutzzöllner beiseite lassen und von dem Freihandel reden in seiner Beziehung zu der Lage der arbeitenden Klasse.

Geschrieben in der zweiten
Septemberhälfte 1847.
Nach: „Zwei Reden über die Freihandels- und
Schutzzollfrage von Karl Marx. Aus dem Französischen übersetzt ...
von J. Weydemeyer", Hamm 1848.

[Friedrich Engels]

Der Freihandelskongreß in Brüssel

[„The Northern Star"
Nr. 520 vom 9. Oktober 1847]

Am 16., 17. und 18. September fand hier (in Brüssel) ein Kongreß der Ökonomen, Fabrikanten, Handeltreibenden etc. statt, um die Frage des Freihandels zu erörtern. Über 150 Angehörige aller Nationen waren zugegen. Von seiten der englischen Freihandelsmänner waren anwesend die Parlamentsmitglieder Dr. Bowring, Oberst Thompson, Herr Ewart und Herr Brown, der Herausgeber des „Economist"[192], James Wilson, Esq. etc.; aus Frankreich waren gekommen: Herr Wolowski, Professor für Rechtswissenschaft, Herr Blanqui, Abgeordneter, Professor für Ökonomie, Verfasser einer Geschichte dieser Wissenschaft und anderer Werke, Herr Horace Say, der Sohn des berühmten Ökonomen, Herr Ch. Dunoyer, Mitglied des Geheimen Staatsrates, Autor verschiedener Werke über Politik und Ökonomie und andere. Aus Deutschland war kein Freihandelsmann anwesend, aber Holland, Dänemark, Italien etc. hatten Vertreter entsandt. Señor Ramon de la Sagra aus Madrid wollte kommen, kam jedoch zu spät. Die Teilnahme einer großen Anzahl belgischer Freihandelsmänner bedarf keiner Erwähnung, da sie selbstverständlich ist.

So trafen sich die Meister der Wissenschaft, um die wichtige Frage zu erörtern, ob der Freihandel für die Welt von Nutzen sei. Sie werden annehmen, daß Gespräche einer so erlesenen Gesellschaft – Diskussionen, die geführt wurden von ökonomischen Leuchten ersten Ranges – im höchsten Maße interessant gewesen sein müßten. Sie werden sagen, daß Männer wie Dr. Bowring, Oberst Thompson, Blanqui und Dunoyer äußerst eindrucksvolle Reden gehalten, daß sie Argumente von größter Überzeugungskraft gebracht und daß sie alle Fragen in einem ganz neuen, überraschenden und den höchsten Vorstellungen entsprechenden Licht gezeigt haben müßten. Aber leider wären Sie, mein Herr, wenn Sie dabei gewesen wären, bitter enttäuscht worden. Ihre hochgespannten Erwartungen, Ihre schönen Illusionen wären in weniger als einer Stunde zunichte gemacht worden. Ich habe an unzähligen öffentlichen Versammlungen und Diskussionen teilgenommen. Ich hörte die League[1] ihre Argumente gegen die Korngesetze mehr als hundertmal während meines Aufenthalts in England vorbringen, aber niemals, das kann ich Ihnen versichern, hörte ich solch dummes, langweiliges und nichtssagendes Geschwätz, das mit derartiger Selbstzufriedenheit vorgebracht wurde. Ich bin bisher niemals so enttäuscht gewesen. Was besprochen wurde, verdient nicht die Bezeichnung Diskussion – es war lediglich Wirtshausgeschwätz. Die großen wissenschaftlichen Leuchten wagten sich niemals auf das Gebiet der Ökonomie im strengen Sinne des Wortes, und ich möchte Ihnen nicht all den abgedroschenen Unsinn wiederholen, der an den ersten beiden Tagen verzapft wurde. Lesen Sie, bitte, zwei oder drei Exemplare der „*League*" oder des „*Manchester Guardian*"[193] durch, und Sie werden alles finden, was gesagt wurde, mit Ausnahme vielleicht von ein paar gefälligen Sätzen, die von Herrn Wolowski vorgebracht wurden. Er hatte sie jedoch aus dem Pamphlet des Herrn Bastiat (Leiter der französischen Freihandelsmänner) „Sophismes économiques" gestohlen. Die Freihandelsmänner erwarteten keine weitere Opposition als die von Herrn Rittinghausen, einem deutschen Protektionisten und einem im allgemeinen faden Kerl. Aber es stand ein Herr Duchateau auf, ein französischer Fabrikant und Protektionist – ein Mann, der für seinen Geldsack sprach, genauso wie Herr Ewart oder Herr Brown für den ihren – und machte ihnen mit seiner Opposition so furchtbar zu schaffen, daß am zweiten Tag der Diskussion eine große Anzahl sogar der Freihandelsmänner zugab, daß sie den Argumenten unterlegen war. Sie revanchierten sich allerdings bei der Abstimmung – die Resolutionen wurden natürlich fast einstimmig angenommen.

Am dritten Tag wurde eine Frage diskutiert, die Ihre Leser interessiert. Es handelte sich darum: „Wird die Verwirklichung eines allgemeinen Freihandels den arbeitenden Klassen nützlich sein?" Die Bejahung wurde unterstützt von Herrn Brown, dem Freihandelsmann aus Lancashire, in einer weitschweifigen Rede in englischer Sprache. Er und Herr Wilson waren die einzigen, die diese Sprache benutzten. Alle übrigen sprachen französisch; Herr Dr. Bowring sehr gut, Oberst Thompson leidlich, Herr Ewart entsetzlich. Er wiederholte einen Teil der alten „League"-Dokumente in einem weinerlichen Tonfall, sehr ähnlich dem eines anglikanischen Geistlichen.

Nach ihm erhob sich Herr Weerth aus Rheinpreußen. Ich nehme an, Sie

[1] Anti-Corn-Law League (Anti-Korngesetz-Liga)

kennen diesen Herrn – ein junger Handelsreisender, dessen Dichtung in Deutschland wohlbekannt ist und sehr geschätzt wird und der durch seinen mehrjährigen Aufenthalt in Yorkshire ein Augenzeuge der Lage der Arbeiter war. Er besitzt dort eine ganze Anzahl Freunde, die sich freuen werden, daß er sie nicht vergessen hat. Da seine Ansprache für Ihre Leser wohl das Interessanteste des ganzen Kongresses sein wird, werde ich etwas ausführlicher über sie berichten. Er sagte folgendes[194]:

„Meine Herren, – Sie erörtern den Einfluß des Freihandels auf die Lage der arbeitenden Klassen. Sie bekunden allergrößte Sympathie für diese Klassen. Ich freue mich sehr darüber, aber ich bin erstaunt, keinen Vertreter der Arbeiter unter Ihnen zu finden. Die Bourgeoisie Frankreichs ist vertreten durch einen Pair, die Englands durch mehrere Parlamentsmitglieder, die Belgiens durch einen ehemaligen Minister und sogar die Deutschlands durch einen Herrn, der uns eine wahrheitsgetreue Darstellung der Verhältnisse dieses Landes gab. Aber wo, frage ich Sie, sind die Vertreter der Arbeiter? Ich sehe sie nirgends, und deshalb, meine Herren, gestatten Sie mir, ihre Interessen zu vertreten. Ich erlaube mir, zu Ihnen zu sprechen im Namen der arbeitenden Menschen und besonders im Namen der fünf Millionen englischen Arbeiter, bei denen ich einige der schönsten Jahre meines Lebens verbrachte, die ich kenne und die ich schätze. (Beifall.) In der Tat, meine Herren, die Arbeiter haben etwas mehr Großmut nötig. Bisher wurden sie nicht wie Menschen behandelt, sondern wie Lasttiere, nein – wie Ware, wie Maschinen; die englischen Fabrikanten wissen das so gut, daß sie niemals sagen, wir beschäftigen so viele Arbeiter, sondern so viele Hände. Die nach diesem Prinzip handelnde besitzende Klasse zögerte keinen Augenblick, aus ihren Dienstleistungen, solange sie sie brauchte, Profit zu ziehen, sie aber auf die Straße zu werfen, sobald kein Profit aus ihnen mehr herauszupressen war. Die Lage dieser Ausgestoßenen der modernen Gesellschaft hat daher solche Formen angenommen, daß sie schlimmer nicht mehr werden kann. Wohin Sie immer blicken mögen, nach den Ufern der Rhône, in die schmutzigen und verpesteten Gassen von Manchester, Leeds und Birmingham, nach den Bergen Sachsens und Schlesiens oder nach den Ebenen Westfalens; überall werden Sie das gleiche bleiche Elend, die gleiche dumpfe Verzweiflung in den Augen der Menschen finden, die vergeblich ihre Rechte und ihre Stellung in der zivilisierten Gesellschaft fordern." (Großes Aufsehen.)

Herr Weerth erklärte dann, daß nach seiner Meinung das Schutzzollsystem die Arbeiter in Wirklichkeit nicht schütze, daß aber auch der Freihandel – und das sagte er ihnen klar und deutlich, obwohl er selbst Freihandelsmann ist –, daß auch der Freihandel niemals ihre elende Lage ändern würde. Er pflichtete in keiner Weise den falschen Vorstellungen der Freihandelsmänner bei in bezug auf den Nutzen, den die Schaffung ihres Systems für die arbeitende Klasse bringen würde. Im Gegenteil würde der Freihandel, das heißt die volle Realisierung der freien Konkurrenz, die Arbeiter in einen verschärften Wettbewerb untereinander zwingen, wie er auch die Kapitalisten zwingen würde, noch rücksichtsloser miteinander zu konkurrieren. Völlige Freiheit der Konkurrenz würde unvermeidlich einen enormen Aufschwung bei der Erfindung neuer Maschinen bringen und dadurch täglich mehr Arbeiter als bisher auf die Straße werfen. Sie würde die Produktion in jeder Weise vorantreiben, aber gerade deshalb würde sie auch in dem gleichen Maße Überproduktion, Überflutung der Märkte und Handelsstockungen fördern. Die Freihandelsmänner behaupten, daß jene furchtbaren Erschütterungen unter einem System der Handelsfreiheit aufhörten. Aber, gerade das Gegenteil würde eintreten, sie würden mehr denn je wachsen und sich vervielfachen. Es wäre möglich, nein sogar sicher, daß zuerst die größere Billigkeit der Lebensmittel den Arbeitern nützlich wäre, daß verringerte Produktionskosten ein Wachstum der Konsumtion und der Nachfrage nach Arbeitskräften bringen würde, aber daß dieser Vorteil sich sehr bald in Elend verwandeln und daß die Konkurrenz innerhalb der Arbeiterklasse sie bald zu ihrem früheren Stand des Elends und der Not zurückführen würde. Nach diesen und ähnlichen Argumenten (die der Versammlung ganz neu zu sein schienen, denn sie wurden mit größter Aufmerksamkeit verfolgt, obwohl der „Times"-Reporter sich bemüßigt fühlte, sie mit dem unverschämten aber deutlichen Spott abzutun: „Chartistische Phrasen") schloß Herr *Weerth*, wie folgt:

„Denken Sie nicht, meine Herren, daß dies nur meine persönlichen Ansichten sind, es sind auch die Anschauungen der englischen Arbeiter, einer Klasse, die ich unterstütze und respektiere, weil es in der Tat intelligente und energische Menschen sind. (Beifall ‚aus Höflichkeit'.) Ich werde das an einigen Beispielen beweisen. Sechs volle Jahre buhlten die Herren der League, die wir hier sehen, vergeblich um Unterstützung bei der Arbeiterklasse. Die Arbeiter vergaßen niemals, daß die Kapitalisten ihre natürlichen Feinde waren. Sie erinnerten sich der League-Unruhen von 1842 [195] und des Widerstandes der Fabrikanten gegen die Zehnstundenbill. Lediglich gegen Ende des Jahres 1845 verbündeten sich die Chartisten, die Elite der Arbeiterklasse, vorübergehend mit der League, um den gemeinsamen Feind, den Landadel, zu schlagen. Doch das geschah nur für eine kurze Zeit, und sie ließen sich niemals durch trügerische Verheißungen von Cobden, Bright und Co. irreleiten, noch erhofften sie von den Bourgeois billiges Brot, hohe Löhne und Arbeit in Fülle. Nein, nicht einen Augenblick hörten sie auf, allein ihrer eigenen Kraft zu vertrauen und eine besondere Partei zu schaffen, welche von hervorragenden Führern, dem unermüdlichen Duncombe und Feargus O'Connor, geleitet wird, die trotz aller Verleumdungen – (hier blickte Herr Weerth Dr. Bowring an, der eine schnelle krampfhafte Bewegung machte) –, die trotz aller Verleumdung in ein paar Wochen neben Ihnen auf derselben Bank im Unterhaus sitzen werden. Im Namen dieser Millionen nun, die nicht daran glauben, daß der Freihandel für sie Wunder tun wird, fordere ich Sie auf, noch an andere Mittel zu denken, wenn Sie die Lage der Arbeiter wirklich verbessern wollen. Meine Herren, ich rufe Sie in Ihrem eigenen Interesse dazu auf. Sie brauchen nicht mehr den Zaren aller Reußen zu fürchten oder einen Einfall der Kosaken, aber wenn Sie sich nicht in acht nehmen, werden Sie den Aufstand Ihrer eigenen Arbeiter zu fürchten haben, und diese werden Sie viel schrecklicher behandeln als alle Kosaken der Welt. Meine Herren, die Arbeiter wollen nicht mehr Worte von Ihnen, sondern Taten, und Sie haben keinen Grund, darüber erstaunt zu sein. Die Arbeiter erinnern sich sehr genau der Jahre 1830 und 1831, als sie in London für Sie die Reformbill durchfochten und für Sie in den Straßen von Paris und Brüssel kämpften[196], wie man sie damals umwarb, ihnen die Hände schüttelte und ihr Lob in höchsten Tönen sang, wie man sie aber, als sie einige Jahre danach Brot forderten, mit Kartätschen und Bajonetten empfing. („Oh! Nein, nein!", „Ja, ja! Buzançais, Lyon!")[197] Ich wiederhole deshalb, bringen Sie Ihren Freihandel durch, es wird gut sein, aber überlegen Sie gleichzeitig andere Maßnahmen zugunsten der arbeitenden Klassen, oder Sie werden es bereuen." (Lauter Beifall.)

Unmittelbar nach Herrn Weerth erhob sich Dr. Bowring zur Entgegnung:

„Meine Herren", sagte er, „ich kann Ihnen mitteilen, daß das ehrenwerte Mitglied, mein Vorredner, nicht von den englischen Arbeitern als ihr Vertreter auf diesem Kongreß gewählt wurde. Vielmehr gab das englische Volk in seiner Gesamtheit uns seine Stimme zu diesem Zweck, und daher beanspruchen wir die Stellung als seine wahren Vertreter."

Er fuhr dann fort, die Nutzeffekte des Freihandels zu schildern, die sich in der verstärkten Einfuhr von Nahrungsmitteln nach England seit Einführung des Zolltarifs im vergangenen Jahre zeigten. Soundso viel Eier, soundso viel Zentner Butter, Käse, Schinken, Speck, soundso viel Stück Vieh etc. etc., wer könnte alle diese Dinge gegessen haben, wenn nicht die Arbeiter Englands? Er vergaß allerdings, uns mitzuteilen, welche Mengen derselben Artikel weniger produziert wurden in England, seitdem die ausländische Konkurrenz zugelassen worden war. Er nahm es als gegeben hin, daß eine verstärkte Einfuhr ein entscheidender Beweis für einen vergrößerten Verbrauch sei. Er erwähnte niemals, woher die Arbeiter von Manchester, Bradford und Leeds, die jetzt auf der Straße liegen und keine Arbeit bekommen können, woher diese Menschen das Geld haben sollten, um das angebliche Wachstum des Verbrauchs und der Annehmlichkeiten des Freihandels zu bezahlen; denn wir haben niemals von Arbeitgebern gehört, die ihnen Geschenke in Form von Eiern, Butter, Käse, Schinken und Fleisch für ihr Nichtstun gemacht hätten. Er verlor kein Wort über den gegenwärtigen schlechten Stand des Handels, der in jeder Zeitung als wirklich beispiellos dargestellt wird. Er schien nicht zu wissen, daß sich alle Voraussagen der Freihandelsmänner seit der Durchführung der Maßnahmen gerade als das

Gegenteil der Wirklichkeit erwiesen haben. Er hatte kein Wort der Anteilnahme für die Leiden der Arbeiter, sondern stellte im Gegenteil ihre jetzige düstere Lage als die schönste, glücklichste und angenehmste hin, die sie sich billigerweise nur wünschen können.

Die englischen Arbeiter mögen nun wählen zwischen ihren beiden Vertretern. Eine Menge anderer Redner folgte, die über alle nur erdenklichen Themen sprachen, außer dem einen, das zur Debatte stand. Herr M'Adam, Parlamentsmitglied für Belfast (?), spann ein endlos langes Garn über die Flachsspinnerei in Irland und erschlug die Versammlung mit Statistiken. Herr Ackersdijk, ein holländischer Professor, sprach über das alte und das neue Holland und über die Universitäten von Lüttich, Walpole und Dewit. Herr van de Casteele machte Ausführungen über Frankreich, Belgien und die Regierung, Herr Asher aus Berlin, über deutschen Patriotismus und irgendeinen neuen Gegenstand, den er als geistiges Erzeugnis bezeichnete, und Herr den Tex, ein Holländer, über Gott weiß was. Als zuletzt das Auditorium halb eingeschlafen war, wurde es durch Herrn Wolowski geweckt, der zum Kernproblem zurückkehrte und Herrn Weerth antwortete. Seine Rede, wie die aller Franzosen, bewies, wie sehr die französischen Kapitalisten die Erfüllung von Herrn Weerths Prophezeiungen fürchten. Sie sprechen mit einer so vorgetäuschten Sympathie, so heuchlerisch und weinerlich von den Leiden der Arbeiterklasse, daß man es alles für bare Münze nehmen könnte, würden nicht ihre runden Bäuche, der tiefeingedrückte Stempel der Heuchelei auf ihren Gesichtern, die erbärmlichen Rezepte, die sie vorschlagen, und der unverkennbar deutliche Kontrast zwischen ihren Worten und ihren Taten dem zu offensichtlich widersprechen. Bisher ist es ihnen niemals gelungen, auch nur einen einzigen Arbeiter zu täuschen. Dann erhob sich der Herzog von Harcourt, ein französischer Pair, und nahm für die anwesenden französischen Kapitalisten, Deputierten etc. ebenfalls das Recht in Anspruch, die französischen Arbeiter zu vertreten. Dies tun sie ebenso, wie Dr. Bowring die englischen Chartisten vertritt. Nach ihm sprach Herr James Wilson, der mit größter Unverschämtheit die abgedroschensten League-Phrasen im schläfrigen Tonfall eines Philadelphiaquäkers wiederholte.

Hieraus ersehen Sie, was für eine unterhaltsame Diskussion das war. Dr. Marx aus Brüssel, den Sie als den weitaus talentiertesten Repräsentanten der deutschen Demokratie kennen, hatte sich ebenfalls zum Wort gemeldet. Er hatte eine Rede ausgearbeitet, die, wäre sie gehalten worden, es den „Herren" des Kongresses unmöglich gemacht hätte, die Frage zur Abstimmung zu bringen. Aber Weerths Opposition hatte sie vorsichtig gemacht. Sie waren entschlossen, niemanden mehr sprechen zu lassen, dessen orthodoxer

Einstellung sie nicht ganz sicher waren. So verredeten die Herren Wolowski, Wilson und die ganze edle Sippschaft die Zeit, und als es vier Uhr war, wollten etwa noch sechs oder sieben Herren sprechen, aber der Vorsitzende brach die Diskussion jäh ab, und die ganze Versammlung von Narren, Dummköpfen und Schurken, genannt ökonomischer Kongreß, brachte in der Abstimmung einmütig gegen eine Stimme (jenen armen deutschen Irren, den bereits erwähnten Protektionisten) – die Demokraten nahmen überhaupt nicht daran teil – zum Ausdruck, daß der Freihandel ungeheuer nützlich für die Arbeiterklasse sei und sie von all ihrem Elend und all ihrer Not befreien werde.

Da Herrn Marx' Rede, obwohl sie nicht gehalten wurde, die beste und überzeugendste Widerlegung dieser schamlosen Lüge enthält, die man sich vorstellen kann, und da ihr Inhalt, trotz so vieler hundert Seiten *pro* und *contra*[1] über diese Frage, für England ganz neu sein wird, füge ich Ihnen einige Auszüge daraus bei.

Rede des Herrn Dr. Marx über Schutzzoll, Freihandel und die Arbeiterklasse

Es gibt zwei Schulen von Schutzzöllnern. Die erste Schule wird in Deutschland von Dr. List vertreten, der beileibe nicht beabsichtigt hatte, die Handarbeit zu schützen; ganz im Gegenteil – die Vertreter dieser Schule forderten Schutzzölle, um die Handarbeit durch die Maschinerie zu vernichten, um die patriarchalische Manufaktur durch die moderne Manufaktur zu verdrängen. Sie haben immer beabsichtigt, die Herrschaft der besitzenden Klassen (der *Bourgeoisie*) vorzubereiten und ganz besonders die der großen industriellen Kapitalisten. Sie stellten den Ruin der kleinen Fabrikanten, der kleinen Handwerker und der kleinen Bauern offen als eine zwar bedauerliche, aber gleichzeitig ganz unvermeidliche Erscheinung dar. Die zweite Schule der Protektionisten forderte nicht nur ein Schutzzollsystem, sondern ein absolutes Prohibitivsystem. Sie schlugen vor, die Handarbeit gegen das Eindringen der Maschinen wie auch gegen die ausländische Konkurrenz zu schützen. Fernerhin machten sie den Vorschlag, nicht nur die nationale Industrie, sondern auch die einheimische Landwirtschaft und Rohstoffproduktion durch hohe Zölle zu schützen. Und wo landete diese Schule schließlich? Bei der Prohibition, nicht nur der Einfuhr fremder Manufakturprodukte, sondern des Fortschritts der nationalen Industrie selbst. So geriet das ganze

[1] *für* und *wider*

Schutzzollsystem unvermeidlich in die Zange folgenden Dilemmas: Entweder schützte es den Fortschritt der nationalen Industrie und opferte damit die Handarbeit, oder es schützte die Handarbeit und opferte damit die nationale Industrie. Die Protektionisten der ersten Schule, diejenigen, die den Fortschritt der Maschinerie, die Arbeitsteilung und den Konkurrenzkampf für unaufhaltbar hielten, sagten den Arbeitern: „Wenn ihr schon ausgepreßt werdet, so laßt euch lieber von euren Landsleuten als von Fremden auspressen." Wird sich die arbeitende Klasse für immer damit abfinden? Ich glaube, nein. Diejenigen, die allen Wohlstand und Komfort der Reichen produzieren, werden sich mit diesem schwachen Trost nicht zufriedengeben. Sie werden größeren materiellen Wohlstand für ihre materiellen Erzeugnisse verlangen. Aber die Schutzzöllner sagen: „So erhalten wir nach alledem doch wenigstens den jetzigen Zustand der Gesellschaft. Gut oder schlecht sichern wir dem Arbeiter Beschäftigung seiner Hände und verhindern, daß er durch die fremde Konkurrenz aufs Pflaster geworfen wird." Mag dem so sein. Damit geben die Schutzzöllner zu, daß sie unfähig sind, auch im günstigsten Falle Besseres zu erreichen als die Aufrechterhaltung des *Status quo*. Nun will aber die Arbeiterklasse nicht die Fortdauer des jetzigen Zustandes, sondern eine Veränderung zum Besseren. Noch eine letzte Zuflucht bleibt dem Schutzzöllner. Er wird sagen, daß er einer sozialen Reform im Innern des Landes durchaus nicht feindlich gegenübersteht, daß aber zuallererst, um den Erfolg zu sichern, jede durch ausländische Konkurrenz hervorgerufene Gefährdung ausgeschaltet werden muß. „Mein System", meint er, „ist kein System der sozialen Reform, aber wenn wir schon die Gesellschaft reformieren müssen, täten wir es nicht besser im eigenen Lande, bevor wir über Reformen in unseren Beziehungen zu anderen Ländern sprechen?" Wirklich sehr einleuchtend, aber hinter dieser scheinbar plausiblen Folgerung verbirgt sich ein äußerst befremdender Widerspruch. Während das Schutzzollsystem dem Kapital des einen Landes Waffen in die Hand gibt gegen das Kapital fremder Länder, während es das Kapital gegenüber den Ausländern stärkt, glaubt es, daß dieses so bewaffnete und gestärkte Kapital schwach, nachsichtig und kraftlos gegenüber der Arbeiterklasse sein wird. Das hieße doch an die Barmherzigkeit des Kapitals appellieren, als ob das Kapital als solches jemals barmherzig sein könnte. Doch werden soziale Reformen niemals durch die Schwäche der Starken bewirkt, sondern immer durch die Stärke der Schwachen. Übrigens ist es durchaus nicht nötig, sich an diesem Punkt aufzuhalten. Mit dem Augenblick, da die Schutzzöllner zugeben, daß soziale Reformen nicht unbedingt in den Bereich ihres Systems gehören und kein Bestandteil desselben sind, sondern daß sie eine ganz besondere Frage bilden, von dem Augenblick an lassen sie die zur Debatte stehende Frage fallen. Wir können sie deshalb beiseite lassen und die Auswirkungen des Freihandels auf die Lage der Arbeiterklasse untersuchen. Das Problem, welchen Einfluß die vollkommene Befreiung des Handels auf die Lage der Arbeiterklasse haben wird, ist sehr leicht zu lösen. Es ist eigentlich gar kein Problem. Wenn etwas in der Ökonomie klar dargelegt ist, so ist es das Schicksal, das die Arbeiterklasse unter der Herrschaft des Freihandels erwartet. Alle diesbezüglichen Gesetze, die in den klassischen Werken der Ökonomie dargelegt sind, treffen nur unter der Voraussetzung wirklich zu, daß der Handel von allen Fesseln befreit ist, daß die Konkurrenz völlig unbehindert ist, nicht nur in einem Lande, sondern auf dem ganzen Erdball. Diese Gesetze, die A. Smith, Say und Ricardo aufgedeckt haben – Gesetze, welche die Produktion und die Verteilung des Reichtums bestimmen – werden in demselben Maße zutreffender, genauer und hören auf, bloße Abstraktionen zu sein, wie sich der Freihandel durchsetzt. Auch die Meister der Wissenschaft erklären ständig, wenn sie ein ökonomisches Thema behandeln, ihre Schlußfolgerungen beruhten samt und sonders auf der Voraussetzung, daß der Handel von allen noch bestehenden Fesseln befreit werde. Sie handeln durchaus richtig, wenn sie diese Methode anwenden; denn sie schaffen keine willkürlichen Abstraktionen, sie schalten nur aus ihrem Denken eine Reihe von zufälligen Umständen aus. So kann man mit Recht sagen, daß die Ökonomen – Ricardo und andere – mehr über die Gesellschaft wissen, wie sie sein wird, als über die Gesellschaft, wie sie ist. Sie wissen mehr über die Zukunft als über die Gegenwart. Wenn man im Buch der Zukunft lesen will, schlage man Smith, Say, Ricardo auf. Dort findet man, so klar wie möglich, die Lage beschrieben, die die Arbeiterklasse unter der Herrschaft des vollständig entwickelten Freihandels erwartet. Man nehme zum Beispiel eine Autorität wie Ricardo, eine Autorität, die unübertroffen ist. Was ist, ökonomisch gesprochen, der natürliche, der normale Preis der Arbeit eines Arbeiters? Ricardo antwortet: „Der auf ein Minimum reduzierte Arbeitslohn – seine unterste Grenze." Arbeit[198] ist eine Ware, so gut wie jede andere. Der Preis einer Ware wird aber von der zu ihrer Produktion notwendigen Arbeitszeit bestimmt. Was ist also notwendig, um die Ware Arbeit zu produzieren? Genau das, was notwendig ist, um die Summe der für die Erhaltung des Arbeiters und für den Ersatz seines Kräfteverbrauchs unentbehrlichen Waren zu produzieren, damit er leben und irgendwie seine race fortpflanzen kann. Wir brauchen jedoch nicht anzunehmen, daß die Arbeiter niemals über diese unterste Grenze emporgehoben oder unter dieselbe hinabgedrückt werden. Durchaus nicht; nach diesem Gesetz wird es der Arbeiterklasse zeitweise besser gehen. Zeitweise werden sie mehr als das Existenzminimum haben, aber dieses Mehr wird nur der Zusatzbetrag sein, der ihnen zu anderer Zeit – in der Zeit der industriellen Stagnation – wieder am Existenzminimum fehlt. Das heißt, daß während einer bestimmten Zeitspanne, die jeweils periodisch auftritt, in der die Wirtschaft den Kreislauf Prosperität, Überproduktion, Stagnation und Krise durchmacht – wenn wir den Durchschnitt dessen nehmen, was der Arbeiter über oder unter dem Existenzminimum erhält –, es sich herausstellt, daß er im ganzen weder mehr noch weniger als das Minimum erhalten hat; oder mit anderen Worten, daß die Arbeiterklasse sich als Klasse erhalten haben wird nach großem Elend und großen Leiden und nachdem sie viele Tote auf dem Schlachtfeld der Industrie zurückgelassen hat. Aber was macht das? Die Klasse existiert, und sie existiert nicht nur, sie wird sich noch vergrößert haben. Dieses Gesetz, daß der niedrigste Lohnsatz der natürliche Preis der Ware Arbeit ist, wird sich in demselben Maße durchsetzen wie Ricardos Voraussage, daß der Freihandel eine Realität werden wird. Wir akzeptieren alles, was über die Vorteile des Freihandels gesagt wurde. Die Produktivkräfte werden anwachsen, die Steuern, die dem Land durch die Schutzzölle auferlegt worden sind, werden verschwinden, und alle Waren werden zu einem niedrigeren Preis verkauft werden. Was wiederum sagt Ricardo? „Daß Arbeit, eine Ware gleich anderen, ebenfalls zum niedrigeren Preis verkauft werden wird", daß man sie tatsächlich für sehr wenig Geld haben kann, genauso wie Pfeffer und Salz. Und weiter: Ebenso wie alle anderen Gesetze der politischen Ökonomie eine gesteigerte Bedeutung, ein Mehr an Wahrheit durch die Verwirklichung des Freihandels erhalten werden – ebenso wird auch das von Malthus aufgestellte Bevölkerungsgesetz sich unter der Herrschaft des Freihandels in so großartigen Ausmaßen entwickeln, wie es nur gewünscht werden kann. So hat man zu wählen: Entweder muß man die gesamte politische Ökonomie, wie sie gegenwärtig besteht, ablehnen, oder man muß zulassen, daß unter der Handelsfreiheit die ganze Schärfe der Gesetze der politischen Ökonomie gegen die arbeitende Klasse angewandt wird. Bedeutet das, daß wir gegen den Freihandel sind? Nein, wir sind für den Freihandel, weil durch den Freihandel alle ökonomischen Gesetze mit ihren höchst verblüffenden Widersprüchen in einem größerem Maßstabe und auf einem größeren Gebiet, auf der ganzen Erde wirksam werden, und weil aus der Vereinigung aller dieser Widersprüche zu einer Gruppe sich unmittelbar gegenüberstehender Widersprüche der Kampf hervorgehen wird, der mit der Emanzipation des Proletariats endet.

Geschrieben Ende September 1847.
Aus dem Englischen.

Friedrich Engels

Die Kommunisten und Karl Heinzen[199]

[„Deutsche-Brüsseler-Zeitung“
Nr. 79 vom 3. Oktober 1847]

[Erster Artikel]

Brüssel, den 26. September. Die heutige Nummer der „D[eutschen]-Br[üsseler]-Z[ei]t[un]g“ enthält einen Artikel von Heinzen, in welchem dieser, unter dem Vorwande, sich gegen eine unbedeutende Anschuldigung der Redaktion zu verteidigen, eine lange Polemik gegen die Kommunisten eröffnet.

Die Redaktion rät beiden Seiten, die Polemik fallenzulassen.[200] Sie durfte dann aber auch von dem Heinzenschen Artikel nur den Teil geben, worin sich Heinzen wirklich gegen die Anschuldigung verteidigt, als habe er die Kommunisten zuerst angegriffen. Wenn auch „Heinzen kein Blatt zu seiner Disposition besitzt“, so ist das kein Grund, ihm ein Blatt zur Disposition zu stellen zur Veröffentlichung von Angriffen, die die Redaktion des Blattes selbst für abgeschmackt hält.

Es konnte übrigens den Kommunisten kein besserer Dienst geleistet werden, als durch die Veröffentlichung dieses Artikels geschehen ist. Albernere und borniertere Vorwürfe, als Heinzen hier den Kommunisten macht, sind nie einer Partei gemacht worden. Der Artikel ist die glänzendste Rechtfertigung der Kommunisten. Er beweist, daß, wenn sie Heinzen noch nicht angegriffen hätten, sie es sofort tun müßten.

Herr Heinzen stellt sich gleich von vornherein als den Repräsentanten sämtlicher deutschen nichtkommunistischen Radikalen hin, er will mit den Kommunisten von Partei zu Partei diskutieren. Er „hat das Recht zu verlangen“, er erklärt mit der größten Bestimmtheit, was den Kommunisten „zugetraut werden muß“, was „man ihnen zumuten muß“, was „Pflicht der wirklichen Kommunisten ist“. Er identifiziert *seine* Trennung von den

Kommunisten geradezu mit derjenigen der „deutschen Republikaner und Demokraten" von ihnen und spricht per „*Wir*" im Namen dieser Republikaner.

Wer ist denn Herr Heinzen und was repräsentiert er?

Herr Heinzen ist ein ehemaliger liberaler Unterbeamter, der noch im Jahre 1844 für den gesetzlichen Fortschritt und die deutsch-konstitutionelle Misère schwärmte und der höchstens im Vertrauen leise gestand, daß, allerdings in sehr ferner Zukunft, eine Republik wünschenswert und möglich sein dürfte. Herr Heinzen täuschte sich aber über die Möglichkeit des gesetzlichen Widerstandes in Preußen. Er mußte flüchten wegen seines schlechten Buches über die Bürokratie (selbst Jakobus Venedey hat vor längeren Jahren ein bei weitem besseres Buch über Preußen geschrieben).[201] Jetzt ging ihm ein Licht auf. Er erklärte den gesetzlichen Widerstand für unmöglich, wurde Revolutionär und natürlich auch Republikaner. In der Schweiz wurde er mit dem Savant sérieux[1] Ruge bekannt, der ihm sein bißchen Philosophie beibrachte, bestehend aus einem konfusen Durcheinander von Feuerbachschem Atheismus und Menschentum, Hegelschen Reminiszenzen und Stirnerschen Redeblumen. Also ausgerüstet, hielt sich Herr Heinzen für reif und eröffnete, gestützt rechts auf Ruge, links auf Freiligrath, seine Revolutionspropaganda.

Wir werfen Herrn Heinzen ganz gewiß seinen Übergang vom Liberalismus zum blutdürstigen Radikalismus nicht vor. Aber wir behaupten allerdings, daß er diesen Übergang gemacht hat infolge von bloß persönlichen Verhältnissen. Solange Herr Heinzen gesetzlichen Widerstand machen konnte, solange griff er alle diejenigen an, die die Notwendigkeit einer Revolution einsahen. Kaum wurde *ihm* der gesetzliche Widerstand unmöglich gemacht, so erklärte er ihn überhaupt für unmöglich, ohne zu beachten, daß der deutschen Bourgeoisie dieser Widerstand einstweilen noch sehr möglich ist, daß sie fortwährend einen höchst gesetzlichen Widerstand leistet. Kaum war *ihm* die Rückkehr abgeschnitten, so erklärte er die Notwendigkeit einer sofortigen Revolution. Statt die deutschen Zustände zu studieren, im Überblick zu erfassen und daraus abzuleiten, welche Fortschritte, welche Entwicklung, welche Maßregeln nötig und möglich seien, statt sich über die verwickelte Stellung der einzelnen Klassen in Deutschland einander und [der] Regierung gegenüber ins klare zu setzen und daraus die zu verfolgende Politik zu folgern, statt sich, mit einem Wort, nach der Entwicklung Deutschlands zu richten, verlangt Herr Heinzen ganz ungeniert, die Entwicklung Deutschlands solle sich nach ihm richten.

[1] ernsten Wissenschaftler

Herr Heinzen war ein heftiger Gegner der Philosophie, solange sie noch *progressiv* war. Kaum wurde sie reaktionär, kaum wurde sie die Zuflucht aller Unentschiedenen, Invaliden und literarischer Industriellen, so mußte dem Herrn Heinzen das Unglück passieren, daß er sich ihr anschloß. Ja, noch schlimmer, es mußte ihm passieren, daß Herr Ruge, der sein ganzes Leben lang immer selbst ein bloßer Proselyt gewesen war, seinen einzigen Proselyten an Herrn Heinzen machte. Herr Heinzen muß somit dem Herrn Ruge zu dem Troste dienen, daß wenigstens ein Mensch seine Satzbildungen zu ergründen glaubte.

Wofür agiert denn Herr Heinzen eigentlich? Für eine sofort zu errichtende deutsche Republik, die aus amerikanischen und 1793er Traditionen und einigen den Kommunisten entlehnten Maßregeln zusammengesetzt ist und sehr schwarzrotgolden aussieht.[202] Deutschland hat infolge seiner industriellen Trägheit eine so erbärmliche Stellung in Europa, daß es nie eine Initiative ergreifen, nie zuerst eine große Revolution proklamieren, nie auf eigne Faust ohne Frankreich und England eine Republik errichten kann. Jede deutsche Republik, die unabhängig von der Bewegung der zivilisierten Länder hergestellt, jede deutsche Revolution, die auf eigne Faust gemacht werden soll und, wie bei Herrn Heinzen geschieht, die wirkliche Bewegung der Klassen in Deutschland gänzlich unberücksichtigt läßt, jede solche Republik und Revolution ist pure schwarzrotgoldne Schwärmerei. Und um diese glorreiche deutsche Republik noch glorreicher zu machen, verbrämt Herr Heinzen sie mit Feuerbachschem, rugifiziertem Menschentum und proklamiert sie als das Reich „des Menschen", das nahe herbeigekommen ist. Und alle diese sich überstürzenden Schwärmereien sollen die Deutschen realisieren?

Wie aber propagiert der große „Agitator" Herr Heinzen? Er erklärt die Fürsten für die Haupturheber alles Elends und aller Not. Diese Behauptung ist nicht nur lächerlich, sondern im höchsten Grade schädlich. Herr Heinzen könnte den deutschen Fürsten, diesen impotenten und schwachsinnigen Drahtpuppen, gar nicht stärker schmeicheln, als indem er ihnen eine phantastische, überirdische, dämonische Allmacht zuschreibt. Behauptet Herr Heinzen, daß die Fürsten soviel Unheil anrichten können, so gesteht er ihnen damit auch die Macht zu, ebensoviel Wohltaten erweisen zu können. Der Schluß daraus ist nicht die Notwendigkeit einer Revolution, sondern der fromme Wunsch nach einem braven Fürsten, nach einem guten Kaiser Joseph. Übrigens weiß das Volk viel besser als Herr Heinzen, wer es unterdrückt. Herr Heinzen wird nie den Haß auf die Fürsten herüberwälzen, den der Fronbauer gegen den Gutsherrn, der Arbeiter gegen seinen Arbeitgeber hegt. Herr Heinzen arbeitet aber allerdings im Interesse der Gutsherrn und Kapitalisten, wenn er für die Exploitation des Volks durch diese beiden Klassen nicht ihnen, sondern den Fürsten schuld gibt; und die Exploitation durch Gutsherrn und Kapitalisten produziert doch wohl neunzehn Zwanzigstel alles deutschen Elends!

Herr Heinzen fordert zu einem sofortigen Aufstande auf. Er läßt Flugblätter in diesem Sinne drucken[203] und sucht sie in Deutschland zu verbreiten. Wir fragen, ob eine so unsinnige, blindlings losfahrende Propaganda nicht den Interessen der deutschen Demokratie im höchsten Grade schädlich ist? Wir fragen, ob nicht die Erfahrung bewiesen hat, wie nutzlos sie ist? Ob nicht zu einer ganz anders aufgeregten Zeit, in den dreißiger Jahren, Hunderttausende solcher Flugblätter, Broschüren etc. in Deutschland verbreitet wurden und ob ein einziges irgendwelchen Erfolg hatte? Wir fragen, ob jemand, der irgendwie bei gesundem Verstande ist, sich einbilden kann, das Volk werde dergleichen politischen Moralpredigten und Ermahnungen irgendwelche Aufmerksamkeit schenken? Wir fragen, ob Herr Heinzen in seinen Flugblättern jemals etwas andres getan hat als ermahnen und predigen? Wir fragen, ob es nicht geradezu lächerlich ist, so ohne allen Sinn und Verstand, ohne Kenntnis und Berücksichtigung der Verhältnisse Aufforderungen zur Revolution in die Welt hinauszubrüllen?

Was hat die Presse einer Partei zu tun? Zu diskutieren vor allen Dingen, die Forderungen der Partei zu begründen, zu entwickeln, zu verteidigen, die Ansprüche und Behauptungen der Gegenpartei zurückzuweisen und zu widerlegen. Was hat die deutsche demokratische Presse zu tun? Die Notwendigkeit der Demokratie nachzuweisen aus der Nichtswürdigkeit der bestehenden Regierung, die mehr oder weniger den Adel repräsentiert, aus der Unzulänglichkeit des konstitutionellen Systems, das die Bourgeoisie ans Ruder bringt, aus der Unmöglichkeit für das Volk, sich zu helfen, solange es nicht die politische Gewalt hat. Sie hat also die Unterdrückung der Proletarier, Kleinbauern und kleinen Bürger, denn diese bilden in Deutschland das „Volk", durch die Bürokratie, den Adel, die Bourgeoisie auseinanderzusetzen; wodurch nicht nur die politische, sondern vor allem die gesellschaftliche Unterdrückung entstanden ist, und durch welche Mittel sie beseitigt werden kann; sie hat nachzuweisen, daß die Eroberung der politischen Gewalt durch die Proletarier, Kleinbauern und kleinen Bürger die erste Bedingung der Ausführung dieser Mittel ist. Sie hat ferner zu untersuchen, inwieweit auf baldige Durchsetzung der Demokratie zu rechnen ist, welche Mittel der Partei zu Gebote stehen und welchen andern Parteien sie sich anschließen muß, solange sie zu schwach ist, allein zu handeln. – Nun, und von allem diesem hat Herr Heinzen auch nur eins getan? Nein. Er hat sich nicht diese Mühe gegeben. Er hat dem Volke, d.h. den Proletariern, kleinen Bauern und kleinen Bürgern, gar nichts auseinandergesetzt. Er hat nie die Stellung der Klassen und Parteien untersucht. Er hat nichts getan als Variationen gespielt auf das *eine* Thema: Schlagt drein, schlagt drein, schlagt drein!

Und an wen richtet Herr Heinzen seine revolutionären Moralpredigten? Vor allem an die kleinen Bauern, an diejenige Klasse, welche in unserer Zeit am allerwenigsten fähig ist, eine revolutionäre Initiative zu ergreifen. Seit 600 Jahren geht alle progressive Bewegung so sehr von den Städten aus, daß die selbständigen demokratischen Bewegungen der Landbewohner (Wat Tyler, Jack Cade, Jacquerie, Bauernkrieg)[204] erstens jedesmal reaktionär auftraten und zweitens jedesmal unterdrückt wurden. Das industrielle Proletariat der Städte ist die Krone aller modernen Demokratie geworden; die kleinen Bürger und noch mehr die Bauern hängen von seiner Initiative vollständig ab. Die Französische Revolution von 1789 und die neueste Geschichte von England, Frankreich und den Oststaaten von Amerika beweisen das. Und Herr Heinzen hofft auf das Dreinschlagen der Bauern, jetzt im neunzehnten Jahrhundert?

Aber Herr Heinzen verspricht auch soziale Reformen. Allerdings, die Gleichgültigkeit des Volkes gegen seine Aufrufe hat ihn allmählich dazu genötigt. Und was sind das für Reformen? Es sind solche, wie die *Kommunisten* sie selbst vorschlagen als Vorbereitung zur Abschaffung des Privateigentums. Das einzige, was bei Heinzen anzuerkennen wäre, hat er von den Kommunisten, den so heftig angegriffenen Kommunisten entlehnt, und auch das wird unter seinen Händen zu barem Unsinn und purer Schwärmerei. Alle Maßregeln zur Beschränkung der Konkurrenz, der Anhäufung großer Kapitalien in den Händen einzelner, alle Beschränkung oder Aufhebung des Erbrechts, alle Organisation der Arbeit von Staats wegen etc., alle diese Maßregeln sind als revolutionäre Maßregeln nicht nur möglich, sondern sogar nötig. Sie sind möglich, weil das ganze insurgierte Proletariat hinter ihnen steht und sie mit bewaffneter Hand aufrechterhält. Sie sind möglich, trotz aller von den Ökonomen gegen sie geltend gemachten Schwierigkeiten und Übelstände, weil eben diese Schwierigkeiten und Übelstände das Proletariat zwingen werden, immer weiter und weiter zu gehen bis zur gänzlichen Aufhebung des Privateigentums, um nicht auch das wieder zu verlieren, was es schon gewonnen hat. Sie sind möglich als Vorbereitungen, vorübergehende Zwischenstufen für die Abschaffung des Privateigentums, aber auch nicht anders.

Herr Heinzen will aber alle diese Maßregeln als feste, letzte Maßregeln.

Sie sollen nichts vorbereiten, sie sollen definitiv sein. Sie sind ihm nicht Mittel, sondern Zweck. Sie sind nicht auf einen revolutionären, sondern auf einen ruhigen, bürgerlichen Zustand berechnet. Dadurch werden sie aber unmöglich und zugleich reaktionär. Die Ökonomen der Bourgeoisie haben gegen Herrn Heinzen vollkommen recht, wenn sie diese Maßregeln als reaktionär gegenüber der freien Konkurrenz darstellen. Die freie Konkurrenz ist die letzte, höchste, entwickeltste Existenzform des Privateigentums. Alle Maßregeln also, die von der Basis des Privateigentums ausgehen und doch gegen die freie Konkurrenz gerichtet sind, sind reaktionär, suchen niedrigere Entwicklungsstufen des Eigentums herzustellen, sie müssen daher auch schließlich der Konkurrenz wieder unterliegen und die Herstellung des jetzigen Zustandes zur Folge haben. Diese Einwürfe des Bourgeois, die alle Kraft verlieren, sobald man die obigen sozialen Reformen als pure mesures de salut public[1], als revolutionäre und vorübergehende Maßregeln ansieht, diese Einwürfe sind für Herrn Heinzens agrarisch-sozialistisch-schwarzrotgoldene Republik vernichtend.

Herr Heinzen bildet sich freilich ein, man könne die Eigentumsverhältnisse, das Erbrecht usw. nach Belieben ändern und zurechtstutzen. Herr Heinzen – einer der unwissendsten Menschen dieses Jahrhunderts – kann freilich nicht wissen, daß die Eigentumsverhältnisse einer jeden Zeit notwendige Resultate der Produktions- und Verkehrsweise dieser Zeit sind. Herr Heinzen kann nicht wissen, daß man das große Grundeigentum nicht in kleines verwandeln kann, ohne daß die ganze Weise der Agrikultur sich verwandelt und daß sonst das große Grundeigentum sich sehr rasch wiederherstellen wird. Herr Heinzen kann nicht wissen, welch ein inniger Zusammenhang existiert zwischen der heutigen großen Industrie, der Konzentration der Kapitalien und Erzeugung des Proletariats. Herr Heinzen kann nicht wissen, daß ein industriell so abhängiges und unterjochtes Land wie Deutschland sich nie unterfangen kann, auf eigene Faust eine andere Umgestaltung seiner Eigentumsverhältnisse vorzunehmen als eine solche, die im Interesse der Bourgeoisie und der freien Konkurrenz ist.

Kurz: Bei den Kommunisten haben diese Maßregeln Sinn und Verstand, weil sie nicht als willkürliche Maßregeln aufgefaßt werden, sondern als Resultate, die sich aus der Entwickelung der Industrie, des Ackerbaues, des Handels, der Kommunikationen, aus der Entwickelung des hiervon abhängigen Klassenkampfes zwischen Bourgeoisie und Proletariat von selbst notwendig ergeben werden; die sich ergeben werden nicht als definitive Maß-

[1] reine Maßnahmen des öffentlichen Wohls

regeln, sondern als vorübergehende, aus dem vorübergehenden Kampfe der Klassen selbst entspringende mesures de salut public.

Bei Herrn Heinzen haben sie weder Sinn noch Verstand, weil sie als ganz willkürlich ausgetüftelte, spießbürgerliche Weltverbesserungsschwärmereien auftreten; weil von einem Zusammenhang dieser Maßregeln mit der geschichtlichen Entwickelung gar keine Rede ist; weil Herr Heinzen sich um die materielle Möglichkeit seiner Vorschläge nicht im mindesten kümmert; weil er nicht die industriellen Notwendigkeiten formulieren, sondern sie im Gegenteil durch Dekrete umstoßen will.

Derselbe Herr Heinzen, der die Forderungen der Kommunisten erst adoptieren kann, nachdem er sie so grausam verwirrt und in reine Phantasien verwandelt hat, derselbe Herr Heinzen wirft den Kommunisten vor, sie „verwirrten die Köpfe der Ungebildeten", sie „machten auf Phantasien Jagd" und „verlören den wirklichen Boden (!) unter den Füßen"!

Das ist Herr Heinzen in seiner ganzen agitatorischen Tätigkeit, und wir erklären rundheraus, daß wir sie für durchaus nachteilig und blamabel für die ganze deutsche radikale Partei halten. Zu einem Parteischriftsteller gehören ganz andere Eigenschaften, als Herr Heinzen sie besitzt, der, wie gesagt, einer der unwissendsten Menschen unseres Jahrhunderts ist. Herr Heinzen mag den besten Willen von der Welt haben, er mag der gesinnungstüchtigste Mann von ganz Europa sein. Wir wissen auch, daß er persönlich ein Ehrenmann ist und Mut und Ausdauer besitzt. Aber das alles macht noch keinen Parteischriftsteller. Dazu gehört mehr als Gesinnung, guter Wille und eine Stentorstimme, dazu gehört etwas mehr Verstand, etwas mehr Klarheit, ein besserer Stil und mehr Kenntnisse, als Herr Heinzen besitzt und, wie die langjährige Erfahrung bewiesen hat, als er imstande ist, sich anzueignen.

Herr Heinzen ist durch seine Flucht in die Notwendigkeit versetzt worden, dennoch ein Parteischriftsteller zu werden. Er war genötigt zu versuchen, sich eine Partei unter den Radikalen zu bilden. Er kam so in eine Stellung, der er nicht gewachsen ist, in der er sich durch erfolglose Bemühungen, diese Stellung auszufüllen, nur lächerlich macht. Er würde damit die deutschen Radikalen ebenfalls lächerlich machen, wenn sie ihm den Schein ließen, als verträte er sie, als mache er sich in ihrem Namen lächerlich.

Aber Herr Heinzen repräsentiert die deutschen Radikalen nicht. Diese haben ganz andere Repräsentanten, z.B. Jacoby und andere. Herr Heinzen repräsentiert niemanden und ist von niemandem als Repräsentant anerkannt, außer etwa einigen wenigen deutschen Bourgeois, die ihm Geld zur Agitation schickten. Doch wir irren uns: Eine Klasse in Deutschland erkennt ihn als Repräsentanten an, schwärmt für ihn, lärmt für ihn, überschreit für ihn ganze Wirtstafeln (gerade wie nach Herrn Heinzen die Kommunisten „die ganze literarische Opposition überschrien"). Diese Klasse ist die zahlreiche, aufgeklärte, gesinnungsvolle und einflußreiche Klasse der Commis-Voyageurs[1].

Und dieser Herr Heinzen verlangt von den Kommunisten, sie sollen ihn als Repräsentanten der radikalen Bourgeois anerkennen, mit ihm als solchem diskutieren?

Das sind einstweilen Gründe genug, um die Polemik der Kommunisten gegen Herrn Heinzen zu rechtfertigen. In der nächsten Nummer werden wir auf die Vorwürfe eingehen, welche Herr Heinzen in Nr. 77 d[er] Z[ei]t[un]g den Kommunisten macht.

Wären wir nicht vollständig überzeugt, daß Herr Heinzen zu einem Parteischriftsteller total unfähig ist, so würden wir ihm raten, Marx' „Misère de la philosophie" einem genauen Studium zu unterwerfen. So aber können wir ihm, in Erwiderung auf seinen Rat für uns, Fröbels „Neue Politik"[205] zu lesen, nur den andern Rat geben, sich ganz stille zu halten und ruhig zu warten, bis es „losgeht". Wir sind überzeugt, daß Herr Heinzen ein ebenso guter Bataillonschef sein wird, wie er ein schlechter Schriftsteller ist.

Damit Herr Heinzen sich nicht über anonyme Angriffe beklagen kann, unterzeichnen wir diesen Artikel.

F. Engels

[„Deutsche-Brüsseler-Zeitung"
Nr. 80 vom 7. Oktober 1847]

[Zweiter Artikel]

Die Kommunisten – das setzten wir im ersten Artikel auseinander – greifen Heinzen nicht deshalb an, weil er kein Kommunist, sondern weil er ein schlechter demokratischer Parteischriftsteller ist. Sie greifen ihn an nicht in ihrer Eigenschaft als *Kommunisten*, sondern in Eigenschaft als *Demokraten*. Es ist nur zufällig, daß gerade die Kommunisten die Polemik gegen ihn eröffnet haben; wenn auch gar keine Kommunisten in der Welt wären, so müßten die Demokraten doch gegen Heinzen auftreten. Es handelt sich in dieser ganzen Streitfrage nur darum: 1. Ob Herr Heinzen als Parteischriftsteller und Agitator imstande ist, der deutschen Demokratie zu nützen, was wir leugnen; 2. ob die Agitationsweise des Herrn Heinzen eine richtige, ob sie nur eine tolerable ist, was wir ebenfalls leugnen. Es handelt sich also weder um Kom-

[1] Handlungsreisenden

munismus noch um Demokratie, sondern nur um die Person und die persönlichen Schrullen des Herrn Heinzen.

Die Kommunisten, weit entfernt, unter den gegenwärtigen Verhältnissen mit den Demokraten nutzlose Streitigkeiten anzufangen, treten vielmehr für den Augenblick in allen praktischen Parteifragen selbst als Demokraten auf. Die Demokratie hat in allen zivilisierten Ländern die politische Herrschaft des Proletariats zur notwendigen Folge, und die politische Herrschaft des Proletariats ist die erste Voraussetzung aller kommunistischen Maßregeln. Solange die Demokratie noch nicht erkämpft ist, solange kämpfen Kommunisten und Demokraten also zusammen, solange sind die Interessen der Demokraten zugleich die der Kommunisten. Bis dahin sind die Differenzen zwischen beiden Parteien rein theoretischer Natur und können theoretisch ganz gut diskutiert werden, ohne daß dadurch die gemeinschaftliche Aktion irgendwie gestört wird. Man wird sich sogar über manche Maßregeln verständigen können, welche sofort nach Erringung der Demokratie im Interesse der bisher unterdrückten Klassen vorzunehmen sind, z.B. Betrieb der großen Industrie, der Eisenbahnen durch den Staat, Erziehung aller Kinder auf Staatskosten etc.

Nun zu Herrn Heinzen.

Herr Heinzen erklärt, die Kommunisten hätten mit ihm, nicht er mit ihnen Streit angefangen. Also das bekannte Eckensteher-Argument, das wir ihm gern schenken wollen. Er nennt seinen Konflikt mit den Kommunisten: „die unsinnige Spaltung, welche die Kommunisten im Lager der deutschen Radikalen hervorgerufen haben". Er sagt, er sei schon vor drei Jahren bestrebt gewesen, die herannahende Spaltung nach Kräften und Gelegenheit zu verhüten. Diesen fruchtlosen Bemühungen seien Angriffe der Kommunisten gegen ihn gefolgt.

Herr Heinzen war, wie man sehr wohl weiß, vor drei Jahren noch gar nicht *im Lager der Radikalen*. Herr Heinzen war damals gesetzlich-fortschreitend und liberal. Eine Spaltung mit ihm war also keinesfalls eine Spaltung im Lager der *Radikalen*.

Herr Heinzen kam Anfang 1845 hier in Brüssel mit Kommunisten zusammen. Diese, weit entfernt, Herrn Heinzen wegen seines angeblichen politischen Radikalismus anzugreifen, gaben sich vielmehr die größte Mühe, den damals liberalen Herrn Heinzen zu eben diesem Radikalismus zu bringen. Aber vergebens. Herr Heinzen wurde erst in der Schweiz Demokrat.

„Später überzeugte ich mich immer mehr (!) von der Notwendigkeit eines energischen Kampfes gegen die Kommunisten" – also von der Notwendigkeit einer unsinnigen Spaltung im Lager der Radikalen! Wir fragen die deutschen Demokraten, ob jemand zum Parteischriftsteller tauglich ist, der sich selbst so lächerlich widerspricht?

Wer sind aber die Kommunisten, von denen Herr Heinzen behauptet, angegriffen worden zu sein? Die obigen Andeutungen und namentlich die darauf folgenden Vorwürfe gegen die Kommunisten zeigen dies deutlich. Die Kommunisten, heißt es,

„überschrieen das ganze Lager der literarischen Opposition, sie verwirrten die Köpfe der Ungebildeten, sie setzten auch die radikalsten Männer auf das rücksichtsloseste herab, ... sie waren beflissen, den politischen Kampf nach Möglichkeit zu paralysieren, ... ja, sie vereinigten sich sogar endlich geradezu mit der Reaktion. Überdies sanken sie, augenscheinlich infolge ihrer Doktrin, im praktischen Leben oft zu *gemeinen und falschen Intriganten* herab ..."

Aus der nebligen Unbestimmtheit dieser Vorwürfe taucht eine sehr kenntliche Gestalt hervor: die des literarischen Industriellen Herrn Karl Grün. Herr Grün hat vor drei Jahren mit Herrn Heinzen persönliche Angelegenheiten gehabt, Herr Grün hat darauf Herrn Heinzen in der „Trier'schen Zeitung"[26] angegriffen, Herr Grün hat versucht, das ganze Lager der literarischen Opposition zu überschreien, Herr Grün hat sich beflissen, den politischen Kampf nach Möglichkeit zu paralysieren usw.

Seit wann aber ist Herr Grün ein Repräsentant des Kommunismus? Wenn er sich vor drei Jahren an die Kommunisten herandrängte, so ist er nie als Kommunist anerkannt worden, hat sich nie offen für einen Kommunisten erklärt und hat es seit länger als einem Jahre für gut befunden, gegen die Kommunisten loszuziehen.

Zum Überfluß hat Marx, Herrn Heinzen gegenüber, schon damals Herrn Grün desavouiert, wie er ihn später bei der ersten Gelegenheit öffentlich in seiner wahren Gestalt dargestellt hat.

Was nun die schließliche „gemeine und falsche" Insinuation des Herrn Heinzen gegen die Kommunisten angeht, so liegt dieser ein Faktum zugrunde, welches zwischen Herrn Grün und Herrn Heinzen vorgefallen ist, und weiter nichts. Dies Faktum geht die genannten beiden Herren an und keineswegs die Kommunisten. Wir kennen dies Faktum nicht einmal so genau, daß wir darüber urteilen können. Gesetzt aber, Herr Heinzen habe recht. Wenn er dann, nachdem Marx und andere Kommunisten den Beteiligten desavouiert haben, nachdem es sich sonnenklar herausgestellt hat, daß der Beteiligte nie ein Kommunist war, wenn Herr Heinzen dann noch dies Faktum als eine notwendige Konsequenz der kommunistischen Doktrin hinstellt, so ist das eine grenzenlose Perfidie.

Wenn übrigens Herr Heinzen mit seinen obigen Vorwürfen noch andre

Leute meint als Herrn Grün, so meint er nur jene wahren Sozialisten, deren allerdings reaktionäre Theorien von den Kommunisten längst desavouiert worden sind. Alle entwicklungsfähigen Leute dieser jetzt gänzlich aufgelösten Richtung sind zu den Kommunisten herübergekommen und greifen jetzt selbst den wahren Sozialismus an, wo er sich noch produziert. Herr Heinzen spricht also wieder mit seiner gewohnten krassen Ignoranz, wenn er diese verjährten Schwärmereien wieder ausgräbt, um sie den Kommunisten in die Schuhe zu schieben. Während Herr Heinzen hier den wahren Sozialisten, die er mit den Kommunisten verwechselt, Vorwürfe macht, wirft er nachher den Kommunisten denselben Unsinn vor, den die wahren Sozialisten ihnen vorgeworfen haben. Er hat also gar nicht einmal das Recht, die wahren Sozialisten anzugreifen, er gehört, nach einer Seite hin, selbst zu ihnen. Und während die Kommunisten scharfe Angriffe gegen diese Sozialisten schrieben, saß derselbe Herr Heinzen in Zürich und ließ sich durch Herrn Ruge in diejenigen Fragmente des wahren Sozialismus einweihen, welche in dem konfusen Haupte des letzteren ein Plätzchen gefunden hatten. In der Tat, Herr Ruge hat einen seiner würdigen Schüler gefunden!

Aber wo bleiben denn die wirklichen Kommunisten? Herr Heinzen spricht von ehrenwerten Ausnahmen und talentvollen Männern, von denen er voraussieht, daß sie die kommunistische Solidarität (!) ablehnen. Die Kommunisten *haben* die Solidarität für die Schriften und Taten der wahren Sozialisten schon abgelehnt. Von allen obigen Vorwürfen paßt kein einziger auf die Kommunisten, es sei denn der Schluß des ganzen Passus, welcher folgendermaßen lautet:

„Die Kommunisten ... verlachten im Hochmut ihrer eingebildeten Superiorität alles, was allein die Grundlage einer Vereinigung *ehrbarer Leute* bilden kann."

Herr Heinzen scheint hiermit darauf anspielen zu wollen, daß Kommunisten sich über sein hochmoralisches Auftreten lustig gemacht und alle jene heiligen und erhabenen Ideen, Tugend, Gerechtigkeit, Moral usw. verspottet haben, von denen Herr Heinzen sich einbildet, daß sie die Grundlage aller Gesellschaft ausmachen. Diesen Vorwurf akzeptieren wir. Die Kommunisten werden sich durch des *ehrbaren* Mannes Herrn Heinzen moralische Empörung nicht abhalten lassen, diese *ewigen Wahrheiten* zu verspotten. Die Kommunisten behaupten übrigens, jene ewigen Wahrheiten seien keineswegs die Grundlage, sondern umgekehrt das Produkt der Gesellschaft, in der sie figurieren.

Wenn Herr Heinzen übrigens voraussah, daß die Kommunisten die Solidarität für die Leute ablehnen würden, welche es ihm beliebt, ihnen zuzuschieben – was sollen da alle seine abgeschmackten Vorwürfe und perfiden Insinuationen? Wenn Herr Heinzen die Kommunisten bloß vom Hörensagen kennt, wie es fast scheint, wenn er so wenig weiß, wer sie sind, daß er von ihnen verlangt, sie sollen sich selbst näher bezeichnen, sie sollen sich ihm sozusagen *stellen*, welche Unverschämtheit gehört dann dazu, gegen sie zu polemisieren?

„Eine Bezeichnung derer, welche eigentlich den Kommunismus repräsentieren oder ihn in seiner Reinheit darstellen, würde wahrscheinlich die Hauptmasse derer, welche sich auf den Kommunismus stützen und *für ihn benutzt* werden, gänzlich ausschließen müssen, und es wären schwerlich die Leute der ‚Trier'schen Zeitung' allein, welche gegen eine solche Vindikation protestieren würden."

Und einige Zeilen später:

„Denjenigen, welche nun wirklich Kommunisten sind, *muß* die Konsequenz und *Ehrlichkeit zugetraut* werden" (o Biedermann!), „mit ihrer Doktrin unumwunden hervorzutreten und sich von denjenigen loszusagen, die nicht Kommunisten sind. *Man muß ihnen zumuten*" (was das alles für biedermännische Wendungen sind), „daß sie nicht *gewissenlos* (!) die *Verwirrung* unterhalten, welche in den Köpfen von tausend *Leidenden* und *Ungebildeten* durch die als Möglichkeit geträumte oder vorgespiegelte Unmöglichkeit (!!) hervorgebracht wird, von dem Boden der wirklichen Verhältnisse einen Weg bis zur Verwirklichung jener Doktrin zu finden (!). Es ist *Pflicht*" (abermals der Biedermann) „der wirklichen Kommunisten, alle Unklaren, welche zu ihnen halten, entweder völlig ins klare zu bringen und sie einem bestimmten Ziel entgegenzuführen, oder aber sich von ihnen *zu trennen, sie nicht zu benutzen*."

Hätte Herr Ruge diese drei letzten Perioden zustande gebracht, er könnte sich glücklich schätzen. Den biedermännischen Zumutungen entspricht ganz die biedermännische Konfusion der Gedanken, der es nur auf die Sache ankommt und nicht auf die Form und die ebendeshalb gerade das Gegenteil von dem sagt, was sie sagen will. Herr Heinzen verlangt, die wirklichen Kommunisten sollen sich von den bloß scheinbaren trennen. Sie sollen der Verwirrung ein Ende machen, die (so *will* er sagen) aus der Verwechselung zweier verschiedener Richtungen entsteht. Aber sowie die beiden Worte „Kommunisten" und „Verwirrung" in seinem Kopfe zusammenstoßen, entsteht dort selbst eine Verwirrung. Herr Heinzen verliert den Faden; seine stehende Formel, daß die Kommunisten *überhaupt* die Köpfe der Ungebildeten verwirren, läuft ihm zwischen die Beine, er vergißt wirkliche Kommunisten und unwirkliche Kommunisten, er stolpert in komischer Unbeholfenheit über allerhand als Möglichkeiten geträumte und vorgespiegelte Unmöglichkeiten und fällt endlich, der Länge nach, auf den Boden der wirklichen Verhältnisse hin, auf dem er wieder zur Besinnung kommt. Jetzt fällt ihm wieder ein, daß er von ganz etwas anderem sprechen wollte, daß die Rede nicht davon war, ob dies oder jenes möglich sei. Er kommt wieder auf seinen Gegenstand zurück, ist aber noch so betäubt, daß er den herrlichen Satz, in dem er den eben beschriebenen Purzelbaum ausführt, gar nicht einmal ausstreicht.

Soweit der Stil. Was die Sache angeht, so wiederholen wir, daß Herr Heinzen als rechtschaffener Deutscher mit seinen Zumutungen zu spät kommt und daß die Kommunisten jene wahren Sozialisten längst desavouiert haben. Dann aber ersehen wir hier abermals, daß die Anwendung leisetreterischer Insinuationen durchaus nicht unverträglich ist mit dem Charakter eines Biedermannes. Herr Heinzen gibt nämlich klar genug zu verstehen, daß die kommunistischen Schriftsteller die kommunistischen Arbeiter nur benutzen. Er sagt ziemlich rundheraus, ein offenes Hervortreten dieser Schriftsteller mit ihren Absichten werde die Hauptmasse derer, die für den Kommunismus benutzt würden, gänzlich ausschließen. Er sieht die kommunistischen Schriftsteller für Propheten, Priester oder Pfaffen an, die eine geheime Weisheit für sich besitzen, sie aber den Ungebildeten vorenthalten, um sie am Gängelbande zu leiten. Alle seine biedermännischen Zumutungen, daß man alle *Unklaren* ins *klare bringen* und sie nicht *benutzen* müsse, gehen augenscheinlich von der Voraussetzung aus, als hätten die literarischen Repräsentanten des Kommunismus ein Interesse daran, die Arbeiter im unklaren zu halten, als benutzten sie sie bloß, wie die Illuminaten[206] auch im vorigen Jahrhundert das Volk benutzen wollten. Diese läppische Vorstellung ist auch die Veranlassung, daß Herr Heinzen mit seiner Verwirrung in den Köpfen der Ungebildeten überall am unrechten Orte losfährt und zur Strafe dafür, daß er nicht gerade herausspricht, stilistische Purzelbäume schlagen muß.

Wir konstatieren diese Insinuationen bloß, wir diskutieren sie nicht. Wir überlassen es den kommunistischen Arbeitern, selbst darüber zu urteilen.

Endlich, nach allen diesen Präliminarien, Abschweifungen, Zumutungen, Insinuationen und Purzelbäumen des Herrn Heinzen kommen wir zu seinen theoretischen Angriffen und Bedenken gegen die Kommunisten.

Herr Heinzen

„erblickt den Kern der kommunistischen Doktrin kurzweg in der Aufhebung des Privateigentums (auch des durch Arbeit erworbenen) und dem Prinzip der unumgänglich aus jener Aufhebung folgenden gemeinsamen Benutzung der Erdengüter".

Herr Heinzen bildet sich ein, der Kommunismus sei eine gewisse *Doktrin*, die von einem bestimmten theoretischen Prinzip als *Kern* ausgehe und daraus weitere Konsequenzen ziehe. Herr Heinzen irrt sich sehr. Der Kommunismus ist keine Doktrin, sondern eine *Bewegung*; er geht nicht von Prinzipien, sondern von *Tatsachen* aus. Die Kommunisten haben nicht diese oder jene

Philosophie, sondern die ganze bisherige Geschichte und speziell ihre gegenwärtigen tatsächlichen Resultate in den zivilisierten Ländern zur Voraussetzung. Der Kommunismus ist hervorgegangen aus der großen Industrie und ihren Folgen, aus der Herstellung des Weltmarkts, aus der damit gegebenen ungehemmten Konkurrenz, aus den immer gewaltsameren und allgemeineren Handelskrisen, die schon jetzt zu vollständigen Weltmarktskrisen geworden sind, aus der Erzeugung des Proletariats und der Konzentration des Kapitals, aus dem daraus folgenden Klassenkampfe zwischen Proletariat und Bourgeoisie. Der Kommunismus, soweit er theoretisch ist, ist der theoretische Ausdruck der Stellung des Proletariats in diesem Kampfe und die theoretische Zusammenfassung der Bedingungen der Befreiung des Proletariats.

Herr Heinzen wird nun wohl einsehen, daß er bei der Beurteilung des Kommunismus etwas mehr zu tun hat, als seinen Kern kurzweg in der Aufhebung des Privateigentums zu erblicken; daß er besser täte, gewisse nationalökonomische Studien zu machen, als ins Blaue hinein über die Aufhebung des Privateigentums zu schwatzen; daß er von den *Folgen* der Aufhebung des Privateigentums nicht das mindeste wissen kann, wenn er nicht auch ihre Bedingungen kennt.

Über diese ist Herr Heinzen aber in einer so groben Unwissenheit befangen, daß er sogar meint, die „gemeinsame Benutzung der Erdengüter" (auch ein schöner Ausdruck) sei die *Folge* der Abschaffung des Privateigentums. Gerade das Gegenteil ist der Fall. Weil die große Industrie, die Entwickelung der Maschinerie, der Kommunikationen, des Welthandels so riesenhafte Dimensionen annimmt, daß ihre Ausbeutung durch vereinzelte Kapitalisten täglich unmöglicher wird; weil die steigenden Weltmarktskrisen der schlagendste Beweis davon sind; weil die Produktions*kräfte* und Verkehrs*mittel* der jetzigen *Weise* der Produktion und des Verkehrs, dem individuellen Austausch und dem Privateigentum täglich mehr über den Kopf wachsen: weil, mit einem Worte, der Zeitpunkt herannaht, wo der gemeinsame Betrieb der Industrie, des Ackerbaues, des Austausches eine materielle Notwendigkeit für die Industrie, den Ackerbau und den Austausch selbst wird, deswegen wird das Privateigentum abgeschafft werden.

Wenn also Herr Heinzen die Aufhebung des Privateigentums, die allerdings Bedingung der Befreiung des Proletariats ist, wenn er sie losreißt von ihren eigenen Bedingungen, wenn er sie außer allem Zusammenhange mit der wirklichen Welt als eine bloße Stubenhocker-Marotte betrachtet, so wird sie eine reine Phrase, über die er nur platte Faseleien sagen kann. Dies tut er folgendermaßen:

„Durch die erwähnte Abstreifung alles Privateigentums hebt der Kommunismus notwendig auch die *Einzelexistenz* auf." (Herr Heinzen wirft uns also vor, wir wollten die Menschen zu siamesischen Zwillingen machen.) „Die Folge davon ist wieder die Einrangierung jedes einzelnen in eine etwa (!!) gemeindeweise einzurichtende Kasernenwirtschaft." (Der Leser wolle gütigst bemerken, daß dies eingestandenermaßen nur die Folge der eigenen Faseleien des Herrn Heinzen über die Einzelexistenz ist.) „Hierdurch zerstört der Kommunismus die Individualität ... die Unabhängigkeit ... die Freiheit." (Altes Gewäsch der wahren Sozialisten und der Bourgeois. Als ob an den jetzigen, durch die Teilung der Arbeit wider Willen zu Schustern, Fabrikarbeitern, Bourgeois, Juristen, Bauern, d.h. zu Knechten einer bestimmten Arbeit und der dieser Arbeit entsprechenden Sitten, Lebensweise, Vorurteile, Borniertheiten etc. gemachten Individuen irgendeine Individualität zu zerstören wäre!) „Er opfert die Einzelperson mit ihrem notwendigen Attribut oder Fundament" (das „*oder*" ist vortrefflich) „von *erworbenem* Privateigentum dem ‚Phantom der Gemeinschaft oder Gesellschaft'" (Stirner auch hier?), „während die Gemeinschaft nicht Zweck, sondern nur Mittel für jede Einzelperson sein kann und soll" (soll!!).

Herr Heinzen setzt besondere Wichtigkeit in das *erworbene* Privateigentum und beweist dadurch abermals seine krasse Unbekanntschaft mit dem Gegenstande, von dem er spricht. Die biedermännische Billigkeit des Herrn Heinzen, die jedem gibt, was er verdient hat, wird leider vereitelt durch die große Industrie. Solange die große Industrie nicht so weit entwickelt ist, daß sie sich gänzlich von den Fesseln des Privateigentums befreit, solange läßt sie keine andere Teilung ihrer Produkte zu als die jetzt stattfindende, solange wird der Kapitalist seinen Profit einstecken und der Arbeiter mehr und mehr praktisch kennenlernen, was das Minimum des Lohns für ein Ding ist. Herr Proudhon hat das *erworbene* Eigentum systematisch entwickeln und in Zusammenhang mit den bestehenden Verhältnissen bringen wollen und ist bekanntlich eklatant gescheitert. Herr Heinzen wird zwar nie einen ähnlichen Versuch wagen, dazu müßte er Studien machen, und das wird er nicht. Aber das Exempel des Herrn Proudhon möge ihn lehren, sein erworbenes Eigentum weniger der Öffentlichkeit preiszugeben.

Wenn nun Herr Heinzen den Kommunisten vorwirft, sie machten auf Phantasien Jagd und verlören den wirklichen Boden unter den Füßen – wen trifft dieser Vorwurf?

Herr Heinzen meint ferner noch mehres, worauf wir nicht mehr einzugehen brauchen. Wir bemerken nur, daß seine Sätze immer schlechter werden, je weiter er kommt. Die Unbehülflichkeit seiner Sprache, die nie das rechte Wort finden kann, wäre allein hinreichend, jede Partei zu kompromittieren, die ihn als ihren literarischen Repräsentanten anerkennen würde. Die Kernhaftigkeit seiner Gesinnung bringt ihn stets dazu, ganz etwas anderes zu sagen, als er sagen will. In jedem seiner Sätze ist so ein doppelter Unsinn: erstens der Unsinn, den er sagen will, und zweitens der, den er nicht sagen will, aber doch sagt. Wir haben oben ein Beispiel davon gegeben. Wir bemerken nur noch, daß Herr Heinzen seinen alten Aberglauben von der Macht der Fürsten wiederholt, indem er sagt, daß die *Gewalt*, die zu stürzen sei und die keine andere ist als die Staatsgewalt, die Gründerin und Erhalterin alles Unrechts sei und stets gewesen sei und daß er einen *wirklichen Rechtsstaat* (!) errichten und innerhalb dieses Phantasiegebäudes „alle diejenigen sozialen Reformen vornehmen will, welche aus der allgemeinen Entwickelung (!) als theoretisch richtig (!) und praktisch möglich (!) hervorgegangen sind"!!!

Die Absichten sind ebenso gut, wie der Stil schlecht ist, das ist nun einmal das Los der Rechtschaffenheit dieser schlechten Welt.

Durch Verführtsein von dem Zeitgeist,
Waldursprünglich Sansculotte,
Sehr schlecht tanzend, doch Gesinnung
Tragend in der zott'gen Hochbrust;
. . . .
Kein Talent, doch ein Charakter.[207]

Herr Heinzen wird durch unsere Artikel in die gerechte Entrüstung des gekränkten Biedermannes versetzt werden, aber darum weder seine Schreibart, noch seine kompromittierende und nutzlose Agitationsweise aufgeben. Seine Drohung mit der Laterne am Tage des Handelns und der Entscheidung hat uns viel Vergnügen verursacht.

Kurz: Mit den deutschen Radikalen müssen und wollen die Kommunisten zusammenwirken. Aber sie behalten sich vor, jeden Schriftsteller anzugreifen, der die gesamte Partei kompromittiert. In diesem Sinne und in keinem andern haben wir Heinzen angegriffen.

Brüssel, den 3. Oktober 1847 *F. Engels*

NB. Soeben erhalten wir eine von einem Arbeiter geschriebene Broschüre: „Der Heinzen'sche Staat, eine Kritik von *Stephan*." Bern, Rätzer.[208] Wenn Herr Heinzen halb so gut schriebe wie dieser Arbeiter, so könnte er sich freuen. Herr Heinzen kann aus dieser Broschüre unter andern Dingen klar genug ersehen, warum die Arbeiter von seiner agrarischen Republik nichts wissen wollen. – Wir bemerken noch, daß diese Broschüre die erste von einem Arbeiter geschriebene ist, welche nicht moralisch auftritt, sondern die politischen Kämpfe der Gegenwart auf den Kampf der verschiedenen Klassen der Gesellschaft gegeneinander zurückzuführen versucht.

Mardi 26 Octobre 1847.

LA REFORME

Friedrich Engels[209]

[Die Handelskrise in England – Chartistenbewegung – Irland]

[„La Réforme" vom 26. Oktober 1847]

Die Handelskrise, der England zur Zeit ausgesetzt ist, ist in der Tat ernster als irgendeine der vorherigen Krisen. Weder 1837 noch 1842 war die Depression so allumfassend wie im jetzigen Augenblick. Alle Zweige der ausgedehnten englischen Industrie sind aus dem Rhythmus ihrer Arbeit herausgerissen; überall trifft man auf Stillstand, überall nur aufs Pflaster geworfene Arbeiter. Es bedarf keiner langen Beweisführung, daß eine solche Situation eine außerordentliche Erregung unter den Arbeitern mit sich bringt, denn sie sehen sich jetzt haufenweis entlassen und ihrem Schicksal überantwortet, nachdem sie während des kommerziellen Aufschwungs von den Industriellen ausgebeutet worden waren. So nimmt auch die Zahl der Meetings unzufriedener Arbeiter rapide zu. Der *„Northern Star"*, das Organ der der Chartistenbewegung angeschlossenen Arbeiter, widmet mehr als sieben seiner breiten Spalten den Berichten über die Meetings der vergangenen Woche, während die für die laufende Woche angekündigten Meetings weitere drei Spalten füllen. Das gleiche Blatt berichtet über eine Broschüre eines Arbeiters, Herrn John Noakes[210], in der der Verfasser offen und ohne Umschweife das Recht der Aristokratie auf den Besitz ihrer Ländereien angreift.

„Der Boden Englands", sagt er, „ist Eigentum des Volkes, das ihm unsere Aristokraten mit Gewalt oder Tücke entrissen haben. Das Volk muß seinem unveräußerlichen Eigentumsrecht Geltung verschaffen; die Grundrente muß zum Nationaleigentum erklärt und zum Wohle der Allgemeinheit genutzt werden. Vielleicht wird man mir entgegenhalten, dies seien revolutionäre Äußerungen. Ob revolutionär oder nicht, das ist belanglos; wenn das Volk auf gesetzlichem Wege nicht bekommt, was es braucht, dann muß es eben den ungesetzlichen Weg versuchen."

Kein Wunder also, wenn die Chartisten unter diesen Umständen eine außergewöhnliche Aktivität entfalten. Ihr Führer, der berühmte Feargus O'Connor, hat gerade verkündet, daß er sich binnen kurzem auf den Weg nach Schottland machen wird, um dort in allen Städten Meetings einzuberufen und Unterschriften zugunsten der Nationalen Petition für die Volkscharte zu sammeln, die dem nächsten Parlament vorgelegt werden soll. Gleichzeitig gibt er bekannt, daß sich die Chartistenpresse noch vor der Eröffnung des Parlaments um eine Tageszeitung, den *„Democrat"*[211], vergrößert.

Bekanntlich war bei den letzten Wahlen der Chefredakteur des *„Northern Star"*, Herr Harney, als Kandidat der Chartisten für Tiverton aufgestellt, für den Ort, der den Außenminister Lord Palmerston ins Parlament entsendet. Herr Harney, der bei der Abstimmung durch Handzeichen gesiegt hatte, zog seine Kandidatur zurück, als Lord Palmerston die geheime Abstimmung[212] verlangte. Aber jetzt hat sich eine Sache zugetragen, die den Beweis bringt, wie sehr sich die Einwohner Tivertons in ihren Ansichten von der kleinen Anzahl der Parlamentswähler unterscheiden. Im Gemeinderat war eine vakante Stelle zu besetzen; die Gemeindewähler, eine sehr viel größere Gruppe als die Parlamentswähler, vergaben die vakante Stelle an Herrn Rowcliffe, also an denjenigen, der anläßlich der Wahlen Herrn Harney vorgeschlagen hatte. Im übrigen rüsten sich die Chartisten überall in England auf die Gemeindewahlen, die Anfang November im ganzen Lande stattfinden sollen.

Sehen wir uns jetzt aber im industriell am weitesten entwickelten Gebiet Englands um, in Lancashire, in dem Landstrich, der vor allen anderen unter der Last des industriellen Stillstandes leidet. Die Lage in Lancashire ist in höchstem Grade alarmierend. Die Mehrzahl der Fabriken hat bereits die Arbeit ganz eingestellt, und die noch im Gange sind, beschäftigen ihre Arbeiter nur an zwei, höchstens drei Tagen in der Woche. Aber damit noch nicht genug: die Fabrikherren von Ashton, einer für die Baumwollindustrie sehr wichtigen Stadt, kündigen ihren Arbeitern an, daß sie in acht Tagen die Löhne um zehn Prozent senken werden. Diese Nachricht, die die Arbeiter in Aufruhr versetzt, verbreitet sich über das ganze Gebiet. Wenige Tage später treten in Manchester Delegierte der Arbeiter der ganzen Grafschaft zusammen. Diese Versammlung beschließt, eine Deputation zu den Fabrikherren zu schicken, um diese zu bewegen, die angedrohte Kürzung nicht vorzunehmen, und, falls die Deputation keinen Erfolg haben sollte, den Streik aller Arbeiter der Baumwollindustrie von Lancashire auszurufen. – Dieser Streik, neben dem ein schon begonnener Streik der Metall- und Bergarbeiter von Birmingham im Gange ist, würde unweigerlich die gleichen alarmierenden Ausmaße annehmen, die den letzten Generalstreik, den von 1842, kennzeichneten. Er könnte für die Regierung sogar noch furchtbarer werden.

Inzwischen windet sich das ausgehungerte Irland in schrecklichen Zuckungen. Die Arbeitshäuser sind zum Bersten voll von Bettlern, die ruinierten Eigentümer verweigern die Zahlung der Armensteuer, und das verhungernde Volk sammelt sich zu Tausenden und plündert die Scheunen und Ställe der Pächter – ja selbst die der bislang noch so hoch verehrten katholischen Priester.

Im kommenden Winter werden die Iren, wie es scheint, nicht mehr so stillschweigend Hungers sterben wie im vergangenen. Die Einwanderung der Iren in England nimmt von Tag zu Tag beunruhigendere Ausmaße an. Man rechnet, daß im Durchschnitt jährlich 50000 Iren kommen; in diesem Jahr sind es bereits mehr als 220000. Im September trafen täglich 345 ein; im Oktober steigt die Zahl auf 511. So verschärft sich die Konkurrenz der Arbeiter untereinander noch weiter, und es wäre keineswegs überraschend, wenn die gegenwärtige Krise eine Erregung von solchem Ausmaß auslöste, daß sie die Regierung zu Reformen von größter Tragweite zwingen würde.

Geschrieben am 23. Oktober 1847.
Aus dem Französischen.

8e ANNÉE. — N° 2. (35 c. le numéro.) NOVEMBRE 1847.

BUREAU D'ABONNEMENT, Rue Pavée-S.-André-des-Arts, 11.

L'ATELIER

PARIS : Un an, 4 fr.; six mois, 2 fr. trois mois, 1 fr. — DÉPARTEMENTS Un an, 5 fr.

ORGANE SPECIAL DE LA CLASSE LABORIEUSE

RÉDIGÉ PAR DES OUVRIERS EXCLUSIVEMENT.

Celui qui ne veut pas travailler ne doit pas manger. (Saint Paul.)

Liberté, Égalité, Fraternité, Unité.

Tout ouvrier peut participer à la rédaction de *l'Atelier* sous les deux conditions suivantes : 1° justifier qu'il est l'auteur des articles qu'il propose; 2° se soumettre aux corrections indiquées par le jury chargé par les ouvriers actionnaires de l'examen des articles à insérer. — Le Bureau du Journal est ouvert tous les dimanches, de 10 à 3 h., pour recevoir toutes communications. — *L'Atelier* paraît le 15 de chaque mois.

[Friedrich Engels[213]]

Fabrikherren und Arbeiter in England

[„L'Atelier" Nr. 2 vom November 1847]

An die Herren Arbeiter-Redakteure des „Atelier"[214]

Meine Herren,

ich lese soeben in Ihrer Oktobernummer einen Artikel: *„Fabrikherren und Arbeiter in England"*. Dieser Artikel erwähnt, nach einer Meldung der „Presse", ein Meeting sogenannter Delegierter der in der Baumwollindustrie von Lancashire beschäftigten Arbeiter, das am vergangenen 29. August in Manchester stattgefunden hat. Die auf diesem Meeting angenommenen Entschließungen sind solcher Art, daß sie für die *„Presse"* den Beweis erbringen, in England herrsche vollständige Harmonie zwischen Kapital und Arbeit.

Sie haben vollkommen richtig gehandelt, meine Herren, als Sie sich Ihr Urteil über die Zuverlässigkeit des Berichtes vorbehielten, den ein Blatt der französischen Bourgeoisie auf der Grundlage von Meldungen der englischen bürgerlichen Presse veröffentlicht hat. Die Berichterstattung ist zwar exakt; die Entschließungen sind in der Form angenommen worden, wie sie die *„Presse"* wiedergegeben hat; nur eine einzige kleine Behauptung entbehrt der Genauigkeit, aber in dieser kleinen Ungenauigkeit liegt gerade der Kern der Frage: Das Meeting, von dem die *„Presse"* berichtet, war kein Meeting von *Arbeitern*, sondern von *Werkmeistern*.

Meine Herren, ich habe zwei Jahre mitten im Herzen von Lancashire gelebt, und diese beiden Jahre habe ich unter den Arbeitern verbracht. Ich habe sie in ihren öffentlichen Versammlungen wie in ihren kleinen Komitees gesehen. Ich kenne ihre Führer und ihre Redner, und ich glaube, Ihnen versichern zu können, daß Sie in keinem anderen Land der Welt Menschen finden werden, die so aufrichtig wie gerade diese Arbeiter aus den Baumwollfabriken von Lancashire an den demokratischen Prinzipien hängen und die so fest entschlossen sind, das Joch der kapitalistischen Ausbeuter abzuschütteln, das gegenwärtig auf ihnen lastet. Wie sollten, meine Herren, diese gleichen Arbeiter, die vor meinen eigenen Augen einige Dutzend Fabrikanten von der Tribüne eines Versammlungssaals hinunterwarfen, deren funkelnde Augen und erhobene Fäuste, wie ich es gesehen, den Bourgeois auf der Tribüne Angst und Schrecken einjagten – wie sollten diese gleichen Arbeiter heute für Danksagungen an die Adresse ihrer Fabrikherren stimmen, weil diese die Güte gehabt hätten, lieber die Arbeitszeit als die Löhne zu kürzen?

Aber schauen wir uns die Dinge etwas näher an. Hat nicht die Kürzung der Arbeitszeit genau die gleiche Bedeutung für den Arbeiter wie die Kürzung der Löhne? Offensichtlich ja; in dem einen wie in dem anderen Fall verschlechtert sich die Lage des Arbeiters gleichermaßen. Es konnte für die Arbeiter also überhaupt keinen Grund geben, sich bei ihren Fabrikherren zu bedanken, weil diese die erste Art der Kürzung des Arbeitereinkommens der zweiten vorgezogen haben. Aber, meine Herren, wenn Sie die englischen Zeitungen vom Ende August nachschlagen wollen, dann werden Sie dort finden, daß die Baumwollfabrikanten sehr wohl Gründe hatten, lieber die Arbeitszeit als die Löhne zu kürzen. Für Rohbaumwolle bestand damals eine Hausse; die gleiche Nummer des Londoner „*Globe*“[18], die von dem besagten Meeting berichtet, erwähnt auch, daß *die Spekulanten von Liverpool sich des Baumwollmarktes bemächtigen wollten*, um eine künstliche Hausse zu erzeugen. Was machen nun in solchen Fällen die Fabrikanten von Manchester? Sie organisieren Meetings ihrer Werkmeister und lassen sie Resolutionen annehmen wie die, welche die „*Presse*“ Ihnen zugeleitet hat. Das ist ein viel praktiziertes und bekanntes Mittel, das jedesmal angewandt wird, wenn die Spekulanten bestrebt sind, die Baumwollpreise in die Höhe zu treiben. Es ist eine Warnung an die Spekulanten, sich davor zu hüten, die Preise zu hoch zu treiben; denn dann würden die Fabrikanten ihren Baumwollkonsum drosseln und so unweigerlich eine Preisbaisse hervorrufen. Das Meeting, das bei der „*Presse*“ soviel Freude und Beifall auslöst, dieses Meeting war also nichts anderes als eine jener Versammlungen von Werkmeistern, auf die in England niemand mehr hereinfällt.

Um Ihnen weiter noch zu beweisen, in welchem Maße dieses Meeting das ausschließliche Werk der Kapitalisten war, wird der Hinweis genügen, daß das einzige Blatt, dem die Resolutionen zugesandt wurden – das Blatt, dem alle anderen Zeitungen sie entnahmen –, eben das Organ der Fabrikanten, der „*Manchester Guardian*" ist. Die demokratische Arbeiterzeitung, der „*Northern Star*", bringt sie auch, fügt aber hinzu und brandmarkt sie damit in den Augen der Arbeiter, daß sie eben jener Zeitung der Kapitalisten entnommen seien.

Genehmigen Sie usw.

Geschrieben um den 25. Oktober 1847.
Aus dem Französischen.

Karl Marx

Die moralisierende Kritik und die kritisierende Moral

Beitrag zur Deutschen Kulturgeschichte
Gegen Karl Heinzen von Karl Marx*

[„Deutsche-Brüsseler-Zeitung“
Nr. 86 vom 28. Oktober 1847]

Kurz vor und während der Reformationszeit bildete sich unter den Deutschen eine Art von Literatur, deren bloßer Namen frappiert – die *grobianische*. Heutzutage gehen wir einer dem 16. Jahrhundert analogen Umwälzungsepoche entgegen. Kein Wunder, daß unter den Deutschen die grobianische Literatur wieder auftaucht. Das Interesse an der geschichtlichen Entwicklung überwindet leicht den ästhetischen Ekel, den diese Sorte von Schriftstellerei selbst einem wenig gebildeten Geschmack erregt und schon im fünfzehnten und sechzehnten Jahrhundert erregte.

Platt, großprahlend, bramarbasierend, thrasonisch, prätentiös-derb im Angriff, gegen fremde Derbheit hysterisch empfindsam; das Schwert mit ungeheurer Kraftvergeudung schwingend und weit ausholend, um es flach niederfallen zu lassen; beständig Sitte predigend, beständig die Sitte verletzend; pathetisch und gemein in komischster Verstrickung; nur um die Sache bekümmert, stets an der Sache vorbeistreifend; dem Volksverstand kleinbürgerliche, gelehrte Halbbildung, der Wissenschaft sogenannten „gesunden Menschenverstand“ mit gleichem Dünkel entgegenhaltend; in haltlose Breite mit einer gewissen selbstgefälligen Leichtigkeit sich ergießend; plebejische Form für spießbürgerlichen Inhalt; ringend mit der Schriftsprache, um ihr einen sozusagen rein körperlichen Charakter zu geben; gern im Hintergrund auf den Leib des Schriftstellers deutend, den es in allen Fingern juckt, einige Kraftproben zu geben, seine breiten Schultern zu zeigen, seine Gliedmaßen öffentlich zu recken; gesunden Verstand in gesundem

* Ich antworte Herrn Heinzen nicht, um auf den Angriff gegen Engels zu replizieren. Der Artikel des Herrn Heinzen[215] macht keine Replik nötig. Ich antworte, weil das Heinzensche Manifest der Analyse belustigenden Stoff darbietet. *K. M.*

Körper proklamierend; bewußtlos angesteckt von den subtilsten Zänkereien und dem körperlichen Fieber des sechzehnten Jahrhunderts; ebenso in dogmatische bornierte Begriffe festgebannt, als allem Begreifen gegenüber appellierend an eine kleinliche Praxis; tobend gegen die Reaktion, reagierend gegen den Fortschritt; in der Unfähigkeit, den Gegner lächerlich zu schildern, ihn lächerlich scheltend durch eine ganze Stufenleiter von Tönen hindurch; Salomo und Marcolph[216], Don Quijote und Sancho Pansa, Schwärmer und Pfahlbürger in einer Person; rüpelhafte Form der Empörung, Form des empörten Rüpels; über dem Ganzen das *ehrliche* Bewußtsein des selbstzufriednen Biedermanns als Atmosphäre schwebend – so war die *grobianische Literatur* des sechzehnten Jahrhunderts. Wenn unser Gedächtnis nicht täuscht, hat der deutsche Volkswitz ihr ein lyrisches Denkmal gesetzt in dem Lied von „*Heinecke*, dem *starken Knecht*"[217]. Herr Heinzen hat das Verdienst, einer der Wiederhersteller der grobianischen Literatur, und nach dieser Seite hin eine der deutschen Schwalben des herannahenden Völkerfrühlings zu sein.

Heinzens Manifest in Nr. 84 der „Deutschen-Brüsseler-Zeitung" gegen die Kommunisten gibt uns nächsten Anlaß zum Studium jener Abart der Literatur, deren historisch interessante Seite für Deutschland wir angedeutet haben. Wir werden die literarische Spezies, die Herr Heinzen repräsentiert, ebenso auf Grundlage seines Manifestes darstellen, wie Literarhistoriker nach den hinterlassenen Schriften des 16. Jahrhunderts die Schriftsteller des 16. Jahrhunderts charakterisieren, z. B. den „Gänseprediger"[1].

[„Deutsche-Brüsseler-Zeitung"
Nr. 87 vom 31. Oktober 1847]

Biron. Verbirg Dein Haupt, Achilles. Hier erscheint Hektor in Waffen.
König. Hektor war nur ein Trojaner gegen diesen.
Boyet. Ist das wirklich Hektor?
Dumain. Ich denke, Hektor war nicht so dünn gezimmert.
Biron. Unmöglich kann dies Hektor sein.
Dumain. Er ist ein Gott oder ein Maler, denn er macht Gesichter.*

Daß Herr Heinzen aber wirklich Hektor ist, daran kein Zweifel.

„Schon lange", gesteht er uns, „plagte mich eine Ahnung, daß ich durch die Hand eines kommunistischen Achilles fallen würde. Jetzt, nachdem mich ein Thersites attakkiert, macht die Abwendung der Gefahr mich wieder dreist etc."

Nur ein Hektor darf ahnen, daß er durch die Hand eines Achilles fallen wird.

* *Shakespeare*, „Liebes Leid und Lust" [5. Aufzug, 1. Szene].

[1] Thomas Murner

Oder hätte Herr Heinzen seine Anschauung des Achilles und des Thersites nicht aus Homer, sondern aus der Schlegelschen Übersetzung Shakespeares geschöpft?

In diesem Falle teilt er sich die Rolle des Ajax zu.

Betrachten wir uns den Ajax des Shakespeare.

Ajax. Ich will Dich zu einer hübschen Figur prügeln.

Thersites. Ich könnte Dich leichter zu einem Witzigen lästern; aber Dein Hengst hält eher eine Rede aus dem Kopf, als Du ein Gebet auswendig sprichst. Du kannst schlagen, nicht? Das kannst Du? Die Pferdeseuche über Deine Gaulmanieren!

Ajax. Giftpilz! Erzähle mir, was hat man ausgerufen?

Thersites. Man hat Dich als Narren ausgerufen, denk' ich.

Ajax. Du verdammter Köter!

Thersites. So recht!

Ajax. Du Hexenstuhl!

Thersites. Recht so! Recht so! Du schäbiger, tapferer Esel! Du bist hierher geschickt, um auf die Trojaner zu dreschen, und unter Leuten von etwas Witz bist Du verraten und verkauft, wie ein afrikanischer Sklav' ... Euch steckt auch der Verstand größtenteils in den Sehnen, oder die Welt lügt.

. . . .

Thersites. Ein Wunder!

Achilles. Was?

Thersites. Ajax geht das Feld auf und ab, und sucht nach sich selbst.

Achilles. Wieso?

Thersites. Morgen soll er seinen Zweikampf bestehen, und er ist so prophetisch stolz auf ein heroenmäßiges Abprügeln, daß er, ohne ein Wort zu reden, rast.

Achilles. Wie das?

Thersites. Ei nun, er stolziert auf und ab wie ein Pfau; ein Schritt und dann ein Halt; murmelt wie eine Wirtin, die keine Rechentafel hat als ihren Kopf, um die Zeche richtig zu machen; beißt sich in die Lippe mit einem staatsklugen Blicke, als wollt' er sagen: in diesem Haupt steckt Witz, wenn er nur heraus könnte... Wär' ich doch lieber eine Laus in Schafswolle, als solch' *tapfre Dummheit.**

Unter welcher Charaktermaske Herr Heinzen nun immerhin erscheine, Hektor oder Ajax – kaum hat er den Kampfplatz betreten, so verkündet er den Zuschauern mit gewaltiger Stimme, daß sein Gegner ihm nicht den „Garaus" gemacht habe. Mit der ganzen Unbefangenheit und epischen Breite eines althomerischen Helden entwickelt er die Gründe seiner Rettung. „Einem *Natur*fehler", erzählt er uns, „verdanke ich meine Rettung." Die „Natur" hat mich nicht dem Niveau des Gegners „angepaßt". Er überragt ihn um zweier Köpfe Länge, und darum konnten die zwei „langgezogenen Hiebe"

---

* *Shakespeare*, „Troilus und Cressida" [2. Aufzug, 1. Szene und 3. Aufzug, 3. Szene].

seines „kleinen Scharfrichters" seinen „literarischen Hals" nicht treffen. Herr Engels, dies wird mit besonderem Nachdruck wiederholt hervorgehoben, Herr Engels ist „klein", ein „kleiner Scharfrichter", eine „kleine Person". Und dann heißt es mit einer jener Wendungen, wie wir ihnen nur in den alten Heldenliedern begegnen, oder im Puppenspiel vom großen Goliath und dem kleinen David: „Wenn Sie so hoch" – am Laternenpfahl – „hingen, würde ja kein Mensch Sie wiederfinden." Es ist dies der Humor des Riesen, launig und Grausen erregend zugleich.

Nicht nur seinen „Hals", seine ganze „Natur", seinen ganzen Körper hat Herr Heinzen so „literarisch" eingeführt. Seinen „kleinen" Gegner hat er neben sich gestellt, um durch den Kontrast der eignen Leibesvollkommenheit das gebührende Relief zu geben. Der „kleine" Ungestalt trägt ein *Scharfrichterbeil* unter dem Ärmchen, vielleicht eine der kleinen Guillotinen, die man 1794 den Kindern als Spielzeug schenkte. Er, der furchtbare Recke dagegen, führt in grollend-schmunzelndem Übermut keine andre Waffe als – die „Zuchtrute", die, wie er uns zu verstehen gibt, seit langer Zeit diente, die „Ungezogenheiten" der bösen „Jungen", der Kommunisten, zu „züchtigen". Der Riese bescheidet sich, als *Pädagog* dem „Insekten-kleinen Feindchen" gegenüberzutreten, statt das *tollkühne* Kerlchen totzutreten. Er bescheidet sich, als *Kinderfreund* mit ihm zu sprechen, ihm eine moralische Lektion zu geben und ihm die bösen Laster, namentlich das „Lügen", das „alberne, knabenhafte Lügen", die „Insolenz", den „jungenhaften Ton", die Respektlosigkeit und andere Gebrechen des jugendlichen Alters aufs strengste zu verweisen. Wenn dabei die Rute des schulmeisternden Recken zuweilen unsanft um die Ohren des Zöglings schwirrt, wenn von Zeit zu Zeit ein überderbes Wort seine Sittensprüche unterbricht, und selbst ihre Wirkung teilweise vereitelt, so darf man keinen Augenblick vergessen, daß ein Recke nicht in derselben Weise Moralunterricht erteilen kann wie gewöhnliche Schulmeister, z.B. ein *Quintus Fixlein*[218], und daß die *Natur* zum Fenster wieder hereinkommt, wenn man sie zur Türe hinausjagt. Überdem bedenke man wohl, daß, was in dem Mund eines Wichtelmännchens, wie Engels, als Unflätigkeit uns anwidern würde, aus dem Mund eines Kolosses, wie Heinzen, in der großartigen Weise der Naturlaute an das Ohr und an das Herz anschlägt. Und dürfen wir die Heroen-Sprache an dem engen Maßstab der bürgerlichen Sprache messen? So wenig, wie wir glauben dürfen, daß Homer z.B. in die grobianische Literatur hinabsinkt, wenn er einen seiner Lieblingshelden, den *Ajax*, „halsstarrig wie einen Esel" nennt.

Der Riese hatte es so brav gemeint, als er in Nr.77 der „Deutschen-Brüsseler-Zeitung"[219] den Kommunisten seine Zuchtrute zeigte. Und der

„kleine" Unhold, den er nicht einmal aufgefordert hat, das Wort zu ergreifen – mehrmals äußert er sein reckenhaftes Staunen über diese unbegreifliche Unbescheidenheit des Knirpses – hat ihm das so schlecht vergolten. „Es war nicht aufs Ratgeben abgesehen", klagt er. „Herr Engels will mich töten, will mich umbringen, der *böse* Mann."

Und Er? Er hatte, wie der preußischen Regierung gegenüber, so hier „mit Begeisterung einen Kampf begonnen, in welchem er die Friedensvorschläge, das *Herz der humanen Versöhnung* zwischen den Gegensätzen der Zeit, unter dem kriegerischen Rocke trug".* Aber: „Man hat die *Begeisterung* mit dem ätzenden Wasser der Tücke begossen."**

> *Isegrim* zeigte sich wild und grimmig, reckte die Tatzen;
> Kam daher mit offenem Maul und gewaltigen Sprüngen.
> *Reineke,* leichter als er, entsprang dem stürmenden Gegner,
> Und benetzte behende den rauhen Wedel mit seinem
> *Ätzenden Wasser,* und schleift' ihn im Staube, mit Sand ihn zu füllen;
> Isegrim dachte, nun hab' er ihn schon! Da schlug ihm der Lose
> Über die Augen den Schwanz, und Hören und Sehen verging ihm;
> Nicht das erstemal übt' er die List, schon viele Geschöpfe
> Hatten die *schädliche Kraft des ätzenden Wassers* erfahren.***

[„Deutsche-Brüsseler-Zeitung"
Nr. 90 vom 11. November 1847]

„Ich bin *Republikaner gewesen,* Herr Engels, so lang ich mich mit Politik beschäftigte, und meine *Überzeugungen* haben sich nicht *unstet* und *haltlos* gedreht, wie die Köpfe so mancher Kommunisten."†

„*Revolutionär* bin ich allerdings erst *geworden*. Es gehört zur Taktik der Kommunisten, daß sie, im Bewußtsein ihrer eignen *Unverbesserlichkeit,* ihren Gegnern Vorwürfe machen, sobald sie sich *bessern.*"††

Herr Heinzen ist niemals Republikaner *geworden,* er ist es seit seiner politischen Geburt *gewesen.* Auf seiner Seite also die Unveränderlichkeit, die unbewegte Fertigkeit, die Konsequenz. Auf Seite seiner Gegner die Unstäte, die Haltlosigkeit, das Drehen. Herr Heinzen ist nicht immer Revolutionär *gewesen,* er ist es *geworden.* Diesmal ist nun allerdings das *Drehen* auf der Seite des Herrn Heinzen, aber dafür hat das Drehen auch seinen *unmoralischen*

* *Karl Heinzen,* „[Ein] Steckbrief".
** Ebendaselbst.
*** *Goethe,* „Reineke Fuchs" [Zwölfter Gesang].
† Das Heinzensche Manifest, Nr. 84 der „Deutschen-Brüsseler-Zeitung".
†† Ebendaselbst.

Charakter umgedreht, und es heißt nunmehr: „Sich bessern". Auf Seite der Kommunisten dagegen hat die *Unveränderlichkeit* ihren *hochmoralischen* Charakter verloren. Was ist aus ihr geworden? Die „Unverbesserlichkeit".

Stehen oder *Drehen*, beides ist moralisch, beides ist unmoralisch; moralisch auf der Seite des Biedermannes, unmoralisch auf Seite seines Gegners. Die Kunst des kritisierenden Biedermannes besteht eben darin, rouge und noir[1] zur rechten Zeit auszurufen, zur rechten Zeit das rechte Wort.

Die *Unwissenheit* gilt im allgemeinen als ein Mangel. Man ist gewohnt, sie als eine *negative* Größe zu betrachten. Sehen wir, wie die Zauberrute der biedermännischen Kritik ein Minus der Intelligenz zu einem Plus der Moral umschlägt.

Herr Heinzen berichtet u.a., daß er in der *Philosophie* noch eben so *unwissend ist* wie im Jahre 1844. Hegels „Sprache" ist ihm „noch immer *unverdaulich* geblieben".

Bis hierher der Tatbestand. Nun die moralische Zubereitung.

Weil für Herrn Heinzen Hegels Sprache von jeher „unverdaulich" war, ist er nicht wie „Engels und andere" der unmoralischen Anmaßung verfallen, sich jemals viel zu gut zu tun auf diese selbige Hegelsche Sprache, so wenig, wie bisher verlautet hat, daß westfälische Bauern sich auf die Sanskritsprache „viel zu gut" tun. Das wahre moralische Verhalten besteht aber darin, den *Anlaß* zum unmoralischen Verhalten zu vermeiden, und wie kann man sich besser vor dem unmoralischen „zu gut tun" auf eine Sprache sichern, als indem man so vorsichtig ist, diese Sprache nicht zu verstehen!

Herr Heinzen, der nichts von der Philosophie weiß, ist darum seiner Meinung nach auch nicht bei den Philosophen in die „Schule" gegangen. Seine Schule war der „gesunde Menschenverstand" und das „volle Leben".

„Zugleich bin ich", ruft er mit dem bescheidnen Stolz des Gerechten aus, „dadurch vor der Gefahr sicher geblieben, meine Schule zu *verleugnen*."

Gegen die sittliche Gefahr, eine Schule zu *verleugnen*, gibt es kein probateres Mittel, als nicht in die Schule zu gehn!

Jede Entwicklung, welches ihr Inhalt sei, läßt sich darstellen als eine Reihe von verschiednen Entwicklungsstufen, die so zusammenhängen, daß die eine die *Verneinung* der andern bildet. Entwickelt sich z.B. ein Volk von der absoluten Monarchie zur konstitutionellen Monarchie fort, so *verneint* es sein früheres politisches Dasein. Auf keinem Gebiet kann man eine Entwicklung durchlaufen, ohne seine frühere Existenzweise zu verneinen. *Verneinen* in die Sprache der Moral übersetzt, heißt: *Verleugnen*.

---

[1] rot und schwarz (wie am Spieltisch)

Verleugnen! Mit diesem Stichwort kann der kritisierende Biedermann jede Entwicklung brandmarken, ohne sie zu verstehen; er kann seine entwicklungslose Unentwickeltheit feiernd als moralische Unbeflecktheit gegenüberstellen. So hat die religiöse Phantasie der Völker die *Geschichte* im großen und ganzen gebrandmarkt, indem sie das Zeitalter der Unschuld, das goldne Zeitalter, in die *Vorgeschichte* verlegt, in die Zeit, da noch überhaupt keine geschichtliche Entwicklung stattfand, und darum kein Verneinen, kein Verleugnen. So erscheinen in geräuschvollen Umwälzungsepochen, in Zeiten starker, leidenschaftlicher Verneinung und Verleugnung, wie im 18. Jahrhundert, brave, wohlmeinende Männer, wohlerzogene, anständige Satyre, wie *Geßner*, die der geschichtlichen Verderbnis den entwicklungslosen Zustand der *Idylle* entgegenhalten. Zum Lob dieser Idyllendichter, auch einer Art kritisierender Moralisten und moralisierender Kritiker, sei immerhin bemerkt, daß sie gewissenhaft schwanken, wem die Palme der Moralität zuzuerkennen, dem Schäfer oder dem Schaf.

Doch lassen wir den Biedermann sich ungestört an seiner eigenen Tüchtigkeit weiden! Folgen wir ihm dahin, wo er sich auf die „Sache" einzulassen *wähnt*. Wir werden dieselbe Methode überall wiederfinden.

„Ich kann nicht dafür, daß Herr Engels und andre Kommunisten zu *blind* sind, um einzusehen, daß die *Gewalt* auch das *Eigentum* beherrscht und die Ungerechtigkeit in den *Eigentumsverhältnissen* nur durch die Gewalt aufrechterhalten wird. – Einen *Toren* und einen *Feigling* nenne ich jeden, der einen Bourgeois wegen seines *Gelderwerbs* anfeindet, und einen König wegen seines *Gewalterwerbs* in Ruhe läßt."*

„Die Gewalt beherrscht auch das Eigentum!"

Das Eigentum ist jedenfalls auch eine Art von Gewalt. Die Ökonomen nennen das Kapital z.B. „die Gewalt über fremde Arbeit".

Zwei Arten von Gewalt haben wir also vor uns, einerseits die Gewalt des Eigentums, d.h. der Eigentümer, andererseits die politische Gewalt, die Staatsmacht. „Die Gewalt beherrscht auch das Eigentum" heißt: das Eigentum hat nicht die politische Gewalt in Händen, sondern wird vielmehr von ihr vexiert, z.B. durch willkürliche Steuern, durch Konfiskationen, durch Privilegien, durch störende Einmischung der Bürokratie in Industrie und Handel u. dgl.

In andern Worten: die Bourgeoisie ist noch nicht als Klasse politisch konstituiert. Die Staatsmacht ist noch nicht ihre eigene Macht. In Ländern, wo die Bourgeoisie die politische Gewalt schon erobert hat, und die politische Herrschaft nichts anders ist als die Herrschaft, nicht des einzelnen Bourgeois

* D[as] Heinzensche Manifest, Nr. 84 d[er] „D[eutschen]-B[rüsseler]-Z[eitung]".

über seine Arbeiter, sondern der Bourgeoisklasse über die gesamte Gesellschaft, hat der Satz des Herrn Heinzen seinen Sinn verloren. Die Eigentumslosen werden natürlich von der politischen Herrschaft, soweit sie sich unmittelbar auf das Eigentum bezieht, nicht berührt.

Während Herr Heinzen also eine ebenso ewige als originelle Wahrheit auszusprechen wähnte, hat er nur die Tatsache ausgesprochen, daß die deutsche Bourgeoisie die politische Gewalt erobern muß, d.h., er sagt, was Engels sagt, nur bewußtlos, nur in der braven Meinung, das Gegenteil zu sagen. Er spricht nur pathetisch ein vorübergehendes Verhältnis der deutschen Bourgeoisie zur deutschen Staatsmacht als eine ewige Wahrheit aus, und zeigt so, wie man aus einer „Bewegung" einen „festen Kern" macht.

„Die Ungerechtigkeit in den Eigentumsverhältnissen", fährt Herr Heinzen fort, „wird nur durch die Gewalt aufrechterhalten."

Entweder versteht Herr Heinzen hier unter „der Ungerechtigkeit in den Eigentumsverhältnissen" den obenerwähnten Druck, den die deutsche Bourgeoisie selbst noch in ihren „heiligsten" Interessen von der absoluten Monarchie erleidet, und dann wiederholt er nur das Ebengesagte – oder er versteht unter „der Ungerechtigkeit in den Eigentumsverhältnissen" die ökonomischen Verhältnisse der Arbeiter, und dann hat seine Offenbarung folgenden Sinn:

Die jetzigen *bürgerlichen* Eigentumsverhältnisse werden „aufrechterhalten" durch die Staatsmacht, welche die Bourgeoisie zum Schutz ihrer Eigentumsverhältnisse organisiert hat. Die Proletarier müssen also die politische Gewalt, wo sie schon in den Händen der Bourgeoisie ist, stürzen. Sie müssen selbst zur Gewalt, zunächst zur revolutionären Gewalt werden.

Herr Heinzen sagt bewußtlos wieder dasselbe, was Engels sagt, aber wieder in der treuherzigen Überzeugung, das Gegenteil zu sagen. Was er sagt, meint er nicht, und was er meint, sagt er nicht.

Wenn übrigens die Bourgeoisie politisch, d.h. durch ihre Staatsmacht „die Ungerechtigkeit in den Eigentumsverhältnissen aufrechterhält", so *schafft* sie dieselbe nicht. Die durch die moderne Teilung der Arbeit, die moderne Form des Austausches, die Konkurrenz, die Konzentration usw. bedingte „Ungerechtigkeit in den Eigentumsverhältnissen" geht keineswegs aus der politischen Herrschaft der Bourgeoisklasse hervor, sondern umgekehrt, die politische Herrschaft der Bourgeoisklasse geht aus diesen modernen, von den bürgerlichen Ökonomen als notwendige, ewige Gesetze proklamierten Produktionsverhältnissen hervor. Stürzt daher das Proletariat die politische Herrschaft der Bourgeoisie, so wird sein Sieg nur vorübergehend, nur ein Moment im Dienst der *bürgerlichen Revolution* selbst sein, wie Anno 1794, solang im Lauf der Geschichte, in ihrer „Bewegung", die materiellen Bedingungen noch nicht geschaffen sind, die die Abschaffung der bürgerlichen Produktionsweise und darum auch den definitiven Sturz der politischen Bourgeoisherrschaft notwendig machen. Die Schreckensherrschaft mußte daher in Frankreich nur dazu dienen, durch ihre gewaltigen Hammerschläge die feudalen Ruinen wie vom französischen Boden wegzuzaubern. Die ängstlich-rücksichtsvolle Bourgeoisie wäre in Dezennien nicht mit dieser Arbeit fertig geworden. Die blutige Aktion des Volkes bereitete ihr also nur die Wege. Ebenso würde der Sturz der absoluten Monarchie bloß momentan sein, wären die ökonomischen Bedingungen zur Herrschaft der Bourgeoisklasse noch nicht zur Reife gediehen. Die Menschen bauen sich eine neue Welt, nicht aus den „Erdengütern", wie der grobianische Aberglauben wähnt, sondern aus den geschichtlichen Errungenschaften ihrer untergehenden Welt. Sie müssen im Lauf ihrer Entwicklung die *materiellen Bedingungen* einer neuen Gesellschaft selber erst *produzieren*, und keine Kraftanstrengung der Gesinnung oder des Willens kann sie von diesem Schicksal befreien.

Es bezeichnet den ganzen *Grobianismus* des „gesunden Menschenverstandes", der aus dem „vollen Leben" schöpft und durch keine philosophischen und sonstigen Studien sich seine *Natur*-Anlagen verkrüppelt, daß er da, wo es ihm gelingt, den *Unterschied* zu sehen, die *Einheit* nicht sieht, und daß er da, wo er die *Einheit* sieht, den *Unterschied* nicht sieht. Stellt er *unterschiedne Bestimmungen* auf, so versteinern sie sich ihm sofort unter der Hand, und er erblickt die verwerflichste Sophistik darin, diese Begriffs-Klötze so zusammenzuschlagen, daß sie ins Brennen geraten.

Indem Herr Heinzen z.B. sagt, daß *Geld* und *Gewalt*, *Eigentum* und *Herrschaft*, *Gelderwerb* und *Gewalterwerb* nicht *dasselbe* seien, spricht er eine *Tautologie* aus, die schon in den bloßen Worten liegt, und diese bloße Wortunterscheidung gilt ihm als eine Heldentat, die mit dem ganzen Bewußtsein des *Hellsehers* den Kommunisten gegenüber geltend gemacht wird, die so „blind" sind, nicht bei dieser kindlichen ersten Wahrnehmung stehenzubleiben.

Wie der „Gelderwerb" zum „Gewalterwerb", wie das „Eigentum" zur „politischen Herrschaft" umschlägt, also statt des festen Unterschiedes, den Herr Heinzen als *Dogma* sanktioniert, vielmehr Beziehungen beider Gewalten bis zur Vereinigung derselben stattfinden, davon kann er sich rasch überzeugen, wenn er sieht, wie die Leibeignen ihre Freiheit *erkauften*, wie die Kommunen sich ihre Munizipalrechte *erkauften*[220], wie die Bürger durch Handel und Industrie einerseits den Feudalherrn das Geld aus der Tasche lockten, und ihr Grundeigentum in Wechsel verflüchtigten, andrerseits der absoluten Monarchie über die so unterminierten großen Feudalen zum Sieg verhalfen und ihr Privilegien *abkauften*; wie sie später die Finanzkrisen der absoluten Monarchie selbst exploitierten, etc. etc.; wie die absolutesten Monarchien durch das Staatsschuldensystem – ein Produkt der modernen Industrie und des modernen Handels – von den Börsenbaronen abhängig werden; wie in den internationalen Beziehungen der Völker das industrielle Monopol unmittelbar in politische Herrschaft umschlägt, so z.B. die Fürsten der heiligen Allianz in dem „deutschen Befreiungskrieg" nur die besoldeten Landsknechte von England waren usw., usw.

Indem aber der dünkelhafte *Grobianismus* des „gesunden Menschenverstandes" solche Unterschiede wie den von *Gelderwerb* und *Gewalterwerb* als ewige Wahrheiten, mit denen es „ausgemachtermaßen" sich „so und so" verhält, als unerschütterliche *Dogmen* befestigt, schafft er sich die erwünschte Situation, seine moralische Entrüstung über die „Blindheit", „Torheit" oder „Schlechtigkeit" der Widersacher solcher Glaubensartikel auszuschütten –, ein Selbstgenuß, der in seinen polternden Expektorationen zugleich den rhetorischen Brei hergeben muß, worin die paar dürftigen, knöchernen Wahrheiten schwimmen.

Herr Heinzen wird es erleben, daß die Gewalt des Eigentums es selbst in Preußen zur mariage forcé[1] mit der politischen Gewalt bringt. Hören wir weiter:

„Ihr wollt den Akzent der Zeit auf die *sozialen Fragen* legen, und ihr seht nicht ein, daß es *keine wichtigere soziale Frage* gibt als die nach *Königtum* oder *Republik*."*

Soeben sah Herr Heinzen nur den *Unterschied* zwischen der Geldmacht und der politischen Macht; jetzt sieht er nur die *Einheit* zwischen *politischer* Frage und *sozialer* Frage. Daneben sieht er allerdings noch die „lächerliche Blindheit" und „feige Verächtlichkeit" seiner Antipoden.

Die *politischen* Beziehungen der Menschen sind natürlich auch *soziale*, *gesellschaftliche* Beziehungen, wie alle Verhältnisse, worin sich Menschen zu Menschen befinden. Alle Fragen, die sich auf Verhältnisse der Menschen zueinander beziehen, sind daher auch soziale Fragen.

Mit dieser Einsicht, wie sie in einen Katechismus für Kinder von 8 Jahren gehört, glaubt die grobianische Naivität nicht nur etwas gesagt, sondern ein Gewicht in die Waagschale der modernen Kollisionen gelegt zu haben.

Es findet sich zufällig, daß die „sozialen Fragen", die man „in *unserer*

* Das Heinzensche Manifest, Nr. 84 [der „Deutschen-Brüsseler-Zeitung"].

[1] erzwungenen Ehe

Zeit abgehandelt" hat, in dem Maße an Wichtigkeit zunehmen, als wir aus dem Bereich der absoluten Monarchie heraustreten. Der Sozialismus und Kommunismus ging nicht von Deutschland aus, sondern von England, Frankreich und Nordamerika.

Die erste Erscheinung einer wirklich agierenden kommunistischen Partei findet sich innerhalb der bürgerlichen Revolution, in dem Augenblicke, wo die konstitutionelle Monarchie beseitigt ist. Die konsequentesten *Republikaner*, in England die *Niveller*[221], in Frankreich *Babeuf*, *Buonarroti* usw., sind die ersten, die diese „sozialen Fragen" proklamiert haben. Die „Verschwörung des Babeuf", von seinem Freunde und Parteigenossen Buonarroti geschrieben[222], zeigt, wie diese Republikaner aus der geschichtlichen „Bewegung" die Einsicht schöpften, daß mit Beseitigung der sozialen Frage von *Fürstentum* und *Republik* auch noch keine einzige „soziale Frage" im Sinne des Proletariats gelöst sei.

Die *Eigentumsfrage*, wie sie in „*unserer* Zeit" gestellt wurde, ist keineswegs auch nur als Frage formuliert in der Heinzenschen Form wiederzuerkennen: „ob es *recht* sei, daß der eine Mensch alles und der andere nichts *besitze*, ob der einzelne Mensch überhaupt etwas besitzen *dürfe*" und dergleichen simplen Gewissensfragen und Rechtsphrasen.

Die Frage des Eigentums ist eine sehr verschiedene, je nach der verschiedenen Entwicklungsstufe der Industrie im allgemeinen und nach der besondern Entwicklungsstufe derselben in den verschiedenen Ländern.

Für den *galizischen* Bauern z.B. reduziert sich die Eigentumsfrage auf die Verwandlung von feudalem Grundeigentum in kleines bürgerliches Grundeigentum. Sie hat für ihn denselben Sinn, den sie für den *französischen* Bauern vor 1789 hatte, der *englische* Landbautagelöhner steht dagegen in gar keinem Verhältnis zum Grundeigentümer. Er steht bloß in einem Verhältnis zum Pächter, d.h. zum industriellen Kapitalisten, der die Agrikultur fabrikmäßig betreibt. Dieser industrielle Kapitalist seinerseits, der dem Grundeigentümer eine Rente zahlt, steht dagegen in einem direkten Verhältnis zum Grundeigentümer. Die Abschaffung des Grundeigentums ist daher die wichtigste Eigentumsfrage, wie sie für die englische industrielle Bourgeoisie besteht, und ihr Kampf gegen die Korngesetze hatte keinen andern Sinn. Die Abschaffung des Kapitals dagegen ist die Eigentumsfrage im Sinne des englischen Landbautagelöhners so gut wie des englischen Fabrikarbeiters.

In der englischen sowohl wie in der französischen Revolution stellte sich die Eigentumsfrage so dar, daß es sich um die Geltendmachung der freien Konkurrenz handelte und die Abschaffung aller feudalen Eigentumsverhältnisse, wie Gutsherrlichkeit, Zünfte, Monopole usw., die für die vom 16. bis zum 18. Jahrhundert entwickelte Industrie sich in Fesseln verwandelt hatten.

In „*unserer* Zeit" endlich hat die Eigentumsfrage den Sinn, daß es sich um die Aufhebung der Kollisionen handelt, die aus der großen Industrie, der Entwicklung des Weltmarkts und der freien Konkurrenz hervorgegangen sind.

Die Eigentumsfrage, je nach der verschiedenen Entwicklungsstufe der Industrie, war immer die Lebensfrage einer bestimmten Klasse. Im 17. und 18. Jahrhundert, wo es sich um die Abschaffung der *feudalen* Eigentumsverhältnisse handelte, war die Eigentumsfrage die Lebensfrage der *bürgerlichen* Klasse. Im 19. Jahrhundert, wo es sich darum handelt, die *bürgerlichen* Eigentumsverhältnisse abzuschaffen, ist die Eigentumsfrage eine Lebensfrage der *Arbeiterklasse*.

Die Eigentumsfrage, die in „unserer Zeit" weltgeschichtliche Frage ist, hat also nur in der *modernen bürgerlichen Gesellschaft* einen Sinn. Je entwickelter diese Gesellschaft ist, je mehr die Bourgeoisie sich also in einem Land ökonomisch entwickelt und darum auch die Staatsmacht einen bürgerlichen Ausdruck angenommen hat, desto greller tritt die *soziale* Frage hervor, in Frankreich greller als in Deutschland, in England greller als in Frankreich, in der konstitutionellen Monarchie greller als in der absoluten, in der Republik greller als in der konstitutionellen Monarchie. So z.B. sind die Kollisionen des Kreditwesens, der Spekulation usw. nirgends akuter als in Nordamerika. Nirgends tritt auch die *soziale* Ungleichheit schroffer hervor als in den Oststaaten von Nordamerika, weil sie nirgends weniger von der politischen Ungleichheit übertüncht ist. Wenn der Pauperismus sich hier noch nicht so weit entwickelt hat, wie in England, so ist das durch ökonomische Verhältnisse begründet, die hier nicht weiter auseinanderzusetzen. Indessen macht der Pauperismus die erfreulichsten Fortschritte.

„In diesem Land, wo es keine privilegierten Stände gibt, wo alle *Klassen* der Gesellschaft *gleiche Rechte* haben" (die Schwierigkeit liegt aber in dem Dasein der *Klassen*) „und wo unsere Bevölkerung fern davon ist, auf die Subsistenzmittel zu drücken, ist es in der Tat alarmierend, den Pauperismus mit solcher Rapidität anwachsen zu sehen." (Bericht des Herrn Meredith an den pennsylvanischen Kongreß.)[223]

„Es ist bewiesen, daß der Pauperismus in Massachusetts um 60 Proz[ent] in 25 Jahren gewachsen ist." (Aus Niles – eines Amerikaners – Register.)[224]

Einer der berühmtesten nordamerikanischen Nationalökonomen, zugleich ein Radikaler, *Thomas Cooper*, schlägt vor:

1. Den Besitzlosen das Heiraten zu verbieten.
2. Das *allgemeine Wahlrecht abzuschaffen*,

denn, ruft er aus:

„die Gesellschaft ist errichtet zur Protektion des Eigentums. Welchen vernünftigen Anspruch können die, die nach ewigen ökonomischen Gesetzen ewig eigentumslos sein werden, darauf machen, Gesetze zu geben über das Eigentum der andern? Welches gemeinsame Motiv und Interesse gibt es zwischen diesen zwei *Klassen* von Einwohnern?

Entweder ist die arbeitende Klasse nicht revolutionär, dann vertritt sie die Interessen der Arbeitgeber, wovon ihre Existenz abhängt. So, bei den letzten Wahlen in Neu-England, hatten die Fabrikherren, um sich Stimmen zu sichern, den Namen des Kandidaten auf Kaliko gedruckt, und jeder ihrer Arbeiter trug ein solches Stück Kaliko am Hosenlatz.

Oder die arbeitende Klasse wird revolutionär infolge des gemeinsamen Zusammenlebens usw., und dann wird die *politische Macht des Landes* früher oder später in ihre Hände kommen, und kein Eigentum wird mehr unter diesem System sicher sein."*

Wie in *England* die Arbeiter unter dem Namen der *Chartisten*, so bilden in *Nordamerika* die Arbeiter unter dem Namen *Nationalreformer* eine politische Partei, und ihr Kampfruf ist keineswegs *Fürstentum* oder *Republik*, sondern *Herrschaft der Arbeiterklasse* oder *Herrschaft der Bourgeoisklasse*.

Da also gerade in der modernen bürgerlichen Gesellschaft mit ihren entsprechenden Staatsformen des konstitutionellen oder des republikanischen Repräsentativstaats „die Eigentumsfrage" zur wichtigsten „sozialen Frage" geworden ist, so ist es durchaus das bornierte Bedürfnis des *deutschen* Bürgermanns, das dazwischen ruft: die Frage der *Monarchie* sei die wichtigste „*soziale* Frage der Zeit". Ganz in ähnlicher Weise spricht Dr. *List* in der Vorrede zur „Nationalökonomie"[225] seinen naivsten Ärger darüber aus, daß man den *Pauperismus* und nicht die Schutzzölle für die wichtigste soziale Frage unserer Zeit „versehen".

[„Deutsche-Brüsseler-Zeitung"
Nr. 92 vom 18. November 1847]

Der *Unterschied* zwischen *Geld* und *Gewalt* war zugleich eine *persönliche* Unterscheidung der beiden Kämpfer.

Der „Kleine" erscheint als eine Art von *Beutelschneider*, der bloß mit Feinden zu tun hat, die „Geld" besitzen. Der abenteuerlich starke Mann kämpft dagegen mit den „Gewaltigen" dieser Erde.

Indosso la corazza, e l'elmo in testa.**

---

* Thomas Cooper, „Lectures on [the Elements of] Political economy" [„Vorträge über die Grundlagen der politischen Ökonomie"]. Columbia. p. 361 et 365.

** Ariost[o, „L']Orlando Furioso" [Der rasende Roland]: Den Panzer auf dem Rücken und den Helm auf dem Haupt. [1. Gesang, XI.]

Und, murmelt er,

„dabei steht sich übrigens Ihre Person besser als die meinige"*.

Am besten aber stehen sich die „Gewaltigen" der Erde, die sichtbar aufatmen, während Herr Heinzen seinen Zögling anfährt:

„Jetzt sind Sie, wie alle Kommunisten, unfähig geworden, *den Zusammenhang der Politik mit den sozialen Zuständen zu erkennen.*"**

Wir haben soeben einer Morallektion beigewohnt, worin der große Mann überraschend *einfach* den *Zusammenhang* zwischen der *Politik* und den *sozialen Zuständen* im allgemeinen enthüllte. Am *Fürstentum* gibt er nunmehr seinem Zögling eine *handgreifliche* Nutzanwendung.

Die Fürsten oder das Fürstentum, erzählt er, sind „die Haupturheber alles Elends und aller Not". Wo das Fürstentum abgeschafft ist, ist natürlich auch diese Erklärungsweise abgeschafft, und die *Sklavenwirtschaft*, an der die antiken Republiken zugrunde gingen, die Sklavenwirtschaft, die zu den furchtbarsten Kollisionen in den südlichen Staaten des republikanischen Nordamerikas führen wird***, die Sklavenwirtschaft kann ausrufen, wie Hans Falstaff: „Daß doch Gründe so wohlfeil wären, wie Brombeeren!"[226]

Und vor allem wer oder was hat die *Fürsten* und das *Fürstentum* gemacht?

Es gab einmal eine Zeit, wo das Volk die hervorragendsten Persönlichkeiten der allgemeinen Angelegenheiten halber an die Spitze stellen mußte. Später erbte sich dieser Posten in Familien fort usw. Und schließlich hat die Dummheit und Verworfenheit der Menschen diesen Mißbrauch jahrhundertelang geduldet.

Beriefe man einen Kongreß sämtlicher naturwüchsigen Kannengießer Europas, sie könnten nicht anders antworten. Und schlüge man sämtliche Werke des Herrn Heinzen auf, sie gäben keine andere Antwort.

Der kernhafte „gesunde Menschenverstand" glaubt das *Fürstentum* zu erklären, indem er sich für seinen *Gegner* erklärt. Die Schwierigkeit bestände für diesen Normalverstand aber darin, darzutun, wie der Gegner des gesunden Menschenverstandes und der moralischen Menschenwürde geboren wurde, und sein merkwürdig zähes Leben Jahrhunderte fortschleppte. Nichts einfacher. Jahrhunderte entbehrten des gesunden Menschenverstandes und

---

* Das Heinzensche Manifest, Nr. 84 der „Deutschen-Brüsseler-Zeitung".

** Ebendaselbst.

*** Vgl. darüber die Memoiren von Jefferson, der einer der Mitbegründer der amerikanischen Republik und wiederholt ihr Präsident war.

der moralischen Menschenwürde. In andern Worten, der Verstand und die Moral von Jahrhunderten entsprachen dem Fürstentum, statt ihm zu widersprechen. Und eben diesen Verstand und diese Moral vergangener Jahrhunderte versteht der „gesunde Menschenverstand" von heute nicht. Er begreift ihn nicht, aber dafür *verachtet* er ihn. Aus der Geschichte flüchtet er in die Moral, und nun kann er das sämtliche schwere Geschütz seiner sittlichen Entrüstung spielen lassen.

In derselben Weise, wie sich hier der politische „gesunde Menschenverstand" die Entstehung und den Fortbestand des Fürstentums als Werk des Unverstandes erklärt, in derselben Weise erklärt der religiöse „gesunde Menschenverstand" die Ketzerei und den Unglauben als Werke des Teufels. In derselben Weise erklärt der irreligiöse „gesunde Menschenverstand" die Religion als Werk der Teufel, der Pfaffen.

Hat Herr Heinzen aber nur einmal die *Entstehung* des Fürstentums vermittelst moralischer Gemeinplätze begründet, so ergibt sich ganz *natürlich* der „Zusammenhang des Fürstentums mit den sozialen Zuständen". Hört:

„Ein einzelner Mensch nimmt den Staat für sich in Beschlag, opfert ein ganzes Volk, nicht bloß materiell, sondern auch moralisch seiner Person und deren Anhang mehr oder weniger auf; stuft gradweise die Erniedrigung in ihm ab, teilt es wie mageres und fetteres in *Stände* unterschieden ab, und *macht* im Grunde bloß seiner einzelnen Person zulieb jedes Mitglied der Staatsgesellschaft *offiziell zum Feind des andern*."*

Herr Heinzen erblickt die Fürsten auf dem Gipfel des sozialen Gebäudes in Deutschland. Er zweifelt keinen Augenblick daran, daß sie ihre gesellschaftliche Unterlage gemacht haben und täglich von neuem *machen*. Wie *einfacher* den Zusammenhang der Monarchie mit den gesellschaftlichen Zuständen, deren *offizieller* politischer Ausdruck sie ist, erklären, als indem man die Fürsten diesen Zusammenhang *machen* läßt! Wie hängen die Repräsentationskammern mit der modernen bürgerlichen Gesellschaft, die sie vertreten, zusammen? Sie haben sie *gemacht*. Das politische Göttertum mit seinem Apparat und seinen Abstufungen hat so die profane Welt *gemacht*, deren Allerheiligstes es ist. So wird das *religiöse* Göttertum die weltlichen Zustände gemacht haben, die sich in ihm phantastisch und verhimmelt abspiegeln.

Der Grobianismus, der solche hausbackne Weisheit mit gebührendem Pathos debitiert, muß natürlich ebenso verwundert als sittlich empört sein über den Gegner, der ihm nachzuweisen sich abmüht, daß der Apfel nicht den Apfelbaum gemacht habe.

---

* Das Heinzensche Manifest l.c.

Die moderne Geschichtsschreibung hat nachgewiesen, wie die *absolute Monarchie* in den Übergangsperioden erscheint, wo die alten Feudalstände untergehen und der mittelalterliche Bürgerstand zur modernen Bourgeoisklasse sich heranbildet, ohne daß noch eine der streitenden Parteien mit der andern fertig geworden wäre. Die Elemente, auf denen sich die absolute Monarchie aufbaut, sind also keineswegs ihr Produkt; sie bilden vielmehr ihre soziale Voraussetzung, deren geschichtliche Entstehung zu bekannt ist, um sie hier zu wiederholen. Daß in Deutschland die absolute Monarchie sich später ausbildete, länger währt, erklärt sich nur aus dem verkrüppelten Entwicklungsgang der deutschen Bürgerklasse. Die Rätsel dieses Entwicklungsgangs findet man gelöst in der Geschichte des Handels und der Industrie.

Der Untergang der spießbürgerlichen deutschen freien Städte, die Vernichtung des Ritterstandes, die Niederlage der Bauern – die daraus hervorgehende Landeshoheit der Fürsten – der Verfall der deutschen Industrie und des deutschen Handels, die ganz auf mittelalterlichen Zuständen beruhten, in demselben Augenblick, wo der moderne Weltmarkt sich eröffnet und die große Manufaktur aufkömmt – die Entvölkerung und der barbarische Zustand, den der 30jährige Krieg zurückgelassen hatte – der Charakter der wieder sich erhebenden nationalen Industriezweige, wie der kleinen Leinenindustrie, welchen patriarchalische Zustände und Verhältnisse entsprechen –, der Charakter der Ausfuhrartikel, die größtenteils der Agrikultur angehörten, und darum fast nur die materiellen Lebensquellen des Landadels und darum seine relative Macht den Bürgern gegenüber vermehrten –, die gedrückte Stellung Deutschlands auf dem Weltmarkt im allgemeinen, wodurch die den Fürsten von Fremden gezahlten Subsidien eine Hauptquelle des Nationaleinkommens wurden, die daher erfolgende Abhängigkeit der Bürger vom Hof – usw., usw., alle diese Verhältnisse, worin sich die Gestalt der deutschen Gesellschaft und eine ihr entsprechende politische Organisation ausbildeten, verwandeln sich dem Grobianismus des gesunden Menschenverstandes in einige Kernsprüche, deren Kern aber darin besteht, daß das „deutsche Fürstentum" die „deutsche Gesellschaft" gemacht hat und täglich von neuem „macht".

Die optische Täuschung, die den gesunden Menschenverstand befähigt, im Fürstentum den Springquell der deutschen Gesellschaft, statt in der deutschen Gesellschaft den Springquell des Fürstentums zu „erkennen", ist leicht erklärlich.

Er nimmt auf den ersten Blick wahr – und es gilt ihm sein erster Blick stets als Scharfblick –, daß die deutschen Fürsten den alten deutschen gesellschaftlichen Zustand, womit ihre politische Existenz steht und fällt, erhalten und festhalten und gegen die auflösenden Elemente gewaltsam *reagieren*.

Er sieht andrerseits ebensosehr die auflösenden Elemente mit der fürstlichen Gewalt ringen. Die gesunden fünf Sinne bezeugen also alle auf einmal, daß das Fürstentum die *Grundlage* der alten Gesellschaft, ihrer Abstufungen, ihrer Vorurteile und ihrer Gegensätze ist.

Genauer betrachtet widerlegt aber diese Erscheinung nur die biderbe Meinung, zu der sie den unschuldigen Anlaß bietet.

Die gewaltsam reaktionäre Rolle, in der das Fürstentum auftritt, beweist nur, daß in den Poren der alten Gesellschaft eine neue Gesellschaft sich herangebildet hat, welche auch die politische Hülse – die naturgemäße Decke der alten Gesellschaft – als eine naturwidrige Fessel empfinden und in die Luft sprengen muß. Je unentwickelter diese neuen auflösenden Gesellschaftselemente, desto konservativer erscheint selbst die heftigste Reaktion der alten politischen Gewalt. Je entwickelter die neuen auflösenden Gesellschaftselemente, desto reaktionärer erscheint selbst der harmloseste Konservationsversuch der alten politischen Gewalt. Die Reaktion des Fürstentums, statt zu beweisen, daß es die alte Gesellschaft macht, beweist vielmehr, daß es abgemacht ist, sobald die materiellen Bedingungen der alten Gesellschaft sich überlebt haben. Seine Reaktion ist zugleich die Reaktion der alten Gesellschaft, die noch die *offizielle* Gesellschaft, und darum auch noch im *offiziellen Besitz* der Gewalt oder im Besitz der *offiziellen Gewalt* ist.

Haben sich die materiellen Lebensbedingungen der Gesellschaft so weit entwickelt, daß die Umwandlung ihrer offiziellen politischen Gestalt eine Lebensnotwendigkeit für sie geworden ist, so verwandelt sich die ganze Physiognomie der alten politischen Gewalt. So versucht die absolute Monarchie nun, statt zu zentralisieren, worin ihre eigentliche zivilisierende Tätigkeit bestand, zu *dezentralisieren*. Aus der Niederlage der feudalen Stände hervorgegangen, und selbst den tätigsten Anteil an ihrer Zerstörung nehmend, sucht sie jetzt wenigstens den *Schein* der feudalen Unterschiede festzuhalten. Den Handel und die Industrie und gleichzeitig damit das Aufkommen der Bürgerklasse früher begünstigend als notwendige Bedingungen sowohl der nationalen Macht als des eignen Glanzes, tritt die absolute Monarchie jetzt dem Handel und der Industrie, die immer gefährlichere Waffen in den Händen einer schon mächtigen Bourgeoisie geworden sind, überall in den Weg. Von der *Stadt*, der Geburtsstätte ihrer Erhebung, wirft sie den ängstlichen und stumpf gewordenen Blick auf das *Land*, das mit den Leichen ihrer alten, reckenhaften Gegner gedüngt ist.

Aber Herr Heinzen versteht unter dem „Zusammenhang der Politik mit den sozialen Zuständen" eigentlich nur den Zusammenhang des deutschen Fürstentums mit der deutschen Not und dem deutschen Elend.

Die Monarchie, wie jede andre Staatsform, belastet nach der materiellen Seite hin die arbeitende Klasse direkt nur in der Form von *Steuern.* Die Steuern sind das Dasein des Staats, ökonomisch ausgedrückt. Beamten und Pfaffen, Soldaten und Ballettänzerinnen, Schulmeister und Polizeischergen, griechische Museen und gotische Türme, Zivilliste und Rangliste – der gemeinschaftliche Samen, worin alle diese fabelhaften Existenzen embryonisch schlummern, sind die – *Steuern.*

Und welcher räsonierende Bürger hätte nicht das verhungernde Volk auf die Steuern, auf das Sündengeld der Fürsten, als die Quelle seines Elends verwiesen?

Die deutschen Fürsten und die deutsche Not! In andern Worten: Die Steuern, von denen die Fürsten prassen und die das Volk mit seinem Blutschweiß bezahlt!

Welch unerschöpflicher Stoff für deklamierende Menschenretter!

Die Monarchie verursacht viele Kosten. Kein Zweifel. Seht nur den nordamerikanischen Staatshaushalt an und vergleicht, was unsere 38 Duodezvaterländer bezahlen müssen, um verwaltet und gemaßregelt zu werden! Den polternden Ausbrüchen dieser eingebildeten Demagogie antworten nicht die Kommunisten, nein, die *bürgerlichen* Ökonomen, wie Ricardo, Senior usw., mit zwei Worten.

Das ökonomische Dasein des Staats sind die *Steuern.*

Das ökonomische Dasein des Arbeiters ist der *Arbeitslohn.*

Zu bestimmen: Das *Verhältnis* zwischen Steuern und Arbeitslohn.

Der durchschnittliche Arbeitslohn wird durch die *Konkurrenz* notwendig auf das Minimum reduziert, d.h. auf einen Lohn, der den Arbeitern erlaubt, ihre Existenz und die Existenz ihrer race notdürftig zu fristen. Die Steuern bilden einen Teil dieses Minimums, denn der politische Beruf der Arbeiter besteht eben darin, Steuern zu zahlen. Würden sämtliche Steuern, die auf der Arbeiterklasse ruhen, radikal abgeschafft, so wäre die notwendige Folge, daß der Arbeitslohn um den ganzen Steuerbetrag, der heutzutage in ihn eingeht, vermindert würde. Entweder würde dadurch der *Profit* der Arbeitgeber unmittelbar in demselben Maß steigen, oder es hätte nur eine Veränderung in der *Form* der Steuererhebung stattgefunden. Statt daß der Kapitalist im Arbeitslohn heute zugleich die Steuern vorschießt, die der Arbeiter zahlen muß, würde er sie nicht mehr auf diesem Umweg, sondern direkt an den Staat zahlen.

Wenn in Nordamerika der Arbeitslohn höher steht als in Europa, so ist das keineswegs die Folge seiner geringern Steuern. Es ist die Folge seiner territorialen, kommerziellen und industriellen Lage. Die Nachfrage nach

Arbeitern ist im Verhältnis zum Angebot von Arbeitern bedeutend größer als in Europa. Und diese Wahrheit kennt jeder Schüler schon aus Adam Smith.

Für die Bourgeoisie ist dagegen sowohl die Art der Steuerverteilung und Erhebung, als die Verwendung der Steuern eine Lebensfrage, sowohl wegen ihres Einflusses auf Handel und Industrie, als weil die Steuern das goldene Band sind, womit man die absolute Monarchie erdrosselt.

Nachdem Herr Heinzen solch tiefe Aufschlüsse über den „Zusammenhang der Politik mit den gesellschaftlichen Zuständen" und der „Klassenverhältnisse" mit der Staatsgewalt gegeben, ruft er triumphierend aus:

„Der ‚kommunistischen Borniertheit', die Menschen bloß ‚klassenweise' anzureden oder je nach dem ‚Handwerk' aufeinander zu *hetzen*, habe ich mich bei meiner revolutionären Propaganda freilich nicht schuldig gemacht, weil ich der ‚Möglichkeit' Raum lasse, daß das ‚Menschentum' nicht immer durch die ‚Klasse' oder das ‚Maß des Geldbeutels' bestimmt werde."

Der „grobianische" Menschenverstand verwandelt den Klassenunterschied in den „Längenunterschied des Geldbeutels" und den Klassengegensatz in „Handwerkshader". Das Maß des Geldbeutels ist ein rein quantitativer Unterschied, wodurch je zwei Individuen *derselben* Klasse beliebig aufeinander *gehetzt* werden können. Daß „je nach dem *Handwerk*" die mittelalterlichen *Zünfte* einander gegenüberstanden, ist bekannt. Ebenso bekannt ist aber, daß der moderne Klassenunterschied keineswegs auf dem „Handwerk" beruht, vielmehr die Teilung der Arbeit innerhalb *derselben* Klasse sehr *verschiedne* Arbeitsweisen hervorbringt.

Und diese seine eigne, ganz aus dem eigensten „vollen Leben" und dem eigensten „gesunden Menschenverstand" geschöpfte „Borniertheit" nennt Herr Heinzen scherzend eine „kommunistische Borniertheit".

Nehmen wir aber einen Augenblick an, Herr Heinzen wisse, wovon er spreche, er spreche also nicht vom „Längenunterschied" der Geldbeutel und dem „Handwerkshader".

Es ist sehr „möglich", daß einzelne Individuen nicht „immer" durch die Klasse bestimmt werden, der sie angehören, was ebensowenig für den Klassenkampf entscheidet, als der Übertritt einiger Adligen zum tiers-état[1] für die französische Revolution entschied. Und dann traten diese Adligen wenigstens *einer* Klasse bei, der revolutionären Klasse, der Bourgeoisie. Aber Herr Heinzen läßt alle Klassen schwinden vor der feierlichen Idee des „Menschentums".

[1] dritten Stand

Wenn Herr Heinzen aber glaubt, daß *ganze Klassen*, die auf *ökonomischen*, von ihrem Willen unabhängigen Bedingungen beruhen und durch diese Bedingungen in den feindlichsten Gegensatz gestellt sind, vermittelst der allen Menschen anhaftenden Eigenschaft des „Menschentums" aus ihren wirklichen Verhältnissen herausspringen können, wie leicht muß es *einem* Fürsten sein, sich über sein „Fürstentum", über sein „fürstliches Handwerk" durch das „Menschentum" zu erheben? Warum verdenkt er es denn dem Engels, wenn dieser im Hintergrund seiner revolutionären Phrasen einen „braven Kaiser Joseph" erblickt?

Vertilgt Herr Heinzen aber einerseits, indem er sich unbestimmt an das „Menschentum" der Deutschen richtet, *alle* Unterschiede, so daß er auch die Fürsten in seine Ermahnungen einschließen müßte, so sieht er sich doch auf der andern Seite gezwungen, *einen Unterschied* unter den deutschen *Menschen* festzustellen, denn ohne Unterschied kein Gegensatz, und ohne Gegensatz kein Stoff zu politischen Kapuzinerpredigten.

Also *unterscheidet* Herr Heinzen die deutschen Menschen in *Fürsten* und *Untertanen*. Diesen Gegensatz zu sehen und auszusprechen ist seinerseits eine moralische Kraftäußerung, ein Beweis individueller Kühnheit, politischen Verstandes, empörten menschlichen Gefühls, ernster Scharfsichtigkeit, achtungswerter Tapferkeit. Und es zeugte von intellektueller Blindheit, von polizeigemäßer Gesinnung, darauf aufmerksam zu machen, daß es privilegierte und nicht privilegierte Untertanen gibt; daß erstere in der politischen Hierarchie keineswegs eine entwürdigende Abstufung erblicken, sondern eine erhebende aufsteigende Linie; daß endlich unter den Untertanen, für welche das Untertanenverhältnis als Fessel gilt, es wieder in sehr verschiedner Weise als Fessel gilt.

Kommen nun die „bornierten" Kommunisten und sehen nicht nur den politischen *Unterschied* von *Fürst* und *Untertan*, sondern auch den gesellschaftlichen Unterschied der *Klassen*.

Während die moralische Größe des Herrn Heinzen soeben darin bestand, den Unterschied einzusehen und auszusprechen, besteht seine Größe jetzt vielmehr darin, ihn zu übersehen, von ihm abzusehen und ihn zu verheimlichen. Das Aussprechen des *Gegensatzes* wird aus der Sprache der Revolution zur Sprache der Reaktion und zum böswilligen „Hetzen" im *Menschentum* vereinter Brüder gegeneinander.

Es ist bekannt, daß kurz nach der Julirevolution die siegreiche Bourgeoisie in den *Septembergesetzen*[227] das „Aufhetzen der verschiednen Volksklassen gegeneinander", wahrscheinlich auch aus „Menschentum", zu einem großen politischen Vergehen machte, worauf Gefängnis, Geldbuße usw. stehen. Es ist ferner bekannt, daß die englischen Bourgeoisiejournale die Chartistenführer und Chartistenschriftsteller nicht besser zu denunzieren wissen, als indem sie ihnen das Aufhetzen verschiedener Volksklassen gegeneinander vorwerfen. Es ist sogar bekannt, daß deutsche Schriftsteller wegen dieses Aufhetzens verschiedner Volksklassen gegeneinander in Festungen vergraben sind.

Spricht Herr Heinzen diesmal nicht die Sprache der französischen Septembergesetze, der englischen Bourgeoisblätter und des preußischen Strafgesetzbuchs?

Aber nein. Der wohlmeinende Herr Heinzen fürchtet nur, die Kommunisten „*suchten* den Fürsten eine revolutionäre Fontanelle zu *sichern*".

So versichern die *belgischen* Liberalen, die *Radikalen* seien im geheimen mit den Katholiken einverstanden; die *französischen* Liberalen versichern, die *Demokraten* seien mit den Legitimisten[37] einverstanden; die englischen Freihandelsmänner versichern, die *Chartisten* seien mit den Tories einverstanden. Und der liberale Herr Heinzen versichert, die *Kommunisten* seien mit den Fürsten einverstanden.

Deutschland hat, wie ich dies schon in den „Deutsch-Französischen Jahrbüchern" auseinandergesetzt habe[228], ein eigenes christlich-germanisches Pech. Seine Bourgeoisie hat sich so sehr verspätet, daß sie in dem Augenblick ihren Kampf mit der absoluten Monarchie beginnt und ihre politische Macht zu begründen sucht, wo in allen entwickelten Ländern die Bourgeoisie schon im heftigsten Kampf mit der Arbeiterklasse begriffen ist und wo ihre politischen Illusionen bereits im europäischen Bewußtsein überlebt sind. In diesem Land, wo die politische Misère der absoluten Monarchie noch besteht mit einem ganzen Anhang verkommener halbfeudaler Stände und Verhältnisse, existieren anderseits partiell auch schon infolge der industriellen Entwicklung und Deutschlands Abhängigkeit vom Weltmarkt die modernen Gegensätze zwischen Bourgeoisie und Arbeiterklasse und der daraus hervorgehende Kampf – Beispiele die Arbeiteraufstände in Schlesien und Böhmen.[229] Die deutsche Bourgeoisie befindet sich also schon im Gegensatz zum Proletariat, ehe sie noch als Klasse sich politisch konstituiert hat. Der Kampf zwischen den „Untertanen" ist ausgebrochen, ehe noch Fürsten und Adel zum Land hinausgejagt sind, allen Hambacher Liedern[230] zum Trotz.

Herr Heinzen weiß sich diese widerspruchsvollen Zustände, die sich natürlich auch in der deutschen Literatur abspiegeln, nicht anders zu erklären, als indem er sie seinen Gegnern aufs *Gewissen* schiebt und als Folge des konterrevolutionären Treibens der Kommunisten auslegt.

Die deutschen Arbeiter unterdessen wissen sehr wohl, daß die *absolute Monarchie* keinen Augenblick schwankt oder schwanken kann, sie im *Dienst der Bourgeoisie* mit Kanonenkugeln und Peitschenhieben zu begrüßen. Warum sollten sie also die brutale Plackerei der absoluten Regierung mit ihrem halbfeudalen Gefolg der *direkten Bourgeoisherrschaft* vorziehen? Die Arbeiter wissen sehr wohl, daß die Bourgeoisie nicht nur politisch ihnen breitere Konzessionen machen muß als die absolute Monarchie, sondern daß sie im Dienst ihres Handels und ihrer Industrie wider ihren Willen die Bedingungen zur Vereinigung der Arbeiterklasse hervorruft, und die Vereinigung der Arbeiter ist das erste Erfordernis ihres Siegs. Die Arbeiter wissen, daß die Abschaffung der *bürgerlichen* Eigentumsverhältnisse nicht herbeigeführt wird durch Erhaltung der *feudalen*. Sie wissen, daß durch die revolutionäre Bewegung der Bourgeoisie gegen die feudalen Stände und die absolute Monarchie ihre eigne revolutionäre Bewegung nur beschleunigt werden kann. Sie wissen, daß ihr eigner Kampf mit der Bourgeoisie erst anbrechen kann an dem Tag, wo die Bourgeoisie gesiegt hat. Trotz alledem teilen sie die bürgerlichen Illusionen des Herrn Heinzen nicht. Sie können und müssen die *bürgerliche Revolution* als eine Bedingung der *Arbeiterrevolution* mitnehmen. Sie können sie aber keinen Augenblick als ihren *Endzweck* betrachten.

Daß die Arbeiter wirklich in dieser Weise sich verhalten, davon haben die *englischen* Chartisten in dieser jüngsten Anti-Corn-Law-League-Bewegung[231] ein glänzendes Beispiel gegeben. Keinen Augenblick haben sie die Lügen und Einbildungen der bürgerlichen Radikalen geglaubt, keinen Augenblick ihren Kampf gegen sie aufgegeben, aber sie haben mit vollem Bewußtsein ihren Feinden zum Sieg über die Tories verholfen, und den Tag nach der Abschaffung der Korngesetze standen sich auf dem Wahlplatz entgegen, nicht mehr Tories und Freetrader, sondern Freetrader und Chartisten. Und sie haben Sitze im Parlament, diesen bürgerlichen Radikalen gegenüber, erobert.

Ebensowenig wie Herr Heinzen die Arbeiter versteht, ebensowenig versteht er die *bürgerlichen Liberalen*, sosehr er bewußtlos in ihrem Dienst arbeitet. Er glaubt, es sei nötig, ihnen gegenüber die alten Redensarten gegen „deutsche Gemütlichkeit und Demut" zu wiederholen. Er, der Biedermann, nimmt im vollen Ernst, was ein Camphausen oder Hansemann an servilen Redensarten debitierte. Die Herren Bourgeois würden lächeln über diese Naivität. Sie wissen besser, wo sie der Schuh drückt. Sie wissen, daß der *Pöbel* in Revolutionen frech wird und zugreift. Die Herren Bourgeois suchen daher soviel als möglich ohne Revolution auf gütlichem Weg das *absolute* Königtum in *bürgerliches* zu verwandeln.

Aber das absolute Königtum in Preußen, wie früher in England und Frankreich, läßt sich nicht gütlich in bürgerliches verwandeln. Es dankt nicht gütlich ab. Außer durch persönliche Vorurteile sind den Fürsten die Hände gebunden durch eine ganze Zivil-, Militär- und Pfaffenbürokratie – Bestandteile der absoluten Monarchie, die ihre herrschende Stellung keineswegs mit einer dienenden gegen die Bourgeoisie vertauschen wollen. Andrerseits halten die feudalen Stände zurück, bei denen es sich um Sein oder Nichtsein, d.h. um Eigentum oder Expropriation handelt. Es ist klar, daß der absolute Monarch trotz aller servilen Huldigungen der Bourgeoisie sein wahres Interesse auf seiten dieser Stände erblickt.

Sowenig daher die süßen Redensarten eines Lally-Tollendal, eines Mounier, eines Malouet, eines Mirabeau einen Louis XVI. beschwatzen konnten, entschieden der Bourgeoisie sich anzuschließen, im Gegensatz zu den Feudalen und den Überbleibseln der absoluten Monarchie, sowenig werden die Sirenengesänge eines Camphausen oder Hansemann Friedrich Wilhelm IV. überzeugen.

Aber Herr Heinzen hat es weder mit der Bourgeoisie noch mit dem Proletariat in Deutschland zu tun. Seine Partei ist die „Partei der Menschen", d.h. der biedern und hochherzigen Schwärmer, die unter der Form von „menschlichen" Zwecken „bürgerliche" Interessen verfechten, ohne sich indes klar über den Zusammenhang der idealistischen Phrase mit ihrem realistischen Kern zu sein.

[„Deutsche-Brüsseler-Zeitung"
Nr. 94 vom 25. November 1847]

Seiner Partei, der Partei der *Menschen*, oder dem in Deutschland hausenden *Menschentum*, bietet der Staatenstifter Karl Heinzen die „beste Republik" an, die von ihm selbst ausgeheckte beste Republik, die „Föderativrepublik mit sozialen Institutionen". *Rousseau* entwarf einst den Polen und *Mably* den Korsikanern eine beste politische Welt.[232] Der große Genfer Bürger hat einen noch größeren Nachfolger gefunden.

„Ich bescheide mich" – welche Bescheidenheit! – „wie eine Blume nur aus Blumenblättern, so eine Republik nur aus republikanischen Elementen zusammensetzen zu können."*

Ein Mann, der es versteht, aus *Blumenblättern* eine Blume, und wäre es auch nur ein *Gänseblümchen, zusammenzusetzen*, dem kann auch die Komposition der „besten Republik" – nicht fehlschlagen, die böse Welt mag davon halten, was sie will.

* Das Heinzensche Manifest, Nr. 84 der „Deutschen-Brüsseler-Zeitung".

Allen Lästerzungen zum Trotz, nimmt sich der brave Staatengründer z.B. die Charten des republikanischen Nordamerikas. Was ihm anstößig scheint, wischt er aus mit seinem grobianischen Pinsel. So bringt er eine emendierte Ausgabe zustande – in usum Delphini[1], d.h. zum Nutz und Frommen des „deutschen Menschen". Und nachdem er so „das Bild der Republik und zwar einer bestimmten Republik entworfen" hat, zieht er seinen „kleinen", respektwidrigen Zögling „an den kommunistischen Ohren" in die Höhe, und schmettert ihn nieder mit der Frage, ob auch er eine Welt „machen" könne, und zwar eine „beste Welt"? Und er läßt nicht nach, den „Kleinen" in die „Höhe" zu ziehn an seinen „kommunistischen Ohren", bis er ihn mit der „Nase" auf das Riesenbild der „neuen" Welt, der besten Republik „gestoßen" hat. Das kolossale Bild seiner von ihm entworfenen Welt hat er nämlich höchsteigenhändig aufgehangen am höchsten Gipfel der Schweizer Alpen.

„Cacatum non est pictum"[2], zischt die Stimme der „kleinen", unbußfertigen Schlange.

Und entsetzt läßt der republikanische Ajax den kommunistischen Thersites zu Boden fallen und stößt aus zottiger Hochbrust die – furchtbaren Worte aus:

„Sie treiben die Lächerlichkeit auf die Spitze, Herr Engels!"

Und wirklich, Herr Engels! Glauben Sie nicht, „daß das amerikanische Föderativsystem" die „beste politische Form" ist, „welche die bisherige Staatskunst ausgemittelt?" Sie schütteln mit dem Köpfchen? Was? Sie leugnen überhaupt, daß das „amerikanische Föderativsystem" von der „Staatskunst" *ausgemittelt* worden ist? Und daß es „beste politische Gesellschaftsformen" in abstracto[3] gebe? Aber da hört ja alles auf!

Sie sind zugleich so „schamlos und gewissenlos", uns anzudeuten, daß der biderbe Deutsche, der die nordamerikanische Konstitution – dazu noch verschönert und ausgebessert – seinem treuen Vaterland zugut kommen lassen will, jenem idiotischen Kaufmann gleicht, der die Kaufmannsbücher seines reichen Rivalen kopierte, und nun mit dem Besitz dieser Kopie auch in den Besitz des beneideten Reichtums getreten zu sein vermeinte!

Und Sie drohen uns mit dem „Scharfrichterbeil" unter dem *Ärmchen*, mit der kleinen Guillotine, die man Ihnen 1794 als Spielzeug schenkte? Barbaroux, murmeln Sie, und andre stark in die Höhe und Breite ge-

[1] zum Gebrauch des Dauphins (So wurde in der zweiten Hälfte des 17. Jahrhunderts die für den französischen Thronfolger bestimmte Ausgabe lateinischer Werke bezeichnet, aus denen „Anstößiges" entfernt worden war.) – [2] „Gekackt ist nicht gemalt" – [3] rein begrifflich

schossene Leute wurden damals, als wir Guillotine spielten, um einen ganzen Kopf kleiner gemacht, weil sie zufällig „das amerikanische Föderativsystem" für die „beste politische Form" ausschrien.[233] Und so wird es allen andern Goliathen ergehen, die bei irgendeiner demokratischen Revolution in Europa, und namentlich in dem noch ganz feudal zerrissenen Deutschland, an die Stelle der *Einen* unteilbaren Republik und ihrer nivellierenden Zentralisation das „amerikanische Föderativsystem" setzen zu wollen sich einfallen lassen.

Aber mein Gott! Die Männer vom Comité de salut public[234] und die Bluthunde von Jakobinern hinter ihnen waren Unmenschen, und die „beste" Heinzensche „Republik" ist von der „bisherigen Staatskunst" als die „beste politische Form" für „Menschen", für gute Menschen, für menschentümliche Menschen „ausgemittelt" worden!

Wirklich! „Sie treiben die Lächerlichkeit auf die Spitze, Herr Engels!"

Der Staaten gründende Herkules kopiert ja zudem die nordamerikanische „Föderativrepublik" nicht mit Haut und Haar. Er schmückt sie mit „sozialen Institutionen" aus, er wird „die Eigentumsverhältnisse nach vernünftigen Grundsätzen regeln", und die sieben großen „Maßregeln", womit er die „Mißstände" der alten bürgerlichen Gesellschaft beseitigte, sind keineswegs dünner, ärmlicher Abfall, zusammengebettelt aus modernen – verwerflichen sozialistischen und kommunistischen Garküchen. Den „Inka's" und „Campe's Kinderschriften"[235] verdankt der große Karl Heinzen seine Rezepte zur „Humanisierung der Gesellschaft", ganz wie er letztre tiefsinnige Phrase nicht dem Philosophen und Pommeraner Ruge verdankt, sondern vielmehr einem in Weisheit ergrauten „Peruaner". Und Herr Engels nennt das ganz willkürlich ausgetüftelte, spießbürgerliche Weltverbesserungs-Schwärmereien!

Wir leben allerdings in einer Zeit, wo „mehr und mehr die Bessern schwinden" und die „Besten" gar nicht einmal verstanden werden.

Nehmt z.B. irgendeinen wohlmeinenden Bürger und fragt ihn auf sein Gewissen, woran die jetzigen „Eigentumsverhältnisse" laborieren? Und der brave Mann wird seinen Zeigefinger an seine Nasenspitze legen, zweimal tiefen Gedankenatem schöpfen, und sich dann „unmaßgeblich" dahin verlauten lassen, daß es eine Schande ist, daß viele „Nichts", nicht das Notdürftigste besitzen, und daß andere, nicht nur zum Schaden der besitzlosen Lumpen, sondern auch ehrbarer Bürgersleute, aristokratisch unverschämte Millionen auftürmen! Aurea mediocritas! Goldene Mittelmäßigkeit! wird das brave Mitglied der Mittelklasse ausrufen! Daß nur die Extreme zu vermeiden wären! Welche vernünftige Staatsverfassung wäre mit diesen Extremen vereinbar, mit diesen Extremen, diesen höchst verwerflichen Extremen!

Und nun werft einen Blick auf die Heinzensche „Föderativrepublik" mit „sozialen Institutionen" und sieben Maßregeln zur „Humanisierung der Gesellschaft". Da ist jedem Bürger ein „Minimum" des Vermögens gesichert, unter das er nicht herabfallen kann, und ein Maximum des Vermögens vorgeschrieben, das er nicht übersteigen darf.

Hat Herr Heinzen denn nicht alle Schwierigkeiten gelöst, indem er den frommen Wunsch aller braven Bürgersleute, daß keiner zuwenig und keiner gar zuviel haben sollte, unter der Form von Staatsdekreten wiederholt und eben dadurch verwirklicht hat?

Und in derselben ebenso einfachen als großartigen Weise hat Herr Heinzen sämtliche ökonomischen Kollisionen gelöst. Nach *vernünftigen*, der biedermännischen Billigkeit entsprechenden *Grundsätzen* hat er das Eigentum *geregelt*. Und werft ihm ja nicht ein, daß die „vernünftigen Regeln" des Eigentums eben die „ökonomischen Gesetze" sind, an deren kaltblütiger Notwendigkeit sämtliche billigen „Maßregeln", seien sie auch durch Inka's und Campe's Kinderschriften empfohlen und von den kräftigsten Patrioten warm gehalten, scheitern müssen!

Wie unrecht, *ökonomische* Bedenken gegen einen Mann geltend zu machen, der nicht wie andre „mit nationalökonomischen Studien prahlt", aus Bescheidenheit sich vielmehr bisher in seinen sämtlichen Werken den jungfräulichen Schein zu bewahren gewußt hat, als habe er noch die ersten nationalökonomischen Studien zu machen! Eben der primitiven Bildung des Mannes muß man es hoch anrechnen, daß er seinem kommunistischen Feindchen gegenüber sämtliche Bedenken mit gewichtiger Miene vorträgt, die vermittelst der Augsburger „Allgemeinen Zeitung"[236] ins volle deutsche Leben schon seit 1842 eingedrungen waren, wie vom „erworbenen" Eigentum, von der „persönlichen Freiheit und Individualität" u.dergl. Es zeugt wirklich von einer großen Demoralisation kommunistischer Schriftsteller, daß sie sich Gegner aussuchen, die ökonomisch und philosophisch gebildet sind, und dagegen keine Antwort geben den „unmaßgeblichen" Einfällen des grobianischen gesunden Menschenverstandes, dem sie erst elementarischen Unterricht über die ökonomischen Verhältnisse der bestehenden bürgerlichen Gesellschaft erteilen müßten, um sie später mit ihm diskutieren zu können.

Da z.B. das *Privateigentum* nicht ein einfaches Verhältnis oder gar ein abstrakter Begriff, ein Prinzip ist, sondern in der Gesamtheit der *bürgerlichen* Produktionsverhältnisse besteht – es handelt sich nämlich nicht vom untergeordneten, untergegangenen, sondern vom bestehenden bürgerlichen Privateigentum –, da diese sämtlichen bürgerlichen Produktionsverhältnisse Klassenverhältnisse sind, eine Einsicht, die jeder Schüler aus seinem Adam

Smith oder Ricardo sich angeeignet haben muß –, so kann die Veränderung oder gar Abschaffung dieser Verhältnisse natürlich nur aus einer Veränderung dieser Klassen und ihrer wechselseitigen Beziehung hervorgehen, und die Veränderung in der Beziehung von Klassen ist – eine geschichtliche Veränderung, ein Produkt der gesamten gesellschaftlichen Tätigkeit, mit einem Wort, das Produkt einer bestimmten „geschichtlichen Bewegung". Einer geschichtlichen Bewegung kann der Schriftsteller wohl als Organ dienen, aber er kann sie natürlich nicht machen.

Zum Beispiel um die Abschaffung der feudalen Eigentumsverhältnisse zu erklären, haben die modernen Geschichtschreiber die Bewegung darstellen müssen, in der sich die Bourgeoisie bis zu dem Punkt heranbildete, wo sie ihre Lebensbedingungen weit genug entwickelt hatte, um sämtliche feudalen Stände und ihre eigene feudale Existenzweise abschaffen zu können, und daher die feudalen Produktionsverhältnisse, innerhalb deren diese feudalen Stände produzierten. Die Abschaffung der feudalen Eigentumsverhältnisse und die Stiftung der modernen bürgerlichen Gesellschaft war also keineswegs das Resultat einer gewissen Doktrin, die von einem bestimmten theoretischen Prinzip als *Kern* ausging und daraus weitere Konsequenzen zog. Vielmehr waren die Prinzipien und Theorien, welche die Schriftsteller der Bourgeoisie während ihres Kampfes mit dem Feudalismus aufstellten, nichts als der theoretische Ausdruck der praktischen Bewegung, und zwar kann man genau verfolgen, wie dieser Ausdruck mehr oder minder utopistisch, dogmatisch, doktrinär war, je nachdem er einer weniger oder mehr entwickelten Phase der wirklichen Bewegung angehörte.

Und in diesem Sinne war Engels so unvorsichtig, seinem schrecklichen Gegner, dem Staaten gründenden Herkules, vom Kommunismus, soweit er Theorie ist, als dem theoretischen Ausdruck einer „Bewegung" zu sprechen.

Aber, ruft der gewaltsame Mann in biderber Entrüstung aus: „Ich wollte die praktischen Konsequenzen urgieren, ich wollte die ‚Repräsentanten' des Kommunismus dahin bringen, jene Konsequenzen anzuerkennen", nämlich jene unsinnigen Konsequenzen, die für einen Mann, der nichts als phantastische Vorstellungen vom bürgerlichen Privateigentum hat, notwendig mit der Abschaffung desselben verbunden sind. Er wollte den Engels so zwingen, „allen den Unsinn zu vertreten", den er nach dem braven Plan des Herrn Heinzen „würde zutage gefördert haben". Und Reineke Engels hat den biedern Isegrimm so bitter enttäuscht, daß er im Kommunismus selbst nicht einmal mehr einen „Kern" zum „Beißen" findet und sich daher verwundert fragt, „wie man diese Erscheinung zubereite, um sie essen zu können"!

Und vergebens sucht sich der brave Mann durch geistreiche Wendungen zu beruhigen, z.B. indem er fragt, ob eine geschichtliche Bewegung eine „Gemütsbewegung" sei usw., und selbst den Geist des großen „Ruge" heraufbeschwört, ihm dies Rätsel der Natur zu deuten!

„Nach dem Geschehenen", ruft der enttäuschte Mann aus, „schlägt mir das Herz in *sibirischen Weisen*, nach dem Geschehenen *wittre ich nur Verrat* und *träume von Tücke*."*

Und wirklich erklärt er sich die Sache in letzter Instanz dadurch, daß Engels „seine Schule verleugnet", einen ebenso „feigen als lächerlichen Rückzug antritt", das „ganze Menschengeschlecht kompromittiert, um nur für seine Person nicht kompromittiert zu werden", die „Partei im entscheidenden Augenblick verleugnet oder im Stich läßt" und was dergleichen moralisierende Wutausbrüche mehr sind. Ebenso Engels' Unterscheidungen zwischen „wahrem Sozialismus" und „Kommunismus", zwischen den utopistischen kommunistischen Systemen und dem kritischen Kommunismus – nichts als „Verrat und Tücke". Ja lauter jesuitische „nachträgliche" Unterscheidungen, weil sie Herrn Heinzen wenigstens bis dato noch nicht vorgetragen, noch von dem Sturmwind des vollen Lebens zugeblasen worden zu sein scheinen!

Und wie geistreich weiß sich Herr Heinzen diese Gegensätze, soweit sie einen literarischen Ausdruck gewonnen haben, zu deuten!

„Da ist Weitling, der gescheiter ist als Sie, und doch gewiß für einen Kommunisten gelten kann."

Oder aber:

„Wie nun, wenn Herr Grün Kommunist sein *wollte* und Herrn Engels ausschlösse?"

Auf diesem Punkt angelangt, versteht es sich, daß der biedre Mann, der sich nicht „so weit emanzipieren konnte, daß er *Treu* und *Glauben*, wie alten Stils sie auch seien, unter vernünftigen Wesen für überflüssig hält" – die absurdesten *Lügen* auftischt, z.B. Engels habe auch eine „soziale Bewegung in Belgien und Frankreich" schreiben wollen. Da sei K[arl] Grün ihm „zuvorgekommen". Da habe er „für seine langweilige Repetition keinen Verleger finden können", und was dergleichen von Herrn Heinzen aus einem „gewissen Prinzip" als „Konsequenzen" abgeleitete Erfindungen mehr sind.

Daß die moralisierende Kritik einen so kläglichen Ausgang nimmt, liegt in ihrer „Art" und ist keineswegs als ein persönliches Gebrechen des Telamonier Ajax zu betrachten. Bei allen Dummheiten und Gemeinheiten hat

* Karl Heinzens „Steckbrief".

der S[ank]t Grobianist die sittliche Genugtuung, daß er mit Überzeugung dumm und gemein, also ein Kerl von ganzem Zeug ist.

Was aber auch die „Tatsachen" machen mögen, die selbst der große Karl Heinzen ruhig „ihren Lauf vollenden" läßt: „Ich", ruft er aus, indem er sich dreimal an die biedre Brust schlägt, „ich trage unterdessen mein Prinzip ohne Scheu mit mir herum und werfe es nicht hinter die Hecke, wenn mich jemand danach fragt."

Heinrich LXXII. von Reuß-Schleitz-Ebersdorf reitet nun auch an die 20 Jahre auf seinem „Prinzip" herum.

NB. Wir empfehlen den Lesern der „Deutschen-Brüsseler-Zeitung" die Kritik von Stephan[1]: „Der Heinzen'sche Staat." Der Verfasser hat natürlich nur an Herrn Heinzen den Anlaß genommen, er hätte sich ebensogut an jeden andern literarischen Strohwisch Deutschlands halten können, um dem räsonierenden, schimpfenden Kleinbürger gegenüber den Standpunkt des wirklich revolutionären Arbeiters geltend zu machen. Herr Heinzen weiß Stephan nicht anders zu antworten, als indem er zunächst *beteuert*, seine Schrift sei ein Machwerk; soweit die *sachliche* Kritik. Da er die Person Stephans nicht kennt, so hilft er sich damit, ihn kurzweg Gamin und Kommis-Voyageur[2] zu schimpfen. Aber sein Gegner ist noch nicht schlecht genug, er verwandelt ihn zuletzt noch in einen Polizeidiener. Man sehe übrigens, wie gerecht diese letzte Anklage ist, da die französische Polizei, wahrscheinlich im Einverständnisse mit Herrn Heinzen, 100 Exemplare der Stephanschen Broschüre konfisziert hat.

Nachdem Herr Heinzen in der angegebenen Weise dem Arbeiter Stephan eine praktische moralische Lektion gegeben, apostrophiert er ihn mit folgender biedermännischer Wendung:

> „Ich meinerseits, wie gern ich auch mit einem Arbeiter mich in Erörterungen eingelassen hätte, kann in der Insolenz kein Mittel erkennen, die Kompetenz zu ersetzen."

Die deutschen Arbeiter werden sich gehoben fühlen durch die Aussicht, daß der *Demokrat* Karl Heinzen sich mit ihnen in Erörterungen einläßt, sobald sie hübsch bescheiden dem großen Mann gegenübertreten. Herr Heinzen sucht seine Inkompetenz gegenüber Herrn Stephan durch die Insolenz seines Ausfalls zu decken.

K.M.

Geschrieben Ende Oktober 1847.

---

[1] Stephan Born – [2] Straßenjunge und Handlungsreisender

FRIEDRICH ENGELS

Grundsätze des Kommunismus[237]

1. Frage: Was ist der Kommunismus?

Antwort: Der Kommunismus ist die Lehre von den Bedingungen der Befreiung des Proletariats.

2. F[rage]: Was ist das Proletariat?

A[ntwort]: Das Proletariat ist diejenige Klasse der Gesellschaft, welche ihren Lebensunterhalt einzig und allein aus dem Verkauf ihrer Arbeit[198] und nicht aus dem Profit irgendeines Kapitals zieht; deren Wohl und Wehe, deren Leben und Tod, deren ganze Existenz von der Nachfrage nach Arbeit, also von dem Wechsel der guten und schlechten Geschäftszeiten, von den Schwankungen einer zügellosen Konkurrenz abhängt. Das Proletariat oder die Klasse der Proletarier ist, mit einem Worte, die arbeitende Klasse des neunzehnten Jahrhunderts.

3. F[rage]: Es hat also nicht immer Proletarier gegeben?

A[ntwort]: Nein. Arme und arbeitende Klassen hat es immer gegeben[238]; auch waren die arbeitenden Klassen meistens arm. Aber solche Arme, solche Arbeiter, die in den eben angegebenen Umständen lebten, also Proletarier, hat es nicht immer gegeben, ebensowenig wie die Konkurrenz immer frei und zügellos war.

4. F[rage]: Wie ist das Proletariat entstanden?

A[ntwort]: Das Proletariat ist entstanden durch die industrielle Revolution, welche in der letzten Hälfte des vorigen Jahrhunderts in England vor sich ging und welche sich seitdem in allen zivilisierten Ländern der Welt wiederholt hat. Diese industrielle Revolution wurde herbeigeführt durch die Erfindung der Dampfmaschine, der verschiedenen Spinnmaschinen, des mechanischen Webstuhls und einer ganzen Reihe anderer mechanischer Vorrichtungen. Diese Maschinen, welche sehr teuer waren und also nur von großen Kapitalisten angeschafft werden konnten, veränderten die ganze bisherige Weise der Produktion und verdrängten die bisherigen Arbeiter, indem die Maschinen die Waren wohlfeiler und besser lieferten, als die Arbeiter sie mit ihren unvollkommenen Spinnrädern und Webstühlen herstellen konnten. Diese Maschinen lieferten dadurch die Industrie gänzlich in die Hände der großen Kapitalisten und machten das wenige Eigentum der Arbeiter (Werkzeuge, Webstühle usw.) völlig wertlos, so daß die Kapitalisten bald alles in ihre Hände bekamen und die Arbeiter nichts übrigbehielten. Damit war in der Verfertigung von Kleidungsstoffen das Fabriksystem eingeführt. – Als der Anstoß zur Einführung der Maschinerie und des Fabriksystems einmal gegeben war, wurde dies System auch sehr bald auf alle übrigen Industriezweige, namentlich auf die Zeug- und Buchdruckerei, die Töpferei, die Metallwarenindustrie, angewandt. Die Arbeit wurde immer mehr unter die einzelnen Arbeiter geteilt, so daß der Arbeiter, der früher ein ganzes Stück Arbeit gemacht hatte, jetzt nur einen Teil dieses Stücks machte. Diese Teilung der Arbeit machte es möglich, daß die Produkte schneller und daher wohlfeiler geliefert werden konnten. Sie reduzierte die Tätigkeit eines jeden Arbeiters auf einen sehr einfachen, jeden Augenblick wiederholten mechanischen Handgriff, der nicht nur ebensogut, sondern noch viel besser durch eine Maschine gemacht werden konnte. Auf diese Weise gerieten alle diese Industriezweige, einer nach dem andern, unter die Herrschaft der Dampfkraft, der Maschinerie und des Fabriksystems, gerade wie die Spinnerei und Weberei. Damit gerieten sie aber zugleich vollständig in die Hände der großen Kapitalisten, und den Arbeitern wurde auch hier der letzte Rest von Selbständigkeit entzogen. Allmählich gerieten außer der eigentlichen Manufaktur auch die Handwerke mehr und mehr unter die Herrschaft des Fabriksystems, indem auch hier große Kapitalisten durch Anlegung großer Ateliers, bei denen viele Kosten gespart werden und die Arbeit ebenfalls sehr geteilt werden kann, die kleinen Meister mehr und mehr verdrängten. So sind wir jetzt dahin gekommen, daß in den zivilisierten Ländern fast alle Arbeitszweige fabrikmäßig betrieben werden, daß fast in allen Arbeitszweigen das Handwerk und die Manufaktur durch die große Industrie verdrängt worden sind. – Dadurch ist der bisherige Mittelstand, besonders die kleinen Handwerksmeister, mehr und mehr ruiniert, die frühere Lage der Arbeiter gänzlich umgewälzt und zwei neue, allmählich alle übrigen verschlingenden Klassen geschaffen worden, nämlich:

I. Die Klasse der großen Kapitalisten, welche in allen zivilisierten Ländern schon jetzt fast ausschließlich im Besitz aller Lebensmittel und der zur

Erzeugung der Lebensmittel nötigen Rohstoffe und Instrumente (Maschinen, Fabriken) sind. Dies ist die Klasse der Bourgeois oder die Bourgeoisie.

II. Die Klasse der gänzlich Besitzlosen, welche darauf angewiesen sind, den Bourgeois ihre Arbeit zu verkaufen, um dafür die zu ihrem Unterhalt nötigen Lebensmittel zu erhalten. Diese Klasse heißt die Klasse der Proletarier oder das Proletariat.

5. F[rage]: Unter welchen Bedingungen findet dieser Verkauf der Arbeit der Proletarier an die Bourgeois statt?

A[ntwort]: Die Arbeit ist eine Ware wie jede andere, und ihr Preis wird daher genau nach denselben Gesetzen bestimmt werden wie der jeder anderen Ware. Der Preis einer Ware unter der Herrschaft der großen Industrie oder der freien Konkurrenz, was, wie wir sehen werden, auf eins hinauskommt, ist aber im Durchschnitt immer gleich den Produktionskosten dieser Ware. Der Preis der Arbeit ist also ebenfalls gleich den Produktionskosten der Arbeit. Die Produktionskosten der Arbeit bestehen aber in gerade so viel Lebensmitteln, als nötig sind, um den Arbeiter in Stand zu setzen, arbeitsfähig zu bleiben und die Arbeiterklasse nicht aussterben zu lassen. Der Arbeiter wird also für seine Arbeit nicht mehr erhalten, als zu diesem Zwecke nötig ist; der Preis der Arbeit oder der Lohn wird also das Niedrigste, das Minimum sein, was zum Lebensunterhalt nötig ist. Da die Geschäftszeiten aber bald schlechter, bald besser sind, so wird er bald mehr, bald weniger bekommen, gerade wie der Fabrikant bald mehr, bald weniger für seine Ware bekommt. Aber ebenso wie der Fabrikant im Durchschnitt der guten und schlechten Geschäftszeiten doch nicht mehr und nicht weniger für seine Ware erhält als seine Produktionskosten, ebenso wird der Arbeiter im Durchschnitt auch nicht mehr und nicht weniger als eben dies Minimum erhalten. Dies ökonomische Gesetz des Arbeitslohns wird aber um so strenger durchgeführt werden, je mehr die große Industrie sich aller Arbeitszweige bemächtigt.

6. F[rage]: Welche Arbeiterklassen gab es vor der industriellen Revolution?

A[ntwort]: Die arbeitenden Klassen haben je nach den verschiedenen Entwickelungsstufen der Gesellschaft in verschiedenen Verhältnissen gelebt und verschiedene Stellungen zu den besitzenden und herrschenden Klassen gehabt. Im Altertum waren die Arbeitenden die *Sklaven* der Besitzer, wie sie es in vielen zurückgebliebenen Ländern und selbst in dem südlichen Teil der Vereinigten Staaten noch sind. Im Mittelalter waren sie die *Leibeigenen* des grundbesitzenden Adels, wie sie es noch jetzt in Ungarn, Polen und Rußland sind. Im Mittelalter und bis zur industriellen Revolution gab es außerdem in den Städten Handwerksgesellen, die im Dienst kleinbürgerlicher Meister arbeiteten, und allmählich kamen auch mit der Entwickelung der Manufaktur Manufakturarbeiter auf, welche schon von größeren Kapitalisten beschäftigt wurden.

7. F[rage]: Wodurch unterscheidet sich der Proletarier vom Sklaven?

A[ntwort]: Der Sklave ist ein für allemal verkauft; der Proletarier muß sich täglich und stündlich selbst verkaufen. Der einzelne Sklave, Eigentum *eines* Herrn, hat schon durch das Interesse dieses Herrn eine gesicherte Existenz, so elend sie sein mag; der einzelne Proletarier, Eigentum sozusagen der ganzen Bourgeois*klasse*, dem seine Arbeit nur dann abgekauft wird, wenn jemand ihrer bedarf, hat keine gesicherte Existenz. Diese Existenz ist nur der ganzen Proletarier*klasse* gesichert. Der Sklave steht außerhalb der Konkurrenz, der Proletarier steht in ihr und fühlt alle ihre Schwankungen. Der Sklave gilt für eine Sache, nicht für ein Mitglied der bürgerlichen Gesellschaft; der Proletarier ist als Person, als Mitglied der bürgerlichen Gesellschaft anerkannt. Der Sklave kann also eine bessere Existenz haben als der Proletarier, aber der Proletarier gehört einer höheren Entwickelungsstufe der Gesellschaft an und steht selbst auf einer höheren Stufe als der Sklave. Der Sklave befreit sich, indem er von allen Privateigentumsverhältnissen nur das Verhältnis der Sklaverei aufhebt und dadurch selbst erst Proletarier wird; der Proletarier kann sich nur dadurch befreien, daß er das Privateigentum überhaupt aufhebt.

8. F[rage]: Wodurch unterscheidet sich der Proletarier vom Leibeigenen?

A[ntwort]: Der Leibeigene hat den Besitz und die Benutzung eines Produktionsinstrumentes, eines Stückes Boden, gegen Abgabe eines Teils des Ertrages oder gegen Leistung von Arbeit. Der Proletarier arbeitet mit Produktionsinstrumenten eines andern für Rechnung dieses andern, gegen Empfang eines Teils des Ertrages. Der Leibeigene gibt ab, dem Proletarier wird abgegeben. Der Leibeigene hat eine gesicherte Existenz, der Proletarier hat sie nicht. Der Leibeigene steht außerhalb der Konkurrenz, der Proletarier steht in ihr. Der Leibeigene befreit sich, entweder indem er in die Städte entläuft und dort Handwerker wird oder indem er statt Arbeit und Produkten Geld an seinen Gutsherrn gibt und freier Pächter wird, oder indem er seinen Feudalherrn verjagt und selbst Eigentümer wird, kurz, indem er auf eine oder die andere Weise in die besitzende Klasse und in die Konkurrenz eintritt. Der Proletarier befreit sich, indem er die Konkurrenz, das Privateigentum und alle Klassenunterschiede aufhebt.

9. F[rage]: Wodurch unterscheidet sich der Proletarier vom Handwerker?[1]

10. F[rage]: Wodurch unterscheidet sich der Proletarier vom Manufakturarbeiter?

A[ntwort]: Der Manufakturarbeiter des sechzehnten bis achtzehnten Jahrhunderts hatte fast überall noch ein Produktionsinstrument in seinem Besitz, seinen Webstuhl, die Spinnräder für seine Familie, ein kleines Feld, das er in Nebenstunden bebaute. Der Proletarier hat das alles nicht. Der Manufakturarbeiter lebt fast immer auf dem Lande und in mehr oder weniger patriarchalischen Verhältnissen mit seinem Gutsherrn oder Arbeitgeber; der Proletarier lebt meist in großen Städten und steht zu seinem Arbeitgeber in einem reinen Geldverhältnis. Der Manufakturarbeiter wird durch die große Industrie aus seinen patriarchalischen Verhältnissen herausgerissen, verliert den Besitz, den er noch hatte, und wird dadurch selbst erst Proletarier.

11. F[rage]: Was waren die nächsten Folgen der industriellen Revolution und der Scheidung der Gesellschaft in Bourgeois und Proletarier?

A[ntwort]: Erstens wurde durch die infolge der Maschinenarbeit immer wohlfeiler werdenden Preise der Industrieerzeugnisse in allen Ländern der Welt das alte System der Manufaktur oder auf Handarbeit beruhenden Industrie gänzlich zerstört. Alle halbbarbarischen Länder, welche bisher mehr oder weniger der geschichtlichen Entwicklung fremd geblieben waren und deren Industrie bisher auf der Manufaktur beruht hatte, wurden hierdurch mit Gewalt aus ihrer Abschließung herausgerissen. Sie kauften die wohlfeileren Waren der Engländer und ließen ihre eigenen Manufakturarbeiter zugrunde gehen. So sind Länder, welche seit Jahrtausenden keinen Fortschritt gemacht haben, z.B. Indien, durch und durch revolutioniert worden, und selbst China geht jetzt einer Revolution entgegen. Es ist dahin gekommen, daß eine neue Maschine, die heute in England erfunden wird, binnen einem Jahre Millionen von Arbeitern in China außer Brot setzt. Auf diese Weise hat die große Industrie alle Völker der Erde miteinander in Verbindung gesetzt, alle kleinen Lokalmärkte zum Weltmarkt zusammengeworfen, überall die Zivilisation und den Fortschritt vorbereitet und es dahin gebracht, daß alles, was in den zivilisierten Ländern geschieht, auf alle anderen Länder zurückwirken muß. So daß, wenn jetzt in England oder Frankreich die Arbeiter sich befreien, dies in allen anderen Ländern Revolutionen nach sich ziehen muß, welche früher oder später ebenfalls die Befreiung der dortigen Arbeiter herbeiführen.

[1] Für die fehlende Antwort ist im Manuskript von Engels eine halbe Seite freigelassen.

Zweitens hat sie überall, wo die große Industrie an die Stelle der Manufaktur trat, die Bourgeoisie, ihren Reichtum und ihre Macht im höchsten Grade entwickelt und sie zur ersten Klasse im Lande gemacht. Die Folge davon war, daß überall, wo dies geschah, die Bourgeoisie die politische Macht in ihre Hände bekam und die bisher herrschenden Klassen, die Aristokratie, die Zunftbürger und das beide vertretende absolute Königtum, verdrängte. Die Bourgeoisie vernichtete die Macht der Aristokratie, des Adels, indem sie die Majorate oder die Unverkäuflichkeit des Grundbesitzes und alle Adelsvorrechte aufhob. Sie zerstörte die Macht der Zunftbürger, indem sie alle Zünfte und Handwerksprivilegien aufhob. An die Stelle beider setzte sie die freie Konkurrenz, d.h. den Zustand der Gesellschaft, worin jeder das Recht hat, jeden beliebigen Industriezweig zu betreiben, und worin ihn nichts an dem Betriebe eines solchen verhindern kann als der Mangel des dazu nötigen Kapitals. Die Einführung der freien Konkurrenz ist also die öffentliche Erklärung, daß von nun an die Mitglieder der Gesellschaft nur noch insoweit ungleich sind, als ihre Kapitalien ungleich sind, daß das Kapital die entscheidende Macht und damit die Kapitalisten, die Bourgeois, die erste Klasse in der Gesellschaft geworden sind. Die freie Konkurrenz ist aber für den Anfang der großen Industrie notwendig, weil sie der einzige Gesellschaftszustand ist, in dem die große Industrie aufkommen kann. Die Bourgeoisie, nachdem sie so die gesellschaftliche Macht des Adels und der Zunftbürger vernichtet hatte, vernichtete auch ihre politische Macht. Wie sie sich in der Gesellschaft zur ersten Klasse erhoben hatte, proklamierte sie sich auch in politischer Form als erste Klasse. Sie tat dies durch die Einführung des Repräsentativsystems, welches auf der bürgerlichen Gleichheit vor dem Gesetz, der gesetzlichen Anerkennung der freien Konkurrenz beruht und in den europäischen Ländern unter der Form der konstitutionellen Monarchie eingeführt wurde. In diesen konstitutionellen Monarchien sind nur diejenigen Wähler, welche ein gewisses Kapital besitzen, also nur die Bourgeois; diese Bourgeoiswähler wählen die Deputierten, und diese Bourgeoisdeputierten wählen, vermittels des Rechts der Steuerverweigerung, eine Bourgeoisregierung.

Drittens entwickelte sie überall das Proletariat in demselben Maße, wie sie die Bourgeoisie entwickelt. In demselben Verhältnis, wie die Bourgeois reicher wurden, in demselben Verhältnis wurden die Proletarier zahlreicher. Denn da die Proletarier nur durch das Kapital beschäftigt werden können und das Kapital sich nur dann vermehrt, wenn es Arbeit beschäftigt, so hält die Vermehrung des Proletariats genau Schritt mit der Vermehrung des Kapitals. Zu gleicher Zeit zieht sie die Bourgeois so wie die Proletarier in großen Städten zusammen, in denen die Industrie sich am vorteilhaftesten betreiben läßt, und gibt durch diese Zusammenwerfung großer Massen auf *einen* Fleck den Proletariern das Bewußtsein ihrer Stärke. Ferner, je mehr sie sich entwickelt, je mehr neue Maschinen erfunden werden, welche die Handarbeit verdrängen, desto mehr drückt die große Industrie den Lohn, wie schon gesagt, auf sein Minimum herab und macht dadurch die Lage des Proletariats mehr und mehr unerträglich. So bereitet sie einerseits durch die wachsende Unzufriedenheit, andererseits durch die wachsende Macht des Proletariats eine Revolution der Gesellschaft durch das Proletariat vor.

12. F[rage]: Was waren die weiteren Folgen der industriellen Revolution?

A[ntwort]: Die große Industrie schuf in der Dampfmaschine und den übrigen Maschinen die Mittel, die industrielle Produktion in kurzer Zeit und mit wenig Kosten ins unendliche zu vermehren. Die aus dieser großen Industrie notwendig hervorgehende freie Konkurrenz nahm bei dieser Leichtigkeit der Produktion sehr bald einen äußerst heftigen Charakter an; eine Menge Kapitalisten warfen sich auf die Industrie, und in kurzer Zeit wurde mehr produziert, als gebraucht werden konnte. Die Folge davon war, daß die fabrizierten Waren nicht verkauft werden konnten und daß eine sogenannte Handelskrisis eintrat. Die Fabriken mußten stillstehen, die Fabrikanten machten Bankerott, und die Arbeiter kamen außer Brot. Das größte Elend trat überall ein. Nach einiger Zeit waren die überflüssigen Produkte verkauft, die Fabriken fingen wieder an zu arbeiten, der Lohn stieg, und allmählich gingen die Geschäfte wieder besser als je. Aber nicht lange, so waren wieder zuviel Waren produziert, und eine neue Krisis trat ein, die gerade wieder denselben Verlauf nahm wie die vorige. So hat seit dem Anfange dieses Jahrhunderts der Zustand der Industrie fortwährend zwischen Epochen der Prosperität und Epochen der Krise geschwankt, und fast regelmäßig alle fünf bis sieben Jahre[239] ist eine solche Krisis eingetreten, welche jedesmal mit dem größten Elend der Arbeiter, mit allgemeiner revolutionärer Aufregung und mit der größten Gefahr für den ganzen bestehenden Zustand verknüpft war.

13. F[rage]: Was folgt aus diesen sich regelmäßig wiederholenden Handelskrisen?

A[ntwort]: Erstens: Daß die große Industrie, obwohl sie selbst in ihrer ersten Entwicklungsepoche die freie Konkurrenz erzeugt hat, jetzt dennoch der freien Konkurrenz entwachsen ist; daß die Konkurrenz und überhaupt der Betrieb der industriellen Produktion durch einzelne für sie eine Fessel geworden ist, welche sie sprengen muß und wird; daß die große Industrie, solange sie auf dem jetzigen Fuße betrieben wird, sich nur durch eine von sieben zu sieben Jahren sich wiederholende allgemeine Verwirrung erhalten kann, welche jedesmal die ganze Zivilisation bedroht und nicht nur die Proletarier ins Elend stürzt, sondern auch eine große Anzahl von Bourgeois ruiniert; daß also die große Industrie selbst entweder ganz aufgegeben werden muß, was eine absolute Unmöglichkeit ist, oder daß sie eine ganz neue Organisation der Gesellschaft durchaus notwendig macht, in welcher nicht mehr einzelne, einander Konkurrenz machende Fabrikanten, sondern die ganze Gesellschaft nach einem festen Plan und nach den Bedürfnissen aller die industrielle Produktion leitet.

Zweitens: Daß die große Industrie und die durch sie möglich gemachte Ausdehnung der Produktion ins unendliche einen Zustand der Gesellschaft möglich machen, in welchem so viel von allen Lebensbedürfnissen produziert wird, daß jedes Mitglied der Gesellschaft dadurch in den Stand gesetzt wird, alle seine Kräfte und Anlagen in vollständiger Freiheit zu entwickeln und zu betätigen. So daß also gerade diejenige Eigenschaft der großen Industrie, welche in der heutigen Gesellschaft alles Elend und alle Handelskrisen erzeugt, gerade dieselbe ist, welche unter einer anderen gesellschaftlichen Organisation eben dies Elend und diese unglückbereitenden Schwankungen vernichten wird.

So daß also aufs klarste bewiesen ist:

1. daß von jetzt an alle diese Übel nur der für die Verhältnisse nicht mehr passenden Gesellschaftsordnung zuzuschreiben sind und

2. daß die Mittel vorhanden sind, um durch eine neue Gesellschaftsordnung diese Übel gänzlich zu beseitigen.

14. F[rage]: Welcher Art wird diese neue Gesellschaftsordnung sein müssen?

A[ntwort]: Sie wird vor allen Dingen den Betrieb der Industrie und aller Produktionszweige überhaupt aus den Händen der einzelnen, einander Konkurrenz machenden Individuen nehmen und dafür alle diese Produktionszweige durch die ganze Gesellschaft, d.h. für gemeinschaftliche Rechnung, nach gemeinschaftlichem Plan und unter Beteiligung aller Mitglieder der Gesellschaft, betreiben lassen müssen. Sie wird also die Konkurrenz aufheben und die Assoziation an ihre Stelle setzen. Da nun der Betrieb der Industrie durch einzelne das Privateigentum zur notwendigen Folge hatte und die Konkurrenz weiter nichts ist als die Art und Weise des Betriebs der Industrie durch einzelne Privateigentümer, so ist das Privateigentum vom einzelnen Betrieb der Industrie und der Konkurrenz nicht zu trennen. Das Privateigentum wird also ebenfalls abgeschafft werden müssen, und an seine Stelle wird die gemeinsame Benutzung aller Produktionsinstrumente und die Verteilung aller Produkte nach gemeinsamer Übereinkunft oder die sogenannte Gütergemeinschaft treten. Die Abschaffung des Privateigentums ist sogar die kürzeste und bezeichnendste Zusammenfassung der aus der Entwicklung der Industrie notwendig hervorgehenden Umgestaltung der gesamten Gesellschaftsordnung und wird daher mit Recht von den Kommunisten als Hauptforderung hervorgehoben.

15. F[rage]: Die Abschaffung des Privateigentums war also früher nicht möglich?

A[ntwort]: Nein. Jede Veränderung in der gesellschaftlichen Ordnung, jede Umwälzung der Eigentumsverhältnisse ist die notwendige Folge der Erzeugung neuer Produktivkräfte gewesen, welche den alten Eigentumsverhältnissen sich nicht mehr fügen wollten. Das Privateigentum selbst ist so entstanden. Denn das Privateigentum hat nicht immer existiert, sondern, als gegen das Ende des Mittelalters in der Manufaktur eine neue Art der Produktion erschaffen wurde, welche sich dem damaligen feudalen und Zunfteigentum nicht unterordnen ließ, da erzeugte diese, den alten Eigentumsverhältnissen entwachsene Manufaktur eine neue Eigentumsform, das Privateigentum. Für die Manufaktur und für die erste Entwicklungsstufe der großen Industrie war aber keine andere Eigentumsform möglich als das Privateigentum, keine andre Gesellschaftsordnung als die auf dem Privateigentum beruhende. Solange nicht so viel produziert werden kann, daß nicht nur für alle genug vorhanden ist, sondern auch noch ein Überschuß von Produkten zur Vermehrung des gesellschaftlichen Kapitals und zur weiteren Ausbildung der Produktivkräfte bleibt, solange muß es immer eine herrschende, über die Produktivkräfte der Gesellschaft verfügende und eine arme, unterdrückte Klasse geben. Wie diese Klassen beschaffen sein werden, wird von der Entwickelungsstufe der Produktion abhängen. Das vom Landbau abhängige Mittelalter gibt uns den Baron und den Leibeigenen, die Städte des späteren Mittelalters zeigen uns den Zunftmeister und den Gesellen und Taglöhner, das siebzehnte Jahrhundert hat den Manufakturisten und den Manufakturarbeiter, das neunzehnte den großen Fabrikanten und den Proletarier. Es ist klar, daß bisher die Produktivkräfte noch nicht so weit entwickelt waren, daß für alle genug produziert werden konnte, und daß das Privateigentum für diese Produktivkräfte eine Fessel, eine Schranke geworden war. Jetzt aber, wo durch die Entwicklung der großen Industrie *erstens* Kapitalien und Produktivkräfte in einem nie vorher gekannten Maße erzeugt und die Mittel vorhanden sind, diese Produktivkräfte in kurzer Zeit ins unendliche zu vermehren; wo *zweitens* diese Produktivkräfte in den Händen weniger Bourgeois zusammengedrängt sind, während die große Masse des Volks immer mehr zu Proletariern wird, während ihre Lage in demselben Maße elender und unerträglicher wird, in welchem die Reichtümer der Bourgeois sich vermehren; wo *drittens* diese gewaltigen und leicht zu vermehrenden Produktivkräfte so sehr dem Privateigentum und den Bourgeois über den Kopf gewachsen sind, daß sie jeden Augenblick die gewaltsamsten Störungen in der gesellschaftlichen Ordnung hervorrufen, jetzt erst ist die Aufhebung des Privateigentums nicht nur möglich, sondern sogar durchaus notwendig geworden.

16. F[rage]: Wird die Aufhebung des Privateigentums auf friedlichem Wege möglich sein?

A[ntwort]: Es wäre zu wünschen, daß dies geschehen könnte, und die Kommunisten wären gewiß die letzten, die sich dagegen auflehnen würden. Die Kommunisten wissen zu gut, daß alle Verschwörungen nicht nur nutzlos, sondern sogar schädlich sind. Sie wissen zu gut, daß Revolutionen nicht absichtlich und willkürlich gemacht werden, sondern daß sie überall und zu jeder Zeit die notwendige Folge von Umständen waren, welche von dem Willen und der Leitung einzelner Parteien und ganzer Klassen durchaus unabhängig sind. Sie sehen aber auch, daß die Entwicklung des Proletariats in fast allen zivilisierten Ländern gewaltsam unterdrückt und daß hierdurch von den Gegnern der Kommunisten auf eine Revolution mit aller Macht hingearbeitet wird. Wird hierdurch das unterdrückte Proletariat zuletzt in eine Revolution hineingejagt, so werden wir Kommunisten dann ebensogut mit der Tat wie jetzt mit dem Wort die Sache der Proletarier verteidigen.

17. F[rage]: Wird die Abschaffung des Privateigentums mit Einem Schlage möglich sein?

A[ntwort]: Nein, ebensowenig wie sich mit *einem* Schlage die schon bestehenden Produktivkräfte so weit werden vervielfältigen lassen, als zur Herstellung der Gemeinschaft nötig ist. Die aller Wahrscheinlichkeit nach eintretende Revolution des Proletariats wird also nur allmählich die jetzige Gesellschaft umgestalten und erst dann das Privateigentum abschaffen können, wenn die dazu nötige Masse von Produktionsmitteln geschaffen ist.

18. F[rage]: Welchen Entwicklungsgang wird diese Revolution nehmen?

A[ntwort]: Sie wird vor allen Dingen eine *demokratische Staatsverfassung* und damit direkt oder indirekt die politische Herrschaft des Proletariats herstellen. Direkt in England, wo die Proletarier schon die Majorität des Volks ausmachen. Indirekt in Frankreich und Deutschland, wo die Majorität des

Volkes nicht nur aus Proletariern, sondern auch aus kleinen Bauern und Bürgern besteht, welche eben erst im Übergang ins Proletariat begriffen sind und in allen ihren politischen Interessen mehr und mehr vom Proletariat abhängig werden und sich daher bald den Forderungen des Proletariats fügen müssen. Dies wird vielleicht einen zweiten Kampf kosten, der aber nur mit dem Siege des Proletariats endigen kann.

Die Demokratie würde dem Proletariat ganz nutzlos sein, wenn sie nicht sofort als Mittel zur Durchsetzung weiterer, direkt das Privateigentum angreifender und die Existenz des Proletariats sicherstellender Maßregeln benutzt würde. Die hauptsächlichsten dieser Maßregeln, wie sie sich schon jetzt als notwendige Folgen der bestehenden Verhältnisse ergeben, sind folgende:

1. Beschränkung des Privateigentums durch Progressivsteuern, starke Erbschaftssteuern, Abschaffung der Erbschaft der Seitenlinien (Brüder, Neffen etc.), Zwangsanleihen pp.

2. Allmähliche Expropriation der Grundeigentümer, Fabrikanten, Eisenbahnbesitzer und Schiffsreeder, teils durch Konkurrenz der Staatsindustrie, teils direkt gegen Entschädigung in Assignaten.

3. Konfiskation der Güter aller Emigranten und Rebellen gegen die Majorität des Volks.

4. Organisation der Arbeit oder Beschäftigung der Proletarier auf den Nationalgütern, Fabriken und Werkstätten, wodurch die Konkurrenz der Arbeiter unter sich beseitigt und die Fabrikanten, solange sie noch bestehen, genötigt werden, denselben erhöhten Lohn zu zahlen wie der Staat.

5. Gleicher Arbeitszwang für alle Mitglieder der Gesellschaft bis zur vollständigen Aufhebung des Privateigentums. Bildung industrieller Armeen, besonders für die Agrikultur.

6. Zentralisierung des Kreditsystems und Geldhandels in den Händen des Staats durch eine Nationalbank mit Staatskapital und Unterdrückung aller Privatbanken und Bankiers.

7. Vermehrung der Nationalfabriken, Werkstätten, Eisenbahnen und Schiffe, Urbarmachung aller Ländereien und Verbesserung der schon urbar gemachten, in demselben Verhältnis, in welchem sich die der Nation zur Verfügung stehenden Kapitalien und Arbeiter vermehren.

8. Erziehung sämtlicher Kinder, von dem Augenblicke an, wo sie der ersten mütterlichen Pflege entbehren können, in Nationalanstalten und auf Nationalkosten. Erziehung und Fabrikation zusammen.

9. Errichtung großer Paläste auf den Nationalgütern als gemeinschaftliche Wohnungen für Gemeinden von Staatsbürgern, welche sowohl Industrie wie Ackerbau treiben und die Vorteile sowohl des städtischen wie des

Landlebens in sich vereinigen, ohne die Einseitigkeiten und Nachteile beider Lebensweisen zu teilen.

10. Zerstörung aller ungesunden und schlecht gebauten Wohnungen und Stadtviertel.

11. Gleiches Erbrecht für uneheliche wie für eheliche Kinder.

12. Konzentration alles Transportwesens in den Händen der Nation.

Alle diese Maßregeln können natürlich nicht mit einem Male durchgeführt werden. Aber die eine wird immer die andre nach sich ziehen. Ist einmal der erste radikale Angriff gegen das Privateigentum geschehen, so wird das Proletariat sich gezwungen sehen, immer weiter zu gehen, immer mehr alles Kapital, allen Ackerbau, alle Industrie, allen Transport, allen Austausch in den Händen des Staates zu konzentrieren. Dahin arbeiten alle diese Maßregeln; und sie werden genau in demselben Verhältnis ausführbar werden und ihre zentralisierenden Konsequenzen entwickeln, in welchem die Produktivkräfte des Landes durch die Arbeit des Proletariats vervielfältigt werden. Endlich, wenn alles Kapital, alle Produktion und aller Austausch in den Händen der Nation zusammengedrängt sind, ist das Privateigentum von selbst weggefallen, das Geld überflüssig geworden und die Produktion so weit vermehrt und die Menschen so weit verändert, daß auch die letzten Verkehrsformen der alten Gesellschaft fallen können.

19. F[rage]: Wird diese Revolution in einem einzigen Lande allein vor sich gehen können?

A[ntwort]: Nein. Die große Industrie hat schon dadurch, daß sie den Weltmarkt geschaffen hat, alle Völker der Erde, und namentlich die zivilisierten, in eine solche Verbindung miteinander gebracht, daß jedes einzelne Volk davon abhängig ist, was bei einem andern geschieht. Sie hat ferner in allen zivilisierten Ländern die gesellschaftliche Entwicklung so weit gleichgemacht, daß in allen diesen Ländern Bourgeoisie und Proletariat die beiden entscheidenden Klassen der Gesellschaft, der Kampf zwischen beiden der Hauptkampf des Tages geworden. Die kommunistische Revolution wird daher keine bloß nationale, sie wird eine in allen zivilisierten Ländern, d.h. wenigstens in England, Amerika, Frankreich und Deutschland gleichzeitig vor sich gehende Revolution sein. Sie wird sich in jedem dieser Länder rascher oder langsamer entwickeln, je nachdem das eine oder das andre Land eine ausgebildetere Industrie, einen größeren Reichtum, eine bedeutendere Masse von Produktivkräften besitzt. Sie wird daher in Deutschland am langsamsten und schwierigsten, in England am raschesten und leichtesten durchzuführen sein. Sie wird auf die übrigen Länder der Welt ebenfalls eine bedeutende Rückwirkung ausüben und ihre bisherige Entwicklungsweise gänzlich verändern und sehr beschleunigen. Sie ist eine universelle Revolution und wird daher auch ein universelles Terrain haben.[240]

20. F[rage]: Was werden die Folgen der schließlichen Beseitigung des Privateigentums sein?

A[ntwort]: Dadurch, daß die Gesellschaft die Benutzung sämtlicher Produktivkräfte und Verkehrsmittel sowie den Austausch und die Verteilung der Produkte den Händen der Privatkapitalisten entnimmt und nach einem aus den vorhandenen Mitteln und den Bedürfnissen der ganzen Gesellschaft sich ergebenden Plan verwaltet, werden vor allen Dingen alle die schlimmen Folgen beseitigt, welche jetzt noch mit dem Betrieb der großen Industrie verknüpft sind. Die Krisen fallen weg; die ausgedehnte Produktion, welche für die jetzige Ordnung der Gesellschaft eine Überproduktion und eine so mächtige Ursache des Elends ist, wird dann nicht einmal hinreichen und noch viel weiter ausgedehnt werden müssen. Statt Elend herbeizuführen, wird die Überproduktion über die nächsten Bedürfnisse der Gesellschaft hinaus die Befriedigung der Bedürfnisse aller sicherstellen, neue Bedürfnisse und zugleich die Mittel, sie zu befriedigen, erzeugen. Sie wird die Bedingung und Veranlassung neuer Fortschritte sein, sie wird diese Fortschritte zustande bringen, ohne daß dadurch, wie bisher jedesmal, die Gesellschaftsordnung in Verwirrung gebracht werde. Die große Industrie, befreit von dem Druck des Privateigentums, wird sich in einer Ausdehnung entwickeln, gegen die ihre jetzige Ausbildung ebenso kleinlich erscheint wie die Manufaktur gegen die große Industrie unserer Tage. Diese Entwicklung der Industrie wird der Gesellschaft eine hinreichende Masse von Produkten zur Verfügung stellen, um damit die Bedürfnisse aller zu befriedigen. Ebenso wird der Ackerbau, der auch durch den Druck des Privateigentums und der Parzellierung daran verhindert wird, sich die schon gemachten Verbesserungen und wissenschaftlichen Entwicklungen anzueignen, einen ganz neuen Aufschwung nehmen und der Gesellschaft eine vollständig hinreichende Menge von Produkten zur Verfügung stellen. Auf diese Weise wird die Gesellschaft Produkte genug hervorbringen, um die Verteilung so einrichten zu können, daß die Bedürfnisse aller Mitglieder befriedigt werden. Die Trennung der Gesellschaft in verschiedene, einander entgegengesetzte Klassen wird hiermit überflüssig. Sie wird aber nicht nur überflüssig, sie ist sogar unverträglich mit der neuen Gesellschaftsordnung. Die Existenz der Klassen ist hervorgegangen aus der Teilung der Arbeit, und die Teilung der Arbeit in ihrer bisherigen Weise fällt gänzlich weg. Denn um die industrielle und Ackerbauproduktion auf die geschilderte Höhe zu bringen, genügen die mechanischen und chemischen Hilfsmittel nicht allein; die Fähigkeiten der diese Hilfsmittel in Bewegung setzenden Menschen müssen ebenfalls in entsprechendem Maße entwickelt sein. Ebenso wie die Bauern und Manufakturarbeiter des vorigen Jahrhunderts ihre ganze Lebensweise veränderten und selbst ganz andere Menschen wurden, als sie in die große Industrie hineingerissen wurden, ebenso wird der gemeinsame Betrieb der Produktion durch die ganze Gesellschaft und die daraus folgende neue Entwicklung der Produktion ganz andere Menschen bedürfen und auch erzeugen. Der gemeinsame Betrieb der Produktion kann nicht durch Menschen geschehen wie die heutigen, deren jeder einem einzigen Produktionszweig untergeordnet, an ihn gekettet, von ihm ausgebeutet ist, deren jeder nur *eine* seiner Anlagen auf Kosten aller anderen entwickelt hat, nur *einen* Zweig oder nur den Zweig eines Zweiges der Gesamtproduktion kennt. Schon die jetzige Industrie kann solche Menschen immer weniger gebrauchen. Die gemeinsam und planmäßig von der ganzen Gesellschaft betriebene Industrie setzt vollends Menschen voraus, deren Anlagen nach allen Seiten hin entwickelt sind, die imstande sind, das gesamte System der Produktion zu überschauen. Die durch die Maschinen schon jetzt untergrabene Teilung der Arbeit, die den einen zum Bauern, den andern zum Schuster, den dritten zum Fabrikarbeiter, den vierten zum Börsenspekulanten macht, wird also gänzlich verschwinden. Die Erziehung wird die jungen Leute das ganze System der Produktion rasch durchmachen lassen können, sie wird sie in Stand setzen, der Reihe nach von einem zum andern Produktionszweig überzugehen, je nachdem die Bedürfnisse der Gesellschaft oder ihre eigenen Neigungen sie dazu veranlassen. Sie wird ihnen also den einseitigen Charakter nehmen, den die jetzige Teilung der Arbeit jedem einzelnen aufdrückt. Auf diese Weise wird die kommunistisch organisierte Gesellschaft ihren Mitgliedern Gelegenheit geben, ihre allseitig entwickelten Anlagen allseitig zu betätigen. Damit aber verschwinden notwendig auch die verschiedenen Klassen. So daß die kommunistisch organisierte Gesellschaft einerseits mit dem Bestand der Klassen unverträglich ist und andrerseits die Herstellung dieser Gesellschaft selbst die Mittel bietet, diese Klassenunterschiede aufzuheben.

Es geht hieraus hervor, daß der Gegensatz zwischen Stadt und Land ebenfalls verschwinden wird. Der Betrieb des Ackerbaues und der Industrie durch dieselben Menschen, statt durch zwei verschiedene Klassen, ist schon aus ganz materiellen Ursachen eine notwendige Bedingung der kommunistischen Assoziation. Die Zersplitterung der ackerbauenden Bevölkerung auf dem Lande, neben der Zusammendrängung der industriellen in den großen Städten, ist ein Zustand, der nur einer noch unentwickelten Stufe des Ackerbaues und der Industrie entspricht, ein Hindernis aller weiteren Entwickelung, das schon jetzt sehr fühlbar wird.

Die allgemeine Assoziation aller Gesellschaftsmitglieder zur gemeinsamen und planmäßigen Ausbeutung der Produktionskräfte, die Ausdehnung der Produktion in einem Grade, daß sie die Bedürfnisse aller befriedigen wird, das Aufhören des Zustandes, in dem die Bedürfnisse der einen auf Kosten der andern befriedigt werden, die gänzliche Vernichtung der Klassen und ihrer Gegensätze, die allseitige Entwickelung der Fähigkeiten aller Gesellschaftsmitglieder durch die Beseitigung der bisherigen Teilung der Arbeit, durch die industrielle Erziehung, durch den Wechsel der Tätigkeit, durch die Teilnahme aller an den durch alle erzeugten Genüssen, durch die Verschmelzung von Stadt und Land – das sind die Hauptresultate der Abschaffung des Privateigentums.

21. F[rage]: Welchen Einfluß wird die kommunistische Gesellschaftsordnung auf die Familie ausüben?

A[ntwort]: Sie wird das Verhältnis der beiden Geschlechter zu einem reinen Privatverhältnis machen, welches nur die beteiligten Personen angeht und worin sich die Gesellschaft nicht zu mischen hat. Sie kann dies, da sie das Privateigentum beseitigt und die Kinder gemeinschaftlich erzieht und dadurch die beiden Grundlagen der bisherigen Ehe, die Abhängigkeit des Weibes vom Mann und der Kinder von den Eltern vermittelst des Privateigentums, vernichtet. Hierin liegt auch die Antwort auf das Geschrei hochmoralischer Spießbürger gegen kommunistische Weibergemeinschaft. Die Weibergemeinschaft ist ein Verhältnis, was ganz der bürgerlichen Gesellschaft angehört und heutzutage in der Prostitution vollständig besteht. Die Prostitution beruht aber auf dem Privateigentum und fällt mit ihm. Die kommunistische Organisation also, statt die Weibergemeinschaft einzuführen, hebt sie vielmehr auf.

22. F[rage]: Wie wird die kommunistische Organisation sich zu den bestehenden Nationalitäten verhalten?

– bleibt[241]

23. F[rage]: Wie wird sie sich zu den bestehenden Religionen verhalten?

– bleibt

24. F[rage]: Wie unterscheiden sich die Kommunisten von den Sozialisten?

A[ntwort]: Die sogenannten Sozialisten teilen sich in drei Klassen.

Die erste Klasse besteht aus Anhängern der feudalen und patriarchalischen

Gesellschaft, welche durch die große Industrie, den Welthandel und die durch beide geschaffene Bourgeoisgesellschaft vernichtet worden ist und noch täglich vernichtet wird. Diese Klasse zieht aus den Übeln der jetzigen Gesellschaft den Schluß, daß die feudale und patriarchalische Gesellschaft wiederhergestellt werden müsse, weil sie von diesen Übeln frei war. Alle ihre Vorschläge gehen auf graden oder krummen Wegen diesem Ziele zu. Diese Klasse *reaktionärer* Sozialisten wird trotz ihrer angeblichen Teilnahme und heißen Tränen für das Elend des Proletariats dennoch stets von den Kommunisten energisch angegriffen werden, denn

1. erstrebt sie etwas rein Unmögliches;

2. sucht sie die Herrschaft der Aristokratie, der Zunftmeister und Manufakturisten mit ihrem Gefolge von absoluten oder feudalen Königen, Beamten, Soldaten und Pfaffen herzustellen, eine Gesellschaft, die zwar von den Übelständen der jetzigen Gesellschaft frei war, dafür aber wenigstens ebensoviel andere Übel mit sich führte und nicht einmal die Aussicht auf die Befreiung der unterdrückten Arbeiter durch eine kommunistische Organisation darbot;

3. kehrt sie ihre wirklichen Absichten jedesmal heraus, wenn das Proletariat revolutionär und kommunistisch wird, wo sie sich dann sogleich mit der Bourgeoisie gegen die Proletarier verbündet.

Die zweite Klasse besteht aus Anhängern der jetzigen Gesellschaft, welchen die aus dieser notwendig hervorgehenden Übel Befürchtungen für den Bestand dieser Gesellschaft erweckt haben. Sie streben also danach, die jetzige Gesellschaft beizubehalten, aber die mit ihr verbundenen Übel zu beseitigen. Zu diesem Zweck schlagen die einen bloße Wohltätigkeitsmaßregeln vor, die anderen großartige Reformsysteme, welche unter dem Vorwand, die Gesellschaft zu reorganisieren, die Grundlagen der jetzigen Gesellschaft und damit die jetzige Gesellschaft beibehalten wollen. Diese *Bourgeoissozialisten* werden ebenfalls von den Kommunisten fortwährend bekämpft werden müssen, denn sie arbeiten für die Feinde der Kommunisten und verteidigen die Gesellschaft, welche die Kommunisten gerade stürzen wollen.

Die dritte Klasse endlich besteht aus demokratischen Sozialisten, welche auf demselben Wege wie die Kommunisten einen Teil der in Frage [18] angegebenen Maßregeln wollen, aber nicht als Übergangsmittel zum Kommunismus, sondern als Maßregeln, welche hinreichend sind, um das Elend aufzuheben und die Übel der jetzigen Gesellschaft verschwinden zu machen. Diese *demokratischen Sozialisten* sind entweder Proletarier, die über die Bedingungen der Befreiung ihrer Klasse noch nicht hinreichend aufgeklärt sind, oder sie sind Repräsentanten der Kleinbürger, einer Klasse, welche bis zur Erringung der Demokratie und der aus ihr hervorgehenden sozialistischen Maßregeln in vieler Beziehung dasselbe Interesse haben wie die Proletarier. Die Kommunisten werden deshalb in den Momenten der Handlung sich mit diesen demokratischen Sozialisten zu verständigen und überhaupt mit ihnen für den Augenblick möglichst gemeinsame Politik zu befolgen haben, sofern diese Sozialisten nicht in den Dienst der herrschenden Bourgeoisie treten und die Kommunisten angreifen. Daß diese gemeinsame Handlungsweise die Diskussion der Differenzen mit ihnen nicht ausschließt, ist klar.

25. F[rage]: Wie verhalten sich die Kommunisten zu den übrigen politischen Parteien unsrer Zeit?

A[ntwort]: Dies Verhältnis ist verschieden in den verschiedenen Ländern. – In England, Frankreich und Belgien, wo die Bourgeoisie herrscht, haben die Kommunisten vorderhand noch ein gemeinsames Interesse mit den verschiedenen demokratischen Parteien, und zwar ein um so größeres, je mehr die Demokraten sich in den jetzt überall von ihnen vertretenen sozialistischen Maßregeln dem Ziele der Kommunisten nähern, d.h., je deutlicher und bestimmter sie die Interessen des Proletariats vertreten und je mehr sie sich auf das Proletariat stützen. In *England* z.B. stehen die aus Arbeitern bestehenden Chartisten den Kommunisten unendlich näher als die demokratischen Kleinbürger oder sogenannten Radikalen.

In *Amerika*, wo die demokratische Verfassung eingeführt ist, werden die Kommunisten sich mit der Partei halten müssen, welche diese Verfassung gegen die Bourgeoisie wenden und im Interesse des Proletariats benutzen will, d.h. mit den agrarischen Nationalreformers.

In der *Schweiz* sind die Radikalen, obwohl selbst eine noch sehr gemischte Partei, dennoch die einzigen, mit welchen die Kommunisten sich einlassen können, und unter diesen Radikalen sind wieder die waadtländischen und Genfer die am weitesten fortgeschrittenen.

In *Deutschland* endlich steht der entscheidende Kampf zwischen der Bourgeoisie und der absoluten Monarchie erst bevor. Da aber die Kommunisten nicht eher auf den entscheidenden Kampf zwischen ihnen selbst und der Bourgeoisie rechnen können, als bis die Bourgeoisie herrscht, so ist es das Interesse der Kommunisten, die Bourgeois sobald als möglich an die Herrschaft bringen zu helfen, um sie sobald wie möglich wieder zu stürzen. Die Kommunisten müssen also, gegenüber den Regierungen, stets für die liberalen Bourgeois Partei ergreifen und sich nur davor hüten, die Selbsttäuschungen der Bourgeois zu teilen oder ihren verführerischen Versicherungen von den heilsamen Folgen des Siegs der Bourgeoisie für das Proletariat Glauben zu schenken. Die einzigen Vorteile, welche der Sieg der Bourgeoisie den Kommunisten bieten wird, werden bestehen: 1. in verschiedenen Konzessionen, welche den Kommunisten die Verteidigung, Diskussion und Verbreitung ihrer Grundsätze und damit die Vereinigung des Proletariats zu einer eng verbündeten, kampfbereiten und organisierten Klasse erleichtern; und 2. in der Gewißheit, daß von dem Tage, wo die absoluten Regierungen fallen, der Kampf zwischen Bourgeois und Proletariern an die Reihe kommt. Von diesem Tage an wird die Parteipolitik der Kommunisten dieselbe sein wie in den Ländern, wo die Bourgeoisie jetzt schon herrscht.

Geschrieben Ende Oktober bis November 1847.
Nach der Handschrift.

[Friedrich Engels]

[Das Agrarprogramm der Chartisten[242]]

[„La Réforme" vom 1. November 1847]

Vor ungefähr zwei Jahren gründeten die chartistischen Arbeiter eine Genossenschaft, die Grundstücke kaufen soll, um sie dann als kleine Pachtwesen unter die Mitglieder zu verteilen. Man hofft, so die überhandnehmende Konkurrenz der Fabrikarbeiter untereinander zu vermindern, indem man einen Teil dieser Arbeiter vom Arbeitsmarkt abzieht, um aus ihnen eine ganz neue, ihrem Wesen nach demokratische Klasse von Kleinbauern zu bilden. Dieses Projekt, dessen Urheber kein anderer als Feargus O'Connor selber ist, hat einen solchen Anklang gefunden, daß die *Bodengesellschaft der Chartisten* bereits zwei- bis dreihunderttausend Mitglieder zählt, über einen gesellschaftlichen Fonds von 60 000 Pfund Sterling (einundeinhalb Millionen Francs) verfügt und ihre im *„Northern Star"* bekanntgegebenen Einnahmen wöchentlich 2500 Pfund Sterling überschreiten. Schließlich hat die Gesellschaft, über die ich Ihnen späterhin einen genaueren Bericht geben will, solche Dimensionen angenommen, daß sie bereits anfängt, die Landaristokratie zu beunruhigen. Ganz offensichtlich, wenn diese Bewegung sich weiter so stark ausbreitet wie bisher, wird sie sich schließlich in eine nationale Agitation für das Besitzergreifen von Grund und Boden durch das Volk verwandeln. Auch die Bourgeoisie findet an dieser Gesellschaft keinen Geschmack; sie sieht in ihr einen Hebel in den Händen des Volkes, der es ihm ermöglichen wird, sich zu emanzipieren, ohne die Hilfe des Mittelstandes in Anspruch nehmen zu müssen. Gerade das mehr oder minder liberale Kleinbürgertum blickt mit scheelen Augen auf die Bodengesellschaft, weil es merkt, daß die Chartisten bereits viel unabhängiger von seiner Unterstützung sind als vor der Gründung der Genossenschaft. Die gleichen Radikalen, die sich nicht zu erklären vermögen, warum ihnen das Volk so viel Gleichgültigkeit – nämlich als unvermeidliche Folge ihrer eigenen Lauheit – bezeugt, greifen überdies unablässig und unentwegt O'Connor als das einzige Hindernis an, das einer Vereinigung der chartistischen und der radikalen Parteien im Wege stehe. Daß die Bildung der Bodengesellschaft das Werk O'Connors war, genügte also, um ihr den ganzen Haß der mehr oder minder radikalen Bourgeois zuzuziehen. Zuerst nahmen sie keine Notiz von ihr; nachdem dann die Verschwörung des Totschweigens nicht länger tragbar geworden, suchten sie verbissen zu beweisen, die Gesellschaft sei so organisiert, daß sie unfehlbar im skandalösesten Bankrott enden müsse; und als auch dieses Mittel nicht half und die Gesellschaft weiter gedieh, griffen sie schließlich wieder auf die Taktik zurück, die sie seit zehn Jahren ohne Unterlaß und stets ohne den geringsten Erfolg, gegen O'Connor angewandt hatten: Sie legten es darauf an, seinen Charakter zu verdächtigen, seine Uneigennützigkeit in Zweifel zu ziehen, ihm das Recht streitig zu machen, auf das er Anspruch erhob, sich den unbestechlichen und unbezahlten Sachwalter der Arbeiter zu nennen. Als daher O'Connor vor einiger Zeit seinen jährlichen Geschäftsbericht veröffentlichte, machten sich die sechs mehr oder weniger radikalen Zeitungen – *„Weekly Dispatch"*, *„Globe"*, *„Nonconformist"*, *„Manchester Examiner"*, *„Lloyd's Weekly Newspaper"* und *„Nottingham Mercury"* –, offenbar nach gegenseitiger Absprache, daran, ihn zu bekämpfen. Sie beschuldigten O'Connor der unverschämtesten Diebereien und Unterschlagungen, die sie durch die Zahlen des Geschäftsberichts selbst zu beweisen oder wahrscheinlich zu machen suchten. Aber damit bei weitem noch nicht zufrieden, durchwühlten sie das Leben des berühmten Agitators: ein Berg von Anschuldigungen, eine immer schwerwiegender als die andere, türmte sich über ihm auf, und seine Gegner mochten wohl annehmen, er werde von dem Berg erdrückt werden. Aber O'Connor, der seit zehn Jahren unablässig gegen die sogenannte radikale Presse gekämpft hat, wankte nicht unter dem Gewicht dieser Verleumdungen. Er veröffentlichte im *„Northern Star"* vom 23. dieses Monats eine Antwort an die sechs Zeitungen. Diese Antwort, ein Meisterwerk der Polemik, das an die besten Streitschriften von *William Cobbett* erinnert, widerlegt Anklage für Anklage, geht dann zur Offensive über und richtet äußerst gefährliche Angriffe voll stolzer Verachtung gegen die sechs Redakteure. Diese Antwort hat auch genügt, um O'Connor in den Augen des Volkes zu rechtfertigen. Der *„Northern Star"* vom 30. dieses Monats veröffentlicht die Abstimmungen, die in mehr als fünfzig Ortschaften auf öffentlichen Versammlungen der Chartisten das uneingeschränkte Vertrauen zu O'Connor bestätigen. Aber O'Connor wollte seinen Gegnern Gelegenheit geben, ihn vor versammeltem Volk anzugreifen. Er forderte sie heraus, ihre Beschuldigungen in Manchester und in Nottingham in öffentlicher Versammlung aufrechtzuerhalten. Keiner von ihnen ließ sich sehen. In

Manchester sprach O'Connor vier Stunden lang vor mehr als zehntausend Menschen, die ihn mit donnerndem Applaus überschütteten und ihm einstimmig das Vertrauen bestätigten, das sie in ihn setzen. Die Menge war so gewaltig, daß man außerhalb des großen Meetings, auf dem sich O'Connor persönlich verteidigte, eine weitere Versammlung unter freiem Himmel abhalten mußte, auf der mehrere Redner zu den zehn- bis fünfzehntausend Menschen sprachen, die keinen Einlaß mehr in den Saal gefunden hatten. Am Schluß der Meetings erklärte O'Connor, er sei bereit, stehenden Fußes die Subskriptionen und Beiträge der Mitglieder der Bodengesellschaft entgegenzunehmen. Die noch am gleichen Abend über ihn persönlich eingezahlte Summe belief sich auf über 1000 Pfund Sterling (25000 Francs).

In Nottingham berief O'Connor am nächsten Tage eine der größten Versammlungen ein, die je dort stattgefunden hatten; seine Rede erregte die gleiche Begeisterung der Volksmassen.

Zum hundertsten Male zumindest triumphierte O'Connor in so glänzender Weise über die Verleumdungen der Bourgeoispresse. Unerschütterlich inmitten all dieser Angriffe verfolgt der unermüdliche Patriot sein Werk, und das einmütige Vertrauen des englischen Volkes ist der beste Beweis für seinen Mut, seine Tatkraft und seine Unbestechlichkeit.

Geschrieben am 30. Oktober 1847.
Aus dem Französischen.

[Friedrich Engels]

[Das Bankett der Chartisten zur Feier der Wahlen von 1847[243]]

[„La Réforme" vom 6. November 1847]

Vorgestern hatte ich mich in einem Brief bemüht, die Chartisten und ihren Führer Feargus O'Connor gegen die Angriffe der Zeitungen der radikalen Bourgeoisie zu verteidigen. Ich kann Ihnen heute, zu meiner großen Genugtuung, eine Begebenheit mitteilen, die bestätigt, was ich über den Geist der beiden Parteien behauptet habe. Sie werden dann selbst urteilen, wem die demokratische Bewegung Frankreichs ihre Sympathien bewahren soll, den Chartisten, also aufrichtigen Demokraten ohne Hinterhalt, oder den radikalen Bourgeois, die so sorgsam Worte wie *Volkscharte oder allgemeines Wahlrecht* vermeiden und sich darauf beschränken, ihren Glauben an das *volle Wahlrecht*[244] zu proklamieren!

Vergangenen Monat fand in London ein Bankett statt, um den Triumph der demokratischen Überzeugungen bei den letzten Wahlen zu feiern. Achtzehn radikale Abgeordnete waren geladen, aber da die Initiative zu diesem Bankett von den Chartisten ausgegangen war, blieben alle diese Herren fern – mit Ausnahme von O'Connor. Man sieht also, die Radikalen legen ein Verhalten an den Tag, das sehr wohl darauf schließen läßt, wie treu sie ihren jüngsten Wahlversprechen bleiben werden.

Man kam ohne sie aus – um so mehr, als sie uns einen so ehrenwerten Vertreter zugeteilt hatten, den Dr. Epps, schüchtern, Kleinkramreformator; ein Geist, versöhnlich gegenüber jedermann, nur nicht gegenüber aktiven und energischen Verfechtern unserer Ansichten; ein bürgerlicher Philanthrop, der, wie er sagt, darauf brennt, das Volk zu befreien, der aber nicht möchte, daß sich das Volk ohne ihn befreie, ein würdiger Anhänger also des bürgerlichen Radikalismus.

Dr. Epps brachte als erster einen Toast auf die *Souveränität des Volkes* aus, der aber trotz einiger etwas lebhafterer Passagen im allgemeinen so lau war, daß die Versammlung mehrmals anfing, unruhig zu werden.

„Ich glaube nicht", sagte er, „daß sich die Souveränität des Volkes durch eine Revolution erreichen läßt. Die Franzosen haben drei Tage lang gekämpft; ihre nationale Souveränität ließ man vor ihren Augen geschickt verschwinden. Ich glaube auch nicht, daß sie sich durch große Reden erreichen läßt. Die am wenigsten reden, schaffen am meisten. Ich liebe jene Männer nicht, die viel Lärm machen; und es sind nicht die großen Worte, die zu großen Maßnahmen führen."

Diese indirekten Ausfälle gegen die Chartisten wurden mit zahlreichen Zeichen des Mißfallens aufgenommen. Das konnte auch gar nicht anders sein, besonders als Dr. Epps noch hinzufügte:

„Man hat die Bourgeoisie bei den Arbeitern verleumdet; als ob nicht gerade die Bourgeoisie die Klasse wäre, die allein den Arbeitern politische Rechte verschaffen kann! (‚Nein! nein!') Nein? sind es nicht die Bourgeois, die wählen? Und sind nicht die Wähler die einzigen, die das Wahlrecht jenen geben können, die es nicht haben? Ist etwa einer unter Euch, der nicht ein Bourgeois werden möchte, wenn er es könnte? Ja, wenn die Arbeiter von den Kneipen und vom Tabak ließen, dann hätten sie Geld übrig, um ihre politische Agitation zu unterstützen, und sie hätten so eine Kraftquelle, die zu ihrer Emanzipation beitragen würde, usw. usw."

So sehen die Reden der Leute aus, die O'Connor und die Chartisten ablehnen!

Die Redner nach Herrn Epps wiesen unter zahlreichen Beifallskundgebungen der Versammelten die seltsamen Theorien des radikalen Doktors mit machtvoller Energie zurück.

Herr MacGrath, Mitglied des Exekutivkomitees der Chartistenvereinigung[245], erinnerte daran, daß das Volk kein Vertrauen in die Bourgeoisie setzen dürfe und daß es seine Rechte selbst erobern müsse: es entspricht nicht der Würde des Volkes, zu betteln um das, was ihm gehört.

Herr Jones erinnerte die Versammelten daran, daß die Bourgeoisie das Volk immer vergessen hat; und jetzt, sagte er, wo die Bourgeoisie merkt, daß die demokratische Bewegung Fortschritte macht, jetzt will sie sich zuerst der Demokraten bedienen, um die Landaristokratie zu stürzen, um dann die Demokraten zu vernichten, sowie sie ihr Ziel erreicht hat.

Herr O'Connor antwortete Herrn Epps noch deutlicher und fragte ihn, wer denn das Land durch die Last einer enormen Verschuldung erdrückt habe, wenn nicht die Bourgeoisie? Wer, wenn nicht die Bourgeoisie, habe die Arbeiter ihrer politischen und sozialen Rechte beraubt? Wer, wenn nicht die siebzehn ehrenwerten Bürger, denen die Demokraten unseligerweise ihre Stimme gegeben, haben es am heutigen Abend abgelehnt, der Einladung des Volkes zu entsprechen? Nein, nein, das Kapital repräsentiert niemals die

Arbeit! Eher wird Friede werden zwischen Tiger und Schaf, ehe Kapitalisten und Arbeiter in ihren Interessen und Gefühlen eins werden!

Der Redakteur des *„Northern Star"*, Herr Harney, brachte den letzten Toast aus: *„Auf unsere Brüder, die Demokraten aller Länder! Auf den Erfolg ihrer Bemühungen um Freiheit und Gleichheit!"* Die Könige, die Aristokraten, die Priester, die Kapitalisten aller Länder, sagte er, sind untereinander verbündet. Mögen die Demokraten aller Länder der Erde ihrem Exempel folgen! Überall rückt die demokratische Bewegung mit Riesenschritten vor. In Frankreich fordert ein Bankett nach dem anderen die Wahlreform, und die Bewegung nimmt derartige Ausmaße an, daß sie zu einem glücklichen Ergebnis führen muß. Hoffen wir, daß diesmal die Massen die Nutznießer der Agitation sind, und daß die Reform, die die Franzosen erzwingen werden, mehr taugt als jene, die wir im Jahre 1831 erhielten.[246]

Es gibt keine wahre Reform, solange die Souveränität nicht voll und ganz der Nation gehört; es gibt keine nationale Souveränität, solange die Prinzipien der Verfassung von 1793 nicht Wirklichkeit geworden sind.

Herr Harney gab anschließend eine Übersicht über die Fortschritte der demokratischen Bewegung in Deutschland, in Italien, in der Schweiz, und zum Schluß lehnte auch er auf das allerenergischste die seltsamen Theorien des Herrn Epps über die Rechte der Bourgeoisie ab.

Geschrieben am 1. November 1847

Aus dem Französischen.

[Friedrich Engels]

Das Manifest des Herrn de Lamartine

[„The Northern Star" Nr. 525
vom 13. November 1847]

Dieses merkwürdige Elaborat wurde kürzlich von Ihnen veröffentlicht.[247] Es besteht aus zwei streng gesonderten Teilen, den *politischen* Maßnahmen und den *sozialen* Maßnahmen. Nun sind aber sämtliche politischen Maßnahmen, fast ohne jede Änderung, der Verfassung von 1791 entnommen; das bedeutet, sie sind die Rückkehr zu den Forderungen der Bourgeoisie zu Beginn der Revolution. In jener Zeit war die gesamte Bourgeoisie, sogar einschließlich der kleineren Kaufleute, mit politischer Macht ausgerüstet, während gegenwärtig nur die großen Kapitalisten daran teilhaben. Was ist also der Sinn der von Herrn de Lamartine vorgeschlagenen politischen Maßnahmen? Die Regierungsgewalt in die Hände der unteren Schichten der Bourgeoisie zu legen, aber unter dem Anschein, sie dem ganzen Volke zu geben (dies und nichts anderes ist der Sinn seines allgemeinen Stimmrechts mit seinem Doppelwahlsystem). Und seine *sozialen* Maßnahmen? Nun, es sind entweder solche, die voraussetzen, daß eine erfolgreiche Revolution bereits dem Volk die politische Macht gebracht hat – wie zum Beispiel unentgeltlicher Schulunterricht für alle; oder es sind reine Wohltätigkeitsmaßnahmen, das heißt Maßnahmen, um die revolutionäre Kraft der Proletarier niederzuhalten, oder bloße hochtönende Worte ohne jede praktische Bedeutung, wie etwa die Ausmerzung des Bettlertums durch eine Kabinettsorder, die gesetzliche Beseitigung des öffentlichen Elends, ein Ministerium für das Volkswohl etc. Sie sind deshalb entweder vollkommen nutzlos für das Volk, oder dazu bestimmt, ihm nur so viel Vorteile zu gewähren, wie für die Sicherung einer gewissen öffentlichen Ruhe erforderlich ist; oder es sind bloße leere Versprechungen, die kein Mensch halten kann – und in den beiden letzten Fällen sind sie schlimmer als nutzlos. Kurzum, Herr de Lamartine erweist sich, vom sozialen wie vom politischen Standpunkt aus, als getreuer Vertreter des kleinen Kaufmanns, der unteren Schichten der Bourgeoisie, und er teilt auch die dieser Klasse eigene Illusion: daß er die arbeitenden Menschen vertritt. Schließlich ist er auch einfältig genug, sich mit der Forderung um Unterstützung seiner Maßnahmen an die Regierung zu wenden. Nun, die gegenwärtige Regierung der großen Kapitalisten wird alles tun, nur das nicht. Deshalb ist die „*Réforme*" durchaus im Recht, wenn sie, obgleich mit großem Wohlwollen und in Anerkennung seiner guten Absichten, die praktische Durchführbarkeit sowohl der Maßnahmen als auch seine Art und Weise, diese durchzusetzen, angreift.

„Sicherlich", sagt die „*Réforme*", „sind dies prächtige Worte, die ein großes Herz und einen Geist offenbaren, der mit der Sache des Rechts sympathisiert. Ein brüderlich mitfühlendes Herz pocht unüberhörbar hinter seinen großen Worten, und unsere Dichter und Philosophen werden von ihnen so begeistert sein, wie einst das Perikleische Griechenland von der Ideenlehre Platos begeistert war. Aber wir haben es jetzt nicht mit Perikles zu tun, wir leben unter der Herrschaft der Herren Rothschild, Fulchiron und Duchâtel, das heißt, unter der dreifachen Verkörperung von Geld, sinnloser Furcht und Polizei; uns regieren Profite, Privilegien und Gendarmerie. Glaubt Herr de Lamartine wirklich, daß der Bund der fest verankerten Interessen, der Sonderbund[1] von Talern, Stellung und Monopol, abtreten und die Waffen niederlegen wird, nur auf seinen Appell an die nationale Souveränität und die soziale Brüderlichkeit hin? Ob zum Guten oder Bösen, alle Dinge in dieser Welt sind miteinander verbunden – eins bedingt das andere, nichts ist isoliert – und das ist der Grund, warum das höchst großherzige Programm des Deputierten von Mâcon[2] dahingehen wird wie die duftenden Zephyre des Sommers, dahinsterben wird wie leere Trompetentöne, solange es das Muttermal aller Monopole trägt – die feudale Verletzung von Recht und Gleichheit. Der Bund der privilegierten Klassen ist gerade in diesem Augenblick besonders eng vereinigt, da das Regierungssystem die Beute krampfhafter Furcht ist.

Was die Institutionen betrifft, die er vorschlägt, so werden sie von den offiziellen Kreisen des Landes und ihren Führern die Bonbons der Philosophie genannt; die Herren Duchâtel und Guizot werden sich über sie lustig machen, und wenn der Deputierte aus Mâcon sich nicht anderswo nach Waffen und Soldaten umsieht, um seine Ideen zu verteidigen, dann wird er sein ganzes Leben damit verbringen, schöne Worte zu machen, ohne daß ein Fortschritt zu verzeichnen wäre. Und wenn er sich statt an die Regierung an die Masse wendet, so sagen wir ihm, daß er einen falschen Weg geht, daß er für sein Stufenwahlsystem, seine Armensteuer und seine philanthropische Wohlfahrt weder die Revolution noch denkende Menschen, noch das Volk gewinnen kann. Tatsächlich wurden die Prinzipien der sozialen und politischen Wiedergeburt schon vor fünfzig Jahren entdeckt. Allgemeines Stimmrecht, direkte Wahl, Besoldung der Abgeordneten – das sind die wesentlichen Bedingungen der politischen Souveränität.

[1] Sonderbund: in „The Northern Star" deutsch (Anspielung auf den reaktionären Schweizer Sonderbund – [2] Lamartine

Gleichheit, Freiheit, Brüderlichkeit – das sind die Prinzipien, die alle gesellschaftlichen Einrichtungen beherrschen sollten. Nun ist die Armensteuer alles andere als eine auf der Brüderlichkeit begründete Einrichtung; sie ist hingegen eine unverschämte und sehr haltlose Verleugnung der Gleichheit. Was wir brauchen, ist keine zweckbestimmte Notlösung der englischen Bourgeoisie, sondern ein von Grund auf neues sozial-ökonomisches System, um das Recht zu verwirklichen und um die Bedürfnisse aller zu befriedigen."

Einige Tage danach erschien das zweite Manifest des Herrn de Lamartine über die Außenpolitik Frankreichs. Darin behauptet er, daß das nach 1830 von der französischen Regierung verfolgte Friedenssystem die einzig angemessene Handlungsweise war. Mit hochtrabenden Phrasen deckt er die schändliche Art und Weise, in der die französische Regierung zuerst Italien und andere Länder zur Rebellion aufstachelte und sie nachher ihrem Schicksal überließ. Hier die kräftige Antwort der *„Réforme"* auf sein saft- und kraftloses Manifest:

„Herr de Lamartine opfert das gesetzliche und einzige Mittel unserer Befreiung – den heiligen Krieg der Prinzipien – einer Friedenstheorie, die eine bloße Schwäche, eine Lüge und sogar Hochverrat ist, solange die Beziehungen von Volk zu Volk auf der Politik der Diplomaten und der Selbstsucht der Regierungen beruhen. Zweifellos ist der Friede die letzte Notwendigkeit der Zivilisation, aber was bedeutet denn Frieden mit Nikolaus von Rußland? Dem Würger ganzer Nationen, dem Henker, der Kinder an den Galgen nagelt, der einen tödlichen Krieg selbst gegen Hoffnung und Erinnerung führt, der ein großes, ein herrliches Land in Blut und Tränen ertränkt! Um der Menschheit, um der Zivilisation und um Frankreichs selbst willen, bedeutet Frieden mit diesem wahnsinnigen Jack Ketch[1] Feigheit; um der Gerechtigkeit, des Rechts und der Revolution willen bedeutet es ein Verbrechen! Was ist denn Frieden mit Metternich, der ganze Scharen von Meuchelmördern dingt, der, zugunsten gekrönter Epileptiker, ganze Nationen ihrer Freiheit beraubt? Was bedeutet denn Frieden mit all diesen kleinen Cäsaren Europas, den heruntergekommenen Wüstlingen, den scheinheiligen Schurken, die heute für die Jesuiten und morgen für eine Kurtisane regieren? Was bedeutet denn Frieden mit der aristokratischen, geldscheffelnden englischen Regierung, die die Meere tyrannisiert, die die Freiheit in Portugal erstickt, die selbst aus den Lumpen ihres Volkes Geld preßt? Frieden mit diesen Juden, diesen Giftkrämern, wir wiederholen es, ist für ein Land, das sich in der Revolution befindet, Feigheit, Schande, Verbrechen, moralische Fahnenflucht und totaler Bankrott nicht allein der Sache, sondern auch des Rechts und der Ehre."

Die anderen Pariser Zeitungen haben in gleicher Weise ihre Mißbilligung des Programms des Herrn de Lamartine in verschiedenen Punkten

[1] englischer Henker aus der Zeit Jakobs II.

geäußert. Er fährt indessen fort, seine Prinzipien in seiner Zeitung, dem „*Bien Public*“ [248] von Mâcon, zu erläutern. Wir werden in wenigen Monaten in der Lage sein, über die Wirkung zu urteilen, die sein *neuer Schritt* auf die Deputiertenkammer haben wird.

Geschrieben Anfang November 1847.
Aus dem Englischen.

Friedrich Engels

Der Schweizer Bürgerkrieg[249]

[„Deutsche-Brüsseler-Zeitung"
Nr. 91 vom 14. November 1847]

Endlich also wird dem unaufhörlichen Großprahlen von der „Wiege der Freiheit", von den „Enkeln Tells und Winkelrieds", von den tapferen Siegern von Sempach und Murten[250] ein Ende gemacht werden! Endlich also hat es sich herausgestellt, daß die Wiege der Freiheit nichts anders ist als das Zentrum der Barbarei und die Pflanzschule der Jesuiten, daß die Enkel Tells und Winkelrieds durch keine andern Gründe zur Raison zu bringen sind als durch Kanonenkugeln, daß die Tapferkeit von Sempach und Murten nichts anders war als die Verzweiflung brutaler und bigotter Bergstämme, die sich störrisch gegen die Zivilisation und den Fortschritt stemmen!

Es ist ein wahres Glück, daß die europäische Demokratie endlich diesen urschweizerischen, sittenreinen und reaktionären Ballast los wird. Solange die Demokraten sich noch auf die Tugend, das Glück und die patriarchalische Einfalt dieser Alpenhirten beriefen, solange hatten sie selbst noch einen reaktionären Schein. Jetzt, wo sie den Kampf der zivilisierten, industriellen, modern-demokratischen Schweiz gegen die rohe, christlich-germanische Demokratie der viehzuchttreibenden Urkantone unterstützen, jetzt vertreten sie überall den Fortschritt, jetzt hört auch der letzte reaktionäre Schimmer auf, jetzt zeigen sie, daß sie die Bedeutung der Demokratie im 19. Jahrhundert verstehen lernen.

Es gibt zwei Gegenden in Europa, in denen sich die alte christlich-germanische Barbarei in ihrer ursprünglichsten Gestalt, beinahe bis aufs Eichelfressen, erhalten hat, Norwegen und die Hochalpen, namentlich die Urschweiz.[251] Sowohl Norwegen wie die Urschweiz liefern noch unverfälschte Exemplare jener Menschenrasse, welche einst im Teutoburger Wald die Römer auf gut westfälisch mit Knüppeln und Dreschflegeln totschlug. Sowohl Norwegen wie die Urschweiz sind demokratisch organisiert. Aber es gibt verschiedenerlei Demokratien, und es ist sehr nötig, daß die Demokraten der zivilisierten Länder endlich die Verantwortlichkeit für die norwegische und urschweizerische Demokratie ablehnen.

Die demokratische Bewegung erstrebt in allen zivilisierten Ländern in letzter Instanz die politische Herrschaft des Proletariats. Sie setzt also voraus, daß ein Proletariat existiert; daß eine herrschende Bourgeoisie existiert; daß eine Industrie existiert, die das Proletariat erzeugt, die die Bourgeoisie zur Herrschaft gebracht hat.

Von dem allen finden wir nichts, weder in Norwegen noch in der Urschweiz. Wir finden in Norwegen das vielberühmte Bauernregiment (bonderegimente), in der Urschweiz eine Anzahl roher Hirten, die trotz ihrer demokratischen Verfassung von ein paar reichen Grundbesitzern, Abyberg usw., patriarchalisch regiert werden. Bourgeoisie existiert in Norwegen nur ausnahmsweise, in der Urschweiz gar nicht. Proletariat ist so gut wie gar nicht vorhanden.

Die Demokratie der zivilisierten Länder, die *moderne* Demokratie, hat also mit der norwegischen und urschweizerischen Demokratie durchaus nichts gemein. Sie will nicht den norwegischen und urschweizerischen Zustand herbeiführen, sondern einen himmelweit verschiedenen. Doch gehen wir näher ein auf diese urgermanische Demokratie, und halten wir uns dabei an die Urschweiz, die uns hier zunächst angeht.

Wo ist der deutsche Spießbürger, der nicht begeistert ist für Wilhelm Tell, den Vaterlandsbefreier, wo der Schulmeister, der nicht Morgarten[252], Sempach und Murten neben Marathon, Platää und Salamis[253] feiert, wo die hysterische alte Jungfer, die nicht für die derben Waden und strammen Schenkel der sittenreinen Alpenjünglinge schwärmt? Von Ägidius Tschudi bis auf Johannes von Müller, von Florian bis auf Schiller ist die Herrlichkeit der urschweizerischen Tapferkeit, Freiheit, Tüchtigkeit und Kraft in Versen und in Prosa ohne Ende gepriesen worden. Die Kanonen und Stutzer der zwölf Kantone liefern jetzt den Kommentar zu diesen begeisterten Lobgesängen.

Die Urschweizer haben sich zweimal in der Geschichte bemerklich gemacht. Das erste Mal, als sie sich von der österreichischen Tyrannei glorreich befreiten, das zweite Mal in diesem Augenblick, wo sie mit Gott für Jesuiten und Vaterland in den Kampf ziehen.

Die glorreiche Befreiung aus den Krallen des österreichischen Adlers verträgt schon sehr schlecht, daß man sie bei Licht besieht. Das Haus Österreich war ein einziges Mal in seiner ganzen Karriere progressiv; es war im Anfang seiner Laufbahn, als es sich mit den Spießbürgern der Städte gegen den Adel alliierte und eine deutsche Monarchie zu gründen suchte. Es war progressiv in höchst spießbürgerlicher Weise, aber einerlei, es war progressiv. Und wer stemmte sich ihm am entschiedensten entgegen? Die Urschweizer. Der Kampf der Urschweizer gegen Österreich, der glorreiche Eid auf dem Grütli[254], der heldenmütige Schuß Tells, der ewig denkwürdige Sieg von Morgarten, alles das war der Kampf störrischer Hirten gegen den Andrang der geschichtlichen Entwicklung, der Kampf der hartnäckigen, stabilen Lokalinteressen gegen die Interessen der ganzen Nation, der Kampf der Roheit gegen die Bildung, der Barbarei gegen die Zivilisation. Sie haben gegen die damalige Zivilisation gesiegt, zur Strafe sind sie von der ganzen weiteren Zivilisation ausgeschlossen worden.

Damit nicht genug, wurden diese biderben, widerspenstigen Sennhirten bald noch ganz anders gezüchtigt. Sie entgingen der Herrschaft des österreichischen Adels, um unter das Joch der Züricher, Luzerner, Berner und Baseler Spießbürger zu geraten. Diese Spießbürger hatten gemerkt, daß die Urschweizer ebenso stark und ebenso dumm waren wie ihre Ochsen. Sie ließen sich in die Eidgenossenschaft aufnehmen, und von nun an blieben sie ruhig zu Hause hinter der Zahlbank sitzen, während die hartköpfigen Sennhirten alle ihre Streitigkeiten mit dem Adel und den Fürsten ausfochten. So bei Sempach, Granson, Murten und Nancy.[255] Dabei ließ man den Leuten das Recht, ihre innern Angelegenheiten nach Belieben einzurichten, und so blieben sie in der glücklichsten Unwissenheit über die Weise, in der sie von ihren lieben Eidgenossen exploitiert wurden.

Seitdem hat man wenig mehr von ihnen gehört. Sie beschäftigten sich in aller Gottseligkeit und Ehrbarkeit mit Kühemelken, Käsemachen, Keuschheit und Jodeln. Von Zeit zu Zeit hielten sie Volksversammlungen, worin sie sich in Hornmänner, Klauenmänner und andre bestialische Klassen spalteten und nie ohne eine herzliche, christlich-germanische Prügelei auseinandergingen. Sie waren arm, aber rein von Sitten, dumm, aber fromm und wohlgefällig vor dem Herrn, brutal, aber breit von Schultern und hatten wenig Gehirn, aber viel Wade. Von Zeit zu Zeit wurden ihrer zuviel, und dann ging die junge Mannschaft „reislaufen", d.h. ließ sich in fremde Kriegsdienste anwerben, wo sie mit der unverbrüchlichsten Treue an ihrer Fahne hielt, mochte kommen, was da wollte. Man kann den Schweizern nur nachsagen, daß sie sich mit der größten Gewissenhaftigkeit für ihren Sold haben totschlagen lassen.

Der größte Stolz dieser vierschrötigen Urschweizer war von jeher, daß sie nie von den Gebräuchen ihrer Vorfahren auch nur um ein Haarbreit gewichen sind, daß sie die einfältige, keusche, biderbe und tugendsame Sitte ihrer Väter im Strome der Jahrhunderte unverfälscht bewahrt haben. Und das ist wahr, jeder Versuch der Zivilisation ist an den granitnen Wänden ihrer Felsen und ihrer Schädel ohnmächtig abgeprallt. Seit dem Tage, wo der erste Ahne Winkelrieds seine Kuh mit den unumgänglichen idyllischen Schellen am Halse auf die jungfräulichen Triften des Vierwaldstätter Sees trieb, bis zu dem jetzigen Augenblick, wo der letzte Nachkomme Winkelrieds seine Büchse vom Pfaffen einsegnen läßt, sind alle Häuser auf dieselbe Weise gebaut, alle Kühe auf dieselbe Weise gemolken, alle Zöpfe auf dieselbe Weise geflochten, alle Käse auf dieselbe Weise verfertigt, alle Kinder auf dieselbe Weise gemacht worden. Hier auf den Bergen existiert das Paradies, hier ist man noch nicht bis zum Sündenfall gekommen. Und wenn einmal ein solch unschuldiger Alpensohn in die große Welt hinausgerät und sich einen Augenblick hinreißen läßt von den Verführungen der großen Städte, von den geschminkten Reizen einer verderbten Zivilisation, von den Lastern der sündhaften Länder, die keine Berge haben und wo Korn gedeiht – die Unschuld wurzelt so tief in ihm, daß er nie ganz untergehen kann. Ein Ton schlägt an sein Ohr, nur zwei jener Noten des Kuhreigens, die wie Hundegeheul klingen, und sofort stürzt er weinend und zerknirscht auf die Knie, sofort reißt er sich los aus den Armen der Verführung und ruht nicht, bis er zu den Füßen seines greisen Vaters liegt. „Vater, ich habe gesündigt vor meinen Urgebirgen und vor Dir, ich bin nicht wert, daß ich Dein Sohn genannt werde!“ [256]

Zwei Invasionen sind in der neueren Zeit gegen diese Sitteneinfalt und Urkraft versucht worden. Die erste war die der Franzosen 1798. Aber diese Franzosen, die sonst überall doch etwas Zivilisation verbreitet haben, scheiterten an den Urschweizern. Keine Spur ihrer Anwesenheit ist geblieben, kein Jota haben sie von den alten Sitten und Tugenden beseitigen können. Die zweite Invasion kam ungefähr zwanzig Jahre später und trug wenigstens einige Früchte. Das war die Invasion der englischen Reisenden, der Londoner Lords und Squires[1] und der zahllosen Lichterzieher, Seifensieder, Gewürzkrämer und Knochenhändler, die ihnen folgten. Diese Invasion hat es wenigstens dahin gebracht, daß die alte Gastfreundschaft ein Ende nahm und die ehrlichen Bewohner der Sennhütten, die früher kaum wußten, was Geld sei, sich in die habgierigsten und spitzbübischsten Preller verwandelten, die es irgendwo gibt. Aber dieser Fortschritt greift durchaus die alten, einfältigen Sitten nicht an. Diese eben nicht sehr reinliche Prellerei vertrug sich aufs vortrefflichste mit den patriarchalischen Tugenden der Keuschheit, Tüchtigkeit, Biederkeit und Treue. Nicht einmal ihre Frömmigkeit litt darunter; der

[1] Gutsherren

Pfaff absolvierte sie mit besonderem Vergnügen von allen Betrügereien, die an einem britischen Ketzer verübt worden waren.

Jetzt aber scheint diese Sittenreinheit aber doch einmal in Grund und Boden umgerührt werden zu sollen. Hoffentlich werden die Exekutionstruppen ihr möglichstes tun, um aller Biederkeit, Urkraft und Einfalt den Garaus zu machen. Dann aber jammert, ihr Spießbürger! Dann wird es keine armen, aber zufriednen Hirten mehr geben, deren ungetrübte Sorglosigkeit ihr euch für den Sonntag wünschen könnt, nachdem ihr sechs Tage der Woche an Zichorienkaffee und Tee von Schlehenblättern euren Schnitt gemacht habt! Dann weinet, ihr Schulmeister, denn mit der Hoffnung auf ein neues Sempach-Marathon und andre klassische Großtaten ist's aus! Dann klaget, hysterische Jungfrauen über dreißig Jahren, denn es wird vorbei sein mit jenen sechszölligen Waden, deren Bild eure einsamen Träume versüßt, vorbei mit der Antinousschönheit[257] der kräftigen „Schweizerbuan", vorbei mit jenen festen Schenkeln und strammen Hosen, die euch so unwiderstehlich nach den Alpen hinziehen! Dann seufzet, sanfte und bleichsüchtige Pensionatsknospen, die ihr euch auch schon aus Schillers Werken für die keusche und doch so wirksame Liebe der behenden Gemsenjäger begeistert habt, denn dann ist es aus mit euren zarten Illusionen, dann bleibt euch nichts, als Henrik Steffens zu lesen und für die frostigen Norweger zu schwärmen!

Doch lassen wir das. Diese Urschweizer müssen mit noch ganz andern Waffen bekämpft werden als mit bloßem Spott. Die Demokratie hat sich noch wegen ganz andrer Dinge als wegen ihrer patriarchalischen Tugenden mit ihnen ins reine zu setzen.

Wer verteidigte am 14. Juli 1789 die Bastille gegen das anstürmende Volk, wer schoß hinter sichern Mauern die Arbeiter der Faubourg St-Antoine[1] mit Kartätschen und Flintenkugeln nieder? – Urschweizer aus dem Sonderbund, Enkel Tells, Stauffachers und Winkelrieds.

Wer verteidigte am 10. August 1792 den Verräter Ludwig XVI. im Louvre und den Tuilerien gegen den gerechten Zorn des Volks? – Urschweizer aus dem Sonderbund.[258]

Wer unterdrückte, mit Hülfe Nelsons, die neapolitanische Revolution von 1798? – Urschweizer aus dem Sonderbund.

Wer stellte, mit Hülfe der Österreicher, 1823 in Neapel die absolute Monarchie wieder her? – Urschweizer aus dem Sonderbund.

Wer kämpfte bis auf den letzten Augenblick, am 29. Juli 1830, abermals für einen verräterischen König[2] und schoß abermals von den Fenstern und

[1] Arbeitervorstadt von Paris – [2] Karl X.

Kolonnaden des Louvre die Pariser Arbeiter nieder? – Urschweizer aus dem Sonderbund.[259]

Wer unterdrückte, mit einer weltberüchtigten Brutalität und abermals im Verein mit den Österreichern, die Insurrektion in der Romagna 1830 und 1831? – Urschweizer aus dem Sonderbund.

Kurz, wer hielt bis zu diesem Augenblick die Italiener nieder, daß sie sich beugen mußten unter die erdrückende Herrschaft ihrer Aristokraten, Fürsten und Pfaffen, wer war in Italien die rechte Hand Österreichs, wer machte es noch zur Stunde dem Bluthund Ferdinand von Neapel möglich, sein knirschendes Volk im Zaume zu halten, wer spielte noch heute den Henker bei den massenweisen Füsilladen, die er vollziehen läßt? Immer wieder Urschweizer aus dem Sonderbund, immer wieder Enkel Tells, Stauffachers und Winkelrieds!

Mit einem Worte: wo und wann nur immer in Frankreich eine revolutionäre Bewegung ausbrach, die direkt oder indirekt der Demokratie Vorschub leistete, da waren es immer urschweizerische Mietsoldaten, die mit der größten Hartnäckigkeit und bis zum letzten Augenblick dagegen fochten. Und namentlich in Italien waren diese schweizerischen Söldlinge fortwährend die getreuesten Knechte und Handlanger Österreichs. Gerechte Strafe für die glorreiche Befreiung der Schweiz aus den Krallen des Doppeladlers!

Man glaube nicht, daß diese Söldlinge der Auswurf ihres Landes seien und von ihren Landsleuten desavouiert würden. Haben die Luzerner doch vor ihren Toren durch den isländischen frommen Pinsel Thorvaldsen einen großen Löwen aus dem Felsen hauen lassen, der, an einer Pfeilwunde verblutend, das bourbonische Lilienschild mit seiner bis zum Tode getreuen Pfote deckt – und zwar zum Gedächtnis der am 10. August 1792 im Louvre gefallenen Schweizer! So ehrt der Sonderbund die käufliche Treue seiner Söhne. Er lebt vom Menschenhandel und feiert ihn.

Und mit dieser Art Demokratie sollten die englischen, die französischen, die deutschen Demokraten irgend etwas gemein haben?

Schon die Bourgeoisie arbeitet durch ihre Industrie, ihren Handel, ihre politischen Institutionen darauf hin, überall die kleinen, abgeschlossenen, nur für sich lebenden Lokalitäten aus ihrer Vereinzelung herauszureißen, sie miteinander in Verbindung zu bringen, ihre Interessen miteinander zu verschmelzen, ihren lokalen Gesichtskreis zu erweitern, ihre lokalen Gebräuche, Trachten und Anschauungsweisen zu vernichten und aus den vielen bisher voneinander unabhängigen Lokalitäten und Provinzen eine große Nation mit gemeinsamen Interessen, Sitten und Anschauungen zu bilden. Schon die Bourgeoisie zentralisiert bedeutend. Das Proletariat, weit entfernt davon, hierdurch benachteiligt zu sein, wird vielmehr erst durch diese Zentralisation in den Stand gesetzt, sich zu vereinigen, sich als Klasse zu fühlen, sich in der Demokratie eine angemessene politische Anschauungsweise anzueignen und endlich die Bourgeoisie zu besiegen. Das demokratische Proletariat hat nicht nur die Zentralisation, wie sie durch die Bourgeoisie begonnen ist, nötig, sondern es wird sie sogar noch viel weiter durchführen müssen. Während der kurzen Zeit, in der das Proletariat in der französischen Revolution am Staatsruder saß, während der Herrschaft der Bergpartei, hat es die Zentralisation mit allen Mitteln, mit Kartätschen und der Guillotine durchgesetzt. Das demokratische Proletariat, wenn es jetzt wieder zur Herrschaft kommt, wird nicht nur jedes Land für sich, sondern sogar alle zivilisierten Länder zusammen so bald wie möglich zentralisieren müssen.

Die Urschweiz dagegen hat nie etwas andres getan, als sich gegen die Zentralisation angestemmt. Sie hat mit einer wirklich tierischen Hartnäckigkeit auf ihrer Absonderung von der ganzen übrigen Welt, auf ihren lokalen Sitten, Trachten, Vorurteilen, auf ihrer ganzen Lokalborniertheit und Abgeschlossenheit bestanden. Sie ist bei ihrer ursprünglichen Barbarei mitten in Europa stehengeblieben, während alle andern Nationen, selbst die übrigen Schweizer, fortgeschritten sind. Mit dem ganzen Starrsinn roher Urgermanen besteht sie auf der Kantonalsouveränität, d.h. auf dem Recht, in Ewigkeit nach Belieben dumm, bigott, brutal, borniert, widersinnig und käuflich zu sein, mögen ihre Nachbarn darunter leiden oder nicht. Sowie ihr eigner tierischer Zustand zur Sprache kömmt, erkennen sie keine Majorität, keine Übereinkunft, keine Verpflichtung mehr an. Aber im neunzehnten Jahrhundert ist es nicht mehr möglich, daß zwei Teile eines und desselben Landes so ohne allen gegenseitigen Verkehr und Einfluß nebeneinander existieren. Die radikalen Kantone wirken auf den Sonderbund, der Sonderbund wirkte auf die radikalen Kantone, in denen hier und da ebenfalls noch höchst rohe Elemente existieren. Die radikalen Kantone sind also dabei interessiert, daß der Sonderbund seine Bigotterie, seine Borniertheit und seinen Starrsinn fahren lasse, und wenn der Sonderbund nicht will, so muß sein Eigensinn mit Gewalt gebrochen werden. Und das geschieht in diesem Augenblick.

Der Bürgerkrieg, der jetzt ausgebrochen ist, wird also der Sache der Demokratie nur förderlich sein. Wenn auch selbst in den radikalen Kantonen noch viel urgermanische Roheit steckt, wenn auch in ihnen hinter der Demokratie bald ein Bauern-, bald ein Bourgeoisregiment, bald ein Gemisch von beiden sich versteckt, wenn auch selbst die zivilisiertesten Kantone noch hinter der Entwicklung der europäischen Zivilisation stehen und nur hier und da wirklich moderne Elemente langsam empordämmern, so tut das dem

Sonderbund keinen Vorschub. Es ist nötig, dringend nötig, daß diese letzte Zuflucht des brutalen Urgermanismus, der Barbarei, der Bigotterie, der patriarchalischen Einfalt und Sittenreinheit, der Stabilität und der den Meistbietenden zu Gebote stehenden Treue bis in den Tod endlich einmal zerstört werde. Je energischer die Tagsatzung[260] zu Werke geht, je gewaltsamer sie dies alte Pfaffennest umrütteln wird, desto mehr Anspruch auf die Unterstützung aller entschiedenen Demokraten wird sie haben, desto mehr wird sie beweisen, daß sie ihre Stellung versteht. Aber freilich, die fünf Großmächte sind da, und die Radikalen haben selbst Furcht.

Für den Sonderbund aber ist es bezeichnend, daß die echten Söhne Wilhelm Tells das Haus Österreich, den Erbfeind der Schweiz, um Hülfe anflehen müssen, jetzt, wo Österreich schmutziger, niederträchtiger, gemeiner und gehässiger ist als je. Das ist auch noch ein Stück Strafe für die glorreiche Befreiung der Schweiz aus den Krallen des Doppeladlers und die vielen Großprahlereien deswegen. Und damit das Maß der Strafe recht übervoll werde, muß dies Österreich selbst so in der Klemme sein, daß es den Söhnen Tells nicht einmal helfen kann!

F. Engels

[Friedrich Engels]

Die Reformbewegung in Frankreich

[„The Northern Star" Nr. 526 vom 20. November 1847]

Als während der letzten Session der gesetzgebenden Versammlung Herr E[mile] de Girardin jene zahlreichen und skandalösen Korruptionsfälle ans Tageslicht brachte, von denen er annahm, daß sie die Regierung zu Fall bringen würden, als sich die Regierung am Ende doch gegen den Sturm behauptet hatte, als die berühmten Zweihundertfünfundzwanzig[1] erklärten, daß sie von der Unschuld des Kabinetts „überzeugt" seien, schien alles vorbei zu sein, und die Opposition im Parlament fiel gegen Ende der Session in dieselbe Hilflosigkeit und Lethargie zurück, die sie am Anfang gezeigt hatte. Aber es war doch nicht alles vorbei. Die Herren Rothschild, Fould, Fulchiron und Co. waren zwar zufrieden, aber das Volk war es nicht und ein großer Teil der Bourgeoisie auch nicht. Die Mehrheit der französischen Bourgeoisie, besonders die mittlere und kleinere Bourgeoisie, mußte erkennen, daß die jetzigen Wähler mehr und mehr zu gehorsamen Dienern einer kleinen Gruppe von Bankiers, Börsenmaklern, Eisenbahnspekulanten, großen Fabrikanten, Grund- und Bergwerksbesitzern geworden waren, deren Interessen die einzigen sind, um die sich die Regierung kümmerte. Sie begriffen, daß für sie keine Hoffnung bestand, jemals die Stellung in den Kammern wiederzuerlangen, die sie seit 1830 mit jedem Tage mehr verloren hatten, solange sie nicht das Wahlrecht ausdehnten. Sie wußten, daß der Versuch einer Wahl- und Parlamentsreform für sie ein gefährliches Experiment war; aber was blieb ihnen anderes übrig? Da sie sahen, daß die Regierung und beide Kammern von der *haute finance*[2], den Königen der Pariser Börse, gekauft waren, daß man ihre eigenen Interessen offen mit Füßen trat, standen

[1] die Mehrheit der Deputiertenkammer, die die Regierung Guizot unterstützte – [2] *Finanzaristokratie*

sie vor der Wahl, sich entweder geduldig zu fügen und demütig und bescheiden zu warten, bis die Habgier der herrschenden money lords sie an den Bettelstab gebracht hatte, oder eine Parlamentsreform zu wagen. Sie zogen das letztere vor.

Die Opposition aller Schattierungen schloß sich daher vor etwa vier Monaten zusammen, um eine Kundgebung für die Wahlreform zu veranstalten. Ein öffentliches Bankett wurde vorbereitet, das im Juli in den Festsälen des Château-Rouge zu Paris stattfand. Alle Gruppen von Reformern waren vertreten, und es war eine ziemlich bunte Gesellschaft; aber die Demokraten als die aktivsten hatten offensichtlich die Oberhand. Sie hatten ihre Teilnahme nur unter der Bedingung zugesagt, daß man nicht auf die Gesundheit des Königs trinken, sondern statt dessen ein Hoch auf die Herrschaft des Volkes ausbringen werde. Da das Komitee genau wußte, daß in der demokratischsten Stadt Frankreichs eine wirksame Kundgebung ohne die Demokraten unmöglich war, mußte es nachgeben. Wenn ich mich richtig erinnere, veröffentlichten Sie damals einen ausführlichen Bericht über dieses Bankett[261], das in jeder Beziehung mehr als alles andere eine Demonstration der Stärke der Demokratie in Paris war, sowohl in zahlenmäßiger als auch in intellektueller Hinsicht.

Das *„Journal des Débats"* versäumte nicht, ein fürchterliches Geschrei über dieses Bankett zu erheben.

> „Was! Kein Toast auf den König? Und dieser Trinkspruch wurde nicht aus Nachlässigkeit oder aus Mangel an Anstand unterlassen – o nein, ein Teil der Veranstalter machte seine Unterlassung zur Bedingung für ihre Unterstützung! Da haben sich ja der ruhige und friedfertige Herr Duvergier de Hauranne – der Verfechter der moralischen Gewalt und königstreue Herr Odilon Barrot mit einer feinen Gesellschaft eingelassen! Das ist nicht bloß Republikanismus. physical forcism[1], Sozialismus, Utopismus, Anarchismus und Kommunismus! O nein, meine Herren, wir durchschauen Sie – wir haben genügend Beispiele Ihrer blutigen Taten kennengelernt; wir können beweisen, wofür Sie kämpfen! Vor 50 Jahren, meine Herren, nannten Sie sich *Klub der Jakobiner*!"

Am nächsten Tage beantwortete der *„National"* das grimmig-wilde Knurren der *zornschnaubend-gemäßigten* Zeitung mit einer Flut von Zitaten aus Louis Philippes persönlichem Tagebuch von 1790 und 1791, wonach die Aufzeichnungen des damaligen „Citizen Égalité[2] junior" jeden Tag mit den Worten begannen: „Heute war ich bei den Jakobinern" – „Heute erlaubte ich

[1] Lehre von der Anwendung der physischen Gewalt – [2] Bürger Gleichheit (Name, den der Herzog von Orleans, Vater Louis-Philippes, in der Französischen Revolution annahm)

mir, ein paar Worte an die Jakobiner zu richten, die mit herzlichem Beifall aufgenommen wurden" – „Heute wurde ich zum Amt des Torhüters der Jakobiner berufen" etc.

Das Zentralkomitee der Opposition hatte seine Freunde im ganzen Lande aufgefordert, dem Beispiel ihrer Metropole zu folgen und überall ähnliche Bankette für die Reform zu veranstalten. Das geschah denn auch, und in fast allen Teilen Frankreichs wurde eine große Anzahl Bankette zur Unterstützung der Reform gegeben. Aber nicht überall konnte die gleiche Einmütigkeit unter allen Gruppen der Reformer erzielt werden. In vielen Kleinstädten waren die Bourgeois-Liberalen stark genug, um den Trinkspruch auf die Gesundheit des Königs durchzusetzen, wodurch die Demokraten von der Teilnahme ausgeschlossen wurden. In anderen Ortschaften versuchten sie, den Trinkspruch in folgender Form durchzubringen: „Auf den konstitutionellen König und die Herrschaft des Volkes." Da die Demokraten damit auch nicht einverstanden waren, griff man zu einer neuen List und ersetzte den „konstitutionellen König" durch die „konstitutionellen Einrichtungen", in denen das Königtum natürlich stillschweigend mit einbegriffen war. Unter den Liberalen auf dem Lande erhob sich nun die große Frage, ob sie sogar auf diese Formulierung verzichten und alle Versuche aufgeben sollten, in irgendeiner Form auf die Gesundheit des Königs zu trinken, oder ob sie offen mit den Demokraten brechen sollten, die in diesem Fall ihre eigenen Bankette veranstaltet und ihnen schwere Konkurrenz gemacht hätten. Denn die demokratische Partei bestand auf der ursprünglichen Vereinbarung, daß der König bei der ganzen Angelegenheit überhaupt nicht erwähnt werden sollte, und wenn auch der „*National*" in einem Fall etwas schwankte, so stand doch die Partei der „*Réforme*" fest auf der republikanischen Seite. In den Großstädten mußten die Liberalen überall nachgeben, und wenn sie auch in den weniger wichtigen Ortschaften auf die Gesundheit des Königs getrunken haben, so war das nur deshalb möglich, weil solche Bankette eine Menge Geld kosten und das Volk daher natürlicherweise davon ausgeschlossen ist. Anläßlich des Banketts von Bar-le-Duc schrieb die „*Réforme*":

„Diejenigen, die sich einbilden, daß solche Kundgebungen Ausdruck der öffentlichen Meinung in Frankreich sind, irren sich ganz gewaltig; sie werden allein von der Bourgeoisie durchgeführt, und das Volk ist davon ausgeschlossen. Wenn diese Bewegung weiterhin innerhalb der engen Grenzen eines Bar-le-Duc-Banketts verläuft, wird sie wie alle Bourgeois-Bewegungen wieder verschwinden, ebenso wie die Freihandelsbewegung nach einigen hohlen Reden ziemlich bald das Zeitliche segnete."

Das erste große Bankett nach dem Pariser Bankett fand Anfang September in Straßburg statt. Es war ziemlich demokratisch, und zum Schluß brachte ein Arbeiter ein Hoch auf die Organisation der Arbeit aus. Damit bezeichnet man in Frankreich das, was man in England mit der *National Association of United Trades*[1] durchzuführen versucht, nämlich, die Befreiung der Arbeit von der Unterdrückung durch das Kapital, indem man Industrie, Landwirtschaft und andere Gebiete unter einer demokratischen Regierung entweder zugunsten der vereinigten Arbeiter selbst oder zugunsten des gesamten Volkes weiterführt.

Dann folgten die Bankette von Bar-le-Duc, eine Kundgebung der Bourgeoisie, die der Bürgermeister mit einem Trinkspruch auf die Gesundheit des konstitutionellen Königs abschloß (wirklich äußerst konstitutionell); die Bankette von Colmar, Reims und Meaux, welche alle völlig von der Bourgeoisie beherrscht wurden, die in diesen zweitrangigen Städten stets ihren Willen durchsetzen konnte.

Aber das Bankett von Saint-Quentin war wieder mehr oder weniger demokratisch, und das von Orléans in den letzten Septembertagen war von Anfang bis Ende ein völlig demokratisches Treffen. Das beweist der Trinkspruch auf die Arbeiterklasse, den Herr Marie ausbrachte, einer der gefeiertsten Anwälte von Paris und ein Demokrat. Er eröffnete seine Ansprache mit folgenden Worten:

„An die Arbeiter, an jene Männer, die stets vernachlässigt und vergessen worden sind, aber immer den Interessen ihres Landes treu dienten, die immer bereit waren, dafür zu sterben, sei es für die Verteidigung ihrer Heimat gegen Überfälle von außen, sei es für den Schutz unserer Institutionen, wenn sie von Feinden im Inland bedroht werden! An jene, von denen wir die Julitage forderten und die sie uns gaben; die schrecklich sind in ihren Taten, hochherzig in ihrem Sieg und herrlich in ihrer Tapferkeit, Aufrichtigkeit und Selbstlosigkeit!"

Er schloß den Toast mit den Worten: „Freiheit, Gleichheit, Brüderlichkeit!" Es ist charakteristisch, daß das Bankett zu Orléans das einzige war, auf dem offiziell Gedecke für die Vertreter der Arbeiterklasse reserviert waren.

Die Bankette von Coulommiers, Melun und Cosne waren allerdings wieder ausschließlich Zusammenkünfte der Bourgeoisie. Das *„Links-Zentrum"*, die Bourgeois-Liberalen des *„Constitutionnel"*[262] und des *„Siècle"* ergötzten sich an den Reden der Herren Barrot, Beaumont, Drouyn de Lhuys und ähnlicher Reformkrämer. In Cosne sprachen sich die Demokraten offen gegen die Kundgebung aus, weil man auf den Trinkspruch für den König bestanden hatte. Dieselbe Enge des Geistes herrschte auf dem Bankett von La Charité an der Loire.

---

1 *Landesassoziation der Vereinigten Gewerke*

Das Bankett von Chartres war dagegen völlig demokratisch. Kein Trinkspruch auf den König, sondern auf eine weitestgehende Wahl- und Parlamentsreform, Trinksprüche auf Polen und Italien, auf die Organisation der Arbeit.

In dieser Woche werden Bankette in Lille, Valenciennes und Avesnes und im ganzen nördlichen Departement stattfinden. Zumindest die Treffen von Lille und Valenciennes werden höchstwahrscheinlich eine entschieden demokratische Wendung nehmen. Im Süden Frankreichs, in Lyon und im Westen, werden ebenfalls Kundgebungen vorbereitet. Die Reformbewegung ist noch lange nicht abgeschlossen.

Sie ersehen aus diesem Bericht, daß die Reformbewegung von 1847 von Anfang an durch den Kampf zwischen Liberalen und Demokraten gekennzeichnet ist, daß, während die Liberalen in allen kleineren Ortschaften ihren Willen durchsetzten, die Demokraten in allen großen Städten stärker waren: in Paris, Straßburg, Orléans, Chartres und sogar in einer kleineren Stadt, nämlich in Saint-Quentin, daß die Liberalen sehr viel Wert auf die Unterstützung durch die Demokraten legten, daß sie sich drehten und wanden und Konzessionen machten, während die Demokraten nicht um Haaresbreite von den Bedingungen abwichen, die sie für ihre Unterstützung gestellt hatten, und daß die Demokraten auf allen Treffen, an denen sie teilnahmen, den Sieg davontrugen. So schlug die ganze Bewegung schließlich zugunsten der Demokratie um, denn alle jene Bankette, die irgendwie öffentliches Interesse erregten, waren durchweg demokratisch.

Die Reformbewegung wurde von den im September tagenden Räten der Departements unterstützt, die sich vollkommen aus Bourgeois zusammensetzen. Die Räte der Departements von Côte-d'Or, Finistère, Aisne, Moselle, Haut-Rhin, Oise, der Vogesen, des Nordens und andere forderten mehr oder weniger umfangreiche Reformen, die natürlich alle innerhalb der Schranken des Bourgeois-Liberalismus bleiben.

Aber wie, werden Sie fragen, sehen die verlangten Reformen aus? Es gibt so viele verschiedene Reformvorschläge, wie es Schattierungen der Liberalen und Radikalen gibt. Die Mindestforderung ist die Ausdehnung des Wahlrechts auf die *Kapazitäten* – die Sie in England vielleicht als Akademiker bezeichnen –, auch wenn sie nicht die 200 Francs direkter Steuern zahlen, durch die man heutzutage das Wahlrecht bekommt. Die Liberalen fernerhin haben einige andere Vorschläge mehr oder weniger mit den Radikalen gemeinsam. Sie lauten:

1. Die Ausdehnung der *Unvereinbarkeit*, d.h. die Erklärung, daß gewisse Regierungsämter mit den Funktionen eines Abgeordneten unvereinbar sind.

Die Regierung hat gegenwärtig mehr als 150 ihrer untergeordneten Angestellten in der Deputiertenkammer, die alle jederzeit entlassen werden können und daher gänzlich vom Kabinett abhängig sind.

2. Die Erweiterung einiger Wahlbezirke; einige davon haben weniger als 150 Wähler, diese unterliegen daher völlig dem Einfluß, den die Regierung auf ihre lokalen und persönlichen Interessen ausübt.

3. Die Wahl aller Deputierten eines Departements in einer Wählervollversammlung, die in der entsprechenden Hauptstadt des Departements stattfindet, so daß die lokalen Interessen mehr oder weniger in den allgemeinen Interessen des ganzen Departements untertauchen und auf diese Weise Korruption und Einfluß der Regierung unwirksam gemacht werden.

Außerdem gibt es Vorschläge, die Bedingungen des Zensus stufenweise zu verringern. Der radikalste dieser Vorschläge kam von dem *„National"*, der Zeitung der republikanischen Kleingewerbetreibenden, der das Wahlrecht auf alle Angehörigen der Nationalgarde ausdehnen will. Das würde der ganzen Klasse von Kleingewerbetreibenden und Händlern das Stimmrecht geben und das Wahlrecht in demselben Maße ausdehnen wie bei der Reformbill in England[246], aber die Folgen einer solchen Maßnahme würden in Frankreich von weit größerer Bedeutung sein. Die Kleinbourgeoisie wird in diesem Lande von den Großkapitalisten derartig unterdrückt und ausgepreßt, daß sie zu direkten aggressiven Maßnahmen gegen die money lords greifen muß, sobald sie das Wahlrecht erhalten hat. Wie ich bereits vor Monaten in einem Ihnen übersandten Artikel darlegte, würde sie sich immer stärker mitreißen lassen, sogar gegen ihren eigenen Willen; sie wäre gezwungen, entweder ihre bereits errungenen Positionen aufzugeben oder ein offenes Bündnis mit der Arbeiterklasse zu schließen, und das würde über kurz oder lang zur Republik führen. In gewissem Maße ist sie sich dessen auch bewußt. Ihre Mehrheit unterstützt das allgemeine Wahlrecht. So auch der *„National"*, der die obenerwähnte Maßnahme nur soweit unterstützt, wie sie als ein vorbereitender Schritt auf dem Weg zur Reform betrachtet wird. Unter allen Pariser Tageszeitungen gibt es jedoch nur eine, die sich mit nichts weniger als dem allgemeinen Wahlrecht zufrieden gibt und die unter dem Begriff „Republik" nicht nur *politische* Reformen versteht, welche am Ende die Arbeiterklasse in demselben Elend lassen werden wie zuvor – sondern *soziale* Reformen, und zwar ganz bestimmte Reformen. Diese Zeitung ist die *„Réforme"*.

Man darf jedoch nicht glauben, daß die Reformbewegung heute die einzige in Frankreich ist. Ganz im Gegenteil! Auf all diesen Banketten, ganz gleich, ob liberal oder demokratisch, war die Bourgeoisie vorherrschend, und lediglich an dem Bankett von Orléans nahmen auch Arbeiter teil. Die Arbeiterbewegung läuft neben diesen Banketten her, ganz in der Stille, unterirdisch und fast unsichtbar für jeden, der sie nicht aufmerksam verfolgt. Aber sie ist heute stärker denn je zuvor. Die Regierung weiß das recht gut. Sie hat all diese Bankette der Bourgeoisie gestattet, aber als die Druckereiarbeiter von Paris im September die Genehmigung für ihr Jahrestreffen einholen wollten, das bisher alljährlich stattgefunden hatte und absolut keinen politischen Charakter trug, wurde sie ihnen verweigert. Die Regierung hat so große Angst vor der Arbeiterklasse, daß sie ihr nicht die geringste Freiheit läßt. Sie hat Angst, weil das Volk alle Versuche, Erhebungen und Aufstände zu machen, vollkommen aufgegeben hat. Die Regierung ersehnt einen Aufstand, sie provoziert ihn mit allen Mitteln. Die Polizei wirft kleine Bomben mit Flugblättern aufrührerischen Inhalts ab, die bei der Explosion über die ganze Straße verstreut werden. Ein Streitfall in einer Werkstatt der Rue Saint-Honoré wurde zu höchst brutalen Angriffen auf das Volk benutzt, um es zu Aufruhr und Gewalttätigkeit herauszufordern.[263] Zehntausende versammelten sich 14 Tage lang jeden Abend; man behandelte sie auf die schändlichste Weise; sie waren nahe daran, Gewalt mit Gewalt zu vergelten, aber sie blieben standhaft und gaben der Regierung keinen Vorwand, die Gesetzesschraube noch enger anzuziehen. Man stelle sich vor, was für ein stillschweigendes Einvernehmen, was für ein gemeinsames Gefühl für das, was zu tun war, in diesem Moment geherrscht haben muß, was für eine Überwindung es das Volk von Paris gekostet haben muß, lieber eine so schändliche Behandlung zu ertragen, als einen hoffnungslosen Aufstand zu wagen. Was für einen enormen Fortschritt bedeutet doch diese Selbstbeherrschung gerade bei den Arbeitern von Paris, die selten auf die Straßen gegangen sind, ohne alles, was ihnen in den Weg kam, kurz und klein zu schlagen, denen Aufstände zur Gewohnheit geworden sind und die in eine Revolution genauso fröhlich wie in eine Weinschenke marschieren. Aber wenn man daraus die Schlußfolgerung ziehen würde, daß das revolutionäre Feuer des Volkes im Verlöschen ist, wäre man im Irrtum. Im Gegenteil, die Arbeiterklasse hier fühlt stärker denn je zuvor die Notwendigkeit einer Revolution, die viel durchgreifender, viel radikaler ist als die erste. Aber sie weiß aus ihren Erfahrungen von 1830, daß der Kampf allein nicht genügt, daß sie, wenn der Feind erst einmal geschlagen ist, Maßnahmen ergreifen muß, die die Beständigkeit ihres Sieges gewährleisten, die nicht nur die politische, sondern auch die gesellschaftliche Macht des Kapitals zerstören, die ihr gesellschaftlichen Wohlstand und auch politische Stärke sichern. Daher wartet sie sehr ruhig die passende Gelegenheit ab, vertieft sich aber inzwischen ernsthaft in das Studium jener sozial-ökonomischen Fragen, deren Lösung zeigen wird, welche Maßnahmen allein den

Wohlstand aller auf fester Grundlage herbeiführen können. Innerhalb von ein bis zwei Monaten wurden in den Werkstätten von Paris 6000 Exemplare des Buches von Herrn Louis Blanc über „Die Organisation der Arbeit" verkauft, wobei man noch in Betracht ziehen muß, daß vorher bereits fünf Auflagen von diesem Buch erschienen sind. Die Arbeiter lesen außerdem eine Reihe von anderen Werken zu diesen Problemen; sie treffen sich in kleinen Gruppen von zehn bis zwanzig Mann und diskutieren die verschiedenen Pläne, die darin vorgeschlagen werden. Sie sprechen nicht viel über die Revolution, da sie eine Angelegenheit ist, über die keine Zweifel bestehen und über die sich alle einig sind; wenn der Augenblick gekommen ist, in dem der Zusammenstoß zwischen Volk und Regierung unvermeidlich ist, werden sie auf den Straßen und Plätzen sein und in Blitzesschnelle das Pflaster aufreißen, Omnibusse, Wagen und Kutschen quer über die Straßen legen, jede Allee verbarrikadieren, jede enge Gasse zu einer Festung machen und allem Widerstand zum Trotz von der Bastille gegen die Tuilerien vorrücken. Dann, fürchte ich, werden sich die hohen Herren der Reformbankette in der dunkelsten Ecke ihrer Häuser verkriechen oder wie welkes Laub vor dem Gewitter des Volkes auseinandergewirbelt werden. Dann ist es aus mit den Herren Odilon Barrot, de Beaumont und anderen liberalen Großmäulern, und dann wird das Volk sie genauso unbarmherzig verurteilen, wie sie heute die konservativen Regierungen verurteilen.

Geschrieben Anfang November 1847.

Aus dem Englischen.

[Friedrich Engels]

[Chartistenbewegung]

[„La Réforme" vom 22. November 1847]

Die Eröffnung eines neugewählten Parlaments, dem überdies hervorragende Vertreter der Volkspartei angehören, mußte unweigerlich eine außergewöhnliche Bewegung in den Reihen der demokratischen Kräfte zur Folge haben. Die örtlichen Verbände der Chartisten reorganisieren sich überall. Es mehren sich die Versammlungen; sie schlagen Aktionsmöglichkeiten verschiedenster Art vor und diskutieren sie. Das Exekutivkomitee der Chartistenvereinigung hat jetzt die Leitung dieser Bewegung übernommen und in einer Adresse an die britische Demokratie den Kampagneplan der Partei für die gegenwärtige Session entwickelt.

„In wenigen Tagen", heißt es dort, „wird ein Haus zusammentreten, das es wagt, sich offen vor dem Volke Haus der Gemeinen[1] Englands zu nennen. In wenigen Tagen wird dieses Haus, das von einer einzigen Klasse der Gesellschaft gewählt wurde, seine unrechtmäßige und widerwärtige Arbeit aufnehmen, um die Interessen eben dieser Klasse, zum Schaden des Volkes, zu festigen.

Das Volk muß in Massen von Anbeginn Protest dagegen erheben, daß dieses Haus die gesetzgeberische Gewalt usurpiert hat und nunmehr ausübt. Ihr, die Chartisten des Vereinigten Königreichs, habt dazu alle Möglichkeiten; es ist eure Pflicht, sie zu nutzen. Wir unterbreiten euch deshalb eine neue nationale Petition für die Charte des Volkes. Setzt eure Unterschriften zu Millionen darunter; sorgt dafür, daß wir sie vorlegen können als den Ausdruck des Willens der Nation, als den feierlichen Protest des Volkes gegen jedes ohne die Zustimmung des Volkes erlassene Gesetz, als eine Bill zur Rückgabe der dem Volk seit Jahrhunderten entrissenen nationalen Souveränität.

Die Petition allein kann aber dem Gebot der Stunde nicht genügen. Wir haben zwar in der gesetzgebenden Versammlung einen Sitz für Herrn O'Connor erobert. Die demokratischen Abgeordneten werden in ihm einen wachsamen Führer voller Tatkraft finden. Aber O'Connor braucht Unterstützung durch den *Druck von außen*, und diesen Druck von außen, diese starke, Achtung erzwingende öffentliche Meinung, die müßt ihr schaffen. Überall müssen sich die Gruppen unserer Vereinigung reorganisieren, alle früheren Mitglieder müssen sich wieder einreihen, überall müssen Meetings einberufen werden. Überall muß die Diskussion über die Charte auf die Tagesordnung

[1] Unterhaus des englischen Parlaments

gesetzt werden; alle Ortsverbände müssen Beiträge beschließen, um unsere Kassen aufzufüllen. Seid aktiv, zeigt die alte englische Energie, und die Kampagne, die jetzt ihren Anfang nimmt, wird die ruhmreichste sein, die wir jemals für den Sieg der Demokratie unternommen haben."

Die Gesellschaft der *Brüderlichen Demokraten*[264], die sich aus Demokraten fast aller europäischen Nationen zusammensetzt, hat sich jetzt gleichfalls ganz und gar der chartistischen Agitation offen angeschlossen. Sie hat folgende Resolution angenommen:

„In Erwägung, daß das englische Volk im Kampf um die Demokratie in den anderen Ländern nur in dem Maße wirksamen Beistand geben kann, wie es für sich selbst die Herrschaft der Demokratie errungen hat;

daß es zu den Pflichten unserer zur Unterstützung der kämpferischen Demokratie aller Länder gegründeten Gesellschaft gehört, sich den Bemühungen der englischen Demokraten um eine Wahlreform auf der Basis der Charte anzuschließen;

verpflichtet sich die Gesellschaft der Brüderlichen Demokraten, mit allen ihren Kräften die Agitation für die Volkscharte fördern zu helfen."

Diese brüderliche Gesellschaft, die die hervorragendsten Demokraten in London, Engländer sowohl wie Ausländer, zu ihren Mitgliedern zählt, gewinnt an Bedeutung von Tag zu Tag. Sie ist so stark gewachsen, daß die Londoner Liberalen es für richtig befunden haben, ihr eine bürgerliche *Internationale Liga*[265] entgegenzustellen, die von hervorragenden Vertretern des *Freihandels* im Parlament geleitet wird. Diese neue Vereinigung, an deren Spitze die Herren Dr. Bowring, Oberst Thompson und andere Verfechter der Handelsfreiheit stehen, hat kein anderes Ziel, als unter den Ausländern Propaganda für den Freihandel, unter dem Deckmantel philanthropischer und liberaler Phrasen, zu treiben. Aber es scheint, daß sie nicht recht vom Fleck kommt. In den sechs Monaten ihres Bestehens hat sie fast nichts getan, während die Brüderlichen Demokraten offen gegen jeden Akt der Unterdrückung aufgetreten sind, von welcher Seite der Versuch auch ausging. Deshalb haben sich auch die englischen und ausländischen demokratischen Bewegungen, soweit sie in London vertreten sind, den Brüderlichen Demokraten angeschlossen und haben gleichzeitig erklärt, daß sie sich nicht für die Interessen der freihändlerischen Fabrikanten Englands ausnutzen lassen werden.

Geschrieben am 21. November 1847.
Aus dem Französischen.

[Friedrich Engels]

[Die Reformbewegung in Frankreich]

Spaltung innerhalb des Lagers – Die „Réforme" und der „National" – Vormarsch der Demokratie

[„The Northern Star"
Nr. 528 vom 4. Dezember 1847]

Seit meinem letzten Artikel[1] sind die Bankette in Lille, Avesnes und Valenciennes durchgeführt worden. Avesnes war durchaus konstitutionell, Valenciennes halb-und-halb, Lille ein entschiedener Triumph der Demokratie über Bourgeoisie-Intrige. Ich gebe hier kurz die Tatsachen dieses äußerst wichtigen Treffens wieder.

Außer den Liberalen und der Partei des *„National"* waren die Demokraten von der *„Réforme"* eingeladen, und die Herren Ledru-Rollin und Flocon, Redakteur des letztgenannten Blattes, hatten die Einladung angenommen. Herr Odilon Barrot, der treffliche Bourgeois-Donnerer, war auch eingeladen. Alles war fertig, die Trinksprüche waren vorbereitet, als Herr Odilon Barrot ganz plötzlich erklärte, er könne weder teilnehmen noch zu seinem Trinkspruch „Parlamentarische Reform" sprechen, es sei denn, diese Reform würde durch den Zusatz qualifiziert „als ein Mittel, die Reinheit und Echtheit der im Juli 1830 eroberten Institutionen zu sichern". Dieser Zusatz schloß natürlich die Republikaner aus. Beim Komitee entstand große Bestürzung. Herr Barrot war unerbittlich. Schließlich beschloß man, die Entscheidung der ganzen Versammlung zu überlassen. Die Versammlung erklärte jedoch unumwunden, sie würde keine Änderung des Programms dulden; sie würde das Abkommen nicht verletzen, woraufhin die Demokraten nach Lille gekommen waren. Herr Odilon Barrot zog sich aufgebracht (scornfully) mit seinem Schwanz liberaler Abgeordneter und Redakteure zurück. Die Herren Flocon und Ledru-Rollin wurden geholt; das Bankett wurde trotz der Liberalen durchgeführt, und die Rede des Herrn Ledru fand stürmischen Beifall.

---

[1] Siehe vorl. Band, S. 399–406

So endete der verräterische Plan der Bourgeois-Reformer mit einem glorreichen Triumph der Demokratie. Herr Odilon Barrot mußte schmählich abziehen und wird es nie wieder wagen, sein Gesicht in der demokratischen Stadt Lille zu zeigen. Seine einzige Ausrede war, daß er angenommen hätte, die Herren von der *„Réforme"* beabsichtigten mit dem Lille-Bankett eine Revolution auszulösen – und das in tiefstem Frieden!

Etliche Tage darauf erhielt Herr Barrot einigen Trost durch das Bankett von Avesnes, einer bloßen Familienversammlung mehrerer Bourgeois-Liberaler. Hier hatte er das Vergnügen, auf den König anzustoßen. In Valenciennes jedoch war er wieder gezwungen, seinen Lieblingstrinkspruch zu unterdrücken, der in Lille so kläglich unter den Tisch gefallen war. Es gab keinen Toast auf den König, obwohl die schrecklichen unüberlegten Revolutionsmacher nicht dabei waren. Der geschlagene Donnerer wird seine tugendsame Entrüstung hinunterschlucken müssen, bis ein anderes heimliches Bankett ihm gestatten wird, vor den erstaunten Krämern und Lichtziehern irgendwelcher Provinzstädtchen „Anarchismus", „physical forcism"[1] und „Kommunismus" anzuprangern.

Das Bankett von Lille löste außerordentliche Diskussionen in der Presse aus. Die konservativen Zeitungen triumphierten über die Spaltung in den Reihen der Reformer. Der alte schläfrige *„Constitutionnel"* des Herrn Thiers und der *„Siècle"*, Herrn Barrots „eigene" Zeitung, wurden ganz plötzlich von schrecklichsten Krämpfen geschüttelt.

„Nein", rief der entrüstete *„Siècle"* seinem Krämerpublikum zu, „nein, wir gehören nicht zu diesen Anarchisten, wir haben nichts gemein mit diesen Restaurateuren der Schreckensherrschaft, mit diesen Anhängern von Marat und Robespierre; wir würden ihrer Blutherrschaft das gegenwärtige System vorziehen, sogar wenn es hundertmal schlimmer wäre als es ist."

Das stimmt sogar: Für so friedliche Krämer und Lichtzieher paßt die weiße Nachtmütze hundertmal besser als die rote Mütze der Jakobiner. Jedoch zur gleichen Zeit, als diese Zeitungen der *„Réforme"* gemeinen und höchst bösartigen Schimpf antaten, behandelten sie den *„National"* mit äußerster Achtung. Der *„National"* hat sich dabei tatsächlich mehr als zweifelhaft benommen. Schon beim Bankett von Cosne verurteilte diese Zeitung das Verhalten mehrerer Demokraten, die nicht mitmachen wollten, weil auf des Königs Gesundheit angestoßen wurde. Jetzt sprach sie wieder sehr kühl von dem Bankett zu Lille und bedauerte den Zwischenfall, der die Kundgebung einen Augenblick lang störte, während einige Verbündete des *„National"*

[1] Lehre von der Anwendung der physischen Gewalt

aus der Provinz das Verhalten der Herren Ledru und Flocon offen angriffen. Die „*Réforme*" forderte nun von dieser Zeitung eine deutlichere Erklärung. Der „*National*" erklärte, daß sein Artikel deutlich genug wäre. Was war dann also der bedauerliche Zwischenfall in Lille? fragte die „*Réforme*". Was bedauern Sie da? Bedauern Sie das Verhalten des Herrn Barrot oder des Herrn Ledru-Rollin? Bedauern Sie die Frechheit oder das Pech des Herrn Barrot? Oder handelt es sich um die Rede des Herrn Ledru für allgemeines Wahlrecht? Bedauern Sie die Niederlage des Monarchismus oder den Triumph der Demokratie? Erkennen Sie das, was Ihre Verbündeten in der Provinz dazu sagen, an oder nicht? Nehmen Sie das Lob des „*Siècle*" an, oder beziehen Sie einen Teil der Beschimpfungen, mit denen er uns überhäuft, auf sich? Hätten Sie Herrn Marie, Ihrem Freund, geraten, nachzugeben, wenn Herr Odilon Barrot in Orléans ähnliche Ansprüche erhoben hätte? Der „*National*" erwiderte, aus Parteigründen wollten sie mit der „*Réforme*" keine Kontroverse haben. Sie wären für Artikel, die von einem ihrer „*Freunde*" an Provinzzeitungen geschickt werden, nicht verantwortlich. Was die anderen Fragen anbelange, so erlaube ihnen die Vergangenheit des „*National*", diese unbeachtet zu lassen und sich die Mühe einer Antwort zu sparen. Die „*Réforme*" antwortete darauf nur mit dieser Bemerkung: „Unsere Fragen bleiben bestehen." Die Demokraten haben nun die Dokumente vor sich liegen – sie mögen selbst urteilen. Das haben sie getan; eine große Anzahl radikaler und sogar liberaler Zeitungen Frankreichs haben sich ganz entschieden für die „*Réforme*" erklärt.

Das Verhalten des „*National*" verdient in der Tat schärfste Verurteilung. Diese Zeitung gerät mehr und mehr in die Hände der Bourgeoisie. Sie hat in der letzten Zeit immer die Sache der Demokratie im entscheidenden Moment im Stich gelassen. Sie hat die Vereinigung mit der Bourgeoisie gepredigt und hat bei mehr als einer Gelegenheit niemand anderem als Thiers und Odilon Barrot gedient. Wenn der „*National*" nicht sehr bald sein Verhalten ändert, wird er aufhören, als demokratische Zeitung zu zählen. Bei der Lille-Affaire hat der „*National*" aus bloßer persönlicher Antipathie gegen Männer, die radikaler sind als sie, nicht gezögert, diejenigen Prinzipien aufzugeben, auf denen sie ein Bündnis mit den Liberalen geschlossen hatte hinsichtlich der Durchführung von Banketten. Nach dem, was geschehen ist, wird der „*National*" nie wieder imstande sein, bei künftigen Banketten ernsthaft gegen Trinksprüche auf den König aufzutreten. Die „Vergangenheit" des „*National*" ist nicht so glänzend, daß er sich erlauben könnte, die Fragen seines Zeitgenossen mit Schweigen zu beantworten. Man denke nur an seine Verteidigung der Pariser Befestigungswerke![266]

PS. – Das Reform-Bankett von Dijon hat diese Woche stattgefunden. Dreizehnhundert saßen an der Tafel. Die ganze Angelegenheit war vollkommen demokratisch. Kein Trinkspruch auf den König, natürlich. Alle Sprecher gehörten der Partei der „*Réforme*" an. Die Herren Louis Blanc, Flocon, E[tienne] Arago und Ledru-Rollin waren die Hauptredner. Herr Flocon, Redakteur der „*Réforme*", brachte einen Trinkspruch auf die ausländischen Demokraten aus und erwähnte die englischen Chartisten in sehr ehrenvoller Weise. Nächste Woche werde ich Ihnen sowohl den vollen Wortlaut seiner Rede als auch einen vollständigen Bericht über den ganzen Verlauf dieser äußerst wichtigen Versammlung geben.[267]

Geschrieben Ende November 1847.
Aus dem Englischen.

[Friedrich Engels]

[Zum Jahrestag der polnischen Revolution von 1830[268]]

[„La Réforme" vom 5. Dezember 1847]

Lieber Bürger!

Ich bin gestern abend hier angekommen, gerade rechtzeitig genug, um an dem öffentlichen Meeting teilzunehmen, das zur Feier des Jahrestages der polnischen Revolution von 1830 einberufen worden war.

Ich bin schon bei vielen solchen Versammlungen gewesen, aber noch nie zuvor habe ich eine so allgemeine Begeisterung, ein so völliges und herzliches Einvernehmen unter Menschen aller Nationen erlebt.

Mit dem Vorsitz war ein englischer Arbeiter, Herr Arnott[1], betraut worden.

Die erste Rede wurde von Herrn Ernest Jones, Redakteur des *„Northern Star"*, gehalten, der sich gegen das Verhalten der polnischen Aristokratie beim Aufstand von 1830 wandte und zugleich für die Bemühungen Polens, das Joch seiner Unterdrücker abzuschütteln, Worte wärmster Anerkennung fand. Lebhafter Applaus lohnte seine glänzende und kraftvolle Rede.

Nach ihm hielt Herr Michelot eine Rede in französischer Sprache.

Ihm folgte ein Deutscher, Herr Schapper. Er teilte der Versammlung mit, daß die Brüsseler Demokratische Gesellschaft[269] Herrn Marx, deutscher Demokrat und einer ihrer Vizepräsidenten, nach London delegiert habe, um Korrespondenzbeziehungen zwischen der Brüsseler Gesellschaft und der Londoner Gesellschaft der Brüderlichen Demokraten herzustellen und ferner, um die Einberufung eines demokratischen Kongresses der verschiedenen Nationen Europas vorzubereiten.

Als Herr Marx sich vorstellte, begrüßte ihn die Versammlung mit lang anhaltendem Beifall.

In einer von Herrn Schapper übersetzten deutschen Rede erklärte Herr

[1] In „La Réforme" irrtümlich: Harnott

Marx, daß aus England das Signal zur Befreiung Polens kommen würde. Polen, sagte er, wird erst frei werden, wenn die zivilisierten Nationen Westeuropas die Demokratie erkämpft haben. Die stärkste, die zahlenmäßig größte von allen demokratischen Bewegungen Europas ist aber die Englands, die sich über das ganze Land erstreckt. Gerade in England ist der Gegensatz zwischen Proletariat und Bourgeoisie am weitesten entwickelt; gerade dort wird der entscheidende Kampf zwischen diesen beiden Klassen der Gesellschaft immer unvermeidlicher. In England also wird, aller Wahrscheinlichkeit nach, der Kampf beginnen, der mit dem allgemeinen Triumph der Demokratie enden und der auch das Joch Polens brechen wird. Vom Sieg der englischen Chartisten also hängt der Erfolg der anderen Demokraten Europas ab, und so wird Polen durch England befreit werden.

Der Chefredakteur des *„Northern Star"*, Herr Harney, sprach danach den Demokraten von Brüssel den Dank dafür aus, daß sie sich in erster Linie an die Demokraten Londons gewandt hatten, ohne den Annäherungsversuchen der Bourgeois der Internationalen Londoner Liga[265] Beachtung zu schenken – einer von den Freihändlern gegründeten Gesellschaft, die die ausländischen Demokraten im Interesse des Freihandels ausnutzen will und der Gesellschaft der Brüderlichen Demokraten, einer fast ausschließlich aus Arbeitern bestehenden Organisation, Konkurrenz machen soll.

Herr Engels aus Paris, ein deutscher Demokrat, erklärte sodann, daß Deutschland ein ganz besonderes Interesse an der Befreiung Polens habe, weil deutsche Regierungen einem Teil Polens ihren Despotismus aufgezwungen haben. Die deutsche demokratische Bewegung müsse es sich zur Herzenssache machen, dieser Tyrannei, die eine Schande für Deutschland ist, ein Ende zu bereiten.

Herr Tedesco aus Lüttich dankte in einer kraftvollen Rede den polnischen Kämpfern von 1830, weil sie sich offen zum Prinzip des Aufstandes bekannt hatten. Seine Rede, die Herr Schapper übersetzte, fand wärmsten Beifall.

Nach einigen Worten von Herrn Charles Keen antwortete Oberst Oborski im Namen der Polen.

Als letzter sprach jener englische Arbeiter, Herr Wilson, der durch eine flammende Oppositionsrede erst vor kurzem beinahe die Auflösung eines Meetings der Internationalen Liga verursacht hätte.

Auf Vorschlag der Herren Harney und Engels wurden den drei großen demokratischen Zeitungen Europas – der *„Réforme"*, dem *„Northern Star"* und der *„Deutschen-Brüsseler-Zeitung"* – drei Beifalls-Salven zuerkannt; auf Vorschlag von Herrn Schapper wurde die Mißbilligung der Versammlung für die drei antidemokratischen Blätter – *„Journal des Débats"*, *„Times"* und *„Augsburger Zeitung"*[236] – durch dreimaliges *Grunzen* zum Ausdruck gebracht.

Das Meeting endete mit dem Gesang der *Marseillaise*, in die alle stehend und entblößten Hauptes einstimmten.

Geschrieben am 30. November 1847.
Aus dem Französischen.

Karl Marx/Friedrich Engels

Reden über Polen

auf dem internationalen Meeting in London
am 29. November 1847, anläßlich des 17. Jahrestages
des polnischen Aufstandes von 1830[270]

[„Deutsche-Brüsseler-Zeitung“
Nr. 98 vom 9. Dezember 1847]

[Rede von Karl Marx]

Die Vereinigung und Verbrüderung der Nationen ist eine Phrase, die alle Parteien heute im Mund führen, so namentlich die bürgerlichen Freihandelsmänner. Es existiert allerdings eine gewisse Art Verbrüderung unter den Bourgeoisklassen aller Nationen. Es ist dies die Verbrüderung der Unterdrücker gegen die Unterdrückten, der Exploiteurs gegen die Exploitierten. Wie die Bourgeoisklasse eines Landes gegen die Proletarier desselben Landes vereinigt und verbrüdert ist, trotz der Konkurrenz und des Kampfes der Mitglieder der Bourgeoisie unter sich selbst, so sind die Bourgeois aller Länder gegen die Proletarier aller Länder verbrüdert und vereinigt, trotz ihrer wechselseitigen Bekämpfung und Konkurrenz auf dem Weltmarkte. Damit die Völker sich wirklich vereinigen können, muß ihr Interesse ein gemeinschaftliches sein. Damit ihr Interesse gemeinschaftlich sein könne, müssen die jetzigen Eigentumsverhältnisse abgeschafft sein, denn die jetzigen Eigentumsverhältnisse bedingen die Exploitation der Völker unter sich: die jetzigen Eigentumsverhältnisse abzuschaffen, das ist nur das Interesse der arbeitenden Klasse. Sie allein hat auch die Mittel dazu. Der Sieg des Proletariats über die Bourgeoisie ist zugleich der Sieg über die nationalen und industriellen Konflikte, die heutzutage die verschiedenen Völker feindlich einander gegenüberstellen. Der Sieg des Proletariats über die Bourgeoisie ist darum zugleich das Befreiungssignal aller unterdrückten Nationen.

Das alte Polen ist allerdings verloren, und wir wären die letzten, seine Wiederherstellung zu wünschen. Aber nicht nur das alte Polen ist verloren. Das alte Deutschland, das alte Frankreich, das alte England, die ganze alte Gesellschaft ist verloren. Der Verlust der alten Gesellschaft ist aber kein

Verlust für die, die nichts in der alten Gesellschaft zu verlieren haben, und in allen jetzigen Ländern ist dies der Fall für die große Mehrzahl. Sie haben vielmehr alles zu gewinnen durch den Untergang der alten Gesellschaft, welcher die Bildung einer neuen, nicht mehr auf Klassengegensätzen beruhenden Gesellschaft bedingt.

Von allen Ländern ist England dasjenige, worin der Gegensatz zwischen Proletariat und Bourgeoisie am entwickeltsten ist. Der Sieg der englischen Proletarier über die englische Bourgeoisie ist daher entscheidend für den Sieg aller Unterdrückten gegen ihre Unterdrücker. Polen ist daher nicht in Polen, sondern in England zu befreien. Ihr Chartisten habt daher keine frommen Wünsche zur Befreiung der Nationen auszusprechen. Schlagt eure eigenen inländischen Feinde, und ihr dürft dann das stolze Bewußtsein haben, die ganze alte Gesellschaft geschlagen zu haben.

[Rede von Friedrich Engels]

Erlaubt mir, meine Freunde, heute einmal ausnahmsweise in meiner Eigenschaft als Deutscher aufzutreten. Wir deutschen Demokraten haben nämlich ein besonderes Interesse an der Befreiung Polens. Es sind deutsche Fürsten gewesen, die aus der Teilung Polens Vorteil gezogen haben, es sind deutsche Soldaten, die noch jetzt Galizien und Posen unterdrücken. Uns Deutschen, uns deutschen Demokraten vor allem muß daran liegen, diesen Flecken von unsrer Nation abzuwaschen. Eine Nation kann nicht frei werden und zugleich fortfahren, andre Nationen zu unterdrücken. Die Befreiung Deutschlands kann also nicht zustande kommen, ohne daß die Befreiung Polens von der Unterdrückung durch Deutsche zustande kommt. Und darum hat Polen und Deutschland ein gemeinschaftliches Interesse, und darum können polnische und deutsche Demokraten gemeinsam arbeiten an der Befreiung beider Nationen. – Ich bin auch der Ansicht, daß der erste entscheidende Schlag, der den Sieg der Demokratie, die Befreiung aller europäischen Länder zur Folge haben wird, von den englischen Chartisten ausgehen wird; ich bin mehre Jahre in England gewesen und habe mich während dieser Zeit offen der chartistischen Bewegung angeschlossen. Die englischen Chartisten werden aber zuerst aufstehen, weil gerade in England der Kampf zwischen Bourgeoisie und Proletariat am heftigsten ist. Und warum ist er am heftigsten? Weil in England durch die moderne Industrie, durch die Maschinen alle unterdrückten Klassen in eine einzige große Klasse mit gemeinsamen Interessen in die Klasse des Proletariats zusammengeworfen werden; weil dadurch auf der entgegengesetzten Seite alle Klassen von Unterdrückern ebenfalls in eine einzige Klasse, die Bourgeoisie, vereinigt worden sind. So ist der Kampf vereinfacht, und so wird er mit einem einzigen großen Schlage entschieden werden können. Ist dem nicht so? Die Aristokratie hat keine Macht mehr in England, die Bourgeoisie allein herrscht und hat die Aristokratie ins Schlepptau genommen. Der Bourgeoisie aber gegenüber steht die ganze große Masse des Volks, vereinigt zu einer furchtbaren Phalanx, deren Sieg über die herrschenden Kapitalisten näher und näher heranrückt. Und diese Zerstörung der entgegengesetzten Interessen, welche früher die verschiedenen Abteilungen der Arbeiter auseinanderhielten, diese Nivellierung der Lebenslage aller Arbeiter verdankt ihr der Maschinerie; ohne Maschinerie kein Chartismus, und mag euch die Maschinerie eure momentane Lage verschlechtern, so macht sie uns doch gerade dadurch unseren Sieg möglich. Aber nicht nur in England, auch in allen andern Ländern hat sie diese Wirkungen auf die Arbeiter gehabt. In Belgien, in Amerika, in Frankreich, in Deutschland hat sie die Lage aller Arbeiter gleichgemacht und macht sie täglich mehr und mehr gleich; in allen diesen Ländern haben die Arbeiter jetzt dasselbe Interesse, nämlich die Klasse, die sie unterdrückt, die Bourgeoisie, zu stürzen. Diese Nivellierung der Lebenslage, diese Identifikation der Partei-Interessen der Arbeiter aller Nationen ist das Resultat der Maschinerie, und daher bleibt die Maschinerie ein ungeheurer geschichtlicher Fortschritt. Was folgt für uns daraus? Weil die Lage der Arbeiter aller Länder dieselbe, weil ihre Interessen dieselben, ihre Feinde dieselben sind, darum müssen sie auch zusammen kämpfen, darum müssen sie der Verbrüderung der Bourgeois aller Völker eine Verbrüderung der Arbeiter aller Völker entgegenstellen.

Karl Marx

[Bemerkungen zum Artikel von Herrn Adolph Bartels[271]]

[„Deutsche-Brüsseler-Zeitung" Nr. 101 vom 19. Dezember 1847]

Herr *Adolph Bartels* behauptet, daß das öffentliche Leben für ihn zu Ende sei. Tatsächlich hat er sich, allen Ernstes, in das Privatleben zurückgezogen; er beschränkt sich darauf, bei jedem politischen Ereignis Proteste vom Stapel zu lassen, laut zu verkünden, daß er sein eigener Herr zu sein glaube, daß alles ohne ihn – Herrn Bartels – und gegen ihn – Herrn Bartels – geschehen sei und daß er das Recht besitze, den Geschehnissen seine allerhöchste Sanktionierung vorzuenthalten. Man wird zugeben, daß man auch so am öffentlichen Leben teilnehmen kann und daß, mit Hilfe all dieses Deklarierens, Proklamierens und Protestierens sich der faktisch im öffentlichen Leben stehende Mann hinter dem bescheidenen Auftreten des Privatmannes verbirgt. So offenbart sich das mißverstandene und verkannte Genie.

Herr A. Bartels weiß sehr wohl, daß die Demokraten der verschiedenen Nationen mit ihrem Zusammenschluß unter dem Namen Demokratische Gesellschaft kein anderes Ziel verfolgten, als ihre Ideen auszutauschen und sich gegenseitig über die Prinzipien zu verständigen, die der Verwirklichung der Einigkeit und Brüderlichkeit unter den Völkern dienen können. Es versteht sich von selbst, daß es in einer Gesellschaft mit solchen Zielen Pflicht aller Ausländer ist, ihre Meinung offen darzulegen, und es ist schon lächerlich, sie als *Schulmeister* zu bezeichnen, sooft sie das Wort ergreifen, um ihre Pflicht, eben als Mitglieder der Vereinigung, zu erfüllen. Wenn Herr A. Bartels die Ausländer beschuldigt, Lektionen erteilen zu wollen, dann doch nur, weil diese sich weigern, Lektionen von ihm anzunehmen.

Zweifellos besinnt sich Herr A. Bartels, daß er in dem provisorischen Komitee, dem er angehörte, sogar den Vorschlag gemacht hat, die Vereinigung der deutschen Arbeiter[272] zum *Kern* der neu zu gründenden Gesellschaft zu machen. Ich selbst mußte jenen Vorschlag, im Namen der deutschen Arbeiter, zurückweisen. Sollte uns Herr A. Bartels damit etwa eine Falle haben stellen wollen, um sich die Handhabe für eine spätere Denunziation zu schaffen?

Es steht Herrn Bartels frei, unsere Theorien als „schmutzig und barbarisch“ zu beschimpfen. Er übt keine Kritik, er führt keinen Beweis; er verurteilt, ganz in der Manier der Orthodoxie, indem er im voraus das verdammt, was er nicht begreift.

Wir sind toleranter als Herr A. Bartels. Wir übersehen seine „blauen Teufel“, die völlig harmlose Teufel sind.

Da Herr A. Bartels mehr Theokrat als Demokrat ist, ist es nur allzu natürlich, daß er im *„Journal de Bruxelles“*[273] einen Helfershelfer findet. Diese Zeitung beschuldigt uns, das *„menschliche Geschlecht verbessern“* zu wollen. Sie kann sich beruhigen! Zum Glück wissen wir Deutschen sehr wohl, daß seit 1640 die *Congregatio de propaganda fide*[274] das alleinige Monopol zur Verbesserung des menschlichen Geschlechts hat. Wir sind zu bescheiden und zu unbedeutend, um den ehrwürdigen, um das Wohl der Menschheit so löblich beflissenen Vätern Konkurrenz zu machen. Sie brauchen sich nur die Mühe zu geben und den Bericht der *„Deutschen-Brüsseler-Zeitung“* mit dem des *„Northern Star“* zu vergleichen, und sie werden sich vergewissern können, daß mir der *„Northern Star“* nur auf Grund eines Irrtums die Worte zuschreibt: „Chartisten ... Ihr werdet gefeiert werden als die Retter des Menschengeschlechts.“[275]

Das *„Journal de Bruxelles“* ist vom Geiste wärmerer Nächstenliebe beseelt, wenn es uns an das Beispiel von *Anacharsis Cloots* gemahnt, der das Schafott besteigen mußte, weil er patriotischer sein wollte als die Patrioten von 1793 und 1794. In dieser Hinsicht trifft die ehrwürdigen Väter kein Vorwurf. Sie waren niemals patriotischer als die Patrioten. Im Gegenteil, sie wurden immer und überall beschuldigt, reaktionärer sein zu wollen als die Reaktionäre und, schlimmer noch, die Ziele der Regierung mehr zu vertreten, als es die nationale Regierung tat. Wenn wir an die traurigen Erfahrungen denken, die sie vor kurzem in der Schweiz gemacht haben, so sind wir durchaus bereit, anzuerkennen, daß eine der ersten Christen würdige Hochherzigkeit aus ihrer Verwarnung spricht, wir möchten unsererseits das entgegengesetzte Extrem und ähnliche Gefahren zu vermeiden suchen. Wir danken ihnen dafür.

Karl Marx

Aus dem Französischen.

[Karl Marx]

Lamartine und der Kommunismus

[„Deutsche-Brüsseler-Zeitung"
Nr. 103 vom 26. Dezember 1847]

Brüssel, 24. Dezember. Die französischen Blätter bringen wieder einmal einen Brief des Herrn von Lamartine. Es ist diesmal der Kommunismus, über den der poetische Sozialist sich endlich unumwunden ausspricht, nachdem er von Cabet dazu aufgefordert worden. Lamartine verspricht zugleich, sich nächstens *ausführlich* über diesen „wichtigen Gegenstand" vernehmen zu lassen. Für jetzt begnügt er sich mit einigen kurzen Orakelsprüchen:

„Meine Ansicht über den Kommunismus", sagt er, „läßt sich in ein *Gefühl* zusammenfassen (!), und zwar in folgendem: Wenn Gott mir eine Gesellschaft von Wilden anvertraute, um sie zu zivilisieren und zu gesitteten Menschen zu machen, so wäre die erste Institution, die ich ihnen gäbe, das Eigentum."

„Daß der Mensch", fährt Herr Lamartine fort, „sich die Elemente aneignet, ist ein Naturgesetz und eine Lebensbedingung. Der Mensch eignet sich die Luft an, indem er atmet, den Raum, indem er ihn durchschreitet, den Boden, indem er ihn anbaut, selbst die Zeit, indem er sich durch Kinder verewigt; das Eigentum ist die Organisation des Lebensprinzips im Weltall; der Kommunismus würde der Tod der Arbeit und der ganzen Menschheit sein."

„Ihr Traum", tröstet Herr Lamartine schließlich den Herrn Cabet, „ist zu schön für diese Erde."

Herr Lamartine bekämpft also den Kommunismus, und zwar nicht bloß ein kommunistisches System, sondern er tritt für die „Ewigkeit des Privateigentums" in die Schranken. Denn sein „Gefühl" sagt ihm dreierlei: 1. daß das Eigentum die Menschen zivilisiere, 2. daß es die Organisation des Lebensprinzips in der Welt und 3. daß sein Gegenteil, der Kommunismus, ein zu schöner Traum für diese schlechte Welt sei.

Herr Lamartine „fühlt" ohne Zweifel eine bessere Welt, in welcher das „Lebensprinzip" anders „organisiert" ist. In dieser schlechten Welt aber ist nun einmal das „Aneignen" eine Lebensbedingung.

Es ist nicht nötig, das konfuse Gefühl des Herrn Lamartine zu analysieren, um es in seine Widersprüche aufzulösen. Wir wollen nur eins bemerken. Herr Lamartine glaubt, die Ewigkeit des bürgerlichen Eigentums nachgewiesen zu haben, indem er andeutet, daß das Eigentum im allgemeinen den Übergang bildet aus dem Zustande der Wildheit in den der Zivilisation, und indem er zu verstehen gibt, daß der Atmungsprozeß und das Kindermachen ebensogut wie das gesellschaftliche Privateigentum das Eigentumsrecht voraussetzen.

Herr Lamartine sieht keinen Unterschied zwischen der Epoche des Übergangs aus der Wildheit in die Zivilisation und der unsrigen, ebensowenig wie zwischen dem „Aneignen" der Luft und dem „Aneignen" der gesellschaftlichen Produkte; denn beides ist ja ein „Aneignen", wie beide Epochen ja „Übergangsepochen" sind!

Herr Lamartine wird ohne Zweifel in seiner „ausführlichen" Polemik gegen den Kommunismus Gelegenheit finden, aus diesen allgemeinen Redensarten, welche seinem „Gefühle" entspringen, eine ganze Reihe andrer, noch allgemeinerer Redensarten „logisch" folgen zu lassen. – Vielleicht werden wir alsdann ebenfalls Gelegenheit finden, seine Redensarten „ausführlicher" zu beleuchten. – Für diesmal begnügen wir uns damit, unsren Lesern die „Gefühle" mitzuteilen, welche ein monarchisch-katholisches Blatt denen des Herrn Lamartine entgegensetzt. Die „Union monarchique" nämlich läßt sich in ihrer gestrigen Nummer folgendermaßen gegen die Lamartineschen Gefühle aus:

„Da sehen wir's, wie diese Aufklärer der Menschheit dieselbe ohne Führer lassen. Die Unglückseligen! Sie haben dem Armen den Gott geraubt, der ihn tröstete; sie haben ihm den Himmel genommen; sie haben den Menschen allein gelassen mit seiner Entbehrung, mit seinem Elende. Und dann kommen sie und sagen: Du willst die Erde besitzen; sie ist nicht dein. Du willst die Güter des Lebens genießen; sie gehören andern. Du willst an den Reichtümern teilnehmen; das geht nicht; bleibe arm, bleibe nackt, bleibe verlassen – sterbe!"

Die „Union monarchique" tröstet die Proletarier mit Gott. Das „Bien Public", das Journal des Herrn Lamartine, tröstet sie mit dem „Lebensprinzip".

[Friedrich Engels]

Die „Réforme" und der „National"

[„Deutsche-Brüsseler-Zeitung"
Nr. 104 vom 30. Dezember 1847]

Aus dem Bankett von Lille hat sich eine Debatte zwischen der „Réforme" und dem „National" entsponnen, die jetzt zu einer entschiedenen Trennung beider Journale geführt hat.

Die Tatsachen sind folgende:

Seit dem Beginn der Reformbanketts hat sich der „National" noch offner als bisher der dynastischen Opposition[276] angeschlossen. Bei dem Bankett von Lille zog sich Herr Degeorge, vom „National", mit Odilon Barrot zurück. Der „National" selbst sprach sich mehr als zweifelhaft über das Liller Bankett aus. Aufgefordert von der „Réforme", sich näher zu erklären, lehnte er dies ab unter dem Vorwande, mit diesem Journal keine Polemik anfangen zu wollen. Dies war durchaus kein Grund, sich nicht über das Faktum auszusprechen. Genug, die „Réforme" ließ die Sache nicht fallen und griff zuletzt den Herrn Garnier-Pagès vom „National" wegen einer Rede an, in der er die Existenz der Klasse leugnete und Bourgeoisie und Proletariat in der allgemeinen Phrase von Citoyens français[1] verschwinden ließ. Jetzt endlich erklärte der „National", er werde seine Freunde gegen ein Journal verteidigen, welches alle braven Patrioten wie Carnot, Garnier-Pagès usw. verdächtige.

Der „National", sehr bald auf allen Punkten geschlagen, wußte zuletzt keinen andern Ausweg mehr, als die „Réforme" des Kommunismus anzuklagen.

„Ihr sprecht von unbestimmten Bestrebungen, von Theorien und Systemen, die im Volke entstehen, ihr tadelt uns, daß wir diese, grade herausgesagt, kommunistischen Bestrebungen offen angreifen. Nun wohl, erklärt euch direkt, entweder für oder gegen den Kommunismus. Wir erklären es laut, wir haben nichts mit den Kommu-

[1] französischen Bürgern

nisten, mit diesen Leuten gemein, die das Eigentum, die Familie, das Vaterland leugnen. Wir werden am Tage des Kampfes nicht mit, sondern gegen diese abscheulichen Bestrebungen fechten. Wir haben keinen Frieden, keine Toleranz für diese gehässigen Träumereien, für dieses absurde und rohe (sauvage) System, das den Menschen bestialisiert, ihn zum wilden Tier herabdrückt (se réduit à l'état de brute). Und ihr glaubt, das Volk würde mit euch sein? Das Volk würde das wenige Eigentum, das es sich im Schweiße seines Angesichts erworben, es würde die Familie, das Vaterland aufgeben? Ihr glaubt, das Volk würde sich jemals überreden lassen, es sei gleichgültig, ob Österreich uns unter seinem Despotismus unterjoche, ob die Mächte Frankreich zerstückeln?"

Solchen Gründen gegen den Kommunismus fügt der „National" seine Pläne zur Hebung der Lage der Arbeiter hinzu: Postreform, Finanzreform, Luxussteuern, Staatsunterstützungen, Aufhebung der Oktrois, freie Konkurrenz.

Man wird sich nicht die Mühe geben, dem „National" seine lächerlichen Vorstellungen vom Kommunismus zu berichtigen. Komisch ist nur, daß der „National" noch immer die schreckhafte Vorstellung von einer stets drohenden Invasion der „Großmächte" zur Schau trägt, daß er noch immer glaubt, jenseits des Rheins und des Kanals seien Millionen Bajonette auf Frankreich gezückt, Hunderttausende von Feuerschlünden auf Paris gerichtet. Die „Réforme" hat ganz richtig darauf geantwortet: Im Fall einer Invasion der Könige werden uns nicht die Befestigungen von Paris, sondern die Völker selbst zum Wall dienen.

Die „Réforme" erklärt auf den oben zitierten Artikel des „National":

„Wir sind nicht kommunistisch, und zwar aus dem Grunde, weil der Kommunismus nicht die Gesetze der Produktion berücksichtigt, weil er sich nicht darum kümmert, daß auch hinreichend für die ganze Gesellschaft produziert wird. Aber die ökonomischen Vorschläge der Kommunisten stehen uns näher als die des „National", der ohne weiteres die heutige bürgerliche Ökonomie akzeptiert. Wir werden die Kommunisten auch fernerhin gegen die Polizei und den „National" verteidigen, weil wir ihnen mindestens das Recht der Diskussion zuerkennen und weil die von den Arbeitern selbst ausgehenden Doktrinen stets Berücksichtigung verdienen."

Wir danken der „Réforme" für die energische Weise, in der sie die wirkliche Demokratie gegenüber dem „National" vertreten hat. Wir danken der „Réforme", daß sie ihm gegenüber den Kommunismus verteidigt. Wir erkennen gern an, daß sie zu jeder Zeit die Kommunisten verteidigte, wenn sie von der Regierung verfolgt wurden. Die „Réforme" *allein* von allen Pariser Journalen hat die materialistischen Kommunisten verteidigt, als sie von Herrn Delangle vor Gericht geschleppt wurden[277]; Herr Cabet gab zu gleicher Zeit der Regierung fast recht gegen die Materialisten. Es freut uns, daß die „Réforme" selbst in den mehr oder weniger unentwickelten Formen des Kommunismus, in denen er bisher auftrat, einen Kern entdeckt hat, dem sie nähersteht als den Vertretern der bürgerlichen Ökonomie. Wir dagegen hoffen, binnen kurzem der „Réforme" beweisen zu können, daß der Kommunismus, wie *wir* ihn verteidigen, den Prinzipien der „Réforme" noch verwandter ist als dem Kommunismus selbst, wie er bisher in Frankreich geltend gemacht wurde und wie er jetzt teilweise auswandert.

In ihrem Verwerfungsurteil über den „National" spricht die „Réforme" übrigens nur das Urteil aus, welches die deutsche, englische und belgische Demokratie, überhaupt alle, außer französische Demokratie längst gefällt hat.

Geschrieben Ende Dezember 1847.

[Friedrich Engels]

Louis Blancs Rede auf dem Bankett zu Dijon

[„Deutsche-Brüsseler-Zeitung"
Nr. 104 vom 30. Dezember 1847]

Der „Northern Star" in seinem Bericht über das Bankett zu Dijon unterwirft die Rede des Herrn Louis Blanc einer Kritik, mit welcher wir vollständig übereinstimmen.[278] Die Vereinigung der Demokraten der verschiednen Nationen schließt die wechselseitige Kritik nicht aus. Sie ist unmöglich ohne solche Kritik. Ohne Kritik keine Verständigung und folglich keine Vereinigung. Wir geben die Bemerkungen des „Northern Star" wieder, um auch unsrerseits gegen Vorurteile und Illusionen zu protestieren, die den Tendenzen der modernen Demokratie durchaus feindlich gegenüberstehen und daher aufzugeben sind, wenn die Vereinigung der Demokraten der verschiednen Nationen mehr als eine Phrase werden soll.

Herr Blanc sagte auf dem Bankett zu Dijon:

„Wir bedürfen der Vereinigung in der Demokratie. Und keiner täusche sich hierüber: Wir denken und arbeiten nicht allein für Frankreich, sondern für die ganze Welt, denn Frankreichs Zukunft – das ist die Zukunft der Menschheit. In der Tat. Wir befinden uns in dieser bewundrungswürdigen Lage, daß wir, ohne je aufzuhören, national zu sein, notwendig Kosmopoliten sind und selbst mehr kosmopolitisch als national. Wer immer sich *Demokrat* nennt und zugleich *Engländer* sein will, der *verleugnet* die Geschichte seines eignen Landes, denn Englands Anteil an der Geschichte war immer der Kampf für den Egoismus gegen die „fraternité"[1]. In derselben Weise würde der Franzose, der nicht zugleich Kosmopolit sein wollte, die Geschichte seines Landes verleugnen: denn Frankreich konnte nie eine Idee zur Herrschaft bringen, es sei denn zum Nutzen der ganzen Welt. Meine Herren! Zur Zeit der Kreuzzüge, als Europa auszog, das heilige Grab zu erobern, nahm Frankreich die Bewegung unter seine schützenden Fittiche. Später, als die Priester uns das Joch der päpstlichen Suprematie aufdringen wollten, verteidigten gallikanische Bischöfe die Rechte des Gewissens. Und in den letzten Tagen der alten Monarchie, wer unterstützte das junge republikanische Amerika? Frankreich, stets Frankreich! Und was also wahr dastand, selbst für das monarchische Frankreich, wie sollte es nicht wahr sein für das republikanische Frankreich?

[1] „Brüderlichkeit"

Wo in dem Buch der Geschichte finden wir auch nur annäherungsweise jene bewundrungswürdige, selbstaufopfernde Uninteressiertheit der französischen Republik, die, erschöpft von dem Blut, das sie an unsern Grenzen und auf dem Schafott vergossen, noch immer Blut zu vergießen fand für ihre batavischen Brüder! Geschlagen oder siegreich, erleuchtete sie ihre eignen Feinde durch die Lichtstrahlen ihres Genies! Laßt Europa uns sechzehn Armeen senden, und seine Freiheit werden wir ihm senden im Austausch!"

Der „Northern Star" bemerkt hierauf:

„Wir wollen in keiner Weise die heroischen Kämpfe der französischen Revolution herabsetzen oder an dem Dank mäkeln, den die Welt den großen Männern der Republik schuldet. Dennoch glauben wir, daß die wechselseitige Stellung von Frankreich und England in Beziehung auf den Kosmopolitismus[1] durchaus unrichtig in der obigen Skizze bezeichnet ist. Wir leugnen gänzlich den kosmopolitischen Charakter, der dem Frankreich vor der Revolution zugeschrieben wird. Die Zeiten Ludwigs XI. und Richelieus mögen als Beweise dienen! Was behauptet Herr Louis Blanc aber eigentlich von Frankreich? ‚Es habe nie eine Idee zur Herrschaft bringen können, es sei denn zum Nutzen der ganzen Welt.' Nun, wir glauben, Herr Blanc kann uns kein Land in der Welt nennen, welches hierin sich von Frankreich unterscheidet oder selbst unterscheiden kann. Nehmt z.B. England, welches Herr Blanc Frankreich direkt gegenüberstellt, England hat die Dampfmaschine erfunden, England hat die Eisenbahnen errichtet, zwei Dinge, die, wie wir glauben, einen guten Teil von Ideen aufwiegen. Nun wohl! Erfand England sie für sich selbst oder für die Welt? Die Franzosen rühmen sich, die Zivilisation überallhin auszubreiten, namentlich in Algier. Und wer hat die Zivilisation ausgebreitet in Amerika, Asien, Afrika und Australien, wenn nicht England?[279] Wer gründete eben jene Republik, an deren Befreiung Frankreich einigen Anteil nahm? England – stets England. Wenn Frankreich die amerikanische Republik in dem Befreiungskampf von englischer Tyrannei unterstützte, so befreite England, zwei Jahrhunderte früher, die holländische Republik von spanischer Unterdrückung. Wenn Frankreich am Ende des letzten Jahrhunderts der ganzen Welt ein glorreiches Beispiel gab, so dürfen wir die Tatsache nicht mit Stillschweigen übergehn, daß England 150 Jahre früher dies Beispiel gab und zu der Zeit nicht einmal Frankreich vorbereitet fand, ihm nachzufolgen. Und was die *Ideen* betrifft, welche die französischen

[1] Die Worte „Kosmopolitismus" und „kosmopolitisch" werden hier von Engels nicht im Sinne des in Louis Blancs Rede zum Ausdruck gebrachten und in dem vorliegender Artikel kritisierten *bürgerlichen* Kosmopolitismus gebraucht, sondern in ihrer eigentlichen Bedeutung von „allgemein-menschlich", „frei von nationalen Vorurteilen" angewandt.

Philosophen des 18. Jahrhunderts, welche ein Voltaire, Rousseau, Diderot, D'Alembert und andere so sehr popularisiert haben, wo hatten diese Ideen ihren Ursprung, wenn nicht in England? Laßt uns niemals Milton, den ersten Verteidiger des Königsmordes, Algernon Sidney, Bolingbroke und Shaftesbury vergessen über ihren glänzenderen französischen Nachfolgern!"

„Ein Engländer, der sich Demokrat nennt, verleugnet die Geschichte seines eignen Landes", sagt Herr Blanc.

Nun wohl! Wir betrachten es als den entschiedensten Charakterzug echter Demokratie, daß sie ihr Land verleugnen *muß*, daß sie zurückstoßen *muß* alle Verantwortlichkeit für eine Vergangenheit, die erfüllt ist von Elend, Tyrannei, Klassenunterdrückung und Aberglauben. Laßt die Franzosen keine Ausnahme von den andern Demokraten machen; laßt sie nicht die Verantwortlichkeit für die Taten ihrer Könige und Aristokraten vergangener Zeiten auf sich nehmen! Was Herr Blanc daher für einen Nachteil der englischen Demokraten versieht, halten wir für einen großen Vorzug, daß sie nämlich die Vergangenheit zurückstoßen *müssen* und ausschließlich in die Zukunft schauen.

„Ein Franzose", sagt Herr Blanc, „ist notwendig ein Kosmopolit." Ja, in einer Welt, wo nur französischer Einfluß, französische Sitten, Gebräuche, Ideen und politische Zustände herrschen würden! In einer Welt, wo jede Nation die charakteristischen Eigenschaften der französischen Nationalität angenommen hätte! Aber eben dagegen müssen die Demokraten der andern Nationen protestieren. Durchaus bereit, die Härte ihrer eigenen Nationalität aufzugeben, erwarten sie dasselbe von den Franzosen. Es genügt ihnen keineswegs die Versicherung der Franzosen, daß sie als Franzosen schon Kosmopoliten *sind*. Eine solche Versicherung läuft auf die Forderung hinaus, daß alle andern Franzosen *werden sollen*.

Vergleicht Deutschland. Deutschland ist das Vaterland einer ungeheuren Zahl von Erfindungen – z.B. der Druckerpresse. Deutschland hat, wie allgemein anerkannt ist, eine weit größere Anzahl großherziger und kosmopolitischer Ideen erzeugt als Frankreich und England zusammengenommen. Und in der Praxis wurde Deutschland stets gedemütigt, stets um seine Hoffnungen betrogen. Es kann am besten erzählen, welcher Natur der französische Kosmopolitismus war. In demselben Maß, worin Frankreich die Treulosigkeit der englischen Politik zu beklagen hatte, hat Deutschland eine ebenso treulose Politik von Frankreichs Seite erfahren, von Louis XI. bis Louis-Philippe. Wollten wir den Maßstab des Herrn Blanc anlegen, so wären die Deutschen die wahren Kosmopoliten. Die deutschen Demokraten sind aber weit von solcher Prätention entfernt.

[Friedrich Engels]

Chartistische Agitation

[„La Réforme" vom 30. Dezember 1847]

Seit der Eröffnung des Parlaments hat sich die chartistische Agitation außerordentlich stark entwickelt. Petitionen werden vorbereitet, Meetings finden statt, die Vertrauensleute der Partei durcheilen das Land in allen Richtungen. Außer der großen nationalen Petition für die Volkscharte, die, wie man hofft, diesmal von vier Millionen vereinten Unterschriften getragen sein wird, sind jetzt noch zwei andere Petitionen – für die chartistische Bodengesellschaft – dem Volk zur Annahme vorgelegt worden. Die erste, die O'Connor redigiert hat und diese Woche im „Northern Star"[280] veröffentlicht, läßt sich wie folgt zusammenfassen:

„An die ehrenwerten, als Parlament versammelten Gemeinen Großbritanniens und Irlands:

Werte Herren,

Wir, die Unterzeichneten, Mitglieder der chartistischen Bodengesellschaft und Arbeiter unseres Standes,

in Erwägung:

daß die übermäßige Spekulation mit den Erzeugnissen unserer Arbeit, die schrankenlose Konkurrenz und das ständige Anwachsen der maschinellen Produktionsmittel überall die Absatzgebiete für unsere Arbeit verschlossen haben;

daß in dem Maße wie die maschinellen Produktionsmittel sich mehren, die Handarbeit abnimmt und Arbeiter ihre Arbeit verlieren;

daß Ihr neuerlicher Beschluß über die vorläufige Einstellung der Arbeiten an den Eisenbahnen Tausende Arbeiter arbeitslos machen, den Arbeitsmarkt schwer belasten und so den Fabrikherren die Möglichkeit schaffen wird, die schon so oft gekürzten Löhne von neuem herabzusetzen;

daß wir lediglich fordern, von den Erzeugnissen unserer Arbeit leben zu können;

daß wir jegliche Armensteuer ablehnen als eine Beleidigung und als ein Mittel, das nur dazu dient, den Kapitalisten eine Reserve bereitzuhalten, die sie jederzeit auf den Arbeitsmarkt werfen können, um die Löhne mittels der Konkurrenz zwischen den Arbeitern selbst zu senken;

daß, wenn die Industrie nicht mehr in der Lage ist, die von ihr selbst geschaffenen Proletariermassen zu beschäftigen, die Landwirtschaft unserer Arbeit noch ein weites Feld bietet – denn es ist erwiesen, daß der Bodenertrag unseres Landes durch Arbeitsaufwand mindestens auf das Vierfache gesteigert werden kann;

haben demzufolge eine Gesellschaft gegründet zum Ankauf von Boden, auf dem jeder von uns mit seiner Familie von dem Ertrag seiner Arbeit leben kann, ohne der Gemeinde oder der Wohltätigkeit einzelner zur Last zu fallen und ohne durch seine Konkurrenz die Löhne der anderen Arbeiter zu senken.

Auf diesem Wege bitten wir Sie deshalb, werte Herren, ein Gesetz erlassen zu wollen, das die *Bodengesellschaft* von der Zahlung der Stempelgebühren wie auch der Akzise auf Ziegel, Bauholz und andere Materialien ausnimmt und befreit, und wir bitten Sie, die *Bill*, die Ihnen zu diesem Zweck vorgelegt werden wird, anzunehmen."

Diese Bill arbeitet Feargus O'Connor ebenfalls aus; er wird sie binnen kurzem dem Parlament unterbreiten.

Die zweite Petition fordert, daß der unbebaute Grund und Boden, der jetzt Eigentum der Gemeinden ist, an das Volk zurückgegeben wird. Diese Grundstücke, die seit 30 Jahren in Bausch und Bogen an Großgrundbesitzer verkauft werden, sollen, entsprechend der Forderung der Petition, in Parzellen aufgeteilt werden, um an die ortsansässigen Arbeiter verpachtet oder mit Zahlungserleichterung verkauft zu werden. Diese Petition wurde in London auf einem großen Meeting angenommen, wo sie verfochten wurde von den Redakteuren des „Northern Star", Harney und Jones, in Abwesenheit O'Connors, der im Parlament zu tun hatte. Sie ist jetzt gleichfalls auf einem großen Meeting in Norwich angenommen worden, wo Herr Jones, einer der besten Redner Englands, ihr noch einmal die Unterstützung seiner glänzenden und unwiderstehlichen Beredsamkeit angedeihen ließ.

Schließlich ist der Nationalen Petition auf einem stark besuchten Meeting in London zugestimmt worden. Die Hauptredner auf dieser Versammlung waren die Herren Keen, Schapper (Deutschland) und Harney. Besonders die Ausführungen des letzteren zeichneten sich durch die Kraft seiner demokratischen Überzeugung aus:

„Unser ganzes soziales und politisches System", sagte er, „ist nichts als ein ungeheuerliches Gebilde von Lüge und Betrug zum Nutzen von Taugenichtsen und schamlosen Betrügern.

Seht euch die Kirche an: Die Erzbischöfe und Bischöfe heimsen enorme Gehälter ein, während sie den Pfarrern, die sich mit der geistlichen Arbeit mühen, nur ein paar Pfund jährlich überlassen. Unter dem Namen des Kirchenzehnten werden dem Volke mehrere Millionen entzogen. Dieser Zehnte war ursprünglich zum großen Teil für den

Unterhalt der Kirchen und der Armen bestimmt; jetzt gibt es dafür besondere Steuern, und die Kirche streicht den ganzen Betrag des Zehnten für sich ein. Ich frage euch, ist diese Kirche nicht ein organisierter Betrug? (Beifall.)

Seht euch unser Unterhaus an. Es vertritt nicht das Volk, sondern die Aristokratie und die Bourgeoisie und verurteilt sechs Siebentel der erwachsenen männlichen Bewohner des Landes zur politischen Sklaverei, indem es ihnen das Wahlrecht verweigert. Ist diese Kammer nicht ein legalisierter Betrug? (Donnernder Beifall.)

Seht diese ehrwürdigen Pairs, die sich ohne Rücksicht auf den Notschrei eines ganzen Landes Abend um Abend versammeln, um in Seelenruhe auf die Zwangsbill zu warten, die ihnen vom Unterhaus zugehen soll. Gibt es auch nur einen unter euch, der mir die Nützlichkeit einer derartigen Anstalt für Unheilbare darlegen möchte, einen nur, der es wagen würde, diesen erblich verankerten Betrug zu verteidigen? (Beifall.)

Selbstverständlich verbietet mir der Respekt vor der Monarchie, diesem glorreichen Beweisstück der Weisheit unserer Väter, in anderen als höchst loyalen Worten von dieser interessanten Königin Victoria zu sprechen, die alle Jahre wieder mit einer Thronrede und einem königlichen Baby niederkommt. (Lachen.) Die Rede ist uns gerade zuteil geworden, und nach den Zeitungsberichten werden wir das Baby im März beschert bekommen. Ihre allergnädigste Majestät bekundet ein großes Interesse für die Leiden ihres Volkes, sie hegt Bewunderung für seine Geduld und verspricht ihm ein neues Kind. Und in diesem einen Punkt hält sie leider, was sie verspricht! (Lachsalven.) Und dann haben wir den Prinzen Albert, der Hüte erfindet, der Schweine mästet, der außerdem ein hervorragender Feldmarschall ist und der sich für all seine Leistungen nach einem Satz von dreißigtausend Pfund pro Jahr bezahlen läßt. O nein, werte Mitbürger, nein, die Monarchie ist kein Betrug!" (Lachen und Beifall.)

Nachdem der Redner diesem Bild der oberen Gesellschaft das Bild der Leiden des Volkes entgegengehalten hatte, schloß er mit der Aufforderung, die nationale Petition für die Charte anzunehmen. Die Petition wurde einstimmig angenommen. Herr Duncombe wird sie dem Unterhaus vorlegen, sowie sie das Land durchlaufen hat. Ich werde Ihnen eine Übersetzung übermitteln, sobald ich mir eine Abschrift beschafft habe.

Geschrieben Ende Dezember 1847.
Aus dem Französischen.

[Friedrich Engels]

[Frankreich: Politische Vorgänge]

Die „zufriedengestellte" Mehrheit – Guizots „Reform"-Plan Seltsame Ansichten des Herrn Garnier-Pagès – Demokratisches Bankett in Chalon – Rede des Herrn Ledru-Rollin – Ein demokratischer Kongreß – Rede des Herrn Flocon – Die „Réforme" und der „National"

[„The Northern Star" Nr. 533 vom 8. Januar 1848]

Die französischen Kammern sind jetzt wieder zusammengetreten, und wir werden sehr bald das Vergnügen haben, die Wirkung zu beobachten, die die Reformbewegung auf die 225 „zufriedenen" Mitglieder der Mehrheit ausgeübt hat. Wir werden sehen, ob sie auch mit der Art zufrieden sein werden, durch die Guizot in der Schweizer Frage Frankreich dem Gespött ganz Europas ausgesetzt hat. Nun ja, diese fetten, korrumpierenden und korrumpierten, spekulierenden, schwindelnden, blutsaugenden und feigen Mitglieder der Mehrheit sind gerade die richtigen Leute, um sogar das zu schlucken – um „Amen" zu sagen zu dem Streich, den Palmerston als Vergeltung für die spanischen Heiraten seinem ehrenwerten Kollegen Guizot spielte[281] –, um zu erklären, daß Frankreich niemals so groß, so ruhmreich, so geachtet und so „zufrieden" gewesen sei wie gerade jetzt.

Und gerade in diesem Augenblick diskutieren alle Pariser Zeitungen, von dem *„Débats"* bis zur *„Réforme"*, so offen, wie es unter den gegebenen Umständen möglich ist, was sich aus dem Tod von Louis-Philippe ergeben könnte. Aus Furcht, die Mehrheit könne sich zersplittern, spricht der *„Débats"* jeden Tag die Warnung aus, daß, wenn immer dieses unvermeidliche Ereignis einträte, es das Signal für die Zusammenrottung aller politischen Parteien sein würde, daß dann der „Republikanismus", „Kommunismus", „Anarchismus", „Terrorismus" etc. aus ihren unterirdischen Höhlen hervorbrechen würden, um ringsum Verwüstung, Schrecken und Vernichtung zu verbreiten, daß Frankreich verloren sein würde – Freiheit, Sicherheit und Eigentum verloren sein würden, es sei denn, die Freunde der Ordnung (Herr Guizot und Co. natürlich) hielten sie mit starker Hand nieder; daß diese gefährliche Situation jeden Tag eintreten könne und daß, wenn man Herrn

Guizot nicht unterstützt, alles verloren sein würde. – Die anderen Zeitungen, die *„Presse"*, der *„Constitutionnel"* und der *„Siècle"* sagen, daß gerade das Gegenteil davon eintreten wird, daß alle Schrecken einer blutigen Revolution das Land überschwemmen werden, wenn nicht sofort nach dem Tode des Königs dieser widerwärtige Betrüger Guizot durch einen ihrer politischen Helden, sei es durch Herrn de Girardin, Herrn Thiers oder Herrn Odilon Barrot, ersetzt würde. Die radikalen Zeitungen erörtern die Frage, wie wir allmählich sehen werden, von einem anderen Standpunkt aus.

So gibt selbst der *„Débats"* indirekt zu, daß das „zufriedene" Frankreich nur auf den geeigneten Augenblick wartet, um seine Unzufriedenheit in einer Art zu beweisen, die sich der *„Débats"* in seiner erschreckten Bourgeois-Phantasie in höchst lächerlicher Weise ausmalt. Das stört jedoch die „zufriedenen" Zweihundertfünfundzwanzig gar nicht. Sie haben ihre eigene Logik. Wenn das Volk zufrieden ist, liegt kein Grund vor, das System zu ändern. Ist es unzufrieden, dann ist gerade seine Unzufriedenheit ein Grund mehr, an dem System festzuhalten; denn, gäbe man auch nur einen Zentimeter preis, so würden alle Schrecken der Revolution plötzlich hervorbrechen. Man kann tun, was man will, diese Bourgeois werden daraus immer die Schlußfolgerung ziehen, daß sie das Land am besten regieren können.

Dennoch wird Guizot eine kleine Reform durchführen. Er wird der Wählerliste die „Kapazitäten" hinzufügen, das heißt alle Personen, die einen akademischen Grad besitzen, Rechtsgelehrte, Doktoren und ähnliche Schaumschläger. Wirklich, eine herrliche Reform! Doch dies wird genügen, um die „Progressiven Konservativen" oder wie sie sich jetzt nennen – denn aus Mangel an anderer Betätigung wechseln sie ständig die Namen – die „Konservative Opposition", zu entwaffnen. Es wird darüber hinaus ein schwerer Schicksalsschlag für Herrn Thiers sein, der, während er seinen Stellvertreter, Herrn Duvergier de Hauranne, zu einem Reformbankett gesandt hatte, heimlich seinen Reformplan vorbereitete, mit welchem er die Kammern überraschen wollte, der aber völlig dem gleicht, den jetzt sein Rivale Guizot vorschlagen wird.

In den Kammern wird es allgemein viel Rufen, Schreien und Lärmen geben; aber ich glaube kaum, daß Herr Guizot irgend etwas Ernstliches von seinen treuen Zweihundertundfünfundzwanzig zu befürchten hat.

Soviel über die offiziellen Kreise. Inzwischen nahmen die Reformbankette und der Streit zwischen dem *„National"* und der *„Réforme"* ihren Fortgang. Die vereinigte Opposition, das heißt das Linkszentrum (die Partei des Herrn Thiers), die Linken (die Partei des Herrn Odilon Barrot) und die „vernünftigen Radikalen" (der *„National"*) veranstalteten die Bankette von

Castres, Montpellier, Neubourg und andere; die Ultrademokraten (die „*Réforme*") gaben das Bankett von Chalon. Der Hauptredner der Bankette von Montpellier und Neubourg war Herr Garnier-Pagès, der Bruder des bekannten, vor einigen Jahren verstorbenen Demokraten gleichen Namens[1]. Aber Herr Garnier-Pagès, der Jüngere, ist weit davon entfernt, seinem Bruder zu gleichen; ihm fehlt diese Energie, dieser Mut und kompromißlose Geist völlig, die dem verstorbenen Führer der französischen Demokratie eine so hervorragende Stellung sicherten. In Neubourg stellte Herr Garnier-Pagès, der Jüngere, Behauptungen auf, die beweisen, daß ihm die wirkliche Lage der Gesellschaft völlig unbekannt ist, und infolgedessen auch das Mittel, sie zu verbessern. Während jede moderne Demokratie auf der großen Tatsache beruht, daß die moderne Gesellschaft unwiderruflich in zwei Klassen geteilt ist – in die Bourgeoisie, nämlich die Besitzer aller Produktionsmittel und Erzeugnisse, und das Proletariat, das nichts als seine Arbeit besitzt, von der es lebt, daß letztere Klasse in sozialer und politischer Hinsicht von der ersteren unterdrückt wird; während es in allen Ländern das anerkannte Ziel der modernen Demokraten ist, die politische Macht von der Bourgeoisie auf die Arbeiterklasse, die die ungeheure Mehrheit des Volkes darstellt, zu übertragen – stellt Herr Garnier angesichts all dieser Tatsachen die kühne Behauptung auf, daß die Teilung des Volkes in Bourgeoisie und Arbeiterklasse gar nicht existiere, sondern daß sie eine mutwillige Erfindung des Herrn Guizot sei, die nur dazu diene, das Volk zu spalten, daß er trotz Guizot anerkenne, daß alle Franzosen gleich *sind*, daß sie alle an demselben Leben teilnehmen und daß es für ihn in Frankreich nur *französische Bürger* gibt! Nach Herrn Garnier-Pagès also ist die Monopolisierung aller Produktionsinstrumente in den Händen der Bourgeoisie, die die Arbeiter der liebevollen Barmherzigkeit ökonomischer Lohngesetze preisgibt und den Anteil der Arbeiter auf die niedrigste Ernährungsstufe herabdrückt – auch eine Erfindung des Herrn Guizot! Nach seiner Auffassung wurde dieser ganze verzweifelte Kampf zwischen Arbeit und Kapital, der jetzt in allen zivilisierten Ländern der Welt vor sich geht, ein Kampf, dessen verschiedene Phasen durch Vereinigungen, trades unions, Ermordungen, Aufstände und blutigen Aufruhr gekennzeichnet sind – ein Kampf, dessen Realität durch den Tod der Proletarier bezeugt ist, die in Lyon, Preston, Langenbielau und Prag erschossen wurden[282], auf keiner besseren Grundlage geführt als einer verlogenen Behauptung eines französischen Professors! Was bedeuten denn die Worte des Herrn Garnier-Pagès anderes als: „Laßt die Kapitalisten nur wei-

[1] Étienne-Joseph-Louis Garnier-Pagès

terhin alle Produktionskräfte monopolisieren – laßt die Arbeiter auch in Zukunft von bloßem Hungerlohn leben, gebt ihnen aber als Entschädigung für ihre Leiden den *Titel* eines Bürgers!" O ja, Herr Pagès würde vielleicht unter gewissen Umständen und mit gewissen Einschränkungen zustimmen, dem Volk das Wahlrecht zu geben; aber laßt es nur ja nicht auf den Gedanken kommen, es könnte durch dieses Geschenk profitieren und Maßnahmen treffen, die die gegenwärtige Produktionsweise sowie die Verteilung des Reichtums völlig ändern und die im Laufe der Zeit dem ganzen Volk die Macht über die Produktivkräfte des Landes geben und mit allen individuellen „Arbeitgebern" Schluß machen würden! Die *„Réforme"* hatte ganz recht, als sie diesen ehrenwerten Herrn einen *Bourgeois-Radikalen* nannte.

Die Ultrademokraten hielten, wie ich zuvor sagte, nur ein Bankett ab; das jedoch war ein außerordentlicher Erfolg und ein Dutzend Bankette der Koalitionspartei wert. Mehr als 2000 Bürger nahmen an dem Essen in Chalon-sur-Saône teil. Der *„National"* war auch eingeladen worden, aber bezeichnenderweise nicht gekommen. Demgemäß hatten die Männer von der *„Réforme"* völlig freie Hand. Herr Ledru-Rollin, der von dem *„National"* als der Führer der Ultrademokratischen Partei bezeichnet worden war, akzeptierte hier diese Stellung. Er erläuterte seine Position und die Position seiner Partei, indem er einen glänzenden Abriß über die verschiedenen Phasen der französischen Demokratie seit 1789 gab. Dann rechtfertigte er sich gegenüber den Angriffen des *„National"*, griff seinerseits diese Zeitung an und schlug vor, aus allen Teilen Frankreichs eine Jury von Demokraten zu bilden, die sich zu gleichen Teilen aus beiden Parteien zusammensetzen sollte. Diese Jury solle dann zwischen der *„Réforme"* und dem *„National"* entscheiden.

„Und nun", sagte er, „nachdem diese innere Angelegenheit geregelt ist, wäre es da nicht gut, wenn die französische Demokratie mit den Demokratien anderer Länder in Beziehung treten würde? Zur Zeit ist in Europa eine große Bewegung unter allen Enterbten im Gange, die seelisch leiden oder vom Hunger gequält werden. Das ist der Augenblick, sie zu trösten, sie zu stärken und mit ihnen in Beziehung zu treten. Laßt uns jetzt, nachdem der Kongreß der Könige fehlgeschlagen ist, einen Kongreß der Demokraten aller Nationen abhalten! In Europa gibt es eine Republik, die gerade jetzt auf ihrem Territorium den Aufstieg der Demokratie gesichert hat – das ist die Schweiz, ein Land, das wert ist, die Demokraten aller Nationen auf seiner freien Erde zu empfangen! Und daher, Bürger, möchte ich schließen, indem ich meinen Trinkspruch: ‚Auf die Einheit der französischen Revolution' mit diesem anderen verbinde: ‚Auf das Bündnis der Demokratien aller Länder'."

Diese Rede erregte großen Beifall, und sie verdiente ihn auch. Wir haben uns über den rednerischen Erfolg des Herrn Ledru-Rollin in Chalon herzlich gefreut, wir müssen jedoch zugleich gegen einen unvorsichtigen Ausdruck, der sicherlich ohne verletzende Absicht gebraucht wurde, Protest erheben. Herr Ledru-Rollin sagt, daß der Augenblick für die französischen Demokraten gekommen sei, die leidenden Arbeiter anderer Nationen zu trösten und zu stärken. Wir sind sicher, daß die Demokraten *keines Landes* Trost brauchen, von wem er auch immer kommen möge. Sie bewundern den revolutionären Stolz französischer Demokraten, aber sie nehmen auch für sich das Recht in Anspruch, ebenso stolz und unabhängig zu sein. Die vier Millionen englischer Chartisten sind sicher stark genug, um ihre Arbeit allein zu tun. Sosehr wir uns darüber freuen, daß die französische Demokratie mit Begeisterung den Gedanken an einen demokratischen Kongreß und an ein Bündnis aller Demokratien aufgreift, so erwarten wir doch vor allem eine völlige Gegenseitigkeit und Gleichheit. Jedes Bündnis, das diese Gleichheit nicht als seine Grundlage anerkennen würde, wäre selbst antidemokratisch. Wir kennen jedoch die zutiefst demokratische Gesinnung der Männer von der „*Réforme*" zu gut, um an ihrer völligen Übereinstimmung mit uns zweifeln zu können; wir möchten nur, daß sie im Interesse unserer gemeinsamen Sache gewisse Ausdrücke fallen lassen, die weit davon entfernt sind, ihre wahre Meinung wiederzugeben und die ein Erbe aus der Zeit sind, in der der „*National*" allein die französische Demokratie repräsentierte.

Auf demselben Bankett sprach Herr Flocon zu dem Trinkspruch: „Die Rechte des Menschen und des Bürgers."[283] Er verlas die Deklaration des Nationalkonvents über die Menschen- und Bürgerrechte, die, wie er behauptete, bis zum heutigen Tage ein getreuliches Bild echter demokratischer Prinzipien sei. Dem, was er das wahre französische Prinzip nannte, setzte er das gegenwärtige System der Geldherrschaft entgegen, welches den Menschen auf eine niedrigere Stufe als das Vieh stellt, weil Menschen im überreichlichen Maße vorhanden sind und der Mensch mehr kostet, als er einbringt, wenn seine Arbeit nicht gebraucht wird. Dieses System nannte er nach dem Land, in dem es sich zuerst entwickelte, das englische System.

„Aber bedenkt", sagte er, „zur gleichen Zeit, da das englische Prinzip ins Mutterland der Revolution eingeführt wird, ist das englische Volk bestrebt, dieses Joch abzuschütteln, und schreibt auf seine Fahnen den ruhmreichen Wahlspruch: Freiheit, Gleichheit, Brüderlichkeit! So würde eben die Nation, die der Welt als erste die Wahrheit brachte und in Dunkelheit und Unwissenheit zurückgefallen ist, durch eine jener schmerzhaften Wendungen, von denen die Geschichte mehr als ein Beispiel bietet, bald gezwungen sein, von ihren Nachbarn die revolutionären Traditionen zu erbitten, die sie selbst nicht bewahren konnte. Soll es einmal auch bei uns so weit kommen? Nein, niemals, solange es Demokraten wie Sie und Versammlungen wie diese gibt! Nein, niemals werden wir das von Würmern zerfressene Gefüge dieser englischen Institutionen stützen, die die Engländer selbst nicht länger stützen wollen! (Nein, nein!) Auf denn – zu deinen Hütten, o Israel! Jeder schare sich um sein Banner! Jeder stehe zu seinem Glauben! Hier auf unserer Seite – die Demokratie mit ihren 25 Millionen Proletariern, die sie zu befreien hat und die sie mit den Namen Bürger, Brüder, gleiche und freie Menschen willkommen heißt; dort die Bastard-Opposition mit ihren Monopolen und der Geldaristokratie. Sie reden davon, den Wahlzensus auf die Hälfte herabzusetzen. Wir dagegen verkünden die Rechte des Menschen und des Bürgers!" (Lauter und anhaltender Beifall, der damit endete, daß die ganze Versammlung den *Chant du départ*[284] sang.)

Wir bedauern, daß wir nicht mehr Platz haben, um noch einige der Reden, die auf diesem glänzenden und völlig demokratischen Bankett gehalten wurden, zu veröffentlichen.

Jetzt endlich hat die „*Réforme*" den „*National*" gezwungen, mit ihr eine *Polemik* zu führen. Die erstgenannte Zeitung hatte dadurch, daß sie ihre Zustimmung zu den Prinzipien erklärt hatte, die Herr Garnier-Pagès auf dem Montpellier-Bankett in einer Rede über die französische Revolution verkündete, gleichzeitig die Menschenrechte in Frage gestellt, wie es auch Herr Garnier getan hatte, der die Interessen der Demokratie Herrn Odilon Barrot und der bürgerlichen Opposition opferte, damit diese als Vertreter der Prinzipien der Revolution auftreten konnten. Das endlich veranlaßte den „*National*" zu einer Antwort, in der wiederum Ledru-Rollin angegriffen wurde. Die Hauptpunkte der Beschuldigung gegen den „*National*" waren folgende: 1. Sein Eintreten für die Befestigungsanlagen rund um Paris, wodurch das Erbe der Revolution der Gewalt von 1200 Kanonen ausgeliefert wurde. 2. Sein Schweigen, womit er im vergangenen Jahr ein Pamphlet des Herrn Carnot beantwortete, in welchem dieser die Demokraten aufforderte, sich dem Linkszentrum und der Linken anzuschließen, um sobald wie möglich in Staatsämter zu gelangen, für den Augenblick das republikanische Prinzip außer acht zu lassen und für eine Erweiterung des Wahlrechts innerhalb der Grenzen der Charte[285] einzutreten. Herr Garnier-Pagès, der Jüngere, hatte ungefähr zur selben Zeit ähnliche Grundsätze verkündet; in dem Pamphlet wurde betont, daß es nicht Ausdruck der Meinung eines Einzelnen, sondern einer Partei der Kammer sei. Die „*Réforme*" griff sowohl die Rede des Herrn Garnier als auch das Pamphlet des Herrn Carnot (Sohn des berühmten Mitglieds des Konvents, der auch republikanischer Kriegsminister war[1]) an und versuchte, den „*National*" zu einer Erklärung herauszufordern. Der „*National*" schwieg jedoch auch weiterhin. Die „*Réforme*" erklärte mit Recht, daß

[1] Lazare-Nicolas Carnot

die Politik, die von den beiden Deputierten vorgeschlagen worden war, zu nichts anderem führen würde, als dazu, die demokratische Partei völlig unter den Einfluß der Herren Thiers und Barrot zu stellen und sie als selbständige Partei zu liquidieren. 3. Die Tatsache, daß der *„National"* während der Reformbankettbewegung die von Herrn Carnot vorgeschlagene Politik in der Praxis weiter verfolgt hat. 4. Seine bösartigen und verleumderischen Angriffe gegen die Kommunisten, während er doch gleichzeitig kein brauchbares oder wirksames Mittel gegen das Elend der Arbeiter vorschlagen konnte.

Der Streit dauerte mindestens eine Woche. Schließlich zog sich der *„National"* von der Auseinandersetzung, die er in sehr unpassender Weise geführt hatte, zurück. Er ist also regelrecht besiegt worden; um jedoch seine Niederlage zu verschleiern, nahm er schließlich den Vorschlag des Herrn Ledru hinsichtlich einer demokratischen Jury an.

Wir können den Maßnahmen der *„Réforme"* in dieser Angelegenheit nur vollauf zustimmen. Sie hat die Ehre, die Unabhängigkeit und die Stärke der französischen Demokratie als einer selbständigen Partei gerettet. Sie hat die Prinzipien der Revolution, die durch den von dem *„National"* verfolgten Kurs gefährdet waren, behauptet. Sie machte die Rechte der Arbeiterklasse gegenüber allen Übergriffen der Bourgeoisie geltend. Sie hat diese Bourgeois-Radikalen entlarvt – die das Volk glauben machen wollen, daß es keine Klassenunterdrückung gibt –, die den fürchterlichen Bürgerkrieg von Klasse gegen Klasse in der modernen Gesellschaft nicht sehen wollen und die für die Arbeiter nichts als leere Worte haben. Die *„Réforme"*, indem sie diesen Disput aufrechterhielt, bis sie ihren hochmütigen Gegner dazu zwang, sein Schweigen zu brechen, zu schwanken, zu widerrufen, sich zu erklären und sich schließlich zurückzuziehen – die *„Réforme"*, so können wir sagen, hat sich um die Demokratie sehr verdient gemacht.

Geschrieben Anfang Januar 1848.
Aus dem Englischen.

[Friedrich Engels]

[Die Zwangsbill für Irland und die Chartisten]

[„La Réforme" vom 8. Januar 1848]

Vergangenen Mittwoch ist die Zwangsbill für Irland in Kraft getreten. Der Lord-Statthalter hat nicht viel Zeit vergehen lassen und sich die despotischen Vollmachten zunutze gemacht, mit denen ihn dieses neue Gesetz ausstattet. Die Grafschaften Limerick und Tipperary wurden der Ausnahmegesetzgebung ganz und gar unterworfen; dazu kamen mehrere Baronien der Grafschaften Clare, Waterford, Cork, Roscommon, Leitrim, Cavan, Longford sowie *King's County*[286].

Es bleibt abzuwarten, was für eine Wirkung diese verhaßte Maßnahme haben wird. Die Meinung der Klasse, in deren Interesse sie ergriffen worden ist, die Meinung also der irischen Grundbesitzer kennen wir bereits. Die Wirkung werde gleich Null sein, erklären sie laut in ihren Organen. Und dafür hätte man ein ganzes Land in den Belagerungszustand versetzt! dafür wären neun Zehntel der Abgeordneten Irlands von ihrem Posten desertiert!

Es geht hier um Tatsachen. Die Desertion ist allgemein. Zur Zeit der Diskussion der Gesetzvorlage teilte sich sogar die Familie O'Connell; zwei Söhne des verstorbenen *Befreiers*[1], John und Maurice, blieben ihrem Vaterland treu, während ihr Bruder[287] Morgan O'Connell nicht nur für das Gesetz stimmte, sondern sogar mehrmals zu dessen Gunsten das Wort ergriff. Nur achtzehn Abgeordnete stimmten klar und eindeutig gegen das Gesetz. Nur zwanzig waren für den Abänderungsantrag von Herrn Wakley, dem Chartistenabgeordneten eines Londoner Vororts; er hatte gefordert, gleichzeitig mit der Zwangsbill Maßnahmen zu erlassen, die die Ursachen jener Verbrechen mindern könnten, deren Unterdrückung man anstrebte. Und von diesen achtzehn beziehungsweise zwanzig Abgeordneten waren noch vier oder fünf englische Radikale und zwei Iren, die englische Ortschaften reprä-

[1] Daniel O'Connell

sentieren, so daß von den hundert Vertretern, die Irland ins Parlament entsendet, nur ein Dutzend der Gesetzvorlage ernsteren Widerstand entgegensetzte.

Es war dies die erste Diskussion über eine wichtige irische Frage seit dem Tode O'Connells. Sie sollte entscheiden, wer den Platz des großen Agitators an der Spitze Irlands einnehmen werde. Bis zur Eröffnung des Parlaments war John O'Connell in Irland stillschweigend als Nachfolger seines Vaters anerkannt worden. Aber bald nach Beginn der Diskussion zeigte es sich, daß er keineswegs die Fähigkeit besitzt, die Partei zu leiten; und andererseits stand John O'Connell in der Person Feargus O'Connors ein gefürchteter Rivale gegenüber. Der Führer der Demokraten –, der gleiche, von dem Daniel O'Connell gesagt hatte: „Herrn F[eargus] O'Connor können die englischen Chartisten gut und gerne behalten" – dieser Mann stellte sich mit einem einzigen Satz an die Spitze der irischen Partei. Er war es, der klar und eindeutig die Ablehnung der Zwangsbill beantragte, der es verstand, die ganze Opposition stützend um sich zu sammeln, der sich jeder Klausel einzeln widersetzte und die Abstimmung soweit irgend möglich verschleppte. Er war es, der in seinen Reden die gesamte Argumentation der Opposition gegen die Gesetzvorlage zum Ausdruck brachte; er schließlich war es, der zum erstenmal seit 1835 erneut den Antrag auf Aufheben der Union [288] einbrachte – einen Antrag, den kein irisches Parlamentsmitglied gestellt hätte.

Die irischen Abgeordneten haben diesen Führer mit recht saurer Miene akzeptiert. Als einfache Whigs, die sie im Grunde ihres Herzens sind, hassen sie von Grund auf O'Connors demokratische Tatkraft. Er wird den Whigs weder gestatten, die Agitation für die Aufhebung der Union weiterhin als Mittel zum Sturz der Tories zu benutzen, noch wird er dulden, daß sie die Aufhebung vergessen oder sogar das Wort aus ihrem Gedächtnis streichen, sobald sie am Ruder sind. Aber die irischen Abgeordneten, die Anhänger der Aufhebung sind, können auf keinen Fall auf einen Führer wie O'Connor verzichten, und wenn sie auch versuchen, seine wiederaufblühende Popularität in Irland zu untergraben, so sind sie doch gezwungen, sich seiner Führung im Parlament zu unterwerfen.

Nach Ablauf der Session des Parlaments wird O'Connor wahrscheinlich ganz Irland bereisen, um die Agitation für die Aufhebung neu zu beleben und um die irische Chartistenpartei zu gründen. Ohne jeden Zweifel wird O'Connor, wenn er das schafft, in weniger als einem halben Jahr an der Spitze des irischen Volkes stehen. Wenn er dann in seiner Hand die Leitung der demokratischen Bewegung der drei Königreiche vereint, wird er eine Position innehaben wie vor ihm kein anderer Agitator, nicht einmal O'Connell.

Wir überlassen es unseren Lesern, die Bedeutung dieses bevorstehenden Bündnisses zwischen den Völkern der beiden Inseln selbst zu bewerten. Wenn die britische demokratische Bewegung sich so um zwei Millionen tapferer und feuriger Iren verstärkt, wird sie um vieles schneller marschieren, und das arme Irland wird endlich einen ernsthaften Schritt vorwärts gemacht haben auf dem Wege zu seiner Befreiung.

Geschrieben am 4. Januar 1848.

Aus dem Französischen.

[Friedrich Engels]

Feargus O'Connor und das irische Volk

[„Deutsche-Brüsseler-Zeitung"
Nr. 3 vom 9. Januar 1848]

Die erste Nummer des „Northern Star" im Jahr 1848 enthält von *Feargus O'Connor*, dem bekannten Führer der englischen Chartisten und dem Vertreter derselben im Parlament, an das irische Volk eine Adresse, die ihrer ganzen Ausdehnung nach von jedem Demokraten gelesen und beherzigt zu werden verdient, deren Mitteilung wir uns aber bei der Beschränktheit unseres Raumes versagen müssen.

Es wäre indes gegen unsere Pflicht, sie mit Stillschweigen zu übergehen. Die Folgen dieses energischen Aufrufes an das irische Volk werden sehr bald mächtig, sicht- und fühlbar hervortreten. Feargus O'Connor, selbst Irländer von Geburt, Protestant und seit länger als 10 Jahren Leiter und Hort der großen Arbeiterbewegung in England, muß von nun an auch als das eigentliche Haupt der irischen Repealer und Reformfreunde betrachtet werden. Sein Auftreten im Unterhause gegen die niederträchtige neu aufgelegte „irische Zwangsbill" hat ihm das erste Anrecht darauf verschafft, und die seitdem fortgesetzte Agitation für die Sache Irlands zeigt, daß eben Feargus O'Connor der Mann ist, welchen Irland braucht.

Ihm ist es um das Wohl der Millionen in Irland wirklich Ernst, *ihm* ist die Repeal – Aufhebung der Union, also Erlangung eines selbständigen irischen Parlaments – kein leerer Schall, keine Maske, um hinter derselben für sich und seine Freunde Anstellungen zu erlangen und gute Privatgeschäfte zu machen.

In seiner Adresse weist er dem irischen Volke nach, wie es seit 13 Jahren durch Daniel O'Connell, diesen politischen Taschenspieler, mit dem Worte „Repeal" an der Nase herumgeführt und betrogen worden.

Er stellt das Benehmen John O'Connells, der seines Vaters politische Erbschaft angetreten und gleich ihm die Millionen leichtgläubiger Irländer seinen persönlichen Spekulationen und Vorteilen aufopfert, in das gehörige Licht, und alle Reden in der „Versöhnungshalle" zu Dublin[289], alle heuchlerischen Versicherungen und schönen Phrasen O'Connells werden unvermögend sein, von letzterem die Schmach zu tilgen, mit der er sich schon früher, namentlich aber jetzt im Unterhause bei den Debatten über die „irische Zwangsbill" bedeckt hat.

Dem irischen Volke werden und müssen endlich die Augen aufgehen, und dann wird es auch mit einem Fußtritt die ganze Bande sich so nennender Repealer, die hinter dieser Maske ins Fäustchen und in den Geldbeutel lachen, weit von sich schleudern, und am weitesten den fanatischen Römling und politischen Gauner John O'Connell.

Wäre damit der Inhalt der Adresse erschöpft, wir würden ihrer keine besondere Erwähnung getan haben.

Sie hat eine viel allgemeinere Wichtigkeit. Denn Feargus O'Connor tritt in ihr nicht bloß als Irländer, sondern auch, und hauptsächlich, als englischer Demokrat, als Chartist, auf.

Mit einer Klarheit, die selbst dem blödesten Auge nicht entgehen kann, entwickelt er dem irischen Volke die Notwendigkeit, in inniger Verbindung mit den arbeitenden Klassen Englands, mit den Chartisten, behufs Erringung der sechs Punkte der „Volks-Charter" (jährliche Parlamente, allgemeines Stimmrecht, geheime Abstimmung, Wählbarkeit ohne Nachweis irgendeines Eigentums, Besoldung der Volksvertreter und Einrichtung der Wahldistrikte nach der Seelenzahl) mit Aufbietung aller Kräfte zu kämpfen. Seien diese sechs Punkte errungen, dann erst könne die Durchsetzung der „Repeal" für Irland von Nutzen sein.

O'Connor weist ferner nach, daß die englischen Arbeiter es gewesen, die schon früher in einer Petition von $3^1/_2$ Millionen Unterschriften Gerechtigkeit für Irland verlangt[290], daß auch jetzt wieder die englischen Chartisten in zahlreichen Petitionen gegen die „irische Zwangsbill" protestiert haben und daß endlich die unterdrückte Klasse in England wie in Irland zusammen kämpfen, zusammen siegen oder zusammen unter gleichem Druck und Elend, in gleicher Abhängigkeit von der bevorrechteten und herrschenden Kapitalistenklasse ihr Leben auch ferner verseufzen muß.

Es kann keinem Zweifel unterliegen, daß von nun an die Masse des irischen Volkes sich immer enger an die englischen Chartisten anschließen und nach gemeinsamem Plane mit diesen handeln wird. Dadurch wird der Sieg der englischen Demokraten und damit die Befreiung Irlands um viele Jahre näher gerückt. Dies die Bedeutung der O'Connorschen Adresse ans irische Volk.

Karl Marx

Rede über die Frage des Freihandels,

gehalten am 9. Januar 1848[1] in der Demokratischen Gesellschaft zu Brüssel[291]

Meine Herren!

Die Abschaffung der Korngesetze[292] in England ist der größte Triumph, den der Freihandel im neunzehnten Jahrhundert errungen hat. In allen Ländern, wo die Fabrikanten von Freihandel sprechen, haben sie vorzugsweise den Freihandel in Getreide oder überhaupt in Rohstoffen im Auge. Das ausländische Korn mit Schutzzöllen belasten ist infam, heißt auf den Hunger des Volkes spekulieren.

Billiges Brot, hohe Löhne, *cheap food, high wages*[2], das ist der alleinige Zweck, für welchen die Freihändler in England Millionen ausgegeben haben, und schon hat ihr Enthusiasmus ihre Brüder auf dem Festlande angesteckt. Überhaupt, wenn man den Freihandel will, so will man ihn zur Verbesserung der Lage der arbeitenden Klassen.

Aber, wunderbar! Das Volk, dem man um jeden Preis billiges Brot verschaffen will, ist sehr undankbar. Das wohlfeile Brot ist in England ebenso verrufen wie die wohlfeile Regierung in Frankreich. Das Volk erblickt in den Männern voll Hingebung, in einem Bowring, einem Bright und Konsorten, seine größten Feinde und die unverschämtesten Heuchler.

Jedermann weiß, daß der Kampf zwischen Liberalen und Demokraten in England Kampf zwischen Freihändlern und Chartisten heißt.

Sehen wir nun zu, auf welche Art die englischen Freihändler dem Volke die edle Gesinnung bewiesen haben, welche sie beseelte.

Sie sagten den Fabrikarbeitern[3]:

Der Getreidezoll ist eine Steuer auf den Lohn; diese Steuer zahlt ihr den Großgrundbesitzern, diesen mittelalterlichen Aristokraten; wenn eure Lage

[1] *(1885, 1892* u. *1895)* irrtümlich: 1849 – [2] demagogische Parole der Freihändler – [3] *(1885)* irrtümlich: Fabrikanten

jammervoll ist, so ist dies eine Folge der Kostspieligkeit der unentbehrlichsten Lebensmittel.

Die Arbeiter fragten ihrerseits die Fabrikanten: Wie kommt es, daß im Verlauf der letzten dreißig Jahre, wo unsere Industrie die größte Entwicklung genommen hat, unser Lohn in einem viel rapideren Verhältnis gesunken ist, als der Preis des Getreides gestiegen?

Die Steuer, welche wir, wie ihr behauptet, den Grundbesitzern zahlen, beträgt für den Arbeiter ungefähr 3 Pence pro Woche; dagegen ist der Lohn des Handwebers von 1815 bis 1843 von 28 Shilling pro Woche auf 5 Shilling gefallen; und der Lohn des Maschinenwebers ist in der Zeit von 1823 bis 1843 von 20 Shilling pro Woche auf 8 Shilling heruntergedrückt worden.

Und während dieser ganzen Zeit ist der Steuerbetrag, den wir dem Grundbesitzer gezahlt haben, nie höher als 3 Pence gewesen. Und dann, als im Jahre 1834[1] das Brot sehr billig war und das Geschäft sehr flott ging, was sagtet ihr uns damals? Wenn ihr unglücklich seid, so kommt dies daher, daß ihr zuviel Kinder macht und daß eure Ehe fruchtbarer ist als euer Gewerbe!

Das sind eure eigenen Worte, die ihr uns damals zurieft, und ihr gingt hin, neue Armengesetze zu fabrizieren und die Arbeitshäuser zu errichten, diese Bastillen der Proletarier.

Hierauf erwiderten die Fabrikanten:

Ihr habt recht, werte Herren Arbeiter; es ist nicht nur der Preis des Getreides, sondern außerdem auch die Konkurrenz unter den angebotenen Händen, welche den Lohn bestimmt.

Aber denkt an den einen Umstand, daß unser Boden nur aus Felsen und Sandbänken besteht. Ihr bildet euch doch nicht ein, daß man Getreide in Blumentöpfen ziehen kann! Würden wir aber, anstatt unser Kapital, unsere Arbeit auf einen durchaus unfruchtbaren Boden zu verschwenden, den Ackerbau aufgeben und uns ausschließlich der Industrie widmen, dann würde ganz Europa seine Fabriken aufgeben und England eine einzige große Fabrikstadt bilden, mit dem ganzen übrigen Europa als Ackerprovinz.

Während er nun so zu seinen eigenen Arbeitern spricht, wird der Fabrikant von dem Kleinhändler interpelliert, der ihm zuruft:

Aber wenn wir die Korngesetze abschaffen, werden wir zwar die Landwirtschaft ruinieren, aber darum noch nicht die anderen Länder zwingen, aus unseren Fabriken zu beziehen und die ihrigen aufzugeben.

Was wird die Folge sein? Ich verliere die Kundschaft, die ich jetzt auf dem Lande habe, und der innere Handel verliert seinen Markt.

---

[1] *(1848)*: 1844; *(1885, 1892* u. *1895)*: 1834

Der Fabrikant wendet dem Arbeiter den Rücken und antwortet dem Krämer: Was das anbetrifft, so laßt uns nur machen. Einmal der Getreidezoll abgeschafft, werden wir vom Auslande billigeres Getreide bekommen. Dann werden wir den Lohn herabsetzen, der gleichzeitig in den anderen Ländern, aus denen wir Getreide beziehen, steigen wird.

So werden wir außer den Vorteilen, deren wir uns bereits erfreuen, noch den niedrigerer Löhne haben, und mit all diesen Vorteilen werden wir den Kontinent schon zwingen, von uns zu kaufen.

Aber jetzt mischen sich der Pächter und der Landarbeiter in die Diskussion.

Und wir, rufen sie, was wird aus uns werden?

Sollen wir ein Todesurteil fällen helfen über die Landwirtschaft, von der wir leben? Müssen wir dulden, daß man uns den Boden unter den Füßen wegzieht?

Statt jeder Antwort hat sich die Anti-Corn-Law League [188] damit begnügt, Preise auszusetzen auf die drei besten Schriften über den heilsamen Einfluß der Abschaffung der Korngesetze auf den englischen Ackerbau.

Diese Preise wurden erworben von den Herren Hope, Morse und Greg, deren Abhandlungen in Tausenden von Exemplaren auf dem Lande verbreitet wurden.

Der eine dieser Preisgekrönten verlegt sich darauf, zu beweisen, daß weder der Pächter noch der Landarbeiter bei der Einfuhr des fremden Getreides verlieren werde, sondern lediglich der Grundbesitzer. Der englische Pächter, ruft er aus, hat die Abschaffung der Korngesetze nicht zu fürchten, weil kein Land so gutes und so billiges Getreide produzieren kann wie England.

So könnte, selbst wenn der Preis des Getreides fiele, euch dies nicht schaden, weil dieses Sinken lediglich die Rente träfe, die fallen würde, und keineswegs den Kapitalgewinn und den Lohn, die sich gleich blieben.

Der zweite Laureat, Herr Morse, behauptet im Gegenteil, daß der Getreidepreis infolge der Abschaffung der Korngesetze steigen würde. Er gibt sich unendliche Mühe, nachzuweisen, daß die Schutzzölle dem Getreide niemals einen lohnenden Preis haben sichern können.

Zur Bekräftigung seiner Behauptung führt er die Tatsache an, daß stets, wenn ausländisches Getreide eingeführt wurde, der Getreidepreis in England beträchtlich stieg, und daß, wenn man wenig einführte, derselbe außerordentlich fiel. Der Laureat vergißt, daß die Einfuhr nicht die Ursache des hohen Preises war, sondern der hohe Preis die Ursache der Einfuhr.

Ganz im Gegensatz zu seinen Mitpreisgekrönten behauptet er, daß jedes Steigen im Preise des Korns dem Pächter und dem Arbeiter zugute komme und nicht dem Grundbesitzer.

Der dritte Laureat, Herr Greg, der Großfabrikant ist und dessen Buch sich an die Klasse der Großpächter wendet, durfte sich nicht mit solchen Albernheiten aus der Affäre ziehen. Seine Sprache ist wissenschaftlicher.

Er gibt zu, daß die Korngesetze die Rente nur dadurch steigen machen, daß sie den Preis des Getreides erhöhen, und daß sie den Getreidepreis nur dadurch erhöhen, daß sie das Kapital zwingen, sich auf Boden niederer Qualität zu werfen, was sich ganz einfach erklärt.

In dem Maße, wie die Bevölkerung anwächst, ist man eben gezwungen, sobald das fremde Getreide nicht in das Land kann, minder fruchtbare Ländereien zu verwerten, deren Kultur mehr Kosten erfordert und deren Produkt infolgedessen teurer ist.

Da das Getreide zwangsläufig abgesetzt wird, wird sich der Preis notwendigerweise nach dem Preis der Produkte des kostspieligsten Bodens richten. Die Differenz zwischen diesem Preis und den Produktionskosten des besseren Bodens bildet eben die Rente.

Wenn somit infolge der Abschaffung der Korngesetze der Preis des Getreides und folglich auch die Rente fällt, so rührt dies daher, daß der schlechtere Boden nicht mehr bebaut wird. Somit zieht die Herabsetzung der Rente unfehlbar den Ruin eines Teils der Pächter nach sich.

Diese Bemerkungen waren notwendig, um die Sprache des Herrn Greg zu verstehen.

Die kleinen Pächter, sagt er, die sich nicht beim Ackerbau halten können, werden eine Zuflucht in der Industrie finden. Was die Großpächter anbetrifft, so müssen sie dabei gewinnen. Entweder werden die Grundbesitzer gezwungen sein, ihnen ihre Grundstücke sehr billig zu verkaufen, oder die Pachtkontrakte, welche sie mit ihnen machen, werden auf sehr lange Termine abgeschlossen werden. Das wird ihnen gestatten, größere Kapitalien in den Boden zu stecken, Maschinen in größerem Umfange anzuwenden und so Handarbeit zu ersparen, die übrigens billiger sein wird dank dem allgemeinen Sinken der Löhne, der unmittelbaren Folge der Abschaffung der Korngesetze.

Doktor Bowring hat allen diesen Argumenten eine religiöse Weihe gegeben, indem er in einem öffentlichen Meeting ausrief: „Jesus Christus ist der Freihandel – der Freihandel ist Jesus Christus!"

Man begreift, daß die ganze Heuchelei nicht dazu angetan war, den Arbeitern das billige Brot schmackhaft zu machen.

Wie hätten übrigens die Arbeiter die plötzliche Philanthropie der Fabrikanten begreifen sollen, derselben Leute, die noch in vollem Kampf waren gegen die Zehnstundenbill[50], mittelst deren man den Arbeitstag des Fabrikarbeiters von zwölf auf zehn Stunden reduzieren wollte!

Um Ihnen eine Idee zu geben von der Philanthropie dieser Fabrikanten, erinnere ich Sie, meine Herren, an die in allen Fabriken eingeführten Fabrikordnungen.

Jeder Fabrikant hat zu seinem Privatgebrauch ein regelrechtes Strafgesetzbuch, das für alle absichtlichen und unabsichtlichen Vergehen Bußen festsetzt; z.B. zahlt der Arbeiter soundso viel, wenn er das Unglück hat, sich auf einen Stuhl zu setzen, wenn er tuschelt, plaudert, lacht, wenn er einige Minuten zu spät kommt, wenn ein Maschinenteil zerbricht, wenn er die Produkte nicht in der verlangten Qualität liefert etc. etc. Die Bußen sind stets höher als der wirklich vom Arbeiter verursachte Schaden. Um es dem Arbeiter möglichst zu erleichtern, sich Strafen zuzuziehen, läßt man die Fabrikuhr vorgehen, liefert man schlechten Rohstoff, aus welchem der Arbeiter gutes Produkt anfertigen soll. Man setzt den Werkführer ab, wenn er nicht geschickt genug ist, die Fälle von Übertretungen zu vermehren.

Sie sehen, meine Herren, diese Privatgesetzgebung ist eigens geschaffen, Verstöße zu züchten, und man züchtet Verstöße, um Geld zu machen. So wendet der Fabrikant alle Mittel an, den nominellen Lohn herabzusetzen und sogar die Zufälle auszubeuten, deren der Arbeiter nicht Herr ist.

Und diese Fabrikanten, das sind dieselben Philanthropen, welche den Arbeitern einreden wollten, sie seien fähig, enorme Summen auszugeben, einzig und allein, um deren Los zu verbessern.

Auf der einen Seite beschneiden sie den Lohn des Arbeiters durch Fabrikordnungen in der kleinlichsten Weise, auf der anderen legen sie sich die größten Opfer auf, um ihn mit Hilfe der Anti-Corn-Law League zu erhöhen.

Sie bauen mit großen Unkosten Paläste, in denen die Liga gewissermaßen ihre Amtswohnung einrichtete, sie entsenden eine ganze Armee von Missionaren nach allen Punkten Englands, um die Religion des Freihandels zu predigen. Sie lassen Tausende von Broschüren drucken und unentgeltlich verteilen, um den Arbeiter über seine eigenen Interessen aufzuklären. Sie geben enorme Summen aus, um die Presse für ihre Sache günstig zu stimmen. Sie organisieren einen großartigen Verwaltungsapparat, um die freihändlerische Bewegung zu leiten, und entfalten alle Gaben ihrer Beredsamkeit in öffentlichen Meetings. Auf einem dieser Meetings war es, wo ein Arbeiter ausrief:

„Wenn die Grundbesitzer unsere Knochen verkauften, so würdet ihr Fabrikanten die ersten sein, sie zu kaufen, um sie in eine Dampfmühle zu werfen und Mehl daraus zu machen."

Die englischen Arbeiter haben die Bedeutung des Kampfes zwischen den Grundbesitzern und den Kapitalisten sehr gut begriffen. Sie wissen sehr wohl, daß man den Preis des Brotes herunterdrücken wollte, um den Lohn herabzudrücken, und daß der Kapitalprofit um so viel steigen würde, wie die Rente fiele.

Ricardo, der Apostel der englischen Freihändler, der ausgezeichnetste Ökonom unseres Jahrhunderts, stimmt in bezug auf diesen Punkt vollkommen mit den Arbeitern überein.

Er sagt in seinem berühmten Werk über politische Ökonomie:

„Wenn wir, anstatt bei uns Getreide zu ernten ... einen neuen Markt entdeckten, wo wir es uns zu einem niedrigeren Preise verschaffen könnten, so würden in diesem Falle die Löhne sinken und die Profite steigen... Das Fallen des Preises der landwirtschaftlichen Produkte reduziert die Löhne nicht nur der in der Landwirtschaft beschäftigten Arbeiter, sondern auch all derer, die in der Industrie arbeiten oder im Handel beschäftigt sind."[293]

Und glauben Sie nicht, meine Herren, daß es für den Arbeiter eine ganz gleichgültige Sache sei, nicht mehr als vier Francs zu bekommen, weil das Getreide billiger ist, wenn er früher fünf Francs bekam.

Ist sein Lohn nicht gefallen im Verhältnis zum Profit? Und ist es nicht klar, daß seine soziale Lage gegenüber der des Kapitalisten schlechter geworden ist? Außerdem verliert er auch tatsächlich.

Solange der Getreidepreis noch höher war und der Lohn gleichfalls, genügte eine kleine Ersparnis am Brotverbrauch, um ihm andere Genüsse zu verschaffen. Sobald aber das Brot und folglich der Lohn sehr niedrig steht, wird er am Brot fast nichts absparen können für den Ankauf anderer Dinge.

Die englischen Arbeiter haben es die englischen Freihändler fühlen lassen, daß sie sich von ihren Vorspiegelungen und Lügen nicht hinters Licht führen lassen, und wenn sie sich ihnen trotzdem gegen die Grundbesitzer angeschlossen haben, so geschah es, um die letzten Reste des Feudalismus zu zerstören und nur noch mit einem einzigen Feind zu tun zu haben. Die Arbeiter haben sich in ihren Berechnungen nicht getäuscht; denn die Grundbesitzer, um sich an den Fabrikanten zu rächen, machten gemeinsame Sache mit den Arbeitern zur Durchbringung der Zehnstundenbill, die diese letzteren seit dreißig Jahren vergeblich gefordert hatten und die unmittelbar nach der Abschaffung der Korngesetze durchging.

Wenn auf dem Kongreß der Ökonomen[1] Dr. Bowring aus seiner Tasche eine lange Liste zog, um zu zeigen, wieviel Stück Vieh, Schinken, Speck, Hühner etc. etc. in England eingeführt worden sind, um dort, wie er sagt, von den Arbeitern konsumiert zu werden, so hat er leider vergessen zu sagen, daß zur selben Zeit die Arbeiter von Manchester und den anderen Fabrikstädten sich durch die beginnende Krisis aufs Pflaster geworfen sahen.

Grundsätzlich darf man in der politischen Ökonomie niemals Zahlen eines einzelnen Jahres zusammenstellen, um aus ihnen allgemeine Gesetze abzuleiten. Man muß stets den Durchschnitt von sechs bis sieben Jahren nehmen – den Zeitabschnitt, während dessen die moderne Industrie die verschiedenen Phasen der Prosperität, Überproduktion[2], Stagnation, Krise durchmacht und ihren unvermeidlichen Kreislauf vollendet.[239]

Kein Zweifel, wenn der Preis aller Waren fällt, und dies ist die notwendige Konsequenz des Freihandels, so kann ich mir für einen Franc weit mehr Dinge als vorher verschaffen. Und der Franc des Arbeiters gilt ebensoviel wie jeder andere. Somit wird der Freihandel dem Arbeiter sehr vorteilhaft sein. Es ist nur ein kleiner Übelstand damit verbunden, nämlich der, daß der Arbeiter, bevor er seinen Franc gegen andere Ware umtauscht, zunächst den Tausch seiner Arbeit[198] gegen das Kapital vollzogen hat. Wenn er bei diesem Tausch stets für dieselbe Arbeit den bewußten Franc erhielte und der Preis aller anderen Waren fiele, so würde er stets bei diesem Handel gewinnen. Die Schwierigkeit besteht nicht darin, zu beweisen, daß, wenn der Preis aller Waren fällt, ich für dasselbe Geld mehr Waren bekomme.

Die Ökonomen greifen stets den Preis der Arbeit in dem Moment heraus, wo er sich gegen andere Waren austauscht, aber sie lassen den Moment gänzlich beiseite, wo die Arbeit ihren Tausch gegen das Kapital vollzieht.

Wenn weniger Kosten erforderlich sind, um die Maschine in Bewegung zu setzen, welche die Waren anfertigt, so werden die zum Unterhalt dieser Maschine, die sich Arbeiter nennt, notwendigen Dinge gleichfalls weniger kosten. Wenn alle Waren billiger sind, so wird die Arbeit, die auch eine Ware ist, gleichfalls im Preise sinken, und wie wir später sehen werden, wird diese Ware Arbeit verhältnismäßig viel mehr sinken als alle anderen Waren. Verläßt sich der Arbeiter dann immer noch auf die Argumente der Ökonomen, so wird er finden, daß der Franc in seiner Tasche zusammengeschmolzen ist und ihm nur noch fünf Sous übrigbleiben.

---

[1] Über diesen Kongreß siehe vorl. Band, S. 291–295 und 299–308 – [2] *(1885, 1892* und *1895)* fehlt: Überproduktion

Hierauf werden Ihnen die Ökonomen sagen: Nun ja, wir geben zu, daß die Konkurrenz unter den Arbeitern, die unter der Herrschaft des Freihandels sicherlich nicht geringer sein wird, sehr bald die Löhne in Einklang mit dem niedrigen Preis der Waren bringen wird. Aber anderseits wird der niedrige Preis der Waren den Konsum vermehren; der größere Konsum wird eine stärkere Produktion erfordern, welche eine stärkere Nachfrage nach Arbeitskräften nach sich ziehen wird, und dieser stärkeren Nachfrage nach Arbeitskräften wird ein Steigen der Löhne folgen.

Diese ganze Argumentation läuft auf folgendes hinaus: Der Freihandel vermehrt die Produktivkräfte. Wenn die Industrie im Wachstum begriffen ist, wenn der Reichtum, wenn die Produktivkräfte, wenn mit einem Wort das Produktivkapital die Nachfrage nach Arbeit vermehrt, so steigt auch der Preis der Arbeit und folglich der Lohn. Die günstigste Bedingung für den Arbeiter ist das Anwachsen des Kapitals. Und man muß dies zugeben. Wenn das Kapital stationär bleibt, wird die Industrie nicht nur stationär bleiben, sondern zurückgehen, und in diesem Falle wird der Arbeiter das erste Opfer sein. Er wird vor dem Kapitalisten zugrunde gehen. Und in dem Falle, wo das Kapital anwächst, also in diesem, wie gesagt, besten Falle für den Arbeiter, welches wird da sein Schicksal sein? Er wird gleichfalls zugrunde gehen. Das Anwachsen des Produktivkapitals begreift in sich die Akkumulation und Konzentration der Kapitalien. Die Zentralisation der Kapitalien hat eine größere Arbeitsteilung und eine größere Anwendung von Maschinen zur Folge. Die größere Teilung der Arbeit zerstört die besondere Geschicklichkeit des Arbeiters; und indem sie an die Stelle dieser besonderen Geschicklichkeit eine Arbeit setzt, die jedermann verrichten kann, vermehrt sie die Konkurrenz unter den Arbeitern.

Diese Konkurrenz wird um so stärker, als die Arbeitsteilung den Arbeiter in die Lage versetzt, allein die Arbeit von dreien zu verrichten. Die Maschinen bewirken das gleiche Resultat in noch viel größerem Grade. Das Anwachsen des Produktivkapitals zwingt die industriellen Kapitalisten, mit stets wachsenden Mitteln zu arbeiten, und ruiniert damit die Kleinindustriellen und wirft sie ins Proletariat. Ferner, da der Zinsfuß in dem Maße fällt, wie die Kapitalien sich anhäufen, werden die kleinen Rentiers, die nicht mehr von ihren Renten leben können, gezwungen sein, sich der Industrie zuzuwenden, und somit die Zahl der Proletarier vermehren.

Endlich, je mehr das Produktivkapital wächst, desto mehr ist es gezwungen, für einen Markt zu produzieren, dessen Bedürfnisse es nicht kennt. Um so mehr geht die Produktion dem Bedarf voraus, um so mehr sucht das Angebot die Nachfrage zu erzwingen und nehmen daher die Krisen an Intensität und Plötzlichkeit zu. Aber jede Krisis ihrerseits beschleunigt die Zentralisation der Kapitalien und vermehrt das Proletariat.

Je mehr das Produktivkapital also anwächst, desto mehr steigert sich die Konkurrenz unter den Arbeitern, und zwar in viel stärkerem Verhältnis. Die Entlohnung der Arbeit nimmt ab für alle, und die Arbeitslast vermehrt sich für einige.

1829 gab es in Manchester 1088 Spinner, die in 36 Fabriken beschäftigt waren. 1841 gab es nur noch 448, und diese Arbeiter bedienten 53353 Spindeln mehr als die 1088 von 1829. Wenn die Handarbeit zugenommen hätte in demselben Maße wie die Produktivkraft, so hätte die Zahl der Arbeiter auf 1848 steigen müssen; die technischen Verbesserungen haben also 1100[294] Arbeiter außer Arbeit gesetzt.

Wir kennen im voraus die Antwort der Ökonomen. Diese außer Arbeit gesetzten Leute, sagen sie, werden eine andere Beschäftigung finden. Herr Dr. Bowring hat nicht unterlassen, dieses Argument auf dem Ökonomenkongreß wieder vorzubringen. Aber er hat auch nicht unterlassen, sich selbst zu widerlegen.

1835[1] hielt Herr Dr. Bowring im Unterhaus eine Rede über die 50000 Weber Londons, die seit langem am Hungertuch nagen, ohne diese neue Beschäftigung finden zu können, welche die Freihändler ihnen in Aussicht stellen.

Hören wir die markantesten Stellen dieser Rede des Herrn Dr. Bowring:

„Das Elend der Handweber", sagt er, „ist das unvermeidliche Schicksal jeder Arbeit, die leicht erlernt wird und in jedem Augenblick durch weniger kostspielige Mittel ersetzt werden kann. Da in diesem Falle die Konkurrenz unter den Arbeitern ungemein groß ist, führt die geringste Verminderung der Nachfrage eine Krise herbei. Die Handweber befinden sich gewissermaßen an die äußerste Grenze der menschlichen Existenz gesetzt. Ein Schritt weiter, und ihre Existenz wird unmöglich. Die geringste Erschütterung genügt, um sie in die Bahn des Verkommens zu schleudern. Der Fortschritt der Technik, der die Handarbeit immer mehr aufhebt, führt unfehlbar während der Epoche des Übergangs viel zeitweiliges Leiden mit sich. Der nationale Wohlstand kann nur um den Preis einiger individueller Übel erkauft werden. Man schreitet in der Industrie nur auf Kosten der Nachzügler vorwärts, und von allen Entdeckungen ist der Dampfwebstuhl diejenige, welche am schwersten auf dem Handweber lastet. Bereits ist in vielen Artikeln, welche mit der Hand gearbeitet wurden, der Weber außer Kampf gesetzt worden, aber er wird auch weiterhin in vielen Dingen geschlagen werden, die heute noch mit der Hand verfertigt werden."

„Ich habe", sagt er an anderer Stelle, „in der Hand eine Korrespondenz des Gene-

[1] *(1848)* irrtümlich: 1833; *(1885, 1892* u. *1895)* irrtümlich: 1838

ralgouverneurs von Ostindien mit der Ostindischen Kompanie. Diese Korrespondenz betrifft die Weber des Distrikts von Dakka. Der Gouverneur sagt in seinen Briefen: Vor einigen Jahren empfing die Ostindische Kompanie sechs bis acht Millionen Stück Kattun, die auf den einheimischen Handstühlen hergestellt waren. Die Nachfrage fiel stetig und ward auf ungefähr eine Million Stück reduziert.

In diesem Augenblick hat sie fast aufgehört. Noch mehr. Im Jahre 1800 bezog Nordamerika von Indien nahezu 800000 Stück Kattun. Im Jahre 1830 bezog es nicht einmal mehr 4000 Stück. Endlich verschiffte man im Jahre 1800 eine Million Stück Kattun nach Portugal. 1830 empfing Portugal nicht mehr als 20000 Stück.

Die Berichte über die Not der indischen Weber sind schrecklich; und welches war die Ursache dieser Not?

Das Auftreten englischer Produkte auf dem Markte, die Herstellung des Artikels vermittelst des Dampfwebstuhls. Eine sehr große Anzahl von Webern ist im Elend umgekommen. Der Rest ist zu anderen Beschäftigungen, namentlich zu ländlichen, übergegangen. Seine Beschäftigung nicht wechseln können gleicht einem Todesurteil. Und in diesem Augenblick ist der Distrikt von Dakka überschwemmt von englischen Garnen und Geweben. Der Musselin von Dakka, in der ganzen Welt wegen seiner Schönheit und der Festigkeit seines Gewebes berühmt, ist gleichfalls infolge der Konkurrenz der englischen Maschinen verschwunden. In der ganzen Geschichte des Gewerbes wird man vielleicht Mühe haben, ähnliche Leiden zu finden wie die, welche auf diese Weise ganze Klassen in Ostindien erdulden mußten." [295]

Die Rede des Herrn Dr. Bowring ist um so bemerkenswerter, als die darin erwähnten Tatsachen richtig sind und die Phrasen, mit denen er sie zu bemänteln sucht, durchaus den Charakter der Heuchelei tragen, welche allen freihändlerischen Reden eigen ist. Er stellt die Arbeiter als Produktionsmittel hin, welche man durch weniger kostspielige Produktionsmittel ersetzen muß. Er tut so, als sähe er in der Arbeit, von der er spricht, eine ganz und gar ausnahmsweise Arbeit, und in der Maschine, welche die Weber ausgerottet hat, eine ebenfalls ausnahmsweise Maschine. Er vergißt, daß es keine Handarbeit gibt, die nicht eines Tages vom Schicksal der Weberei betroffen werden kann.

„Das beständige Ziel und die Tendenz jeder Vervollkommnung in der Mechanik besteht in der Tat darin, vollständig die menschliche Arbeit entbehrlich zu machen oder ihren Preis zu vermindern, indem man die Arbeit von Frauen und Kindern an die Stelle der des erwachsenen männlichen Arbeiters oder den einfachen Handlanger an die Stelle des geschickten Handarbeiters setzt. In der Mehrzahl der Spinnereien von Wassergarn, auf englisch *throstle-mills*, wird das Spinnen lediglich von Mädchen von sechzehn Jahren und darunter[1] besorgt. Die Einführung des Selfaktors anstatt der

[1] Bei Andrew Ure „The Philosophy of Manufactures...", London 1861, S. 23: upwards [darüber]

Hand-Mule[64] hat zur Folge die Entlassung der Mehrzahl der Spinner und die Beibehaltung von Kindern und jungen Leuten."

Diese Worte des leidenschaftlichsten Freihändlers, des Herrn Dr. Ure[296], sind geeignet, die Bekenntnisse des Herrn Bowring zu ergänzen. Herr Bowring spricht von einigen individuellen Leiden und sagt gleichzeitig, daß diese individuellen Leiden ganze Klassen zugrunde richten; spricht von vorübergehenden Leiden in der Zeit des Überganges, und zu gleicher Zeit verheimlicht er nicht, daß diese Leiden des Überganges für die Mehrzahl der Übergang vom Leben zum Tod gewesen sind und für den Rest der Übergang von einer besseren zu einer schlechteren Lage. Wenn er später sagt, daß die Leiden dieser Arbeiter untrennbar sind vom Fortschritt der Industrie und notwendig für den nationalen Wohlstand, so sagt er einfach, daß der Wohlstand der Bourgeoisklasse zur notwendigen Bedingung hat das Leiden der arbeitenden Klasse.

Der ganze Trost, den Herr Bowring den Arbeitern spendet, die da umkommen, und überhaupt die ganze Doktrin der Ausgleichung, welche die Freihändler aufstellen, läuft auf folgendes hinaus:

Ihr Tausende von Arbeitern, die ihr umkommt, verzagt nicht. Ihr könnt in aller Ruhe sterben. Eure Klasse wird nicht aussterben. Sie wird stets zahlreich genug sein, daß das Kapital sie dezimieren kann, ohne befürchten zu müssen, daß es sie vernichtet. Übrigens, wie soll das Kapital eine nützliche Verwendung finden, wenn es nicht Sorge trüge, sich das Ausbeutungsmaterial, die Arbeiter, zu erhalten, um sie von neuem ausbeuten zu können?

Aber warum ist es denn noch eine erst zu lösende Frage, welchen Einfluß die Verwirklichung des Freihandels auf die Lage der arbeitenden Klasse ausüben wird? Alle Gesetze, welche die Ökonomen von Quesnay bis Ricardo formuliert haben, sind auf der Voraussetzung aufgebaut, daß die Schranken nicht mehr existieren, welche die Handelsfreiheit bisher noch beengen. Diese Gesetze bekräftigen sich in dem Maße, wie der Freihandel verwirklicht wird. Das erste dieser Gesetze sagt, daß die Konkurrenz den Preis jeder Ware auf das Minimum ihrer Produktionskosten reduziert. Somit ist das Lohnminimum der natürliche Preis der Arbeit. Und was ist das Lohnminimum? Genau das, was nötig ist, um die zum Unterhalt des Arbeiters unerläßlichen Gegenstände zu produzieren, um ihn in Stand zu setzen, sich durchzuschlagen und seine Klasse soviel wie nötig fortzupflanzen.

Glauben wir deshalb nicht, daß der Arbeiter nur dieses Lohnminimum haben wird, glauben wir noch weniger, daß er dieses Lohnminimum stets haben wird.

Nein, nach diesem Gesetz wird die Arbeiterklasse zeitweilig glücklicher sein. Sie wird zuweilen mehr als das Minimum haben, aber dieses Mehr wird nur die Ausgleichung von dem sein, was sie in Zeiten der industriellen Stockung weniger als das Minimum haben wird. Das will sagen: Wenn man in einem gewissen periodisch wiederkehrenden Zeitabschnitt, in jenem Kreislauf, den die Industrie beschreibt, indem sie nacheinander die Phasen von Prosperität, Überproduktion, Stagnation, Krise durchläuft, alles zusammenrechnet, was die Arbeiterklasse über und unter dem Notwendigen gehabt hat, so wird man sehen, daß sie im ganzen weder mehr noch weniger als das Minimum gehabt hat: das heißt, die Arbeiterklasse wird als Klasse erhalten sein, nachdem sie soundso viel Elend, soundso viel Leiden durchgemacht, soundso viel Leichen auf dem Schlachtfeld der Industrie zurückgelassen hat. Aber was verschlägt das? Die Klasse besteht fort, und mehr als das, sie wird zugenommen haben.

Das ist jedoch nicht alles. Der Fortschritt der Industrie liefert weniger kostspielige Existenzmittel. So hat der Schnaps das Bier, die Baumwolle Wolle und Leinen, die Kartoffel das Brot ersetzt.

Da man stets Mittel findet, die Arbeit mit wohlfeileren und erbärmlicheren Gegenständen zu ernähren, so ist das Lohnminimum in stetem Sinken begriffen. Wenn dieser Lohn anfangs den Menschen arbeiten ließ, um zu leben, läßt er ihn schließlich auch noch leben, aber das Leben einer Maschine. Seine Existenz hat keinen anderen Wert als den einer einfachen Produktivkraft, und der Kapitalist behandelt ihn demgemäß.

Dieses Gesetz der Ware Arbeit, des Lohnminimums, bewahrheitet sich in dem Maße, wie die Voraussetzung der Ökonomen, der Freihandel, eine Wahrheit, eine Tatsache wird. So von zwei Dingen eines: Entweder muß man die ganze, auf die Voraussetzung des Freihandels begründete politische Ökonomie leugnen, oder man muß zugestehen, daß die Arbeiter unter diesem Freihandel von der ganzen Härte der ökonomischen Gesetze getroffen werden.

Um zusammenzufassen: Was ist also unter dem heutigen Gesellschaftszustand der Freihandel? Die Freiheit des Kapitals. Habt ihr die paar nationalen Schranken, die noch die freie Entwicklung des Kapitals einengen, eingerissen, so habt ihr lediglich seine Tätigkeit völlig entfesselt. Solange ihr das Verhältnis von Lohnarbeit zu Kapital fortbestehen laßt, mag der Austausch der Waren sich immerhin unter den günstigsten Bedingungen vollziehen, es wird stets eine Klasse geben, die ausbeutet, und eine, die ausgebeutet wird. Es wird einem wirklich schwer, die Anmaßung der Freihändler zu begreifen, die sich einbilden, daß die vorteilhaftere Verwendung des Kapitals den Gegensatz zwischen industriellen Kapitalisten und Lohnarbeitern verschwinden machen wird. Ganz im Gegenteil. Die einzige Folge wird sein, daß der Gegensatz dieser beiden Klassen noch klarer zutage treten wird.

Man nehme einen Augenblick an, daß es keine Korngesetze, keine Gemeinde- und keine Staatszölle mehr gäbe, mit einem Wort, daß alle Nebenumstände, welche der Arbeiter heute noch für die Ursachen seiner elenden Lage halten kann, vollständig verschwunden wären, und man wird ebenso viele Vorhänge zerrissen haben, welche seinen Augen den wahren Feind verhüllten.

Er wird sehen, daß das frei gewordene Kapital ihn nicht minder zum Sklaven macht als das durch Zollschranken belästigte.

Meine Herren! Lassen Sie sich nicht durch das abstrakte Wort *Freiheit* imponieren. Freiheit wessen? Es bedeutet nicht die Freiheit eines einzelnen Individuums gegenüber einem anderen Individuum. Es bedeutet die Freiheit, welche das Kapital genießt, den Arbeiter zu erdrücken.

Wozu wollen Sie die freie Konkurrenz noch durch diese Freiheitsidee sanktionieren, da doch diese Freiheitsidee selbst nur das Produkt eines auf der freien Konkurrenz beruhenden Zustandes ist?

Wir haben gezeigt, was die Brüderlichkeit ist, welche der Freihandel zwischen den verschiedenen Klassen ein und derselben Nation hervorruft. Die Brüderlichkeit, welche der Freihandel zwischen den verschiedenen Nationen der Erde stiften würde, wäre schwerlich brüderlicher; die Ausbeutung in ihrer kosmopolitischen Gestaltung mit dem Namen der allgemeinen Brüderlichkeit zu bezeichnen ist eine Idee, die nur dem Schoß der Bourgeoisie entspringen konnte. Alle destruktiven Erscheinungen, welche die freie Konkurrenz in dem Innern eines Landes zeitigt, wiederholen sich in noch riesigerem Umfange auf dem Weltmarkt. Wir brauchen uns nicht länger bei den Sophismen aufzuhalten, welche die Freihändler über diesen Gegenstand ausspielen und die geradesoviel wert sind wie die Argumente unserer drei Laureaten, der Herren Hope, Morse und Greg.

Man sagt uns zum Beispiel, daß der Freihandel eine internationale Arbeitsteilung ins Leben rufen und damit jedem Lande eine mit seinen natürlichen Vorteilen harmonierende Produktion zuweisen würde.

Sie glauben vielleicht, meine Herren, daß die Produktion von Kaffee und Zucker die natürliche Bestimmung von Westindien sei.

Vor zwei Jahrhunderten hatte die Natur, die sich nicht um den Handel kümmert, dort weder Kaffeebäume noch Zuckerrohr gepflanzt.

Und es wird vielleicht kein halbes Jahrhundert dauern, bis Sie dort weder Kaffee noch Zucker mehr finden, denn bereits hat Ostindien durch billigere

Produktion gegen diese angeblich natürliche Bestimmung von Westindien den Kampf siegreich aufgenommen. Und dieses Westindien mit seinen natürlichen Reichtümern ist bereits eine ebenso schwere Last für die Engländer wie die Weber von Dakka, die auch von Anbeginn der Zeiten bestimmt waren, mit der Hand zu weben.

Noch ein Umstand darf dabei nie aus dem Auge gelassen werden: der nämlich, daß, wie alles Monopol geworden ist, es auch heute einige Industriezweige gibt, welche alle anderen beherrschen und den sie vorzugsweise betreibenden Völkern die Herrschaft auf dem Weltmarkt sichern. So hat im internationalen Verkehr allein die Baumwolle eine viel größere kommerzielle Bedeutung als alle anderen zur Anfertigung von Bekleidungsgegenständen verwendeten Rohstoffe zusammen. Es ist wahrhaft lächerlich, wie die Freihändler auf die paar Spezialitäten in jedem Industriezweig hinweisen, um sie gegen die Produkte des alltäglichen Gebrauches in die Waagschale zu werfen, die am billigsten in den Ländern produziert werden, wo die Industrie am entwickeltsten ist.

Wenn die Freihändler nicht begreifen können, wie ein Land sich auf Kosten des anderen bereichern kann, so brauchen wir uns darüber nicht zu wundern, da dieselben Herren noch weniger begreifen wollen, wie innerhalb eines Landes eine Klasse sich auf Kosten einer anderen bereichern kann.

Glauben Sie aber nicht, meine Herren, daß, wenn wir die Handelsfreiheit kritisieren, wir die Absicht haben, das Schutzzollsystem zu verteidigen.

Man kann den Konstitutionalismus bekämpfen, ohne deshalb Freund des Absolutismus zu sein.

Übrigens ist das Schutzzollsystem nur ein Mittel, in einem Lande die Großindustrie aufzuziehen, das heißt, es vom Weltmarkt abhängig zu machen; und von dem Augenblick an, wo man vom Weltmarkt abhängt, hängt man schon mehr oder weniger vom Freihandel ab. Außerdem entwickelt das Schutzzollsystem die freie Konkurrenz im Innern eines Landes. Deshalb sehen wir, daß in den Ländern, wo die Bourgeoisie anfängt, sich als Klasse Geltung zu verschaffen, wie zum Beispiel in Deutschland, sie große Anstrengungen macht, Schutzzölle zu bekommen. Dieselben sind für sie Waffen gegen den Feudalismus und die absolute Staatsgewalt, sie sind für sie ein Mittel, ihre Kräfte zu konzentrieren und den Freihandel im Innern des Landes selbst zu realisieren.

Aber im allgemeinen ist heutzutage das Schutzzollsystem konservativ, während das Freihandelssystem zerstörend wirkt. Es zersetzt die bisherigen

Nationalitäten und treibt den Gegensatz zwischen Proletariat und Bourgeoisie auf die Spitze. Mit einem Wort, das System der Handelsfreiheit beschleunigt die soziale Revolution. Und nur in diesem revolutionären Sinne, meine Herren, stimme ich für den Freihandel.

Nach „Discours sur la question du libre échange, prononcé à l'Association Démocratique de Bruxelles", Bruxelles 1848. Aus dem Französischen.

KARL MARX
FRIEDRICH ENGELS

Manifest der Kommunistischen Partei[297]

Geschrieben im Dezember 1847/Januar 1848.

Gedruckt und als Einzelbroschüre im Februar/März 1848 in London erschienen.
Der vorliegenden Ausgabe liegt der Text der letzten von
Friedrich Engels besorgten deutschen Ausgabe von 1890 zugrunde.

In den Fußnoten werden die verschiedenen Lesarten der deutschen Ausgaben von 1848, 1872 und 1883 vermerkt, soweit sie den Inhalt berühren. Alle Vorworte der Verfasser zum „Manifest" bringen wir als Beilagen am Schluß des vorliegenden Bandes.

Manifest

der

Kommunistischen Partei.

Veröffentlicht im Februar 1848.

Proletarier aller Länder vereinigt euch.

London.

Gedruckt in der Office der „Bildungs-Gesellschaft für Arbeiter"
von J. E. Burghard.
46, Liverpool Street, Bishopsgate.

Umschlagseite des „Manifestes der Kommunistischen Partei"
London 1848 (dreißigseitige Ausgabe)

Ein Gespenst geht um in Europa – das Gespenst des Kommunismus. Alle Mächte des alten Europa haben sich zu einer heiligen Hetzjagd gegen dies Gespenst verbündet, der Papst und der Zar, Metternich und Guizot, französische Radikale und deutsche Polizisten.

Wo ist die Oppositionspartei, die nicht von ihren regierenden Gegnern als kommunistisch verschrien worden wäre, wo die Oppositionspartei, die den fortgeschritteneren Oppositionsleuten sowohl wie ihren reaktionären Gegnern den brandmarkenden Vorwurf des Kommunismus nicht zurückgeschleudert hätte?

Zweierlei geht aus dieser Tatsache hervor.

Der Kommunismus wird bereits von allen europäischen Mächten als eine Macht anerkannt.

Es ist hohe Zeit, daß die Kommunisten ihre Anschauungsweise, ihre Zwecke, ihre Tendenzen vor der ganzen Welt offen darlegen und dem[1] Märchen vom Gespenst des Kommunismus ein Manifest der Partei selbst entgegenstellen.

Zu diesem Zweck haben sich Kommunisten der verschiedensten Nationalität in London versammelt und das folgende Manifest entworfen, das in englischer, französischer, deutscher, italienischer, flämischer und dänischer Sprache veröffentlicht wird.

[1] *(1848)* den

I

Bourgeois und Proletarier*

Die Geschichte aller bisherigen Gesellschaft** ist die Geschichte von Klassenkämpfen.

Freier und Sklave, Patrizier und Plebejer, Baron und Leibeigener, Zunftbürger und Gesell, kurz, Unterdrücker und Unterdrückte standen in stetem Gegensatz zueinander, führten einen ununterbrochenen, bald versteckten, bald offenen Kampf, einen Kampf, der jedesmal mit einer revolutionären Umgestaltung der ganzen Gesellschaft endete oder mit dem gemeinsamen Untergang der kämpfenden Klassen.

In den früheren Epochen der Geschichte finden wir fast überall eine vollständige Gliederung der Gesellschaft in verschiedene Stände, eine mannigfaltige Abstufung der gesellschaftlichen Stellungen. Im alten Rom haben wir

---

* Unter Bourgeoisie wird die Klasse der modernen Kapitalisten verstanden, die Besitzer der gesellschaftlichen Produktionsmittel sind und Lohnarbeit ausnutzen. Unter Proletariat die Klasse der modernen Lohnarbeiter, die, da sie keine eigenen Produktionsmittel besitzen, darauf angewiesen sind, ihre Arbeitskraft zu verkaufen, um leben zu können. *[Anmerkung von Engels zur englischen Ausgabe von 1888.]*

** Das heißt, genau gesprochen, die *schriftlich* überlieferte Geschichte. 1847 war die Vorgeschichte der Gesellschaft, die gesellschaftliche Organisation, die aller niedergeschriebenen Geschichte vorausging, noch so gut wie unbekannt. Seitdem hat Haxthausen das Gemeineigentum am Boden in Rußland entdeckt, Maurer hat es nachgewiesen als die gesellschaftliche Grundlage, wovon alle deutschen Stämme geschichtlich ausgingen, und allmählich fand man, daß Dorfgemeinden mit gemeinsamem Bodenbesitz die Urform der Gesellschaft waren von Indien bis Irland. Schließlich wurde die innere Organisation dieser urwüchsigen kommunistischen Gesellschaft in ihrer typischen Form bloßgelegt durch Morgans krönende Entdeckung der wahren Natur der Gens und ihrer Stellung im Stamm. Mit der Auflösung dieser ursprünglichen Gemeinwesen beginnt die Spaltung der Gesellschaft in besondre und schließlich einander entgegengesetzte Klassen. *[Anmerkung von Engels zur englischen Ausgabe von 1888 und zur deutschen Ausgabe von 1890.]* Ich habe versucht, diesen Auflösungsprozeß in „Der Ursprung der Familie, des Privateigenthums und des Staats" zu verfolgen; zweite Auflage, Stuttgart 1886. *[Anmerkung von Engels zur englischen Ausgabe von 1888.]*

Patrizier, Ritter, Plebejer, Sklaven; im Mittelalter Feudalherren, Vasallen, Zunftbürger, Gesellen, Leibeigene, und noch dazu in fast jeder dieser Klassen wieder besondere Abstufungen.

Die aus dem Untergang der feudalen Gesellschaft hervorgegangene moderne bürgerliche Gesellschaft hat die Klassengegensätze nicht aufgehoben. Sie hat nur neue Klassen, neue Bedingungen der Unterdrückung, neue Gestaltungen des Kampfes an die Stelle der alten gesetzt.

Unsere Epoche, die Epoche der Bourgeoisie, zeichnet sich jedoch dadurch aus, daß sie die Klassengegensätze vereinfacht hat. Die ganze Gesellschaft spaltet sich mehr und mehr in zwei große feindliche Lager, in zwei große, einander direkt gegenüberstehende Klassen: Bourgeoisie und Proletariat.

Aus den Leibeigenen des Mittelalters gingen die Pfahlbürger der ersten Städte hervor; aus dieser Pfahlbürgerschaft entwickelten sich die ersten Elemente der Bourgeoisie.

Die Entdeckung Amerikas, die Umschiffung Afrikas schufen der aufkommenden Bourgeoisie ein neues Terrain. Der ostindische und chinesische Markt, die Kolonisierung von Amerika, der Austausch mit den Kolonien, die Vermehrung der Tauschmittel und der Waren überhaupt gaben dem Handel, der Schiffahrt, der Industrie einen nie gekannten Aufschwung und damit dem revolutionären Element in der zerfallenden feudalen Gesellschaft eine rasche Entwicklung.

Die bisherige feudale oder zünftige Betriebsweise der Industrie reichte nicht mehr aus für den mit neuen[1] Märkten anwachsenden Bedarf. Die Manufaktur trat an ihre Stelle. Die Zunftmeister wurden verdrängt durch den industriellen Mittelstand; die Teilung der Arbeit zwischen den verschiedenen Korporationen verschwand vor der Teilung der Arbeit in der einzelnen Werkstatt selbst.

Aber immer wuchsen die Märkte, immer stieg der Bedarf. Auch die Manufaktur reichte nicht mehr aus. Da revolutionierte der Dampf und die Maschinerie die industrielle Produktion. An die Stelle der Manufaktur trat die moderne große Industrie, an die Stelle des industriellen Mittelstandes traten die industriellen Millionäre, die Chefs ganzer industrieller Armeen, die modernen Bourgeois.

Die große Industrie hat den Weltmarkt hergestellt, den die Entdeckung Amerikas vorbereitete. Der Weltmarkt hat dem Handel, der Schiffahrt, den Landkommunikationen eine unermeßliche Entwicklung gegeben. Diese hat

[1] *(1848, 1872, 1883)* den neuen

wieder auf die Ausdehnung der Industrie zurückgewirkt, und in demselben Maße, worin Industrie, Handel, Schiffahrt, Eisenbahnen sich ausdehnten, in demselben Maße entwickelte sich die Bourgeoisie, vermehrte sie ihre Kapitalien, drängte sie alle vom Mittelalter her überlieferten Klassen in den Hintergrund.

Wir sehen also, wie die moderne Bourgeoisie selbst das Produkt eines langen Entwicklungsganges, einer Reihe von Umwälzungen in der Produktions- und Verkehrsweise ist.

Jede dieser Entwicklungsstufen der Bourgeoisie war begleitet von einem entsprechenden politischen Fortschritt[1]. Unterdrückter Stand unter der Herrschaft der Feudalherren, bewaffnete und sich selbst verwaltende Assoziation[2] in der Kommune*, hier unabhängige städtische Republik[3], dort dritter steuerpflichtiger Stand der Monarchie[4], dann zur Zeit der Manufaktur Gegengewicht gegen den Adel in der ständischen oder in der absoluten Monarchie[5], Hauptgrundlage der großen Monarchien überhaupt, erkämpfte sie sich endlich seit der Herstellung der großen Industrie und des Weltmarktes im modernen Repräsentativstaat die ausschließliche politische Herrschaft. Die moderne Staatsgewalt ist nur ein Ausschuß, der die gemeinschaftlichen Geschäfte der ganzen Bourgeoisklasse verwaltet.

Die Bourgeoisie hat in der Geschichte eine höchst revolutionäre Rolle gespielt.

Die Bourgeoisie, wo sie zur Herrschaft gekommen, hat alle feudalen, patriarchalischen, idyllischen Verhältnisse zerstört. Sie hat die buntscheckigen Feudalbande, die den Menschen an seinen natürlichen Vorgesetzten knüpften, unbarmherzig zerrissen und kein anderes Band zwischen Mensch und Mensch übriggelassen als das nackte Interesse, als die gefühllose „bare Zahlung". Sie hat die heiligen Schauer der frommen Schwärmerei, der ritter-

---

* „Kommune" nannten sich die in Frankreich entstehenden Städte, sogar bevor sie ihren feudalen Herrn und Meistern lokale Selbstverwaltung und politische Rechte als „Dritter Stand" abzuringen vermochten. Allgemein gesprochen haben wir hier als typisches Land für die ökonomische Entwicklung der Bourgeoisie England, für ihre politische Entwicklung Frankreich angeführt. *[Anmerkung von Engels zur englischen Ausgabe von 1888.]*

So nannten die Städtebürger Italiens und Frankreichs ihr städtisches Gemeinwesen, nachdem sie die ersten Selbstverwaltungsrechte ihren Feudalherren abgekauft oder abgezwungen hatten. *[Anmerkung von Engels zur deutschen Ausgabe von 1890.]*

---

[1] *(1888)* eingefügt: dieser Klasse – [2] *(1848, 1872)* Assoziationen – [3] *(1888)* eingefügt: (wie in Italien und Deutschland) – [4] (*1888*) eingefügt: (wie in Frankreich) – [5] *(1848)* eingefügt: und

lichen Begeisterung, der spießbürgerlichen Wehmut in dem eiskalten Wasser egoistischer Berechnung ertränkt. Sie hat die persönliche Würde in den Tauschwert aufgelöst und an die Stelle der zahllosen verbrieften und wohlerworbenen Freiheiten die *eine* gewissenlose Handelsfreiheit gesetzt. Sie hat, mit einem Wort, an die Stelle der mit religiösen und politischen Illusionen verhüllten Ausbeutung die offene, unverschämte, direkte, dürre Ausbeutung gesetzt.

Die Bourgeoisie hat alle bisher ehrwürdigen und mit frommer Scheu betrachteten Tätigkeiten ihres Heiligenscheins entkleidet. Sie hat den Arzt, den Juristen, den Pfaffen, den Poeten, den Mann der Wissenschaft in ihre bezahlten Lohnarbeiter verwandelt.

Die Bourgeoisie hat dem Familienverhältnis seinen rührend-sentimentalen Schleier abgerissen und es auf ein reines Geldverhältnis zurückgeführt.

Die Bourgeoisie hat enthüllt, wie die brutale Kraftäußerung, die die Reaktion so sehr am Mittelalter bewundert, in der trägsten Bärenhäuterei ihre passende Ergänzung fand. Erst sie hat bewiesen, was die Tätigkeit der Menschen zustande bringen kann. Sie hat ganz andere Wunderwerke vollbracht als ägyptische Pyramiden, römische Wasserleitungen und gotische Kathedralen, sie hat ganz andere Züge ausgeführt als Völkerwanderungen und Kreuzzüge.

Die Bourgeoisie kann nicht existieren, ohne die Produktionsinstrumente, also die Produktionsverhältnisse, also sämtliche gesellschaftlichen Verhältnisse fortwährend zu revolutionieren. Unveränderte Beibehaltung der alten Produktionsweise war dagegen die erste Existenzbedingung aller früheren industriellen Klassen. Die fortwährende Umwälzung der Produktion, die ununterbrochene Erschütterung aller gesellschaftlichen Zustände, die ewige Unsicherheit und Bewegung zeichnet die Bourgeoisepoche vor allen anderen[1] aus. Alle festen eingerosteten Verhältnisse mit ihrem Gefolge von altehrwürdigen Vorstellungen und Anschauungen werden aufgelöst, alle neugebildeten veralten, ehe sie verknöchern können. Alles Ständische und Stehende verdampft, alles Heilige wird entweiht, und die Menschen sind endlich gezwungen, ihre Lebensstellung, ihre gegenseitigen Beziehungen mit nüchternen Augen anzusehen.

Das Bedürfnis nach einem stets ausgedehnteren Absatz für ihre Produkte jagt die Bourgeoisie über die ganze Erdkugel. Überall muß sie sich einnisten, überall anbauen, überall Verbindungen herstellen.

---

[1] *(1848, 1872, 1883)* früheren

Die Bourgeoisie hat durch ihre[1] Exploitation des Weltmarkts die Produktion und Konsumtion aller Länder kosmopolitisch gestaltet. Sie hat zum großen Bedauern der Reaktionäre den nationalen Boden der Industrie unter den Füßen weggezogen. Die uralten nationalen Industrien sind vernichtet worden und werden noch täglich vernichtet. Sie werden verdrängt durch neue Industrien, deren Einführung eine Lebensfrage für alle zivilisierten Nationen wird, durch Industrien, die nicht mehr einheimische Rohstoffe, sondern den entlegensten Zonen angehörige Rohstoffe verarbeiten und deren Fabrikate nicht nur im Lande selbst, sondern in allen Weltteilen zugleich verbraucht werden. An die Stelle der alten, durch Landeserzeugnisse befriedigten Bedürfnisse treten neue, welche die Produkte der entferntesten Länder und Klimate zu ihrer Befriedigung erheischen. An die Stelle der alten lokalen und nationalen Selbstgenügsamkeit und Abgeschlossenheit tritt ein allseitiger Verkehr, eine allseitige Abhängigkeit der Nationen voneinander. Und wie in der materiellen, so auch in der geistigen Produktion. Die geistigen Erzeugnisse der einzelnen Nationen werden Gemeingut. Die nationale Einseitigkeit und Beschränktheit wird mehr und mehr unmöglich, und aus den vielen nationalen und lokalen Literaturen bildet sich eine Weltliteratur.

Die Bourgeoisie reißt durch die rasche Verbesserung aller Produktionsinstrumente, durch die unendlich erleichterten Kommunikationen alle, auch die barbarischsten Nationen in die Zivilisation. Die wohlfeilen Preise ihrer Waren sind die schwere Artillerie, mit der sie alle chinesischen Mauern in den Grund schießt, mit der sie den hartnäckigsten Fremdenhaß der Barbaren zur Kapitulation zwingt. Sie zwingt alle Nationen, die Produktionsweise der Bourgeoisie sich anzueignen, wenn sie nicht zugrunde gehn wollen; sie zwingt sie, die sogenannte Zivilisation bei sich selbst einzuführen, d.h. Bourgeois zu werden. Mit einem Wort, sie schafft sich eine Welt nach ihrem eigenen Bilde.

Die Bourgeoisie hat das Land der Herrschaft der Stadt unterworfen. Sie hat enorme Städte geschaffen, sie hat die Zahl der städtischen Bevölkerung gegenüber der ländlichen in hohem Grade vermehrt und so einen bedeutenden Teil der Bevölkerung dem Idiotismus des Landlebens entrissen. Wie sie das Land von der Stadt, hat sie die barbarischen und halbbarbarischen Länder von den zivilisierten, die Bauernvölker von den Bourgeoisvölkern, den Orient vom Okzident abhängig gemacht.

Die Bourgeoisie hebt mehr und mehr die Zersplitterung der Produktionsmittel, des Besitzes und der Bevölkerung auf. Sie hat die Bevölkerung agglo-

[1] *(1848)* die

meriert, die Produktionsmittel zentralisiert und das Eigentum in wenigen Händen konzentriert. Die notwendige Folge hiervon war die politische Zentralisation. Unabhängige, fast nur verbündete Provinzen mit verschiedenen Interessen, Gesetzen, Regierungen und Zöllen wurden zusammengedrängt in *eine* Nation, *eine* Regierung, *ein* Gesetz, *ein* nationales Klasseninteresse, *eine* Douanenlinie.

Die Bourgeoisie hat in ihrer kaum hundertjährigen Klassenherrschaft massenhaftere und kolossalere Produktionskräfte geschaffen als alle vergangenen Generationen zusammen. Unterjochung der Naturkräfte, Maschinerie, Anwendung der Chemie auf Industrie und Ackerbau, Dampfschiffahrt, Eisenbahnen, elektrische Telegraphen, Urbarmachung ganzer Weltteile, Schiffbarmachung der Flüsse, ganze aus dem Boden hervorgestampfte Bevölkerungen – welches frühere[1] Jahrhundert ahnte, daß solche Produktionskräfte im Schoß der gesellschaftlichen Arbeit schlummerten.

Wir haben also[2] gesehn: Die Produktions- und Verkehrsmittel, auf deren Grundlage sich die Bourgeoisie heranbildete, wurden in der feudalen Gesellschaft erzeugt. Auf einer gewissen Stufe der Entwicklung dieser Produktions- und Verkehrsmittel entsprachen die Verhältnisse, worin die feudale Gesellschaft produzierte und austauschte, die feudale Organisation der Agrikultur und Manufaktur, mit einem Wort die feudalen Eigentumsverhältnisse den schon entwickelten Produktivkräften nicht mehr. Sie hemmten die Produktion, statt sie zu fördern. Sie verwandelten sich in ebenso viele Fesseln. Sie mußten gesprengt werden, sie wurden gesprengt.

An ihre Stelle trat die freie Konkurrenz mit der ihr angemessenen gesellschaftlichen und politischen Konstitution, mit der ökonomischen und politischen Herrschaft der Bourgeoisklasse.

Unter unsern Augen geht eine ähnliche Bewegung vor. Die bürgerlichen Produktions- und Verkehrsverhältnisse, die bürgerlichen Eigentumsverhältnisse, die moderne bürgerliche Gesellschaft, die so gewaltige Produktions- und Verkehrsmittel hervorgezaubert hat, gleicht dem Hexenmeister, der die unterirdischen Gewalten nicht mehr zu beherrschen vermag, die er heraufbeschwor. Seit Dezennien ist die Geschichte der Industrie und des Handels nur[3] die Geschichte der Empörung der modernen Produktivkräfte gegen die modernen Produktionsverhältnisse, gegen die Eigentumsverhältnisse, welche die Lebensbedingungen der Bourgeoisie und ihrer Herrschaft sind. Es genügt, die Handelskrisen zu nennen, welche in ihrer periodischen Wiederkehr immer drohender die Existenz der ganzen bürgerlichen Gesellschaft in

[1] *(1848)* welch früheres – [2] *(1848)* aber – [3] *(1848)* eingefügt: noch

Frage stellen. In den Handelskrisen wird ein großer Teil nicht nur der erzeugten Produkte, sondern[1] der bereits geschaffenen Produktivkräfte regelmäßig vernichtet. In den Krisen bricht eine gesellschaftliche Epidemie aus, welche allen früheren Epochen als ein Widersinn erschienen wäre – die Epidemie der Überproduktion. Die Gesellschaft findet sich plötzlich in einen Zustand momentaner Barbarei zurückversetzt; eine Hungersnot, ein allgemeiner Vernichtungskrieg[2] scheinen ihr alle Lebensmittel abgeschnitten zu haben; die Industrie, der Handel scheinen vernichtet, und warum? Weil sie zuviel Zivilisation, zuviel Lebensmittel, zuviel Industrie, zuviel Handel besitzt. Die Produktivkräfte, die ihr zur Verfügung stehen, dienen nicht mehr zur Beförderung[3] der bürgerlichen Eigentumsverhältnisse; im Gegenteil, sie sind zu gewaltig für diese Verhältnisse geworden, sie werden von ihnen gehemmt; und sobald sie dies Hemmnis überwinden, bringen sie die ganze bürgerliche Gesellschaft in Unordnung, gefährden sie die Existenz des bürgerlichen Eigentums. Die bürgerlichen Verhältnisse sind zu eng geworden, um den von ihnen erzeugten Reichtum zu fassen. – Wodurch überwindet die Bourgeoisie die Krisen? Einerseits durch die erzwungene Vernichtung einer Masse von Produktivkräften; anderseits durch die Eroberung neuer Märkte und die gründlichere Ausbeutung alter[4] Märkte. Wodurch also? Dadurch, daß sie allseitigere und gewaltigere Krisen vorbereitet und die Mittel, den Krisen vorzubeugen, vermindert.

Die Waffen, womit die Bourgeoisie den Feudalismus zu Boden geschlagen hat, richten sich jetzt gegen die Bourgeoisie selbst.

Aber die Bourgeoisie hat nicht nur die Waffen geschmiedet, die ihr den Tod bringen; sie hat auch die Männer gezeugt, die diese Waffen führen werden – die modernen Arbeiter, die *Proletarier*.

In demselben Maße, worin sich die Bourgeoisie, d.h. das Kapital, entwickelt, in demselben Maße entwickelt sich das Proletariat, die Klasse der modernen Arbeiter, die nur so lange leben, als sie Arbeit finden, und die nur so lange Arbeit finden, als ihre Arbeit das Kapital vermehrt. Diese Arbeiter, die sich stückweis verkaufen müssen, sind eine Ware wie jeder andere Handelsartikel und daher gleichmäßig allen Wechselfällen der Konkurrenz, allen Schwankungen des Marktes ausgesetzt.

Die Arbeit der Proletarier hat durch die Ausdehnung der Maschinerie und die Teilung der Arbeit allen selbständigen Charakter und damit allen Reiz für die[5] Arbeiter verloren. Er wird ein bloßes Zubehör der Maschine, von dem

[1] *(1848)* eingefügt: sogar – [2] *(1848)* Verwüstungskrieg – [3] *(1848)* eingefügt: der bürgerlichen Zivilisation und – [4] *(1848, 1872)* der alten – [5] *(1848)* den

nur der einfachste, eintönigste, am leichtesten erlernbare Handgriff verlangt wird. Die Kosten, die der Arbeiter verursacht, beschränken sich daher fast nur auf die Lebensmittel, die er zu seinem Unterhalt und zur Fortpflanzung seiner Race bedarf. Der Preis einer Ware, also auch der Arbeit[298], ist aber gleich ihren Produktionskosten. In demselben Maße, in dem die Widerwärtigkeit der Arbeit wächst, nimmt daher der Lohn ab. Noch mehr, in demselben Maße, wie Maschinerie und Teilung der Arbeit zunehmen, in demselben Maße nimmt auch die Masse[1] der Arbeit zu, sei es durch Vermehrung der Arbeitsstunden, sei es durch Vermehrung der in einer gegebenen Zeit geforderten Arbeit, beschleunigten Lauf der Maschinen usw.

Die moderne Industrie hat die kleine Werkstube des patriarchalischen Meisters in die große Fabrik des industriellen Kapitalisten verwandelt. Arbeitermassen, in der Fabrik zusammengedrängt, werden soldatisch organisiert. Sie werden als gemeine Industriesoldaten unter die Aufsicht einer vollständigen Hierarchie von Unteroffizieren und Offizieren gestellt. Sie sind nicht nur Knechte der Bourgeoisklasse, des Bourgeoisstaates, sie sind täglich und stündlich geknechtet von der Maschine, von dem Aufseher und vor allem von den[2] einzelnen fabrizierenden Bourgeois selbst. Diese Despotie ist um so kleinlicher, gehässiger, erbitternder, je offener sie den Erwerb als ihren[3] Zweck proklamiert.

Je weniger die Handarbeit Geschicklichkeit und Kraftäußerung erheischt, d.h., je mehr die moderne Industrie sich entwickelt, desto mehr wird die Arbeit der Männer durch die der Weiber[4] verdrängt. Geschlechts- und Altersunterschiede haben keine gesellschaftliche Geltung mehr für die Arbeiterklasse. Es gibt nur noch Arbeitsinstrumente, die je nach Alter und Geschlecht verschiedene Kosten machen.

Ist die Ausbeutung des Arbeiters durch den Fabrikanten so weit beendigt, daß er seinen Arbeitslohn bar ausgezahlt erhält, so fallen die andern Teile der Bourgeoisie über ihn her, der Hausbesitzer, der Krämer, der Pfandleiher[5] usw.

Die bisherigen kleinen Mittelstände, die kleinen Industriellen, Kaufleute und Rentiers, die Handwerker und Bauern, alle diese Klassen fallen ins Proletariat hinab, teils dadurch, daß ihr kleines Kapital für den Betrieb der großen Industrie nicht ausreicht und der Konkurrenz mit den größeren Kapitalisten erliegt, teils dadurch, daß ihre Geschicklichkeit von neuen Produktionsweisen entwertet wird. So rekrutiert sich das Proletariat aus allen Klassen der Bevölkerung.

---

[1] *(1888)* Last – [2] *(1848)* dem – [3] *(1848, 1872, 1883)* eingefügt: letzten – [4] *(1848)* eingefügt: und Kinder – [5] *(1848, 1872, 1883)* Pfandverleiher

Das Proletariat macht verschiedene Entwicklungsstufen durch. Sein Kampf gegen die Bourgeoisie beginnt mit seiner Existenz.

Im Anfang kämpfen die einzelnen Arbeiter, dann die Arbeiter einer Fabrik, dann die Arbeiter eines Arbeitszweiges an einem Ort gegen den einzelnen Bourgeois, der sie direkt ausbeutet. Sie richten ihre Angriffe nicht nur gegen die bürgerlichen Produktionsverhältnisse, sie richten sie gegen die Produktionsinstrumente selbst; sie vernichten die fremden konkurrierenden Waren, sie zerschlagen die Maschinen, sie stecken die Fabriken in Brand, sie suchen[1] die untergegangene Stellung des mittelalterlichen Arbeiters wiederzuerringen.

Auf dieser Stufe bilden die Arbeiter eine über das ganze Land zerstreute und durch die Konkurrenz zersplitterte Masse. Massenhaftes Zusammenhalten der Arbeiter ist noch nicht die Folge ihrer eigenen Vereinigung, sondern die Folge der Vereinigung der Bourgeoisie, die zur Erreichung ihrer eigenen politischen Zwecke das ganze Proletariat in Bewegung setzen muß und es einstweilen noch kann. Auf dieser Stufe bekämpfen die Proletarier also nicht ihre Feinde, sondern die Feinde ihrer Feinde, die Reste der absoluten Monarchie, die Grundeigentümer, die nichtindustriellen Bourgeois, die Kleinbürger. Die ganze geschichtliche Bewegung ist so in den Händen der Bourgeoisie konzentriert; jeder Sieg, der so errungen wird, ist ein Sieg der Bourgeoisie.

Aber mit der Entwicklung der Industrie vermehrt sich nicht nur das Proletariat; es wird in größeren Massen zusammengedrängt, seine Kraft wächst, und es fühlt sie mehr. Die Interessen, die Lebenslagen innerhalb des Proletariats gleichen sich immer mehr aus, indem die Maschinerie mehr und mehr die Unterschiede der Arbeit verwischt und den Lohn fast überall auf ein gleich niedriges Niveau herabdrückt. Die wachsende Konkurrenz der Bourgeois unter sich und die daraus hervorgehenden Handelskrisen machen den Lohn der Arbeiter immer schwankender; die immer rascher sich entwickelnde, unaufhörliche Verbesserung der Maschinerie macht ihre ganze Lebensstellung immer unsicherer; immer mehr nehmen die Kollisionen zwischen dem einzelnen Arbeiter und dem einzelnen Bourgeois den Charakter von Kollisionen zweier Klassen an. Die Arbeiter beginnen damit, Koalitionen[2] gegen die Bourgeois zu bilden; sie treten zusammen zur Behauptung ihres Arbeitslohns. Sie stiften selbst dauernde Assoziationen, um sich für die gelegentlichen Empörungen zu verproviantieren. Stellenweis bricht der Kampf in Emeuten aus.

[1] *(1848)* eingefügt: sich – [2] *(1888)* eingefügt: (Trade-Unions)

Von Zeit zu Zeit siegen die Arbeiter, aber nur vorübergehend. Das eigentliche Resultat ihrer Kämpfe ist nicht der unmittelbare Erfolg, sondern die immer weiter um sich greifende Vereinigung der Arbeiter. Sie wird befördert durch die wachsenden Kommunikationsmittel, die von der großen Industrie erzeugt werden und die Arbeiter der verschiedenen Lokalitäten miteinander in Verbindung setzen. Es bedarf aber bloß der Verbindung, um die vielen Lokalkämpfe von überall gleichem Charakter zu einem nationalen, zu einem Klassenkampf zu zentralisieren. Jeder Klassenkampf ist aber[1] ein politischer Kampf. Und die Vereinigung, zu der die Bürger des Mittelalters mit ihren Vizinalwegen Jahrhunderte bedurften, bringen die modernen Proletarier mit den Eisenbahnen in wenigen Jahren zustande.

Diese Organisation der Proletarier zur Klasse, und damit zur politischen Partei, wird jeden Augenblick wieder gesprengt durch die Konkurrenz unter den Arbeitern selbst. Aber sie ersteht immer wieder, stärker, fester, mächtiger. Sie erzwingt die Anerkennung einzelner Interessen der Arbeiter in Gesetzesform, indem sie die Spaltungen der Bourgeoisie unter sich benutzt. So die Zehnstundenbill in England.

Die Kollisionen der alten Gesellschaft überhaupt fördern mannigfach den Entwicklungsgang des Proletariats. Die Bourgeoisie befindet sich in fortwährendem Kampfe: anfangs gegen die Aristokratie; später gegen die Teile der Bourgeoisie selbst, deren Interessen mit dem Fortschritt der Industrie in Widerspruch geraten; stets gegen die Bourgeoisie aller auswärtigen Länder. In allen diesen Kämpfen sieht sie sich genötigt, an das Proletariat zu appellieren, seine Hülfe in Anspruch zu nehmen und es so in die politische Bewegung hineinzureißen. Sie selbst führt also dem Proletariat ihre eigenen[2] Bildungselemente, d.h. Waffen gegen sich selbst, zu.

Es werden ferner, wie wir sahen, durch den Fortschritt der Industrie ganze Bestandteile der herrschenden Klasse ins Proletariat hinabgeworfen oder wenigstens in ihren Lebensbedingungen bedroht. Auch sie führen dem Proletariat eine Masse Bildungselemente[3] zu.

In Zeiten endlich, wo der Klassenkampf sich der Entscheidung nähert, nimmt der Auflösungsprozeß innerhalb der herrschenden Klasse, innerhalb der ganzen alten Gesellschaft, einen so heftigen, so grellen Charakter an, daß ein kleiner Teil der herrschenden Klasse sich von ihr lossagt und sich der revolutionären Klasse anschließt, der Klasse, welche die Zukunft in ihren Händen trägt. Wie daher früher ein Teil des Adels zur Bourgeoisie überging, so geht jetzt ein Teil der Bourgeoisie zum Proletariat über, und nament-

[1] (*1848, 1872, 1883*) aber ist – [2] (*1888*) eingefügt: politischen und allgemeinen – [3] (*1888*) Aufklärungs- und Fortschrittselemente

lich ein Teil der Bourgeoisideologen, welche zum theoretischen Verständnis der ganzen geschichtlichen Bewegung sich hinaufgearbeitet haben.

Von allen Klassen, welche heutzutage der Bourgeoisie gegenüberstehen, ist nur das Proletariat eine wirklich revolutionäre Klasse. Die übrigen Klassen verkommen und gehen unter mit der großen Industrie, das Proletariat ist ihr eigenstes Produkt.

Die Mittelstände, der kleine Industrielle, der kleine Kaufmann, der Handwerker, der Bauer, sie alle bekämpfen die Bourgeoisie, um ihre Existenz als Mittelstände vor dem Untergang zu sichern. Sie sind also nicht revolutionär, sondern konservativ. Noch mehr, sie sind reaktionär,[1] sie suchen das Rad der Geschichte zurückzudrehen. Sind sie revolutionär, so sind sie es im Hinblick auf den ihnen bevorstehenden Übergang ins Proletariat, so verteidigen sie nicht ihre gegenwärtigen, sondern ihre zukünftigen Interessen, so verlassen sie ihren eigenen Standpunkt, um sich auf den des Proletariats zu stellen.

Das Lumpenproletariat, diese passive Verfaulung der untersten Schichten der alten Gesellschaft, wird durch eine proletarische Revolution stellenweise in die Bewegung hineingeschleudert, seiner ganzen Lebenslage nach wird es bereitwilliger sein, sich zu reaktionären Umtrieben erkaufen zu lassen.

Die Lebensbedingungen der alten Gesellschaft sind schon vernichtet in den Lebensbedingungen des Proletariats. Der Proletarier ist eigentumslos; sein Verhältnis zu Weib und Kindern hat nichts mehr gemein mit dem bürgerlichen Familienverhältnis; die moderne industrielle Arbeit, die moderne Unterjochung unter das Kapital, dieselbe in England wie in Frankreich, in Amerika wie in Deutschland, hat ihm allen nationalen Charakter abgestreift. Die Gesetze, die Moral, die Religion sind für ihn ebenso viele bürgerliche Vorurteile, hinter denen sich ebenso viele bürgerliche Interessen verstecken.

Alle früheren Klassen, die sich die Herrschaft eroberten, suchten ihre schon erworbene Lebensstellung zu sichern, indem sie die ganze Gesellschaft den Bedingungen ihres Erwerbs unterwarfen. Die Proletarier können sich die gesellschaftlichen Produktivkräfte nur erobern, indem sie ihre eigene bisherige Aneignungsweise und damit die ganze bisherige Aneignungsweise abschaffen. Die Proletarier haben nichts von dem Ihrigen zu sichern, sie haben alle bisherigen Privatsicherheiten[2] und Privatversicherungen zu zerstören.

Alle bisherigen Bewegungen waren Bewegungen von Minoritäten oder im Interesse von Minoritäten. Die proletarische Bewegung ist die selbständige Bewegung der ungeheuren Mehrzahl im Interesse der ungeheuren Mehrzahl. Das Proletariat, die unterste Schichte der jetzigen Gesellschaft,

[1] *(1848, 1872, 1883)* eingefügt: denn – [2] *(1848, 1872, 1883)* bisherige Privatsicherheit

kann sich nicht erheben, nicht aufrichten, ohne daß der ganze Überbau der Schichten, die die offizielle Gesellschaft bilden, in die Luft gesprengt wird.

Obgleich nicht dem Inhalt, ist der Form nach der Kampf des Proletariats gegen die Bourgeoisie zunächst ein nationaler. Das Proletariat eines jeden Landes muß natürlich zuerst mit seiner eigenen Bourgeoisie fertig werden.

Indem wir die allgemeinsten Phasen der Entwicklung des Proletariats zeichneten, verfolgten wir den mehr oder minder versteckten Bürgerkrieg innerhalb der bestehenden Gesellschaft bis zu dem Punkt, wo er in eine offene Revolution ausbricht und durch den gewaltsamen Sturz der Bourgeoisie das Proletariat seine Herrschaft begründet.

Alle bisherige Gesellschaft beruhte, wie wir gesehn haben, auf dem Gegensatz unterdrückender und unterdrückter Klassen. Um aber eine Klasse unterdrücken zu können, müssen ihr Bedingungen gesichert sein, innerhalb derer sie wenigstens ihre knechtische Existenz fristen kann. Der Leibeigene hat sich zum Mitglied der Kommune in der Leibeigenschaft herangearbeitet wie der Kleinbürger zum Bourgeois unter dem Joch des feudalistischen Absolutismus. Der moderne Arbeiter dagegen, statt sich mit dem Fortschritt der Industrie zu heben, sinkt immer tiefer unter die Bedingungen seiner eigenen Klasse herab. Der Arbeiter wird zum Pauper, und der Pauperismus entwickelt sich noch schneller[1] als Bevölkerung und Reichtum. Es tritt hiermit offen hervor, daß die Bourgeoisie unfähig ist, noch länger die herrschende Klasse der Gesellschaft zu bleiben und die Lebensbedingungen ihrer Klasse der Gesellschaft als regelndes Gesetz aufzuzwingen. Sie ist unfähig zu herrschen, weil sie unfähig ist, ihrem Sklaven die Existenz selbst innerhalb seiner Sklaverei zu sichern, weil sie gezwungen ist, ihn in eine Lage herabsinken zu lassen, wo sie ihn ernähren muß, statt von ihm ernährt zu werden. Die Gesellschaft kann nicht mehr unter ihr leben, d.h., ihr Leben ist nicht mehr verträglich mit der Gesellschaft.

Die wesentliche[2] Bedingung für die Existenz und für die Herrschaft der Bourgeoisklasse ist die Anhäufung des Reichtums in den Händen von Privaten, die Bildung und Vermehrung des Kapitals; die Bedingung des Kapitals ist die Lohnarbeit. Die Lohnarbeit beruht ausschließlich auf der Konkurrenz der Arbeiter unter sich. Der Fortschritt der Industrie, dessen willenloser und widerstandsloser Träger die Bourgeoisie ist, setzt an die Stelle der Isolierung der Arbeiter durch die Konkurrenz ihre revolutionäre Vereini-

[1] *(1848, 1872, 1883)* rascher – [2] *(1848, 1872, 1883)* wesentlichste

gung durch die Assoziation. Mit der Entwicklung der großen Industrie wird also unter den Füßen der Bourgeoisie die Grundlage selbst hinweggezogen[1], worauf sie produziert und die Produkte sich aneignet. Sie produziert vor allem ihren[2] eigenen Totengräber. Ihr Untergang und der Sieg des Proletariats sind gleich unvermeidlich.

II
Proletarier und Kommunisten

In welchem Verhältnis stehen die Kommunisten zu den Proletariern überhaupt?

Die Kommunisten sind keine besondere Partei gegenüber den andern Arbeiterparteien.

Sie haben keine von den Interessen des ganzen Proletariats getrennten Interessen.

Sie stellen keine besonderen[3] Prinzipien auf, wonach sie die proletarische Bewegung modeln wollen.

Die Kommunisten unterscheiden sich von den übrigen proletarischen Parteien nur dadurch, daß sie einerseits[4] in den verschiedenen nationalen Kämpfen der Proletarier die gemeinsamen, von der Nationalität unabhängigen Interessen des gesamten Proletariats hervorheben und zur Geltung bringen, andrerseits dadurch, daß sie in den verschiedenen Entwicklungsstufen, welche der Kampf zwischen Proletariat und Bourgeoisie durchläuft, stets das Interesse der Gesamtbewegung vertreten.

Die Kommunisten sind also praktisch der entschiedenste, immer weitertreibende Teil der Arbeiterparteien aller Länder; sie haben theoretisch vor der übrigen Masse des Proletariats die Einsicht in die Bedingungen, den Gang und die allgemeinen Resultate der proletarischen Bewegung voraus.

Der nächste Zweck der Kommunisten ist derselbe wie der aller übrigen proletarischen Parteien: Bildung des Proletariats zur Klasse, Sturz der Bourgeoisieherrschaft, Eroberung der politischen Macht durch das Proletariat.

Die theoretischen Sätze der Kommunisten beruhen keineswegs auf Ideen, auf Prinzipien, die von diesem oder jenem Weltverbesserer erfunden oder entdeckt sind.

---

[1] *(1848, 1872)* weggezogen – [2] *(1848, 1872)* ihre – [3] *(1888)* sektiererischen – [4] *(1848, 1872, 1883)* einerseits sie

Sie sind nur allgemeine Ausdrücke tatsächlicher Verhältnisse eines existierenden Klassenkampfes, einer unter unsern Augen vor sich gehenden geschichtlichen Bewegung. Die Abschaffung bisheriger Eigentumsverhältnisse ist nichts den[1] Kommunismus eigentümlich Bezeichnendes.

Alle Eigentumsverhältnisse waren einem beständigen geschichtlichen Wechsel, einer beständigen geschichtlichen Veränderung unterworfen.

Die Französische Revolution z.B. schaffte das Feudaleigentum zugunsten des bürgerlichen ab.

Was den Kommunismus auszeichnet, ist nicht die Abschaffung des Eigentums überhaupt, sondern die Abschaffung des bürgerlichen Eigentums.

Aber das moderne bürgerliche Privateigentum ist der letzte und vollendetste Ausdruck der Erzeugung und Aneignung der Produkte, die auf Klassengegensätzen,[2] auf der Ausbeutung der einen[3] durch die andern[4] beruht.

In diesem Sinn können die Kommunisten ihre Theorie in dem einen Ausdruck: Aufhebung des Privateigentums, zusammenfassen.

Man hat uns Kommunisten vorgeworfen, wir wollten das persönlich erworbene, selbsterarbeitete Eigentum abschaffen; das Eigentum, welches die Grundlage aller persönlichen Freiheit, Tätigkeit und Selbständigkeit bilde.

Erarbeitetes, erworbenes, selbstverdientes Eigentum! Sprecht ihr von dem kleinbürgerlichen, kleinbäuerlichen Eigentum, welches dem bürgerlichen Eigentum vorherging? Wir brauchen es nicht abzuschaffen, die Entwicklung der Industrie hat es abgeschafft und schafft es täglich ab.

Oder sprecht ihr vom modernen bürgerlichen Privateigentum?

Schafft aber die Lohnarbeit, die Arbeit des Proletariers ihm Eigentum? Keineswegs. Sie schafft das Kapital, d.h. das Eigentum, welches die Lohnarbeit ausbeutet, welches sich nur unter der Bedingung vermehren kann, daß es neue Lohnarbeit erzeugt, um sie von neuem auszubeuten. Das Eigentum in seiner heutigen Gestalt bewegt sich in dem Gegensatz von Kapital und Lohnarbeit. Betrachten wir die beiden Seiten dieses Gegensatzes.

Kapitalist sein, heißt nicht nur eine rein persönliche, sondern eine gesellschaftliche Stellung in der Produktion einnehmen. Das Kapital ist ein gemeinschaftliches Produkt und kann nur durch eine gemeinsame Tätigkeit vieler Mitglieder, ja in letzter Instanz nur durch die gemeinsame Tätigkeit aller Mitglieder der Gesellschaft in Bewegung gesetzt werden.

---

[1] *(1872, 1883)* dem – [2] *(1848, 1872, 1883)* eingefügt: die – [3] *(1888)* Mehrheit – [4] *(1888)* Minderheit

Das Kapital ist also keine persönliche, es ist eine gesellschaftliche Macht.

Wenn also das Kapital in gemeinschaftliches, allen Mitgliedern der Gesellschaft angehöriges Eigentum verwandelt wird, so verwandelt sich nicht persönliches Eigentum in gesellschaftliches. Nur der gesellschaftliche Charakter des Eigentums verwandelt sich. Er verliert seinen Klassencharakter.

Kommen wir zur Lohnarbeit:

Der Durchschnittspreis der Lohnarbeit ist das Minimum des Arbeitslohnes, d.h. die Summe der Lebensmittel, die notwendig sind, um den Arbeiter als Arbeiter am Leben zu erhalten. Was also der Lohnarbeiter durch seine Tätigkeit sich aneignet, reicht bloß dazu hin, um sein nacktes Leben wieder zu erzeugen. Wir wollen diese persönliche Aneignung der Arbeitsprodukte zur Wiedererzeugung des unmittelbaren Lebens keineswegs abschaffen, eine Aneignung, die keinen Reinertrag übrigläßt, der Macht über fremde Arbeit geben könnte. Wir wollen nur den elenden Charakter dieser Aneignung aufheben, worin der Arbeiter nur lebt, um das Kapital zu vermehren, nur so weit lebt, wie es das Interesse der herrschenden Klasse erheischt.

In der bürgerlichen Gesellschaft ist die lebendige Arbeit nur ein Mittel, die aufgehäufte Arbeit zu vermehren. In der kommunistischen Gesellschaft ist die aufgehäufte Arbeit nur ein Mittel, um den Lebensprozeß der Arbeiter zu erweitern, zu bereichern, zu befördern.

In der bürgerlichen Gesellschaft herrscht also die Vergangenheit über die Gegenwart, in der kommunistischen die Gegenwart über die Vergangenheit. In der bürgerlichen Gesellschaft ist das Kapital selbständig und persönlich, während das tätige Individuum unselbständig und unpersönlich ist.

Und die Aufhebung dieses Verhältnisses nennt die Bourgeoisie Aufhebung der Persönlichkeit und Freiheit! Und mit Recht. Es handelt sich allerdings um die Aufhebung der Bourgeois-Persönlichkeit, -Selbständigkeit und Freiheit.

Unter Freiheit versteht man innerhalb der jetzigen bürgerlichen Produktionsverhältnisse den freien Handel, den freien Kauf und Verkauf.

Fällt aber der Schacher, so fällt auch der freie Schacher. Die Redensarten vom freien Schacher, wie alle übrigen Freiheitsbravaden unserer Bourgeoisie[1], haben überhaupt nur einen Sinn gegenüber dem gebundenen Schacher, gegenüber dem geknechteten Bürger des Mittelalters, nicht aber gegenüber der kommunistischen Aufhebung des Schachers, der bürgerlichen Produktionsverhältnisse und der Bourgeoisie selbst.

---

[1] *(1848)* Bourgeois

Ihr entsetzt euch darüber, daß wir das Privateigentum aufheben wollen. Aber in eurer bestehenden Gesellschaft ist das Privateigentum für neun Zehntel ihrer Mitglieder aufgehoben; es existiert gerade dadurch, daß es für neun Zehntel nicht existiert. Ihr werft uns also vor, daß wir ein Eigentum aufheben wollen, welches die Eigentumslosigkeit der ungeheuren Mehrzahl der Gesellschaft als notwendige Bedingung voraussetzt.

Ihr werft uns mit einem Worte vor, daß wir euer Eigentum aufheben wollen. Allerdings, das wollen wir.

Von dem Augenblick an, wo die Arbeit nicht mehr in Kapital, Geld, Grundrente, kurz, in eine monopolisierbare gesellschaftliche Macht verwandelt werden kann, d.h. von dem Augenblick, wo das persönliche Eigentum nicht mehr in bürgerliches umschlagen kann, von dem Augenblick an erklärt ihr, die Person sei aufgehoben.

Ihr gesteht also, daß ihr unter der Person niemanden anders versteht als den Bourgeois, den bürgerlichen Eigentümer. Und diese Person soll allerdings aufgehoben werden.

Der Kommunismus nimmt keinem die Macht, sich gesellschaftliche Produkte anzueignen, er nimmt nur die Macht, sich durch diese Aneignung fremde Arbeit zu unterjochen.

Man hat eingewendet, mit der Aufhebung des Privateigentums werde alle Tätigkeit aufhören und eine allgemeine Faulheit einreißen.

Hiernach müßte die bürgerliche Gesellschaft längst an der Trägheit zugrunde gegangen sein; denn *die* in ihr arbeiten, erwerben nicht, und *die* in ihr erwerben, arbeiten nicht. Das ganze Bedenken läuft auf die Tautologie hinaus, daß es keine Lohnarbeit mehr gibt, sobald es kein Kapital mehr gibt.

Alle Einwürfe, die gegen die kommunistische Aneignungs- und Produktionsweise der materiellen Produkte gerichtet werden, sind ebenso auf die Aneignung und Produktion der geistigen Produkte ausgedehnt worden. Wie für den Bourgeois das Aufhören des Klasseneigentums das Aufhören der Produktion selbst ist, so ist für ihn das Aufhören der Klassenbildung identisch mit dem Aufhören der Bildung überhaupt.

Die Bildung, deren Verlust er bedauert, ist für die enorme Mehrzahl die Heranbildung zur Maschine.

. Aber streitet nicht mit uns, indem ihr an euren bürgerlichen Vorstellungen von Freiheit, Bildung, Recht usw. die Abschaffung des bürgerlichen Eigentums meßt. Eure Ideen selbst sind Erzeugnisse der bürgerlichen Produktions- und Eigentumsverhältnisse, wie euer Recht nur der zum Gesetz erhobene Wille eurer Klasse ist, ein Wille, dessen Inhalt gegeben ist in den materiellen Lebensbedingungen eurer Klasse.

Die interessierte Vorstellung, worin ihr eure Produktions- und Eigentumsverhältnisse aus geschichtlichen, in dem Lauf der Produktion vorübergehenden Verhältnissen in ewige Natur- und Vernunftgesetze verwandelt, teilt ihr mit allen untergegangenen herrschenden Klassen. Was ihr für das antike Eigentum begreift, was ihr für das feudale Eigentum begreift, dürft ihr nicht mehr begreifen für das bürgerliche Eigentum.–

Aufhebung der Familie! Selbst die Radikalsten ereifern sich über diese schändliche Absicht der Kommunisten.

Worauf beruht die gegenwärtige, die bürgerliche Familie? Auf dem Kapital, auf dem Privaterwerb. Vollständig entwickelt existiert sie nur für die Bourgeoisie; aber sie findet ihre Ergänzung in der erzwungenen Familienlosigkeit der Proletarier und der öffentlichen Prostitution.

Die Familie der[1] Bourgeois fällt natürlich weg mit dem Wegfallen dieser ihrer Ergänzung, und beide verschwinden mit dem Verschwinden des Kapitals.

Werft ihr uns vor, daß wir die Ausbeutung der Kinder durch ihre Eltern aufheben wollen? Wir gestehen dieses Verbrechen ein.

Aber, sagt ihr, wir heben die trautesten Verhältnisse auf, indem wir an die Stelle der häuslichen Erziehung die gesellschaftliche setzen.

Und ist nicht auch eure Erziehung durch die Gesellschaft bestimmt? Durch die gesellschaftlichen Verhältnisse, innerhalb derer[2] ihr erzieht, durch die direktere oder indirektere Einmischung der Gesellschaft, vermittelst der Schule usw.? Die Kommunisten erfinden nicht die Einwirkung der Gesellschaft auf die Erziehung; sie verändern nur ihren Charakter, sie entreißen die Erziehung dem Einfluß der herrschenden Klasse.

Die bürgerlichen Redensarten über Familie und Erziehung, über das traute Verhältnis von Eltern und Kindern werden um so ekelhafter, je mehr infolge der großen Industrie alle Familienbande für die Proletarier zerrissen und die Kinder in einfache Handelsartikel und Arbeitsinstrumente verwandelt werden.

Aber ihr Kommunisten wollt die Weibergemeinschaft einführen, schreit uns die ganze Bourgeoisie im Chor entgegen.

Der Bourgeois sieht in seiner Frau ein bloßes Produktionsinstrument. Er hört, daß die Produktionsinstrumente gemeinschaftlich ausgebeutet werden sollen, und kann sich natürlich nichts anderes denken, als daß das Los der Gemeinschaftlichkeit die Weiber gleichfalls treffen wird.

---

[1] *(1848)* des – [2] *(1848)* deren

Er ahnt nicht, daß es sich eben darum handelt, die Stellung der Weiber als bloßer Produktionsinstrumente aufzuheben.

Übrigens ist nichts lächerlicher als das hochmoralische Entsetzen unsrer Bourgeois über die angebliche offizielle Weibergemeinschaft der Kommunisten. Die Kommunisten brauchen die Weibergemeinschaft nicht einzuführen, sie hat fast immer existiert.

Unsre Bourgeois, nicht zufrieden damit, daß ihnen die Weiber und Töchter ihrer Proletarier zur Verfügung stehen, von der offiziellen Prostitution gar nicht zu sprechen, finden ein Hauptvergnügen darin, ihre Ehefrauen wechselseitig zu verführen.

Die bürgerliche Ehe ist in Wirklichkeit die Gemeinschaft der Ehefrauen. Man könnte höchstens den Kommunisten vorwerfen, daß sie an[1] Stelle einer heuchlerisch versteckten eine offizielle, offenherzige Weibergemeinschaft einführen wollten[2]. Es versteht sich übrigens von selbst, daß mit Aufhebung der jetzigen Produktionsverhältnisse auch die aus ihnen hervorgehende Weibergemeinschaft, d. h. die offizielle und nichtoffizielle Prostitution, verschwindet.

Den Kommunisten ist ferner vorgeworfen worden, sie wollten das Vaterland, die Nationalität abschaffen.

Die Arbeiter haben kein Vaterland. Man kann ihnen nicht nehmen, was sie nicht haben. Indem das Proletariat zunächst sich die politische Herrschaft erobern, sich zur nationalen Klasse[3] erheben, sich selbst als Nation konstituieren muß, ist es selbst noch national, wenn auch keineswegs im Sinne der Bourgeoisie.

Die nationalen Absonderungen und Gegensätze der Völker verschwinden mehr und mehr schon mit der Entwicklung der Bourgeoisie, mit der Handelsfreiheit, dem Weltmarkt, der Gleichförmigkeit der industriellen Produktion und der ihr entsprechenden Lebensverhältnisse.

Die Herrschaft des Proletariats wird sie noch mehr verschwinden machen. Vereinigte Aktion, wenigstens der zivilisierten Länder, ist eine der ersten Bedingungen seiner Befreiung.

In dem Maße, wie die Exploitation des einen Individuums durch das andere aufgehoben wird, wird die Exploitation einer Nation durch die andere aufgehoben.

Mit dem Gegensatz der Klassen im Innern der Nation[4] fällt die feindliche Stellung der Nationen gegeneinander.

---

[1] *(1848, 1872)* eingefügt: der – [2] *(1848)* wollen – [3] *(1888)* zur führenden Klasse der Nation – [4] *(1848)* Nationen

Die Anklagen gegen den Kommunismus, die von religiösen, philosophischen und ideologischen Gesichtspunkten überhaupt erhoben werden, verdienen keine ausführlichere Erörterung.

Bedarf es tiefer Einsicht, um zu begreifen, daß mit den Lebensverhältnissen der Menschen, mit ihren gesellschaftlichen Beziehungen, mit ihrem gesellschaftlichen Dasein, auch ihre Vorstellungen, Anschauungen und Begriffe, mit einem Worte auch ihr Bewußtsein sich ändert?

Was beweist die Geschichte der Ideen anders, als daß die geistige Produktion sich mit der materiellen umgestaltet? Die herrschenden Ideen einer Zeit waren stets nur die Ideen der herrschenden Klasse.

Man spricht von Ideen, welche eine ganze Gesellschaft revolutionieren; man spricht damit nur die Tatsache aus, daß sich innerhalb der alten Gesellschaft die Elemente einer neuen gebildet haben, daß mit der Auflösung der alten Lebensverhältnisse die Auflösung der alten Ideen gleichen Schritt hält.

Als die alte Welt im Untergehen begriffen war, wurden die alten Religionen von der christlichen Religion besiegt. Als die christlichen Ideen im 18. Jahrhundert den Aufklärungsideen unterlagen, rang die feudale Gesellschaft ihren Todeskampf mit der damals revolutionären Bourgeoisie. Die Ideen der Gewissens- und Religionsfreiheit sprachen nur die Herrschaft der freien Konkurrenz auf dem Gebiete des Wissens[1] aus.

„Aber", wird man sagen, „religiöse, moralische, philosophische, politische, rechtliche Ideen usw. modifizierten sich allerdings im Lauf der geschichtlichen Entwicklung. Die Religion, die Moral, die Philosophie, die Politik, das Recht erhielten sich stets in diesem Wechsel.

Es gibt zudem ewige Wahrheiten, wie Freiheit, Gerechtigkeit usw., die allen gesellschaftlichen Zuständen gemeinsam sind. Der Kommunismus aber schafft die ewigen Wahrheiten ab, er schafft die Religion ab, die Moral, statt sie neu zu gestalten, er widerspricht also allen bisherigen geschichtlichen Entwicklungen."

Worauf reduziert sich diese Anklage? Die Geschichte der ganzen bisherigen Gesellschaft bewegte sich in Klassengegensätzen, die in den verschiedenen Epochen verschieden gestaltet waren.

Welche Form sie aber auch immer angenommen, die Ausbeutung des einen Teils der Gesellschaft durch den andern ist eine allen vergangenen Jahrhunderten gemeinsame Tatsache. Kein Wunder daher, daß das gesellschaftliche Bewußtsein aller Jahrhunderte, aller Mannigfaltigkeit und Verschiedenheit zum Trotz, in gewissen gemeinsamen Formen sich bewegt,

[1] *(1848)* Gewissens

in[1] Bewußtseinsformen, die nur mit dem gänzlichen Verschwinden des Klassengegensatzes sich vollständig auflösen.

Die kommunistische Revolution ist das radikalste Brechen mit den überlieferten Eigentumsverhältnissen; kein Wunder, daß in ihrem Entwicklungsgange am radikalsten mit den überlieferten Ideen gebrochen wird.

Doch lassen wir die Einwürfe der Bourgeoisie gegen den Kommunismus.

Wir sahen schon oben, daß der erste Schritt in der Arbeiterrevolution die Erhebung des Proletariats zur herrschenden Klasse, die Erkämpfung der Demokratie ist.

Das Proletariat wird seine politische Herrschaft dazu benutzen, der Bourgeoisie nach und nach alles Kapital zu entreißen, alle Produktionsinstrumente in den Händen des Staats, d.h. des als herrschende Klasse organisierten Proletariats, zu zentralisieren und die Masse der Produktionskräfte möglichst rasch zu vermehren.

Es kann dies natürlich zunächst nur geschehn vermittelst despotischer Eingriffe in das Eigentumsrecht und in die bürgerlichen Produktionsverhältnisse, durch Maßregeln also, die ökonomisch unzureichend und unhaltbar erscheinen, die aber im Lauf der Bewegung über sich selbst hinaustreiben und als Mittel zur Umwälzung der ganzen Produktionsweise unvermeidlich sind.

Diese Maßregeln werden natürlich je nach den verschiedenen Ländern verschieden sein.

Für die fortgeschrittensten Länder werden jedoch die folgenden ziemlich allgemein in Anwendung kommen können:

1. Expropriation des Grundeigentums und Verwendung der Grundrente zu Staatsausgaben.
2. Starke Progressivsteuer.
3. Abschaffung des Erbrechts.
4. Konfiskation des Eigentums aller Emigranten und Rebellen.
5. Zentralisation des Kredits in den Händen des Staats durch eine Nationalbank mit Staatskapital und ausschließlichem Monopol.
6. Zentralisation des[2] Transportwesens in den Händen des Staats.
7. Vermehrung der Nationalfabriken, Produktionsinstrumente, Urbarmachung und Verbesserung der Ländereien nach einem gemeinschaftlichen Plan.
8. Gleicher Arbeitszwang für alle, Errichtung industrieller Armeen, besonders für den Ackerbau.
9. Vereinigung des Betriebs von Ackerbau und Industrie, Hinwirken auf die allmähliche Beseitigung des Unterschieds[3] von Stadt und Land.

[1] *(1848, 1872, 1883)* Formen, – [2] *(1848)* alles – [3] *(1848)* Gegensatzes

10. Öffentliche und unentgeltliche Erziehung aller Kinder. Beseitigung der Fabrikarbeit der Kinder in ihrer heutigen Form. Vereinigung der Erziehung mit der materiellen Produktion usw.[1]

Sind im Laufe der Entwicklung die Klassenunterschiede verschwunden und ist alle Produktion in den Händen der assoziierten Individuen konzentriert, so verliert die öffentliche Gewalt den politischen Charakter. Die politische Gewalt im eigentlichen Sinne ist die organisierte Gewalt einer Klasse zur Unterdrückung einer andern. Wenn das Proletariat im Kampfe gegen die Bourgeoisie sich notwendig zur Klasse vereint, durch eine Revolution sich zur herrschenden Klasse macht und als herrschende Klasse gewaltsam die alten Produktionsverhältnisse aufhebt, so hebt es mit diesen Produktionsverhältnissen die Existenzbedingungen des Klassengegensatzes, die[2] Klassen überhaupt, und damit seine eigene Herrschaft als Klasse auf.

An die Stelle der alten bürgerlichen Gesellschaft mit ihren Klassen und Klassengegensätzen tritt eine Assoziation, worin die freie Entwicklung eines jeden die Bedingung für die freie Entwicklung aller ist.

III

Sozialistische und kommunistische Literatur

1. Der reaktionäre Sozialismus

a) Der feudale Sozialismus

Die französische und englische Aristokratie war ihrer geschichtlichen Stellung nach dazu berufen, Pamphlete gegen die moderne bürgerliche Gesellschaft zu schreiben. In der französischen Julirevolution von 1830, in der englischen Reformbewegung war sie noch einmal dem verhaßten Emporkömmling erlegen. Von einem ernsten politischen Kampfe konnte nicht mehr die Rede sein. Nur der literarische Kampf blieb ihr übrig. Aber auch auf dem Gebiete der Literatur waren die alten Redensarten der Restaurationszeit* unmöglich geworden. Um Sympathie zu erregen, mußte die Aristokratie scheinbar ihre Interessen aus dem Auge[3] verlieren und nur[4] im Interesse der exploitierten Arbeiterklasse ihren Anklageakt gegen die Bourgeoisie formu-

* Gemeint ist nicht die englische Restaurationszeit 1660–1689, sondern die französische Restaurationszeit 1814–1830. *[Anmerkung von Engels zur englischen Ausgabe von 1888.]*

[1] *(1848, 1872, 1883)* usw., usw. – [2] *(1848)* der – [3] *(1848, 1872, 1883)* den Augen – [4] *(1848)* eingefügt: noch

lieren. Sie bereitete so die Genugtuung vor, Schmählieder auf ihren neuen Herrscher singen und mehr oder minder unheilschwangere Prophezeiungen ihm ins Ohr raunen zu dürfen.

Auf diese Art entstand der feudalistische Sozialismus, halb Klagelied, halb Pasquill, halb Rückhall der Vergangenheit, halb Dräuen der Zukunft, mitunter die Bourgeoisie ins Herz treffend durch bitteres, geistreich zerreißendes Urteil, stets komisch wirkend durch gänzliche Unfähigkeit, den Gang der modernen Geschichte zu begreifen.

Den proletarischen Bettelsack[1] schwenkten sie als Fahne in der Hand, um das Volk hinter sich her zu versammeln. Sooft es ihnen aber folgte, erblickte es auf ihrem Hintern die alten feudalen Wappen und verlief sich mit lautem und unehrerbietigem Gelächter.

Ein Teil der französischen Legitimisten[37] und das Junge England[38] gaben dies Schauspiel zum besten.

Wenn die Feudalen beweisen, daß ihre Weise der Ausbeutung anders gestaltet war als die bürgerliche Ausbeutung, so vergessen sie nur, daß sie unter gänzlich verschiedenen und jetzt überlebten Umständen und Bedingungen ausbeuteten. Wenn sie nachweisen, daß unter ihrer Herrschaft nicht das moderne Proletariat existiert hat, so vergessen sie nur, daß eben die moderne Bourgeoisie ein notwendiger Sprößling ihrer Gesellschaftsordnung war.

Übrigens verheimlichen sie den reaktionären Charakter ihrer Kritik so wenig, daß ihre Hauptanklage gegen die Bourgeoisie eben darin besteht, unter ihrem Regime entwickle sich eine Klasse, welche die ganze alte Gesellschaftsordnung in die Luft sprengen werde.

Sie werfen der Bourgeoisie mehr noch vor, daß sie ein revolutionäres Proletariat, als daß sie überhaupt ein Proletariat erzeugt.

In der politischen Praxis nehmen sie daher an allen Gewaltmaßregeln gegen die Arbeiterklasse teil, und im gewöhnlichen Leben bequemen sie sich, allen ihren aufgeblähten Redensarten zum Trotz die goldnen Äpfel[2] aufzulesen und Treue, Liebe, Ehre mit dem Schacher in Schafswolle, Runkelrüben und Schnaps zu vertauschen.*

Wie der Pfaffe immer Hand in Hand ging mit dem Feudalen, so der pfäffische Sozialismus mit dem feudalistischen.

* Dies bezieht sich hauptsächlich auf Deutschland, wo der Landadel und das Junkertum einen großen Teil ihrer Güter auf eigene Rechnung durch ihre Verwalter bewirtschaften lassen und daneben noch Großproduzenten von Rübenzucker und Kartoffelschnaps sind. Die reicheren englischen Aristokraten sind noch nicht soweit

[1] *(1848, 1872)* Bettlersack – [2] *(1888)* eingefügt: Äpfel, die vom Baum der Industrie abgefallen sind,

Nichts leichter, als dem christlichen Asketismus einen sozialistischen Anstrich zu geben. Hat das Christentum nicht auch gegen das Privateigentum, gegen die Ehe, gegen den Staat geeifert? Hat es nicht die Wohltätigkeit und den Bettel, das Zölibat und die Fleischesertötung, das Zellenleben und die Kirche an ihrer[1] Stelle gepredigt? Der christliche[2] Sozialismus ist nur das Weihwasser, womit der Pfaffe den Ärger des Aristokraten einsegnet.

b) Kleinbürgerlicher Sozialismus

Die feudale Aristokratie ist nicht die einzige Klasse, welche durch die Bourgeoisie gestürzt wurde, deren Lebensbedingungen in der modernen bürgerlichen Gesellschaft verkümmerten und abstarben. Das mittelalterliche Pfahlbürgertum und der kleine Bauernstand waren die Vorläufer der modernen Bourgeoisie. In den weniger industriell und kommerziell entwickelten Ländern vegetiert diese Klasse noch fort neben der aufkommenden Bourgeoisie.

In den Ländern, wo sich die moderne Zivilisation entwickelt hat, hat sich eine neue Kleinbürgerschaft gebildet, die zwischen dem Proletariat und der Bourgeoisie schwebt und als ergänzender Teil der bürgerlichen Gesellschaft stets von neuem sich bildet, deren Mitglieder aber beständig durch die Konkurrenz ins Proletariat hinabgeschleudert werden, ja selbst mit der Entwicklung der großen Industrie einen Zeitpunkt herannahen sehen, wo sie als selbständiger Teil der modernen Gesellschaft gänzlich verschwinden und im Handel, in der Manufaktur, in der Agrikultur durch Arbeitsaufseher und Domestiken ersetzt werden.

In Ländern wie in Frankreich, wo die Bauernklasse weit mehr als die Hälfte der Bevölkerung ausmacht, war es natürlich, daß Schriftsteller, die für das Proletariat gegen die Bourgeoisie auftraten, an ihre Kritik des Bourgeoisregimes den kleinbürgerlichen und kleinbäuerlichen Maßstab anlegten und die Partei der Arbeiter vom Standpunkt des Kleinbürgertums ergriffen. Es bildete sich so der kleinbürgerliche Sozialismus. Sismondi ist das Haupt dieser Literatur nicht nur für Frankreich, sondern auch für England.

Dieser Sozialismus zergliederte höchst scharfsinnig die Widersprüche in den modernen Produktionsverhältnissen. Er enthüllte die gleisnerischen

heruntergekommen; aber auch sie wissen, wie man das Sinken der Rente wettmachen kann durch die Hergabe ihres Namens an mehr oder weniger zweifelhafte Gründer von Aktiengesellschaften. *[Anmerkung von Engels zur englischen Ausgabe von 1888.]*

[1] *(1848)* ihre – [2] *(1848)* heilige

Beschönigungen der Ökonomen. Er wies unwiderleglich die zerstörenden Wirkungen der Maschinerie und der Teilung der Arbeit nach, die Konzentration der Kapitalien und des Grundbesitzes, die Überproduktion, die Krisen, den notwendigen Untergang der kleinen Bürger und Bauern, das Elend des Proletariats, die Anarchie in der Produktion, die schreienden Mißverhältnisse in der Verteilung des Reichtums, den industriellen Vernichtungskrieg der Nationen untereinander, die Auflösung der alten Sitten, der alten Familienverhältnisse, der alten Nationalitäten.

Seinem positiven Gehalte nach will jedoch dieser Sozialismus entweder die alten Produktions- und Verkehrsmittel wiederherstellen und mit ihnen die alten Eigentumsverhältnisse und die alte Gesellschaft, oder er will die modernen Produktions- und Verkehrsmittel in den Rahmen der alten Eigentumsverhältnisse, die von ihnen gesprengt wurden, gesprengt werden mußten, gewaltsam wieder einsperren. In beiden Fällen ist er reaktionär und utopistisch zugleich.

Zunftwesen in der Manufaktur und patriarchalische Wirtschaft auf dem Lande, das sind seine letzten Worte.

In ihrer weiteren Entwicklung hat sich diese Richtung in einen feigen Katzenjammer verlaufen.[1]

c) Der deutsche oder der „wahre" Sozialismus

Die sozialistische und kommunistische Literatur Frankreichs, die unter dem Druck einer herrschenden Bourgeoisie entstand und der literarische Ausdruck des Kampfes gegen diese Herrschaft ist, wurde nach Deutschland eingeführt zu einer Zeit, wo die Bourgeoisie soeben ihren Kampf gegen den feudalen Absolutismus begann.

Deutsche Philosophen, Halbphilosophen und Schöngeister bemächtigten sich gierig dieser Literatur und vergaßen nur, daß bei der Einwanderung jener Schriften aus Frankreich die französischen Lebensverhältnisse nicht gleichzeitig nach Deutschland eingewandert waren. Den deutschen Verhältnissen gegenüber verlor die französische Literatur alle unmittelbar praktische Bedeutung und nahm ein rein literarisches Aussehen an. Als müßige Spekulation[2] über die Verwirklichung des menschlichen Wesens mußte sie erscheinen. So hatten für die deutschen Philosophen des 18. Jahrhunderts

---

[1] *(1888)* lautet dieser Satz: Schließlich, als die hartnäckigen geschichtlichen Tatsachen jeden Rausch des Selbstbetrugs verscheucht hatten, artete diese Form des Sozialismus in einen erbärmlichen Katzenjammer aus. – [2] *(1848)* eingefügt: über die wahre Gesellschaft

die Forderungen der ersten französischen Revolution nur den Sinn, Forderungen der „praktischen Vernunft" im allgemeinen zu sein, und die Willensäußerungen der revolutionären französischen Bourgeoisie bedeuteten in ihren Augen die Gesetze des reinen Willens, des Willens, wie er sein muß, des wahrhaft menschlichen Willens.

Die ausschließliche Arbeit der deutschen Literaten bestand darin, die neuen französischen Ideen mit ihrem alten philosophischen Gewissen in Einklang zu setzen oder vielmehr von ihrem philosophischen Standpunkte aus die französischen Ideen sich anzueignen.

Diese Aneignung geschah in derselben Weise, wodurch man sich überhaupt eine fremde Sprache aneignet, durch die Übersetzung.

Es ist bekannt, wie die Mönche Manuskripte, worauf die klassischen Werke der alten Heidenzeit verzeichnet waren, mit abgeschmackten katholischen Heiligengeschichten überschrieben. Die deutschen Literaten gingen umgekehrt mit der profanen französischen Literatur um. Sie schrieben ihren philosophischen Unsinn hinter das französische Original. Z. B. hinter die französische Kritik der Geldverhältnisse schrieben sie „Entäußerung des menschlichen Wesens", hinter die französische Kritik des Bourgeoisstaates schrieben sie „Aufhebung der Herrschaft des abstrakt Allgemeinen" usw.

Die[1] Unterschiebung dieser[2] philosophischen Redensarten unter die französischen Entwicklungen tauften sie „Philosophie der Tat", „wahrer Sozialismus", „deutsche Wissenschaft des Sozialismus", „philosophische Begründung des Sozialismus" usw.

Die französische sozialistisch-kommunistische Literatur wurde so förmlich entmannt. Und da sie in der Hand des Deutschen aufhörte, den Kampf einer Klasse gegen die andre auszudrücken, so war der Deutsche sich bewußt, die „französische Einseitigkeit" überwunden, statt wahrer Bedürfnisse das Bedürfnis der Wahrheit und statt der Interessen des Proletariers die Interessen des menschlichen Wesens, des Menschen überhaupt vertreten zu haben, des Menschen, der keiner Klasse, der überhaupt nicht der Wirklichkeit, der nur dem Dunsthimmel der philosophischen Phantasie angehört.

Dieser deutsche Sozialismus, der seine unbeholfenen Schulübungen so ernst und feierlich nahm und so marktschreierisch ausposaunte, verlor indes nach und nach seine pedantische Unschuld.

Der Kampf der deutschen, namentlich der preußischen Bourgeoisie gegen die Feudalen und das absolute Königtum, mit einem Wort, die liberale Bewegung wurde ernsthafter.

[1] *(1848)* Diese – [2] *(1848)* ihrer

Dem „wahren" Sozialismus war so erwünschte Gelegenheit geboten, der politischen Bewegung die sozialistischen Forderungen gegenüberzustellen, die überlieferten Anatheme gegen den Liberalismus, gegen den Repräsentativstaat, gegen die bürgerliche Konkurrenz, bürgerliche Preßfreiheit, bürgerliches Recht, bürgerliche Freiheit und Gleichheit zu schleudern und der Volksmasse vorzupredigen, wie sie bei dieser bürgerlichen Bewegung nichts zu gewinnen, vielmehr alles zu verlieren habe. Der deutsche Sozialismus vergaß rechtzeitig, daß die französische Kritik, deren geistloses Echo er war, die moderne bürgerliche Gesellschaft mit den entsprechenden materiellen Lebensbedingungen und der angemessenen politischen Konstitution vorausgesetzt[1], lauter Voraussetzungen, um deren Erkämpfung es sich erst in Deutschland handelte.

Er diente den deutschen absoluten Regierungen mit ihrem Gefolge von Pfaffen, Schulmeistern, Krautjunkern und Bürokraten als erwünschte Vogelscheuche gegen die drohend aufstrebende Bourgeoisie.

Er bildete die süßliche Ergänzung zu den bitteren Peitschenhieben und Flintenkugeln, womit dieselben Regierungen die deutschen Arbeiteraufstände bearbeiteten.

Ward der „wahre" Sozialismus dergestalt eine Waffe in der Hand der Regierungen gegen die deutsche Bourgeoisie, so vertrat er auch unmittelbar ein reaktionäres Interesse, das Interesse der deutschen Pfahlbürgerschaft[2]. In Deutschland bildet das vom 16. Jahrhundert her überlieferte und seit der Zeit in verschiedener Form hier immer neu wieder auftauchende Kleinbürgertum die eigentliche gesellschaftliche Grundlage der bestehenden Zustände.

Seine Erhaltung ist die Erhaltung der bestehenden deutschen Zustände. Von der industriellen und politischen Herrschaft der Bourgeoisie fürchtet es den sichern Untergang, einerseits infolge der Konzentration des Kapitals, andrerseits durch das Aufkommen eines revolutionären Proletariats. Der „wahre" Sozialismus schien ihm beide Fliegen mit einer Klappe zu schlagen. Er verbreitete sich wie eine Epidemie.

Das Gewand, gewirkt aus spekulativem Spinnweb, überstickt mit schöngeistigen Redeblumen, durchtränkt von liebesschwülem Gemütstau, dies überschwengliche Gewand, worin die deutschen Sozialisten ihre paar knöchernen „ewigen Wahrheiten" einhüllten, vermehrte nur den Absatz ihrer Ware bei diesem Publikum.

Seinerseits erkannte der deutsche Sozialismus immer mehr seinen Beruf, der hochtrabende Vertreter dieser Pfahlbürgerschaft zu sein.

[1] *(1848)* voraussetzt – [2] *(1888)* Philister

Er proklamierte die deutsche Nation als die normale Nation und den deutschen Spießbürger[1] als den Normalmenschen. Er gab jeder Niedertracht desselben einen verborgenen, höheren, sozialistischen Sinn, worin sie ihr Gegenteil bedeutete. Er zog die letzte Konsequenz, indem er direkt gegen die „rohdestruktive" Richtung des Kommunismus auftrat und seine unparteiische Erhabenheit über alle Klassenkämpfe verkündete. Mit sehr wenigen Ausnahmen gehört alles, was in Deutschland von angeblich sozialistischen und kommunistischen Schriften zirkuliert, in den Bereich dieser schmutzigen, entnervenden Literatur.*

2. Der konservative oder Bourgeoissozialismus

Ein Teil der Bourgeoisie wünscht den sozialen Mißständen abzuhelfen, um den Bestand der bürgerlichen Gesellschaft zu sichern.

Es gehören hierher: Ökonomisten, Philanthropen, Humanitäre, Verbesserer der Lage der arbeitenden Klassen, Wohltätigkeitsorganisierer, Abschaffer der Tierquälerei, Mäßigkeitsvereinsstifter, Winkelreformer der buntscheckigsten Art. Und auch zu ganzen Systemen ist dieser Bourgeoissozialismus ausgearbeitet worden.

Als Beispiel führen wir Proudhons „Philosophie de la misère" an.

Die sozialistischen Bourgeois wollen die Lebensbedingungen der modernen Gesellschaft ohne die notwendig daraus hervorgehenden Kämpfe und Gefahren. Sie wollen die bestehende Gesellschaft mit Abzug der sie revolutionierenden und sie auflösenden Elemente. Sie wollen die Bourgeoisie ohne das Proletariat. Die Bourgeoisie stellt sich die Welt, worin sie herrscht, natürlich als die beste Welt vor. Der Bourgeoissozialismus arbeitet diese tröstliche Vorstellung zu einem halben oder ganzen System aus. Wenn er das Proletariat auffordert, seine Systeme zu verwirklichen und[2] in das neue Jerusalem einzugehen, so verlangt er im Grunde nur, daß es in der jetzigen Gesellschaft stehenbleibe, aber seine gehässigen Vorstellungen von derselben abstreife.

---

* Der Revolutionssturm von 1848 hat diese gesamte schäbige Richtung weggefegt und ihren Trägern die Lust benommen, noch weiter in Sozialismus zu machen. Hauptvertreter und klassischer Typus dieser Richtung ist Herr Karl Grün. *[Anmerkung von Engels zur deutschen Ausgabe von 1890.]*

---

[1] *(1888)* deutschen kleinen Philister – [2] *(1848, 1872, 1883)* ,um

Eine zweite, weniger systematische, nur[1] mehr praktische Form d[ies]es Sozialismus suchte der Arbeiterklasse jede revolutionäre Bewegung zu verleiden, durch den Nachweis, wie nicht diese oder jene politische Veränderung, sondern nur eine Veränderung der materiellen Lebensverhältnisse, der ökonomischen Verhältnisse ihr von Nutzen sein könne. Unter Veränderung der materiellen Lebensverhältnisse versteht dieser Sozialismus aber keineswegs Abschaffung der bürgerlichen Produktionsverhältnisse, die nur auf revolutionärem Wege möglich ist, sondern administrative Verbesserungen, die auf dem Boden dieser Produktionsverhältnisse vor sich gehen, also an dem Verhältnis von Kapital und Lohnarbeit nichts ändern, sondern im besten Fall der Bourgeoisie die Kosten ihrer Herrschaft vermindern und ihren Staatshaushalt vereinfachen.

Seinen entsprechenden Ausdruck erreicht der Bourgeoissozialismus erst da, wo er zur bloßen rednerischen Figur wird.

Freier Handel! im Interesse der arbeitenden Klasse; Schutzzölle! im Interesse der arbeitenden Klasse; Zellengefängnisse! im Interesse der arbeitenden Klasse: das ist das letzte, das einzige ernstgemeinte Wort des Bourgeoissozialismus.

Der Sozialismus der Bourgeoisie[2] besteht eben in der Behauptung, daß die Bourgeois Bourgeois sind – im Interesse der arbeitenden Klasse.

3. Der kritisch-utopistische Sozialismus und Kommunismus

Wir reden hier nicht von der Literatur, die in allen großen modernen Revolutionen die Forderungen des Proletariats aussprach. (Schriften Babeufs etc.)

Die ersten Versuche des Proletariats, in einer Zeit allgemeiner Aufregung, in der Periode des Umsturzes der feudalen Gesellschaft direkt sein eigenes Klasseninteresse durchzusetzen, scheiterten notwendig an der unentwickelten Gestalt des Proletariats selbst wie an dem Mangel der materiellen Bedingungen seiner Befreiung, die eben erst das Produkt der bürgerlichen Epoche sind. Die revolutionäre Literatur, welche diese ersten Bewegungen des Proletariats begleitete, ist dem Inhalt nach notwendig reaktionär. Sie lehrt einen allgemeinen Asketismus und eine rohe Gleichmacherei.

Die eigentlich sozialistischen und kommunistischen Systeme, die Systeme St-Simons, Fouriers, Owens usw., tauchen auf in der ersten, unentwickelten

---

[1] *(1848, 1872, 1883)* und – [2] *(1848)* Ihr Sozialismus

Periode des Kampfs zwischen Proletariat und Bourgeoisie, die wir oben dargestellt haben. (S[iehe] Bourgeoisie und Proletariat.)

Die Erfinder dieser Systeme sehen zwar den Gegensatz der Klassen wie die Wirksamkeit der auflösenden Elemente in der herrschenden Gesellschaft selbst. Aber sie erblicken auf der Seite des Proletariats keine geschichtliche Selbsttätigkeit, keine ihm eigentümliche politische Bewegung.

Da die Entwicklung des Klassengegensatzes gleichen Schritt hält mit der Entwicklung der Industrie, finden sie ebensowenig die materiellen Bedingungen zur Befreiung des Proletariats vor und suchen nach einer sozialen Wissenschaft, nach sozialen Gesetzen, um diese Bedingungen zu schaffen.

An die Stelle der gesellschaftlichen Tätigkeit muß ihre persönlich erfinderische Tätigkeit treten, an die Stelle der geschichtlichen Bedingungen der Befreiung phantastische, an die Stelle der allmählich vor sich gehenden Organisation des Proletariats zur Klasse eine eigens ausgeheckte Organisation der Gesellschaft. Die kommende Weltgeschichte löst sich für sie auf in die Propaganda und die praktische Ausführung ihrer Gesellschaftspläne.

Sie sind sich zwar bewußt, in ihren Plänen hauptsächlich das Interesse der arbeitenden Klasse als der leidendsten Klasse zu vertreten. Nur unter diesem Gesichtspunkt der leidendsten Klasse existiert das Proletariat für sie.

Die unentwickelte Form des Klassenkampfes wie ihre eigene Lebenslage bringen es aber mit sich, daß sie weit über jenen Klassengegensatz erhaben zu sein glauben. Sie wollen die Lebenslage aller Gesellschaftsglieder, auch der bestgestellten, verbessern. Sie appellieren daher fortwährend an die ganze Gesellschaft ohne Unterschied, ja vorzugsweise an die herrschende Klasse. Man braucht ihr System ja nur zu verstehen, um es als den bestmöglichen Plan der bestmöglichen Gesellschaft anzuerkennen.

Sie verwerfen daher alle politische, namentlich alle revolutionäre Aktion, sie wollen ihr Ziel auf friedlichem Wege erreichen und versuchen, durch kleine, natürlich fehlschlagende Experimente, durch die Macht des Beispiels dem neuen gesellschaftlichen Evangelium Bahn zu brechen.

Die[1] phantastische Schilderung der zukünftigen Gesellschaft entspringt[2] in einer Zeit, wo das Proletariat noch höchst unentwickelt ist, also selbst noch phantastisch seine eigene Stellung auffaßt, seinem ersten ahnungsvollen Drängen nach einer allgemeinen Umgestaltung der Gesellschaft.

Die sozial[istisch]en und kommunistischen Schriften bestehen aber auch aus kritischen Elementen. Sie greifen alle Grundlagen der bestehenden Gesellschaft an. Sie haben daher höchst wertvolles Material zur Aufklärung der

[1] *(1848)* Diese – [2] *(1848, 1888)* entspricht

Arbeiter geliefert. Ihre positiven Sätze über die zukünftige Gesellschaft, z.B. Aufhebung des Gegensatzes zwischen[1] Stadt und Land, der Familie, des Privaterwerbs, der Lohnarbeit, die Verkündigung der gesellschaftlichen Harmonie, die Verwandlung des Staates in eine bloße Verwaltung der Produktion – alle diese ihre Sätze drücken bloß das Wegfallen des Klassengegensatzes aus, der eben erst sich zu entwickeln beginnt, den sie nur noch in seiner ersten gestaltlosen Unbestimmtheit kennen. Diese Sätze selbst haben daher noch einen rein utopistischen Sinn.

Die Bedeutung des kritisch-utopistischen Sozialismus und Kommunismus steht im umgekehrten Verhältnis zur geschichtlichen Entwicklung. In demselben Maße, worin der Klassenkampf sich entwickelt und gestaltet, verliert diese phantastische Erhebung über denselben, diese phantastische Bekämpfung desselben allen praktischen Wert, alle theoretische Berechtigung. Waren daher die Urheber dieser Systeme auch in vieler Beziehung revolutionär, so bilden ihre Schüler jedesmal reaktionäre Sekten. Sie halten die alten Anschauungen der Meister fest gegenüber der geschichtlichen Fortentwicklung des Proletariats. Sie suchen daher konsequent den Klassenkampf wieder abzustumpfen und die Gegensätze zu vermitteln. Sie träumen noch immer die versuchsweise Verwirklichung ihrer gesellschaftlichen Utopien, Stiftung einzelner Phalanstere, Gründung von Home-Kolonien, Errichtung eines kleinen Ikariens* – Duodezausgabe des neuen Jerusalems –, und zum Aufbau aller dieser spanischen Schlösser müssen sie an die Philanthropie der bürgerlichen Herzen und Geldsäcke appellieren. Allmählich fallen sie in die Kategorie der oben geschilderten reaktionären oder konservativen Sozialisten und unterscheiden sich nur noch[2] von ihnen durch mehr systematische Pedanterie, durch den fanatischen Aberglauben an die Wunderwirkungen ihrer sozialen Wissenschaft.

Sie treten daher mit Erbitterung aller politischen Bewegung der Arbeiter entgegen, die nur aus blindem Unglauben an das neue Evangelium hervorgehen konnte.

* Phalanstere war die Bezeichnung für die von Charles Fourier geplanten sozialistischen Kolonien; Ikarien nannte Cabet seine Utopie und später seine kommunistische Kolonie in Amerika. *[Anmerkung von Engels zur englischen Ausgabe von 1888.]*

Home-Kolonien (Kolonien im Inland) nennt Owen seine kommunistischen Mustergesellschaften. Phalanstere war der Name der von Fourier geplanten gesellschaftlichen Paläste. Ikarien hieß das utopische Phantasieland, dessen kommunistische Einrichtungen Cabet schilderte. *[Anmerkung von Engels zur deutschen Ausgabe von 1890.]*

[1] *(1848)* von – [2] *(1848)* mehr

Die Owenisten in England, die Fourieristen in Frankreich reagieren dort gegen die Chartisten, hier gegen die Reformisten.[36]

IV
Stellung der Kommunisten zu den verschiedenen oppositionellen Parteien

Nach Abschnitt II versteht sich das Verhältnis der Kommunisten zu den bereits konstituierten Arbeiterparteien von selbst, also ihr Verhältnis zu den Chartisten in England und den agrarischen Reformern in Nordamerika.

Sie kämpfen für die Erreichung der unmittelbar vorliegenden Zwecke und Interessen der Arbeiterklasse, aber sie vertreten in der gegenwärtigen Bewegung zugleich die Zukunft der Bewegung. In Frankreich schließen sich die Kommunisten an die sozialistisch-demokratische* Partei an gegen die konservative und radikale Bourgeoisie, ohne darum das Recht aufzugeben, sich kritisch zu den aus der revolutionären Überlieferung herrührenden Phrasen und Illusionen zu verhalten.

In der Schweiz unterstützen sie die Radikalen, ohne zu verkennen, daß diese Partei aus widersprechenden Elementen besteht, teils aus demokratischen Sozialisten im französischen Sinn, teils aus radikalen Bourgeois.

Unter den Polen unterstützen die Kommunisten die Partei, welche eine agrarische Revolution zur Bedingung der nationalen Befreiung macht, dieselbe Partei, welche die Krakauer Insurrektion von 1846[24] ins Leben rief.

In Deutschland kämpft die Kommunistische Partei, sobald die Bourgeoisie revolutionär auftritt, gemeinsam mit der Bourgeoisie gegen die absolute Monarchie, das feudale Grundeigentum und die Kleinbürgerei.

Sie unterläßt aber keinen Augenblick, bei den Arbeitern ein möglichst

---

* Die Partei, die damals im Parlament von Ledru-Rollin, in der Literatur von Louis Blanc und in der Tagespresse von der „*Réforme*“ vertreten wurde. Der Name „Sozialdemokratie“ bedeutete bei diesen ihren Erfindern eine Sektion der demokratischen oder republikanischen Partei mit mehr oder weniger sozialistischer Färbung. *[Anmerkung von Engels zur englischen Ausgabe von 1888.]*

Die damals sich sozialistisch-demokratisch nennende Partei in Frankreich war die durch Ledru-Rollin politisch und durch Louis Blanc literarisch vertretene; sie war also himmelweit verschieden von der heutigen deutschen Sozialdemokratie. *[Anmerkung von Engels zur deutschen Ausgabe von 1890.]*

klares Bewußtsein über den feindlichen Gegensatz zwischen[1] Bourgeoisie und Proletariat herauszuarbeiten, damit die deutschen Arbeiter sogleich die gesellschaftlichen und politischen Bedingungen, welche die Bourgeoisie mit ihrer Herrschaft herbeiführen muß, als ebenso viele Waffen gegen die Bourgeoisie kehren können, damit, nach dem Sturz der reaktionären Klassen in Deutschland, sofort der Kampf gegen die Bourgeoisie selbst beginnt.

Auf Deutschland richten die Kommunisten ihre Hauptaufmerksamkeit, weil Deutschland am Vorabend einer bürgerlichen Revolution steht und weil es diese Umwälzung unter fortgeschrittneren Bedingungen der europäischen Zivilisation überhaupt und mit einem viel weiter entwickelten Proletariat vollbringt als England im 17. und Frankreich im 18. Jahrhundert, die deutsche bürgerliche Revolution also nur das unmittelbare Vorspiel einer proletarischen Revolution sein kann.

Mit einem Wort, die Kommunisten unterstützen überall jede revolutionäre Bewegung gegen die bestehenden gesellschaftlichen und politischen Zustände.

In allen diesen Bewegungen heben sie die Eigentumsfrage, welche mehr oder minder entwickelte Form sie auch angenommen haben möge, als die Grundfrage der Bewegung hervor.

Die Kommunisten arbeiten endlich überall an der Verbindung und Verständigung der demokratischen Parteien aller Länder.

Die Kommunisten verschmähen es, ihre Ansichten und Absichten zu verheimlichen. Sie erklären es offen, daß ihre Zwecke nur erreicht werden können durch den gewaltsamen Umsturz aller bisherigen Gesellschaftsordnung. Mögen die herrschenden Klassen vor einer kommunistischen Revolution zittern. Die Proletarier haben nichts in ihr zu verlieren als ihre Ketten. Sie haben eine Welt zu gewinnen.

Proletarier aller Länder, vereinigt euch!

[1] *(1848)* von

Friedrich Engels

Die Bewegungen von 1847

[„Deutsche-Brüsseler-Zeitung"
Nr. 7 vom 23. Januar 1848]

Gewiß, 1847 war das bewegteste Jahr, das wir seit langer Zeit gehabt haben. In Preußen eine Konstitution und ein Vereinigter Landtag, in Italien ein unerwartet schnelles Erwachen des politischen Lebens und allgemeine Bewaffnung gegenüber Östreich, in der Schweiz ein Bürgerkrieg, in England ein neues Parlament mit entschieden radikaler Färbung, in Frankreich Skandale und Reformbanketts, in Amerika Eroberung Mexikos durch die Vereinigten Staaten – das ist eine Reihe Veränderungen und Bewegungen, wie keins der letzten Jahre sie aufzuweisen hat.

1830 war der letzte Wendepunkt der Geschichte. Die Julirevolution in Frankreich, die Reformbill[246] in England, sicherten den schließlichen Sieg der Bourgeoisie, und zwar in England schon den Sieg der industriellen Bourgeoisie, der Fabrikanten, über die nichtindustrielle, die Rentiers. Belgien und teilweise die Schweiz folgten; auch hier siegte die Bourgeoisie.[299] Polen stand auf, Italien zuckte unter dem Joch Metternichs, Deutschland war in voller Gärung. Alle Länder bereiteten sich auf gewaltige Kämpfe vor.

Aber seit 1830 ging alles rückwärts. Polen fiel, die insurgierten Romagnolen wurden zersprengt[300], die Bewegung in Deutschland wurde unterdrückt. Die französische Bourgeoisie schlug die Republikaner im Lande selbst und verriet die Liberalen anderer Länder, die sie selbst zum Aufstande gereizt hatte. Das liberale Ministerium in England konnte nichts durchsetzen. Endlich, 1840, war die Reaktion in voller Blüte. Polen, Italien, Deutschland politisch tot, in Preußen das „Berliner politische Wochenblatt" auf dem Throne[301], in Hannover Herrn Dahlmanns superkluge Konstitution umgestoßen[302], die Wiener Konferenzbeschlüsse von 1834[303] in voller Kraft. In der Schweiz die Konservativen und Jesuiten im besten Fortschreiten. In Belgien die Katholiken am Ruder. In Frankreich Sieg Guizots, in England letzte Zuckungen der

Whigregierung unter dem Druck der wachsenden Macht Peels; vergebliche Reorganisationsversuche der Chartisten nach ihrer großen Niederlage von 1839.[304] Überall Sieg der reaktionären Partei, überall vollständige Auflösung und Zersprengung aller Fortschrittsparteien. Die Sperrung der geschichtlichen Bewegung, das schien das endliche Resultat der gewaltigen Kämpfe von 1830 zu sein.

1840 war aber auch der Höhepunkt der Reaktion, wie 1830 der Höhepunkt der revolutionären Bewegung der Bourgeoisie gewesen war. Von 1840 an begannen die gegen den bestehenden Zustand gerichteten Bewegungen aufs neue. Oft geschlagen, gewannen sie auf die Dauer mehr und mehr Terrain. Während in England die Chartisten sich wieder organisierten und stärker wurden als je, mußte Peel ein Mal über das andere seine Partei verraten, ihr durch die Abschaffung der Korngesetze[12] den Todesstoß geben und schließlich selbst abtreten. In der Schweiz machten die Radikalen Fortschritte, in Deutschland und namentlich in Preußen wurden die Forderungen der Liberalen mit jedem Jahre heftiger. In Belgien siegten die Liberalen ebenfalls in den Wahlen von 1847. Nur Frankreich gab durch die Wahlen von 1846 seinen reaktionären Ministern eine unerhörte Majorität; nur Italien blieb tot, bis Pius IX. den Thron bestieg und einige, Ende 1846 noch sehr zweifelhafte Reformversuche machte.

So brach das verflossene Jahr an und mit ihm eine Reihe von Siegen für die Fortschrittsparteien fast aller Länder. Selbst da, wo sie geschlagen wurden, half ihre Niederlage ihnen weiter, als der sofortige Sieg getan haben würde.

Das Jahr 1847 entschied nichts, aber es stellte überall die Parteien einander scharf und klar gegenüber, es löste keine Frage definitiv, aber es stellte alle Fragen so, daß sie jetzt gelöst werden müssen.

Von den Bewegungen und Veränderungen des Jahres 1847 waren die bedeutendsten die in Preußen, in Italien und in der Schweiz.

In *Preußen* wurde Friedrich Wilhelm IV. endlich zu einer Konstitution gezwungen. Der unfruchtbare Don Quijote von Sanssouci kam nach langen Kämpfen und Wehen mit einer Verfassung nieder, die den Sieg der feudalistisch-patriarchalisch-absolutistisch-bürokratisch-pfäffischen Reaktion auf ewig sicherstellen sollte. Aber er hatte sich verrechnet. Die Bourgeoisie war schon mächtig genug geworden, um selbst in dieser Verfassung eine Waffe gegen ihn und sämtliche reaktionäre Klassen der Gesellschaft zu finden. Wie überall, fing sie auch in Preußen damit an, ihm die Gelder zu verweigern. Der König war in Verzweiflung. Man kann sagen, daß in den ersten Tagen nach den Geldverweigerungen Preußen gar keinen König hatte; es war in voller Revolution, ohne es zu wissen. Da kamen zum Glück die fünfzehn russischen Millionen; und Friedrich Wilhelm wurde wieder König, die Bourgeois des Landtags knickten erschrocken zusammen, und die revolutionären Gewitterwolken verzogen sich. Die preußische Bourgeoisie war für den Augenblick geschlagen. Aber sie hatte einen großen Schritt getan, sie hatte sich ein Forum erobert, dem König einen Beweis ihrer Macht gegeben und das ganze Land in Aufregung versetzt. Die Frage, wer in Preußen herrschen soll, ob die Allianz zwischen Adel, Bürokraten, Pfaffen mit dem König an ihrer Spitze, oder die Bourgeoisie, ist jetzt so gestellt, daß sie für die eine oder die andere Seite entschieden werden muß. Auf dem Vereinigten Landtag war noch ein Vergleich beider Parteien möglich; jetzt ist er's nicht mehr. Es gilt jetzt einen Kampf auf Tod und Leben zwischen beiden. Dazu kommt noch, daß die Ausschüsse, diese unglückselige Erfindung der Berliner Verfassungsfabrikanten, sich in diesem Augenblick versammeln.[305] Sie werden die ohnehin schon verworrene Rechtsfrage vollends so verwirren, daß kein Mensch mehr wissen wird, woran er ist. Sie werden einen gordischen Knoten daraus machen, der mit dem Schwert wird zerhauen werden müssen; sie werden die letzten Vorbereitungen zur *Bourgeois*-Revolution in Preußen vollenden.

Wir können also mit der größten Ruhe diese preußische Revolution abwarten. 1849 wird der Vereinigte Landtag wieder berufen werden müssen, der König mag wollen oder nicht. Bis dahin geben wir Sr. Majestät Frist, nicht länger. Dann wird er sein Zepter und seine berühmte „Ungeschwächte"[306] an die christlichen und jüdischen Bourgeois seines Reichs abtreten müssen.

Das Jahr 1847 war demnach ein vortreffliches Jahr für die politischen Geschäfte der preußischen Bourgeois, trotz ihrer momentanen Niederlage. Das haben die Bourgeois und Spießbürger der übrigen deutschen Staaten auch gemerkt und ihnen die lebhafteste Sympathie bezeugt. Sie wissen, daß der Sieg der preußischen Bourgeois ihr eigner Sieg ist.

In *Italien* haben wir das merkwürdige Schauspiel erlebt, daß der Mann, der die reaktionärste Stellung in ganz Europa einnimmt, der die versteinerte Ideologie des Mittelalters repräsentiert, daß der Papst[1] sich an die Spitze einer liberalen Bewegung gestellt hat. Die Bewegung ist über Nacht mächtig geworden, sie hat den östreichischen Erzherzog in Toskana[2] und den Verräter Karl Albert von Sardinien mit fortgerissen, sie unterwühlt den Thron Ferdinands von Neapel, ihre Wogen schlagen über die Lombardei bis an die Tiroler und Steirischen Alpen.

[1] Pius IX. – [2] Leopold II., Großherzog von Toskana

Die gegenwärtige Bewegung in Italien ist dieselbe, die in Preußen 1807 bis 1812 vor sich ging. Es handelt sich, wie damals in Preußen, um zweierlei: um Unabhängigkeit nach außen, um Reformen nach innen. Man verlangt vorderhand keine Konstitutionen, man verlangt bloße administrative Reformen, man vermeidet einstweilen alle ernstlichen Konflikte mit der Regierung, um gegenüber der fremden Übermacht möglichst einig zu sein. Aber welcher Art sind diese Reformen? wem kommen sie zugut? Vor allen Dingen der Bourgeoisie. Die Presse wird begünstigt, die Bürokratie wird dem Interesse der Bourgeoisie dienstbar gemacht (vgl. die sardinischen Reformen, die römische Consulta[307] und die Reorganisation der Ministerien), die Bourgeois erhalten ausgedehntern Einfluß auf die Kommunalverwaltung, das bon plaisir[1] des Adels und der Bürokratie wird beschränkt, die Bourgeoisie wird als guardia civica[2] *bewaffnet*. Bis jetzt sind alle Reformen ausschließlich im Interesse der Bourgeoisie gewesen und mußten es sein. Man vergleiche hiermit die preußischen Reformen aus der napoleonischen Zeit. Es sind genau dieselben, nur daß sie in vieler Beziehung noch weiter gehen: die Administration dem Interesse der Bourgeoisie untergeordnet, die Willkür des Adels und der Bürokraten gebrochen, die Städteordnung, die Landwehr, die Ablösung der Frondienste. Wie damals in Preußen, ist jetzt in Italien die Bourgeoisie, vermöge ihres steigenden Reichtums und namentlich vermöge der steigenden Bedeutung der Industrie und des Handels für die Existenz des ganzen Volks, die Klasse geworden, von der die Befreiung des Landes aus der Fremdherrschaft hauptsächlich abhängt.

Die Bewegung in Italien ist also eine entschiedene Bourgeoisbewegung. Alle reformbegeisterten Klassen, von Fürsten und Adel bis zu den Pifferari und Lazzaroni[308], treten einstweilen als Bourgeois auf, und der Papst ist vorderhand der erste Bourgeois von Italien. Aber alle diese Klassen werden sich sehr enttäuscht finden, sobald das östreichische Joch einmal abgeschüttelt sein wird. Dann, wenn die Bourgeois mit dem auswärtigen Feinde fertig sind, werden sie zu Hause die Böcke von den Schafen scheiden; dann werden die Fürsten und Grafen Östreich wieder um Hilfe anschreien, aber es wird zu spät sein, und dann werden die Arbeiter von Mailand, Florenz und Neapel entdecken, daß *ihre* Arbeit erst recht anfängt.

Endlich die *Schweiz*. Zum ersten Male seit ihrer Existenz hat die Schweiz eine bestimmte Rolle im europäischen Staatensystem gespielt, zum ersten Mal hat sie eine entschiedne Handlung gewagt, hat sie den Mut gehabt, nicht mehr als Agglomerat von 22 einander wildfremden Kantonen, sondern

[1] Willkürliche – [2] Bürgergarde

als Föderalrepublik aufzutreten. Sie hat durch einen mit großer Entschiedenheit unterdrückten Bürgerkrieg die Suprematie der Zentralgewalt gesichert, sie hat sich mit einem Wort zentralisiert. Sie wird die faktisch bestehende Zentralisation durch die bevorstehende Reform des Bundesvertrags legalisieren.

Wem kommen, fragen wir wieder, die Resultate des Krieges, die Bundesreform, die Reorganisation der Sonderbundskantone zugut? Der siegenden Partei, der Partei, die 1830 bis 1834 in einzelnen Kantonen gesiegt hatte, den Liberalen und Radikalen, d.h. den Bourgeois und Bauern. Die Patrizierherrschaft der ehemaligen Reichsstädte war schon infolge der Julirevolution gestürzt worden. Wo sie sich faktisch wiederhergestellt hatte, wie in Bern und Genf, waren 1846 Revolutionen erfolgt. Wo sie sich noch unversehrt erhalten hatte, wie in Basel-Stadt, erlitt sie in demselben Jahr bedeutende Stöße. Feudaladel war wenig in der Schweiz, und wo er noch bestand, hatte er seine Hauptmacht in der Allianz mit den Hirten der Hochalpen. Diese waren die letzten, die zähsten, die wütendsten Feinde der Bourgeois. Sie bildeten den Rückhalt der reaktionären Elemente in den liberalen Kantonen. Sie umstrickten die ganze Schweiz mit dem Netz einer reaktionären Konspiration durch die Jesuiten und Pietisten (vgl. Waadt). Sie vereitelten alle Pläne der Bourgeoisie auf der Tagsatzung. Sie verhinderten die schließliche Niederlage des spießbürgerlichen Patriziats in den ehemaligen Reichsstädten.

Diese letzten Gegner der Schweizer Bourgeois sind 1847 gänzlich gesprengt worden.

Die Schweizer Bourgeois hatten in fast allen Kantonen bisher schon ziemlich freies Spiel für ihren Handel und ihre Industrie. Soweit die Zünfte noch existierten, waren sie ihrer Entwicklung wenig hinderlich. Innere Douanen existierten so gut wie gar nicht. Wo die Bourgeoisie sich einigermaßen entwickelt hatte, war die politische Macht in ihren Händen. Aber während sie in den einzelnen Kantonen Fortschritte machte und Unterstützung fand, fehlte ihr gerade die Hauptsache, die Zentralisation. Wie der Feudalismus, der Patriarchalismus und das Spießbürgertum sich in getrennten Provinzen und einzelnen Städten entwickeln, so verlangt die Bourgeoisie zu ihrer Entwicklung ein möglichst großes Terrain, sie bedurfte, statt 22 kleiner Kantone, *einer* großen Schweiz. Die Kantonalsouveränität, die passendste Form der *alten* Schweiz, war den Bourgeois eine drückende Fessel geworden. Sie bedurften einer Zentralgewalt, die stark genug war, der Gesetzgebung der einzelnen Kantone eine bestimmte Bahn anzuweisen, die Verschiedenheiten der Verfassungen und Gesetze durch ihr Übergewicht auszugleichen, die Reste der feudalen, patriarchalischen und spießbürgerlichen Gesetzgebung zu beseitigen und die Interessen der Schweizer Bourgeois nach außen hin energisch zu repräsentieren.

Diese Zentralgewalt hat sie sich erobert.

Aber haben nicht auch die Bauern am Sturz des Sonderbunds mitgearbeitet? – Allerdings. Was die Bauern angeht, so werden sie gegenüber den Bourgeois vorderhand noch dieselbe Rolle weiter spielen, die sie gegenüber den Kleinbürgern so lange gespielt haben. Sie werden der exploitierte Arm der Bourgeois bleiben, sie werden diesen ihre Schlachten schlagen, ihre Kattune und Bänder weben und ihr Proletariat rekrutieren. Was wollen sie anders machen? Besitzer wie die Bourgeois, haben sie vorderhand fast alle Interessen gemein mit den Bourgeois. Alle politischen Maßregeln, die sie stark genug sind durchzusetzen, nutzen den Bourgeois nicht viel mehr als ihnen selbst. Aber sie sind schwach gegenüber den Bourgeois, weil diese reicher sind und den Hebel aller politischen Macht in unserm Jahrhundert, die Industrie, in ihren Händen haben. Mit den Bourgeois können sie viel, gegen die Bourgeois nichts.

Es wird allerdings eine Zeit kommen, wo der ausgesogene, verarmte Teil der Bauern sich dem bis dahin weiter entwickelten Proletariat anschließen und der Bourgeoisie den Krieg erklären wird – aber das geht uns hier nichts an.

Genug, daß die Austreibung der Jesuiten nebst ihrer Affiliierten, dieser organisierten Gegner der Bourgeois, die allgemeine Einführung der *bürgerlichen*, statt der geistlichen Erziehung, die Besitzergreifung der meisten geistlichen Güter durch den Staat vor allen den Bourgeois zugute kommt.

Die drei hervorragendsten Bewegungen des Jahres 1847 haben also das gemein, daß sie alle zunächst und hauptsächlich im Interesse der Bourgeoisie sind. Die Fortschrittspartei war überall die Partei der Bourgeois.

In der Tat ist es das charakteristische Merkmal dieser Bewegungen, daß gerade die Länder, die 1830 zurückblieben, im vergangenen Jahr die ersten entscheidenden Schritte getan haben, um sich auf die Höhe von 1830 zu stellen, d.h., um den Sieg der Bourgeoisie durchzusetzen.

Bis dahin haben wir also gesehen, daß das Jahr 1847 ein brillantes Jahr für die Bourgeoisie gewesen ist.

Gehen wir weiter.

In *England* haben wir ein neues Parlament, das, wie John Bright der Quäker sagt, das entschiedenste Bourgeoisparlament ist, welches je zusammenkam. John Bright ist der entschiedenste Bourgeois von ganz England, ist die beste Autorität hierüber, die wir wünschen können. Aber der Bourgeois John Bright ist nicht der Bourgeois, der in Frankreich herrscht oder der gegen Friedrich Wilhelm IV. pathetische Bravaden donnert. Der Bourgeois im Munde John Brights ist der Fabrikant. In England herrschen einzelne Fraktionen der Bourgeoisie seit 1688; aber um sich die Eroberung der Herrschaft zu erleichtern, haben sie ihren von ihnen abhängigen Schuldnern, den Aristokraten, die nominelle Herrschaft gelassen. Während so der Kampf in England in Wirklichkeit ein Kampf zwischen einzelnen Fraktionen der Bourgeoisie selbst, zwischen Rentiers und Fabrikanten ist, können die Fabrikanten ihn für einen Kampf zwischen Aristokratie und Bourgeoisie, ja im Notfall für einen Kampf zwischen Aristokratie und Volk ausgeben. Die Fabrikanten haben kein Interesse, den Schein der Herrschaft der Aristokratie aufrechtzuerhalten, denn ihnen sind die Lords, Baronets und Squires keinen Heller schuldig. Aber sie haben ein großes Interesse, diesen Schein zu stürzen, weil mit diesem Schein den Rentiers der letzte Notanker verlorengeht. Das jetzige Bourgeois- oder Fabrikantenparlament wird dies tun. Es wird das alte, feudalistisch aussehende England in ein mehr oder weniger modernes, bürgerlich organisiertes Land verwandeln. Es wird die englische Verfassung der französischen und belgischen Verfassung annähern. Es wird den Sieg der englischen industriellen Bourgeoisie vollenden.

Wieder ein Fortschritt der Bourgeoisie, denn auch der Fortschritt innerhalb der Bourgeoisie ist eine Erweiterung, eine Verstärkung der Bourgeoisherrschaft.

Frankreich scheint allein eine Ausnahme zu machen. Die Herrschaft, 1830 der ganzen großen Bourgeoisie zugefallen, beschränkt sich von Jahr zu Jahr mehr auf die Herrschaft der reichsten Fraktion dieser großen Bourgeoisie, auf die Herrschaft der Rentiers und Börsenspekulanten. Sie haben die Majorität der großen Bourgeoisie ihrem Interesse dienstbar gemacht. Die Minorität, an deren Spitze ein Teil der Fabrikanten und Reeder stehen, wird immer geringer. Diese Minorität hat sich jetzt mit den vom Wahlrecht ausgeschlossenen mittleren und kleinen Bourgeois verbunden und feiert ihre Allianz in den Reformbanketts. Sie verzweifelt daran, mit den bisherigen Wählern je zur Herrschaft zu kommen. Sie hat sich daher nach langem Schwanken entschlossen, den zunächst unter ihr stehenden Bourgeois, und namentlich den Bourgeoisideologen, als den allerungefährlichsten, den Advokaten, Medizinern usw., einen Anteil an der politischen Macht zu versprechen. Sie ist freilich noch weit davon entfernt, ihr Versprechen halten zu können.

So sehen wir auch in Frankreich den Kampf innerhalb der Bourgeoisie herannahen, der in England schon fast beendigt ist. Nur daß, wie immer, in Frankreich die Situation einen schärfer gezeichneten, revolutionären

Charakter hat. Diese entschiedne Trennung in zwei Lager ist auch ein Fortschritt der Bourgeoisie.

In *Belgien* hat die Bourgeoisie in den Wahlen von 1847 einen entschiednen Sieg errungen: Das katholische Ministerium mußte abtreten, und auch hier herrschen jetzt vorderhand die liberalen Bourgeois.

In *Amerika* haben wir der Eroberung Mexikos zugesehen und uns darüber gefreut.[309] Es ist auch ein Fortschritt, daß ein Land, welches sich bisher ausschließlich mit sich selbst beschäftigte, durch ewige Bürgerkriege zerrissen und an aller Entwicklung verhindert war, ein Land, dem höchstens bevorstand, in das industrielle Vasallentum Englands zu geraten – daß ein solches Land mit Gewalt in die geschichtliche Bewegung hineingerissen wird. Es ist im Interesse seiner eignen Entwicklung, daß es in Zukunft unter die Vormundschaft der Vereinigten Staaten gestellt wird. Es ist im Interesse der Entwicklung von ganz Amerika, daß die Vereinigten Staaten durch den Besitz Kaliforniens die Herrschaft auf dem Stillen Meer erhalten. Aber wem, fragen wir wieder, kommt der Krieg zunächst zugut? Nur der Bourgeoisie. Die Nordamerikaner erhalten in Kalifornien und Neu-Mexiko neues Terrain, um darauf neues Kapital zu erzeugen, d.h., neue Bourgeois ins Leben zu rufen und die schon existierenden zu bereichern; denn alles Kapital, was heute erzeugt wird, gerät in die Hände der Bourgeoisie. Und die erstrebte Durchstechung der Landenge von Tehuantepec[310], wem anders kommt sie zugut als den amerikanischen Reedern? Die Herrschaft auf dem Stillen Meer, wem kommt sie zugut, wenn nicht denselben Reedern? Die neuen Kunden für Industrieprodukte, die sich in den eroberten Ländern bilden, wer wird sie versorgen, wenn nicht die amerikanischen Fabrikanten?

Also auch in Amerika haben die Bourgeois große Fortschritte gemacht, und wenn ihre Repräsentanten jetzt gegen den Krieg opponieren, so beweist das nur, daß sie fürchten, diese Fortschritte seien in verschiedner Hinsicht zu teuer erkauft.

Selbst in ganz barbarischen Ländern macht die Bourgeoisie Fortschritte. In Rußland entwickelt sich die Industrie mit gewaltigen Schritten und macht selbst aus Bojaren mehr und mehr Bourgeois. Die Leibeigenschaft wird in Rußland und Polen beschränkt und dadurch im Interesse der Bourgeois der Adel geschwächt und eine freie Bauernklasse hergestellt, deren die Bourgeoisie überall bedarf. Die Juden werden verfolgt – ganz im Interesse der ansässigen christlichen Bürger, denen die Hausierer das Geschäft verdarben. – In Ungarn werden die Feudalherren mehr und mehr Korn-, Woll- und Viehhändler en gros und treten konsequent auf dem Landtage als Bourgeois auf. – Und all diese glorreichen Fortschritte der „Zivilisation" in der Türkei, in

Ägypten, in Tunis, in Persien und andern barbarischen Ländern, worin bestehen sie anders als in den Vorbereitungen für das Aufblühen einer zukünftigen Bourgeoisie? In diesen Ländern erfüllt sich heute das Wort des Propheten: „Bereitet dem Herrn den Weg ... Machet die Tore weit und die Türen in der Welt hoch, daß der König der Ehren einziehe! Wer ist derselbige König der Ehren?"[311] Es ist der Bourgeois.

Wohin wir blicken, macht die Bourgeoisie gewaltige Fortschritte. Sie trägt das Haupt hoch und fordert ihre Feinde trotzig heraus. Sie erwartet entscheidende Siege, und ihre Hoffnung wird nicht getäuscht werden. Sie will die ganze Welt nach ihrem Maßstabe einrichten, und auf einem bedeutenden Teil der Erde wird ihr dies gelingen.

Wir sind keine Freunde der Bourgeoisie, das ist bekannt. Aber wir gönnen ihr diesmal ihren Triumph. Wir können ruhig lächeln über den hochfahrenden Blick, mit dem sie namentlich in Deutschland auf das scheinbar so kleine Häuflein der Demokraten und Kommunisten herabsieht. Wir haben nichts dawider, wenn sie überall ihre Absichten durchsetzt.

Noch mehr. Wir können uns sogar eines ironischen Lächelns nicht erwehren, wenn wir sehen, mit welchem schrecklichen Ernst, mit welcher pathetischen Begeisterung fast überall die Bourgeois ihren Zwecken nachstreben. Die Herren glauben wirklich, sie arbeiteten für sich selbst. Sie sind beschränkt genug, zu glauben, daß mit ihrem Siege die Welt ihre definitive Gestaltung bekomme. Und doch ist nichts augenscheinlicher, als daß sie nur *uns*, den Demokraten und Kommunisten, überall den Weg bahnen, als daß sie höchstens einige Jahre unruhigen Genusses erobern werden, um alsdann sofort wieder gestürzt zu werden. Überall steht hinter ihnen das Proletariat, hier an ihren Bestrebungen und teilweise an ihren Illusionen teilnehmend, wie in Italien und der Schweiz, dort schweigsam und zurückhaltend, aber unterderhand den Sturz der Bourgeoisie vorbereitend, wie in Frankreich und Deutschland; dort endlich, in England und Amerika, in offner Rebellion gegen die herrschende Bourgeoisie.

Wir können noch mehr tun. Wir können den Bourgeois das alles geradezu sagen, wir können mit offenen Karten spielen. Sie mögen es vorher wissen, daß sie nur in unsrem Interesse arbeiten. Sie können darum doch ihren Kampf gegen die absolute Monarchie, den Adel und die Pfaffen nicht aufgeben. Sie müssen siegen oder schon jetzt untergehen.

Ja, in sehr kurzer Zeit werden sie in Deutschland sogar unseren Beistand anrufen müssen.

Kämpft also nur mutig fort, ihr gnädigen Herren vom Kapital! Wir haben euch vorderhand nötig, wir haben sogar hie und da eure Herrschaft nötig.

Ihr müßt uns die Reste des Mittelalters und die absolute Monarchie aus dem Wege schaffen, ihr müßt den Patriarchalismus vernichten, ihr müßt zentralisieren, ihr müßt alle mehr oder weniger besitzlosen Klassen in wirkliche Proletarier, in Rekruten für uns, verwandeln, ihr müßt uns durch eure Fabriken und Handelsverbindungen die Grundlage der materiellen Mittel liefern, deren das Proletariat zu seiner Befreiung bedarf. Zum Lohn dafür sollt ihr eine kurze Zeit herrschen. Ihr sollt Gesetze diktieren, ihr sollt euch sonnen im Glanz der von euch geschaffnen Majestät, ihr sollt bankettieren im königlichen Saal und die schöne Königstochter freien, aber, vergeßt es nicht –

„Der Henker steht vor der Türe."[312]

F.E.

Friedrich Engels

Der Anfang des Endes in Österreich

[„Deutsche-Brüsseler-Zeitung"
Nr. 8 vom 27. Januar 1848]

„Mich und den Metternich hält's noch aus", sagte der selige Kaiser Franz. Wenn Metternich seinen Kaiser nicht Lügen strafen will, so muß er möglichst bald sterben.

Die buntscheckige, zusammengeerbte und zusammengestohlene österreichische Monarchie, dieser organisierte Wirrwarr von zehn Sprachen und Nationen, dies planlose Kompositum der widersprechendsten Sitten und Gesetze, fängt endlich an, auseinanderzufallen.

Der ehrliche deutsche Bürger hat dem Dirigenten dieser stockenden Staatsmaschine, dem feigen Gauner und Meuchelmörder Metternich seit Jahren die höchste Bewunderung gezollt. Talleyrand, Louis-Philippe und Metternich, drei höchst mittelmäßige Köpfe, und darum höchst passend für unsere mittelmäßige Zeit, gelten dem deutschen Bürger für die drei Götter, die seit dreißig Jahren die Weltgeschichte wie eine Puppenkomödie am Drähtchen haben tanzen lassen. Getreu seiner eignen alltäglichen Erfahrung, versieht der ehrliche Bürger die Geschichte für ein Tabagie-Komplott und eine Fraubaserei auf etwas größerem Fuß.

Gewiß, über kein Land ist die Sturmflut der Revolution, ist die dreimalige napoleonische Invasion spurloser hinweggegangen als über Östreich. Gewiß, in keinem Lande haben sich Feudalismus, Patriarchalismus und demütige Spießbürgerei unter dem Schutze des väterlichen Haselstocks unbefleckter und harmonischer erhalten als in Östreich. Aber kann Metternich dafür?

Worauf beruht die Macht, die Zähigkeit, die Stabilität des Hauses Östreich?

Als in der letzten Hälfte des Mittelalters Italien, Frankreich, England, Belgien, Nord- und Westdeutschland sich nacheinander aus der feudalen

Barbarei herausarbeiteten, als die Industrie sich entwickelte, der Handel sich ausdehnte, die Städte sich hoben, die Bürger politische Bedeutung bekamen, blieb ein Teil von Deutschland hinter der westeuropäischen Entwicklung zurück. Die bürgerliche Zivilisation verfolgte die Seeküsten und den Lauf der großen Flüsse. Die Binnenländer, besonders die unfruchtbaren und unwegsamen Hochgebirge, blieben der Sitz der Barbarei und des Feudalismus. Namentlich waren es die süddeutschen und südslawischen Binnenländer, in denen sich diese Barbarei konzentrierte. Geschützt durch die Alpen vor der italienischen, durch die böhmischen und mährischen Gebirge vor der norddeutschen Zivilisation, hatten diese Binnenländer noch das Glück, das Flußgebiet des einzig reaktionären Stroms von Europa zu bilden. Die Donau, weit entfernt, sie in die Zivilisation hineinzutreiben, brachte sie vielmehr mit noch weit kräftigerer Barbarei in Verbindung.

Als in Westeuropa sich infolge der bürgerlichen Zivilisation die großen Monarchien entwickelten, mußten sich die Binnenländer der Oberdonau ebenfalls zu einer großen Monarchie vereinigen. Schon die Verteidigung erforderte dies. Hier, im Zentrum von Europa, assoziierten sich die Barbaren aller Sprachen und Nationen unter dem Zepter des Hauses Habsburg. Hier fanden sie an Ungarn einen Rückhalt kompakter Barbarei.

Die Donau, die Alpen, die felsigen Brustwehren Böhmens, das sind die Existenzgründe der österreichischen Barbarei und der österreichischen Monarchie.

Wenn das Haus Habsburg eine Zeitlang die Bürger gegen den Adel, die Städte gegen die Fürsten unterstützte, so war dies die einzige Bedingung, unter welcher eine große Monarchie überhaupt möglich war. Wenn es später die Kleinbürger wieder unterstützte, so waren die Kleinbürger im übrigen Europa, gegenüber der großen Bourgeoisie, schon selbst reaktionär geworden. Das eine wie das andere Mal unterstützte es die Kleinbürger in entschieden reaktionärer Absicht. Nur jetzt schlägt dies Mittel fehl.

So war das Haus Österreich von Anfang an der Repräsentant der Barbarei, der Stabilität der Reaktion in Europa. Seine Macht beruhte auf der Narrheit des hinter unwegsamen Bergen verschanzten Patriarchalismus, auf der unnahbaren Brutalität der Barbarei. Ein Dutzend Nationen, deren Sitten, Charaktere und Institutionen die grellsten Widersprüche bildeten, hielten zusammen kraft ihres gemeinsamen Widerwillens gegen die Zivilisation.

Daher war das Haus Österreich unüberwindlich, solange die Barbarei seiner Untertanen unangetastet blieb. Daher drohte ihm nur eine Gefahr, das Eindringen der bürgerlichen Zivilisation.

Aber diese *eine* Gefahr war unabwendbar. Die bürgerliche Zivilisation konnte eine Zeitlang abgesperrt, sie konnte eine Zeitlang der östreichischen Barbarei angepaßt und untergeordnet werden. Früher oder später aber mußte sie die feudale Barbarei überwinden, und damit war das einzige Band zersprengt, das die verschiedensten Provinzen zusammengehalten hatte.

Daher die passive, zaudernde, feige, schmutzige und heimtückische österreichische Politik. Östreich kann nicht mehr, wie früher, offen brutal, entschieden barbarisch auftreten, weil es mit jedem Jahr der Zivilisation Konzessionen machen muß, mit jedem Jahr seiner eignen Untertanen weniger sicher wird. Jeder entschiedne Schritt würde eine Änderung zu Hause oder bei den Grenznachbarn herbeiführen; jede Änderung wäre ein Riß in die Dämme, hinter denen sich Östreich mühsam gegen die anschwellenden Fluten der modernen Zivilisation schützt; das erste Opfer jeder Veränderung wäre das Haus Österreich selbst, das mit der Barbarei steht und fällt. Konnte Östreich noch 1823 und 1831 die piemontesischen, neapolitanischen und romagnolischen Rebellen mit Kanonenkugeln auseinandertreiben[313], so mußte es 1846 in Galizien schon ein noch unentwickeltes revolutionäres Element, die Bauern, in Bewegung setzen[314], so mußte es 1847 seine Truppen bei Ferrara Halt machen lassen und in Rom zu einer Verschwörung seine Zuflucht nehmen.[315] Das konterrevolutionäre Östreich wendet revolutionäre Mittel an – das ist das sicherste Zeichen, daß es mit ihm zu Ende geht!

Als die italienischen Insurrektionen von 1831, als die polnische Revolution von 1830 unterdrückt waren, als die französischen Bourgeois Kaution für ihr gutes Betragen gestellt hatten, da konnte Kaiser Franz in Frieden in die Grube fahren; die Zeiten schienen miserabel genug, um selbst seinen wasserköpfigen Sprößling[1] auszuhalten.

Vor Revolutionen war das Reich des gekrönten Idioten einstweilen noch sicher. Wer aber sicherte es vor den *Ursachen* der Revolutionen?

Solange die Industrie Hausindustrie blieb, solange jede Bauernfamilie oder wenigstens jedes Dorf sich seinen Bedarf an Industrieprodukten selbst erzeugte, ohne viel in den Handel zu bringen, solange war die Industrie selbst feudal und paßte vortrefflich zur österreichischen Barbarei. Solange sie selbst bloße Manufaktur, ländliche Industrie blieb, brachte sie wenig Produkte des Binnenlandes zur Ausfuhr, erzeugte sie wenigen auswärtigen Handel, existierte nur in einzelnen Distrikten und ließ sich dem östreichischen Status quo leicht anpassen. Erzeugte die Manufaktur selbst in England und Frankreich wenig große Bourgeoisie, so konnte sie in dem dünnbevölkerten ab-

[1] Ferdinand I.

gelegenen Östreich höchstens einen bescheidnen Mittelstand erzeugen, und auch diesen nur hie und da. Solange die Handarbeit bestand, solange war Östreich sicher.

Aber die Maschinen wurden erfunden und die Maschinen ruinierten die Handarbeit. Die Preise der Industrieprodukte fielen so rasch und so tief, daß zuerst die Manufaktur und allmählich selbst die alte feudale Hausindustrie zugrunde gingen.

Östreich verschanzte sich gegen die Maschinen hinter ein konsequentes Prohibitivsystem. Aber vergebens. Gerade das Prohibitivsystem brachte die Maschinen nach Östreich hinein. Böhmen betrieb die Baumwollenindustrie, die Lombardei die Seidenspinnerei mit Maschinen; Wien fing sogar an, Maschinen zu machen.

Die Folgen blieben nicht aus. Die Manufakturarbeiter wurden brotlos. Die ganze Bevölkerung der Manufakturdistrikte wurde aus ihrer angestammten Lebensweise herausgerissen. Aus den bisherigen Spießbürgern erwuchsen große Bourgeois, die über Hunderte von Arbeitern geboten, wie ihre fürstlichen und gräflichen Nachbarn über Hunderte von Fronbauern. Die Fronbauern verloren durch den Sturz der alten Industrie alte Erwerbszweige und erhielten durch die neue Industrie neue Bedürfnisse. Der feudale Betrieb des Ackerbaus war neben der modernen Industrie nicht mehr möglich. Die Ablösung der Frondienste wurde Bedürfnis. Die feudale Stellung der Bauern zum Gutsherrn wurde unhaltbar. Die Städte hoben sich. Die Zünfte wurden drückend für die Konsumenten, nutzlos für die Zünftigen, unerträglich für die Industriellen. Die Konkurrenz mußte unterderhand zugelassen werden. Die Stellung aller Klassen der Gesellschaft veränderte sich total. Die alten Klassen traten mehr und mehr in den Hintergrund vor den beiden neuen Klassen, der Bourgeoisie und dem Proletariat, der Ackerbau verlor an Gewicht gegenüber der Industrie, das Land trat zurück vor den Städten.

Das waren die Folgen der Maschinen in einzelnen Gegenden Östreichs, namentlich in Böhmen und der Lombardei. Sie übten ihre Rückwirkung mehr oder weniger auf die ganze Monarchie aus, sie untergruben überall die alte Barbarei und damit die Grundlage des Hauses Östreich.

Während in der Romagna 1831 die östreichischen geprügelten Soldaten mit Kartätschen auf das Viva l'Italia[1] antworteten, wurden in England die ersten Eisenbahnen gebaut. Wie die Maschinen wurden die Eisenbahnen sogleich ein Bedürfnis für alle europäischen Länder. Östreich *mußte* sie adoptieren, mit gutem oder bösem Willen. Um nicht der schon wachsenden

[1] Es lebe Italien

Bourgeoisie neue Macht zu geben, baute die Regierung sie selbst. Aber sie geriet aus der Szylla in die Charybdis. Sie verhütete die Bildung mächtiger Aktiengesellschaften von Bourgeois nur dadurch, daß sie den Bourgeois das Geld zum Bau der Eisenbahnen abborgte, daß sie sich an Rothschild, Arnstein und Eskeles, Sina usw. verpfändete.

Den Wirkungen der Eisenbahnen entging das Haus Östreich noch weniger.

Die Bergscheiden, welche die östreichische Monarchie von der Außenwelt, welche Böhmen von Mähren und Östreich, Östreich von Steiermark, Steiermark von Illyrien, Illyrien von der Lombardei getrennt haben, fallen vor den Eisenbahnen. Die Granitwände, hinter denen jede Provinz eine besondere Nationalität, eine beschränkte Lokalexistenz bewahrt hatte, hören auf, eine Schranke zu sein. Die Produkte der großen Industrie, der Maschinen, dringen urplötzlich und fast ohne Transportkosten in die entferntesten Winkel der Monarchie, vernichten die alte Handarbeit, rütteln die feudale Barbarei auf. Der Handel der Provinzen unter sich, der Handel mit dem zivilisierten Ausland erhält eine nie gekannte Bedeutung. Die rückwärtslaufende Donau hört auf, die Pulsader des Reichs zu sein, die Alpen und der Böhmerwald existieren nicht mehr; die neue Pulsader geht von Triest bis Hamburg, Ostende und Havre, weit über die Grenzen des Reichs hinaus, mitten durch die Bergwände bis an die entfernten Küsten der Nordsee und des Ozeans. Die Teilnahme an den Gesamtinteressen des Staats, an den Vorgängen in der Außenwelt wird eine Notwendigkeit. Die lokale Barbarei verschwindet. Die Interessen scheiden sich hier, verschmelzen sich dort. Die Nationalitäten trennen sich an einer Stelle, um an einer andern anzuknüpfen, und aus dem wüsten Agglomerat einander fremder Provinzen sondern sich bestimmte, größere Gruppen mit gemeinsamen Tendenzen und Interessen heraus.

„Mich und den Metternich hält's noch aus." Die französische Revolution, Napoleon und die Julistürme hat's ausgehalten. Aber den *Dampf* hält's nicht aus. Der Dampf hat sich durch die Alpen und den Böhmerwald Bahn gebrochen, der Dampf hat der Donau ihre Rolle eskamotiert, der Dampf hat die östreichische Barbarei zu Fetzen gerissen und damit dem Hause Habsburg den Boden unter den Füßen weggezogen.

Das europäische und amerikanische Publikum hat in diesem Augenblick das Vergnügen, zuzusehen, wie Metternich und das ganze Haus Habsburg zwischen den Rädern der Dampfmaschine zerquetscht, wie die östreichische Monarchie von ihren eignen Lokomotiven in Stücke geschnitten wird. Es ist ein sehr erheiterndes Schauspiel. In Italien rebellieren die Vasallen, und Östreich wagt nicht zu mucken; die liberale Pest ergreift die Lombardei, und Östreich zaudert, schwankt, zittert vor seinen eignen Untertanen. In der

Schweiz begeben sich die ältesten Rebellen gegen Östreich, die Urschweizer, unter die Hoheit Östreichs; sie werden angegriffen, aber Östreich zittert vor dem kühnen Wort Ochsenbeins: Wo *ein* österreichischer Soldat die Schweiz betritt[316], werfe ich zwanzigtausend Mann in die Lombardei und proklamiere die italienische Republik – und Östreich geht vergebens betteln um Beistand bei den verachteten Höfen von München, Stuttgart und Karlsruhe! In Böhmen verweigern die Stände fünfzigtausend Gulden Steuern, Östreich will sie dennoch eintreiben, und es hat seine Truppen an den Alpen so nötig, daß es zum erstenmal, seit Östreich besteht, den Ständen nachgeben und auf die fünfzigtausend Gulden verzichten muß! In Ungarn bereitet der Landtag revolutionäre Vorschläge vor und ist der Majorität sicher; und Östreich, das der ungarischen Husaren in Mailand, Modena und Parma bedarf, Östreich selbst macht dem Landtag revolutionäre Vorschläge, obwohl es sehr gut weiß, daß diese Vorschläge sein eigner Tod sind! Dies unerschütterliche Östreich, dies ewige Bollwerk der Barbarei, weiß nicht mehr, wohin es sich wenden soll. Es hat den schrecklichsten Hautausschlag, kratzt es sich vorn, so juckt's hinten, und kratzt's hinten, so juckt's vorn.

Und mit diesem possierlichen Kratzen kratzt das Haus Östreich ab.

Wenn der alte Metternich nicht rasch seinem „biedern" Franz nachfolgt, so kann er's noch erleben, wie seine mühsam zusammengehaltene kaiserliche Monarchie auseinanderfällt und zum größten Teil in die Hände der Bourgeois gerät; so kann er das Namenlose erleben, daß die „bürgerlichen Kleidermacher" und „bürgerlichen Gewürzkrämer" im Prater nicht mehr die Mütze vor ihm ziehen und ihn Herr Metternich kurzweg titulieren. Noch ein paar Erschütterungen, noch ein paar kostspielige Rüstungen, und Charles Rothschild kauft die ganze östreichische Monarchie auf.

Wir sehen dem Sieg der Bourgeois über das östreichische Kaisertum mit wahrem Vergnügen entgegen. Wir wünschen nur, daß es recht gemeine, recht schmutzige, recht jüdische Bourgeois sein mögen, die dies altehrwürdige Reich ankaufen. Solch eine widerliche, stockprügelnde, väterliche, lausige Regierung verdient, einem recht lausigen, weichselzöpfigen, stinkenden Gegner zu unterliegen. Herr Metternich kann sich darauf verlassen, daß wir später diesen Gegner ebenso unbarmherzig lausen werden, wie er von ihm demnächst gelaust werden wird.

Für uns Deutsche hat der Fall Östreichs noch eine spezielle Bedeutung. Es ist Östreich, das uns in den Ruf gebracht hat, die Unterdrücker fremder Nationen, die Söldlinge der Reaktion in allen Ländern zu sein. Unter der östreichischen Fahne halten Deutsche Polen, Böhmen, Italien in der Knechtschaft. Der östreichischen Monarchie haben wir es zu verdanken, daß von

Syrakus bis Trient, von Genua bis Venedig die Deutschen als verächtliche Landsknechte des Despotismus gehaßt sind. Wer Zeuge davon gewesen ist, welcher tödliche Haß, welche blutige und vollkommen gerechtfertigte Rachsucht in Italien gegen die Tedeschi[1] herrscht, der muß schon deshalb einen unauslöschlichen Haß gegen Östreich nähren und Beifall klatschen, wenn dies Bollwerk der Barbarei, diese Schandsäule für Deutschland zusammenfällt.

Wir haben allen Grund, zu hoffen, daß die Deutschen sich an Östreich rächen werden für die Infamie, mit der es den deutschen Namen bedeckt hat. Wir haben allen Grund, zu hoffen, daß es Deutsche sein werden, die Östreich stürzen und die Hindernisse im Wege der slawischen und italienischen Freiheit wegräumen. Es ist alles vorbereitet; das Schlachtopfer liegt da und wartet des Messers, das ihm die Kehle durchschneiden soll. Mögen diesmal die Deutschen nicht die Zeit versäumen, mögen sie kühn genug sein, das Wort auszusprechen, das selbst Napoleon nicht auszusprechen wagte – das Wort: La dynastie de Habsbourg a cessé de régner![2]

F.E.

[1] Deutschen – [2] Die Dynastie der Habsburger hat aufgehört zu herrschen!

[Karl Marx]

Der „Débat social“ vom 6. Februar über die Association démocratique[270]

[„Deutsche-Brüsseler-Zeitung“
Nr. 13 vom 13. Februar 1848]

Der „Débat social“[317] vom 6. Februar verteidigt die Association démocratique von Brüssel und ihre Zweiggesellschaften. Wir erlauben uns einige Bemerkungen über die Art und Weise seiner Verteidigung.

Es mag im Interesse der belgisch-radikalen Partei sein, den Katholiken nachzuweisen, wie sie gegen ihr eignes Interesse handeln, indem sie die belgisch-radikale Partei anklagen. Es mag im Interesse der belgisch-radikalen Partei sein, niedern und höhern Klerus zu unterscheiden und dem Klerus im großen und ganzen an Komplimenten wiederzugeben, was sie einem Teil desselben an Wahrheiten sagt. Wir verstehen nichts hiervon. Wir sind nur verwundert, wie der „Débat“ übersehen konnte, daß die Angriffe der flandrischen katholischen Blätter gegen die associations démocratiques in der „Indépendance“[318] sogleich abgedruckt wurden, und die „Indépendance“ ist, soviel wir wissen, kein katholisches Blatt.

Der „Débat social“ erklärt, daß die Belgier vermittelst der demokratischen Assoziationen politische Reformen reklamieren.

Wir begreifen, daß der „Débat“ einen Augenblick den kosmopolitischen Charakter der Association démocratique vergißt. Er hat ihn vielleicht nicht einmal vergessen. Er hat sich nur erinnert, daß eine Gesellschaft, welche die Demokratie in allen Ländern zu befördern strebt, zunächst auf das Land wirken wird, worin sie residiert.

Der „Débat social“ begnügt sich nicht damit zu sagen, was die Belgier mit den associations démocratiques wollen; er geht weiter, er sagt, was die Belgier nicht mit ihnen wollen, was man also nicht wollen *darf*, wenn man der Assoziation angehört, welche die Belgier gestiftet haben, um politische Reformen zu reklamieren. Avis aux étrangers![1]

[1] Warnung an die Ausländer!

„Die politischen Reformen, welche die Belgier durch die demokratischen Assoziationen reklamieren wollen", sagt der „Débat", „sind nicht jene Utopien, welchen gewisse Demokraten nachjagen in Ländern, wo die gesellschaftlichen Institutionen keine wirksamen Reformen hoffen lassen, wo es also ebenso vernünftig ist, an spanische Schlösser zu denken, als an das bescheidene Wohlsein der schon freien Völker. Wer nichts hat, tut ebenso wohl, mit einem Mal Millionen zu erträumen, als hundert Taler Rente oder Profit."

Der „Débat" spricht hier offenbar von den *Kommunisten*.

Wir möchten ihn fragen, „ob das bescheidne Wohlsein" des „freien" Englands sich dadurch bekundet, daß die Armentaxe schneller wächst als die Bevölkerung?

Wir möchten ihn fragen, ob er unter „dem bescheidenen Wohlsein der freien Völker" die flandrische Misère versteht?

Wir möchten ihm das Geheimnis abfragen, wodurch er 100 Taler *Profit* oder *Rente* an die Stelle des Arbeitslohns setzen will. Oder versteht er unter „dem bescheidnen Wohlsein der freien Völker" das bescheidne Wohlsein der freien Kapitalisten und Grundherren?

Wir möchten ihn endlich fragen, ob die Association democratique von Brüssel ihn beauftragt hat, die Utopisten, die nicht an „das bescheidne Glück der freien Völker" glauben, Lügen zu strafen?

Der „Débat social" spricht aber offenbar nicht von Kommunisten überhaupt, sondern von *deutschen Kommunisten*, die, weil die politische Entwicklung ihres Vaterlandes ihnen nicht erlaubt, weder eine deutsche Alliance noch eine deutsche Association libérale[319] zu stiften, aus Verzweiflung dem Kommunismus in die Arme sinken.

Wir bemerken dem „Débat", daß der Kommunismus aus England und Frankreich stammt und nicht aus Deutschland.

Daß der deutsche Kommunismus der entschiedenste Gegner alles Utopismus ist und, weit entfernt, die geschichtliche Entwicklung auszuschließen, sich vielmehr auf sie begründet, diese Versicherung geben wir einstweilen dem „Débat social" zurück im Austausch gegen seine Versicherung.

Deutschland ist in der politischen Entwicklung zurückgeblieben, es hat eine lange politische Entwicklung durchzumachen. Wir wären die letzten, dies zu leugnen. Aber wir glauben andrerseits, daß ein Land von mehr als 40 Millionen Einwohnern, wenn es eine Revolution vorbereitet, in dem Radikalismus kleiner freier Länder nicht das Maß seiner Bewegung suchen wird.

Versteht der „Débat" unter Kommunismus das Hervorheben der Klassengegensätze und des Klassenkampfes? So ist nicht der Kommunismus kommunistisch, sondern die politische Ökonomie, die bürgerliche Gesellschaft.

Wir wissen, daß Robert Peel prophezeit hat, der Klassengegensatz der modernen Gesellschaft müsse in einer schrecklichen Krise eklatieren. Wir wissen, daß Guizot selbst in seiner „Geschichte der Zivilisation"[320] nichts als bestimmte Formen des Klassenkampfes darzustellen glaubt. Aber Peel und Guizot sind Utopisten. Realisten sind Männer, welche selbst das Aussprechen gesellschaftlicher Tatsachen als Verstoß gegen eine wohlwollende Lebensklugheit betrachten.

Es steht dem „Débat social" frei, Nordamerika und die Schweiz zu bewundern und zu idealisieren.

Wir fragen ihn, ob die politische Verfassung Nordamerikas jemals in Europa eingeführt werden könnte ohne große soziale Umwälzungen? Wir glauben z.B., der „Débat" mag uns die Keckheit verzeihen, daß die englische Charte, um nicht von einzelnen Schwärmern für allgemeines Stimmrecht, sondern von einer großen nationalen Partei aufgestellt zu werden, eine langwierige Vereinigung der englischen Arbeiter zur Klasse voraussetzte, daß diese Charte in ganz andrer Absicht erstrebt wird und ganz andre soziale Folgen herbeiführen muß, als die Konstitution Amerikas und der Schweiz je erstrebten oder je herbeiführten. In unsern Augen sind diejenigen Utopisten, welche politische Formen von ihrer gesellschaftlichen Unterlage trennen und sie als allgemeine, abstrakte Dogmen hinstellen.

Wie der „Débat social" die Association démocratique zu verteidigen sucht dadurch, daß er gleichzeitig „gewisse Demokraten" eliminiert, die nicht mit dem „bescheidenen Wohlsein der freien Völker" vorliebnehmen, beweist er weiter, indem er auf die Freihandelsdiskussionen in der Assoziation zu sprechen kommt.

„Sechs Sitzungen", sagt der „Débat", „wurden der Diskussion dieser interessanten Frage gewidmet, und viele Arbeiter aus den verschiedenen Ateliers unserer Stadt machten hier Gründe geltend, die auf dem berühmten, verflossenen September zu Brüssel gehaltenen Kongreß der Ökonomisten nicht an unrechtem Orte gewesen wären."

Vorher bemerkt der „Débat social", daß die Assoziation fast einstimmig den absoluten Freihandel unter allen Völkern als ein Ziel der Demokratie votiert habe.

Nachher hat der „Débat" in derselben Nummer eine ganz ordinäre, aus den verkommensten Abfällen der englischen Freetrade-Garküchen zusammengeraffte Rede des Herrn Le Hardy de Beaulieu.

Und schließlich wird Cobden gefeiert.[321]

Wird jemand nach dieser Darstellung des „Débat social" bezweifeln, daß die Assoziation für den Freihandel im Sinn des Ökonomisten-Kongresses, m Sinne der bürgerlichen Freetrader mit großer Majorität votiert hat?

[Friedrich Engels]

Drei neue Konstitutionen

[„Deutsche-Brüsseler-Zeitung“
Nr. 15 vom 20. Februar 1848]

In der Tat, unsere Vorhersagungen über die bevorstehenden Triumphe der Bourgeoisie[1] erfüllen sich rascher, als wir es erwarten konnten. In weniger als 14 Tagen verwandeln sich drei absolute Monarchien in konstitutionelle Staaten: Dänemark, Neapel und Sardinien.

Die Bewegung in Italien hat sich mit einer merkwürdigen Schnelligkeit entwickelt. Der Kirchenstaat, Toskana, Sardinien traten nacheinander an ihre Spitze; ein Land trieb das andere immer weiter, ein Fortschritt zog immer einen neuen Fortschritt nach sich. Der italienische Zollverein[322] war der erste Schritt zur Konstituierung der italienischen Bourgeoisie, die entschieden an die Spitze der nationalen Bewegung trat und täglich mehr mit Östreich in Kollision kam. Die Bourgeoisie hatte fast alles erreicht, was unter der absoluten Monarchie zu erreichen war, die repräsentative Verfassung wurde täglich ein dringenderes Bedürfnis für sie. Aber die Eroberung der konstitutionellen Institutionen – das war gerade die Schwierigkeit für die italienischen Bourgeois. Die Fürsten wollten nicht; die Bourgeois durften ihnen nicht zu drohend gegenüber treten, um sie nicht wieder in Östreichs Arme zu werfen. Die Italiener des Zollvereins hätten noch lange warten können, als ihnen plötzlich von ganz unerwarteter Seite Hülfe kam: Sizilien stand auf; das Volk von Palermo schlug die königlichen Truppen mit unerhörter Tapferkeit aus der Stadt*, die Abruzzen, Apulien, Kalabrien versuchten eine neue Insurrektion, Neapel selbst bereitete sich zum Kampf, und der Bluthund Ferdinand, von allen Seiten bedrängt, ohne Hoffnung auf öst-

* Palermo mit 200000 Einwohnern besiegte 13000 Mann, Paris mit einer Million Einwohner besiegte in der Julirevolution 7000 bis 8000 Mann.

[1] Siehe vorl. Band, S. 494–503.

reichische Truppen, mußte zuerst von allen italienischen Fürsten eine Konstitution und vollständige Preßfreiheit bewilligen. Die Nachricht dringt nach Genua und Turin; beide Städte fordern, daß Sardinien nicht hinter Neapel zurückbleibt; Karl Albert, zu sehr in die Bewegung verwickelt, um zurückgehen zu können, außerdem geldbedürftig wegen der Rüstungen gegen Östreich, Karl Albert muß den sehr nachdrücklichen Vorstellungen der Turiner und Genuesen nachgeben und gleichfalls eine Konstitution bewilligen. Es ist gar keinem Zweifel unterworfen, daß Toskana folgen, daß Pius IX. selbst neue Konzessionen machen muß.

In den Straßen von Palermo hat die italienische Bourgeoisie ihren entscheidenden Sieg errungen. Sie hat jetzt gesiegt; was kommen wird, kann nur noch die Benutzung dieses Sieges nach allen Seiten hin sein und die Sicherstellung seiner Resultate gegen Östreich.

Dieser Sieg der italienischen Bourgeoisie ist wieder eine Niederlage für Östreich. Wie mag der alte Metternich vor Wut geknirscht haben, er, der die neapolitanische Revolution von weitem kommen sah, der immer und immer wieder den Papst und Toskana um Erlaubnis zum Durchmarsch für seine Truppen bat und doch seine Panduren und Kroaten am Po zurückhalten mußte! Kurier über Kurier kam ihm von Neapel an, Ferdinand, Cocle und Del Carretto schrien um Hülfe, und Metternich, der 1823 und 1831 so allmächtig in Italien geherrscht hatte, konnte nichts tun. Er mußte ruhig zusehen, wie sein letzter, sein zuverlässigster Bundesgenosse in Italien geschlagen und gedemütigt, wie durch eine Revolution das ganze Gewicht Neapels gegen Östreich in die Waagschale gelegt wurde. Und er hatte hundertfünfzigtausend Mann am Po stehen! Aber England war da, und der Übergang der Östreicher über den Po wäre das Signal gewesen zur Okkupation Venedigs und zum Bombardement von Triest – und da mußten die Henkersknechte Metternichs ruhig stehenbleiben und, das Gewehr im Arm, zusehen, wie ihnen Neapel verlorenging.

Das Benehmen Englands in der ganzen italienischen Angelegenheit ist sehr anständig gewesen. Während die übrigen Großmächte, Frankreich so gut wie Rußland, alles getan haben, um Metternich zu unterstützen, hat England ganz allein sich auf die Seite der italienischen Bewegung gestellt. Die englische Bourgeoisie hat das größte Interesse, einen österreichisch-italienischen Schutzzollverein zu hintertreiben, dagegen einen anti-östreichischen, auf der Handelsfreiheit beruhenden Zollverein in Italien zustande zu bringen. – Darum unterstützt sie die italienische Bourgeoisie, welche selbst zu ihrer Entwicklung der Handelsfreiheit einstweilen noch bedarf, welche deshalb die natürliche Bundesgenossin der englischen Bourgeoisie ist.

Inzwischen rüstet sich Östreich. Diese Rüstungen ruinieren seine Finanzen vollständig. Östreich hat kein Geld, es wendet sich an Rothschild wegen eines Anleihens; Rothschild erklärt, er wolle keinen Krieg und gebe daher kein Geld zur Unterstützung des Kriegs. Welcher Bankier wird auch der morschen östreichischen Monarchie noch Geld vorschießen zu einem Kriege, in den ein Land wie England sich mischen kann? Auf die Bourgeois kann Metternich also nicht mehr rechnen. Er wendet sich an den Kaiser von Rußland, der seit ein paar Jahren durch die Bergwerke des Ural und Altai und durch den Kornhandel ebenfalls zu einem großen Kapitalisten geworden ist, an den weißen Zar, der schon einmal Friedrich Wilhelm IV. mit 15 Millionen Silberrubel aushalf und der überhaupt der Rothschild aller untergehenden absoluten Monarchien zu werden scheint. Der Zar Nikolaus soll 75 Millionen bewilligt haben – gegen russische Prozente, versteht sich, und auf gute Sicherheit. Desto besser. Wenn der Zar außer seinen eignen Ausgaben noch die Unkosten des preußischen und östreichischen Königtums decken muß, wenn sein Geld in erfolglosen Rüstungen gegen Italien verschwendet wird, so werden seine Schätze bald erschöpft sein.

Wird Östreich einen Krieg wagen? Wir glauben es kaum. Seine Finanzen sind zerrüttet; Ungarn ist in voller Gärung, Böhmen ist nicht sicher; auf dem Schlachtfeld selbst, in der Lombardei, würden die Guerillas überall aus dem Boden wachsen. Und vor allem die Furcht vor England wird Metternich zurückhalten. Lord Palmerston ist in diesem Augenblick der mächtigste Mann in Europa; seine Entscheidung gibt den Ausschlag, und seine Entscheidung ist diesmal deutlich genug publiziert worden.

Ganz am anderen Ende von Europa, in Dänemark, stirbt ein König[1]. Sein Sohn[2], ein rüder, jovialer Schnapstrinker, beruft sofort eine Versammlung von Notabeln, einen ständischen Ausschuß, um über eine gemeinsame Konstitution für die Herzogtümer[3] und Dänemark zu beraten. Und damit die Deutschen sich überall blamieren, müssen die Herzogtümer erklären, daß sie diese Konstitution nicht wollen, weil sie dadurch von ihrem deutschen Gesamtvaterlande losgerissen würden![323]

Es ist wirklich zu lächerlich. Die Herzogtümer haben bedeutend weniger Bevölkerung als Dänemark, und doch soll die Zahl ihrer Vertreter gleich sein. Ihre Sprache soll in der Versammlung, in den Protokollen, in allem gleichberechtigt sein. Kurz, die Dänen machen den Deutschen alle möglichen Konzessionen, und die Deutschen beharren auf ihrem abgeschmackten Nationaleigensinn. Die Deutschen sind nie national gewesen, wo die Interessen der

[1] Christian VIII. – [2] Friedrich VII. – [3] Schleswig und Holstein

Nationalität und die Interessen des Fortschritts zusammenfielen; sie waren es stets, wo die Nationalität sich gegen den Fortschritt kehrte. Wo es galt, national zu sein, da spielten sie die Kosmopoliten; wo es galt, nicht unmittelbar national zu sein, da waren sie bis zur Abgeschmacktheit national. In allen Fällen machten sie sich lächerlich.

Entweder sind die Bewohner der Herzogtümer tüchtige Leute und weiter fortgeschritten als die Dänen; dann werden sie in der Ständekammer das Übergewicht über die Dänen bekommen und haben sich nicht zu beklagen. Oder sie sind deutsche Schlafmützen und stehen an industrieller und politischer Entwicklung hinter den Dänen zurück, und dann ist es hohe Zeit, daß sie von den Dänen ins Schlepptau genommen werden. Aber es ist wirklich zu absurd, daß diese biderben Schleswig-Holsteiner die 40 Millionen Deutsche um Hülfe gegen die Dänen anflehen und [sich] weigern, sich auf ein Schlachtfeld zu stellen, auf dem sie mit denselben Vorteilen kämpfen wie ihre Gegner; es ist zu absurd, daß sie die Polizei des Deutschen Bundes[324] anrufen gegen eine Konstitution.

Für Preußen ist die dänische Konstitution ein ähnlicher Schlag wie die neapolitanische für Östreich, obwohl sie selbst nur die Rückwirkung des fehlgeschlagenen preußischen Konstitutionsexperiments vom 3. Februar[17] ist. Die preußische Regierung bekommt zu ihren vielen Verlegenheiten noch die Nachbarschaft eines neuen konstitutionellen Staats hinzu; sie verliert zugleich einen treuen Schützling und Bundesgenossen.

Während Italien und Dänemark so in die Reihe der konstitutionellen Staaten getreten sind, bleibt Deutschland zurück. Alle Völker schreiten fort, die kleinsten, schwächsten Nationen finden in den europäischen Verwicklungen immer einen Moment, wo sie trotz ihrer großen, reaktionären Nachbarn eine moderne Institution nach der andern erhaschen können. Nur die 40 Millionen Deutsche rühren sich nicht. Sie schlafen zwar nicht mehr, aber sie schwatzen und kannegießern nur noch, sie handeln noch nicht.

Aber wenn die deutschen Regierungen etwa auf diese Furcht der Bourgeois vor dem Handeln große Hoffnungen bauen sollten, so würden sie sich sehr täuschen. Die Deutschen sind die letzten, weil ihre Revolution eine ganz andere sein wird als die sizilianische. Die deutschen Bourgeois und Spießbürger wissen sehr gut, daß hinter ihnen ein täglich wachsendes Proletariat steht, welches am Tage nach der Revolution ganz andre Forderungen stellen wird, als sie selbst wünschen. Die deutschen Bourgeois und Spießbürger benehmen sich daher auf eine feige, unentschiedene, schwankende Weise, sie fürchten einen Zusammenstoß nicht weniger, als sie die Regierung fürchten.

Eine deutsche Revolution ist eine ganz anders ernsthafte Sache als eine neapolitanische. In Neapel stehen sich bloß Östreich und England gegenüber; in einer deutschen Revolution stehen sich der ganze Osten und der ganze Westen gegenüber. Eine neapolitanische Revolution hat von selbst ihr Ziel erreicht, sobald entschiedene Bourgeois-Institutionen erobert sind; eine deutsche fängt erst recht an, wenn sie so weit gekommen ist.

Daher müssen die Deutschen erst vor allen übrigen Nationen gründlich kompromittiert sein, sie müssen noch mehr, wie sie es schon sind, zum Gespött von ganz Europa werden, sie müssen *gezwungen* werden, die Revolution zu machen. Dann aber werden sie auch aufstehen, nicht die feigen deutschen Bürger, sondern die deutschen Arbeiter; sie werden sich erheben, der ganzen unsaubern, verworrenen offiziellen deutschen Wirtschaft ein Ende machen und durch eine radikale Revolution die deutsche Ehre wiederherstellen.

Karl Marx/Friedrich Engels

[Reden auf der Gedenkfeier in Brüssel

am 22. Februar 1848 zum 2. Jahrestag des Krakauer Aufstandes von 1846]

[Rede von Karl Marx]

Meine Herren!

Es gibt in der Geschichte auffallende Analogien. Der Jakobiner von 1793 ist zum Kommunisten unserer Tage geworden. Als Rußland, Österreich und Preußen im Jahre 1793 Polen untereinander aufteilten, stützten sich die drei Mächte auf die Verfassung von 1791, die sie einmütig wegen ihrer angeblich jakobinischen Prinzipien verurteilten.

Und was hatte sie proklamiert, die polnische Verfassung von 1791? Nichts anderes als die konstitutionelle Monarchie: die gesetzgebende Gewalt in den Händen der Vertreter des Landes, Preßfreiheit, Gewissensfreiheit, Öffentlichkeit der Gerichtsverhandlungen, Abschaffung der Leibeigenschaft etc. Und das alles nannte sich damals reinstes Jakobinertum! Sie sehen also, meine Herren, die Geschichte ist vorwärtsgeschritten. Was damals Jakobinertum war, ist heute zum Liberalismus, und zwar in seiner allergemäßigtsten Form, geworden.

Die drei Mächte sind mit der Geschichte mitgegangen. Als sie Krakau im Jahre 1846 Österreich einverleibten und den Polen die letzten Reste der nationalen Selbständigkeit raubten, bezeichneten sie als Kommunismus alles das, was sie früher Jakobinertum genannt hatten.

Aber worin besteht nun der Kommunismus der Krakauer Revolution? War sie kommunistisch, weil sie die polnische Nationalität wiederherstellen wollte? Ebensogut könnte man sagen, daß der Krieg, den die europäische Koalition zur Rettung der Nationen gegen Napoleon führte, ein kommunistischer Krieg war und daß sich der Wiener Kongreß[325] aus gekrönten Kommunisten zusammensetzte. Oder war die Krakauer Revolution kommunistisch, weil sie eine demokratische Regierung einsetzen wollte? Niemand wird die millionenschweren Bürger von Bern und New York kommunistischer Anwandlungen bezichtigen.

Der Kommunismus verneint die Notwendigkeit der Existenz der Klassen; er will alle Klassen, alle Klassenunterschiede abschaffen. Die Krakauer Revolutionäre wollten nur die politischen Unterscheidungen zwischen den Klassen ausmerzen; den verschiedenen Klassen wollten sie gleiche Rechte geben.

Aber in welcher Hinsicht war nun schließlich diese Krakauer Revolution kommunistisch?

Etwa weil sie versuchte, die Ketten des Feudalismus zu brechen, das zinspflichtige Eigentum zu befreien und es in freies, in modernes Eigentum zu verwandeln?

Wenn man den französischen Eigentümern sagte: „Wißt Ihr, was die polnischen Demokraten wollen? Die polnischen Demokraten wollen bei sich die Form des Eigentums einführen, die bei Euch bereits existiert", so würden die französischen Eigentümer antworten: „Daran tun sie sehr gut." Sagt man aber den französischen Eigentümern, so wie Herr Guizot es tut: „Die Polen wollen jenes Eigentum abschaffen, das Ihr durch die Revolution von 1789 errichtet habt und das heute noch bei Euch besteht", dann werden sie aufschreien: „Was! Das sind also Revolutionäre, Kommunisten! Vernichten muß man die Lumpen!" Die Abschaffung der Zünfte, der Gilden, die Einführung der freien Konkurrenz wird jetzt in Schweden *Kommunismus* genannt. Das „*Journal des Débats*" geht noch weiter: Die Rente abschaffen, die durch ein korrumpiertes Recht zweihunderttausend Wählern gewährt wird, nennt es Abschaffen einer Einnahmequelle, nennt es Vernichten von rechtmäßig erworbenem Eigentum, nennt es Kommunismus. Zweifellos wollte auch die Krakauer Revolution ein ganz bestimmtes Eigentum abschaffen. Aber welche Art von Eigentum? Diejenige, die im übrigen Europa ebensowenig zerstört werden kann wie der *Sonderbund* in der Schweiz – weil die eine wie die andere Erscheinung nicht mehr existiert.

Niemand wird leugnen, daß in Polen die politische Frage mit einer sozialen verknüpft ist. Seit jeher ist die eine untrennbar von der anderen.

Fragt nur einmal die Reaktionäre danach! Kämpften sie etwa während der Restauration lediglich gegen den politischen Liberalismus und das zwangsläufig mitgeschleppte Voltairianertum?

Ein sehr berühmter reaktionärer Schriftsteller hat offen zugegeben, daß die erhabenste Metaphysik eines de Maistre und eines de Bonald in letzter Instanz auf eine Geldfrage hinauslief – und ist nicht jede Geldfrage unmittelbar eine soziale Frage? Die Männer der Restauration verhehlten nicht, daß man, um wieder zur Politik der guten alten Zeit zu kommen, das gute alte Eigentum, das feudale Eigentum, das moralische Eigentum wiederherstellen müsse. Jedermann weiß, daß die Treuepflicht gegenüber dem Monarchen ohne Zehnten und Fronarbeit nicht denkbar ist.

Gehen wir noch weiter zurück. Im Jahre 1789 schloß die politische Frage der Menschenrechte die soziale Frage der freien Konkurrenz in sich ein.

Und worum geht es denn in England? Haben die politischen Parteien in allen Fragen, von der Reformbill[246] bis zur Abschaffung der Korngesetze[12], um etwas anderes gekämpft als um Änderungen des Eigentums, um Fragen des Eigentums, um soziale Fragen?

Ist selbst hier in Belgien der Kampf zwischen Liberalismus und Katholizismus etwas anderes als der Kampf zwischen industriellem Kapital und Großgrundbesitz?

Und sind die politischen Fragen, über die seit siebzehn Jahren debattiert wird, im Grunde genommen nicht soziale Fragen?

Also, was auch immer der Standpunkt, den man einnimmt, sein möge, ob liberal, ob radikal oder selbst aristokratisch, niemand kann mehr der Krakauer Revolution vorwerfen, eine soziale Frage mit einer politischen verknüpft zu haben!

Die Männer, die an der Spitze der revolutionären Bewegung in Krakau standen, waren zutiefst davon überzeugt, daß nur ein demokratisches Polen unabhängig sein könne und daß eine polnische Demokratie unmöglich sei ohne Abschaffung der Feudalrechte, ohne eine Agrarbewegung, die die zinspflichtigen Bauern in freie Eigentümer, in moderne Eigentümer verwandeln würde. Setzt an die Stelle des russischen Autokraten polnische Aristokraten; damit habt ihr den Despotismus nur naturalisiert. Genauso haben die Deutschen in ihrem Krieg gegen die Fremdherrschaft einen einzigen Napoleon gegen sechsunddreißig Metterniche getauscht.[326]

Hat dann der polnische Feudalherr auch keinen russischen Feudalherrn mehr über sich, so hat der polnische Bauer nichtsdestoweniger einen Feudalherrn über sich – allerdings einen freien an Stelle eines versklavten Herrn. An seiner sozialen Lage hätte diese politische Veränderung nichts geändert.

Die Krakauer Revolution hat ganz Europa ein ruhmreiches Beispiel gegeben, weil sie die Sache der Nation mit der Sache der Demokratie und der Befreiung der unterdrückten Klasse identifizierte.

Wenn auch im Moment diese Revolution von den blutigen Händen bezahlter Mörder erstickt worden ist, so erhebt sie sich doch jetzt glorreich und triumphierend in der Schweiz und in Italien. Sie findet ihre Prinzipien in Irland bestätigt, wo die eng auf nationale Ziele begrenzte Partei mit O'Connell ins Grab gesunken ist, die neue nationale Partei aber sich vor allem für Reformen und Demokratie einsetzt.[327]

Wiederum ist es Polen, das die Initiative ergriffen hat, aber nunmehr nicht das feudale Polen, sondern das demokratische Polen; und seit diesem Zeitpunkt ist seine Befreiung Ehrensache aller Demokraten Europas geworden.

[Rede von Friedrich Engels]

Meine Herren!

Der Aufstand, dessen Jahrestag wir heute feiern, ist gescheitert. Nach einigen Tagen heldenhaften Widerstandes wurde Krakau genommen, und das blutige Gespenst Polens, das sich einen Augenblick lang vor den Augen seiner Mörder erhoben hatte, ist wieder ins Grab hinabgestiegen.

Die Revolution von Krakau endete mit einer Niederlage, einer sehr beklagenswerten Niederlage. Erweisen wir den gefallenen Helden die letzte Ehre, bedauern wir ihren Mißerfolg, bezeugen wir den zwanzig Millionen Polen, deren Ketten durch diesen Mißerfolg enger geworden, unsere Sympathie.

Aber, meine Herren, ist das alles, was wir zu tun haben? Genügt es, eine Träne am Grabe des unglücklichen Landes zu vergießen und seinen Unterdrückern unversöhnlichen, aber bislang wenig wirksamen Haß zu schwören?

Nein, meine Herren! Der Jahrestag von Krakau ist nicht nur ein Tag der Trauer, er ist für uns Demokraten ein Tag frohen Mutes; denn die Niederlage birgt den Sieg in sich, und die Früchte dieses Sieges sind uns gewiß, während die Folgen der Niederlage nur von kurzer Dauer sind.

Dieser Sieg ist der Sieg des jungen demokratischen Polen über das alte aristokratische Polen.

In der Tat, dem letzten Kampf Polens gegen seine fremden Unterdrücker ging ein verborgener, geheimer, aber entscheidender Kampf im Innern Polens voraus, der Kampf der unterdrückten Polen gegen die polnischen Unterdrücker, der Kampf der polnischen Demokratie gegen die polnische Aristokratie.

Vergleichen Sie 1830 mit 1846, vergleichen Sie Warschau mit Krakau! Im Jahre 1830 war die herrschende Klasse in Polen so selbstsüchtig, borniert und feige in der gesetzgebenden Körperschaft, wie sie einsatzbereit, begeistert und tapfer auf dem Schlachtfeld war.

Was wollte die polnische Aristokratie im Jahre 1830? Die Rechte, die sie sich errungen hatte, gegen den Zaren behaupten. Sie beschränkte den Aufstand auf das kleine Gebiet, das der Wiener Kongreß Königreich Polen zu nennen beliebt hatte[328]; sie zügelte den Drang der übrigen polnischen Provinzen; sie tastete die vertierende Leibeigenschaft der Bauern, die schmachvolle Lage der Juden nicht an. Wenn die Aristokratie im Verlauf des Aufstands Konzessionen an das Volk machen mußte, so hat sie sie erst dann gemacht, als es schon zu spät, als der Aufstand bereits verloren war.

Sprechen wir es offen aus: der Aufstand von 1830 war weder eine nationale Revolution (er schloß drei Viertel Polens aus), noch eine soziale oder politische Revolution; er änderte nichts an der inneren Lage des Volkes; das war eine konservative Revolution.

Aber mitten in dieser konservativen Revolution, mitten in der nationalen Regierung gab es einen Mann, der die engstirnigen Ansichten der herrschenden Klasse heftig angriff. Er schlug wahrhaft revolutionäre Maßnahmen vor, vor deren Kühnheit die aristokratischen Vertreter im Parlament zurückwichen; als er das ganze alte Polen zu den Waffen rief, als er so den Krieg für die Unabhängigkeit Polens zu einem europäischen Krieg machte, als er die Juden und die Bauern emanzipierte, als er die Bauern am Eigentum an Grund und Boden teilhaben ließ, als er Polen auf der Grundlage der Demokratie und der Gleichheit wiederherstellte, wollte er die nationale Sache zur Sache der Freiheit machen, wollte er das Interesse aller Völker mit dem des polnischen Volkes identifizieren. Diesen Mann, dessen Genius diesen so gewaltigen und doch so einfachen Plan entwarf, muß ich ihn mit Namen nennen? Dieser Mann war Lelewel.

1830 wies die durch ihre Interessen verblendete aristokratische Mehrheit diese Vorschläge beharrlich zurück. Aber diese Gedanken, gereift und entwickelt durch die Erfahrung fünfzehn Jahre langer Knechtschaft, dieselben Gedanken sahen wir auf die Fahne des Krakauer Aufstandes geschrieben. In Krakau – und das lag auf der Hand – hatten die Menschen nicht mehr viel zu verlieren. Da gab es keine Aristokraten; da trug jeder Schritt, der unternommen wurde, den Stempel jener demokratischen, fast möchte ich sagen, proletarischen Kühnheit, die nichts als ihr Elend zu verlieren und ein ganzes Vaterland, eine ganze Welt zu gewinnen hat. Kein Zaudern dort, keine Bedenken; man griff die drei Mächte zugleich an; man proklamierte die Freiheit der Bauern, die Agrarreform, die Emanzipation der Juden, ohne sich auch nur einen Augenblick darum zu kümmern, ob man damit dies oder jenes aristokratische Interesse verletzen könnte.

Die Krakauer Revolution wollte weder das alte Polen wiederherstellen noch wollte sie erhalten, was die fremden Regierungen an alten polnischen Einrichtungen hatten bestehen lassen; sie war weder reaktionär noch konservativ.

Nein, noch feindlicher als den fremdländischen Unterdrückern stand sie Polen gegenüber: dem alten, barbarischen, feudalen und aristokratischen

Polen, das aufgebaut war auf der Knechtschaft der Mehrheit des Volkes. Weit entfernt, dieses alte Polen wiederherzustellen, wollte sie es von Grund aus umstürzen und auf seinen Trümmern mit einer ganz neuen Klasse, mit der Mehrheit des Volkes, ein neues, modernes, zivilisiertes und demokratisches Polen errichten, würdig des neunzehnten Jahrhunderts, ein wahrer Vorposten der Zivilisation.

Der Unterschied zwischen 1830 und 1846 – der gewaltige Fortschritt, der sich im Schoße des unglücklichen, blutenden, zerrissenen Landes vollzog; die polnische Aristokratie, völlig isoliert vom polnischen Volke, wirft sich in die Arme der Unterdrücker des Vaterlandes; das polnische Volk entschied sich unwiderruflich für die Sache der Demokratie; und schließlich sehen wir in Polen wie auch hierzulande den Klassenkampf (den Kampf der Klasse gegen Klasse) als die treibende Kraft jeden gesellschaftlichen Fortschritts – darin liegt der Sieg der Demokratie, den die Krakauer Revolution bestätigt, das ist das Ergebnis, das noch Früchte tragen wird, wenn die Niederlage der Aufständischen längst gerächt ist.

Ja, meine Herren, dank des Krakauer Aufstandes ist die ursprünglich nationale Sache Polens zur Sache aller Völker geworden, ist die ursprüngliche Frage der Sympathie zu einer Frage geworden, die alle Demokraten interessiert. Bis 1846 hatten wir ein Verbrechen zu rächen; von nun an haben wir Bundesgenossen zu unterstützen, und wir werden danach handeln.

Und besonders muß sich unser Deutschland zu diesem Ausbruch der demokratischen Leidenschaften in Polen beglückwünschen. Wir stehen unmittelbar vor einer demokratischen Revolution; wir werden zu kämpfen haben gegen die barbarischen Horden Österreichs und Rußlands. Vor 1846 konnten wir Zweifel hegen, welche Partei Polen im Falle einer demokratischen Revolution in Deutschland ergreifen würde. Die Krakauer Revolution hat jeden Zweifel beseitigt. Von nun an sind das deutsche und das polnische Volk unwiderruflich verbündet. Wir haben die gleichen Feinde, die gleichen Unterdrücker, denn die russische Regierung lastet genauso auf uns wie auf den Polen. Die erste Bedingung für die Befreiung sowohl Deutschlands wie auch Polens ist die Umwälzung des gegenwärtigen politischen Zustands in Deutschland, ist der Sturz Preußens und Österreichs, ist das Zurückdrängen Rußlands hinter den Dnjestr und die Dwina.

Das Bündnis der beiden Nationen ist also keineswegs ein schöner Traum, eine lockende Illusion; nein, meine Herren, es ist eine unabdingbare Notwendigkeit, die den gemeinsamen Interessen beider Nationen entspringt und die durch die Krakauer Revolution zur Notwendigkeit geworden ist. Das deutsche Volk hat es in eigener Sache bisher fast nur zu Worten gebracht; für seine polnischen Brüder wird es Taten vollbringen. Und so wie wir, die hier versammelten deutschen Demokraten, den polnischen Demokraten die Hand reichen, so wird das ganze deutsche Volk sein Bündnis mit dem polnischen Volk auf dem Felde der ersten Schlacht feiern, die wir gemeinsam gegen unsere Unterdrücker gewinnen werden.

Nach: „Célébration, à Bruxelles, du deuxième anniversaire de la Révolution Polonaise du 22 février 1846", Bruxelles 1848.
Aus dem Französischen.

Friedrich Engels

Ein Wort an die „Riforma“ [329]

[„Deutsche-Brüsseler-Zeitung“
Nr. 16 vom 24. Februar 1848]

Die „Riforma“ von Lucca antwortet auf einen jener bekannten gemeinen Artikel, welche die „Augsburger Zeitung“ [330] im Auftrage der Wiener Hofkanzlei zu publizieren pflegt.

Das Schmutzblatt vom Lech hatte nicht nur die Treue der 518 000 östreichischen Soldaten gegen ihren wasserköpfigen Ferdinand in den Himmel erhoben, sondern auch behauptet, daß alle diese Soldaten, Böhmen, Polacken, Slovaken, Kroaten, Heiducken, Walachen, Ungarn, Italiener usw. für Deutschlands Einheit schwärmten und gern ihr Leben für sie lassen würden, *sobald es nur des Kaisers Wille sein werde!*

Als ob das nicht grade das Unglück wäre, daß Deutschland, solange Östreich besteht, riskieren muß, seine Einheit durch Heiducken, Kroaten und Walachen verteidigt zu sehen, als ob die Einheit Deutschlands, solange Östreich lebt, etwas anderes wäre als die Einheit Deutschlands mit Kroaten, Walachen, Magyaren und Italienern!

Die „Riforma“ antwortet der „All-Gemeinen“ recht gut auf ihre lügnerische Behauptung, als ob Östreich in der Lombardei die Interessen der deutschen Nation wahrnehme, und schließt mit einem Appell an die Deutschen, indem sie die italienische Bewegung von 1848 mit den deutschen Freiheitskriegen von 1813 und 1815 in Parallele stellt.

Die „Riforma“ hat offenbar geglaubt, hiermit den Deutschen ein Kompliment zu machen, sonst würde sie gewiß nicht gegen ihre bessere Überzeugung die progressive italienische Bewegung von heute eben den reaktionären Kriegen gleichgestellt haben, denen Italien grade seine Unterjochung unter Östreich, denen Deutschland die Wiederherstellung soviel wie möglich der alten Verwirrung, Zersplitterung und Tyrannei und denen ganz Europa die infamen Verträge von 1815 verdankt.

Die „Riforma" kann uns glauben: Deutschland ist über die Befreiungskriege vollständig aufgeklärt, sowohl durch die Folgen der Kriege selbst, wie durch das schmähliche Ende, das alle Helden jener „glorreichen" Zeit genommen haben. Es sind bloß die bezahlten Blätter der Regierung, die noch aus vollen Backen das Lob jener dummheitstrunkenen Zeit posaunen; das Publikum lacht darüber und selbst das eiserne Kreuz wird schamrot dabei.

Gerade diese Blätter, gerade diese begeisterten Franzosenfresser von 1813 sind es auch, die gegenüber den Italienern dasselbe Geschrei erheben wie früher gegenüber den Franzosen, die Östreich, dem christlich-germanischen Östreich, Loblieder singen und den Kreuzzug predigen gegen die welsche Tücke und den welschen Tand – denn die Italiener sind ja Welsche ebensogut wie die Franzosen!

Wollen die Italiener ein Exempel haben, welche Teilnahme sie bei den biderben Maulhelden der Befreiungszeit hoffen dürfen, welche Vorstellungen sich diese rotlockigen Schwärmer von der italienischen Nation machen? Wir führen nur das bekannte Lied von A[ugust] A[dolf] L[udwig] Follen[331] an:

Mag alles Wunder von dem Lande singen,
Wo Mandoline und Guitarre klingen,
Im dunklen Laub die Goldorange glüht;
Ich lobe mir die deutsche Purpurpflaume
Und Borsdorfs Apfel am belaubten Baume,

und wie diese poetische Raserei eines ewig Nüchternen weiterfaselt. Nachher kommen die spaßhaftesten Vorstellungen von Banditen, Dolchen, feuerspeienden Bergen, welscher Tücke, Untreue italienischer Weiber, Wanzen, Skorpionen, Gift, Nattern, Meuchelmördern usw., die der tugendhafte Pflaumenfreund auf allen italienischen Landstraßen zu Dutzenden umherlaufen sieht, und schließlich dankt der schwärmende Spießbürger seinem Gott, daß er im Lande der Liebe und Freundschaft, der Prügelei mit Schemelbeinen, der blauäugigen und treuen Pfarrerstöchter, der Biederkeit und Gemütlichkeit, kurz im Lande der deutschen Treue ist. Solche abergläubische Romanphantasien machen sich die 1813er Helden von Italien, das sie natürlich nie gesehen haben.

Die „Riforma", und die Männer der italienischen Bewegung überhaupt können es nur glauben: Die öffentliche Meinung in Deutschland ist entschieden auf seiten der Italiener. Das deutsche Volk hat ein ebenso großes Interesse am Fall Östreichs wie das italienische. Es begrüßt mit ungeteiltem Beifall jeden Fortschritt der Italiener, und es wird, so hoffen wir, zur rechten Zeit nicht auf dem Schlachtfelde fehlen, um der ganzen östreichischen Herrlichkeit ein für allemal ein Ende zu machen.

F. Engels

[Friedrich Engels]

Revolution in Paris

[„Deutsche-Brüsseler-Zeitung"
Nr. 17 vom 27. Februar 1848]

Das Jahr 1848 wird gut. Kaum ist die sizilianische Revolution mit ihrem langen Schweif von Konstitutionen[1] vorüber, so erlebt Paris eine siegreiche Insurrektion.

Die Deputierten der Opposition hatten sich öffentlich verpflichtet, durch eine mutige Demonstration das Versammlungsrecht gegen Guizot, Duchâtel und Hébert zu verteidigen.

Alle Vorbereitungen waren getroffen. Der Saal war fertig und erwartete die Gäste des Banketts. Da plötzlich, als es zum Handeln kam, zogen sich die Poltrons der Linken, Herr Odilon Barrot an der Spitze, wie immer feig zurück.

Das Bankett wurde abbestellt. Aber das Volk von Paris, aufgeregt durch die großen Maulhelden der Kammer, wütend über die Feigheit dieser Epiciers und zugleich durch eine anhaltende allgemeine Arbeitslosigkeit unzufrieden gemacht, das Volk von Paris ließ sich nicht abbestellen.

Am Dienstagmittag[2] war ganz Paris in den Straßen. Die Massen schrien: „Nieder mit Guizot, es lebe die Reform!" Sie zogen vor Guizots Hotel, das mit Mühe von den Truppen geschützt wurde; die Fenster wurden indes doch eingeworfen.

Die Massen zogen aber auch vor Odilon Barrots Haus, schrien „Nieder mit Barrot!" und warfen ihm ebenfalls die Fenster ein. Herr Barrot, der feige Urheber der ganzen Emeute, schickte zur Regierung und bat um eine Sicherheitswache!

Die Truppen standen dabei und sahen ruhig zu. Nur die Munizipalgarde hieb ein, und zwar mit der größten Brutalität. Die Munizipalgarde ist ein

[1] Siehe vorl. Band, S. 514–518 – [2] 22. Februar 1848

Korps, das meistens aus Elsässern und Lothringern, also Halbdeutschen, besteht, die dreieinhalb Fr[ancs] per Tag bekommen und sehr feist und wohlgenährt aussehen. Die Munizipalgarde ist das niederträchtigste Korps von Soldaten, das es gibt, schlimmer als die Gensdarmerie, schlimmer als die alte Schweizergarde; wenn das Volk siegt, wird es ihr schlimm gehen.

Gegen Abend fing das Volk an, Widerstand zu leisten. Barrikaden wurden gebildet, Wachtposten erstürmt und in Brand gesteckt. Ein Polizeispion wurde auf dem Bastillenplatz niedergestochen. Waffenläden wurden geplündert.

Um fünf Uhr wurde Generalmarsch für die Nationalgarde geschlagen. Aber nur sehr wenige kamen, und die kamen, riefen: „Nieder mit Guizot!"

In der Nacht wurde die Ruhe wiederhergestellt. Die letzten Barrikaden wurden genommen, und die Emeute schien beendigt.

Am Mittwochmorgen fing der Aufstand indes mit erneuter Kraft wieder an. Ein großer Teil des Zentrums von Paris, der östlich von der Rue Montmartre liegt, wurde stark verbarrikadiert; seit elf Uhr wagten sich die Truppen nicht mehr hinein. Die Nationalgarde kam zahlreich zusammen, aber nur, um die Truppen von allen Angriffen aufs Volk zurückzuhalten und um zu rufen: „Nieder mit Guizot, es lebe die Reform!"

Es waren 50000 Soldaten in Paris, die nach dem Verteidigungsplan des Marschalls Gérard[332] aufgestellt waren und alle strategischen Punkte besetzt hielten. Aber dieser Punkte waren so viele, daß alle Truppen damit beschäftigt und schon dadurch zur Untätigkeit gezwungen wurden. Man hatte außer der Munizipalgarde fast gar keine Soldaten zum Angriff frei. Der vortreffliche Plan Gérards hat der Emeute unendlich genützt; er lähmte die Truppen und erleichterte ihnen die Passivität, zu der sie ohnehin geneigt waren. Die detachierten Forts haben der Regierung ebenfalls nur geschadet. Sie mußten besetzt bleiben und zogen dadurch auch einen starken Teil der Truppen vom Kampfplatz. An ein Bombardement dachte niemand. Überhaupt dachte kein Mensch daran, daß die Bastillen nur existierten. Ein Beweis mehr, wie fruchtlos alle Verteidigungspläne gegenüber dem massenhaften Aufstand einer großen Stadt sind!

Gegen Mittag wurde das Geschrei gegen das Ministerium so stark in den Reihen der Nationalgarde, daß mehrere Obersten nach den Tuilerien sagen ließen: sie ständen nicht für ihre Legion, wenn das Ministerium bliebe.

Um zwei Uhr war der alte Louis-Philippe gezwungen, Guizot fallenzulassen und ein neues Ministerium zu bilden. Kaum war dies angezeigt, so ging die Nationalgarde jubelnd nach Hause und illuminierte ihre Häuser.

Aber das Volk, die Arbeiter, die *einzigen*, die die Barrikaden errichtet, die den Kampf gegen die Munizipalgarde geführt, die sich den Kugeln, den Bajonetten, den Pferdehufen entgegengeworfen hatten, die Arbeiter hatten keine Lust, sich bloß für Herrn Molé und Herrn Billault [333] zu schlagen. Sie setzten den Kampf fort. Während der Boulevard des Italiens voll Jubel und Freude war, schoß man sich heftig in der Rue Sainte-Avoie und Rambuteau. Der Kampf dauerte noch bis spät in der Nacht und wurde Donnerstagmorgen fortgesetzt. Daß die Arbeiter sich allgemein an diesem Kampfe beteiligten, dafür spricht die Losreißung der Schienen auf allen Eisenbahnen um Paris.

Die Bourgeoisie hat ihre Revolution gemacht, sie hat Guizot und mit ihm die ausschließliche Herrschaft der großen Börsenmänner gestürzt. Jetzt aber, in dem zweiten Akt des Kampfes, steht nicht mehr ein Teil der Bourgeoisie dem andern, jetzt steht das Proletariat der Bourgeoisie gegenüber.

Soeben kommt die Nachricht, daß das Volk gesiegt und die Republik proklamiert hat. Wir gestehen, daß wir diesen glänzenden Erfolg des Pariser Proletariats nicht gehofft haben.

Drei Mitglieder der provisorischen Regierung gehören der entschiedenen demokratischen Partei an, deren Organ die „Réforme" ist. Der vierte ist *ein Arbeiter*[1] – zum erstenmal in irgendeinem Lande der Welt. Die übrigen sind Lamartine, Dupont de l'Eure und zwei Leute vom „National".[334]

Das französische Proletariat hat sich durch diese glorreiche Revolution wieder an die Spitze der europäischen Bewegung gestellt. Ehre den Pariser Arbeitern! Sie haben der Welt einen Stoß gegeben, den alle Länder nach der Reihe fühlen werden; denn der Sieg der Republik in Frankreich ist der Sieg der Demokratie in ganz Europa.

Unsere Zeit, die Zeit der Demokratie bricht an. Die Flammen der Tuilerien und des Palais Royal sind die Morgenröte des Proletariats. Die Bourgeoisherrschaft wird jetzt überall zusammenkrachen oder zusammengeworfen werden.

Deutschland wird hoffentlich folgen. Jetzt oder nie wird es sich aus seiner Erniedrigung emporraffen. Wenn die Deutschen einige Energie, einigen Stolz, einigen Mut besitzen, so können wir in vier Wochen auch rufen:

„Es lebe die deutsche Republik!"

---

[1] Albert

Friedrich Engels

[Brief an den Redakteur des „Northern Star"]

[„The Northern Star"
Nr. 544 vom 25. März 1848]

An den Redakteur des „Northern Star"

Sehr geehrter Herr,

nach den bedeutsamen Ereignissen, die in Frankreich vor sich gingen, ist die Haltung des belgischen Volkes und seiner Regierung von größerem Interesse als gewöhnlich. Ich beeile mich daher, Ihren Lesern zu berichten, was sich seit Freitag, dem 25. Februar, zugetragen hat.

Erregung und Unruhe beherrschten die ganze Stadt am Abend jenes Tages. Alle möglichen Gerüchte wurden verbreitet, aber nichts wurde wirklich geglaubt. Eine aus allen Klassen zusammengewürfelte Menschenmenge füllte den Bahnhof und wartete begierig auf das Eintreffen neuer Nachrichten. Selbst der französische Botschafter, Ex-Marquis de Rumigny, war anwesend. Nachts um halb eins traf der Zug mit der erhebenden Nachricht von der Donnerstag-Revolution ein, und die ganze Menge rief in einem spontanen Ausbruch der Begeisterung: *„Vive la République!"*[1] Die Nachricht verbreitete sich schnell über die ganze Stadt. Am Sonnabend war alles ruhig. Jedoch am Sonntag waren die Straßen voller Menschen, und jeder war gespannt darauf, welche Schritte die beiden Gesellschaften – die Demokratische Gesellschaft und die Alliance – unternehmen würden. Beide Körperschaften versammelten sich am Abend. Die Alliance, eine Gruppe von bürgerlichen Radikalen, beschloß abzuwarten und zog sich so von der Bewegung zurück. Die Demokratische Gesellschaft jedoch faßte eine Reihe höchst bedeutsamer Beschlüsse, wodurch sich diese Vereinigung an die Spitze der Bewegung stellte. Es wurde beschlossen, sich täglich zu versammeln, anstatt wöchentlich, und eine

[1] *„Es lebe die Republik!"*

Petition an den Stadtrat zu schicken, die nicht nur die Bewaffnung der bürgerlichen Nationalgarde, sondern aller Bürger in den Bezirken forderte. Am Abend gab es in den Straßen einige Unruhen. Die Leute riefen: „*Vive la République*", und versammelten sich in Massen um das Rathaus. Einige Verhaftungen wurden vorgenommen, aber nichts von Bedeutung geschah.

Unter den verhafteten Personen waren zwei Deutsche –, ein politischer Emigrant, Herr Wolff, und ein Arbeiter. Sie müssen wissen, daß hier in Brüssel eine Deutsche Arbeiter-Gesellschaft, in der politische und soziale Fragen diskutiert wurden und eine deutsche demokratische Zeitung[1] existierten. Die in Brüssel ansässigen Deutschen waren allgemein als sehr aktive und kompromißlose Demokraten bekannt. Sie waren fast alle Mitglieder der Demokratischen Gesellschaft, und der Vizepräsident der Deutschen Gesellschaft, Dr. Marx, war ebenfalls Vizepräsident der Demokratischen Gesellschaft.

Die Regierung, die sich des engstirnigen Nationalismus, der in einer bestimmten Klasse der Bevölkerung eines kleinen Landes wie Belgien herrscht, voll bewußt war, nutzte diesen Umstand aus, um das Gerücht zu verbreiten, daß die ganze Agitation für die Republik von den Deutschen ins Werk gesetzt worden sei –, von Männern, die nichts zu verlieren hätten, die wegen schändlicher Vergehen aus drei oder vier Ländern ausgewiesen worden wären und die nun versuchten, sich an die Spitze der beabsichtigten belgischen Republik zu stellen. Diese amüsante Neuigkeit ging am Montag durch die ganze Stadt, und in kaum einem Tag erhob die gesamte Krämeraristokratie, die den Kern der Nationalgarde bildet, ein einmütiges Geschrei gegen die deutschen Rebellen, die ihr glückliches belgisches Vaterland revolutionieren wollen.

Die Deutschen hatten einen Treffpunkt in einem Kaffeehaus vereinbart, wohin jeder die neuesten Nachrichten aus Paris bringen sollte. Aber das Geschrei der Krämeraristokratie war so groß und die Gerüchte von Regierungsmaßnahmen gegen die Deutschen so vielfältig, daß sie gezwungen waren, selbst dieses unschuldige Mittel zur Aufrechterhaltung der Verbindung untereinander aufzugeben.

Am Sonntagabend schon gelang es der Polizei, den Gastwirt, als Eigentümer des Raumes der Deutschen Gesellschaft, zu bewegen, ihr den Raum für künftige Treffen zu verweigern.

Die Deutschen haben sich während dieser Zeit außerordentlich gut verhalten. Obwohl sie den kleinlichsten Verfolgungen durch die Polizei ausgesetzt waren, blieben sie doch auf ihrem Posten. Jeden Abend wohnten sie den

[1] „Deutsche-Brüsseler-Zeitung"

Versammlungen der Demokratischen Gesellschaft bei. Sie hielten sich von allen lärmenden Ansammlungen auf den Straßen fern, aber sie bewiesen, obwohl sie sich persönlich exponierten, daß sie in der Stunde der Gefahr ihre belgischen Brüder nicht im Stich lassen würden.

Als sich einige Tage später die außergewöhnliche Erregung vom Sonntag und Montag gelegt hatte, als die Menschen zur Arbeit zurückgekehrt waren, als die Regierung sich von ihrem ersten Schreck erholt hatte, begann eine neue Verfolgungswelle gegen die Deutschen. Die Regierung erließ Verordnungen, nach denen alle ausländischen Arbeiter von dem Augenblick an, wo sie keine Arbeit hatten, des Landes verwiesen werden und alle Ausländer ohne Unterschied, deren Pässe nicht in Ordnung waren, in der gleichen Weise behandelt werden sollten. Durch diese Maßnahmen und die Gerüchte, die verbreitet wurden, brachte man die Meister gegen alle ausländischen Arbeiter auf und machte es jedem Deutschen unmöglich, Arbeit zu finden. Sogar jene, die Arbeit hatten, verloren sie und waren sodann einem Ausweisungsbefehl preisgegeben.

Nicht nur gegen Arbeiter ohne Arbeit, sondern auch gegen Frauen, setzte die Verfolgung ein. Ein junger deutscher Demokrat, der nach französischer und belgischer Sitte mit einer Französin in freier Ehe zusammen lebt und dessen Anwesenheit in Brüssel der Polizei anscheinend ein Dorn im Auge ist –, wurde plötzlich einer Reihe von Drangsalierungen ausgesetzt, die gegen seine Gefährtin gerichtet waren. Ihr, die keine Papiere besaß – und wer hatte jemals zuvor in Belgien daran gedacht, von einer Frau Papiere zu verlangen? –, drohte man mit sofortiger Ausweisung! und die Polizei erklärte, daß es nicht ihretwegen geschähe, sondern der Person wegen, mit der sie zusammen lebe. Siebenmal in drei Tagen war der Polizeikommissar in ihrer Wohnung, mehrere Male mußte sie zu ihm aufs Amt kommen und wurde von einem Agenten zum Polizeipräsidium eskortiert, und wenn nicht ein einflußreicher belgischer Demokrat interpelliert hätte, wäre sie sicher gezwungen gewesen, das Land zu verlassen.

Aber das alles ist noch gar nichts. Die Schikanen gegen Arbeiter – die Verbreitung von Gerüchten, daß man beabsichtige, diese oder jene Person zu verhaften, oder daß eine allgemeine Jagd auf Deutsche in allen Wirtshäusern der Stadt am Dienstagabend bevorsteht –, alles das ist nichts im Vergleich zu dem, was ich jetzt zu berichten habe.

Am Freitagabend[1] erhielt neben anderen Dr. Marx eine königliche Order, worin ihm befohlen wurde, das Land innerhalb von vierundzwanzig Stunden

---

[1] In „The Northern Star" irrtümlich: Sonnabend

zu verlassen. Er packte gerade seine Koffer für die Reise, als um ein Uhr morgens trotz des Gesetzes, das das Betreten der Wohnung eines Bürgers von Sonnenuntergang bis Sonnenaufgang verbietet, zehn bewaffnete, von einem Kommissar angeführte Polizisten in sein Haus einbrachen, ihn festnahmen und ihn zum Gefängnis des Rathauses führten. Man nannte ihm keinen anderen Verhaftungsgrund, als daß sein Paß nicht in Ordnung wäre, obwohl er ihnen mindestens drei Pässe vorlegte, und obwohl er schon drei Jahre in Brüssel wohnte! Er wurde abgeführt. Seine Frau lief voller Angst sofort zu einem belgischen Anwalt, der seine Dienste immer verfolgten Ausländern angeboten hatte – demselben, dessen freundliche Vermittlung schon oben erwähnt wurde –, Herrn Jottrand, Präsident der Demokratischen Gesellschaft. Als sie zurückkam, traf sie einen belgischen Freund, Herrn Gigot. Er begleitete sie nach Hause. An der Tür des Hauses von Dr. Marx fanden sie zwei der Polizisten vor, die ihren Mann verhaftet hatten. „Wo haben Sie meinen Mann gelassen?" fragte sie. „Nun, wenn Sie uns folgen, werden wir Ihnen zeigen, wo er ist." Sie führten sie gemeinsam mit Herrn Gigot zum Rathaus, aber anstatt ihr Versprechen zu halten, übergaben sie sie beide der Polizei, und *man warf sie ins Gefängnis*. Frau Marx, die ihre drei kleinen Kinder nur mit einer Hausangestellten zu Hause gelassen hatte, wurde in einen Raum geführt, wo sie eine Gesellschaft von Prostituierten der niedrigsten Sorte vorfand, mit denen sie die Nacht verbringen mußte. Am nächsten Morgen führte man sie in einen ungeheizten Raum, wo sie, vor Kälte zitternd, drei Stunden bleiben mußte. Herr Gigot wurde ebenfalls zurückgehalten. Herrn Marx hatte man mit *einem tobenden Irren* zusammen in einen Raum gesteckt, gegen den er sich andauernd zur Wehr setzen mußte. Zu diesem schändlichen Vorgehen kam noch eine höchst brutale Behandlung von seiten der Kerkermeister.

Um drei Uhr nachmittags wurden sie endlich vor den Richter geführt, der alsbald ihre Freilassung veranlaßte. Und wessen wurden Frau Marx und Herr Gigot bezichtigt? Der *Landstreicherei*, weil keiner von ihnen einen Paß in der Tasche hatte!

Herr Marx war ebenfalls freigelassen worden mit dem Befehl, das Land noch am selben Abend zu verlassen. Und das, nachdem man ihn achtzehn von den vierundzwanzig Stunden, die ihm zur Regelung seiner Angelegenheiten geblieben waren, eingesperrt hatte; nachdem man nicht nur ihn, sondern auch seine Frau die ganze Zeit von ihren drei Kindern getrennt hatte, von denen das älteste noch nicht das vierte Lebensjahr erreicht hat, wies man ihn aus, ohne ihm eine Minute für die Regelung seiner Angelegenheiten zu gewähren.

Herr Gigot war bei seiner Verhaftung erst einen Tag vorher aus dem Gefängnis entlassen worden. Er wurde zusammen mit drei Demokraten aus Lüttich am Montagmorgen um sechs Uhr in einem Hotel festgenommen und wegen Landstreicherei verhaftet, weil sie keine Papiere hatten. Ihre Freilassung sollte am Dienstag erfolgen, sie wurden aber gegen jedes Gesetz bis Donnerstag zurückgehalten. Einer von ihnen, Herr Tedesco, befindet sich immer noch im Gefängnis; keiner weiß, wessen er beschuldigt wird. Er und Herr Wolff werden entweder freigelassen oder im Laufe der Woche vor ein Tribunal gestellt.

Ich muß jedoch sagen, daß sich die belgischen Arbeiter und einige andere Demokraten dieser Nation, besonders Herr Jottrand, sehr anständig gegen die verfolgten Deutschen verhalten haben. Sie haben gezeigt, daß sie über kleinliche, nationalistische Gefühle erhaben sind. Sie sahen in uns nicht Ausländer, sondern Demokraten.

Ich höre, daß ein Verhaftungsbefehl gegen einen belgischen Arbeiter und tapferen Demokraten, nämlich Herrn de Guasco, erlassen worden ist. Ein anderer, Herr Dassy, der vergangenen Sonntag wegen Aufruhrs verhaftet wurde, stand gestern vor dem Tribunal; das Urteil ist noch nicht verkündet worden.

Ich erwarte täglich und stündlich meinen Ausweisungsbefehl, wenn nicht Schlimmeres, denn niemand kann vorhersagen, was diese Belgisch-Russische Regierung wagen wird. Ich halte mich bereit, in der kürzesten Frist abzureisen. Das ist die Lage eines deutschen Demokraten in diesem „*freien*" Lande, das, wie die Zeitungen melden, der Französischen Republik in nichts nachsteht.

Mit brüderlichem Gruß

Ihr alter Freund

Brüssel, den 5. März

Aus dem Englischen.

Karl Marx

[Brief an den Redakteur der Zeitung „La Réforme"]

[„La Réforme" vom 8. März 1848]

Herr Redakteur!

Gegenwärtig stellt sich die belgische Regierung politisch voll und ganz auf die Seite der Heiligen Allianz.[335] Ihr reaktionäres Wüten trifft die deutschen Demokraten mit unerhörter Brutalität. Wäre uns nicht so schwer ums Herz, da die Verfolgungen uns so ganz besonders treffen, so würden wir uns herzhaft darüber amüsieren, wie lächerlich sich das Ministerium Rogier mit der Anschuldigung macht, einige Deutsche wollten den Belgiern entgegen deren Willen die Republik aufzwingen. Aber in dem besonderen Falle, um den es geht, tritt doch das Lächerliche vor dem Gehässigen zurück.

Zunächst, mein Herr, tut man gut daran zu wissen, daß fast alle Brüsseler Zeitungen von Franzosen redigiert werden, die in ihrer Mehrzahl aus Frankreich flüchteten, um den entehrenden Strafen zu entgehen, die ihnen in ihrem Vaterland drohten. Diese Franzosen haben das größte Interesse daran, jetzt die Unabhängigkeit Belgiens zu verteidigen, die sie 1833 alle verraten hatten.[336] Der König, das Ministerium und ihre Parteigänger haben sich dieser Blätter bedient, um die Meinung zu bestärken, eine republikanisch gesinnte belgische Revolution sei nichts anderes als eine *Französelei*, und die ganze demokratische Agitation, die zur Zeit in Belgien spürbar ist, rühre von exaltierten Deutschen her.

Die Deutschen leugnen keineswegs, daß sie sich offen mit den belgischen Demokraten verbündet haben, und sie haben dies ohne jede Exaltation getan. In den Augen des Staatsanwalts hetzten sie damit die Arbeiter gegen die Bürger auf, machten den Belgiern ihren so sehr geliebten *deutschen* König verdächtig und öffneten einer französischen Invasion die Tore Belgiens.

Nachdem ich am 3. März, um fünf Uhr abends, die Order erhalten hatte, das belgische *Königreich* binnen vierundzwanzig Stunden zu verlassen, und in derselben Nacht noch mit meinen Reisevorbereitungen beschäftigt war, drang ein Polizeikommissar in Begleitung von zehn Polizisten in meine Wohnung ein, durchwühlte das ganze Haus und nahm mich schließlich fest unter dem Vorwand, ich hätte keine Papiere. Ganz abgesehen von den völlig ordnungsgemäßen Papieren, die mir Herr Duchâtel übergeben hatte, als er mich aus Frankreich auswies, war ich im Besitz des belgischen Ausweisungspasses, den man mir wenige Stunden vorher zugestellt hatte.

Ich hätte Sie, mein Herr, von meiner Festnahme und den Brutalitäten, die ich erlitten habe, nicht unterrichtet, wäre dies nicht mit einer Begebenheit verknüpft, die man sich sogar in Östreich schwerlich vorstellen kann.

Unmittelbar nach meiner Festnahme begab sich meine Frau zu dem Präsidenten der Demokratischen Gesellschaft[270] Belgiens, Herrn Jottrand, um ihn zu veranlassen, die erforderlichen Schritte einzuleiten. Bei ihrer Rückkehr findet sie zu Hause an der Tür einen Polizisten vor, der ihr mit exquisiter Höflichkeit erklärt, sie brauche ihm nur zu folgen, wenn sie Herrn Marx sprechen wolle. Meine Frau nimmt das Angebot bereitwilligst an. Sie wird zum Polizeibüro geführt, und der Kommissar erklärt ihr zunächst, Herr Marx sei nicht da. Dann fragt er sie barsch, wer sie sei, was sie bei Herrn Jottrand zu suchen hatte, und ob sie ihre Papiere bei sich habe. Ein belgischer Demokrat, Herr Gigot, der meiner Frau und dem Polizisten auf das Polizeibüro gefolgt war, empört sich über die ebenso unsinnigen wie unverschämten Fragen des Kommissars und wird von Polizisten, die ihn packen und ins Gefängnis werfen, zum Schweigen gebracht. Unter dem Vorwand der Landstreicherei wird meine Frau ins Gefängnis des Rathauses abgeführt und mit Straßenmädchen zusammen in einen dunklen Saal gesperrt. Um elf Uhr morgens wird sie am hellichten Tage in Begleitung einer ganzen Eskorte von Gendarmen in das Amtszimmer des Untersuchungsrichters geführt. Zwei Stunden lang wird sie trotz schärfsten Einspruchs von allen Seiten in Einzelverwahrung gehalten. Dort verbleibt sie, ausgesetzt der ganzen Unbill der Jahreszeit und den schamlosesten Reden der Gendarmen.

Sie erscheint schließlich vor dem Untersuchungsrichter, der ganz erstaunt darüber ist, daß die Polizei in ihrer Fürsorge nicht auch die kleinen Kinder festgenommen hat. Die Vernehmung konnte nichts anderes als ein Scheinverhör sein, und das ganze Verbrechen meiner Frau besteht darin, daß sie trotz ihrer Zugehörigkeit zur preußischen Aristokratie die demokratischen Auffassungen ihres Mannes teilt.

Ich will nicht auf alle Einzelheiten dieser skandalösen Angelegenheit eingehen. Ich will nur erwähnen, daß nach unserer Freilassung die vierundzwanzig Stunden gerade verstrichen waren, und daß wir abfahren mußten, ohne auch nur das Nötigste mitnehmen zu können.

Karl Marx

Vizepräsident der Demokratischen
Gesellschaft zu Brüssel

Aus dem Französischen.

[Karl Marx]

[Verfolgungen der Ausländer in Brüssel]

[„La Réforme" vom 12. März 1848]

Sonntag, den 27. Februar, hielt die Brüsseler Demokratische Gesellschaft ihre erste öffentliche Sitzung ab seit der Nachricht von der Proklamierung der Französischen Republik. Man wußte im voraus, daß eine große Anzahl von Arbeitern daran teilnehmen würde, die fest entschlossen seien, alle von der Gesellschaft als zweckdienlich erkannten Maßnahmen tatkräftig zu unterstützen.

Die Regierung ihrerseits hatte das Gerücht verbreiten lassen, König Leopold wäre bereit abzudanken, sobald das Volk es wünsche. Das war eine Falle, um die belgischen Demokraten zu veranlassen, nichts Entscheidendes gegen einen so guten König zu unternehmen, dem nichts lieber sei, als sich der Last der Königswürde zu entledigen, vorausgesetzt, man bewillige ihm in allen Ehren eine anständige Pension.

Gleichzeitig hielt die Regierung des Königs eine komplette Liste der Personen bereit, deren Verhaftung als Störer der öffentlichen Ordnung sie für den gleichen Abend vorgesehen und für richtig befunden hatte. Mit dem Chef der Öffentlichen Sicherheit, Herrn Hody, war vereinbart, die Ausländer als die Hauptanstifter eines angeblichen Aufruhrs auf diese Liste zu setzen, einmal um die Festnahme der als entschiedene Republikaner bekannten Belgier zu tarnen, zum anderen, um die national-empfindsamen Gemüter zu reizen. Dies erklärt auch, warum Seine Exzellenz Herr Rogier, der ebensowenig Belgier ist wie S. M. König Leopold Franzose, später eine Verordnung erließ, die allen Behörden einschärfte, die Franzosen und die Deutschen, das heißt die Landsleute Rogiers wie die Landsleute Leopolds, strengstens zu überwachen. In seiner ganzen Abfassung erinnert dieser Erlaß an die Verdächtigengesetze.[337]

Dieser so wohlerwogene Plan war in der Art seiner Durchführung um so perfider und brutaler, als die festgenommenen Personen sich am Abend des 27. Februar jeder Provokation enthalten hatten.

Es ist als ob man sich den Spaß gemacht hätte, diese Menschen zu verhaften, um sie nach Belieben mißhandeln und beschimpfen zu können.

Kaum waren sie verhaftet, hagelte es Faustschläge, Fußtritte und Säbelhiebe. Man spuckte ihnen ins Gesicht, diesen *Republikanern*. Man mißhandelte sie vor den Augen des Philanthropen Hody, dem es ein Genuß war, Ausländern einen Beweis seiner ganzen Macht zu geben.

Da nichts Belastendes gegen sie vorgebracht werden konnte, wäre nichts anderes übriggeblieben, als sie in Freiheit zu setzen. Doch nein! Sechs Tage lang behielt man sie im Kerker! Dann suchte man die Ausländer unter den Gefangenen heraus und beförderte sie in Zellenwagen direkt zur Bahn. Dort wurden sie wiederum in Zellenwagen, jeder in einer Zelle für sich, untergebracht und so nach Quiévrain expediert, wo belgische Gendarmen sie in Empfang nahmen und bis an die französische Grenze schleppten.

Als sie schließlich auf freiem Boden langsam wieder zu sich kamen, fanden sie in ihren Taschen weiter nichts vor als die am Tage vor der Festnahme ausgestellten Ausweisungspapiere. Einer der Ausgewiesenen, Herr Allard, ist Franzose.

Zur selben Zeit verkündete die Regierung des völlig bedeutungslosen Königs in der Abgeordnetenkammer, daß das *Königreich* Belgien, einschließlich beider Flandern[338], die bestmögliche aller *Republiken* sei, daß es eine Muster-Polizei besitze, geleitet von einem Manne wie Herrn Hody, der in einer Person den früheren Republikaner, den Fourieristen und den wiederbekehrten Anhänger Leopolds vereine. Die Kammer weinte vor Rührung, und die katholischen und liberalen Zeitungen gerieten in Extase über die häuslichen Tugenden König Leopolds und die staatsmännischen Tugenden seines Hausknechts Rogier.

Das belgische Volk ist republikanisch. Anhänger Leopolds sind nur die Großbourgeoisie, die Landaristokratie, die Jesuiten, die Beamten und die aus Frankreich verjagten früheren Franzosen, die jetzt in Belgien an der Spitze der Verwaltung und des Pressewesens sitzen.

Metternich ist begeistert, daß er einen Coburger, einen geborenen Feind der französischen Revolution, gerade an der richtigen Stelle, an der Grenze Frankreichs hat. Allerdings vergißt er, daß die Coburger von heute nur noch in Heiratsfragen eine Rolle spielen.

Aus dem Französischen.

[Friedrich Engels]

[Die Lage in Belgien]

Brüssel, 18. März

Die belgische Bourgeoisie hat dem Volke vor 14 Tagen die Republik verweigert; neuerdings aber trifft gerade sie Anstalten, die Initiative in der republikanischen Bewegung zu ergreifen. Man traut sich noch nicht, die Republik auszurufen, aber ganz Brüssel flüstert sich ins Ohr: „Fest steht, daß Leopold gehen muß; fest steht, daß uns nur die Republik retten kann; aber wir brauchen eine gute, eine solide Republik, ohne Organisation der Arbeit, ohne allgemeines Wahlrecht, ohne daß uns die Arbeiter dazwischenreden!"

Das ist schon ein Fortschritt. Die braven Bürger von Brüssel, die sich noch vor wenigen Tagen nicht scharf genug gegen jegliche Absicht verwahren konnten, dem Beispiel der Französischen Republik zu folgen, haben den Rückschlag der Pariser Finanzkrise zu spüren bekommen. Während sie noch gegen die politische Nachahmung zeterten, erlitten sie schon die finanzielle Nachahmung. Während sie noch Hymnen auf die belgische Unabhängigkeit und Neutralität sangen, fanden sie die Brüsseler Börse in vollkommenster und demütigendster Abhängigkeit von der Börse in Paris. Der Kordon von Truppen, der die Südgrenze besetzt hält, hat keineswegs die Baisse der Börsenpapiere daran gehindert, mit Paukenschlägen in das garantiert neutrale Gebiet Belgiens einzufallen.

Die Bestürzung, die auf dem Brüsseler Markt herrscht, hat in der Tat restlos alles erfaßt. Der Bankrott dezimiert den mittleren und den Kleinhandel, die Börsenpapiere finden keine Käufer mehr, die Notierungen sind rein nominell, das Geld verschwindet schneller noch als in Paris, der Handel stagniert völlig, und die meisten Fabrikanten haben bereits ihre Arbeiter entlassen. Hier einige Beispiele für die allgemeine Entwertung: Vor einigen Tagen bot ein Kaufmann 150 Aktien der Dendre-Eisenbahngesellschaft – Effekten, die vor der Februarrevolution an der Londoner Börse über pari gestanden hatten – je Aktie zu 100 Francs –, zum Verkauf an. Am ersten Tag lehnte er 45 Francs ab, am zweiten 35 Francs; am dritten verkaufte er sie zu 10 Francs pro Aktie! Grundstücke, die vor zwei Jahren für sechstausend Francs gekauft wurden, finden für ein Drittel dieser Summe keinen Käufer mehr.

Und in diesem Augenblick allgemeiner Panik fordert die Regierung zuerst einen Vorschuß von zwei Dritteln der direkten Steuern und dann eine Zwangsanleihe von fünfzig bis sechzig Millionen und jagt so den wegen des ständig wachsenden Budgets ohnehin unzufriedenen Steuerzahlern Angst und Schrecken ein.

Zustände dieser Art haben unsere braven Bürger dann doch davon überzeugt, daß ihre Begeisterung für die Monarchie ihnen weiter nichts eingebracht hat, als in die Unannehmlichkeiten, hervorgerufen durch die Lage in Frankreich, voll und ganz hineingezogen zu werden, ohne Nutzen aus den dort erkämpften Vorteilen ziehen zu können. Das ist der treibende Grund ihres erwachenden Republikanertums.

Mittlerweile sind die Arbeiter keineswegs ruhig. In Gent gab es mehrere Tage lang Unruhen; hier ist es vorgestern nach zahlreichen Ansammlungen von Arbeitern zu einer Petition an den König gekommen, die Leopold persönlich aus den schwieligen Händen, die sie ihm überreichten, entgegenzunehmen geruhte. Demonstrationen ernsteren Charakters werden nicht auf sich warten lassen. Mit jedem Tag werden zahlreiche Gruppen von Arbeitern aus dem Arbeitsprozeß ausgestoßen. Die Entwicklung der industriellen Krise braucht nur anzudauern, und die Geister in der Arbeiterklasse brauchen sich nur um ein weniges mehr zu erhitzen, dann wird die belgische Bourgeoisie, ganz wie die von Paris, schon ihre „Vernunftehe" mit der Republik eingehen.

Nach der Handschrift.
Aus dem Französischen.

Beilagen

Verzeichnis der Beilagen

A. Beilagen zu
Karl Marx,
Das Elend der Philosophie

[Karl Marx an P. W. Annenkow[339]]

Brüssel, 28. Dezember [1846]
Rue d'Orléans 42, Fbg.[1] Namur

Lieber Herr Annenkow!

Sie hätten meine Antwort auf Ihren Brief vom 1. November schon längst erhalten, wenn nicht mein Buchhändler mir erst vergangene Woche das Buch des Herrn Proudhon „Philosophie de la misère" zugeschickt hätte. Ich habe es in zwei Tagen durchflogen, um Ihnen sofort meine Meinung mitteilen zu können. Da ich das Buch sehr eilig gelesen habe, kann ich nicht auf Einzelheiten eingehen und kann Ihnen nur den allgemeinen Eindruck mitteilen, den es auf mich gemacht hat. Wenn Sie es wünschen, könnte ich in einem zweiten Brief auf Einzelheiten eingehen.

Ich gestehe Ihnen offen, daß ich das Buch im allgemeinen schlecht, ja sehr schlecht finde. Sie selbst machen sich in Ihrem Brief lustig „über das bißchen deutsche Philosophie", mit dem Herr Proudhon in diesem unförmigen und anmaßenden Werk prunkt, nehmen aber an, daß die ökonomische Darstellung nicht durch das philosophische Gift infiziert worden sei. Ich bin ja auch weit davon entfernt, die Fehler in der ökonomischen Darstellung der Philosophie des Herrn Proudhon zuzuschreiben. Herr Proudhon liefert nicht deshalb eine falsche Kritik der politischen Ökonomie, weil er eine lächerliche Philosophie besitzt, sondern er liefert eine lächerliche Philosophie, weil er die gegenwärtigen sozialen Zustände in ihrer Verkettung [engrènement] – um ein Wort zu gebrauchen, das Herr Proudhon wie viele andere Dinge Fourier entlehnt – nicht begriffen hat.

Warum spricht Herr Proudhon von Gott, von der universellen Vernunft, von der unpersönlichen Vernunft der Menschheit, die nie irrt, die stets sich selbst gleich war, deren man sich nur richtig bewußt zu sein braucht, um das Wahre zu treffen? Warum treibt er schwächlichen Hegelianismus, um sich als starker Denker aufzuspielen?

Er selbst gibt die Lösung des Rätsels. Herr Proudhon erblickt in der Geschichte eine bestimmte Reihe gesellschaftlicher Entwicklungen; er findet

[1] Faubourg (Vorstadt)

den Fortschritt in der Geschichte verwirklicht; er findet endlich, daß die Menschen, als Individuen, nicht wußten, was sie taten, daß sie sich über ihre eigene Bewegung täuschten, d.h., daß ihre gesellschaftliche Entwicklung auf den ersten Blick verschieden, getrennt, unabhängig von ihrer individuellen erscheint. Er kann diese Tatsachen nicht erklären, und die Hypothese von der sich offenbarenden universellen Vernunft ist reinste Erfindung. Nichts leichter, als mystische Ursachen, d.h. Phrasen, zu erfinden, denen jeder Sinn fehlt.

Aber wenn Herr Proudhon gesteht, daß er von der historischen Entwicklung der Menschheit nichts versteht – und er gibt es zu, da er sich so tönender Worte wie universelle Vernunft, Gott etc. bedient –, gesteht er damit nicht implizite und notwendig, daß er unfähig ist, die *ökonomische Entwicklung* zu begreifen?

Was ist die Gesellschaft, welches immer auch ihre Form sei? Das Produkt des wechselseitigen Handelns der Menschen. Steht es den Menschen frei, diese oder jene Gesellschaftsform zu wählen? Keineswegs. Setzen Sie einen bestimmten Entwicklungsstand der Produktivkräfte der Menschen voraus, und Sie erhalten eine bestimmte Form des Verkehrs [commerce] und der Konsumtion. Setzen Sie bestimmte Stufen der Entwicklung der Produktion, des Verkehrs und der Konsumtion voraus, und Sie erhalten eine entsprechende soziale Ordnung, eine entsprechende Organisation der Familie, der Stände oder der Klassen, mit einem Wort, eine entsprechende Gesellschaft [société civile]. Setzen Sie eine solche Gesellschaft voraus, und Sie erhalten eine entsprechende politische Ordnung [état politique], die nur der offizielle Ausdruck der Gesellschaft ist. Das wird Herr Proudhon nie verstehen, denn er glaubt, etwas Großes zu tun, wenn er vom Staat [état] an die Gesellschaft, d.h. von dem offiziellen Resümee der Gesellschaft an die offizielle Gesellschaft appelliert.

Man braucht nicht hinzuzufügen, daß die Menschen ihre *Produktivkräfte* – die Basis ihrer ganzen Geschichte – nicht frei wählen; denn jede Produktivkraft ist eine erworbene Kraft, das Produkt früherer Tätigkeit. Die Produktivkräfte sind also das Resultat der angewandten Energie der Menschen, doch diese Energie selbst ist begrenzt durch die Umstände, in welche die Menschen sich versetzt finden, durch die bereits erworbenen Produktivkräfte, durch die Gesellschaftsform, die vor ihnen da ist, die sie nicht schaffen, die das Produkt der vorhergehenden Generation ist. Dank der einfachen Tatsache, daß jede neue Generation die von der alten Generation erworbenen Produktivkräfte vorfindet, die ihr als Rohmaterial für neue Produktion dienen, entsteht ein Zusammenhang in der Geschichte der Menschen, entsteht die Geschichte der Menschheit, die um so mehr Geschichte der Menschheit ist, je mehr die Produktivkräfte der Menschen und infolgedessen ihre gesellschaftlichen Beziehungen wachsen. Die notwendige Folge: Die soziale Geschichte der Menschen ist stets nur die Geschichte ihrer individuellen

Entwicklung, ob sie sich dessen bewußt sind oder nicht. Ihre materiellen Verhältnisse sind die Basis aller ihrer Verhältnisse. Diese materiellen Verhältnisse sind nichts anderes als die notwendigen Formen, in denen ihre materielle und individuelle Tätigkeit sich realisiert.

Herr Proudhon verwechselt die Ideen mit den Dingen. Die Menschen verzichten nie auf das, was sie gewonnen haben, aber das bedeutet nicht, daß sie nie auf die Gesellschaftsform verzichten, in der sie bestimmte Produktivkräfte erworben haben. Ganz im Gegenteil. Um des erzielten Resultats nicht verlustig zu gehen, um die Früchte der Zivilisation nicht zu verlieren, sind die Menschen gezwungen, sobald die Art und Weise ihres Verkehrs [commerce] den erworbenen Produktivkräften nicht mehr entspricht, alle ihre überkommenen Gesellschaftsformen zu ändern. – Ich nehme das Wort *commerce* hier in dem weitesten Sinn, den es im Deutschen hat: Verkehr[1]. – Zum Beispiel: Das Privileg, die Institution der Zünfte und Korporationen, die ganzen Reglementierungen des Mittelalters waren gesellschaftliche Beziehungen, die allein den erworbenen Produktivkräften und dem vorher bestehenden Gesellschaftszustand entsprachen, aus dem diese Institutionen hervorgegangen waren. Unter dem Schutze des genossenschaftlichen und reglementierenden Regimes sammelten sich Kapitalien, entwickelte sich der Seehandel, wurden Kolonien gegründet – und die Menschen hätten eben diese Früchte eingebüßt, wenn sie versucht hätten, die Formen beizubehalten, unter deren Schutz diese Früchte gereift waren. So gab es denn auch zwei Donnerschläge, die Revolution von 1640 und die von 1688.[340] Alle alten ökonomischen Formen, die sozialen Beziehungen, welche ihnen entsprachen, die politische Ordnung [état politique], welche der offizielle Ausdruck der alten Gesellschaft war, wurden in England zerbrochen. Die ökonomischen Formen, unter denen die Menschen produzieren, konsumieren, austauschen, sind also *vorübergehende und historische*. Mit der Erwerbung neuer Produktivkräfte ändern die Menschen ihre Produktionsweise, und mit der Produktionsweise ändern sie alle ökonomischen Verhältnisse, die bloß die für diese bestimmte Produktionsweise notwendigen Beziehungen waren.

Das gerade hat Herr Proudhon nicht begriffen und noch weniger nachgewiesen. Unfähig, die wirkliche Bewegung der Geschichte zu verfolgen, liefert Herr Proudhon eine Phantasmagorie, die den Anspruch erhebt, dialektisch zu sein. Er verspürt nicht das Bedürfnis, vom 17., 18., 19. Jahrhundert zu sprechen, denn seine Geschichte spielt sich im Nebelreich der Einbildung ab und ist hoch erhaben über Zeit und Ort. Mit einem Wort: das ist Hegelsches abgedroschenes Zeug, das ist keine Geschichte, keine profane Geschichte – Geschichte der Menschen –, sondern heilige Geschichte – Geschichte der Ideen. Nach seiner Ansicht ist der Mensch bloß das Werkzeug, dessen sich die Idee oder die ewige Vernunft zu ihrer Entwicklung bedient.

[1] Verkehr: im Original deutsch

Die *Evolutionen*, von denen Herr Proudhon spricht, sollen Evolutionen sein, wie sie sich im mystischen Schoße der absoluten Idee vollziehen. Zerreißt man den Vorhang dieser mystischen Ausdrucksweise, so heißt das, daß Herr Proudhon uns die Ordnung angibt, in der die ökonomischen Kategorien im Innern seines Kopfes rangieren. Es wird mich nicht viel Mühe kosten, Ihnen zu beweisen, daß dieses Arrangement das Arrangement eines sehr ungeordneten Kopfes ist.

Herr Proudhon eröffnet sein Buch mit einer Abhandlung über den *Wert*, der sein Steckenpferd ist. Mit der Untersuchung dieser Abhandlung werde ich mich diesmal nicht befassen.

Die Reihe der ökonomischen Evolutionen der ewigen Vernunft beginnt mit der *Arbeitsteilung*. Für Herrn Proudhon ist die Arbeitsteilung eine ganz einfache Sache. War aber nicht das Kastenregime eine bestimmte Arbeitsteilung? Und war das Zunftsystem nicht eine andere Arbeitsteilung? Und ist nicht die Arbeitsteilung der Manufakturperiode, die in England um die Mitte des 17. Jahrhunderts beginnt und gegen Ende des 18. Jahrhunderts endet, wiederum völlig verschieden von der Arbeitsteilung in der großen, der modernen Industrie?

Herr Proudhon ist so weit von der Wahrheit entfernt, daß er unterläßt, was sogar die profanen Ökonomen tun. Um von der Arbeitsteilung zu reden, hat er es nicht nötig, vom Welt*markt* zu reden. Nun! Mußte sich nicht die Arbeitsteilung im 14. und 15. Jahrhundert, als es noch keine Kolonien gab, als Amerika für Europa noch nicht existierte, als Ostasien nur durch Vermittlung von Konstantinopel existierte, von Grund auf unterscheiden von der Arbeitsteilung des 17. Jahrhunderts, das bereits entwickelte Kolonien hatte?

Das ist noch nicht alles. Was sind die ganze innere Organisation der Völker, alle ihre internationalen Beziehungen anderes als der Ausdruck einer bestimmten Arbeitsteilung? Und müssen sie sich nicht verändern mit der Veränderung der Arbeitsteilung?

Herr Proudhon hat die Frage der Arbeitsteilung so wenig verstanden, daß er nicht einmal die Trennung von Stadt und Land erwähnt, die sich, zum Beispiel in Deutschland, vom 9. bis zum 12. Jahrhundert vollzogen hat. So muß diese Trennung für Herrn Proudhon zum ewigen Gesetz werden, weil er weder ihren Ursprung noch ihre Entwicklung kennt. Er spricht deshalb in seinem ganzen Buch so, als ob dieses Erzeugnis einer bestimmten Produktionsweise bis zum Jüngsten Tage fortbestände. Alles, was Herr Proudhon über die Arbeitsteilung vorbringt, ist bloß ein Resümee, und dazu noch ein sehr oberflächliches, sehr unvollständiges Resümee dessen, was Adam Smith und tausend andere vor ihm gesagt haben.

Die zweite Evolution sind die *Maschinen*. Der Zusammenhang zwischen Arbeitsteilung und Maschinen ist bei Herrn Proudhon völlig mystisch. Jede Art der Arbeitsteilung hatte ihre spezifischen Produktionsinstrumente. Zum Beispiel machten die Menschen von der Mitte des 17. bis zur Mitte des

18. Jahrhunderts nicht alles mit der Hand. Sie besaßen Instrumente, sogar sehr komplizierte, wie Werkbänke, Schiffe, Hebel etc. etc.

Nichts lächerlicher also, als die Maschinen als Folge aus der Arbeitsteilung im allgemeinen hervorgehen zu lassen.

Ich will nebenbei noch bemerken, daß Herr Proudhon, da er den geschichtlichen Ursprung der Maschinen nicht begriffen, noch weniger ihre Entwicklung verstanden hat. Man kann sagen, daß bis 1825 – der Epoche der ersten universellen Krise – die Bedürfnisse der Konsumtion im allgemeinen schneller zunahmen, als die Produktion und die Entwicklung der Maschinen notgedrungen den Bedürfnissen des Marktes folgten. Seit 1825 ist die Erfindung und Anwendung der Maschinen nur das Resultat des Krieges zwischen Unternehmern und Arbeitern. Und auch das gilt nur für England. Die europäischen Nationen sind zur Anwendung der Maschinen durch die Konkurrenz gezwungen worden, die die Engländer ihnen sowohl auf dem inneren Markt als auch auf dem Weltmarkt machten. In Nordamerika schließlich war die Einführung der Maschinen die Folge sowohl der Konkurrenz mit den anderen Völkern als auch des Mangels an Arbeitskräften, d. h. des Mißverhältnisses zwischen der Bevölkerungszahl und den industriellen Bedürfnissen Nordamerikas. Aus diesen Tatsachen können Sie schließen, welchen Scharfsinn Herr Proudhon entwickelt, wenn er das Gespenst der Konkurrenz als dritte Evolution, als Antithese der Maschinen, heraufbeschwört!

Schließlich ist es überhaupt wahrhaft absurd, die *Maschinen* zu einer ökonomischen Kategorie neben der Arbeitsteilung, der Konkurrenz, dem Kredit etc. zu machen.

Die Maschine ist ebensowenig eine ökonomische Kategorie wie der Ochse, der den Pflug zieht. Die gegenwärtige *Anwendung* der Maschinen gehört zu den Verhältnissen unseres gegenwärtigen Wirtschaftssystems, doch die Art, wie die Maschinen ausgenutzt werden, ist etwas völlig anderes als die Maschinen selbst. Pulver bleibt Pulver, ob man sich seiner bedient, um einen Menschen zu verletzen oder um die Wunden des Verletzten zu heilen.

Herr Proudhon übertrifft sich selbst, wenn er in seinem Kopfe die Konkurrenz, das Monopol, die Steuer oder die Polizei, die Handelsbilanz, den Kredit, das Eigentum in der hier angeführten Reihenfolge entstehen läßt. Fast das ganze Kreditwesen war in England zu Anfang des 18. Jahrhunderts vor Erfindung der Maschinen entwickelt. Der Staatskredit war bloß eine neue Art, die Steuern zu erhöhen und die durch den Herrschaftsantritt der Bourgeoisklasse geschaffenen neuen Bedürfnisse zu befriedigen. Das *Eigentum* bildet schließlich die letzte Kategorie im System des Herrn Proudhon. In der realen Welt dagegen sind die Arbeitsteilung und alle übrigen Kategorien des Herrn Proudhon gesellschaftliche Beziehungen, deren Gesamtheit das bildet, was man heute das *Eigentum* nennt: außerhalb dieser Beziehungen ist das bürgerliche Eigentum nichts als eine metaphysische oder juristische Illusion. Das Eigentum einer anderen Epoche, das Feudaleigentum, entwickelt sich unter ganz anderen gesellschaftlichen Beziehungen. Wenn Herr Proudhon das Eigentum als eine selbständige Beziehung darstellt, begeht er mehr als nur einen Fehler der Methode: er beweist klar, daß er nicht das Band erfaßt hat, das alle Formen der *bürgerlichen* Produktion verknüpft, daß er den *historischen* und *vorübergehenden* Charakter der Produktionsformen in einer bestimmten Epoche nicht begriffen hat. Herr Proudhon, der in unseren gesellschaftlichen Einrichtungen nicht Produkte der Geschichte erblickt, der weder ihren Ursprung noch ihre Entwicklung versteht, kann an ihnen nur dogmatische Kritik üben.

So ist Herr Proudhon auch gezwungen, zu einer *Fiktion* Zuflucht zu nehmen, um die Entwicklung zu erklären. Er bildet sich ein, die Arbeitsteilung, der Kredit, die Maschinen etc., alles sei erfunden worden, um seiner fixen Idee, der Idee der Gleichheit, zu dienen. Seine Erklärung ist von köstlicher Naivität. Man hat diese Dinge eigens für die Gleichheit erfunden, doch leider haben sie sich gegen die Gleichheit gekehrt. Das ist sein ganzes Räsonnement. Das heißt, er geht von einer willkürlichen Annahme aus, und da die wirkliche Entwicklung und seine Fiktion einander auf Schritt und Tritt widersprechen, schließt er daraus, daß hier ein Widerspruch bestehe. Er verhehlt dabei, daß es nur ein Widerspruch zwischen seinen fixen Ideen und der wirklichen Bewegung ist.

So hat Herr Proudhon, hauptsächlich aus Mangel an historischen Kenntnissen, nicht bemerkt: daß die Menschen, indem sie ihre Produktivkräfte entwickeln, d. h., indem sie leben, bestimmte Verhältnisse zueinander entwickeln, und daß die Art dieser Verhältnisse sich mit der Wandlung und dem Wachstum dieser Produktivkräfte notwendig verändert. Er hat nicht gesehen, daß die *ökonomischen Kategorien* nur *Abstraktionen* dieser realen Verhältnisse, daß sie nur so lange Wahrheiten sind, wie diese Verhältnisse bestehen. So verfällt er in den Irrtum der bürgerlichen Ökonomen, die in diesen ökonomischen Kategorien ewige Gesetze sehen und nicht historische Gesetze, die nur für eine bestimmte historische Entwicklung, für eine bestimmte Entwicklung der Produktivkräfte gelten. Statt daher die politisch-ökonomischen Kategorien als Abstraktionen von den wirklichen, vorübergehenden, historischen gesellschaftlichen Beziehungen anzusehen, sieht Herr Proudhon, infolge einer mystischen Umkehrung, in den wirklichen Verhältnissen nur Verkörperungen dieser Abstraktionen. Diese Abstraktionen selbst sind Formeln, die seit Anbeginn der Welt im Schoße Gottvaters geschlummert haben.

Hier jedoch wird der gute Herr Proudhon von heftigen Geisteskrämpfen befallen. Wenn alle diese ökonomischen Kategorien Emanationen des göttlichen Herzens, wenn sie das verborgene und ewige Leben der Menschen sind, wie kommt es dann, erstens, daß es eine Entwicklung gibt, und zweitens, daß Herr Proudhon nicht Konservativer ist? Er erklärt diese offenbaren Widersprüche durch ein ganzes System des Antagonismus.

Greifen wir, um dieses System des Antagonismus zu beleuchten, ein Beispiel heraus.

Das *Monopol* ist gut, denn es ist eine ökonomische Kategorie, also eine Emanation Gottes. Die Konkurrenz ist gut, denn sie ist ebenfalls eine ökonomische Kategorie. Was aber nicht gut, ist die Realität des Monopols und der Konkurrenz. Was noch schlimmer, ist, daß Monopol und Konkurrenz sich gegenseitig auffressen. Was tun? Da diese beiden ewigen Gedanken Gottes einander widersprechen, scheint es ihm offensichtlich, daß im Schoße Gottes auch eine Synthese dieser beiden Gedanken vorhanden ist, in der die Übel des Monopols durch die Konkurrenz ausgeglichen werden und umgekehrt. Der Kampf zwischen den beiden Ideen wird im Endresultat nur die gute Seite hervortreten lassen. Man muß Gott diesen geheimen Gedanken entreißen, ihn sodann anwenden, und alles ist in schönster Ordnung. Es gilt, die in der Nacht der unpersönlichen Vernunft der Menschheit verborgene Formel der Synthese zu offenbaren. Herr Proudhon zögert keinen Augenblick, sich zum Offenbarer zu machen.

Aber betrachten Sie einen Augenblick das wirkliche Leben. Im ökonomischen Leben unserer Zeit finden Sie nicht nur die Konkurrenz und das Monopol, sondern auch ihre Synthese, die nicht eine *Formel*, sondern eine *Bewegung* ist. Das Monopol erzeugt die Konkurrenz, die Konkurrenz erzeugt das Monopol. Diese Gleichung beseitigt jedoch keineswegs die Schwierigkeiten der gegenwärtigen Lage, wie die bürgerlichen Ökonomen sich das vorstellen, sondern läßt nur eine noch schwierigere und verworrenere Lage entstehen. Wenn Sie also die Basis verändern, auf die sich die gegenwärtigen ökonomischen Verhältnisse gründen, wenn Sie die heutige Produktions*weise* vernichten, vernichten Sie nicht nur die Konkurrenz, das Monopol und ihren Antagonismus, sondern auch ihre Einheit, ihre Synthese, die Bewegung, die den wirklichen Ausgleich von Konkurrenz und Monopol darstellt.

Nun will ich Ihnen ein Beispiel von der Dialektik des Herrn Proudhon vorführen.

Die *Freiheit* und die *Sklaverei* bilden einen Antagonismus. Ich brauche weder von den guten noch von den schlechten Seiten der Freiheit zu sprechen. Was die Sklaverei betrifft, so brauche ich nicht von ihren schlechten Seiten zu sprechen. Das einzige, das erklärt werden muß, ist die gute Seite der Sklaverei. Es handelt sich nicht um die indirekte Sklaverei, die Sklaverei des Proletariers; es handelt sich um die direkte Sklaverei, die Sklaverei der Schwarzen in Surinam, in Brasilien, in den Südstaaten Nordamerikas.

Die direkte Sklaverei ist der Angelpunkt unserer heutigen Industrie ebenso wie die Maschinen, der Kredit etc. Ohne Sklaverei keine Baumwolle; ohne Baumwolle keine moderne Industrie. Erst die Sklaverei hat den Kolonien ihren Wert gegeben, erst die Kolonien haben den Welthandel geschaffen, der Welthandel ist die notwendige Bedingung der maschinellen Großindustrie. So lieferten denn auch die Kolonien der Alten Welt vor dem Negerhandel nur sehr wenige Produkte und änderten das Antlitz der Welt nicht merklich. Mithin ist die Sklaverei eine ökonomische Kategorie von höchster Bedeutung. Ohne die Sklaverei würde Nordamerika, das vorgeschrittenste Land, sich in ein patriarchalisches Land verwandeln. Man streiche Nordamerika von der Weltkarte, und man hat die Anarchie, den völligen Verfall des Handels und der modernen Zivilisation. Doch die Sklaverei verschwinden lassen, hieße Amerika von der Weltkarte streichen.[1] So findet sich denn auch die Sklaverei, da sie eine ökonomische Kategorie ist, seit Anbeginn der Welt bei allen Völkern. Die modernen Völker haben die Sklaverei in ihren Ländern lediglich zu maskieren und sie offen in der Neuen Welt einzuführen gewußt. Was soll nun der gute Herr Proudhon nach diesen Reflexionen über die Sklaverei anfangen? Er sucht die Synthese von Freiheit und Sklaverei, das wahre juste-milieu, mit anderen Worten: das Gleichgewicht zwischen Sklaverei und Freiheit.

Herr Proudhon hat sehr gut begriffen, daß die Menschen Tuch, Leinwand, Seidenstoffe herstellen – wahrlich ein großes Verdienst, eine solche Kleinigkeit begriffen zu haben! Nicht begriffen hat Herr Proudhon dagegen, daß die Menschen je nach ihren Produktivkräften auch die *gesellschaftlichen Beziehungen* produzieren, in denen sie Tuch und Leinwand produzieren. Noch weniger hat Herr Proudhon begriffen, daß die Menschen, die entsprechend ihrer materiellen Produktivität [productivité matérielle] die gesellschaftlichen Beziehungen produzieren, auch die *Ideen*, die *Kategorien*, d.h. den abstrakten, ideellen Ausdruck eben dieser gesellschaftlichen Beziehungen produzieren. Die Kategorien sind also genausowenig ewig wie die Beziehungen, die sie ausdrücken. Sie sind historische und vorübergehende Produkte. Für Herrn Proudhon sind ganz im Gegenteil die Abstraktionen, die Kategorien die primäre Ursache. Nach ihm produzieren sie, und nicht die Menschen, die Geschichte. *Die Abstraktion, die Kategorie als solche*, d.h. losgelöst von den Menschen und ihrer materiellen Tätigkeit, ist natürlich unsterblich, unveränderlich, unbeweglich; sie ist nur ein Wesen der reinen Vernunft, was lediglich besagen will, daß die Abstraktion als solche abstrakt ist – eine prächtige *Tautologie!*

So sind denn die ökonomischen Beziehungen, als Kategorie betrachtet, für Herrn Proudhon ewige Formeln, die weder Ursprung noch Fortschritt kennen.

Sagen wir es auf andere Weise: Herr Proudhon behauptet nicht direkt, daß das *bürgerliche Leben* für ihn eine *ewige Wahrheit* sei. Er sagt es indirekt, indem er die Kategorien vergöttlicht, die die bürgerlichen Verhältnisse in der Form des Gedankens ausdrücken. Er hält die Produkte der bürgerlichen Gesellschaft für spontan entstandene, mit eigenem Leben ausgestattete ewige Wesen, da sie sich ihm in der Form von Kategorien, in der Form des

[1] Siehe die Fußnote von Engels auf S. 132 des vorl. Bandes

Gedankens darstellen. So kommt er nicht über den bürgerlichen Horizont hinaus. Da er mit bürgerlichen Gedanken derart operiert, als wenn sie ewig wahr wären, sucht er die Synthese dieser Gedanken, ihr Gleichgewicht, und sieht nicht, daß die Art und Weise, wie sie sich gegenwärtig das Gleichgewicht halten, die einzig mögliche ist.

In Wirklichkeit tut er, was alle guten Bourgeois tun. Sie sagen alle, daß die Konkurrenz, das Monopol etc. im Prinzip, d. h. als abstrakte Gedanken, die alleinigen Grundlagen des Lebens sind, in der Praxis aber viel zu wünschen lassen. Sie wollen alle die Konkurrenz ohne die unheilvollen Folgen der Konkurrenz. Sie wollen alle das Unmögliche, d. h. bürgerliche Lebensbedingungen ohne die notwendigen Konsequenzen dieser Bedingungen. Sie alle verstehen nicht, daß die bürgerliche Form der Produktion eine historische und vorübergehende ist, genauso wie es die feudale Form war. Dieser Irrtum stammt daher, daß der Bourgeois-Mensch für sie die einzig mögliche Grundlage aller Gesellschaft ist, daß sie sich keine Gesellschaftsordnung denken können, in der der Mensch aufgehört hätte, Bourgeois zu sein.

Herr Proudhon ist also notwendig *doktrinär*. Die historische Bewegung, die die Welt von heute umwälzt, löst sich für ihn in das Problem auf, das richtige Gleichgewicht, die Synthese zweier bürgerlicher Gedanken zu entdecken. So entdeckt der gewitzte Bursche vermöge seines Scharfsinns den verborgenen Gedanken Gottes, die Einheit der zwei isolierten Gedanken, die nur deswegen zwei isolierte Gedanken sind, weil Herr Proudhon sie vom praktischen Leben isoliert hat, von der gegenwärtigen Produktion, welche die Kombination der von diesen Gedanken ausgedrückten Realitäten ist. An die Stelle der großen historischen Bewegung, die aus dem Konflikt zwischen den bereits erworbenen Produktivkräften der Menschen und ihren gesellschaftlichen Verhältnissen hervorgeht, die diesen Produktivkräften nicht mehr entsprechen; an die Stelle der furchtbaren Kriege, die sich zwischen den verschiedenen Klassen einer Nation, zwischen den verschiedenen Nationen vorbereiten; an die Stelle der praktischen und gewaltsamen Aktion der Massen, die allein die Lösung dieser Kollisionen bringen kann: an die Stelle dieser umfassenden, fortgesetzten und komplizierten Bewegung setzt Herr Proudhon die Entleerungsbewegung [le mouvement cacadauphin[341]] seines Kopfes. Die Gelehrten also, die Menschen, die Gott seine intimen Gedanken zu entreißen verstehen, machen die Geschichte. Das niedere Volk hat bloß ihre Offenbarungen anzuwenden.

Sie verstehen jetzt, warum Herr Proudhon der erklärte Feind jeder politischen Bewegung ist. Die Lösung der gegenwärtigen Probleme liegt für ihn nicht in der öffentlichen Aktion, sondern in den dialektischen Kreisbewegungen innerhalb seines Kopfes. Da für ihn die Kategorien die treibenden Kräfte sind, braucht man nicht das praktische Leben zu ändern, um die Kategorien zu ändern. Ganz im Gegenteil: Man muß die Kategorien ändern, und das wird die Änderung der wirklichen Gesellschaft zur Folge haben.

Von dem Wunsch beseelt, die Widersprüche zu versöhnen, stellt sich Herr Proudhon nicht einmal die Frage, ob nicht eigentlich die Grundlage dieser Widersprüche umgewälzt werden muß. Er gleicht in allem dem doktrinären Politiker, der im König, in der Deputierten- und Pairskammer integrierende Bestandteile des gesellschaftlichen Lebens, ewige Kategorien sehen will. Nur sucht er nach einer neuen Formel, um das Gleichgewicht dieser Mächte herzustellen, deren Gleichgewicht gerade auf der gegenwärtigen Bewegung beruht, wo eine dieser Mächte bald der Sieger, bald der Sklave der anderen ist. So war im 18. Jahrhundert eine Menge mittelmäßiger Köpfe damit beschäftigt, die einzig richtige Formel zu finden, um die sozialen Stände, den Adel, den König, die Parlamente etc. ins Gleichgewicht zu bringen, und über Nacht war alles – König, Parlament und Adel – verschwunden. Das richtige Gleichgewicht in diesem Antagonismus war die Umwälzung aller gesellschaftlichen Beziehungen, die diesen Feudalgebilden und ihrem Antagonismus als Grundlage dienten.

Da Herr Proudhon auf die eine Seite die ewigen Ideen, die Kategorien der reinen Vernunft setzt, auf die andere die Menschen und ihr praktisches Leben, das nach ihm die Anwendung dieser Kategorien ist, finden Sie bei ihm von Anfang an einen *Dualismus* zwischen dem Leben und den Ideen, der Seele und dem Körper – einen Dualismus, der in vielen Formen wiederkehrt. Sie sehen jetzt, daß dieser Antagonismus nichts anderes ist als die Unfähigkeit des Herrn Proudhon, den irdischen Ursprung und die profane Geschichte der Kategorien, die er vergöttlicht, zu begreifen.

Mein Brief ist bereits zu lang, als daß ich noch auf den lächerlichen Prozeß zu sprechen kommen könnte, den Herr Proudhon dem Kommunismus macht. Vorderhand werden Sie zugeben, daß ein Mensch, der die gegenwärtige Gesellschaftsordnung nicht begriffen hat, noch weniger imstande ist, die Bewegung, die sie umwälzen will, und den literarischen Ausdruck dieser revolutionären Bewegung zu begreifen.

Der *einzige Punkt*, in dem ich mit Herrn Proudhon vollständig einverstanden bin, ist sein Widerwille gegen die sozialistische Gefühlsduselei. Ich habe mich bereits vor ihm durch meine Persiflage des schafsköpfigen, sentimentalen, utopischen Sozialismus sehr unbeliebt gemacht. Aber macht sich Herr Proudhon nicht sonderbare Illusionen, wenn er seine kleinbürgerliche Sentimentalität, ich meine seine Salbadereien über das häusliche Leben, die Gattenliebe und all diese Banalitäten, der sozialistischen Sentimentalität gegenüberstellt, die, zum Beispiel bei Fourier, viel tiefer ist als die anmaßenden Plattheiten unseres guten Proudhon? Er empfindet die Nichtigkeit seiner Beweisgründe, seine völlige Unfähigkeit, von diesen Dingen zu sprechen, selber so gut, daß er hemmungslos in Wut und Geschrei, in die irae hominis probi[1] ausbricht, daß er schäumt, flucht, denunziert, daß er Niedertracht!

[1] der Zorn des rechtschaffenen Mannes

Zeter und Mordio! schreit, sich an die Brust schlägt und sich vor Gott und den Menschen rühmt, nichts mit den sozialistischen Niederträchtigkeiten zu tun zu haben! Er kritisiert nicht die sozialistischen Sentimentalitäten oder das, was er für Sentimentalitäten hält. Er exkommuniziert als Heiliger, als Papst die armen Sünder und singt Ruhmeshymnen auf das Kleinbürgertum und die elenden, patriarchalischen Liebesillusionen des trauten Heims. Und das ist durchaus kein Zufall. Herr Proudhon ist von Kopf bis Fuß Philosoph, Ökonom des Kleinbürgertums. In einer fortgeschrittenen Gesellschaft und durch den Zwang seiner Lage wird *der Kleinbürger* einesteils Sozialist, anderenteils Ökonom, d. h., er ist geblendet von der Herrlichkeit der großen Bourgeoisie und hat Mitgefühl für die Leiden des Volkes. Er ist Bourgeois und Volk zugleich. Im Innersten seines Gewissens schmeichelt er sich, unparteiisch zu sein, das rechte Gleichgewicht gefunden zu haben, das den Anspruch erhebt, etwas anderes zu sein als das rechte juste-milieu. Ein solcher Kleinbürger vergöttlicht den *Widerspruch*, weil der Widerspruch der Kern seines Wesens ist. Er selber ist bloß der soziale Widerspruch in Aktion. Er muß durch die Theorie rechtfertigen, was er in der Praxis ist, und Herr Proudhon hat das Verdienst, der wissenschaftliche Interpret des französischen Kleinbürgertums zu sein, was ein wirkliches Verdienst ist, da das Kleinbürgertum ein integrierender Bestandteil aller sich vorbereitenden sozialen Revolutionen sein wird.

Ich hätte Ihnen gern mit diesem Brief mein Buch über die politische Ökonomie geschickt, aber bisher ist es mir nicht möglich gewesen, dieses Werk und die Kritik an den deutschen Philosophen und Sozialisten, von der ich Ihnen in Brüssel erzählte[342], drucken zu lassen. Sie können sich nicht vorstellen, auf welche Schwierigkeiten eine solche Veröffentlichung in Deutschland stößt, einesteils von seiten der Polizei, anderenteils von seiten der Verleger, die ja selbst die interessierten Vertreter all der Richtungen sind, die ich angreife. Und was unsere eigene Partei betrifft, so ist sie nicht nur arm, sondern eine starke Gruppe innerhalb der deutschen kommunistischen Partei nimmt es mir übel, daß ich mich ihren Utopien und Deklamationen widersetze.

Ganz der Ihre
Karl Marx

PS. Sie werden fragen, warum ich in schlechtem Französisch statt in gutem Deutsch an Sie schreibe? Weil ich mit einem französischen Autor zu tun habe.

Ich wäre Ihnen sehr dankbar, wenn Sie mit Ihrer Antwort nicht zu lange warteten, damit ich weiß, ob Sie mich unter dieser Hülle eines barbarischen Französisch verstanden haben.

Aus dem Französischen.

Vorwort
[zur ersten deutschen Ausgabe]

Die vorliegende Schrift entstand im Winter 1846/47, zu einer Zeit, wo Marx über die Grundzüge seiner neuen historischen und ökonomischen Anschauungsweise mit sich ins reine gekommen war. Proudhons eben erschienenes „Système des contradictions économiques, ou philosophie de la misère“[1] gab ihm Gelegenheit, diese Grundzüge zu entwickeln im Gegensatz zu den Ansichten des Mannes, der von nun an unter den lebenden französischen Sozialisten die bedeutendste Stelle einnehmen sollte. Seit der Zeit, wo die beiden in Paris oft ganze Nächte lang ökonomische Fragen diskutiert, waren ihre Wege mehr und mehr auseinander gegangen; Proudhons Schrift bewies, daß jetzt schon eine unüberbrückbare Kluft zwischen beiden lag; Ignorieren war damals nicht möglich; und so konstatierte Marx den unheilbaren Riß in dieser seiner Antwort.

Das Gesamturteil Marx' über Proudhon findet sich in dem diesem Vorwort folgenden Aufsatz niedergelegt, der im Berliner „Social-Demokrat“ Nr. 16, 17 und 18 von 1865 erschien.[343] Es war der einzige Artikel, den Marx in jenes Blatt schrieb; die alsbald zutage tretenden Versuche des Herrn von Schweitzer, es ins feudale und Regierungsfahrwasser zu lenken, zwangen uns, unsere Mitarbeiterschaft schon nach wenigen Wochen öffentlich zu kündigen.

Für Deutschland hat die vorliegende Schrift gerade im jetzigen Augenblick eine Bedeutung, die Marx selbst nie geahnt hat. Wie konnte er wissen, daß, indem er auf Proudhon losschlug, er den ihm damals selbst dem Namen nach unbekannten Rodbertus, den Strebergott von heute, traf?

Es ist hier nicht der Ort, auf das Verhältnis von Marx und Rodbertus einzugehn; dazu wird sich mir wohl demnächst Gelegenheit bieten. Hier nur soviel, daß, wenn Rodbertus Marx anklagt, dieser habe ihn „geplündert“ und seine Schrift „Zur Erkenntniß“ „in seinem ‚Kapital‘ ganz hübsch benutzt, ohne ihn zu zitieren“, er sich zu einer Verleumdung hinreißen läßt, die nur erklärlich wird durch die Verdrießlichkeit des verkannten Genies

[1] „System der ökonomischen Widersprüche oder Philosophie des Elends“

und durch seine merkwürdige Unwissenheit über Dinge, die außerhalb Preußens vorgehn, und namentlich über die sozialistische und ökonomische Literatur. Marx sind weder diese Anklagen noch die erwähnte Rodbertussche Schrift je zu Gesicht gekommen; er kannte von Rodbertus überhaupt nur die drei „Socialen Briefe", und auch diese keinesfalls vor 1858 oder 1859.

Mit mehr Grund behauptet Rodbertus in diesen Briefen, den „konstituierten Wert Proudhons" bereits *vor* Proudhon entdeckt zu haben; wobei er sich freilich wieder irrigerweise schmeichelt, der *erste* Entdecker zu sein. Jedenfalls ist er also in unsrer Schrift mitkritisiert, und dies nötigt mich, auf sein „grundlegendes" Werkchen „Zur Erkenntniß unsrer staatswirthschaftlichen Zustände", 1842, kurz einzugehn, soweit dies nämlich außer dem ebenfalls darin (wieder unbewußt) enthaltnen Weitlingschen Kommunismus auch Antizipationen von Proudhon zutage fördert.

Soweit der moderne Sozialismus, einerlei welcher Richtung, von der bürgerlichen politischen Ökonomie ausgeht, knüpft er fast ausnahmslos an die Ricardosche Werttheorie an. Die beiden Sätze, die Ricardo 1817 gleich am Anfang seiner „Principles"[1] proklamiert: 1. daß der Wert jeder Ware bestimmt wird einzig und allein durch die zu ihrer Produktion erheischte Arbeitsmenge, und 2. daß das Produkt der gesamten gesellschaftlichen Arbeit verteilt wird unter die drei Klassen der Grundbesitzer (Rente), Kapitalisten (Profit) und Arbeiter (Arbeitslohn), diese beiden Sätze wurden schon seit 1821 in England zu sozialistischen Konsequenzen verwertet, und zwar teilweise mit solcher Schärfe und Entschiedenheit, daß diese jetzt fast verschollene, von Marx großenteils erst wieder entdeckte Literatur bis zum Erscheinen des „Kapitals" unübertroffen blieb. Darüber ein andermal. Wenn also Rodbertus 1842 seinerseits sozialistische Konsequenzen aus obigen Sätzen zog, so war das für einen Deutschen damals sicherlich ein sehr bedeutender Schritt vorwärts, konnte aber höchstens für Deutschland als neue Entdeckung gelten. Wie wenig neu solche Anwendung der Ricardoschen Theorie war, beweist Marx gegen Proudhon, der an ähnlicher Einbildung litt.

„Wer nur einigermaßen mit der Entwicklung der politischen Ökonomie in England vertraut ist, weiß jedenfalls, daß fast alle Sozialisten dieses Landes, zu verschiedenen Zeiten, die *egalitäre* (d.h. sozialistische) Anwendung der Ricardoschen Theorie vorgeschlagen haben. Wir könnten dem Herrn Proudhon anführen: ‚Die politische Ökonomie' von Hopkins, 1822[48]; William Thompson, ‚An Inquiry into the Principles of the Distribution of Wealth, most conductive to Human Happiness'[2], 1824; T[homas] R[owe] Edmonds, ‚Practical, Moral and Political Economy'[3], 1828 etc. etc. und noch vier Seiten Etceteras. Wir lassen nur einen englischen Kommunisten sprechen: Bray, in

[1] „Grundsätze" (der politischen Ökonomie und der Besteuerung) – [2] „Untersuchung über die Grundsätze der Verteilung des Reichtums, die zum menschlichen Glück am meisten beitragen" – [3] „Praktische, moralische und politische Ökonomie"

seiner bemerkenswerten Schrift ‚Labour's Wrongs and Labour's Remedy'[1], Leeds 1839." Und allein die hier gegebenen Zitate aus Bray beseitigen ein gutes Stück der von Rodbertus beanspruchten Priorität.

Damals hatte Marx noch nie das Lesezimmer des Britischen Museums betreten. Er hatte, außer Pariser und Brüsseler Bibliotheken, außer meinen Büchern und Auszügen, während einer sechswöchentlichen Reise nach England, die wir zusammen im Sommer 1845 machten, nur die in Manchester aufzutreibenden Bücher durchgesehn. Die betreffende Literatur war also in den vierziger Jahren noch keineswegs so unzugänglich wie etwa heutzutage. Wenn sie trotzdem Rodbertus stets unbekannt blieb, so war das lediglich seiner preußischen Lokalborniertheit geschuldet. Er ist der eigentliche Begründer des spezifisch preußischen Sozialismus und wird jetzt endlich als solcher anerkannt.

Indes auch in seinem geliebten Preußen sollte Rodbertus nicht ungestört bleiben. 1859 erschien in Berlin Marx' „Zur Kritik der Politischen Oekonomie, erstes Heft". Darin wird unter den Einwürfen der Ökonomen gegen Ricardo als zweiter Einwand hervorgehoben S. 40:

„Wenn der Tauschwert eines Produkts gleich ist der in ihm enthaltnen Arbeitszeit, ist der Tauschwert eines Arbeitstags gleich seinem Produkt. Oder der Arbeitslohn muß dem Produkt der Arbeit gleich sein. Nun ist das Gegenteil der Fall." Dazu die folgende Note: „Dieser von ökonomischer[2] Seite gegen Ricardo beigebrachte Einwand ward später von sozialistischer Seite aufgegriffen. Die theoretische Richtigkeit der Formel vorausgesetzt, wurde die Praxis des Widerspruchs gegen die Theorie bezüchtigt und die bürgerliche Gesellschaft angegangen, praktisch die vermeinte Konsequenz ihres theoretischen Prinzips zu ziehn. In dieser Weise wenigstens kehrten englische Sozialisten die Ricardosche Formel des Tauschwerts gegen die politische Ökonomie." In derselben Note wird verwiesen auf Marx' „Misère de la philosophie"[3], die damals noch überall im Buchhandel zu haben war.

Rodbertus hatte also Gelegenheit genug, sich selbst zu überzeugen, ob seine Entdeckungen von 1842 wirklich neu waren. Statt dessen verkündet er sie immer wieder und hält sie für so unvergleichlich, daß ihm nicht einmal einfällt, Marx könne seine Konsequenzen aus Ricardo ebensogut selbständig gezogen haben wie er, Rodbertus, selbst. Rein unmöglich! Marx hat ihn „geplündert" – ihn, dem derselbe Marx jede Gelegenheit bot, sich zu vergewissern, wie lange vor ihnen beiden diese Schlußfolgerungen, wenigstens in der rohen Form, die sie noch bei Rodbertus haben, in England bereits ausgesprochen waren!

Die einfachste sozialistische Nutzanwendung der Ricardoschen Theorie ist nun die oben gegebne. Sie hat in vielen Fällen zu Einsichten in den Ur-

---

[1] „Der Arbeit Übel und der Arbeit Heilmittel" – [2] bei Marx: bürgerlich-ökonomischer – [3] „Das Elend der Philosophie"

sprung und die Natur des Mehrwerts geführt, die weit über Ricardo hinausgehn; so unter andern bei Rodbertus. Abgesehn davon, daß er in dieser Beziehung nirgendwo etwas bietet, das nicht schon vor ihm mindestens ebensogut gesagt, leidet seine Darstellung wie die seiner Vorgänger daran, daß er die ökonomischen Kategorien: Arbeit, Kapital, Wert etc., in der ihm von den Ökonomen überlieferten cruden, an der Erscheinung haftenden Form unbesehn übernimmt, ohne sie auf ihren Gehalt zu untersuchen. Hierdurch schneidet er sich nicht nur jeden Weg weiterer Entwicklung ab – im Gegensatz zu Marx, der erst aus diesen seit jetzt 64 Jahren oft wiederholten Sätzen etwas gemacht hat –, sondern eröffnet sich auch den geraden Weg in die Utopie, wie sich zeigen wird.

Die obige Nutzanwendung der Ricardoschen Theorie, daß den Arbeitern, als den alleinigen wirklichen Produzenten, das gesamte gesellschaftliche Produkt, *ihr* Produkt, gehört, führt direkt in den Kommunismus. Sie ist aber, wie Marx in der obigen Stelle auch andeutet, ökonomisch formell falsch, denn sie ist einfach eine Anwendung der Moral auf die Ökonomie. Nach den Gesetzen der bürgerlichen Ökonomie gehört der größte Teil des Produkts *nicht* den Arbeitern, die es erzeugt haben. Sagen wir nun: das ist unrecht, das soll nicht sein, so geht das die Ökonomie zunächst nichts an. Wir sagen bloß, daß diese ökonomische Tatsache unserm sittlichen Gefühl widerspricht. Marx hat daher nie seine kommunistischen Forderungen hierauf begründet, sondern auf den notwendigen, sich vor unsern Augen täglich mehr und mehr vollziehenden Zusammenbruch der kapitalistischen Produktionsweise; er sagt nur, daß der Mehrwert aus unbezahlter Arbeit besteht, was eine einfache Tatsache ist. Was aber ökonomisch formell falsch, kann darum doch weltgeschichtlich richtig sein. Erklärt das sittliche Bewußtsein der Masse eine ökonomische Tatsache, wie seinerzeit die Sklaverei oder die Fronarbeit, für unrecht, so ist das ein Beweis, daß die Tatsache selbst sich schon überlebt hat, daß andre ökonomische Tatsachen eingetreten sind, kraft deren jene unerträglich und unhaltbar geworden ist. Hinter der formellen ökonomischen Unrichtigkeit kann also ein sehr wahrer ökonomischer Inhalt verborgen sein. Näher auf die Bedeutung und Geschichte der Mehrwertstheorie einzugehn, ist hier nicht der Ort.

Daneben kann man aber aus der Ricardoschen Werttheorie noch andre Folgerungen ziehn und hat sie gezogen. Der Wert der Waren wird durch die zu ihrer Erzeugung erheischte Arbeit bestimmt. Nun aber findet sich, daß in dieser schlechten Welt die Waren bald über, bald unter ihrem Wert verkauft werden, und zwar nicht nur infolge von Konkurrenzschwankungen. Die Profitrate hat ebensosehr die Tendenz, sich für alle Kapitalisten auf dasselbe Niveau auszugleichen, wie die Warenpreise die Tendenz haben, vermittelst Nachfrage und Angebot sich auf den Arbeitswert zu reduzieren. Die Profitrate aber berechnet sich auf das in einem industriellen Geschäft angelegte Gesamtkapital. Da nun in zwei verschiednen Geschäftszweigen das Jahresprodukt gleiche Arbeitsmengen verkörpern, also gleiche Werte darstellen kann, auch der Arbeitslohn in beiden gleich hoch, die vorgeschossenen Kapitale aber in dem einen Geschäftszweig doppelt oder dreimal so groß sein können, und oft sind, wie im andern, so kommt hier das Ricardosche Wertgesetz, wie schon Ricardo selbst entdeckte, in Widerspruch mit dem Gesetz der gleichen Profitrate. Werden die Produkte beider Geschäftszweige zu ihren Werten verkauft, so können die Profitraten nicht gleich sein; sind aber die Profitraten gleich, so können die Produkte beider Geschäftszweige nicht durchweg zu ihren Werten verkauft werden. Wir haben hier also einen Widerspruch, eine Antinomie zweier ökonomischer Gesetze; die praktische Lösung macht sich nach Ricardo (Kap. I, Sektion 4 und 5) in der Regel zugunsten der Profitrate auf Kosten des Werts.

Nun hat aber die Ricardosche Wertbestimmung, trotz ihrer ominösen Eigenschaften, eine Seite, die sie dem braven Bürger lieb und teuer macht. Sie appelliert mit unwiderstehlicher Gewalt an sein Gerechtigkeitsgefühl. Gerechtigkeit und Gleichheit der Rechte, das sind die Grundpfeiler, auf die der Bürger des achtzehnten und neunzehnten Jahrhunderts sein Gesellschaftsgebäude errichten möchte über den Trümmern der feudalen Ungerechtigkeiten, Ungleichheiten und Privilegien. Und die Bestimmung des Warenwerts durch Arbeit und der nach diesem Wertmaß sich vollziehende freie Austausch der Arbeitsprodukte zwischen gleichberechtigten Warenbesitzern, das sind, wie Marx schon nachgewiesen, die realen Grundlagen, auf denen die gesamte politische, juristische und philosophische Ideologie des modernen Bürgertums sich aufgebaut hat. Einmal die Erkenntnis gegeben, daß die Arbeit das Maß des Warenwertes ist, muß sich auch das bessere Gefühl des braven Bürgers tief verletzt fühlen durch die Schlechtigkeit einer Welt, die dies Grundgesetz der Gerechtigkeit zwar dem Namen nach anerkannt, aber der Sache nach jeden Augenblick ungeniert beiseite zu setzen scheint. Und namentlich der Kleinbürger, dessen ehrliche Arbeit – wenn sie auch nur die seiner Gesellen und Lehrlinge ist – täglich mehr und mehr entwertet wird durch die Konkurrenz der Großproduktion und der Maschinen, namentlich der Kleinproduzent muß sich sehnen nach einer Gesellschaft, worin der Austausch der Produkte nach ihrem Arbeitswert endlich einmal eine volle und ausnahmslose Wahrheit wird; in andern Worten: Er muß sich sehnen nach einer Gesellschaft, in der ein einzelnes Gesetz der Warenproduktion ausschließlich und unverkürzt gilt, aber die Bedingungen beseitigt sind, unter denen es überhaupt gelten kann, nämlich die übrigen Gesetze der Warenproduktion und weiterhin der kapitalistischen Produktion.

Wie tief diese Utopie in der Denkweise des modernen – wirklichen oder ideellen – Kleinbürgers begründet ist, beweist die Tatsache, daß sie schon 1831 von John Gray systematisch entwickelt, in den dreißiger Jahren in England praktisch versucht und theoretisch breitgetreten, 1842 von Rodbertus in Deutschland, 1846 von Proudhon in Frankreich als neueste Wahrheit proklamiert, noch 1871 von Rodbertus abermals als Lösung der sozialen Frage und gleichsam als sein soziales Testament verkündet wurde und 1884 wieder Anhang findet bei dem Streberheer, das auf den Namen Rodbertus hin den preußischen Staatssozialismus auszubeuten sich anschickt.

Die Kritik dieser Utopie ist von Marx so erschöpfend sowohl gegen Proudhon wie gegen Gray (siehe den Anhang dieser Schrift[344]) geliefert, daß ich mich hier beschränken kann auf einige Bemerkungen über die speziell Rodbertussche Form ihrer Begründung und Ausmalung.

Wie schon gesagt: Rodbertus übernimmt die herkömmlichen ökonomischen Begriffsbestimmungen ganz in der Form, in der sie ihm von den Ökonomen überliefert worden. Er macht nicht den geringsten Versuch, sie zu untersuchen. Wert ist ihm „die Geltung einer Sache gegen die übrigen nach Quantität, diese Geltung als Maß aufgefaßt". Diese, gelind gesagt, höchst loddrige Definition gibt uns im besten Fall eine Vorstellung davon, wie der Wert ungefähr aussieht, aber sagt absolut nicht, was er ist. Da dies aber alles ist, was Rodbertus uns vom Wert zu sagen weiß, ist es begreiflich, daß er nach einem außerhalb des Werts liegenden Wertmaßstab sucht. Nachdem er auf dreißig Seiten Gebrauchswert und Tauschwert mit der von Herrn Adolph Wagner so unendlich bewunderten Kraft des abstrakten Denkens kunterbunt durcheinander geworfen, kommt er zu dem Resultat, daß es ein wirkliches Wertmaß nicht gibt und man sich mit einem Surrogatmaß begnügen müsse. Ein solches könne die Arbeit abgeben, aber nur dann, wenn Produkte gleicher Arbeitsquantitäten sich stets gegen Produkte gleicher Arbeitsquantitäten austauschten; sei es, daß dies „an sich schon der Fall ist, oder daß Vorkehrungen getroffen werden", die dies sicherstellen. Wert und Arbeit bleiben also ohne irgendwelchen sachlichen Zusammenhang, trotzdem daß das ganze erste Kapitel darauf verwendet wird, uns auseinanderzusetzen, daß und warum die Waren „Arbeit kosten" und nichts als Arbeit.

Die Arbeit nun wird wieder unbesehn in der Form genommen, in der sie bei den Ökonomen vorkommt. Und nicht einmal das. Denn wenn auch mit zwei Worten auf die Intensitätsunterschiede der Arbeit hingewiesen wird, so wird die Arbeit doch ganz allgemein als „kostend", also wertmessend, angeführt, einerlei, ob sie unter den normalen gesellschaftlichen Durchschnittsbedingungen verausgabt wird oder nicht. Ob die Produzenten zehn Tage auf die Herstellung von Produkten verwenden, die in einem Tage hergestellt werden können, oder nur einen, ob sie die besten oder die schlechtesten Werkzeuge anwenden, ob sie ihre Arbeitszeit auf Herstellung gesellschaftlich nötiger Artikel und in der gesellschaftlich erheischten Quantität verwenden, oder ob sie ganz unbegehrte Artikel oder begehrte Artikel über oder unter Bedarf anfertigen – von alledem ist keine Rede: Arbeit ist Arbeit, Produkt gleicher Arbeit muß ausgetauscht werden gegen Produkt gleicher Arbeit. Rodbertus, der sonst jederzeit, ob angebracht oder nicht, bereit ist, sich auf den nationalen Standpunkt zu stellen und von der Höhe der allgemein gesellschaftlichen Warte die Verhältnisse der Einzelproduzenten zu überschauen, vermeidet dies hier ängstlich. Und zwar nur deshalb, weil er schon von der ersten Zeile seines Buches an direkt auf die Utopie des Arbeitsgelds lossteuert und jede Untersuchung der Arbeit in ihrer wertbildenden Eigenschaft ihm unpassierbare Felsblöcke ins Fahrwasser schleudern müßte. Sein Instinkt war hier bedeutend stärker als seine Kraft des abstrakten Denkens, die beiläufig nur vermittelst der konkretesten Gedankenlosigkeit bei Rodbertus zu entdecken ist.

Der Übergang zur Utopie ist nun im Handumdrehen gemacht. Die „Vorkehrungen", die den Warenaustausch nach Arbeitswert als ausnahmslose Regel sicherstellen, machen keine Schwierigkeit. Die übrigen Utopisten dieser Richtung, von Gray bis Proudhon, plagen sich damit ab, gesellschaftliche Einrichtungen auszuklügeln, die diesen Zweck verwirklichen sollen. Sie versuchen wenigstens, die ökonomische Frage auf ökonomischem Wege, durch Aktion der austauschenden Warenbesitzer selbst, zu lösen. Rodbertus hat es viel leichter. Als guter Preuße appelliert er an den Staat: Ein Dekret der Staatsgewalt befiehlt die Reform.

Damit ist denn der Wert glücklich „konstituiert", aber keineswegs die von Rodbertus beanspruchte Priorität dieser Konstituierung. Im Gegenteil, Gray wie Bray – neben vielen andern – haben diesen Gedanken: den frommen Wunsch nach Vorkehrungen, vermittelst deren die Produkte unter allen Umständen stets und nur zu ihrem Arbeitswert sich austauschen, lange und oft vor Rodbertus bis zum Überdruß wiederholt.

Nachdem der Staat den Wert – wenigstens eines Teils der Produkte, denn Rodbertus ist auch bescheiden – dermaßen konstituiert, gibt er sein Arbeitspapiergeld aus, macht den industriellen Kapitalisten Vorschüsse davon, mit denen diese die Arbeiter lohnen, worauf die Arbeiter mit dem erhaltnen Arbeitspapiergeld die Produkte kaufen und so den Rückfluß des Papiergelds an seinen Ausgangspunkt vermitteln. Wie wunderschön sich dies abwickelt, das müssen wir von Rodbertus selbst hören.

„Was die zweite Bedingung betrifft, so wird die nötige Vorkehrung, daß der im Zettel bescheinigte Wert wirklich im Verkehr vorhanden ist, dadurch getroffen, daß nur derjenige, der ein Produkt wirklich abgibt, einen Zettel erhält, in welchem genau die Arbeitsquantität bemerkt ist, durch welche das Produkt hergestellt worden. Wer ein Produkt von zwei Tagen Arbeit abgibt, erhält einen Zettel, auf dem ‚zwei Tage' bemerkt stehn. Durch die genaue Beobachtung dieser Regel bei der Emission muß notwendig auch diese zweite Bedingung erfüllt werden. Denn da nach unsrer Voraussetzung der wirkliche Wert der Güter immer mit derjenigen Arbeitsquantität zusammenfällt, welche ihre Herstellung gekostet hat, und diese Arbeitsquantität ihren Maßstab in der gewöhnlichen Zeiteinteilung besitzt, so hat jemand, der ein Produkt hingibt, auf das zwei Tage Arbeit verwandt sind, wenn er zwei Tage bescheinigt erhält, auch nicht mehr oder weniger Wert bescheinigt oder angewiesen erhalten, als er in der Tat abgeliefert hat; – und da ferner *nur* derjenige eine solche Bescheinigung erhält, der wirklich ein Produkt in den Verkehr geliefert hat, so ist es auch gewiß, daß der im Zettel bemerkte Wert zur Befriedigung der Gesellschaft vorhanden ist. Denkt man sich nun den Kreis der Teilung der Arbeit auch noch so weit, so muß, wenn genau diese Regel befolgt wird, *die Summe des vorhandenen Wertes der Summe des bescheinigten Wertes genau gleich sein*. Da aber die Summe des bescheinigten Wertes genau auch die Summe des angewiesenen Wertes ist, so muß auch diese *mit dem vorhandnen Wert notwendig aufgehn, alle Ansprüche werden befriedigt und die Liquidation richtig vermittelt sein*." (S. 166, 167.)

Wenn bisher Rodbertus stets das Unglück hatte, mit seinen neuen Entdeckungen zu spät zu kommen, so hat er diesmal wenigstens das Verdienst *einer* Art Originalität: In dieser kindlich naiven, durchsichtigen, ich möchte sagen echt pommerschen Form hat keiner seiner Konkurrenten die Torheit der Arbeitsgelds-Utopie auszusprechen gewagt. Da für jeden Papierschein ein entsprechender Wertgegenstand geliefert worden und kein Wertgegenstand wieder abgegeben wird außer gegen einen entsprechenden Papierschein, so muß die Summe der Papierscheine stets durch die Summe der Wertgegenstände gedeckt sein; die Rechnung geht auf ohne den geringsten Rest, es stimmt bis auf die Arbeitssekunde, und kein im Dienst noch so ergrauter Regierungs-Hauptkassen-Rentamtskalkulator kann den geringsten Rechenfehler nachweisen. Was will man mehr?

In der heutigen kapitalistischen Gesellschaft produziert jeder industrielle Kapitalist auf eigne Faust, was, wie und wieviel er will. Der gesellschaftliche Bedarf aber bleibt ihm eine unbekannte Größe, sowohl was die Qualität, die Art der bedurften Gegenstände, wie deren Quantität angeht. Was heute nicht rasch genug geliefert werden kann, mag morgen weit über Bedarf ausgeboten werden. Trotzdem wird schließlich der Bedarf so oder so, schlecht oder recht, befriedigt, und die Produktion richtet sich im ganzen und großen schließlich auf die bedurften Gegenstände. Wie wird diese Ausgleichung des Widerspruchs bewirkt? Durch die Konkurrenz. Und wie bringt die Konkurrenz diese Lösung fertig? Einfach, indem sie die nach Art oder Menge für den augenblicklichen gesellschaftlichen Bedarf unbrauchbaren Waren unter ihren Arbeitswert entwertet und es auf diesem Umwege den Produzenten fühlbar macht, daß sie entweder überhaupt unbrauchbare oder an sich brauchbare Artikel in unbrauchbarer, überflüssiger Menge hergestellt haben. Es folgte hieraus zweierlei:

Erstens, daß die fortwährenden Abweichungen der Warenpreise von den Warenwerten die notwendige Bedingung sind, unter der und durch die allein der Warenwert zum Dasein kommen kann. Nur durch die Schwankungen der Konkurrenz und damit der Warenpreise setzt sich das Wertgesetz der Warenproduktion durch, wird die Bestimmung des Warenwerts durch die gesellschaftlich notwendige Arbeitszeit eine Wirklichkeit. Daß dabei die Erscheinungsform des Werts, der Preis, in der Regel etwas anders aussieht als der Wert, den er zur Erscheinung bringt, dies Schicksal teilt der Wert mit den meisten gesellschaftlichen Verhältnissen. Der König sieht meist auch ganz anders aus als die Monarchie, die er vorstellt. In einer Gesellschaft austauschender Warenproduzenten die Wertbestimmung durch Arbeitszeit herstellen wollen, dadurch, daß man der Konkurrenz verbietet, diese Wertbestimmung durch Druck auf die Preise in der einzigen Weise herzustellen, in der sie überhaupt hergestellt werden kann, heißt also nur beweisen, daß man die übliche utopistische Mißachtung der ökonomischen Gesetze sich wenigstens auf diesem Gebiete angeeignet hat.

Zweitens: Indem die Konkurrenz innerhalb einer Gesellschaft austauschender Warenproduzenten das Wertgesetz der Warenproduktion zur Geltung bringt, setzt sie eben dadurch die unter den Umständen einzig mögliche Organisation und Ordnung der gesellschaftlichen Produktion durch. Nur vermittelst der Entwertung oder Überwertung der Produkte werden die einzelnen Warenproduzenten mit der Nase darauf gestoßen, was und wieviel davon die Gesellschaft braucht oder nicht braucht. Gerade diesen einzigen Regulator aber will die von Rodbertus mitvertretene Utopie abschaffen. Und wenn wir dann fragen, welche Garantie wir haben, daß von jedem Produkt die nötige Quantität und nicht mehr produziert wird, daß wir nicht an Korn und Fleisch Hunger leiden, während wir im Rübenzucker ersticken und im Kartoffelschnaps ersaufen, daß wir nicht Hosen genug haben, um unsere Blöße zu bedecken, während die Hosenknöpfe millionenweise umherwimmeln – so zeigt uns Rodbertus triumphierend seine famose Rechnung, wonach für jedes überflüssige Pfund Zucker, für jedes unverkaufte Faß Schnaps, für jeden unannähbaren Hosenknopf der richtige Schein ausgestellt worden ist, eine Rechnung, die genau „aufgeht", nach der „alle Ansprüche befriedigt werden und die Liquidation richtig vermittelt" ist. Und wer's nicht glaubt, der wende sich an den Regierungs-Hauptkassen-Rentamtskalkulator X in Pommern, der die Rechnung revidiert und richtig befunden und der als noch nie im Kassendefekt ertappt durchaus glaubwürdig ist.

Und nun betrachte man die Naivetät, mit der Rodbertus die Industrie- und Handelskrisen vermittelst seiner Utopie beseitigen will. Sobald die Warenproduktion Weltmarkts-Dimensionen angenommen hat, erledigt sich die Ausgleichung zwischen den für Privatrechnung produzierenden Einzelproduzenten und dem ihnen nach Quantität und Qualität des Bedarfs mehr oder weniger unbekannten Markt, für den sie produzieren, durch ein Weltmarktsungewitter, eine Handelskrise.* Verbietet man nun der Konkurrenz, den Einzelproduzenten durch Steigen oder Fallen der Preise mitzuteilen, wie der Weltmarkt steht, so verbindet man ihnen die Augen vollständig. Die

* Wenigstens war dies der Fall bis vor kurzem. Seitdem Englands Weltmarktsmonopol mehr und mehr gebrochen wird durch die Beteiligung Frankreichs, Deutschlands und vor allem Amerikas am Welthandel, scheint eine neue Ausgleichungsform sich geltend zu machen. Die der Krise vorhergehende Periode allgemeiner Prosperität will noch immer nicht kommen. Bleibt sie ganz aus, so müßte chronische Stagnation der Normalzustand der modernen Industrie werden, mit nur geringen Schwankungen.

Warenproduktion so einrichten, daß die Produzenten gar nichts mehr erfahren können über den Stand des Markts, für den sie produzieren – das ist allerdings eine Kur für die Krisenkrankheit, um die der Doktor Eisenbart Rodbertus beneiden könnte.

Man begreift jetzt, warum Rodbertus den Wert der Waren durch „Arbeit" kurzweg bestimmt und höchstens verschiedne Intensitätsgrade der Arbeit zuläßt. Hätte er untersucht, wodurch und wie die Arbeit Wert schafft und daher auch bestimmt und mißt, so kam er auf die gesellschaftlich notwendige Arbeit, notwendig für das einzelne Produkt sowohl gegenüber andern Produkten derselben Art wie auch gegenüber dem gesellschaftlichen Gesamtbedarf. Damit kam er vor die Frage: wie die Anpassung der Produktion der einzelnen Warenproduzenten an den gesellschaftlichen Gesamtbedarf sich vollzieht; und damit war seine ganze Utopie unmöglich gemacht. Er zog es diesmal in der Tat vor, „zu abstrahieren", nämlich von dem, worauf es gerade ankam.

Jetzt endlich kommen wir zu dem Punkt, in dem Rodbertus uns wirklich etwas Neues bietet; etwas, das ihn von allen seinen zahlreichen Mitgenossen der Arbeitsgeld-Tauschwirtschaft unterscheidet. Sie alle verlangen diese Tauscheinrichtung zum Zweck der Abschaffung der Ausbeutung der Lohnarbeit durch das Kapital. Jeder Produzent soll den vollen Arbeitswert seines Produktes erhalten. Darin sind sie alle einig, von Gray bis Proudhon. Keineswegs, sagt Rodbertus. Die Lohnarbeit und ihre Ausbeutung bleibt.

Erstens kann der Arbeiter in keinem denkbaren Gesellschaftszustand den ganzen Wert seines Produkts zum Verzehren erhalten; es müssen stets aus dem produzierten Fonds eine Reihe wirtschaftlich unproduktiver, aber notwendiger Funktionen mit bestritten, also auch die betreffenden Leute mit erhalten werden. Dies ist nur richtig, solange die heutige Teilung der Arbeit gilt. In einer Gesellschaft mit Verpflichtung zu allgemeiner produktiver Arbeit, die doch auch „denkbar" ist, fällt dies weg. Bleiben aber würde die Notwendigkeit eines gesellschaftlichen Reserve- und Akkumulationsfonds, und daher würden auch dann zwar *die* Arbeiter, d.h. alle, im Besitz und Genuß ihres Gesamtproduktes bleiben, nicht aber jeder einzelne seinen „vollen Arbeitsertrag" genießen. Die Erhaltung ökonomisch unproduktiver Funktionen aus dem Arbeitsprodukt ist auch von den andern Arbeitsgeld-Utopisten nicht übersehn worden. Aber sie lassen die Arbeiter sich zu diesem Zweck auf üblichem demokratischen Wege selbst besteuern, während Rodbertus, dessen gesamte Sozialreform von 1842 auf den damaligen preußischen Staat zugeschnitten ist, die ganze Sache in das Befinden der Bürokratie legt, die dem Arbeiter seinen Anteil an seinem eignen Produkt von oben herab bestimmt und in Gnaden zukommen läßt.

Zweitens aber soll auch Grundrente und Profit unverkürzt fortbestehn. Denn auch die Grundbesitzer und industriellen Kapitalisten üben gewisse, gesellschaftlich nützliche oder sogar nötige, wenn auch wirtschaftlich unproduktive Funktionen aus und erhalten in Grundrente und Profit gewissermaßen Gehalt dafür – eine bekanntlich selbst 1842 keineswegs neue Auffassung. Eigentlich bekommen sie jetzt viel zuviel für das Wenige, das sie, und schlecht genug, leisten, aber Rodbertus hat nun einmal, wenigstens für die nächsten 500 Jahre, eine privilegierte Klasse nötig, und so soll die gegenwärtige Rate des Mehrwerts, um mich korrekt auszudrücken, bestehn bleiben, aber nicht gesteigert werden dürfen. Diese gegenwärtige Rate des Mehrwerts nimmt Rodbertus an zu 200 Prozent, d.h. bei zwölfstündiger Arbeit täglich soll der Arbeiter nicht zwölf Stunden bescheinigt erhalten, sondern nur vier, und der in den übrigen acht Stunden produzierte Wert soll zwischen Grundbesitzer und Kapitalist verteilt werden. Die Rodbertusschen Arbeitsbescheinigungen lügen also direkt. Man muß aber eben wieder ein pommerscher Rittergutsbesitzer sein, um sich einzubilden, eine Arbeiterklasse würde sich das gefallen lassen, zwölf Stunden zu arbeiten, um vier Arbeitsstunden bescheinigt zu erhalten. Übersetzt man den Hokuspokus der kapitalistischen Produktion in diese naive Sprache, wo er als unverhüllter Raub erscheint, so macht man ihn unmöglich. Jeder dem Arbeiter gegebne Schein wäre eine direkte Aufforderung zur Rebellion und fiele unter § 110 des deutschen Reichsstrafgesetzbuches. Man muß nie ein andres Proletariat gesehn haben als das noch tatsächlich in halber Leibeigenschaft befangne Taglöhnerproletariat eines pommerschen Ritterguts, wo Stock und Peitsche herrschen und wo alle hübschen Frauenzimmer des Dorfes zum Harem des gnädigen Herrn gehören, um sich vorzustellen, solche Unverschämtheit dürfe man den Arbeitern bieten. Aber unsre Konservativen sind nun einmal unsre größten Revolutionäre.

Wenn aber unsre Arbeiter sanftmütig genug sind, sich aufbinden zu lassen, sie hätten während ganzer zwölf Stunden harter Arbeit in Wirklichkeit nur vier Stunden gearbeitet, so soll ihnen dafür zum Lohn garantiert werden, daß in alle Ewigkeit ihr Anteil an ihrem eignen Produkt nicht unter ein Drittel fallen soll. Dies ist in der Tat Zukunftsmusik auf der Kindertrompete und nicht wert, daß man ein Wort darüber verliert. Soweit also in der Arbeitsgelds-Tauschutopie Rodbertus etwas Neues bietet, ist dies Neue einfach kindisch und steht tief unter den Leistungen seiner zahlreichen Genossen vor wie nach ihm.

Für die Zeit, wo Rodbertus' „Zur Erkenntniß etc." erschien, war es unbedingt ein bedeutendes Buch. Seine Fortführung der Ricardoschen Werttheorie in der einen Richtung war ein vielversprechender Anfang. War sie auch nur für ihn und für Deutschland neu, so steht sie doch im ganzen auf gleicher Höhe wie die Leistungen seiner bessern englischen Vorgänger. Aber es war eben nur ein Anfang, aus dem nur durch gründliche und kritische weitere Arbeit ein wirklicher Gewinn für die Theorie zu erlangen war. Diese Weiterführung jedoch schnitt er sich selbst ab dadurch, daß er gleich von vornherein auch die Weiterführung Ricardos in der zweiten Richtung, der

Richtung auf die Utopie, mit in Angriff nahm. Damit verlor er die erste Bedingung aller Kritik – die Unbefangenheit. Er arbeitete los auf ein vorher bestimmtes Ziel, er wurde Tendenzökonom. Einmal gefangengenommen von seiner Utopie, hatte er sich alle Möglichkeit des Fortschreitens in der Wissenschaft versperrt. Von 1842 bis zu seinem Tode dreht er sich im Kreise, wiederholt stets dieselben bereits in der ersten Schrift ausgesprochenen oder angedeuteten Gedanken, fühlt sich verkannt, findet sich geplündert, wo nichts zu plündern war, und verschließt sich zuletzt nicht ohne Absicht gegen die Erkenntnis, daß er im Grunde doch nur schon längst Entdecktes wieder entdeckt hat.

*

An einigen Stellen weicht die Übersetzung vom gedruckten französischen Original ab. Es beruht dies auf handschriftlichen Änderungen von Marx, die auch in der vorbereiteten, neuen französischen Ausgabe ihren Platz finden werden.

Es ist wohl kaum nötig, darauf aufmerksam zu machen, daß die in dieser Schrift gebrauchte Ausdrucksweise nicht ganz mit der des „Kapital" stimmt. So wird hier noch von der *Arbeit* als Ware, von Kauf und Verkauf der Arbeit gesprochen, statt der Arbeits*kraft*.

Als Ergänzung sind in dieser Ausgabe noch zugefügt: 1. eine Stelle aus der Marxschen Schrift „Zur Kritik der Politischen Oekonomie", Berlin 1859, über die *erste* Arbeitsgeld-Austauschutopie von John Gray, und 2. eine Übersetzung der Brüsseler Rede (1848) von Marx über Freihandel, die derselben Entwicklungsperiode des Verfassers angehört wie die „Misère".[344]

London, 23. Oktober 1884

Friedrich Engels

Zur zweiten Auflage

habe ich nur zu bemerken, daß der im französischen Text verschriebene Name Hopkins[48] (auf S. 45[1]) durch den richtigen Hodgskin ersetzt und ebendaselbst die Jahreszahl der Schrift von William Thompson auf 1824[49] berichtigt ist. Womit das bibliographische Gewissen des Herrn Professor Anton Menger hoffentlich beruhigt ist.

London, 29. März 1892

Friedrich Engels

[1] Siehe vorl. Band, S. 98

B. Vorworte zu Karl Marx/Friedrich Engels, Manifest der Kommunistischen Partei

Vorwort
[zur deutschen Ausgabe von 1872]

Der Bund der Kommunisten, eine internationale Arbeiterverbindung, die unter den damaligen Verhältnissen selbstredend nur eine geheime sein konnte, beauftragte auf dem in London im November 1847 abgehaltenen Kongresse die Unterzeichneten mit der Abfassung eines für die Öffentlichkeit bestimmten, ausführlichen theoretischen und praktischen Parteiprogramms. So entstand das nachfolgende „Manifest", dessen Manuskript wenige Wochen vor der Februarrevolution[1] nach London zum Druck wanderte. Zuerst deutsch veröffentlicht, ist es in dieser Sprache in Deutschland, England und Amerika in mindestens zwölf verschiedenen Ausgaben abgedruckt worden. Englisch erschien es zuerst 1850 in London im „Red Republican", übersetzt von Miß Helen Macfarlane, und 1871 in wenigstens drei verschiedenen Übersetzungen in Amerika. Französisch zuerst in Paris kurz vor der Juni-Insurrektion 1848[345], neuerdings in „Le Socialiste" von New York. Eine neue Übersetzung wird vorbereitet. Polnisch in London kurz nach seiner ersten deutschen Herausgabe. Russisch in Genf in den sechziger Jahren. Ins Dänische wurde es ebenfalls bald nach seinem Erscheinen übersetzt.

Wie sehr sich auch die Verhältnisse in den letzten fünfundzwanzig Jahren geändert haben, die in diesem „Manifest" entwickelten allgemeinen Grundsätze behalten im ganzen und großen auch heute noch ihre volle Richtigkeit. Einzelnes wäre hier und da zu bessern. Die praktische Anwendung dieser Grundsätze, erklärt das „Manifest" selbst, wird überall und jederzeit von den geschichtlich vorliegenden Umständen abhängen, und wird deshalb durchaus kein besonderes Gewicht auf die am Ende von Abschnitt II vorgeschlagenen revolutionären Maßregeln gelegt. Dieser Passus würde heute in vieler Beziehung anders lauten. Gegenüber der immensen Fortentwicklung der großen Industrie in den letzten fünfundzwanzig Jahren und der mit ihr fortschreitenden Parteiorganisation der Arbeiterklasse, gegenüber den praktischen Erfahrungen, zuerst der Februarrevolution und noch weit mehr der Pariser Kommune, wo das Proletariat zum erstenmal zwei Monate lang die

[1] Gemeint ist die Februarrevolution 1848 in Frankreich

politische Gewalt innehatte, ist heute dies Programm stellenweise veraltet. Namentlich hat die Kommune den Beweis geliefert, daß „die Arbeiterklasse nicht die fertige Staatsmaschine einfach in Besitz nehmen und sie für ihre eignen Zwecke in Bewegung setzen kann". (Siehe „Der Bürgerkrieg in Frankreich. Adresse des Generalraths der Internationalen Arbeiter-Association", deutsche Ausgabe, S. 19, wo dies weiter entwickelt ist.) Ferner ist selbstredend, daß die Kritik der sozialistischen Literatur für heute lückenhaft ist, weil sie nur bis 1847 reicht; ebenso daß die Bemerkungen über die Stellung der Kommunisten zu den verschiedenen Oppositionsparteien (Abschnitt IV), wenn in den Grundzügen auch heute noch richtig, doch in ihrer Ausführung heute schon deswegen veraltet sind, weil die politische Lage sich total umgestaltet und die geschichtliche Entwicklung die meisten der dort aufgezählten Parteien aus der Welt geschafft hat.

Indes, das „Manifest" ist ein geschichtliches Dokument, an dem zu ändern wir uns nicht mehr das Recht zuschreiben. Eine spätere Ausgabe erscheint vielleicht begleitet von einer den Abstand von 1847 bis jetzt überbrückenden Einleitung; der vorliegende Abdruck kam uns zu unerwartet, um uns Zeit dafür zu lassen.

London, 24. Juni 1872

Karl Marx *Friedrich Engels*

Vorrede
[zur russischen Ausgabe von 1882[1]]

Die erste russische Ausgabe des „Manifestes der Kommunistischen Partei", übersetzt von Bakunin, erschien anfangs der sechziger Jahre in der Druckerei des „Kolokol".[346] Der Westen konnte damals in ihr (der *russischen* Ausgabe des „Manifestes") nur ein literarisches Kuriosum sehn. Solche Auffassung wäre heute unmöglich.

Welch beschränktes Gebiet damals (Dezember 1847) die proletarische Bewegung noch einnahm, zeigt am klarsten das Schlußkapitel des „Manifests": Stellung der Kommunisten zu den verschiedenen Oppositionsparteien in den verschiedenen Ländern. Hier fehlen nämlich grad – Rußland und die Vereinigten Staaten. Es war die Zeit, wo Rußland die letzte große Reserve der europäischen Gesamtreaktion bildete; wo die Vereinigten Staaten die proletarische Überkraft Europas durch Einwanderung absorbierten. Beide Länder versorgten Europa mit Rohprodukten und waren zugleich Absatzmärkte seiner Industrieerzeugnisse. Beide Länder waren damals also, in dieser oder jener Weise, Säulen der bestehenden europäischen Ordnung.

Wie ganz anders heute! Grade die europäische Einwanderung befähigte Nordamerika zu einer riesigen Ackerbauproduktion, deren Konkurrenz das europäische Grundeigentum – großes wie kleines – in seinen Grundfesten erschüttert. Sie erlaubte zudem den Vereinigten Staaten, ihre ungeheuren industriellen Hülfsquellen mit einer Energie und auf einer Stufenleiter auszubeuten, die das bisherige industrielle Monopol Westeuropas und namentlich Englands binnen kurzem brechen muß. Beide Umstände wirken revolutionär auf Amerika selbst zurück. Das kleinere und mittlere Grundeigentum der Farmers, die Basis der ganzen politischen Verfassung, erliegt nach und nach der Konkurrenz der Riesenfarms; in den Industriebezirken entwickelt sich gleichzeitig zum erstenmal ein massenhaftes Proletariat und eine fabelhafte Konzentration der Kapitalien.

Und nun Rußland! Während der Revolution von 1848/49 fanden nicht nur die europäischen Fürsten, auch die europäischen Bourgeois in der

---

[1] Der Text dieser von Marx und Engels verfaßten Vorrede wird nach dem von Engels in deutscher Sprache geschriebenen Original gegeben.

russischen Einmischung die einzige Rettung vor dem eben erst erwachenden Proletariat. Der Zar wurde als Chef der europäischen Reaktion proklamiert. Heute ist er Kriegsgefangner der Revolution in Gatschina[347], und Rußland bildet die Vorhut der revolutionären Aktion von Europa.

Das „Kommunistische Manifest" hatte zur Aufgabe, die unvermeidlich bevorstehende Auflösung des modernen bürgerlichen Eigentums zu proklamieren. In Rußland aber finden wir, gegenüber rasch aufblühendem kapitalistischen Schwindel und sich eben erst entwickelndem bürgerlichen Grundeigentum, die größere Hälfte des Bodens im Gemeinbesitz der Bauern. Es fragt sich nun: Kann die russische Obschtschina, eine wenn auch stark untergrabene Form des uralten Gemeinbesitzes am Boden, unmittelbar in die höhere des kommunistischen Gemeinbesitzes übergehn? Oder muß sie umgekehrt vorher denselben Auflösungsprozeß durchlaufen, der die geschichtliche Entwicklung des Westens ausmacht?

Die einzige Antwort hierauf, die heutzutage möglich, ist die: Wird die russische Revolution das Signal einer proletarischen Revolution im Westen, so daß beide einander ergänzen, so kann das jetzige russische Gemeineigentum am Boden zum Ausgangspunkt einer kommunistischen Entwicklung dienen.

London, 21. Januar 1882

Karl Marx *F. Engels*

Vorwort
[zur deutschen Ausgabe von 1883]

Das Vorwort zur gegenwärtigen Ausgabe muß ich leider allein unterschreiben. Marx, der Mann, dem die gesamte Arbeiterklasse Europas und Amerikas mehr verdankt als irgendeinem andern – Marx ruht auf dem Friedhof zu Highgate, und über sein Grab wächst bereits das erste Gras.[348] Seit seinem Tode kann von einer Umarbeitung oder Ergänzung des „Manifestes" erst recht keine Rede mehr sein. Für um so nötiger halte ich es, hier nochmals das Folgende ausdrücklich festzustellen.

Der durchgehende Grundgedanke des „Manifestes": daß die ökonomische Produktion und die aus ihr mit Notwendigkeit folgende gesellschaftliche Gliederung einer jeden Geschichtsepoche die Grundlage bildet für die politische und intellektuelle Geschichte dieser Epoche; daß demgemäß (seit Auflösung des uralten Gemeinbesitzes an Grund und Boden) die ganze Geschichte eine Geschichte von Klassenkämpfen gewesen ist, Kämpfen zwischen ausgebeuteten und ausbeutenden, beherrschten und herrschenden Klassen auf verschiedenen Stufen der gesellschaftlichen Entwicklung; daß dieser Kampf aber jetzt eine Stufe erreicht hat, wo die ausgebeutete und unterdrückte Klasse (das Proletariat) sich nicht mehr von der sie ausbeutenden und unterdrückenden Klasse (der Bourgeoisie) befreien kann, ohne zugleich die ganze Gesellschaft für immer von Ausbeutung, Unterdrückung und Klassenkämpfen zu befreien – dieser Grundgedanke gehört einzig und ausschließlich Marx an.*

Ich habe das schon oft ausgesprochen; es ist aber gerade jetzt nötig, daß es auch vor dem „Manifest" selbst steht.

London, 28. Juni 1883 **F. Engels**

---

* „Diesem Gedanken", sage ich in der Vorrede zur englischen Übersetzung, „der nach meiner Ansicht berufen ist, für die Geschichtswissenschaft denselben Fortschritt zu begründen, den Darwins Theorie für die Naturwissenschaft begründet hat – diesem Gedanken hatten wir beide uns schon mehrere Jahre vor 1845 allmählich genähert. Wieweit ich selbständig mich in dieser Richtung voranbewegt, zeigt meine ‚Lage der arbeitenden Klasse in England'. Als ich aber im Frühjahr 1845 Marx in Brüssel wiedertraf, hatte er ihn fertig ausgearbeitet und legte ihn mir vor in fast ebenso klaren Worten wie die, worin ich ihn oben zusammengefaßt." *[Von Engels nachträglich eingefügte Anmerkung zur deutschen Ausgabe von 1890.]*

Vorrede
[zur englischen Ausgabe von 1888]

Das „Manifest" wurde als Plattform des Bundes der Kommunisten veröffentlicht, einer anfangs ausschließlich deutschen, später internationalen Arbeiterassoziation, die unter den politischen Verhältnissen des europäischen Kontinents vor 1848 unvermeidlich eine Geheimorganisation war. Auf dem Kongreß des Bundes, der im November 1847 in London stattfand, wurden Marx und Engels beauftragt, die Veröffentlichung eines vollständigen theoretischen und praktischen Parteiprogramms in die Wege zu leiten. In deutscher Sprache abgefaßt, wurde das Manuskript im Januar 1848, wenige Wochen vor der französischen Revolution vom 24. Februar, nach London zum Druck geschickt. Eine französische Übersetzung wurde kurz vor der Juni-Insurrektion von 1848[345] in Paris herausgebracht. Die erste englische Übersetzung, von Miß Helen Macfarlane besorgt, erschien 1850 in George Julian Harneys „Red Republican" in London. Auch eine dänische und eine polnische Ausgabe wurden veröffentlicht.

Die Niederschlagung der Pariser Juni-Insurrektion von 1848 – dieser ersten großen Schlacht zwischen Proletariat und Bourgeoisie – drängte die sozialen und politischen Bestrebungen der Arbeiterklasse Europas zeitweilig wieder in den Hintergrund. Seitdem spielte sich der Kampf um die Vormachtstellung wieder, wie in der Zeit vor der Februarrevolution, allein zwischen verschiedenen Gruppen der besitzenden Klasse ab; die Arbeiterklasse wurde beschränkt auf einen Kampf um politische Ellbogenfreiheit und auf die Position eines äußersten linken Flügels der radikalen Bourgeoisie. Wo selbständige proletarische Bewegungen fortfuhren, Lebenszeichen von sich zu geben, wurden sie erbarmungslos niedergeschlagen. So spürte die preußische Polizei die Zentralbehörde des Bundes der Kommunisten auf, die damals ihren Sitz in Köln hatte. Die Mitglieder wurden verhaftet und nach achtzehnmonatiger Haft im Oktober 1852 vor Gericht gestellt. Dieser berühmte „Kölner Kommunistenprozeß" dauerte vom 4. Oktober bis 12. November; sieben von den Gefangenen wurden zu Festungshaft für die Dauer von drei bis sechs Jahren verurteilt. Sofort nach dem Urteilsspruch wurde der Bund durch die noch verbliebenen Mitglieder formell aufgelöst. Was das „Manifest" anbelangt, so schien es von da an verdammt zu sein, der Vergessenheit anheimzufallen.

Als die europäische Arbeiterklasse wieder genügend Kraft zu einem neuen Angriff auf die herrschende Klasse gesammelt hatte, entstand die Internationale Arbeiterassoziation[349]. Aber diese Assoziation, die ausdrücklich zu dem Zwecke gegründet wurde, das gesamte kampfgewillte Proletariat Europas und Amerikas zu einer einzigen Körperschaft zusammenzuschweißen, konnte die im „Manifest" niedergelegten Grundsätze nicht sofort proklamieren. Die Internationale mußte ein Programm haben, breit genug, um für die englischen Trade-Unions, für die französischen, belgischen, italienischen und spanischen Anhänger Proudhons und für die Lassalleaner* in Deutschland annehmbar zu sein. Marx, der dieses Programm zur Zufriedenheit aller Parteien abfaßte, hatte volles Vertrauen zur intellektuellen Entwicklung der Arbeiterklasse, einer Entwicklung, wie sie aus der vereinigten Aktion und der gemeinschaftlichen Diskussion notwendig hervorgehn mußte. Die Ereignisse und Wechselfälle im Kampf gegen das Kapital, die Niederlagen noch mehr als die Siege, konnten nicht verfehlen, den Menschen die Unzulänglichkeit ihrer diversen Lieblings-Quacksalbereien zum Bewußtsein zu bringen und den Weg zu vollkommener Einsicht in die wirklichen Voraussetzungen der Emanzipation der Arbeiterklasse zu bahnen. Und Marx hatte recht. Als im Jahre 1874 die Internationale zerfiel, ließ sie die Arbeiter schon in einem ganz anderen Zustand zurück, als sie sie bei ihrer Gründung im Jahre 1864 vorgefunden hatte. Der Proudhonismus in Frankreich, der Lassalleanismus in Deutschland waren am Absterben, und auch die konservativen englischen Trade-Unions näherten sich, obgleich sie in ihrer Mehrheit die Verbindung mit der Internationale schon längst gelöst hatten, allmählich dem Punkt, wo ihr Präsident im vergangenen Jahre in Swansea in ihrem Namen erklären konnte: „Der kontinentale Sozialismus hat seine Schrecken für uns verloren." In der Tat: Die Grundsätze des „Manifests" hatten unter den Arbeitern aller Länder erhebliche Fortschritte gemacht.

Auf diese Weise trat das „Manifest" selbst wieder in den Vordergrund. Der deutsche Text war seit 1850 in der Schweiz, in England und in Amerika mehrmals neu gedruckt worden. Im Jahre 1872 wurde es ins Englische übersetzt, und zwar in New York, wo die Übersetzung in „Woodhull & Claflin's Weekly" veröffentlicht wurde. Auf Grund dieser englischen Fassung wurde in „Le Socialiste" in New York auch eine französische angefertigt. Seitdem sind in Amerika noch mindestens zwei englische Übersetzungen, mehr oder minder entstellt, herausgebracht worden, von denen eine in England nach-

---

* Lassalle persönlich bekannte sich uns gegenüber stets als Schüler von Marx und stand als solcher auf dem Boden des „Manifests". Jedoch ging er in seiner öffentlichen Agitation in den Jahren 1862–1864 über die Forderung nach Produktivgenossenschaften mit Staatskredit nicht hinaus.

gedruckt wurde. Die von Bakunin besorgte erste russische Übersetzung wurde etwa um das Jahr 1863 in der Druckerei von Herzens „Kolokol"[346] in Genf herausgegeben, eine zweite, gleichfalls in Genf, von der heldenhaften Vera Sassulitsch[350], 1882. Eine neue dänische Ausgabe findet sich in der „Social-demokratisk Bibliotek", Kopenhagen 1885; eine neue französische Übersetzung in „Le Socialiste", Paris 1886[1]. Nach dieser letzteren wurde eine spanische Übersetzung vorbereitet und 1886 in Madrid veröffentlicht. Die Zahl der deutschen Nachdrucke läßt sich nicht genau angeben, im ganzen waren es mindestens zwölf. Eine Übertragung ins Armenische, die vor einigen Monaten in Konstantinopel herauskommen sollte, erblickte nicht das Licht der Welt, weil, wie man mir mitteilte, der Verleger nicht den Mut hatte, ein Buch herauszubringen, auf dem der Name Marx stand, während der Übersetzer es ablehnte, es als sein eignes Werk zu bezeichnen. Von weiteren Übersetzungen in andere Sprachen habe ich zwar gehört, sie aber nicht zu Gesicht bekommen. So spiegelt die Geschichte des „Manifestes" in hohem Maße die Geschichte der modernen Arbeiterbewegung wider; gegenwärtig ist es zweifellos das weitest verbreitete, internationalste Werk der ganzen sozialistischen Literatur, ein gemeinsames Programm, das von Millionen Arbeitern von Sibirien bis Kalifornien anerkannt wird.

Und doch hätten wir es, als es geschrieben wurde, nicht ein *sozialistisches* Manifest nennen können. Unter Sozialisten verstand man 1847 einerseits die Anhänger der verschiedenen utopistischen Systeme: die Owenisten in England, die Fourieristen in Frankreich, die beide bereits zu bloßen, allmählich aussterbenden Sekten zusammengeschrumpft waren; andererseits die mannigfaltigsten sozialen Quacksalber, die mit allerhand Flickwerk, ohne jede Gefahr für Kapital und Profit, die gesellschaftlichen Mißstände aller Art zu beseitigen versprachen – in beiden Fällen Leute, die außerhalb der Arbeiterbewegung standen und eher Unterstützung bei den „gebildeten" Klassen suchten. Derjenige Teil der Arbeiterklasse, der sich von der Unzulänglichkeit bloßer politischer Umwälzungen überzeugt hatte und die Notwendigkeit einer totalen Umgestaltung der Gesellschaft forderte, dieser Teil nannte sich damals kommunistisch Es war eine noch rohe, unbehauene, rein instinktive Art Kommunismus; aber er traf den Kardinalpunkt und war in der Arbeiterklasse mächtig genug, um den utopischen Kommunismus zu erzeugen, in Frankreich den von Cabet, in Deutschland den von Weitling. So war denn 1847 Sozialismus eine Bewegung der Mittelklasse, Kommunismus eine Bewegung der Arbeiterklasse. Der Sozialismus war, auf dem Kontinent wenigstens, „salonfähig"; der Kommunismus war das gerade Gegenteil. Und da wir von allem Anfang an der Meinung waren, daß „die Emanzipation der Arbeiterklasse das Werk der Arbeiterklasse selbst sein muß", so konnte kein

[1] Die von Engels erwähnte französische Übersetzung erschien in „Le Socialiste" 1885

Zweifel darüber bestehen, welchen der beiden Namen wir wählen mußten. Ja noch mehr, auch seitdem ist es uns nie in den Sinn gekommen, uns von ihm loszusagen.

Obgleich das „Manifest" unser beider gemeinsame Arbeit war, so halte ich mich doch für verpflichtet festzustellen, daß der Grundgedanke, der seinen Kern bildet, Marx angehört. Dieser Gedanke besteht darin: daß in jeder geschichtlichen Epoche die vorherrschende wirtschaftliche Produktions- und Austauschweise und die aus ihr mit Notwendigkeit folgende gesellschaftliche Gliederung die Grundlage bildet, auf der die politische und die intellektuelle Geschichte dieser Epoche sich aufbaut und aus der allein sie erklärt werden kann; daß demgemäß die ganze Geschichte der Menschheit (seit Aufhebung der primitiven Gentilordnung mit ihrem Gemeinbesitz an Grund und Boden) eine Geschichte von Klassenkämpfen gewesen ist, Kämpfen zwischen ausbeutenden und ausgebeuteten, herrschenden und unterdrückten Klassen; daß die Geschichte dieser Klassenkämpfe eine Entwicklungsreihe darstellt, in der gegenwärtig eine Stufe erreicht ist, wo die ausgebeutete und unterdrückte Klasse – das Proletariat – ihre Befreiung vom Joch der ausbeutenden und herrschenden Klasse – der Bourgeoisie – nicht erreichen kann, ohne zugleich die ganze Gesellschaft ein für allemal von aller Ausbeutung und Unterdrückung, von allen Klassenunterschieden und Klassenkämpfen zu befreien.

Diesem Gedanken, der nach meiner Ansicht berufen ist, für die Geschichtswissenschaft denselben Fortschritt zu begründen, den Darwins Theorie für die Naturwissenschaft begründet hat – diesem Gedanken hatten wir beide uns schon mehrere Jahre vor 1845 allmählich genähert. Wieweit ich selbständig mich in dieser Richtung voranbewegt, zeigt am besten meine „Lage der arbeitenden Klasse in England"*. Als ich aber im Frühjahr 1845 Marx in Brüssel wiedertraf, hatte er ihn fertig ausgearbeitet und legte ihn mir vor in fast ebenso klaren Worten wie die, worin ich ihn oben zusammengefaßt.

Aus unserem gemeinsamen Vorwort zur deutschen Ausgabe von 1872 zitiere ich das Folgende:

„Wie sehr sich auch die Verhältnisse in den letzten fünfundzwanzig Jahren geändert haben, die in diesem ‚Manifest' entwickelten allgemeinen Grundsätze behalten im ganzen und großen auch heute noch ihre volle Richtigkeit. Einzelnes wäre hier und da zu bessern. Die praktische Anwendung dieser Grundsätze, erklärt das ‚Manifest' selbst, wird überall und jederzeit von den geschichtlich vorliegenden Umständen abhängen, und wird deshalb

---

* „The Condition of the Working Class in England in 1844." By Frederick Engels. Translated by Florence K. Wischnewetzky [Die Lage der arbeitenden Klasse in England 1844. Von Friedrich Engels. Übersetzt von Florence Kelley Wischnewetzky], New York, Lovell – London, W. Reeves, 1888.

durchaus kein besonderes Gewicht auf die am Ende von Abschnitt II vorgeschlagenen revolutionären Maßregeln[1] gelegt. Dieser Passus würde heute in vieler Beziehung anders lauten. Gegenüber der immensen Fortentwicklung der großen Industrie seit 1848 und der sie begleitenden verbesserten und gewachsenen Organisation[2] der Arbeiterklasse, gegenüber den praktischen Erfahrungen, zuerst der Februarrevolution und noch weit mehr der Pariser Kommune, wo das Proletariat zum erstenmal zwei Monate lang die politische Gewalt innehatte, ist heute dies Programm stellenweise veraltet. Namentlich hat die Kommune den Beweis geliefert, daß ,die Arbeiterklasse nicht die fertige Staatsmaschine einfach in Besitz nehmen und sie für ihre eignen Zwecke in Bewegung setzen kann'. (Siehe ,The Civil War in France. Address of the General Council of the International Working-Men's Association', London, Truelove, 1871, p. 15[3], wo dies weiter entwickelt ist.) Ferner ist selbstredend, daß die Kritik der sozialistischen Literatur für heute lückenhaft ist, weil sie nur bis 1847 reicht; ebenso daß die Bemerkungen über die Stellung der Kommunisten zu den verschiedenen Oppositionsparteien (Abschnitt IV), wenn in den Grundzügen auch heute noch richtig, doch in ihrer Ausführung heute schon deswegen veraltet sind, weil die politische Lage sich total umgestaltet und die geschichtliche Entwicklung die meisten der dort aufgezählten Parteien aus der Welt geschafft hat.

Indes, das ,Manifest' ist ein geschichtliches Dokument, an dem zu ändern wir uns nicht mehr das Recht zuschreiben."

Die vorliegende Übersetzung stammt von Herrn Samuel Moore, dem Übersetzer des größten Teils von Marx' „Kapital". Wir haben sie gemeinsam durchgesehen, und ich habe ein paar Fußnoten zur Erklärung geschichtlicher Anspielungen hinzugefügt.

London, 30. Januar 1888

Friedrich Engels

Aus dem Englischen.

[1] Siehe vorl. Band, S. 481/482 – [2] (1872) in den letzten fünfundzwanzig Jahren und der mit ihr fortschreitenden Parteiorganisation (statt: seit 1848 und der sie begleitenden verbesserten und gewachsenen Organisation) – [3] Karl Marx, „Der Bürgerkrieg in Frankreich. Adresse des Generalrats der Internationalen Arbeiterassoziation"; siehe Band 17 unserer Ausgabe, S. 336

Vorwort
[zur deutschen Ausgabe von 1890]

Seit Vorstehendes[1] geschrieben, ist wieder eine neue deutsche Auflage des „Manifestes" nötig geworden, und es hat sich auch allerlei mit dem „Manifest" zugetragen, das hier zu erwähnen ist.

Eine zweite russische Übersetzung – von Vera Sassulitsch[350] – erschien 1882 in Genf; die Vorrede dazu wurde von Marx und mir verfaßt. Leider ist mir das deutsche Originalmanuskript abhanden gekommen, ich muß also aus dem Russischen zurückübersetzen, wodurch die Arbeit keineswegs gewinnt. Sie lautet[2]: ....

....

....

Eine neue polnische Übersetzung erschien um dieselbe Zeit in Genf: „Manifest komunistyczny".

Ferner ist eine neue dänische Übersetzung erschienen in „Socialdemokratisk Bibliotek", København 1885. Sie ist leider nicht ganz vollständig; einige wesentliche Stellen, die dem Übersetzer Schwierigkeit gemacht zu haben scheinen, sind ausgelassen und auch sonst hier und da Spuren von Flüchtigkeit zu bemerken, die um so unangenehmer auffallen, als man der Arbeit ansieht, daß der Übersetzer bei etwas mehr Sorgfalt Vorzügliches hätte leisten können.

1886 erschien eine neue französische Übersetzung in „Le Socialiste", Paris[3]; es ist die beste bisher erschienene.

Nach ihr wurde im selben Jahr eine spanische Übertragung zuerst im Madrider „El Socialista" und dann als Broschüre veröffentlicht: „Manifiesto del Partido Comunista" por Carlos Marx y F. Engels, Madrid, Administración de „El Socialista", Hernán Cortés 8.

---

[1] Engels hat sein Vorwort zur deutschen Ausgabe von 1883 im Auge. – [2] Das von Engels verlorene deutsche Original der von ihm und Marx verfaßten Vorrede zur russischen Ausgabe von 1882 ist aufgefunden und wird im Archiv des Instituts für Marxismus-Leninismus in Moskau aufbewahrt. Da der Text dieses Originals auf S. 575/76 des vorliegenden Bandes abgedruckt ist, wird hier auf die Wiedergabe der Rückübersetzung verzichtet. – [3] siehe Fußnote auf S. 580

Als Kuriosum erwähne ich noch, daß 1887 das Manuskript einer armenischen Übersetzung einem konstantinopolitanischen Verleger angeboten wurde; der gute Mann hatte jedoch nicht den Mut, etwas zu drucken, worauf der Name Marx stand, und meinte, der Übersetzer solle sich lieber selbst als Verfasser nennen, was dieser jedoch ablehnte.

Nachdem bald die eine, bald die andere der mehr oder minder unrichtigen amerikanischen Übersetzungen mehrfach in England wieder abgedruckt worden, erschien endlich eine authentische Übersetzung im Jahre 1888. Sie ist von meinem Freund Samuel Moore und vor dem Druck von uns beiden nochmals zusammen durchgesehn. Der Titel ist: „Manifesto of the Communist Party", by Karl Marx and Frederick Engels. Authorized English Translation, edited and annotated by Frederick Engels, 1888. London, William Reeves, 185 Fleet St. E. C. Einige der Anmerkungen dieser Ausgabe habe ich in die gegenwärtige herübergenommen.

Das „Manifest" hat einen eignen Lebenslauf gehabt. Im Augenblick seines Erscheinens von der damals noch wenig zahlreichen Vorhut des wissenschaftlichen Sozialismus enthusiastisch begrüßt (wie die in der ersten Vorrede angeführten Übersetzungen[1] beweisen), wurde es bald in den Hintergrund gedrängt durch die mit der Niederlage der Pariser Arbeiter im Juni 1848 beginnende Reaktion und schließlich „von Rechts wegen" in Acht und Bann erklärt durch die Verurteilung der Kölner Kommunisten, November 1852[2]. Mit dem Verschwinden der, von der Februarrevolution datierenden, Arbeiterbewegung von der öffentlichen Bühne trat auch das „Manifest" in den Hintergrund.

Als die europäische Arbeiterklasse sich wieder hinreichend gestärkt hatte zu einem neuen Anlauf gegen die Macht der herrschenden Klassen, entstand die Internationale Arbeiter-Assoziation. Sie hatte zum Zweck, die gesamte streitbare Arbeiterschaft Europas und Amerikas zu *einem* großen Heereskörper zu verschmelzen. Sie konnte daher nicht *ausgehn* von den im „Manifest" niedergelegten Grundsätzen. Sie mußte ein Programm haben, das den englischen Trades Unions, den französischen, belgischen, italienischen und spanischen Proudhonisten und den deutschen Lassalleanern* die Tür nicht verschloß. Dies Programm – die Erwägungsgründe zu den Statuten der Internationale – wurde von Marx mit einer selbst von Bakunin und den Anarchisten anerkannten Meisterschaft entworfen. Für den schließlichen

* Lassalle bekannte sich persönlich, uns gegenüber, stets als „Schüler" von Marx und stand als solcher selbstredend auf dem Boden des „Manifests". Anders mit denjenigen seiner Anhänger, die nicht über seine Forderung von Produktivgenossenschaften mit Staatskredit hinausgingen und die ganze Arbeiterklasse einteilten in Staatshülfler und Selbsthülfler.

[1] Siehe vorl. Band, S. 573 – [2] Gemeint ist der Prozeß gegen die Mitglieder des Bundes der Kommunisten, der in Köln stattfand (siehe vorl. Band, S. 578)

Sieg der im „Manifest" aufgestellten Sätze verließ sich Marx einzig und allein auf die intellektuelle Entwicklung der Arbeiterklasse, wie sie aus der vereinigten Aktion und der Diskussion notwendig hervorgehn mußte. Die Ereignisse und Wechselfälle im Kampf gegen das Kapital, die Niederlagen noch mehr als die Erfolge, konnten nicht umhin, den Kämpfenden die Unzulänglichkeit ihrer bisherigen Allerweltsheilmittel klarzulegen und ihre Köpfe empfänglicher zu machen für eine gründliche Einsicht in die wahren Bedingungen der Arbeiteremanzipation. Und Marx hatte recht. Die Arbeiterklasse von 1874, bei der Auflösung der Internationale, war eine ganz andre, als die von 1864, bei ihrer Gründung, gewesen war. Der Proudhonismus in den romanischen Ländern, der spezifische Lassalleanismus in Deutschland waren am Aussterben, und selbst die damaligen stockkonservativen englischen Trades Unions gingen allmählich dem Punkt entgegen, wo 1887 der Präsident ihres Kongresses in Swansea in ihrem Namen sagen konnte: „Der kontinentale Sozialismus hat seine Schrecken für uns verloren." Der kontinentale Sozialismus, der war aber schon 1887 fast nur noch die Theorie, die im „Manifest" verkündet wird. Und so spiegelt die Geschichte des „Manifests" bis zu einem gewissen Grade die Geschichte der modernen Arbeiterbewegung seit 1848 wider. Gegenwärtig ist es unzweifelhaft das weitest verbreitete, das internationalste Produkt der gesamten sozialistischen Literatur, das gemeinsame Programm vieler Millionen von Arbeitern aller Länder von Sibirien bis Kalifornien.

Und doch, als es erschien, hätten wir es nicht ein *sozialistisches* Manifest nennen dürfen. Unter Sozialisten verstand man 1847 zweierlei Art von Leuten. Einerseits die Anhänger der verschiedenen utopistischen Systeme, speziell die Owenisten in England und die Fourieristen in Frankreich, die beide schon damals zu bloßen, allmählich aussterbenden Sekten zusammengeschrumpft waren. Andrerseits die mannigfaltigsten sozialen Quacksalber, die mit ihren verschiedenen Allerweltsheilmitteln und mit jeder Art von Flickarbeit die gesellschaftlichen Mißstände beseitigen wollten, ohne dem Kapital und dem Profit im geringsten wehe zu tun. In beiden Fällen: Leute, die außerhalb der Arbeiterbewegung standen und die vielmehr Unterstützung suchten bei den „gebildeten" Klassen. Derjenige Teil der Arbeiter dagegen, der, von der Unzulänglichkeit bloßer politischer Umwälzungen überzeugt, eine gründliche Umgestaltung der Gesellschaft forderte, der Teil nannte sich damals *kommunistisch*. Es war ein nur im Rauhen gearbeiteter, nur instinktiver, manchmal etwas roher Kommunismus; aber er war mächtig genug, um zwei Systeme des utopischen Kommunismus zu erzeugen, in Frankreich den „ikarischen" Cabets, in Deutschland den von Weitling. Sozialismus bedeutete 1847 eine Bourgeoisbewegung, Kommunismus eine Arbeiterbewegung. Der Sozialismus war, auf dem Kontinent wenigstens, salonfähig, der Kommunismus war das grade Gegenteil. Und da wir schon damals sehr entschieden der Ansicht waren, daß „die Emanzipation der Arbeiter das Werk der Arbeiterklasse selbst sein muß", so konnten wir keinen Augenblick im Zweifel sein, welchen der beiden Namen zu wählen. Auch seitdem ist es uns nie eingefallen, ihn zurückzuweisen.

„Proletarier aller Länder, vereinigt euch!" Nur wenige Stimmen antworteten, als wir diese Worte in die Welt hinausriefen, vor nunmehr 42 Jahren, am Vorabend der ersten Pariser Revolution, worin das Proletariat mit eignen Ansprüchen hervortrat. Aber am 28. September 1864 vereinigten sich Proletarier der meisten westeuropäischen Länder zur Internationalen Arbeiter-Assoziation glorreichen Angedenkens. Die Internationale selbst lebte allerdings nur neun Jahre. Aber daß der von ihr gegründete ewige Bund der Proletarier aller Länder noch lebt, und kräftiger lebt als je, dafür gibt es keinen bessern Zeugen als grade den heutigen Tag. Denn heute, wo ich diese Zeilen schreibe, hält das europäische und amerikanische Proletariat Heerschau über seine zum erstenmal mobil gemachten Streitkräfte, mobil gemacht als *ein* Heer, unter *einer* Fahne und für *ein* nächstes Ziel: den schon vom Genfer Kongreß der Internationale 1866 und wiederum vom Pariser Arbeiterkongreß 1889 proklamierten, gesetzlich festzustellenden, achtstündigen Normalarbeitstag. Und das Schauspiel des heutigen Tages wird den Kapitalisten und Grundherren aller Länder die Augen darüber öffnen, daß heute die Proletarier aller Länder in der Tat vereinigt sind.

Stände nur Marx noch neben mir, dies mit eignen Augen zu sehn!

London, am 1. Mai 1890

F. Engels

Vorwort
[zur polnischen Ausgabe von 1892[1]]

Die Tatsache, daß eine neue polnische Ausgabe des „Kommunistischen Manifests" notwendig geworden, gibt zu verschiedenen Betrachtungen Anlaß.

Zuerst ist bemerkenswert, daß das „Manifest" neuerdings gewissermaßen zu einem Gradmesser geworden ist für die Entwicklung der großen Industrie auf dem europäischen Kontinent. In dem Maß, wie in einem Lande die große Industrie sich ausdehnt, in dem Maß wächst auch unter den Arbeitern desselben Landes das Verlangen nach Aufklärung über ihre Stellung als Arbeiterklasse gegenüber den besitzenden Klassen, breitet sich unter ihnen die sozialistische Bewegung aus und steigt die Nachfrage nach dem „Manifest". So daß nicht nur der Stand der Arbeiterbewegung, sondern auch der Entwicklungsgrad der großen Industrie in jedem Land mit ziemlicher Genauigkeit abgemessen werden kann an der Zahl der in der Landessprache verbreiteten Exemplare des „Manifests".

Hiernach bezeichnet die neue polnische Ausgabe einen entschiednen Fortschritt der polnischen Industrie. Und daß dieser Fortschritt, seit der vor zehn Jahren erschienenen letzten Ausgabe, in Wirklichkeit stattgefunden hat, darüber kann kein Zweifel sein. Russisch-Polen, Kongreß-Polen, ist der große Industriebezirk des Russischen Reichs geworden. Während die russische Großindustrie sporadisch zerstreut ist – ein Stück am Finnischen Meerbusen, ein Stück im Zentrum (Moskau und Wladimir), ein drittes am Schwarzen und Asowschen Meer, noch andre anderswo zersprengt –, ist die polnische auf verhältnismäßig kleinem Raum zusammengedrängt und genießt die aus dieser Konzentration entspringenden Vorteile und Nachteile. Die Vorteile erkannten die konkurrierenden russischen Fabrikanten an, als sie Schutzzölle gegen Polen verlangten, trotz ihres sehnlichen Wunsches, die Polen in Russen zu verwandeln. Die Nachteile – für die polnischen Fabrikanten und für die russische Regierung – zeigen sich in der rapiden Verbreitung sozialistischer

[1] Der Text dieses Vorworts wird nach dem von Engels in deutscher Sprache geschriebenen Original gegeben.

Ideen unter den polnischen Arbeitern und in der steigenden Nachfrage nach dem „Manifest".

Die rasche Entwicklung der polnischen Industrie, die der russischen über den Kopf gewachsen, ist aber ihrerseits ein neuer Beweis für die unverwüstliche Lebenskraft des polnischen Volks und eine neue Garantie seiner bevorstehenden nationalen Wiederherstellung. Die Wiederherstellung eines unabhängigen starken Polens ist aber eine Sache, die nicht nur die Polen, sondern die uns alle angeht. Ein aufrichtiges internationales Zusammenwirken der europäischen Nationen ist nur möglich, wenn jede dieser Nationen im eignen Hause vollkommen autonom ist. Die Revolution von 1848, die, unter proletarischer Fahne, proletarische Kämpfer schließlich nur die Arbeit der Bourgeoisie tun ließ, setzte auch durch ihre Testamentsvollstrecker Louis Bonaparte und Bismarck die Unabhängigkeit Italiens, Deutschlands, Ungarns durch; aber Polen, das seit 1792 mehr für die Revolution getan als alle diese drei zusammen, Polen überließ man sich selbst, als es 1863 vor der zehnfachen russischen Übermacht erlag. Die Unabhängigkeit Polens hat der Adel weder erhalten noch wiedererkämpfen gekonnt; der Bourgeoisie ist sie heute zum mindesten gleichgültig. Und doch ist sie eine Notwendigkeit für das harmonische Zusammenwirken der europäischen Nationen. Sie kann erkämpft werden nur vom jungen polnischen Proletariat, und in dessen Händen ist sie gut aufgehoben. Denn die Arbeiter des ganzen übrigen Europas haben die Unabhängigkeit Polens ebenso nötig wie die polnischen Arbeiter selbst.

London, 10. Februar 1892

F. Engels

An den italienischen Leser

Die Veröffentlichung des „Manifests der Kommunistischen Partei" fiel fast auf den Tag genau mit dem 18. März 1848 zusammen, mit den Revolutionen von Mailand und Berlin, wo sich im Zentrum des europäischen Kontinents einerseits und des Mittelländischen Meeres andrerseits zwei Nationen erhoben, die bis dahin durch territoriale Zerstückelung und inneren Hader geschwächt und daher unter Fremdherrschaft geraten waren. Während Italien dem Kaiser von Österreich unterworfen war, hatte Deutschland, wenn auch nicht so unmittelbar, das nicht minder schwere Joch des Zaren aller Reußen zu tragen. Die Auswirkungen des 18. März 1848 befreiten Italien und Deutschland von dieser Schmach; wenn beide großen Nationen in der Zeit von 1848 bis 1871 wiederhergestellt und gewissermaßen sich selbst wiedergegeben wurden, so geschah dies, wie Karl Marx sagte, deshalb, weil dieselben Leute, die die Revolution von 1848 niederwarfen, dann wider Willen zu ihren Testamentsvollstreckern wurden.

Die Revolution war damals überall das Werk der Arbeiterklasse; die Arbeiterklasse war es, die die Barrikaden errichtete und ihr Leben in die Schanze schlug. Nur die Arbeiter von Paris hatten, als sie die Regierung stürzten, die ausgesprochene Absicht, das Bourgeoisregime zu stürzen. Doch so sehr sie sich auch des unvermeidlichen Antagonismus bewußt waren, der zwischen ihrer eigenen Klasse und der Bourgeoisie bestand, hatte weder der wirtschaftliche Fortschritt des Landes noch die geistige Entwicklung der französischen Arbeitermassen jenen Grad erreicht, der eine Umgestaltung der Gesellschaft ermöglicht hätte. Die Früchte der Revolution wurden daher letzten Endes von der Kapitalistenklasse eingeheimst. In den anderen Ländern, in Italien, Deutschland, Österreich, Ungarn, taten die Arbeiter von Anfang an nichts anderes, als die Bourgeoisie an die Macht zu bringen. Aber in keinem Lande ist die Herrschaft der Bourgeoisie ohne nationale Unabhängigkeit möglich. Die Revolution von 1848 mußte somit die Einheit und Unabhängigkeit derjenigen Nationen nach sich ziehen, denen es bis dahin daran gebrach: Italien, Deutschland, Ungarn; Polen wird zu seiner Zeit nachfolgen.

Wenn also die Revolution von 1848 keine sozialistische Revolution war, so ebnete sie dieser doch den Weg, bereitete für sie den Boden vor. Mit der Entwicklung der großen Industrie in allen Ländern hat das Bourgeoisregime in den letzten 45 Jahren allenthalben ein zahlreiches, festgefügtes und starkes Proletariat hervorgebracht, hat es, um einen Ausdruck des „Manifests" zu gebrauchen, seine eignen Totengräber produziert. Ohne Wiederherstellung der Unabhängigkeit und Einheit jeder europäischen Nation hätte sich weder die internationale Vereinigung des Proletariats noch ein ruhiges, verständiges Zusammenwirken dieser Nationen zur Erreichung gemeinsamer Ziele vollziehen können. Man stelle sich einmal ein gemeinsames internationales Vorgehen der italienischen, ungarischen, deutschen, polnischen, russischen Arbeiter unter den politischen Verhältnissen der Zeit vor 1848 vor!

Die Schlachten von 1848 waren also nicht vergebens, nicht vergebens auch die 45 Jahre, die uns von jener revolutionären Etappe trennen. Die Früchte kommen zur Reife, und ich wünschte nur, daß die Veröffentlichung dieser italienischen Übersetzung des „Manifests" ein gutes Vorzeichen für den Sieg des italienischen Proletariats werde, so wie die Veröffentlichung des Originals es für die internationale Revolution war.

Das „Manifest" läßt der revolutionären Rolle, die der Kapitalismus in der Vergangenheit gespielt hat, volle Gerechtigkeit widerfahren. Die erste kapitalistische Nation war Italien. Der Ausgang des feudalen Mittelalters und der Anbruch des modernen kapitalistischen Zeitalters sind durch eine große Gestalt gekennzeichnet – durch den Italiener Dante, der zugleich der letzte Dichter des Mittelalters und der erste Dichter der Neuzeit war. Heute bricht, wie um 1300, ein neues geschichtliches Zeitalter an. Wird uns Italien den neuen Dante schenken, der die Geburtsstunde des proletarischen Zeitalters verkündet?

London, 1. Februar 1893

Friedrich Engels

Nach der Handschrift.
Aus dem Französischen.

C. Aufzeichnungen und Dokumente
(August 1847—März 1848)

1

[Notiz von Marx über die Bildung der Brüsseler Gemeinde des Bundes der Kommunisten vom 5. August 1847]

5. August. Konstitution d[er] neuen Gemeinde
Gewählt: Präsident – Marx
Sekretär u[nd] Kassierer: Gigot
Kreisvorstand: Gigot, Junge, Marx, Wolff

Nach der Handschrift.

2

Die Demokratische Gesellschaft zur Einigung und Verbrüderung aller Völker, mit dem Sitz in Brüssel (Belgien), an das Schweizer Volk

Schweizer Brüder!

Ein schmerzvoller Kampf wurde soeben bei Euch beendet.[351] Mit Besorgnis und Trauer, die edle Herzen angesichts eines Bürgerkrieges stets empfinden, sind alle Nationen Zeugen dieses Kampfes gewesen.

Wir haben hier nicht auf die Ursachen dieses Kampfes einzugehen. Die zwei Parteien wollten ihn allein ausfechten, ohne irgend jemandes Vermittlung in Anspruch zu nehmen.

Möge der Vorwurf der sträflichen Unvorsichtigkeit diejenigen treffen, die sich ungerufen zu geschäftigen Richtern Eurer inneren Debatten aufwarfen.

Aber diese Unvorsichtigkeit droht einen anderen Charakter anzunehmen.

Die Freunde der Freiheit sind mit Recht darüber empört, ja sogar alarmiert.

Mehr oder minder heiße, mehr oder minder ehrliche Wünsche und sogar Hilfsangebote aus diesem oder jenem Anlaß konnte man erklären, ohne zunächst auf andere Beweggründe zurückzugreifen als auf die der Verschiedenheit menschlicher Meinungen in Angelegenheiten des politischen oder religiösen Glaubens.

Heute handelt es sich aber um etwas anderes.

Die Einmischung eines Kongresses von Königen[352] in Eure Angelegenheiten ist nur als ein offener oder versteckter Angriff auf Eure Institutionen, insbesondere auf die Entwicklung, die Ihr ihnen während der letzten fünfzehn Jahre rechtmäßig gegeben habt, zu verstehen.

Ihr, unsere Schweizer Brüder, die Ihr seit fast sechs Jahrhunderten Hüter jenes Schatzes an Freiheit seid, welchen der räuberische Feudalismus aus fast allen anderen Teilen Europas nach und nach vertrieben hat – in dieser entscheidenden Stunde, da alle Nationen sich anschicken, ihren Anteil an dieser Freiheit von Euch zu fordern, seid Ihr es uns wie auch Euch selbst schuldig, ein letztes Mal diesen kostbaren Schatz zu verteidigen.

Wenn Ihr Euch diesen Schatz rauben ließet, wären die sechs Jahrhunderte beharrlicher Wachsamkeit, für die wir Euch bald zu hoher Dankbarkeit verpflichtet sein werden, für Euch und für das übrige Europa verloren.

Die demokratischen Einrichtungen würden jenseits der Meere auf den Boden einer neuen Welt verbannt und würden für lange Zeit aufhören, für uns ein Vorbild zu sein, das wir ständig vor Augen hätten und dem wir mühelos nacheifern könnten.

Die Lenkung des Staates durch Führer, die von allen gewählt sind; die Verwaltung des Staates ohne schuldenbeladene Finanzen, ohne Ruinierung der Schaffenden zugunsten einer Horde unnützer Kommis; der Schutz des Staates ohne stehendes Heer; das kommerzielle und industrielle durch keine Zollschranken behinderte Gedeihen des Staates; Glaubensfreiheit, nicht Herrschaft der Kirche; wo fänden wir dann das Vorbild jener Ordnung, die heute ganz Europa anstrebt, wenn die Schweiz zulassen sollte, daß sich eine Bande von Königen, Bankiers, Ministern, Mietlingen, Monopolisten und Sektierern in ihre Angelegenheiten einmischt?

Ihre Einmischung kann nur das Ziel haben, endlich im Zentrum Europas dieses ihnen so fatale Vorbild einer Nation auszumerzen, die sich regiert ohne sie.

Wir, die durch die jüngsten politischen Fährnisse aus allen Teilen Europas hier zusammengetrieben worden sind; die wir inmitten eines kleinen Volkes leben, das fast so wie auch Ihr frei ist; wir, Schweizer Brüder, halten es, da wir das so gut begriffen haben, für unerläßlich, an Euch einstimmig den Wunsch zu richten: widersteht den gegen Euch geplanten diplomatischen Intrigen.

Wir beschwören Euch also, den hinterhältigen Vermittlungsangeboten kein Gehör zu schenken, die Euch von fünf Höfen (wir sagen nicht: von fünf Völkern) zugegangen sind, welche sich zusammengetan haben, um Euch in eine tödliche Falle zu locken.

Falls sie zu Drohungen greifen, laßt Euch darüber keine Furcht anwandeln. Nur vor ihrer Tücke müßt Ihr Euch hüten.

Selbst wenn es ernst würde mit ihren Drohungen, so würdet Ihr besonnen Eure Kräfte mit den Kräften messen können, über welche die Höfe angesichts ihrer täglich wachsenden inneren Schwierigkeiten wirklich verfügen.

Sollten sie die Absicht haben, Euch mit Gewalt zu zwingen, so würde es Euch nicht an Hilfe fehlen. Wir empfehlen noch einmal, Schweizer Brüder, den heiligen Schatz der demokratischen Freiheit Europas Eurer Obhut, den Ihr bis jetzt so gut zu hüten verstanden habt und den Ihr letzthin für die Rechte und Interessen der Mehrheit nutzbar zu machen wußtet.

Wir versichern Euch hier im voraus unserer Anerkennung für die Standhaftigkeit, die Ihr der Welt beweisen werdet, und des Ausdrucks unserer lebhaftesten Sympathie.

Für die obengenannte Demokratische Gesellschaft und auf Grund des Beschlusses, der von der Vollversammlung am 29. November 1847 nach der an diesem Tag im Brüsseler Rathaus abgehaltenen Gedenkfeier für Polen gefaßt wurde,
das Komitee der Gesellschaft.

General *Mellinet*, Chef der Zivillegionen 1830, Ehrenpräsident
L. Jottrand, Advokat, ehemaliges Mitglied des Belgischen Nationalkongresses 1830, Präsident
Maynz, Advokat am Appellationsgericht in Brüssel
Imbert, Vizepräsident, ehemaliger Redakteur des „Peuple Souverain" in Marseille
Karl Marx, ehemaliger Redakteur der „Rheinischen Zeitung", Vizepräsident
Lelewel, Joachim, Mitglied der Nationalregierung
Georg Weerth
Der Sekretär der Gesellschaft, *A. Picard*, Advokat am Appellationsgericht in Brüssel
Spilthoorn, Advokat am Gericht in Gent. Chef der Provisorischen Regierung Flanderns 1830
Pellering, Arbeiter, Schuhmacher
A. von Bornstedt, Redakteur der deutschen Zeitung in Brüssel

Die in Brüssel in einer Gesellschaft vereinigten deutschen Arbeiter[353] haben der vorliegenden Adresse zugestimmt. Die Zustimmung wird von folgenden Mitgliedern des Komitees dieser Gesellschaft bestätigt:

Der Präsident – *Wallau*
Der Vizepräsident – *Heß*
Wolff, Sekretär
Riedel, Schatzmeister

Nach: Karl Marx/Friedrich Engels,
Historisch-kritische Gesamtausgabe,
Erste Abteilung, Bd. 6, Berlin 1932,
S. 632–634.
Aus dem Französischen.

3

Statuten des Bundes der Kommunisten[354]

Proletarier aller Länder, vereinigt Euch!

ABSCHNITT I

Der Bund

Art. 1. Der Zweck des Bundes ist der Sturz der Bourgeoisie, die Herrschaft des Proletariats, die Aufhebung der alten, auf Klassengegensätzen beruhenden bürgerlichen Gesellschaft und die Gründung einer neuen Gesellschaft ohne Klassen und ohne Privateigentum.

Art. 2. Die Bedingungen der Mitgliedschaft sind:

A) diesem Zweck entsprechende Lebensweise und Wirksamkeit;
B) revolutionäre Energie und Eifer der Propaganda;
C) Bekennung des Kommunismus;
D) Enthaltung der Teilnahme an jeder antikommunistischen politischen oder nationalen Gesellschaft und Anzeige der Teilnahme an irgendwelcher Gesellschaft bei der vorgesetzten Behörde;
E) Unterwerfung unter die Beschlüsse des Bundes;
F) Verschwiegenheit über das Bestehen aller Angelegenheiten des Bundes;
G) einstimmige Aufnahme in eine Gemeinde.

Wer diesen Bedingungen nicht mehr entspricht, wird ausgeschlossen. (Siehe Abschnitt VIII.)

Art. 3. Alle Mitglieder sind gleich und Brüder und als solche sich Hülfe in jeder Lage schuldig.

Art. 4. Die Mitglieder führen Bundesnamen.

Art. 5. Der Bund ist organisiert in Gemeinden, Kreisen, leitenden Kreisen, Zentralbehörde und Kongresse.

ABSCHNITT II

Die Gemeinde

Art. 6. Die Gemeinde besteht aus wenigstens drei und höchstens zwanzig Mitgliedern.

Art. 7. Jede Gemeinde wählt einen Vorstand und einen Beistand. Der Vorstand leitet die Sitzung, der Beistand führt die Kasse und vertritt den Vorstand im Falle der Abwesenheit.

Art. 8. Die Aufnahme neuer Mitglieder geschieht durch den Gemeindevorstand und das vorschlagende Mitglied unter vorheriger Zustimmung der Gemeinde.

Art. 9. Gemeinden verschiedener Art sind sich gegenseitig unbekannt und führen keine Korrespondenz miteinander.

Art. 10. Die Gemeinden führen unterscheidende Namen.

Art. 11. Jedes Mitglied, welches seinen Wohnort verändert, hat zuvor seinen Vorstand davon in Kenntnis zu setzen.

ABSCHNITT III

Der Kreis

Art. 12. Der Kreis umfaßt wenigstens zwei und höchstens zehn Gemeinden.

Art. 13. Die Vorstände und Beistände der Gemeinden bilden die Kreisbehörde. Diese wählt sich einen Vorsteher aus ihrer Mitte. Sie steht in Korrespondenz mit ihren Gemeinden und dem leitenden Kreise.

Art. 14. Die Kreisbehörde ist die vollziehende Gewalt für sämtliche Gemeinden des Kreises.

Art. 15. Einzelstehende Gemeinden haben sich entweder an einen schon vorhandenen Kreis anzuschließen oder mit anderen einzelnen Gemeinden einen neuen Kreis zu bilden.

ABSCHNITT IV

Der leitende Kreis

Art. 16. Die verschiedenen Kreise eines Landes oder einer Provinz stehen unter einem leitenden Kreis.

Art. 17. Die Einteilung der Kreise des Bundes in Provinzen und die Ernennung der leitenden Kreise geschieht vom Kongreß auf Vorschlag der Zentralbehörde.

Art. 18. Der leitende Kreis ist die vollziehende Gewalt für sämtliche Kreise seiner Provinz. Er steht in Korrespondenz mit diesen Kreisen und mit der Zentralbehörde.

Art. 19. Neu entstehende Kreise schließen sich dem nächsten leitenden Kreise an.

Art. 20. Die leitenden Kreise sind provisorisch der Zentralbehörde und in letzter Instanz dem Kongreß Rechenschaft schuldig.

ABSCHNITT V

Die Zentralbehörde

Art. 21. Die Zentralbehörde ist die vollziehende Gewalt des ganzen Bundes und als solche dem Kongreß Rechenschaft schuldig.

Art. 22. Sie besteht aus wenigstens fünf Mitgliedern und wird gewählt von der Kreisbehörde des Orts, an den der Kongreß ihren Sitz verlegt hat.

Art. 23. Die Zentralbehörde steht in Korrespondenz mit den leitenden Kreisen. Sie stattet alle drei Monate einen Bericht über den Zustand des ganzen Bundes ab.

ABSCHNITT VI

Gemeinsame Bestimmungen

Art. 24. Die Gemeinden und Kreisbehörden sowie die Zentralbehörde versammeln sich wenigstens alle vierzehn Tage einmal.

Art. 25. Die Mitglieder der Kreisbehörde und der Zentralbehörde sind auf ein Jahr gewählt, wieder wählbar und von ihren Wählern jederzeit absetzbar.

Art. 26. Die Wahlen finden im Monat September statt.

Art. 27. Die Kreisbehörden haben die Diskussionen der Gemeinden dem Zwecke des Bundes gemäß zu leiten.

Scheint der Zentralbehörde die Diskussion gewisser Fragen von allgemeinem und unmittelbarem Interesse, so hat sie den ganzen Bund zur Diskussion derselben aufzufordern.

Art. 28. Einzelne Bundesmitglieder haben in wenigstens dreimonatlicher, einzelne Gemeinden in wenigstens monatlicher Korrespondenz mit ihrer Kreisbehörde zu bleiben.

Jeder Kreis muß wenigstens alle zwei Monate an den leitenden Kreis, jeder leitende Kreis wenigstens alle drei Monate einmal an die Zentralbehörde über seinen Bezirk berichten.

Art. 29. Jede Bundesbehörde ist verpflichtet, die für die Sicherheit und das kräftige Wirken des Bundes gehörigen Maßregeln innerhalb der Statuten unter ihrer Verantwortlichkeit und unter sofortiger Anzeige an die höhere Behörde zu treffen.

ABSCHNITT VII

Der Kongreß

Art. 30. Der Kongreß ist die gesetzgebende Gewalt des ganzen Bundes. Alle Vorschläge über Abänderung in den Statuten werden der Zentralbehörde durch die leitenden Kreise eingesandt und von ihr dem Kongreß vorgelegt.

Art. 31. Jeder Kreis sendet einen Abgeordneten.

Art. 32. Jeder einzelne Kreis unter 30 Mitgliedern sendet einen Abgeordneten, unter 60 zwei, unter 90 drei usw. Die Kreise können sich durch Bundesmitglieder, die ihren Lokalitäten nicht angehören, vertreten lassen.

In diesem Falle haben sie aber ihrem Deputierten ein ausführliches Mandat zu übersenden.

Art. 33. Der Kongreß versammelt sich im Monat August jedes Jahres. In dringenden Fällen beruft die Zentralbehörde einen außerordentlichen Kongreß.

Art. 34. Der Kongreß bestimmt jedesmal den Ort, an dem die Zentralbehörde für das kommende Jahr ihren Sitz haben soll, und den Ort, an dem der Kongreß sich zunächst versammeln wird.

Art. 35. Die Zentralbehörde hat im Kongreß Sitz, aber keine entscheidende Stimme.

Art. 36. Der Kongreß erläßt nach jeder Session außer seinem Rundschreiben ein Manifest im Namen der Partei.

ABSCHNITT VIII

Vergehen gegen den Bund

Art. 37. Wer die Bedingungen der Mitgliedschaft verletzt (Art. 2), wird, je nach den Umständen, aus dem Bunde entfernt oder ausgestoßen.

Die Ausstoßung schließt die Wiederaufnahme aus.

Art. 38. Über Ausscheidung entscheidet nur der Kongreß.

Art. 39. Einzelne Mitglieder kann der Kreis oder die einzeln stehende Gemeinde unter sofortiger Anzeige an die höhere Behörde entfernen. Der Kongreß entscheidet auch hierüber in letzter Instanz.

Art. 40. Die Wiederaufnahme entfernter Mitglieder geschieht durch die Zentralbehörde auf Antrag des Kreises.

Art. 41. Über Verbrechen gegen den Bund richtet die Kreisbehörde und sorgt für Vollstreckung des Urteils.

Art. 42. Die entfernten und ausgestoßenen Individuen, sowie verdächtige Subjekte überhaupt, sind von Bundes wegen zu überwachen und unschädlich zu machen. Umtriebe solcher Individuen sind sofort der betreffenden Gemeinde anzuzeigen.

ABSCHNITT IX

Bundesgelder

Art. 43. Der Kongreß setzt für jedes Land ein Minimum des Beitrages fest, welches jedes Mitglied zahlen muß.

Art. 44. Dieser Beitrag geht zur Hälfte an die Zentralbehörde, die andere Hälfte bleibt in der Kreis- oder Gemeindekasse.

Art. 45. Die Fonds der Zentralbehörde werden verwandt:

1. zur Deckung der Korrespondenz- und Verwaltungskosten;
2. zum Druck und zur Verbreitung propagandistischer Flugschriften;
3. zur Aussendung von Emissären der Zentralbehörde zu bestimmten Zwecken.

Art. 46. Die Fonds der Lokalbehörden werden verwandt:

1. zur Deckung der Korrespondenzkosten;
2. zum Druck und zur Verbreitung propagandistischer Flugschriften;
3. zur Aussendung von gelegentlichen Emissären.

Art. 47. Den Gemeinden und Kreisen, die sechs Monate lang ihre Beiträge für die Zentralbehörde nicht entrichtet haben, wird von der Zentralbehörde die Entfernung aus dem Bunde angezeigt.

Art. 48. Die Kreisbehörden haben längstens alle drei Monate ihren Gemeinden Rechenschaft über Ausgabe und Einnahme vorzulegen. Die Zentralbehörde legt dem Kongreß Rechnung ab über die Verwaltung der Bundesgelder und den Bestand der Bundeskasse. Jede Veruntreuung der Bundesgelder wird mit der strengsten Strafe verfolgt.

Art. 49. Außerordentliche und Kongreßkosten werden durch außerordentliche Beiträge bestritten.

ABSCHNITT X
Aufnahme

Art. 50. Der Gemeindevorstand liest dem Aufzunehmenden Art. 1 bis 49 vor, erläutert sie, hebt mit besonderem Nachdruck in einer kurzen Anrede die Verpflichtungen hervor, die der Eintretende übernimmt, und legt ihm hierauf die Frage vor: „Willst Du nun in diesen Bund eintreten?" Beantwortet er sie mit „Ja!", so nimmt der Vorstand ihm sein Ehrenwort ab, daß er die Verpflichtungen eines Bundesmitgliedes erfüllen will, erklärt ihn zum Mitglied des Bundes und führt ihn in der nächsten Sitzung in die Gemeinde ein.

London, den 8. Dezember 1847

Im Namen des zweiten Kongresses vom Herbste 1847.

Der Sekretär
gez. *Engels*

Der Präsident
gez. *Karl Schapper*

Nach: Wermuth und Stieber,
„Die Communisten-Verschwörungen
des neunzehnten Jahrhunderts",
Erster Theil, Anlage X, Berlin 1853.

4

Die Association démocratique in Brüssel an die Fraternal Democrats[264] zu London

[„The Northern Star"
Nr. 541 vom 4. März 1848]

Wir erhielten Ihren Brief vom vergangenen Dezember und erörterten unverzüglich die darin enthaltenen Vorschläge zum Demokratischen Kongreß aller Nationen und zur Aufnahme einer monatlichen Korrespondenz zwischen Ihrer und unserer Gesellschaft.[355]

Den Vorschlägen, den ersten Demokratischen Kongreß hier in Brüssel abzuhalten, die Einberufung des zweiten nach London vorzusehen, den ersten Kongreß durch unsere Gesellschaft zum Jahrestag der belgischen Revolution im kommenden September einzuberufen und die Geschäftsordnung vom Komitee der Gesellschaft vorbereiten zu lassen – diesen Vorschlägen wurde einmütig und begeistert zugestimmt.

Das Angebot, in einen regelmäßigen monatlichen Briefwechsel mit unserer Gesellschaft zu treten, wurde ebenfalls mit größter Begeisterung aufgenommen.

Wir wollen Ihnen nun eine kurze Übersicht über unsere Erfolge und die allgemeine Lage unserer Sache geben.

Der Stand unserer Gesellschaft ist so gut, wie man nur irgend wünschen kann. Die Zahl unserer Mitglieder wächst von Woche zu Woche, und die Anteilnahme der Öffentlichkeit im allgemeinen und der Arbeiterklasse im besonderen an unserer Tätigkeit nimmt im gleichen Maße zu.

Der beste Beweis für unsern Erfolg ist jedoch das Interesse, das durch unsere Tätigkeit in den Provinzen des Landes wachgerufen wurde. Aus den wichtigsten Städten Belgiens erhielten wir Aufforderungen, Bevollmächtigte zu entsenden, um demokratische Gesellschaften ähnlich der unsrigen zu schaffen und um ständige Beziehungen zu der Assoziation in der Hauptstadt aufrechtzuerhalten.

Diesen Anforderungen haben wir sofort unsere Aufmerksamkeit zugewandt. Wir entsandten eine Abordnung nach Gent, um eine öffentliche Versammlung einzuberufen, mit dem Ziel, eine Zweiggesellschaft zu gründen. Die Versammlung war außerordentlich stark besucht und empfing unsere aus Angehörigen verschiedener Nationen bestehende Abordnung mit einer Begeisterung, die kaum zu beschreiben ist. Die Gründung einer demokratischen Gesellschaft wurde sofort beschlossen, und die Namen der Mitglieder wurden in einer Liste erfaßt. Danach haben wir aus Gent die Nachricht erhalten, daß sich die Gesellschaft endgültig konstituiert hat und daß sie eine zweite Versammlung durchgeführt hat, die die erste an Zahl der Beteiligten und an Begeisterung übertraf. Mehr als dreitausend Bürger waren anwesend, und wir freuen uns, sagen zu können, daß es größtenteils Arbeiter waren.

Wir halten den in Gent erreichten Fortschritt für einen der wichtigsten Erfolge unserer Sache in diesem Lande. Gent ist die bedeutendste Industriestadt Belgiens, hat über hunderttausend Einwohner und ist in großem Maße der Anziehungspunkt für die ganze arbeitende Bevölkerung Flanderns. Die Stellung, die Gent einnimmt, ist entscheidend für die gesamte Arbeiterbewegung des Landes. Deshalb dürfen wir die Bereitschaft der Fabrikarbeiter dieses belgischen Manchester zur Wiederbelebung einer rein demokratischen Bewegung als Zeichen dafür auffassen, daß auch die Gesamtheit der belgischen Proletarier dazu bereit ist.

Wir hoffen, in unserm nächsten Brief über weitere Erfolge in andern Städten des Landes berichten zu können und so nach und nach zur Neukonstituierung einer starken, geeinten und organisierten demokratischen Partei in Belgien zu gelangen.

Wir teilen vollkommen die Ansicht, die Sie in Ihrer jüngsten Adresse an die Arbeiterklasse von Großbritannien und Irland[356] zur Frage der „Nationalen

Verteidigung" vertreten haben. Wir hoffen, daß diese Adresse weitgehend beitragen wird, das englische Volk darüber aufzuklären, wer seine wirklichen Feinde sind.

Wir haben ebenfalls mit großer Freude die Schritte verfolgt, die von der Mehrheit der englischen Chartisten unternommen wurden, um endlich eine feste Verbindung zwischen den Völkern Irlands und Großbritanniens zu erreichen. Wir haben erkannt, daß gegenwärtig die Gelegenheit günstiger ist als je zuvor, jenes Vorurteil zu überwinden, das den Haß des irischen Volkes erzeugt hat, den dieses allgemein, ohne Unterschied, gegen die unterdrückten Klassen Englands wie auch gegen die Unterdrücker beider Länder empfindet. Wir hoffen, die Führung beider, der englischen und der irischen Volksbewegung, sehr bald in den Händen Feargus O'Connors vereinigt zu sehen, und wir halten dieses sich anbahnende Bündnis der unterdrückten Klassen beider Länder unter dem Banner der Demokratie für den wichtigsten Erfolg unserer Sache überhaupt.

Wir schließen mit der Übermittlung unserer brüderlichen Grüße.

Das Komitee der Association démocratique

L. Jottrand, Vorsitzender
K. Marx, Vizepräsident
A. Picard, Avt.[1], Sekretär

Brüssel, den 13. Februar 1848

Aus dem Englischen.

5

[Aus dem Bericht der „Deutschen-Brüsseler-Zeitung" über die Versammlung der Demokratischen Gesellschaft vom 20. Februar 1848]

[„Deutsche-Brüsseler-Zeitung"
Nr. 16 vom 24. Februar 1848]

Brüssel. Sitzung der Demokratischen Gesellschaft vom 20. Febr[uar]. Präsident: Herr Marx. – Friedrich Engels ergriff zuerst das Wort, um auf einen von der französischen Regierung im „*Moniteur Parisien*"[357] veröffentlichten Artikel über seine Ausweisung aus Frankreich zu antworten. Er erzählte in kurzen Worten die Umstände, unter denen seine Ausweisung stattfand.[358]

---

[1] Advokat

Die Gesellschaft war durch die Erklärungen von Friedrich Engels vollständig zufriedengestellt. Mehrere Redner sprachen dies aus und knüpften hieran noch Bemerkungen über das Benehmen der französischen Regierung schon bei früheren Fremdenausweisungen.

Im offiziellen Bericht der Demokratischen Gesellschaft wurden diese Verhandlungen eingetragen ...

6

An Herrn Julian Harney, Redakteur der Zeitung „The Northern Star", Sekretär der Gesellschaft „Fraternal Democrats" in London

[„Le Débat social" Nr. 36 vom 1. März 1848]

Brüssel, den 28. Februar 1848

Sie haben bereits Kenntnis von der ruhmreichen Revolution, die sich kürzlich in Paris vollzogen hat.

Wir haben Ihnen mitzuteilen, daß die Demokratische Gesellschaft angesichts dieses bedeutsamen Ereignisses hier eine friedliche, aber energische Agitation entfaltet hat, um mit den Mitteln, die die politischen Einrichtungen Belgiens gestatten, die Vorteile zu erwirken, die das französische Volk in diesen Tagen errungen hat.

Folgende Resolutionen sind unter begeisterter Zustimmung angenommen worden:

1. Die Demokratische Gesellschaft wird allabendlich Versammlungen abhalten, zu denen die Öffentlichkeit Zutritt hat;

2. Im Namen der Gesellschaft wird eine Grußadresse an die Provisorische Regierung Frankreichs gerichtet, um sie unserer Sympathie mit der Revolution vom 24. Februar zu versichern;

3. Dem Stadtrat von Brüssel geht eine Adresse zu mit der Aufforderung, die öffentliche Ruhe aufrechtzuerhalten und jegliches Blutvergießen zu vermeiden, indem er entsprechend den Gesetzen des Landes städtische Formationen aufstellt, die sich zusammensetzen aus der allgemeinen Bürgergarde – das heißt aus den Bürgern, die unter normalen Umständen bewaffnet sind – und aus den Handwerkern, die in außergewöhnlichen Zeiten bewaffnet werden können. Die Waffen werden so dem Mittelstand und der Arbeiterklasse gleichermaßen anvertraut.

Wir werden Ihnen so oft wie möglich über unsere künftigen Schritte und Erfolge Nachricht geben.

Wir hegen die Hoffnung, daß es Ihnen bald gelingen möge, die „Volkscharte“[13] zum Bestandteil der Gesetze Ihres Landes zu erheben, um dann mit Hilfe der Charte weitere Fortschritte machen zu können.

Schließlich richten wir an Sie die Bitte, während dieser bedeutungsvollen Krise in enger Verbindung mit uns zu bleiben und uns alle die Nachrichten über Ihr Land zu übermitteln, die sich günstig auf das belgische Volk auswirken können.

(Es folgen die Unterschriften der Mitglieder des Komitees.)[1]

Aus dem Französischen.

7

An die Bürger Mitglieder der Provisorischen Regierung der Französischen Republik

Brüssel, den 28. Februar 1848

Bürger!

Die Demokratische Gesellschaft, deren Ziel die Einigung und Verbrüderung aller Völker ist, hat seit einiger Zeit ihren Sitz in Brüssel und umfaßt Angehörige mehrerer Nationen Europas, die, zusammen mit den Belgiern und auf deren Boden, das hier schon seit langem bestehende Recht der freien und offenen Äußerung aller politischen und religiösen Meinungen genießen. Es drängt uns, Sie zu dem großen Werk, das die französische Nation dieser Tage vollbracht hat, zu beglückwünschen und Sie unserer Dankbarkeit zu versichern für den unermeßlichen Dienst, den jetzt Ihre Nation der Sache der Menschheit erwiesen hat.

Wir hatten bereits Anlaß, die Schweizer zu beglückwünschen[2], weil sie unlängst den Auftakt gaben zum Werke der Befreiung der Völker; zu dem Werke, das Sie mit jener ganzen Kraft fortsetzen sollten, die die heldenhafte Pariser Bevölkerung immer entfaltet, wenn ihre Zeit gekommen ist. Wohl rechneten wir damit, wie den Schweizern nach nicht allzu langer Zeit den Franzosen unsere Bewunderung ausdrücken zu dürfen. Aber Frankreich ist dem Zeitpunkt, den wir hierfür erhofft hatten, weit vorausgeeilt. Im übrigen sehen wir darin nur einen Anlaß mehr für alle Nationen, schneller von nun an Ihnen auf Ihrem Wege zu folgen.

Wir glauben mit Sicherheit annehmen zu können, daß die Länder, die Frankreich am nächsten liegen, als erste folgen werden auf der Bahn, die es beschritten hat.

---

[1] Im „Débat social“ steht an Stelle der Unterschriften nur diese Zeile – [2] siehe vorl. Band, S. 593–596

Diese Annahme ist um so gewisser, weil die Revolution, die Frankreich vollzogen hat, viel mehr dazu beitragen wird, die Bande, die Frankreich mit allen Nationen verbinden, zu festigen, als irgendeine Nation in ihrer Unabhängigkeit zu bedrohen. In dem Frankreich vom Februar 1848 begrüßen wir das Vorbild der Völker und nicht ihren Gebieter. Von nun an wird Frankreich auch keiner anderen Ehrung mehr bedürfen.

Wir sehen bereits die große Nation – deren Geschicke Sie, einzig und allein befugt durch das Vertrauen aller, heute leiten –, wir sehen bereits diese große Nation, selbst mit den Völkern, in denen sie lange Zeit die Rivalen ihrer Macht sah, jenes Bündnis schließen, das nur die verhaßte Politik einiger weniger Männer hat erschüttern können. England und Deutschland reichen von neuem Ihrem großen Lande die Hand. Spanien, Italien, die Schweiz und Belgien werden sich entweder erheben, oder sie werden ruhig und frei unter Ihrer Ägide leben. Polen wird wie Lazarus auferstehen, wenn es Ihren Ruf in drei Sprachen hört.

Und selbst Rußland wird schließlich seine Stimme erheben müssen, deren Klang den Völkern des Westens und Südens bisher nur wenig vertraut ist. Euch, Franzosen, Euch gebührt die Ehre, gebührt der Ruhm, das Fundament zu jener Allianz der Völker gelegt zu haben, das Euer unsterblicher Béranger so prophetisch besungen hat.

Aus dem überströmenden Empfinden unwandelbarer Brüderlichkeit heraus entbieten wir Ihnen, Bürger, den Tribut unserer tiefsten Dankbarkeit.

Das Komitee der Demokratischen Gesellschaft
zur Einigung und Verbrüderung aller Völker,
mit dem Sitz in Brüssel.

L. Jottrand, Advokat, Präsident
K. Marx, Vizepräsident
General *Mellinet*, Ehrenpräsident
Lelewel
Spilthoorn
Maynz
F. Ballin, Schatzmeister
A. Battaille, Vizesekretär
J. Pellering, Arbeiter
Labiaux

Nach der Handschrift.
Aus dem Französischen.

8

Beschluß der Zentralbehörde des Bundes der Kommunisten[359]

Proletarier aller Länder, vereinigt euch!

Die Zentralbehörde d[es] B[undes] d[er] K[ommunisten], sitzend in Brüssel, nach Einsicht des Beschlusses der bisherigen Londoner Zentralbehörde, wonach diese den Sitz der Zentralbehörde nach Brüssel verlegt und sich selbst als Zentralbehörde auflöst, durch welchen Beschluß also die Kreisbehörde des leitenden Kreises Brüssel zur Zentralbehörde konstituiert ist, in Erwägung:

daß unter den jetzigen Umständen alle Vereinigung der Bundesmitglieder und namentlich der Deutschen in Brüssel unmöglich ist;

daß die leitenden Bundesmitglieder daselbst entweder schon arretiert resp. expulsiert sind oder stündlich Expulsion aus Belgien erwarten;

daß Paris in diesem Augenblick das Zentrum der ganzen revolutionären Bewegung ist;

daß die gegenwärtigen Umstände eine durchaus energische Leitung des Bundes erheischen, zu welcher eine momentane diskretionäre Gewalt unbedingt nötig ist;

beschließt:

Art. 1. Die Zentralbehörde ist nach Paris verlegt.

Art. 2. Die Brüsseler Zentralbehörde überträgt dem Bundesmitgliede Karl Marx diskretionäre Vollmacht zur momentanen Zentraldirektion aller Bundesangelegenheiten und unter Verantwortlichkeit gegen die neu zu konstituierende Zentralbehörde und den nächsten Kongreß.

Art. 3. Sie beauftragt Marx, in Paris, sobald es die Umstände gestatten, die passendsten Bundesmitglieder zu einer neuen Zentralbehörde nach seiner Auswahl zu konstituieren und dazu selbst Bundesmitglieder, die nicht in Paris wohnen, dorthin zu berufen.

Art. 4. Die Brüsseler Zentralbehörde löst sich auf.

Beschlossen Brüssel, den 3. März 1848.

Die Zentralbehörde

gez. *Engels* *F. Fischer* *K. Marx* *Gigot* *H. Steingens*

Nach: Wermuth und Stieber,
„Die Communisten-Verschwörungen
des neunzehnten Jahrhunderts",
Erster Theil, Berlin 1853.

9

[Sitzungsprotokoll der Pariser Gemeinde des Bundes der Kommunisten vom 8. März 1848]

Protokoll der Gemeindesitzung vom 8. März 1848

Gewählt zum *Präsidenten:* K. Schapper. *Sekretär:* K. Marx.

Schapper: schlägt vor, uns zu konstituieren als Kreis Paris, nicht mehr als einzelne Gemeinde.

Unterstützt von Marx und von andern. Angenommen.

Aufgenommen: *Herman.*

Diskussion über die Wiederaufnahme der entfernten Gemeindemitglieder; *Born* stattet Bericht ab über die Versammlung im Café l'Europe; ebenso *Sterbitzki.* Mit großer Mehrzahl beschlossen, nicht in dieses Café zu gehn, wo Decker und Venedey eine Versammlung halten.

Engler, Buchfink und Vogler (Weitlingianer) aufgenommen einstimmig.

Einstimmig beschlossen: Die drei obengenannten Bundesmitglieder beauftragt, die Mitglieder der weitlingischen Gemeinde, die sie für passend halten, aufzunehmen.

Schilling einstimmig aufgenommen.

Für den öffentlichen Arbeiterverein wird angenommen als:

Präsident:	H. Bauer.	*Kassierer:*	Moll.
Vizepräsident:	Herman.	*3 Ordnungsführer:*	Buchfink, Schapper,
2 Sekretäre:	Born und Vogel.		Horne.

Angenommen, daß der Präsident anreden soll: Freunde, jeder andre, wie er will.

Marx einen Statutenentwurf vorzulegen für den Arbeiterverein.

Klub der deutschen Arbeiter[360] soll der öffentliche Verein heißen.

Wilhelm Höger aufgenommen als Bundesmitglied (vorgeschlagen von Schapper, unterstützt von H. Bauer).

Das Lokal des öffentlichen Vereins soll im Mittelpunkt der Stadt sein. Einige Mitglieder werden damit beauftragt, ein passendes Lokal zu suchen.

Die Bundessitzung soll stattfinden: Nr. 6, St. Louis St. Honoré.

Sterbitzki schlägt Herman vor, der aufgenommen wird.

K. Marx Sekretär — *K. Schapper* Präsident

Geschrieben von Karl Marx.
Nach der Handschrift.

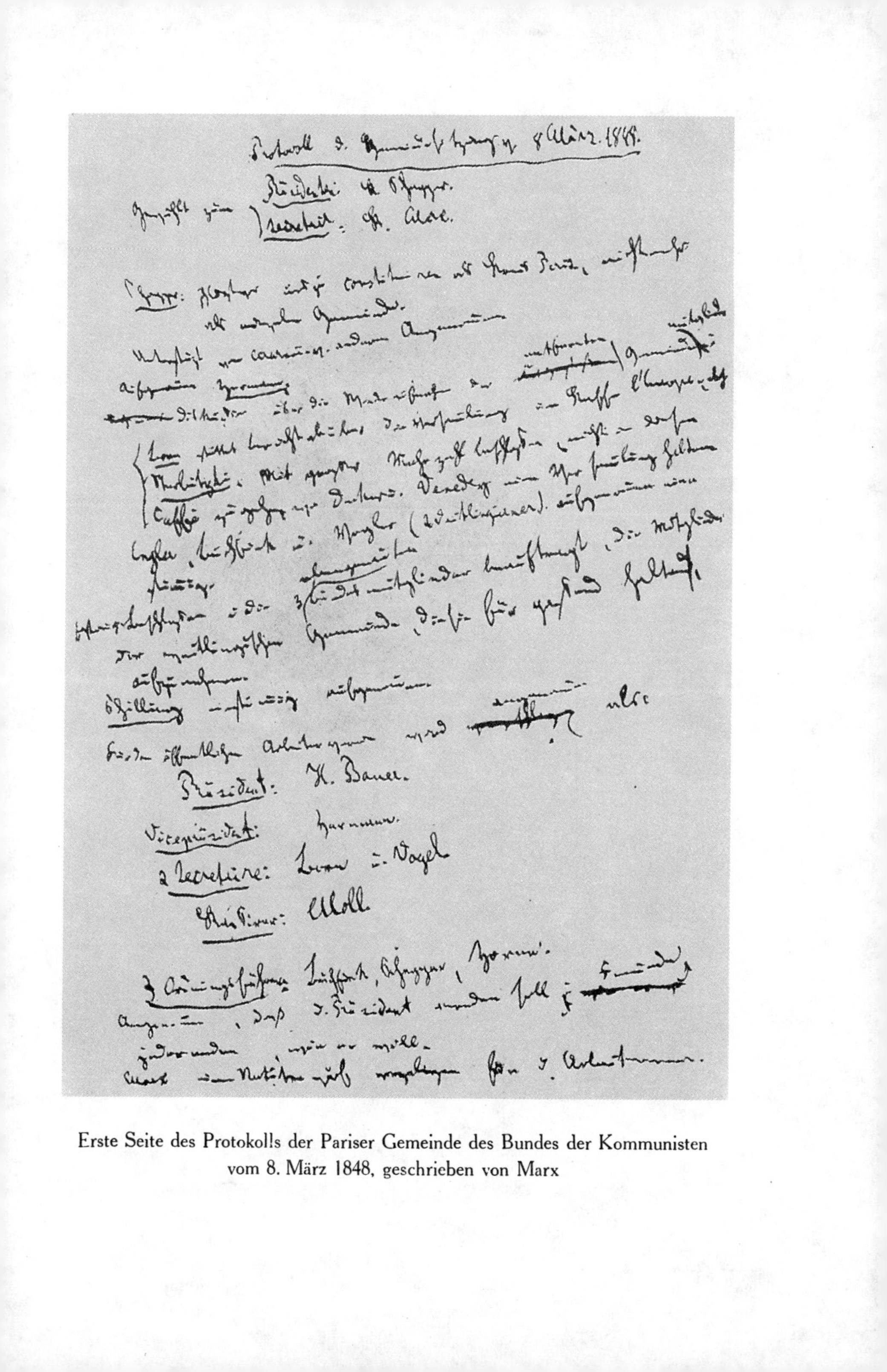

Erste Seite des Protokolls der Pariser Gemeinde des Bundes der Kommunisten vom 8. März 1848, geschrieben von Marx

10

[Sitzungsprotokoll des Kreises Paris des Bundes der Kommunisten vom 9. März 1848]

Sitzung vom 9. März, 9 Uhr abends.

Marx legt seinen Statutenentwurf[361] vor, der diskutiert wird.

Artikel 1 angenommen; gegen 2 Stimmen Minorität. Art. 2 einstimmig angenommen; ebenso Art. 3, Art. 4, Art. 5 und Art. 6.

Der Statutenentwurf ist also unverändert angenommen. Die Statuten des Bundes der Kommunisten werden vom Sekretär verlesen. Die neu aufzunehmenden Mitglieder erklären nach Anhörung der Statuten, in den Bund der Kommunisten einzutreten.

Marx schlägt vor, daß alle Bundesmitglieder ihre Namen und Adressen abgeben sollen. Es wird hierüber diskutiert und schließlich beschlossen, daß jedes Bundesmitglied den Namen, unter dem er hier bekannt ist, und seine Adresse angebe.

Schapper schlägt vor, dem Präsidenten und Sekretär noch fünf Personen hinzuzufügen, um die Kreisbehörde von Paris zu bilden.

Aus jeder der vier Gemeinden soll einer gewählt werden. Wahl bis zur nächsten Sitzung aufzuschieben.

Schapper stattet Bericht ab über die Zentralbehörde. Nach Schappers Vorschlag angenommen, daß jeder, der spricht, aufsteht und den Hut abnimmt.

Die Zentralbehörde wird nach dem Vorschlag von Marx in der nächsten Sitzung einen Bericht über die Lage des Bundes im allgemeinen abstatten.

Born, der abgesandt worden ist, um Bericht über die Versammlung in der manège abzustatten, kommt nach $^{3}/_{4}$ Stunden zurück und schildert den jämmerlichen Zustand dieses Vereins.[362] Die nächste Sitzung wird stattfinden nächsten Sonnabend um 8 Uhr, Café Belge, Rue Grenelle St. Honoré.

Die Mitglieder geben beim Schluß der Sitzung ihre Namen nebst Adresse an den Sekretär ab. Marx schlägt vor, daß alle Bundesmitglieder ein *rotes* Band tragen. Einstimmig angenommen.

Nach Schappers Vorschlag wird angenommen, daß einer ein blutrotes Band für alle kaufen soll. *B. Sax* wird hiermit beauftragt.

Geschrieben von Karl Marx.
Nach der Handschrift.

11

[Einzige erhaltene Originalseite des Entwurfs zum „Manifest der Kommunistischen Partei“[363]]

[Handschrift von Frau Marx]

[Prole]tarier, für die 10 Stunden Bill ohne ihre Illusionen über die Resultate dieser Maßregel zu teilen.

[Handschrift von Karl Marx]

Wir haben übrigens gesehn:

Die Kommunisten stellen keine neue Theorie des Privateigentums auf. Sie sprechen nur die geschichtliche Tatsache aus, daß die ⟨Produktions und⟩[1] bürgerlichen Produktions- und damit die bürgerlichen Eigentumsverhältnisse ⟨und⟩ ⟨entw⟩ ⟨bestimmte⟩ der ⟨Ent⟩ ⟨gesell⟩ Entwicklung der gesellschaftlichen Produktionskräfte nicht mehr ⟨angemessen sind⟩ und daher ⟨In die Entwicklung der Industrie selbst⟩ und in d.

Aber streitet nicht mit uns, indem ihr an Euren bürgerlichen Ideen von Freiheit, Bildung usw. die Abschaffung des bürgerlichen Eigentums ⟨gegenüberstellt⟩ meßt! Eure Ideen selbst ⟨sind es⟩ ⟨Erzeug⟩⟨sind⟩⟨entsprechen⟩ sind Erzeugnisse der ⟨bestehenden⟩ bürgerlichen Produktions- und Eigentumsverhältnisse, wie Euer Recht nur der zum Gesetz erhobene Wille Eurer Klasse ist. ⟨Ein⟩ Ein Wille, dessen Inhalt bestimmt ist durch die materiellen Lebensbedingungen Eurer Klasse. [477]

⟨Eure⟩ Die interessierte Vorstellung, ⟨die⟩ Eure ⟨bürgerliche⟩ Produktionsverhältnisse und Eigentumsverhältnisse aus geschichtlichen ⟨und nur⟩ vorübergehenden, einer bestimmten ⟨Reife der⟩ Entwicklungsstufe der Produktions⟨kräfte entsprechenden v⟩ ⟨ver⟩ Kräfte entsprechenden Verhältnissen in ewige Natur- und Vernunftgesetze zu verwandeln, teilt Ihr mit allen untergegangenen herrschenden Klassen! [478].

Was Ihr für das Feudaleigentum begreift, begreift Ihr nicht mehr für das bürgerliche Eigentum. [478]

Und doch könnt Ihr die Tatsache nicht leugnen, daß ⟨mit dem Lauf der bürgerlichen⟩ mit dem Entwicklungsgang der Industrie der einseitige, auf

Die Kommunisten stellen keine neue Theorie des Eigentums auf. Sie sprechen eine Tatsache aus. Ihr leugnet die schlagendsten Tatsachen. Ihr müßt sie leugnen. Ihr seid rückwärts gekehrte Utopisten.

Geschrieben im Dezember 1847
oder im Januar 1848.
Nach der Handschrift.

---

[1] Streichungen von Marx sind in spitze Klammern gesetzt. In eckige Klammern gebrachte Seitenzahlen weisen auf die auch im endgültigen Text wiederkehrenden Absätze im vorliegenden Band hin.

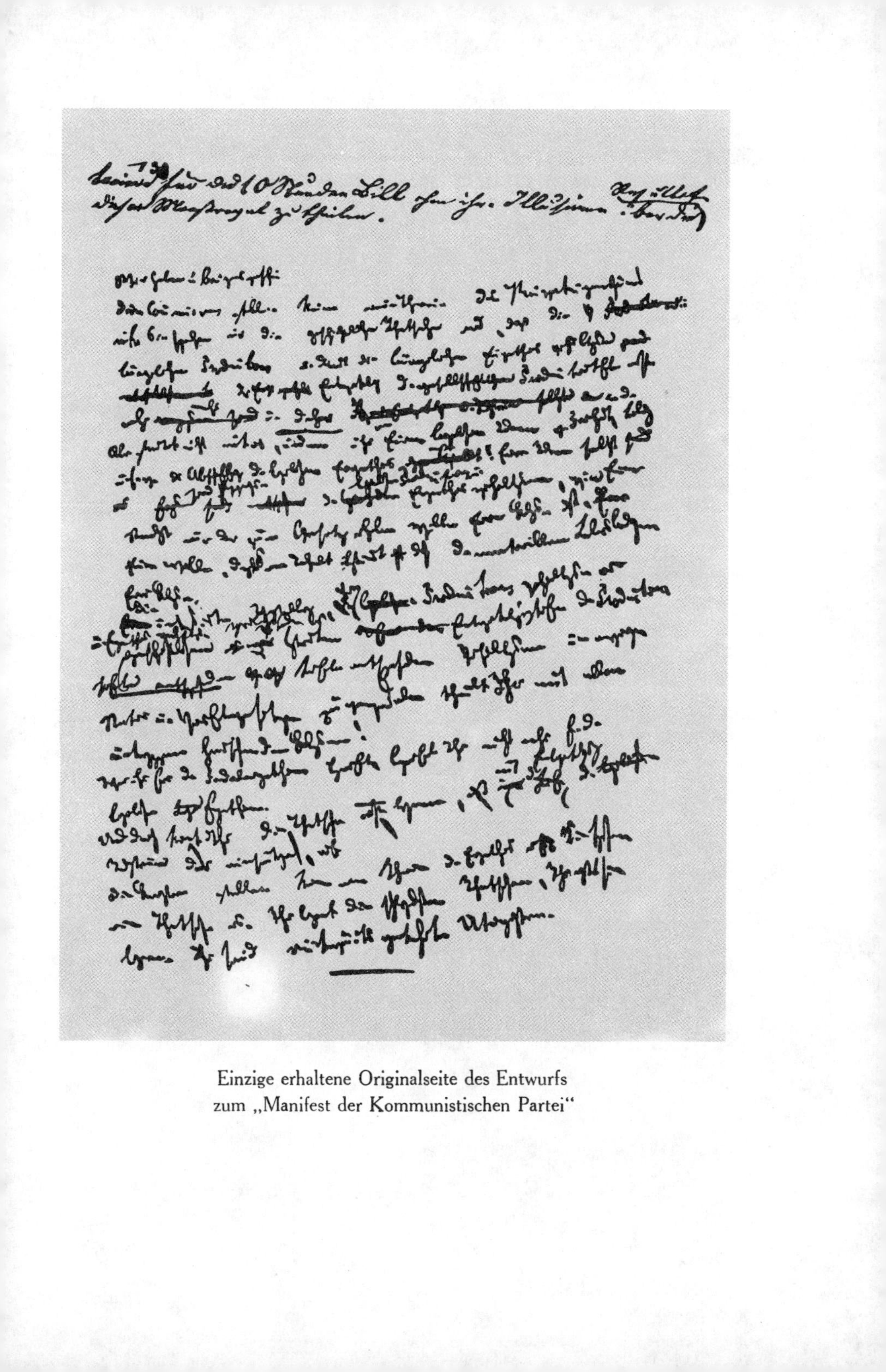

Einzige erhaltene Originalseite des Entwurfs
zum „Manifest der Kommunistischen Partei"

12

[Aufzeichnungen von Marx über Verhaftung, Mißhandlung und Ausweisung Wilhelm Wolffs durch die Brüsseler Polizei (27. Februar—1. März 1848)[364]]

Petits Carmes[1]. 5 étrangers 34 Belge[2]

Das rechte Aug' des Wolff zerschlagen wird schwerlich die Sehkraft wiedergewinnen.

Sonntag 27 Februar, Abends zwischen 10 und 11 Uhr.

Eigentliche Mißhandlung im Hôtel de Ville[3], Faustschläge von allen Seiten. Die eigentliche Mißhandlung erst im Polizeipräsidium wo eine Menge besoffener gardes civiques[4]. Polizist schlägt Wolff mit geballter Faust ins rechte Auge, so daß er die S[ehkraft]

Man riß ihm die Brille ab, spie ihm ins Gesicht, gab ihm Fußtritte, Faustschläge, beschimpfte ihn etc. Einer von den gardes civiques bewies seine Bravour, indem er sich diesen Manifestationen zugesellt. Man marterte ihn.

Unterdessen langte Hody an, chef de la sureté publique[5] infamer Philantrop heuchlerischer Schuft.

Wolff ⟨1⟩ $^1/_2$ [Stunde] Unterredung mit ihm in Gegenwart des Schuftes, der ihn arretiert unter schrecklichen Mißhandlungen.

Hody's Wut wegen des Besuchs Wolffs bei ihm. Sprach sich wütend aus gegen den deutschen Arbeiterverein. „Ich wußte, sagte er unter Anderem, daß unter denen, die man heute Abend arretieren wird, sich gegen $^2/_3$ Deutsche befinden werden". Wolff sagte: „Oui[6], wofern man sie nämlich schon voraus zum Arretiertwerden bestimmt werden" mit dem Dolch.

Von der Permanence[7] auf das Amigo[8] gebracht. Wolff [.. ? ..] d. Abend [.. ? ..]

Die ganze Geschichte an jenem Abend von der Polizei organisierte Provokation. Das Ministerium brauchte Gefangene um jeden Preis, namentlich auch Deutsche.

Auf dem Amigo: langen bald andere Arretierte an; die zu Wolff gesellten: Belger. Er von der Polizei so mißhandelt und blessiert daß er wenigstens 1 Quart Blut verlor. Ein dritter sieh p. 2.

Montag u. s. w. nach den petits Carmes geschafft.

---

[1] Gefängnis in Brüssel – [2] 5 Ausländer 34 Belgier – [3] Rathaus – [4] Bürgergardisten – [5] Chef der öffentlichen Sicherheit (Polizeipräsident) – [6] Jawohl, allerdings – [7] auch nachts offenes Polizeibüro im Rathaus – [8] volkstümliche Bezeichnung für Gefängnis in Belgien und Nordfrankreich

Mittwoch erhalten die 6 arretierten Ausländer ihren Expulsionspaß. Aber der von Wolff datiert vom 27. Februar, Sonntags, noch *vor* seiner Arrestation. Im Gefängnis schauderhaft behandelt.

Nach der Handschrift.

Anhang und Register

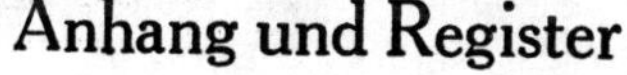

Anmerkungen

[1] Die Beschlüsse über die von Hermann Kriege redigierte New-Yorker deutsche Zeitung „Der Volks-Tribun" nebst deren Begründung wurden von dem von Marx und Engels gegründeten kommunistischen Korrespondenz-Komitee versandt. Sie sind eines der Zirkulare, die, wie Engels in dem Aufsatz „Zur Geschichte des Bundes der Kommunisten" (1885) schreibt, „bei besondern Gelegenheiten, wo es sich um Interna der sich bildenden Kommunistischen Partei handelte", versandt wurden.

Auf Grund der Forderung des Brüsseler kommunistischen Korrespondenz-Komitees war Kriege, dessen Anschauungen und Tätigkeit im Zirkular scharf kritisiert wurden, genötigt, dieses Dokument in Nr. 23 und 24 vom 6. und 13. Juni 1846 des „Volks-Tribun" abzudrucken. Das Zirkular wurde auch in der Zeitschrift „Das Westphälische Dampfboot", Juli-Heft 1846, veröffentlicht. Jedoch hat der Redakteur dieser Monatsschrift, Otto Lüning, ein Vertreter des „wahren" Sozialismus, das Zirkular entstellt, indem er eigene Zusätze einfügte und den Text an einigen Stellen willkürlich abänderte. 1902 erschien ein Wiederabdruck dieser entstellten Fassung des Zirkulars in der von Franz Mehring herausgegebenen Sammlung „Aus dem literarischen Nachlaß von Karl Marx, Friedrich Engels und Ferdinand Lassalle". 3

[2] *„Der Volks-Tribun"* – eine von deutschen „wahren" Sozialisten in New York gegründete Wochenzeitung; erschien vom 5. Januar bis 31. Dezember 1846. 3

[3] *Junges Amerika* – eine Organisation amerikanischer Handwerker und Arbeiter. Sie bildete den Kern des 1845 gegründeten Nationalen Reformverbandes, der sich stark verbreitet hatte und als Ziel die unentgeltliche Versorgung jedes Werktätigen mit einer Bodenparzelle verkündete. In der zweiten Hälfte der vierziger Jahre trat der Verband für die Durchführung einer Bodenreform ein, wobei er gegen die sklavenhaltenden Plantagenbesitzer und die Bodenspekulanten auftrat, und erhob eine Reihe weiterer demokratischer Forderungen, wie z. B. die Einführung des 10-Stunden-Tages sowie die Abschaffung der Sklaverei und des stehenden Heeres. An der Agrarreformbewegung nahmen viele emigrierte deutsche Handwerker teil. Die Gruppe um Kriege, die sich für eine gewisse Zeit dem Nationalen Reformverband anschloß, lenkte jedoch die deutschen Emigranten mit der Propaganda der reaktionären, utopischen Ideen des „wahren" Sozialismus vom Kampf um die demokratischen Ziele ab. 8

[4] Abgewandelter Vers aus Goethes Gedicht „Prometheus", 1. Strophe. 10

[5] Engels bezieht sich hier auf folgende Stelle aus der Schrift „Qu'est-ce que le tiers-état?" [Was ist der dritte Stand?] von Emanuel-Joseph Sieyès, die 1789, am Vorabend der Französischen Revolution, erschien:

1. Qu'est-ce que le tiers-état? *Tout.*
2. Qu'a-t-il été jusqu'à présent dans l'ordre politique? *Rien.*
3. Que demande-t-il? A devenir *quelque chose.*"

[1. Was ist der dritte Stand? *Alles.*
2. Was ist er bis jetzt in der staatlichen Ordnung gewesen? *Nichts.*
3. Was verlangt er? *Etwas* darin zu werden.] 15

[6] *Essäer* – religiöse Sekte im alten Judäa (2. Jahrhundert v. u. Z. bis 3. Jahrhundert n. u. Z.). 16

[7] In der „Verordnung wegen der künftigen Behandlung des gesammten Staatsschulden-Wesens, vom 17ten Januar 1820", Abschnitt II, heißt es: „Sollte der Staat künftighin zu seiner Erhaltung oder zur Förderung des allgemeinen Besten in die Notwendigkeit kommen, zur Aufnahme eines neuen Darlehns zu schreiten, so kann solches nur mit Zuziehung und unter Mitgarantie der künftigen reichsständigen Versammlung geschehen" (siehe „Gesetz-Sammlung für die Königlichen Preußischen Staaten", Jg. 1820, Berlin, S. 10). 18

[8] Es handelt sich hier um die sogenannte zweite englische Anleihe vom Jahre 1823 in Höhe von £ 3500000 = 24500000 Taler. 18

[9] *Seehandlung* – ein im Jahre 1772 von Friedrich II. gegründetes Geld- und Handelsinstitut, das als „See-Handlungsgesellschaft" die Aufgabe erhielt, „Seeschiffahrt unter preußischer Flagge zu treiben". 1820 wurde es zum Finanz- und Bankhaus des preußischen Staates umgestaltet; damit schuf sich die preußische Regierung die Möglichkeit, das Staatsschuldengesetz vom 17. Januar 1820 (siehe Anm. 7) zu umgehen. 18

[10] Der Brief des Brüsseler kommunistischen Korrespondenz-Komitees an Gustav Adolph Köttgen ist eines der Dokumente, die von den Bestrebungen Marx' und Engels' zeugen, mit den Teilnehmern der sozialistischen Bewegung in den verschiedenen Ländern in geregelten Kontakt zu kommen, um den Boden für die Bildung einer internationalen proletarischen Partei vorzubereiten. Der Brief ist die Antwort auf ein Schreiben des Elberfelder Sozialisten G. A. Köttgen vom 10. Juni 1846, der versuchte, die Vertreter sozialistischer und kommunistischer Anschauungen im Wuppertal zu vereinen. Jedoch kam es infolge der in dieser Gruppe herrschenden ideologischen Zerfahrenheit nicht zu der von Marx und Engels in diesem Brief geforderten Schaffung eines kommunistischen Korrespondenz-Komitees im Wuppertal. 20

[11] Es handelt sich um den Sieg des Chartistenführers O'Connor über den Parlamentskandidaten Hobhouse auf einer Wahlversammlung im Juli 1846, in der die Abstimmung durch Handzeichen geschah. In England erfolgte bis 1872 am Tage der Kandidatenaufstellung die Abstimmung durch Handzeichen. An ihr konnten sich auch Personen beteiligen, die kein Wahlrecht hatten. Am Wahltag selbst, an dem auch ein durch Handzeichen abgelehnter Kandidat zur Abstimmung gestellt werden konnte, beteiligte sich an der Abstimmung nur ein enger, durch Vermögenszensus, Ansässigkeitszensus usw. beschränkter Kreis „rechtmäßiger" Wähler.

Trotz dieses antidemokratischen Systems gelang es O'Connor auch bei der Wahl im August 1847 die Mehrheit der Stimmen zu erringen und ins Parlament einzuziehen. 24

[12] Hier ist das im Juni 1846 angenommene Gesetz gemeint, das die Kornzölle beseitigte. Die sogenannten Korngesetze, die die Einschränkung bzw. das Verbot des Getreideimports zum Ziel hatten, waren in England im Interesse der dortigen Großgrundbesitzer,

der Landlords, eingeführt worden. Die im Jahre 1846 angenommene Bill über die Abschaffung der Korngesetze bedeutete den Sieg der industriellen Bourgeoisie, die gegen die Korngesetze unter der Losung des Freihandels gekämpft hatte. 24 31 495 521

[13] *Volks-Charte* (peoples charter) – eine Urkunde, die die Forderungen der Chartisten enthielt; sie wurde am 8. Mai 1838 als Gesetzentwurf, der im Parlament eingebracht werden sollte, veröffentlicht und enthielt sechs Forderungen: Allgemeines Wahlrecht (für Männer über 21 Jahre), jährliche Parlamentswahlen, geheime Abstimmung, Ausgleichung der Wahlkreise, Abschaffung des Vermögenszensus für die Kandidaten zu den Parlamentswahlen, Diäten für die Abgeordneten. Nach diesem Dokument erhielt der Chartismus, der eine revolutionäre, aber keine sozialistische Bewegung war, seinen Namen. 1839 und 1842 lehnte das Unterhaus die Petitionen der Chartisten für die Annahme der Charte ab. In den Jahren 1847 und 1848 entfalteten die Chartisten erneut eine Massenkampagne für die Annahme der Charte. 24

[14] *„The Northern Star“* – englische Wochenzeitung, Zentralorgan der Chartisten; gegründet 1837 von Feargus O'Connor; erschien bis 1852, zunächst in Leeds, ab November 1844 in London. In den vierziger Jahren wurde sie auch von George Julian Harney redigiert. Von September 1845 bis März 1848 war Friedrich Engels Mitarbeiter der Zeitung. 25

[15] *„Le National“* – französische Tageszeitung, erschien von 1830 bis 1851 in Paris; in den vierziger Jahren war sie das Organ der gemäßigten bürgerlichen Republikaner.

„La Réforme“ – französische Tageszeitung, Organ der kleinbürgerlichen demokratischen Republikaner; erschien von 1843 bis 1850 in Paris. Von Oktober 1847 bis Januar 1848 veröffentlichte Engels in dieser Zeitung Artikel. 28 41

[16] „Histoire édifiante et curieuse de Rothschild Ier, Roi des Juifs“ [„Erbauliche und seltsame Historia Rothschild's I., Königs der Juden“], Paris 1846. Der Verfasser des Pamphlets war J. M. Dernevel. 29

[17] Es ist die Rede von den *Patenten Friedrich Wilhelms IV. vom 3. Februar 1847* über die Einberufung des preußischen Vereinigten Landtages. Der preußische *Vereinigte Landtag* stellte die Vereinigung der acht bestehenden Provinziallandtage dar. Er sollte nach Ermessen des Königs einberufen werden und war in zwei Kurien geteilt: die des Herrenstandes und die der drei Stände. Die Kurie des Herrenstandes bestand aus 70 Vertretern des hohen Adels, die Kurie der drei Stände umfaßte 237 Vertreter der Ritterschaft, 182 der Städte und 124 der Landgemeinden. Die Befugnisse des Vereinigten Landtages beschränkten sich auf die Bewilligung neuer Anleihen in Friedenszeiten und auf die Zustimmung zu neuen Steuern oder neuen Steuererhöhungen; er hatte bei Gesetzentwürfen nur beratende Stimme und nur das Recht, Petitionen an den König zu richten.

Der Vereinigte Landtag, am 11. April 1847 eröffnet, wurde schon am 26. Juni 1847 auf Befehl des Königs wieder nach Hause geschickt, weil seine Mehrheit alle Geldanträge der Regierung ablehnte und gegen die neue Staatsanleihe stimmte. 30 58 517

[18] *„The Times“* – größte englische Tageszeitung konservativer Richtung; sie wurde am 1. Januar 1785 in London unter dem Namen „Daily Universal Register“ gegründet; am 1. Januar 1788 wurde der Titel in „The Times“ geändert.

„The Globe and Traveller“ – englische Tageszeitung, erschien in London seit 1803; Organ der Whigs und in deren Regierungsperioden offizielles Regierungsblatt. 30 329

[19] *„Journal des Débats“* – Abkürzung für die französische bürgerliche Tageszeitung „Journal des Débats politiques et littéraires“, 1789 in Paris gegründet. Während der Julimonarchie Regierungsblatt, Organ der orleanistischen Bourgeoisie. 30

[20] *Der Zollverein* (Preußisch-deutscher Zollverein) – eine wirtschaftspolitische Vereinigung deutscher Einzelstaaten unter preußischer Führung zur Beseitigung der Binnenzölle und zur gemeinsamen Regelung der Grenzzölle. Er wurde am 1. Januar 1834 von Preußen und anderen Mitgliedstaaten des Deutschen Bundes gebildet und umfaßte allmählich alle deutschen Staaten, ausgenommen Österreich, die freien Hansestädte (Lübeck, Hamburg, Bremen) und einige kleinere norddeutsche Staaten. 31 46 58

[21] Am 3. Juni 1840 starb Friedrich Wilhelm III., und am 15. Oktober 1840 wurde Friedrich Wilhelm IV. König von Preußen. 32

[22] Am 5. Mai 1789 wurden in Frankreich zum erstenmal nach 175 Jahren wieder die Generalstände (États généraux – Vertreter des Adels, der Geistlichkeit und des dritten Standes) einberufen. Mit der Begründung, daß zum dritten Stand 96 Prozent der gesamten Nation gehören, erklärte sich der dritte Stand am 17. Juni 1789 zur Konstituierenden Nationalversammlung (Assemblée nationale constituante). 33

[23] Der Wiener Kongreß 1815 hatte u.a. eine Neuaufteilung Polens vorgenommen. Dabei erhielt Preußen die westpreußischen Gebiete und Posen, Österreich Galizien ohne Krakau (das zum Freistaat erklärt worden war), und Rußland das von Napoleon 1807 neugegründete Großherzogtum Warschau als Königreich Polen (Kongreßpolen). 35

[24] Im Februar 1846 bereitete man in den polnischen Ländern eine Erhebung vor, die die nationale Befreiung Polens zum Ziele hatte. Initiatoren der Erhebung waren hauptsächlich polnische revolutionäre Demokraten. Infolge des Verrats seitens kleinadliger Elemente und der Verhaftung der Führer der Erhebung durch die preußische Polizei wurde jedoch der allgemeine Aufstand vereitelt, und es kam nur zu vereinzelten revolutionären Unruhen. Lediglich im Freistaat Krakau, der seit 1815 der gemeinschaftlichen Kontrolle Österreichs, Rußlands und Preußens unterstellt war, gelang es am 22. Februar den Aufständischen, den Sieg davonzutragen und eine Nationalregierung zu bilden, die ein Manifest über die Abschaffung der feudalen Lasten erließ. Gleichzeitig entbrannte ein Aufstand ukrainischer Bauern in Galizien. Unter Ausnutzung der Klassengegensätze und der nationalen Gegensätze zwischen dem Kleinadel und den Bauern gelang es in einigen Fällen den österreichischen Machtorganen, Zusammenstöße zwischen den Truppenabteilungen des aufständischen Kleinadels und den sich erhebenden Bauern hervorzurufen. Der Aufstand in Krakau wurde Anfang März 1846 niedergeschlagen, danach unterdrückte die österreichische Regierung die Bauernbewegung in Galizien. Im November 1846 unterschrieben Österreich, Preußen und Rußland einen Vertrag, wonach Krakau Österreich einverleibt wurde. 36 492

[25] Diese Erklärung wurde auch in der „Trier'schen Zeitung" Nr. 99 vom 9. April 1847 veröffentlicht. Beide Fassungen weichen in Einzelheiten etwas voneinander ab. Für die vorliegende Veröffentlichung wurden die beiden Fassungen miteinander verglichen. Die vorliegende Variante entspricht der in Band 6 der Ersten Abteilung der Historisch-kritischen Gesamtausgabe der Marx-Engels-Werke gedruckten Fassung. 37

[26] *„Trier'sche Zeitung"* – wurde 1757 in Trier gegründet und erschien seit 1815 unter diesem Titel; die Zeitung war zu Beginn der vierziger Jahre des 19. Jahrhunderts ein bürgerlich-radikales Blatt; seit Mitte der vierziger Jahre stand sie unter dem Einfluß der „wahren" Sozialisten (Karl Grün wurde einer ihrer ständigen Mitarbeiter) und wurde von Marx und Engels kritisiert. 37 249 268 318

[27] Es handelt sich um Pierre-Joseph Proudhons im Herbst des Jahres 1846 in Paris er-

schienenes Buch „Système des contradictions économiques, ou philosophie de la misère". Tomes I–II [System der ökonomischen Widersprüche oder Philosophie des Elends. Band I–II]. Eine deutsche Übersetzung erschien 1847 von Karl Grün in Darmstadt unter dem Titel „Philosophie der Staatsökonomie oder Nothwendigkeit des Elends". 37

[28] *„Rheinische Zeitung für Politik, Handel und Gewerbe"* – Tageszeitung, die vom 1. Januar 1842 bis 31. März 1843 in Köln erschien. Gegründet wurde das Blatt von Vertretern der rheinischen Bourgeoisie, die dem preußischen Absolutismus gegenüber oppositionell eingestellt waren. Zur Mitarbeit wurden auch einige Junghegelianer herangezogen. Ab April 1842 wurde Karl Marx Mitarbeiter der „Rheinischen Zeitung" und ab Oktober des gleichen Jahres ihr Chefredakteur. Die Zeitung veröffentlichte auch eine Reihe Artikel von Friedrich Engels. Unter der Redaktion von Karl Marx begann die „Rheinische Zeitung" einen immer ausgeprägteren revolutionär-demokratischen Charakter anzunehmen. Diese Richtung der „Rheinischen Zeitung", deren Popularität in Deutschland ständig wuchs, rief Besorgnis und Unzufriedenheit in Regierungskreisen und eine wütende Hetze der reaktionären Presse gegen sie hervor. Am 19. Januar 1843 erließ die preußische Regierung eine Verordnung, die die „Rheinische Zeitung" mit dem 1. April 1843 verbot und bis dahin eine besonders strenge Zensur über sie verhängte. Da die Aktionäre der „Rheinischen Zeitung" beabsichtigten, einen gemäßigteren Ton in der Zeitung anzuschlagen, um dadurch die Aufhebung der Regierungsverordnung zu erreichen, erklärte Marx am 17. März 1843 seinen Austritt aus der Redaktion der „Rheinischen Zeitung" (siehe Band 1 unserer Ausgabe, S. 200). 37

[29] Gemeint ist die Schrift von Friedrich Engels und Karl Marx: „Die heilige Familie oder Kritik der kritischen Kritik. Gegen Bruno Bauer und Konsorten" (siehe Band 2 unserer Ausgabe). 37 250

[30] Dieser aus Lyon vom 17. Mai 1846 datierte Brief Proudhons an Marx ist enthalten in P.-J. Proudhon, „Les confessions d'un révolutionnaire, pour servir à l'histoire de la révolution de février" [Bekenntnisse eines Revolutionärs, die der Geschichte der Februarrevolution dienlich sein sollen]. In: Œuvres complètes de P.-J. Proudhon... [Gesammelte Werke von P.-J. Proudhon...], Paris 1929, S. 434–437. 38

[31] *„Das Westphälische Dampfboot"* – eine Monatsschrift, die von dem „wahren" Sozialisten Otto Lüning herausgegeben wurde; sie erschien von Januar 1845 bis Dezember 1846 in Bielefeld und von Januar 1847 bis März 1848 in Paderborn. 38 249

[32] Der kritische Abriß von Marx über Karl Grüns Buch „Die soziale Bewegung in Frankreich und Belgien" (Darmstadt 1847) bildet ein Kapitel der „Deutschen Ideologie" (siehe Karl Marx/Friedrich Engels, „Die deutsche Ideologie", Bd. II, Kapitel IV; Band 3 unserer Ausgabe, S. 473–520). Dieser Abriß wurde 1847 im August- und im Septemberheft der Monatsschrift „Das Westphälische Dampfboot" veröffentlicht. 38

[33] Die *„Deutsch-Französischen Jahrbücher"* wurden unter der Redaktion von Karl Marx und Arnold Ruge in deutscher Sprache in Paris herausgegeben. Es erschien nur die erste Doppellieferung im Februar 1844; sie enthielt Karl Marx' Schriften „Zur Judenfrage" und „Zur Kritik der Hegelschen Rechtsphilosophie. Einleitung", ferner Friedrich Engels' Arbeiten „Umrisse zu einer Kritik der Nationalökonomie" und „Die Lage Englands. ‚Past and Present' by Thomas Carlyle. London 1843" (siehe Band 1 unserer Ausgabe). Diese Arbeiten kennzeichnen den endgültigen Übergang von Marx und Engels zum

Materialismus und Kommunismus. Die Hauptursache dafür, daß die Zeitschrift ihr Erscheinen einstellte, waren die prinzipiellen Meinungsverschiedenheiten zwischen Marx und dem bürgerlichen Radikalen Ruge. 39 83

[34] *Neue Anekdota* – ein Sammelband, der Ende Mai 1845 in Darmstadt erschien. Er enthielt von der Zensur verbotene Zeitungsartikel von Moses Heß, Karl Grün, Otto Lüning und anderen, die vorwiegend in die erste Hälfte des Jahres 1844 fallen. Wie aus einem Brief Grüns an Heß hervorgeht, machten Marx und Engels bald nach Erscheinen des Bandes eine Reihe sehr kritischer Bemerkungen über dessen Inhalt. 39

[35] Den unmittelbaren Anlaß zu dieser Arbeit gab das königliche Patent vom 3. Februar 1847 über die Bildung des preußischen Vereinigten Landtages (siehe Anm. 17). Engels beabsichtigte, diese Arbeit 1847 in Deutschland als Broschüre herauszugeben. Infolge der Verhaftung des Verlegers kam die Broschüre jedoch nicht zum Druck. Das nur teilweise erhalten gebliebene Manuskript wurde erstmalig im Juli 1929 in der UdSSR veröffentlicht. 40

[36] *Reformisten* – Anhänger der Pariser Zeitung „La Réforme", die für die Errichtung der Republik und für die Durchführung von demokratischen und sozialen Reformen eintraten. 41

[37] *Legitimisten* – Anhänger der 1830 gestürzten Dynastie der Bourbonen; sie vertraten die Interessen des erblichen Großgrundbesitzes. Im Kampf gegen die herrschende Dynastie der Orléans, die sich auf Finanzaristokratie und Großbourgeoisie stützte, griff ein Teil der Legitimisten nicht selten zur sozialen Demagogie und gebärdete sich als Beschützer der Werktätigen vor der Ausbeutung durch die Bourgeoisie. 42 351 483

[38] *Junges England* (Young England) – Gruppe englischer Politiker und Literaten, die der Tory-Partei angehörten; diese Gruppe bildete sich Anfang der vierziger Jahre des 19. Jahrhunderts. Die Vertreter des Jungen Englands, die die Unzufriedenheit der Grundaristokratie mit der zunehmenden wirtschaftlichen und politischen Macht der Bourgeoisie zum Ausdruck brachten, nahmen zu demagogischen Mitteln Zuflucht, um die Arbeiterklasse unter ihren Einfluß zu bekommen und sie für ihren Kampf gegen die Bourgeoisie auszunützen. Im „Manifest der Kommunistischen Partei" charakterisieren Marx und Engels deren Ansichten als „feudalen Sozialismus". Namhafte Vertreter des Jungen Englands waren Disraeli, Thomas Carlyle und andere. 42 483

[39] *Kontinentalsystem* – die von Napoleon I. zur wirtschaftlichen Blockade über England verhängte Kontinentalsperre. Nachdem die französische Flotte bei Trafalgar durch englische Schiffe vernichtet worden war, versuchte Napoleon, England wirtschaftlich niederzuzwingen. In dem Dekret, das er am 21. November 1806 in Berlin herausgab, hieß es unter anderem: „Die britischen Inseln befinden sich im Blockadezustand ... der Handel mit den britischen Inseln und jegliche Beziehungen zu ihnen sind verboten." Diesem Dekret folgten alle Vasallenstaaten Frankreichs und seine Verbündeten. Die Kontinentalsperre fiel nach der Niederlage Napoleons in Rußland. 45

[40] *Patrimonialgerichtsbarkeit* – das in Deutschland von 1848 an eingeschränkte und 1877 aufgehobene feudale Recht des Gutsbesitzers, über seine Bauern Gericht zu halten und sie zu strafen. 49

[41] *Spandauer Regierungssystem* – Engels verwendet hier den Namen der bei Berlin gelegenen Festung Spandau – Zentrum des Kasernendrills und Gefängnis für „Staatsverbrecher" in Preußen – als Symbol für das reaktionäre preußische Staatssystem. 58

[42] *Krakauer Angelegenheit* – bezieht sich auf das Einverständnis der preußischen Regierung mit der Annexion von Krakau durch Österreich nach der Niederwerfung des Krakauer Aufstandes 1846 (siehe auch Anm. 24). Dieser Akt hatte unter anderem zur Folge, daß Krakau in das österreichische Zollgebilde einging und die preußischen Waren mit hohen Zöllen belegt wurden. 59

[43] *„Das Elend der Philosophie. Antwort auf Proudhons ‚Philosophie des Elends'"* – eines der bedeutsamsten theoretischen Werke des Marxismus, Hauptschrift von Marx in seiner Auseinandersetzung mit dem kleinbürgerlichen Ideologen P.-J. Proudhon, dessen Auffassungen ein ernstes Hindernis für die Ausbreitung der Ideen des wissenschaftlichen Kommunismus unter den Arbeitern bildeten.

Den Entschluß, eine Schrift zu verfassen, in der die schädlichen Anschauungen Proudhons einer Kritik unterzogen und darüber hinaus einige Fragen der Theorie und Taktik der revolutionären Arbeiterbewegung vom wissenschaftlich-materialistischen Standpunkt aus untersucht werden sollten, faßte Marx Ende Dezember 1846, nachdem er Proudhons kurz zuvor erschienenes Buch „Système des contradictions économiques, ou philosophie de la misère" [System der ökonomischen Widersprüche oder Philosophie des Elends] gelesen hatte. In seinem Brief an Pawel Wassiljewitsch Annenkow vom 28. Dezember 1846 (siehe vorl. Band, S. 547-557) entwickelte Marx eine Reihe sehr wichtiger Gedanken, die er später seinem Buch gegen Proudhon zugrunde legte. Bereits im Januar 1847 war Marx, wie aus einem vom 15. Januar 1847 datierten Brief Engels' an Marx ersichtlich ist, mit der Antwort an Proudhon beschäftigt. Anfang April 1847 war die Arbeit von Marx im wesentlichen abgeschlossen und befand sich im Druck (siehe vorl. Band, S. 37). Das Buch von Marx erschien Anfang Juli 1847 in Brüssel und Paris. Eine Neuausgabe zu Lebzeiten von Marx erfolgte nicht. Im Jahre 1885 erschien die erste deutsche Ausgabe dieses Werkes. Die Übersetzung wurde von Engels durchgesehen, der ein Vorwort (siehe vorl. Band, S. 558–569) sowie eine Reihe von Anmerkungen zur deutschen Ausgabe schrieb. Bei der Revision der deutschen Übersetzung benutzte Engels die von Marx auf dem Natalja Utina gewidmeten Exemplar der französischen Erstausgabe seines Werkes (siehe unsere Vorbemerkung auf S. 64 des vorl. Bandes) angebrachten Korrekturen. Für diese Korrekturen von Marx im Widmungsexemplar war ab 1921 als Beleg nur die Abschrift der von Marx gemachten Eintragungen in einem Exemplar des Werkes „Misère de la philosophie" vorhanden. Wir konnten jedoch in Erfahrung bringen, daß das ursprüngliche Widmungsexemplar, das als verschollen galt, sich vermutlich in der Nord-Ost-Universität in Sendai (Japan) befindet. Es wurde im Jahre 1921 von dem damaligen Leiter der Bibliothek der SPD einem japanischen Forscher, Prof. T. Kushida, am 27.7. 1921 übergeben. Nach dem Tode von Kushida gelangte das Exemplar zusammen mit anderen Büchern aus dessen Besitz in den der Bibliothek der Nord-Ost-Universität. Siehe hierzu „Keizai-sirin (Economic Review)", Zeitschrift der Hosei daigaku keizaigakukai (Economic Society of Hosei University), Bd. XX, Nr. 1, Januar 1952. –

Im Jahre 1886 wurde von der russischen marxistischen Gruppe Befreiung der Arbeit die erste russische Ausgabe des „Elends der Philosophie" in der Übersetzung von Vera Sassulitsch herausgegeben. Die zweite deutsche Auflage dieses Werkes, mit einer kurzen Vorbemerkung von Engels, erschien 1892. Im Jahre 1896 erschien eine von Laura Lafargue, einer Tochter von Marx, vorbereitete zweite französische Auflage, worin gleichfalls die Korrekturen übernommen wurden, die Marx im Widmungsexemplar für Natalja Utina vermerkt hatte. 63

[44] Marx erwähnt hier ein typisches Beispiel der Kolonialpolitik der Niederländisch-Ost-

indischen Kompanie, die 1600 gegründet wurde und eine Monopolstellung im Handel auf dem Indischen und Stillen Ozean besaß. Besonderes Gewicht legte die Kompanie auf die Ausbeutung der Sundainseln und der Molukken, d.h. der reichsten Gewürzinseln. Die Holländer, die im Konkurrenzkampf mit England standen, versklavten die eingeborene Bevölkerung, zerstörten alle Plantagen auf den Molukken, als deren Erträge stiegen, und verbrannten einen großen Teil wertvollster Kolonialprodukte, insbesondere Gewürze, um die Preise hochzuhalten. 73

[45] Für das Verständnis der Marxschen Terminologie im „Elend der Philosophie" ist die folgende Stelle aus einem Brief von Engels an Kautsky vom 22. August 1884 wichtig: „‚*Misère*'. Das hier befindliche Manuskript ist fertig revidiert... Außer einigen leichten Mißverständnissen französischer Feinheiten, die man eben nur in Frankreich selbst richtig lernt, war nicht viel zu ändern. Statt ‚Beziehungen' für ‚rapports' setze ich meist ‚*Verhältnis*', weil ersteres zu unbestimmt und weil Marx selbst das deutsche ‚Verhältnisse' stets durch ‚rapports' wiedergab und umgekehrt. Dazu ist z.B. in ‚rapport de proportionnalité' der ‚rapport' *quantitativ*, was nur durch ‚Verhältnis' wiederzugeben, weil ‚*Beziehung*' vorwiegend qualitativen Sinn hat." 76

[46] *Restauration* – die Periode, die auf die 1815 beendeten Napoleonischen Kriege und die Wiedereinsetzung der Bourbonendynastie in Frankreich folgte. 78

[47] Es handelt sich um den ersten Band der 1802 in Paris erschienenen französischen Übersetzung von Adam Smiths „Recherches sur la nature et les causes de la richesse des nations" [Untersuchungen über das Wesen und die Ursachen des Reichtums der Nationen]; der Titel der englischen Erstausgabe von 1776 lautet: „An Inquiry into the Nature and Causes of the Wealth of Nations". 79

[48] Engels ersetzte in der 1892 erschienenen zweiten deutschen Auflage des „Elends der Philosophie" den von Marx 1847 angeführten Namen Hopkins durch Hodgskin und wies in der Vorbemerkung zu dieser Auflage auf die vorgenommene Korrektur hin (siehe vorl. Band, S. 569). Der vorliegende Band bringt, entsprechend der Angabe von Marx in der französischen Erstausgabe von 1847, den Namen Hopkins, da in den zwanziger Jahren sowohl von Thomas Hopkins als auch von Thomas Hodgskin ökonomische Schriften erschienen und Marx in seinem Werk nicht den genauen Titel der von ihm erwähnten Schrift anführt.

1822 erschien in London eine von Thomas Hopkins verfaßte Arbeit „Economical Enquiries relative to the Laws which regulate Rent, Profit, Wages, and the Value of Money" [Ökonomische Untersuchungen bezüglich der Gesetze, die Rente, Profit, Arbeitslohn und Wert des Geldes bestimmen]. 1827 erschien ein Werk von Thomas Hodgskin mit dem Titel „Popular Political Economy..." [Volkstümliche Politische Ökonomie...].

Die Behauptung des österreichischen bürgerlichen Ökonomen Anton Menger, Marx habe Hodgskin irrtümlich mit John Hopkins (Pseudonym für Mme. Marcet) verwechselt, ist nicht richtig. 98

[49] Die französische Erstausgabe von 1847 gab irrtümlich 1827 statt 1824 als Erscheinungsjahr von Thompsons Werk an. Dieser Druckfehler wurde in die erste deutsche Ausgabe von 1885 übernommen. Die Angriffe, die der bürgerliche Ökonom Anton Menger in seiner Schrift „Das Recht auf den vollen Arbeitsertrag in geschichtlicher Darstellung" (Stuttgart 1886) gegen Marx und Engels richtete, bezogen sich auch auf diese falsch gedruckte Jahreszahl. Die zweite deutsche Auflage des „Elends der Philosophie" von 1892 schließ-

lich gab das richtige Erscheinungsjahr 1824 an. Engels wies in seiner Vorbemerkung zu dieser Auflage auf die vorgenommene Korrektur hin (siehe vorl. Band, S. 569). 98

[50] Die *Zehnstundenbill*, die sich nur auf Jugendliche und Arbeiterinnen erstreckte, wurde vom englischen Parlament am 8. Juni 1847 angenommen. Viele Fabrikanten befolgten dieses Gesetz jedoch nicht. 104 448

[51] Die erste Tauschbank wurde 1830 in London unter Teilnahme Robert Owens gegründet. 1832 wurden – ebenfalls unter maßgeblicher Teilnahme Robert Owens – sogenannte National Equitable Labour-Exchange-Bazaars (Nationale, gerechte Arbeitstauschbanken) in mehreren Städten Englands von Arbeiter-Kooperativgenossenschaften geschaffen. Als Zirkulationsmittel dienten auf diesen Tauschbanken Arbeitsbescheinigungen (sogenanntes Arbeitsgeld) über die zur Herstellung der abgelieferten Waren benötigte Arbeitszeit, für die eine entsprechende Menge anderer Waren bezogen werden konnte. Dieser utopische Versuch, unter kapitalistischen Verhältnissen einen geldlosen Warenaustausch zu organisieren, war zu einem raschen Scheitern verurteilt. – Zu Beginn des Jahres 1849 eröffnete Proudhon in der Pariser Vorstadt St. Denis eine sogenannte Volksbank. Sie sollte nach ähnlichen Prinzipien wie die englischen Tauschbanken arbeiten, darüber hinaus aber sollte sie zinslosen Kredit gewähren. Diese Tauschbank sollte Proudhon die von ihm gepredigte Zusammenarbeit des Proletariats mit der Bourgeoisie verwirklichen helfen. Die Verhaftung Proudhons und ein gegen ihn eingeleitetes gerichtliches Verfahren setzten der Tätigkeit der „Volksbank" ein sehr schnelles Ende. 105

[52] *Klassischer Bogen von Adam Smith* – hierbei bezieht sich Marx auf folgende Stelle in Adam Smiths Werk „An Inquiry into the Nature and Causes of the Wealth of Nations" [Eine Untersuchung über das Wesen und die Ursachen des Reichtums der Nationen]: „In einer Horde von Jägern oder Hirten z. B. fertigt der eine Bogen und Pfeile leichter und geschickter an als ein anderer. Er tauscht gegen sie bei seinen Gefährten ab und zu Vieh oder Wildbret ein, und er findet schließlich, daß er auf diese Weise mehr Vieh und Wildbret erlangen kann, als wenn er selbst auf Jagd geht. So kommt es, daß er mit Rücksicht auf sich selbst das Anfertigen von Bogen und Pfeilen zu seiner Hauptbeschäftigung macht, und er wird so etwas wie ein Waffenschmied." (Band I, Buch I, Kapitel II.) Deutsch nach einer in Leipzig 1933 erschienenen Übersetzung des Werkes von Smith: „Natur und Ursachen des Volkswohlstandes"; das Zitat befindet sich dort auf S. 17/18. 108

[53] Zitat aus Voltaires 1769 erschienenem Werk „Histoire du parlement de Paris" [Geschichte des Parlaments von Paris], Kapitel 60: „Finances et système de Lass [Law] pendant la régence" [Finanzen während der Regentschaft, einschließlich des Systems von Law]. In: Œuvres complètes de Voltaire [Sämtliche Werke von Voltaire]. 110

[54] *Geld-Pfund Tournois* – eine in Tours (Frankreich) geprägte Münze, die nur $^4/_5$ des Gewichts des in Paris geprägten Geld-Pfundes hatte. 110

[55] Es handelt sich um eine Anmerkung Says zur französischen Ausgabe des bereits zitierten Werkes von Ricardo (siehe vorl. Band, S. 71), Band II, S. 206/207. 113

[56] Das Zitat befindet sich unter den Exzerpten von Marx. Dort bezieht sich Marx jedoch auf eine zweite erweiterte, in London erschienene Auflage des Buches von Cooper und datiert sie mit 1831. Für die Bearbeitung des vorliegenden Bandes wurde die in Columbia (Südkarolina) 1829 erschienene zweite erweiterte Auflage benutzt. 115

[57] Es handelt sich um die beiden ökonomischen Hauptarbeiten François Quesnays: „Tableau économique" [Ökonomisches Tableau] (1758) und „Analyse du tableau économique"

[Analyse des ökonomischen Tableau] (1766), der die sieben „Observations importantes" [Wichtigen Bemerkungen] beigefügt sind. 125

58 Marx spielt auf die 1770 veröffentlichte „Explication du tableau économique" [Erklärung des ökonomischen Tableau] von Nicolas Baudeau, einem Zeitgenossen François Quesnays, an. 126

59 Bei dem vorliegenden Zitat handelt es sich um eine Zusammenfassung des folgenden Abschnitts aus Hegels „Wissenschaft der Logik": „Die Methode ist deswegen als die ohne Einschränkung allgemeine, innerliche und äußerliche Weise, und als die schlechthin unendliche Kraft anzuerkennen, welcher kein Objekt, insofern es sich als ein Äußerliches, der Vernunft fernes und von ihr unabhängiges präsentiert – Widerstand leisten, gegen sie von einer besonderen Natur seyn, und von ihr nicht durchdrungen werden könnte... Sie ist darum die höchste *Kraft* oder vielmehr die *einzige* und absolute *Kraft* der Vernunft, nicht nur, sondern auch ihr höchster und *einziger* Trieb, *durch sich selbst in Allem sich selbst zu finden und zu erkennen.*" 128

60 *„mors immortalis"* (der unsterbliche Tod) – Worte aus dem Lehrgedicht von Lucretius „De rerum natura" [Von der Natur der Dinge]. Die entsprechende Stelle (Buch III, Vers 882) lautet: „mortalem vitam mors cui immortalis ademit" (das sterbliche Leben hat ihm der unsterbliche Tod genommen). 130

61 Pierre-Édouard Lemontey meint sein Buch „Raison, folie, chacun son mot; petit cours de morale mis à la portée des grands enfants" [Vernunft, Torheit, jedem sein Wort; kleines Lehrbuch der Moral, der Einsicht großer Kinder angepaßt], das 1801 in Paris erschien. Marx zitiert Lemonteys Schrift „Influence morale de la division du travail" [Der moralische Einfluß der Arbeitsteilung], in der sich Lemontey auf das obige Buch bezieht. 146

62 *Creusot* – französische Stadt im burgundischen Bergland, bekannt durch die 1836 gegründete AG Schneider & Co., eine der größten Stahl-, Eisen- und Geschützfabriken. Bildet heute das Zentrum der französischen Schwer- und Rüstungsindustrie und ist der Inbegriff des französischen Monopolkapitals. 147

63 1825 brach in England die erste, die gesamte Wirtschaft eines Landes umfassende zyklische Krise, die erste Überproduktionskrise in der Geschichte des Kapitalismus überhaupt aus. Die Krise, die sich auf die ganze damalige kapitalistische Welt ausdehnte, dauerte bis zur Mitte des Jahres 1826 an. 154

64 *Spinnmaschinen* – zwischen 1735 und 1825 wurden in England mehrere bedeutende Erfindungen zur Mechanisierung des Spinnens gemacht, die für die Entwicklung des Kapitalismus von großer Bedeutung waren.

1735: Spinnmaschine von John Wyatt; 1764: Jennymaschine von James Hargreaves, die 1769–1771 von Richard Arkwright vervollkommnet wurde; 1779: Hand-Mule oder Mulemaschine von Samuel Crompton; 1825: Self-acting mule oder self-actor (der „Selbsttätige"), die automatische Spinnmaschine von Richard Robert. 155 176 454

65 Marx zitiert das Werk von Andrew Ure „Philosophie des manufactures ou économie industrielle..." [Philosophie der Manufaktur, oder industrielle Ökonomie...], Bruxelles 1836, Bd. I, 1. Teil, 1. Kapitel. Für die Bearbeitung des vorliegenden Bandes wurde die 1861 in London erschienene dritte englische Auflage benutzt: „The Philosophie of Manufactures: or, an Exposition of the Scientific, Moral, and Commercial Economy..."

[Die Philosophie der Manufaktur: oder Darlegung der wissenschaftlichen, moralischen und kommerziellen Ökonomie...], in der sich das Zitat auf S. 15/16 befindet. 155

[66] Siehe Anm. 65. In der dritten englischen Auflage des Werkes von Andrew Ure, 1861, befindet sich das Zitat auf den Seiten 19–23. 157

[67] *In partibus infidelium* (in den Gebieten der Ungläubigen) – nur dem Schein nach bestehend – Ergänzung zum Titel der katholischen Bischöfe, die auf Diözesen in nichtchristlichen Ländern ernannt wurden; sogenannte Titularbischöfe. 160

[68] Das Zitat in der vorliegenden Form enthält einige Zusätze von Marx. Bei Steuart heißt es: „In der reinen Monarchie scheinen die Fürsten in gewisser Beziehung eifersüchtig auf das Anwachsen der Vermögen und erheben daher Steuern auf diejenigen, welche reich werden. In der konstitutionellen Regierung fallen sie hauptsächlich auf diejenigen, die arm werden. So legen die Monarchen eine Steuer auf die Industrie..., Kopfsteuer und Vermögenssteuer sind proportional zu dem vorausgesetzten Reichtum derer, die ihnen unterworfen sind. Jeder wird besteuert nach Maßgabe des Gewinnes, den er nach der Einschätzung macht. In konstitutionellen Ländern werden die Steuern gewöhnlich auf den Konsum erhoben."

Marx zitiert die 1789 in Paris erschienene französische Ausgabe des Werkes von Steuart. Die englische Ausgabe erschien 1767 in London, die deutsche 1769/70 in Hamburg. 165

[69] *Der Mann mit den vierzig Talern* – Gestalt aus dem gleichnamigen, 1768 in Amsterdam erschienenen Roman Voltaires: „L'homme aux quarante écus" [Der Mann mit den vierzig Talern]. 166

[70] *Deus ex machina* (der Gott aus der Maschine) – im antiken Theater durch eine Maschinerie auf die Szene gebrachte Göttererscheinung, die die Lösung der dramatischen Verwicklungen bewirkte. Der Ausdruck wird heute noch zur Charakterisierung der unerwarteten oder künstlichen Lösung von Verwicklungen verwandt. 167

[71] Die hier und im folgenden gebrauchten Begriffe „Zinsbauer" und „Kolone" stehen für das von Marx in der französischen Erstausgabe seines Werkes und von Proudhon in seiner Arbeit einheitlich gebrauchte Wort „colon" (Halbpächter). 167

[72] Gemeint ist James Mill, der Vater von John Stuart Mill. 171

[73] Siehe William Petty, „Political Arithmetick" [Politische Arithmetik] (1676). In: William Petty, „Several Essays in Political Arithmetick..." [Verschiedene Aufsätze zur politischen Arithmetik...], London 1699. 175

[74] Es handelt sich um Léon Fauchers Artikel „Les coalitions condamnées par les ouvriers anglais" [Die englischen Arbeiter lehnen die Koalitionen ab], erschienen im „Journal des économistes", Paris 1845, Bd. 2. 176

[75] Zum Kampf für die Abschaffung der Getreidezölle vereinigten sich die englischen Fabrikanten in der Anti-Korngesetz-Liga, die 1838 in Manchester von den Fabrikanten Cobden und Bright gegründet wurde und eine heftige Agitation betrieb (siehe auch Anm. 188). 177

[76] Nach den damals in Frankreich geltenden Gesetzen – dem sogenannten Gesetz Le Chapelier von 1791, das während der französischen bürgerlichen Revolution von der Konstituierenden Versammlung angenommen worden war, und dem unter dem napoleonischen Kaiserreich ausgearbeiteten Strafgesetzbuch (Code pénal) von 1810 – war es den

Arbeitern unter Androhung strenger Bestrafung verboten, sich in Vereinen zusammenzuschließen und Streiks zu organisieren. Das Verbot der Gewerkschaften wurde in Frankreich erst 1884 aufgehoben. 179

77 *National Association of United Trades* (Landesassoziation der Vereinten Gewerkschaften) – eine 1845 in England gegründete trade-unionistische Organisation, deren Tätigkeit sich auf den ökonomischen Kampf um bessere Bedingungen für den Verkauf der Arbeitskraft und um eine verbesserte Fabrikgesetzgebung beschränkte. Die Assoziation bestand bis Anfang der sechziger Jahre, spielte aber bereits nach 1851 in der Gewerkschaftsbewegung keine große Rolle mehr. 180

78 *Chartisten* – Vertreter der revolutionären, aber nicht sozialistischen Bewegung der englischen Arbeiter in den Jahren von 1836 bis 1848, die für die Verwirklichung der Volks-Charte (peoples charter) kämpften, deren Forderungen auf die Demokratisierung der staatlichen Ordnung Englands gerichtet waren. Über die Bedeutung der Chartistenbewegung sagte Lenin, daß „England der Welt die erste wirkliche, breite, politisch klar ausgeprägte proletarisch-revolutionäre Massenbewegung... gab". (Siehe auch Anm. 13.) 180

79 Hier trennt Marx – im Unterschied zu seinen späteren Schriften – noch nicht scharf zwischen den Begriffen „Produktionsinstrumente" und „Produktivkräfte". Es sei in diesem Zusammenhang auf den dritten Absatz der Einleitung von Engels zur Neuausgabe der Marxschen Schrift „Lohnarbeit und Kapital", Berlin 1891 (Karl Marx und Friedrich Engels, Ausgewählte Schriften in zwei Bänden, Bd. I, Dietz Verlag, Berlin 1958, S. 59/60) verwiesen. 181

80 Engels spielt hier auf Lassalle an, insbesondere auf dessen am 12. April 1862 im Berliner Handwerkerverein gehaltenen Vortrag „Über den besonderen Zusammenhang der gegenwärtigen Geschichtsperiode mit der Idee des Arbeiterstandes". Als Broschüre meist unter dem Titel „Arbeiterprogramm" herausgegeben. 182

81 Aus der Einleitung zu George Sands historischem Roman „Jean Ziska". 182

82 „*The School for Scandal*" [Die Lästerschule] – ein Lustspiel des Engländers Richard Brinsley Sheridan. 183

83 *Büchse der Pandora* – Gefäß des Unheils und der Zwietracht; ein literarischer Begriff, der sich von der griechischen Sagengestalt Pandora ableitet, die aus Neugierde ein Gefäß (Büchse), das alle Übel enthielt, öffnete und diese entweichen ließ. 184

84 *belly* (englisch), *ventre* (französisch): Bauch – historischer Spottname für die reaktionäre Mehrheit in der französischen Deputiertenkammer, die die Regierung Guizot unterstützte. 185 210

85 Karl Marx' Artikel „Der Kommunismus des ‚Rheinischen Beobachters'" war eine Antwort auf den Versuch reaktionärer preußischer Regierungskreise, die Volksmassen durch die Propagierung eines christlich-feudalen Sozialismus von der revolutionären Bewegung gegen das absolutistische Regime abzulenken und sie für den Kampf gegen die bürgerliche Opposition auszunutzen. Eine solche Propaganda betrieb insbesondere der damalige Konsistorialbeamte in Magdeburg, Hermann Wagener, später einer der Führer der Konservativen (es ist möglich, daß er der Verfasser des von Marx kritisierten Artikels war), der die Gönnerschaft des Ministers für geistliche, Unterrichts- und Medizinalangelegenheiten, Eichhorn, genoß.

Als Marx und Engels in späteren Jahren das Kokettieren der Lassalleaner mit der Bismarck-Regierung und dem Junkertum entlarvten, wiesen sie auf diesen Artikel als ein Dokument hin, in dem die unversöhnliche Haltung der Arbeiterpartei gegenüber dem „königlich-preußischen Regierungssozialismus" begründet ist (siehe die Erklärung von Marx und Engels an die Redaktion des „Social-Demokrat" vom 23. Februar 1865).

„Rheinischer Beobachter" – konservative Tageszeitung, herausgegeben in Köln seit 1844. Nach der Märzrevolution von 1848 stellte sie ihr Erscheinen ein. 191

86 *„Deutsche-Brüsseler-Zeitung"* – von deutschen politischen Emigranten in Brüssel gegründetes Blatt, erschien vom 3. Januar 1847 bis Februar 1848 zweimal wöchentlich. Ursprünglich wurde die Richtung dieser Zeitung durch ihren Herausgeber und Redakteur Adalbert von Bornstedt, einen kleinbürgerlichen Demokraten, bestimmt. Dieser versuchte die verschiedenen Strömungen des radikalen und demokratischen Lagers miteinander zu versöhnen. Jedoch wurde die Zeitung durch den Einfluß von Marx und Engels und deren Mitkämpfer ab Sommer 1847 immer mehr zu einem Sprachrohr revolutionär-demokratischer und kommunistischer Ideen. Seit September 1847 waren Marx und Engels ständige Mitarbeiter der Zeitung und gewannen unmittelbaren Einfluß auf ihre Richtung, indem sie in den letzten Monaten des Jahres 1847 faktisch die Schriftleitung innehatten. Unter der Leitung von Marx und Engels wurde die Zeitung zum Organ der sich bildenden revolutionären Partei des Proletariats – des Bundes der Kommunisten. 191

87 *Ministerium Eichhorn* – im August 1840 wurde Johann Albrecht Friedrich Eichhorn zum Kultusminister ernannt und leitete bis März 1848 das Ministerium der geistlichen, Unterrichts- und Medizinalangelegenheiten. 193

88 *Schlacht- und Mahlsteuer* – im „Gesetz wegen Entrichtung einer Mahl- und Schlachtsteuer. Vom 30sten Mai 1820" heißt es:

§ 2 a) „Die Mahlsteuer wird von allen Getreidearten, Körnern und Hülsenfrüchten erhoben, welche zu Mehl, Schroot, Graupen, Grütze und Gries durch eine Mühle bereitet werden."

§ 8 „Die Schlachtsteuer wird von allem geschlachtetem Rindvieh, Schaafen, Ziegen und Schweinen, mit Einschluß der Kälber, Lämmer und Ferkel, entrichtet." 194

89 *konsequente Geldverweigerung* – die durch den Vereinigten Landtag ausgesprochene Ablehnung der ihm vorgelegten königlichen Gesetzesvorlagen, wie z. B. der Bewilligung einer 30-Millionen-Anleihe für den Bau einer Eisenbahnlinie, die die östlichen Provinzen Preußens (Königsberg) mit Berlin verbinden sollte, der Einführung einer Einkommensteuer und der Errichtung von Landrentenbanken.

Der Landtag lehnte dies alles ab, weil der preußische König sich geweigert hatte, Teilreformen durchzuführen. 195

90 *Thronrede* Friedrich Wilhelms IV. bei der Eröffnung des Vereinigten Landtages in Preußen am 11. April 1847. Diese Rede des Königs war eine „... feierliche Erklärung: daß es keiner Macht der Erde je gelingen soll, Mich zu bewegen, das natürliche ... *Verhältnis zwischen Fürst und Volk in ein konventionelles, konstitutionelles zu wandeln,* und daß Ich es nun und nimmermehr zugeben werde, daß ... *ein beschriebenes Blatt ... die alte, heilige Treue"* ersetzt. 202

91 *„Deutscher Sozialismus in Versen und Prosa".* – Die Arbeit an diesen kritischen Aufsätzen begann Engels Ende 1846. Zu Beginn des Jahres 1847 schrieb er einen Artikel zu Grüns Buch „Über Goethe vom menschlichen Standpunkte", der die Grundlage des zweiten Auf-

satzes wurde. Diesen Artikel beabsichtigte Engels für die Aufnahme in den zweiten Band der „Deutschen Ideologie" (siehe Band 3 unserer Ausgabe), einer Gemeinschaftsarbeit von Marx und Engels, als Ergänzung der der Kritik des „wahren" Sozialismus gewidmeten Abschnitte umzuarbeiten (siehe Engels' Brief an Marx vom 15. Januar 1847). Die Aufsätze wurden jedoch nur als Einzelarbeit in einigen Folgen der „Deutschen-Brüsseler-Zeitung" (September–Dezember 1847) veröffentlicht. 207

92 *Enceladus* – nach der griechischen Mythologie einer der Giganten, die mit den olympischen Göttern kämpften. 208

93 Freie Wiedergabe aus den „Gedichten" König Ludwigs von Bayern. Die Gedichte des bayrischen Königs Ludwig I., die in der Folge ganz der Vergessenheit anheimfielen, stellen ein Muster für inhaltlose und gekünstelte Poesie dar. 208

94 *„Leipziger Allgemeine Zeitung"* – seit 1837 erscheinende Tageszeitung; Anfang der vierziger Jahre des 19. Jahrhunderts war sie eine fortschrittliche bürgerliche Zeitung; wurde für Preußen durch Kabinettsordre vom 28. Dezember 1842 verboten und erschien in Sachsen bis zum 1. April 1843. Die Zeitung trug als Motto die Worte „Wahrheit und Recht, Freiheit und Gesetz". 208

95 *Carbonari-Venten* (Logen der Karbonari) – Die französische Geheimgesellschaft der Karbonari (La Charbonnerie) wurde um die Jahreswende 1820/21 nach dem Vorbild der gleichnamigen italienischen Gesellschaft gegründet. Die französischen Karbonari, die in ihren Reihen Vertreter der verschiedensten politischen Richtungen vereinigten, stellten sich die Aufgabe, die nach dem Niedergang Napoleons I. restaurierte Bourbonenmonarchie zu stürzen. Im Jahre 1822 wurde eine Verschwörung organisiert, die in den Militärgarnisonen mehrerer Städte (Belfort, La Rochelle usw.) gleichzeitig einen Aufstand durchführen sollte. Nach dem Mißlingen der Verschwörung und der Hinrichtung einiger Führer der Gesellschaft stellten die Karbonari faktisch ihre Tätigkeit ein. 210

96 *Mucius Scävola* (Linkshand) – legendärer römischer Held; ließ vor dem feindlichen Etruskerkönig Porsena, der 508 v. u. Z. Rom belagerte, als Beweis römischer Tapferkeit seine rechte Hand auf einem Kohlenbecken verbrennen. 210

97 *„Le Siècle"* – Tageszeitung, erschien in Paris von 1836 bis 1939; in den vierziger Jahren des 19. Jahrhunderts brachte sie die Anschauungen jenes Teils der Kleinbourgeoisie zum Ausdruck, der sich auf die Forderung gemäßigter konstitutioneller Reformen beschränkte. 210

98 Aus Schillers Drama „Don Carlos, Infant von Spanien", I. Akt, sechster Auftritt. 213

99 Das *Junge Deutschland* war eine Gruppe liberal gesinnter Schriftsteller und Kritiker, die sich in den dreißiger Jahren des 19. Jahrhunderts in Deutschland herausbildete und zeitweise unter dem Einfluß von Heine und Börne stand. Die Schriftsteller des Jungen Deutschlands (Gutzkow, Laube, Wienbarg, Mundt und andere), die in ihren belletristischen und publizistischen Werken die oppositionellen Stimmungen des Kleinbürgertums widerspiegelten, traten für Gewissens- und Pressefreiheit ein. Einige Vertreter des Jungen Deutschlands verfochten die Emanzipation der Juden. Die Anschauungen des Jungen Deutschlands waren durch ideologische Unreife und politische Unbestimmtheit gekennzeichnet; die meisten von ihnen entarteten bald zu bürgerlichen Liberalen. Nach 1848 zerfiel die Gruppe. 215

100 Engels spielt hier auf einen Vers aus Schillers Gedicht „Der Jüngling am Bache" an: „Raum ist in der kleinsten Hütte / Für ein glücklich liebend Paar." 216

101 *Prager Insurrektion* – der spontane Aufstand der Textilarbeiter Prags in der zweiten Junihälfte 1844. Die Prager Ereignisse zogen Arbeiterunruhen in vielen anderen Industriezentren Böhmens nach sich. In den Kreisen von Leitmeritz und Prag, in Reichenberg, Böhmisch-Leipa usw. erstürmten die Arbeiter die Textilfabriken und zerstörten die Maschinen. 217

102 *Lichtfreunde* – eine religiöse Richtung, die sich gegen den in der offiziellen protestantischen Kirche herrschenden Pietismus richtete, der durch extremen Mystizismus und Scheinheiligkeit gekennzeichnet war. Diese religiöse Opposition war eine der Formen, worin sich in den vierziger Jahren des 19. Jahrhunderts die Unzufriedenheit der deutschen Bourgeoisie mit den reaktionären Zuständen in Deutschland äußerte. 221

103 Goethe, „Faust", Erster Teil, „Nacht". 223

104 Es handelt sich um das 1770 erschienene Werk „Système de la nature, ou des loix du monde physique et du monde moral" [System der Natur oder von den Gesetzen der physischen und der moralischen Welt] des französischen Materialisten Paul-Henri-Dietrich d'Holbach, das dieser aus Konspirationsgründen mit dem Namen des 1760 verstorbenen Sekretärs der Académie Française Jean-Baptiste de Mirabaud zeichnete. 224

105 Aus Goethes Gedicht „Ultimatum" (Zyklus „Gott und Welt"). 225

106 Vergleiche hierzu John Ramsay MacCulloch, „The Principles of Political Economy: with a Sketch of the Rise and Progress of the Science" [Die Grundsätze der politischen Ökonomie: mit einer Skizze der Entstehung und des Fortschritts der Wissenschaft], Edinburgh 1825, S. 23–28, und Adolphe Blanqui „Histoire de l'économie politique en Europe, depuis les anciens jusqu'à nos jours..." [Geschichte der politischen Ökonomie in Europa vom Altertum bis zu unseren Tagen...], Bd. I, Paris 1837, Kapitel XXIV. 226

107 Die Tragödie „Cato" des englischen Schriftstellers Addison entstand 1713; Goethes Roman „Leiden des jungen Werthers" erschien 1774. 226

108 *Bundesbeschlüsse von 1819 (Karlsbader Beschlüsse)* – auf Betreiben des österreichischen Kanzlers Metternich auf der Ministerkonferenz der deutschen Bundesstaaten im August 1819 in Karlsbad gefaßte und vom Bundestag am 20. September 1819 bestätigte Beschlüsse zur Niederhaltung der nationalen und demokratischen Bewegung. Diese Beschlüsse sahen vor: die strengste Überwachung der Universitäten, das Verbot von Studentenverbindungen, verschärfte Zensur für Zeitschriften und Bücher und die Einsetzung einer Zentraluntersuchungskommission zur Aufdeckung der sogenannten Demagogenumtriebe. 226

109 *Neunter Thermidor* (27. Juli 1794) – der Tag des Sturzes Robespierres und der Jakobinerdiktatur während der Französischen Revolution. Der konterrevolutionäre Umsturz war der Beginn des Weges, der zur Errichtung der Militärdiktatur der napoleonischen Regierung führte, die die Französische Revolution abwürgte und nur jene Ergebnisse der Revolution bestehen ließ, die der Großbourgeoisie von Vorteil waren.

Achtzehnter Brumaire – Staatsstreich vom 9. November 1799, der die bürgerliche Konterrevolution in Frankreich zum Abschluß brachte; durch ihn wurde das Direktorium gestürzt und die Diktatur Napoleon Bonapartes errichtet. 227

110 Es handelt sich um Karl Grüns Artikel „Politik und Socialismus".

Die *„Rheinischen Jahrbücher zur gesellschaftlichen Reform"* wurden von Hermann Püttmann herausgegeben. Es erschienen nur zwei Bände, der erste im August 1845 in Darmstadt, der zweite Ende 1846 in dem kleinen Ort Belle-Vue bei Konstanz an der deutschschweizerischen Grenze. In dem Bestreben, Stützpunkte für die Propaganda ihrer kommunistischen Anschauungen in Deutschland zu gewinnen, hielten Marx und Engels es für notwendig, die Zeitschrift für diesen Zweck auszunutzen. Der erste Band enthält die Reden von Engels auf den Versammlungen in Elberfeld am 8. und 15. Februar 1845 und der zweite Band den Artikel „Das Fest der Nationen in London" (siehe Band 2 unserer Ausgabe, S. 536–557 und 611–624). Die allgemeine Richtung der Jahrbücher wurde jedoch durch die beteiligten Vertreter des „wahren" Sozialismus bestimmt; im Zusammenhang damit haben Marx und Engels die Jahrbücher in der „Deutschen Ideologie" (siehe Band 3 unserer Ausgabe) scharf kritisiert. 228

111 Siehe Marx, „Zur Judenfrage" (Band 1 unserer Ausgabe, S. 362–370). 228

112 Aus Goethes „Faust", Erster Teil, „Studierzimmer". 228

113 Siehe Marx, „Zur Judenfrage" (Band 1 unserer Ausgabe, S.367–369). 228

114 Siehe Friedrich Engels und Karl Marx, „Die heilige Familie oder Kritik der kritischen Kritik. Gegen Bruno Bauer und Konsorten" (Band 2 unserer Ausgabe, S. 131–141). 229

115 „Gedichte Ludwigs des Ersten, Königs von Bayern", Dritter Theil, München 1839, S. 92. 230

116 Engels unterstreicht hier den prinzipiellen Unterschied zwischen der Kritik an Goethe vom Standpunkt des Marxismus und jener oberflächlichen Kritik, die an dem großen Dichter von den Liberalen der dreißiger Jahre, von Ludwig Börne (51. Pariser Brief vom 8. Oktober 1831 usw.) und Wolfgang Menzel („Die deutsche Literatur". Zwei Theile. Stuttgart, bei Gebrüder Franckh 1828) geübt wurde. Siehe auch den vorletzten Absatz dieses Artikels (S. 247). 233

117 Worte aus Proudhons Schrift: „Qu' est-ce que la propriété? ..." [Was ist das Eigentum? ...] Paris 1841, p. 1 ff. 234

118 In Goethes Lustspiel „Der Bürgergeneral", in dem die Französische Revolution ironisiert wird, macht sich ein Dorfbarbier zum Jakobinergeneral, bemächtigt sich eines Milchtopfs und vertilgt zum großen Ärger seiner bäuerlichen Wirtsleute die Milch, wodurch er eine Balgerei hervorruft. 234

119 Goethe, „Briefe aus der Schweiz", Erste Abteilung, S. 153. Dieses Werk Goethes entstand nach dem Erscheinen seines Romans „Leiden des jungen Werthers", der in der Form von hinterlassenen Briefen des Romanhelden geschrieben ist. 235

120 Siehe Goethe, „Wilhelm Meisters Lehrjahre", Fünftes Buch, drittes Kapitel. 236

121 *„Frankfurter gelehrte Anzeigen"* – von 1772 bis 1790 in Frankfurt a. M. erschienene Zeitschrift. Im Jahre 1772 gehörten ihrer Redaktion Goethe, Herder und andere fortschrittliche Dichter und Gelehrte an.

Bei dem von Engels erwähnten Artikel handelt es sich um eine in Nr. 103 dieser Zeitschrift vom 25. Dezember 1772 erschienene Rezension Goethes über das Buch Alexander von Jochs „Über Belohnung und Strafe nach Türkischen Gesezen". 236

122 Aus dem Goetheschen Gedichtszyklus „Venezianische Epigramme". 237

123 Goethe, „Hermann und Dorothea", 9. Gesang („Urania"). 238

124 Siehe G. W. F. Hegel, „Vorlesungen über die Philosophie der Geschichte". Einleitung. In „Georg Wilhelm Friedrich Hegel's Werke". Vollständige Ausgabe durch einen Verein von Freunden des Verewigten, Bd. 9, Berlin 1837, S. 68. 239

125 Goethe, „Über Naturwissenschaft im Allgemeinen, einzelne Betrachtungen und Aphorismen". 239

126 *der „Bauch" der französischen Kammer* – siehe Anm. 84. 239

127 Goethe, „Zahme Xenien", IV. 241

128 *Ghibellinen* – politische Partei, die in Italien im 12. Jahrhundert entstand, als der Kampf zwischen den römischen Päpsten und den Staufenkaisern wütete. Sie umfaßte vorwiegend den feudalen Adel, der die Kaiser unterstützte, und führte einen erbitterten Kampf mit der päpstlichen Partei der Guelfen, die die Händler- und Handwerkeroberschicht der italienischen Städte repräsentierte. Die ghibellinische und die guelfische Partei bestanden bis ins 15. Jahrhundert. Dante, der die kaiserliche Macht als Mittel zur Überwindung der feudalen Zersplitterung Italiens ansah, hatte sich 1302 den Ghibellinen angeschlossen. 244

129 Paraphrase zweier Verse aus einem Gedicht des jungen Goethe „Vanitas! vanitatum vanitas!" [Eitelkeit! Eitelkeit der Eitelkeiten!]. 245

130 Aus Goethes Vierzeiler „Warnung" (Zyklus „Epigrammatisch"). *Titania* und *Zettel* sind Gestalten aus Shakespeares „Sommernachtstraum", die Elfenkönigin Titania und der Weber Zettel, 4. Aufzug, 1. Szene. 247

131 *„Die wahren Sozialisten"* – Dieser Artikel von Engels ist die unmittelbare Fortsetzung des II. Bandes der „Deutschen Ideologie".

Anfang 1847 führte die Entwicklung des „wahren" Sozialismus zur Bildung verschiedener Gruppen (der westfälischen, der sächsischen, der Berliner und anderer) im Rahmen der allgemeinen Strömung. Im Zusammenhang damit dachte Engels daran, den Abschnitt über den „wahren" Sozialismus in der „Deutschen Ideologie" (II. Band) umzuarbeiten, zu ergänzen und eine Kritik der einzelnen Gruppen der „wahren" Sozialisten zu geben. Dies brachte Engels in seinem Brief an Marx vom 15. Januar 1847 zum Ausdruck. Die Arbeit dauerte mindestens bis April (im Text wird die Nummer des „Grenzboten" vom 10. April 1847 erwähnt) und ist uns in Gestalt des Manuskripts „Die wahren Sozialisten" erhalten geblieben. Nach dem Schluß dieses Manuskripts zu urteilen, ist anzunehmen, daß die Arbeit nicht vollendet wurde. Zum erstenmal wurde sie im Jahre 1932 in deutscher Sprache vom Marx-Engels-Lenin-Institut, Moskau, in der Historisch-kritischen Gesamtausgabe der Werke von Marx und Engels herausgegeben. 248

132 *„Kölnische Zeitung"* – Tageszeitung, die unter diesem Titel seit 1802 in Köln erschien. In den dreißiger Jahren und Anfang der vierziger Jahre des 19. Jahrhunderts verteidigte sie die katholische Kirche gegen den in Preußen herrschenden Protestantismus. Gegen die von Marx 1842/43 redigierte „Rheinische Zeitung" führte sie einen ständigen erbitterten Kampf. 249

133 Anspielung darauf, daß Hermann Kriege Redakteur der Zeitung „Der Volks-Tribun" war (siehe Anm. 2). 249

134 Es handelt sich um *Julius Meyers* Artikel *„Die Volkswirthschaftslehre in heutiger und zukünftiger Gestaltung"*.

Das Jahrbuch *„Dies Buch gehört dem Volke"* wurde von Otto Lüning 1845 und 1846 in Bielefeld und 1847 in Paderborn herausgegeben. 249

135 Die Namen der einzelnen Sternbilder wurden ironisch den Vertretern des „wahren" Sozialismus beigelegt: „Leu" – Hermann Kriege; „Krebs" – Julius Helmich; „Zwillinge" – der eine sicherlich Rudolf Rempel, der andere Julius Meyer; „Widder" – Joseph Weydemeyer; „Stier" – Otto Lüning. 249

[136] Aus dem Volkslied „Wenn ich ein Vöglein wär". 249

[137] Siehe Friedrich Schnakes Artikel „Das Westphälische Dampfboot" im „Gesellschaftsspiegel", Heft 7 und 8.

Die Zeitschrift *„Gesellschaftsspiegel"* erschien in den Jahren 1845 und 1846 in 12 Heften unter der Leitung von Moses Heß und brachte Artikel von „wahren" Sozialisten, aber auch von Marx, Engels und Georg Weerth.

Engels beteiligte sich an der Einrichtung der Monatsschrift, wurde jedoch nicht Redaktionsmitglied. 250

[138] Siehe Anm. 85, 3. Absatz. 250

[139] Anspielung auf das Verbot der Zeitschrift „Weser-Dampfboot".

„Weser-Dampfboot" – kleinbürgerliche Zeitschrift, die sich allmählich in ein Organ der „wahren" Sozialisten verwandelte. Sie erschien im Jahre 1844 in Minden, von Januar bis Oktober zweimal wöchentlich und im November und Dezember je einmal. Ab November arbeitete Otto Lüning als Redakteur mit. Ende 1844 wurde die Zeitschrift verboten und erschien Anfang 1845 unter dem neuen Titel *„Das Westphälische Dampfboot"* (siehe Anm. 31).

Eridanus – Sternbild des südlichen Sternhimmels, das einen Fluß darstellt. 250

[140] Siehe das „Zirkular gegen Kriege" im vorl. Band, S. 3–17, sowie Anm. 1. 251

[141] Siehe Weydemeyers Artikel „Die Werkstatt; redigiert von Georg Schirges" im „Westphälischen Dampfboot" 1846.

Die *„Werkstatt"* war eine Zeitschrift der „wahren" Sozialisten, die unter der Redaktion von Georg Schirges in den Jahren 1845–1847 in Hamburg erschien. 251

[142] Aus Schillers Gedicht „An die Freude". 252

[143] Unter dem Titel *„Weltbegebenheiten"* schrieb Otto Lüning im „Westphälischen Dampfboot" von 1846 über politische Vorgänge in der Welt. 253

[144] Guizot hielt diese Rede am 17. Juli 1846 auf einem Bankett, das die Wähler von Lisieux für ihn veranstalteten. Der Bericht über das Bankett mit dem Text der Rede Guizots erschien am 28. Juli 1846 im „Journal des Débats". 254

[145] *„Le Corsaire-Satan"* – unter diesem Titel erschien die 1822 gegründete französische Zeitung „Le Corsaire" in den Jahren 1844–1847. 255

[146] Der Artikel „Die französische Bettler-Monarchie des siebzehnten Jahrhunderts", erschienen in „Das Westphälische Dampfboot" 1846, enthält auszugsweise Übersetzungen aus Monteils „Histoire des Français des divers états aux cinq derniers siècles" [Geschichte der Franzosen der verschiedenen Stände in den letzten fünf Jahrhunderten]. In diesen Auszügen wird der Untergang des französischen Bettlerkönigreichs geschildert, das im 15. Jahrhundert infolge des durch den Hundertjährigen Krieg im Lande herrschenden Elends entstanden war. Neben dem gewählten „König" der Bettler bestanden noch weitere „Staatsfunktionen" analog denen der offiziellen französischen Monarchie. 257

[147] Mit einem *Multiplikationskreuz* (×) unterzeichnete einer der Mitarbeiter des „Westphälischen Dampfboots"; aus seiner Feder stammt der Artikel „Humanismus. - Kommunismus" im „Westphälischen Dampfboot" (1846). 257

[148] *Nemesis* – die Göttin der strafenden Gerechtigkeit – war auf der Titelseite des „Gesellschaftsspiegels" dargestellt. 257

[149] *Gorgonenschild* – die Gorgonen: Nach griechischer Sage drei weibliche Gestalten, Ungeheuer mit Schlangenhaar und von schreckenerregendem Aussehen, deren Anblick den Menschen in Stein verwandelt. Eine davon, Medusa, wurde von Perseus getötet, ihrem abgeschlagenen Haupt verblieb die versteinernde Wirkung. Die Abbilder solcher Gorgonenhäupter hefteten sich der Sage nach die Griechen auf ihre Schilde, um damit die Feinde zu lähmen und zu schrecken und den eigenen Sieg zu sichern. 257 261

[150] Weiter zitiert Engels gegen Gutzkow, Steinmann und Opitz gerichtete Artikel von F. Schnake aus dem „Gesellschaftsspiegel". 258

[151] Zitat aus Goethes Epigramm „Totalität". 258

[152] Aus Fr. Schnakes Artikel „Ein neuer kritischer Evangelist". 259

[153] Auszüge aus Fr. Schnakes Artikel „Herr Fr. Steinmann über den Pauperismus und Communismus". 259

[154] Schiller, „Der Taucher", Ballade. Das Zitat ist abgewandelt, bei Schiller „Larven" statt „Leichen". 261

[155] Nach der in einer Reihe deutscher Staaten bestehenden Preßgesetzgebung waren von der Vorzensur nur solche Bücher befreit, deren Umfang 20 Druckbogen überschritt. 261

[156] Es folgen drei Zitate aus Goethes Gedicht *„Lilis Park"*. 262

[157] *Bootes* – (griechisch: Ochsentreiber) Sternbild des nördlichen Himmels mit Arktur als Hauptstern; treibt den „Großen Bären" vor sich her. Als Bootes benennt Engels hier ironisch den „wahren" Sozialisten Hermann Semmig. 264

[158] Aus Goethes „Faust", Erster Teil, „Nacht". 264

[159] Das *„Deutsche Bürgerbuch für 1845"* wurde von Hermann Püttmann im Dezember 1844 in Darmstadt, das *„Deutsche Bürgerbuch für 1846"* von demselben im Sommer 1846 in Mannheim herausgegeben. Die allgemeine Richtung dieser Jahrbücher wurde von Vertretern des „wahren" Sozialismus bestimmt. 265

[160] *Rautenkrone* – höchster sächsischer Orden, der von Friedrich August I. 1807 zur Auszeichnung hochgestellter Staatsbeamter gestiftet wurde. 265

[161] *Cosi fan tutti* (so machen's alle) – geflügeltes Wort nach dem Titel von Mozarts komischer Oper „Cosi fan tutte" (So machen's alle [Frauen]). 267

[162] *„Veilchen"* – die Zeitschrift erschien als Wochenblatt der „wahren" Sozialisten in den Jahren 1846/47 in Bautzen (Sachsen). 268

[163] Aus Goethes Ballade „Das Veilchen". 268

[164] Gemeint ist das Gedicht von Semmig: „Einer Frau ins Stammbuch". 268

[165] Siehe den Artikel von Luise Otto: „Alfred Meißners neueste Poesien". 269

[166] Aus Shakespeares „Hamlet", Erster Aufzug, zweite Szene. 269

[167] Aus Goethes „Faust", Erster Teil, „Marthens Garten". 269

[168] *Canis Minor* (Der kleine Hund) – Sternbild des nördlichen Himmels. 270

[169] *Karl Moor, Schweizer, Spiegelberg* – Personen aus Schillers Drama „Die Räuber". 270

[170] Siehe „Leiden des jungen Werthers" von Goethe. 271

[171] Hinweis auf Max Stirners „Der Einzige und sein Eigenthum", Leipzig 1845. 274

[172] *Tyrtaios (Tyrtäus)* – ein altgriechischer Liederdichter, der das Spartanertum verherrlichte. 276

[173] *F. E. von Rochow, „Der Kinderfreund. Ein Lesebuch zum Gebrauch in Landschulen"*, Brandenburg und Leipzig 1776. Eine Charakteristik dieses Buches siehe in Friedrich Engels' Werk „Anti-Dühring", Zweiter Abschnitt, Kapitel V. 277

[174] *Cirque olympique* – Volkstheater in Paris. 277

[175] *In partibus infidelium* – (siehe Anm. 67). Im Text befindet sich eine Anspielung auf patriotische Gedichte von Herwegh („Die deutsche Flotte" – 1841) und Freiligrath („Flotten-Träume" – 1843, „Zwei Flaggen" – 1844), in denen die künftige, noch nicht existierende deutsche Flotte verherrlicht wurde. 278

[176] „Menschenhaß und Reue" – ein Drama von Kotzebue. 280

[177] Siehe Freiligraths Gedicht „Requiescat!" 281

[178] Der Titel des Buches lautet: „Berlin in seiner neuesten Zeit und Entwicklung". 281

[179] Anfang von G.A.Bürgers Ballade „Lenore". 281

[180] *Sieben Gedichte von Heine* – wurden im „Album" veröffentlicht: „Pomare", „Dieselbe", „Eine Andre", „Guter Rath", „Zur Doctrin", „Das Wiegenlied", „Die schlesischen Weber". In der im Jahre 1868 bei Hoffmann und Campe in Hamburg erschienenen Ausgabe der Werke Heinrich Heines trugen diese Gedichte folgende Überschriften: „Pomare" (Gedicht 1–3), „Wandere!", „An die Jungen", „Karl I." und „Die Weber". 283

[181] Das „*Album*" enthält folgende Gedichte von Georg Weerth: „Handwerksburschenlieder" (5 Gedichte), „Lieder aus Lancashire" (5 Gedichte), „Der Kanonengießer" und „Gebet eines Irländers". 283

[182] Aus Schillers Gedicht „Die Kindesmörderin". 283

[183] *Leipziger Augustkrawall* – Feuerüberfall sächsischen Militärs auf eine Volksdemonstration am 12. August 1845. Anläßlich einer Militärparade für den in Leipzig weilenden Kronprinzen Johann protestierte eine Massendemonstration gegen die Verfolgung der deutschkatholischen Bewegung und eines ihrer Führer, des Pfarrers Ronge, durch die sächsische Regierung. Die Bewegung der Deutschkatholiken, die 1844 in einigen deutschen Staaten aufkam, ergriff bedeutende Schichten der Bourgeoisie und des Kleinbürgertums. Die Deutschkatholiken lehnten die Oberhoheit des römischen Papstes sowie viele Glaubensartikel und Riten der katholischen Kirche ab und waren bestrebt, den Katholizismus den Belangen der aufsteigenden deutschen Bourgeoisie anzupassen. 285

[184] Gemeint sind die Gedichte König Ludwigs I. von Bayern (siehe auch Anm. 93). 286

[185] Engels behandelt in diesem Artikel den internationalen Ökonomisten-Kongreß (Freihandelskongreß), der vom 16. bis 18. September 1847 tagte. Dieser Kongreß sollte beraten, wie die durch die englische Anti-Corn-Law League (Anti-Korngesetz-Liga) begonnene Bewegung zur Abschaffung der wirtschaftlichen Schranken zwischen den verschiedenen Ländern auch auf dem Kontinent fortgesetzt und vollendet werden könne.

An diesem Kongreß nahmen auch Karl Marx und Georg Weerth teil. Marx' Name wird in der offiziellen Liste der Teilnehmer geführt (siehe „Journal des économistes", t. XVIII, Octobre 1847, p. 275). 291

[186] Hier spielt Engels auf das Auftreten Georg Weerths an, der jedoch nicht am zweiten, sondern erst am dritten Tage als erster Redner des Kongresses mit großer Wirkun g

sprach. Weerths Rede ist veröffentlicht in: Georg Weerth, Sämtliche Werke, Zweiter Band, Berlin 1956, S. 128–133.

Engels zitierte einen Teil dieser Rede Weerths in seinem Artikel „Der Freihandelskongreß in Brüssel" im „Northern Star" Nr. 520 vom 9. Oktober 1847 (siehe vorl. Band, S. 299). 291

187 Anspielung auf die entsprechend dem Vermächtnis Benthams von Bowring erfüllte Testamentspflicht, das Skelett von Bentham für wissenschaftliche Zwecke zur Verfügung zu stellen. 294

188 *Anti-Corn-Law League* – eine freihändlerische Vereinigung, die 1838 von den Fabrikanten Cobden und Bright in Manchester gegründet wurde. Die Liga erhob die Forderung nach völliger Handelsfreiheit und kämpfte für die Abschaffung der Korngesetze (siehe auch Anm. 12) mit dem Ziel, die Löhne der Arbeiter zu senken und die ökonomischen und politischen Positionen der Landaristokratie zu schwächen. In ihrem Kampf gegen die Grundbesitzer versuchte die Liga, die Arbeitermassen auszunutzen. Aber gerade zu dieser Zeit betraten die fortgeschrittensten Arbeiter Englands den Weg der selbständigen, politisch ausgeprägten Arbeiterbewegung (Chartismus). 294 446

189 Der Bericht über die weiteren Sitzungen des Kongresses kam nicht in der „Deutschen-Brüsseler-Zeitung" zum Abdruck. Über diese Sitzungen siehe Engels' Artikel „Der Freihandelskongreß in Brüssel" in „The Northern Star" Nr. 520 vom 9. Oktober 1847 (siehe vorl. Band, S. 299–305). 295

190 Die Arbeit „Die Schutzzöllner, die Freihandelsmänner und die arbeitende Klasse" stellt einen Teil der Rede dar, die Marx auf dem Kongreß der Ökonomen in Brüssel zu halten gedachte. Marx erhielt jedoch nicht das Wort und arbeitete nach dem Kongreß seine nicht gehaltene Rede für die Presse um; sie wurde in der belgischen Zeitung „Atelier démocratique" vom 29. Sept. 1847 veröffentlicht. Zu uns gelangte lediglich der Anfang der Rede, den Joseph Weydemeyer, ein Freund von Marx und Engels, 1848 zusammen mit einem anderen Vortrag von Marx über den Freihandel (siehe Rede vom 9. Januar 1848 im vorl. Band, S. 444–458) zu Hamm in deutscher Übersetzung veröffentlichte. Das Ende dieser Rede brachte Weydemeyer nicht, mit dem Hinweis darauf, daß ihr Inhalt sich in der Rede vom 9. Januar wiederholt. Marx' Rede wird ferner in Engels' Artikel „Der Freihandelskongreß in Brüssel" (siehe vorl. Band, S. 305–308) wiedergegeben. 296

191 Gustav v. Gülich, „Geschichtliche Darstellung des Handels, der Gewerbe und des Ackerbaus der bedeutendsten handeltreibenden Staaten unserer Zeit", Bd. 1–5, Jena 1830–1845. 296

192 „*The Economist*" – englische Wochenschrift für Fragen der Wirtschaft und Politik, erscheint seit 1843 in London; Blatt der industriellen Großbourgeoisie. 299

193 „*The League*" – englische bürgerliche Zeitschrift, Organ der Anti-Korngesetz-Liga; erschien in London 1843 bis 1846.

„*The Manchester Guardian*" – englische Tageszeitung, Organ der Anhänger des Freihandels, später Organ der Liberalen Partei; erscheint in Manchester seit 1821. 300

194 Die hier von Engels zitierte Rede von Georg Weerth weicht von der in Georg Weerth, Sämtliche Werke, Zweiter Band, abgedruckten Fassung etwas ab; unter anderem spricht Weerth nach der englischen Fassung „im Namen der fünf Millionen englischen Arbeiter", bei Weerth, Sämtliche Werke, Zweiter Band, heißt es auf S. 128: „drei Millionen englische Arbeiter".

In der gleichen englischen Fassung heißt es: „Lediglich gegen Ende des Jahres 1845 verbündeten sich die Chartisten, die Elite der Arbeiterklasse, vorübergehend mit der ‚League'"; bei Weerth, Sämtliche Werke, wird 1843 angegeben. Unsere Übersetzung lehnt sich teilweise an die Rede Weerths, wiedergegeben in seinen Sämtlichen Werken, an. 301

195 *League-Unruhen von 1842* – im August 1842 wiegelte die Anti-Korngesetz-Liga, die die Chartistenbewegung gegen die Regierung und Landlords auszunutzen suchte, die Arbeiter zu Kundgebungen auf. Der Elan der Streiks und Protestbewegungen erschreckte jedoch die liberale Bourgeoisie, so daß sie die Repressalien gegen die Arbeiter unterstützte. Das provokatorische Verhalten der bürgerlichen Radikalen und Liberalen trug dazu bei, daß sich die Chartisten schneller von ihnen lösten. 302

196 Die englische Arbeiterbewegung kämpfte Anfang der dreißiger Jahre um politische Reformen. Dies benutzte die liberale Bourgeoisie als Druckmittel, mit dessen Hilfe sie 1832 eine geringfügige Parlamentsreform durchsetzte.

Die Pariser Arbeiter erzwangen in der Julirevolution von 1830 den Sturz der Bourbonendynastie und ihrer Regierung. Die Finanzbourgeoisie nutzte diesen Sieg aus und errichtete ihre Herrschaft unter Louis-Philippe.

Im August 1830 begann in Belgien die bürgerlich-nationale Revolution. Die Loslösung von Holland wurde erzwungen, und Belgien wurde ein selbständiger unabhängiger Staat. 303

197 Gemeint sind die blutige Unterdrückung der Lyoner Arbeiteraufstände von 1831 und 1834 sowie die Strafaktionen der Regierungstruppen Anfang 1847 in Buzançais (Departement Indre) gegen hungernde Arbeiter, die einen Überfall auf Spekulanten gehörende Getreideladungen und -speicher gemacht hatten. 303

198 In ihren ersten Schriften sprechen Marx und Engels noch vom Verkauf der *Arbeit*. Später hat Marx nachgewiesen, daß der Arbeiter nicht seine Arbeit, sondern seine *Arbeitskraft* verkauft. Siehe hierzu die Erläuterungen in Engels' Einleitung zur Neuausgabe der Marxschen Schrift „Lohnarbeit und Kapital", Berlin 1891 (Band 6 unserer Ausgabe, S. 593–599), vgl. auch das Vorwort des vorl. Bandes, S. IX. 307 363 450

199 Die beiden folgenden Artikel erschienen in der „Deutschen-Brüsseler-Zeitung" in der Rubrik „Polemik". Dem ersten Artikel geht folgende redaktionelle Bemerkung voran: „Wir erhalten als Entgegnung auf die Einsendung von Karl Heinzen (in Nr. 77) Folgendes von kommunistischer Seite, glauben jedoch dringender wie je den guten Rat wiederholen zu müssen, im Kampfe gegen den gemeinsamen Feind sich nicht zu spalten."

Über die Erscheinungsumstände vgl. den Brief von Engels an Marx vom 30. September 1847. Daraus geht hervor, daß Engels den ersten Artikel schon am 27. September, d. h. einen Tag nach dem Erscheinen von Heinzens Artikel, „in die Druckerei brachte". 309

200 Engels nimmt an dieser Stelle Bezug auf die längere Vorbemerkung, die die Redaktion der „Deutschen-Brüsseler-Zeitung" in Nr. 77 vom 26. September 1847 dem dort abgedruckten Artikel Karl Heinzens vorausschickte. Dort heißt es unter anderem: „... wir glauben überdem, nach beiden Seiten den Rat geben zu müssen, falls die Polemik andernorts wieder auftauchen sollte, solche doch lieber aufzugeben." 309

201 Es handelt sich um die Bücher: Karl Heinzen, „Die Preußische Bureaukratie", Darmstadt 1845, und J[akobus] Venedey, „Preussen und Preussenthum", Mannheim 1839. 310

[202] Heinzen stellt sich das zukünftige Deutschland als republikanische Föderation autonomer Länder, ähnlich dem Schweizer Bunde, vor. Dies entsprach genau dem Sinn, den damals viele kleinbürgerliche Demokraten der deutschen Einheitsbewegung, als deren Symbol die schwarzrotgoldene Fahne galt, beilegten. Marx und Engels sahen in einer solchen Auffassung deutscher Einheitsbestrebungen einen Ausdruck kleinbürgerlicher Beschränktheit und der Unfähigkeit des Kleinbürgertums, einen konsequenten Kampf gegen Separatismus und Zersplitterung zu führen. Im Gegensatz dazu forderten sie eine einige, unteilbare demokratische Republik in Deutschland. 311

[203] Die Flugblätter und Flugschriften Karl Heinzens aus den Jahren 1845/46 sind abgedruckt in Karl Heinzen, „Teutsche Revolution – Gesammelte Flugschriften", Bern, Juni 1847. (Vorwort datiert: „Bern, im Januar 1847"). 312

[204] Engels führt einige große Bauernaufstände des Mittelalters an: die Aufstände unter Wat Tyler (1381) und Jack Cade (1450) in England, den Bauernaufstand in Frankreich vom Jahre 1358 (Jacquerie) und den Bauernkrieg in Deutschland von 1524/25. In den folgenden Jahren änderte Engels, nachdem er die Geschichte der Bauernkämpfe gegen den Feudalismus und die Erfahrung der Bauernerhebungen in der Revolution 1848/49 studiert hatte, seine Einschätzung der Bauernbewegung. In dem Werk „Der deutsche Bauernkrieg" und in anderen Schriften zeigte er den revolutionären Befreiungscharakter der Bauernaufstände sowie die Rolle, die sie bei der Untergrabung der Feudalordnung spielten. 313

[205] J. Fröbel, „System der socialen Politik", Zweite Auflage der „Neuen Politik", Th. I–II, Mannheim 1847. Die erste Auflage, die den Titel „Neue Politik" trug, erschien 1846 unter dem Pseudonym Junius. 316

[206] *Illuminaten* (Erleuchtete) – Angehörige eines den Freimaurern ähnlichen Geheimbundes, der 1776 in Bayern gegründet wurde. Der Bund bestand aus oppositionell gesinnten bürgerlichen und adligen Elementen, die mit dem fürstlichen Despotismus unzufrieden waren. Gleichzeitig zeichneten sich die Illuminaten dadurch aus, daß sie jede demokratische Bewegung fürchteten. Dies spiegelte sich auch in ihren Statuten wider, die die einfachen Mitglieder der Gesellschaft zu unbedingtem Gehorsam gegenüber den Führern verpflichteten. Der Bund wurde im Jahre 1784 von den bayrischen Behörden aufgelöst. 321

[207] Heine, „Atta Troll", Kaput 24. 324

[208] „Der Heinzen'sche Staat", Eine Kritik von Stephan, Bern 1847. Gedruckt bei E. Rätzer. Diese Broschüre war von Stephan Born verfaßt worden. 324

[209] Zur Frage der Autorschaft Friedrich Engels': Engels schreibt an Marx am 25. (26.) Oktober 1847: „Flocon will von mir einen Aufsatz über den Chartismus für Privatgebrauch haben… Ich werde gleich zu ihm gehen…" Er schreibt weiter am 26. Oktober 1847: „Mein Artikel steht in der ‚Réforme'. Sonderbarerweise hat Flocon kein Wort dran verändert, was mich sehr wundert." 325

[210] John Noakes, „The Right of the Aristocracy to the Soil" [Das Recht der Aristokratie auf den Boden], London 1847. Der Bericht im „Northern Star" ist in Nr. 522 vom 23. Oktober 1847 veröffentlicht. 325

[211] Die beabsichtigte Herausgabe der chartistischen Tageszeitung „Democrat" erfolgte nicht. 326

[212] An der geheimen Abstimmung durfte sich nur ein beschränkter Kreis wahlberechtigter Personen beteiligen (siehe auch Anm. 11). 326

[213] Die Autorschaft von Engels geht aus einem Brief von ihm an Marx vom 25./26. Oktober 1847 hervor.

„L'Atelier" brachte den Artikel von Engels mit folgender Einleitung: „Ein deutscher Arbeiter, der lange in England gelebt hat, schreibt uns zu einem Artikel des vergangenen Monats nachstehenden Brief. Wir beeilen uns, diesem Brief zu jener Publizität zu verhelfen, die er in mehr als einer Hinsicht verdient..." 328

[214] *„L'Atelier"* – französische Monatsschrift, die von 1840 bis 1850 in Paris erschien; Organ von Handwerkern und Arbeitern, die unter dem Einfluß der Ideen des christlichen Sozialismus standen. Der Redaktion gehörten Arbeitervertreter an, die jeweils für drei Monate gewählt wurden. 328

[215] Heinzens Artikel „Ein ‚Repräsentant' der Kommunisten" ist in der „Deutschen-Brüsseler-Zeitung" Nr. 84 vom 21. Oktober 1847 abgedruckt. 331

[216] *Salomo(n) und Marcolph* (oder *Markolf*) – Titelgestalten eines deutschen Spruchgedichts aus dem 14. Jahrhundert; bei Salomo handelt es sich um einen weisen, aber unpraktischen König, bei Marcolph um einen pfiffigen Bauern. 332

[217] „Henneke Knecht" – ein altes niederdeutsches Volkslied. In: „Des Knaben Wunderhorn", Alte deutsche Lieder, gesammelt von L. A. v. Arnim und Clemens Brentano, Heidelberg 1808. 332

[218] *Quintus Fixlein* – Titelheld (Schulmeister) im Roman „Leben des Quintus Fixlein" von Jean Paul. 334

[219] Gemeint ist das polemische Auftreten von Heinzen in den Spalten der „Deutschen-Brüsseler-Zeitung" (Nr. 77 vom 26. Sept. 1847) gegen die Vertreter des wissenschaftlichen Kommunismus. Dieses Auftreten Heinzens veranlaßte Engels, als Antwort den Artikel „Die Kommunisten und Karl Heinzen" zu veröffentlichen. 334

[220] Über die mittelalterlichen Kommunen siehe „Manifest der Kommunistischen Partei", Anmerkungen von Engels zur englischen Ausgabe von 1888 und zur deutschen Ausgabe von 1890 (siehe vorl. Band, S. 464). 339

[221] Marx meint die *wahren Leveller* (Gleichmacher) oder *Digger* (die Grabenden), die in der englischen bürgerlichen Revolution des 17. Jahrhunderts den äußersten linken Flügel der Leveller bildeten und sich im Verlaufe der Revolution von ihnen absonderten. Die Digger, die die Interessen der ärmsten ländlichen und städtischen Schichten verfochten, vertraten den Standpunkt, daß das arbeitende Volk die Gemeindeländereien bewirtschaften solle, ohne Pacht zu zahlen. In einigen Dörfern besetzten sie aus eigener Machtvollkommenheit nichtbewirtschaftete Ländereien und gruben sie für die Saat um. Als sie von den Soldaten Cromwells auseinandergetrieben wurden, leisteten sie keinerlei Widerstand, da sie in diesem Kampfe nur friedliche Mittel anwenden wollten und auf die Kraft der Überzeugung vertrauten. 341

[222] Ph. Buonarroti, „Conspiration pour l'égalité dite de Babeuf" [„Babeuf und die Verschwörung für die Gleichheit"], Brüssel 1828. Das Buch Buonarrotis diente der Wiedererweckung der Babeufschen Traditionen in der revolutionären Arbeiterbewegung. 341

[223] Marx zitiert den Bericht der unter dem Vorsitz von William Morris Meredith gebildeten Kommission, die mit der Untersuchung des Armengesetzes betraut war. Der am 29. Januar 1825 dem pennsylvanischen Kongreß vorgelegte Bericht ist in „The Register of Pennsylvania" vom 16. August 1828 veröffentlicht worden. 342

[224] *„Niles' Weekly Register"* – amerikanische bürgerliche Zeitschrift für Politik, Wirtschaft, Geschichte und Geographie, gegründet und herausgegeben von Hezekiah Niles. Sie erschien in Baltimore von 1811 bis 1849. 342

[225] Friedrich List, „Das nationale System der politischen Oekonomie", Stuttgart und Tübingen 1841. 343

[226] Aus Shakespeares „König Heinrich der Vierte", Erster Teil, zweiter Aufzug, vierte Szene. 344

[227] *Septembergesetze* – Gesetze, die im September 1835 von der französischen Regierung unter Berufung auf das am 28. Juli auf den König Louis-Philippe verübte Attentat erlassen worden waren. Sie beschränkten die Tätigkeit der Geschworenengerichte und führten strenge Maßnahmen gegen die Presse ein, wie die Erhöhung der Kautionen für periodisch erscheinende Druckerzeugnisse, Gefängnishaft und hohe Geldstrafen für Verfasser von Publikationen, die gegen das Eigentum und die bestehende Staatsordnung gerichtet waren. 350

[228] Vgl. Karl Marx, „Zur Kritik der Hegelschen Rechtsphilosophie. Einleitung" (siehe Band 1 unserer Ausgabe, S. 378–391). 351

[229] *Arbeiteraufstände in Schlesien und Böhmen* – der schlesische Weberaufstand vom 4. bis 6. Juni 1844 war der erste große Klassenzusammenstoß zwischen Proletariat und Bourgeoisie in Deutschland, der besonders in den großen schlesischen Dörfern Langenbielau und Peterswaldau zum Ausbruch kam und durch Militär niedergeschlagen wurde (über den Aufstand in Böhmen siehe Anm. 101). 351

[230] *Hambacher Lieder* – Lieder, die auf dem Hambacher Fest gesungen wurden und sich meistens gegen die deutschen Fürsten richteten. Dies Fest, das am 27. Mai 1832 beim Hambacher Schloß (in der bayrischen Pfalz) stattfand, war eine von Vertretern der deutschen liberalen und radikalen Bourgeoisie organisierte politische Manifestation. Die Redner riefen alle Deutschen zur Einigkeit im Kampf gegen die deutschen Fürsten und für bürgerliche Freiheiten und Verfassungsänderungen auf. 351

[231] *Anti-Corn-Law-League-Bewegung* – siehe Anm. 188. 352

[232] Sowohl Rousseau wie Mably entwarfen für Polen eine Konstitution (J. J. Rousseau, „Considérations sur le gouvernement de Pologne, et sur sa réformation projettée". En Avril 1772 [Betrachtungen über die Regierung Polens und über ihre geplante Reform. April 1772]. In: Collection complète des œuvres, t. 1 [Sämtliche Werke, Bd. 1], Genève 1782; G. Mably, „Du gouvernement et des lois de Pologne" [Über die Regierung und die Gesetzgebung Polens]. In: Collection complète des œuvres, t. 8 [Sämtliche Werke, Bd. 8], Paris 1794 à 1795). Einen Verfassungsentwurf für die Korsen schrieb jedoch nur Rousseau: „Lettres sur la législation de la Corse" [Briefe über die Gesetzgebung in Korsika], Paris 1765. 353

[233] Es handelt sich um die Girondisten – die Partei der Handels- und Industriebourgeoisie –, die im Sommer 1793 unter der Flagge, das Recht der Departements auf Autonomie und Föderation zu verteidigen, einen konterrevolutionären Aufruhr gegen die Jakobinerregierung entfachten. Nach der Unterdrückung des Aufruhrs wurden viele Führer der Girondisten (darunter Barbaroux) vom Revolutionstribunal zum Tode verurteilt und guillotiniert. 355

[234] *Comité de salut public* (Wohlfahrtsausschuß) – in der Französischen Revolution Ausschuß

des Konvents von 9 bis 12 Mitgliedern; unter Robespierre Zentrum der Jakobinerdiktatur (2. Juni 1793–27. Juli 1794). 355

235 Gemeint sind die Kinder- und Jugendschriften des Pädagogen J. H. Campe, insbesondere sein Buch „Die Entdeckung von Amerika". Ein Teil dieses Buches enthält die Erzählung über die Inkas in Peru und die Eroberung Perus durch die Spanier. 355

236 „*Allgemeine Zeitung*" – eine 1798 gegründete deutsche Tageszeitung, die von 1810 bis 1882 in Augsburg erschien. Im Jahre 1842 trat sie mit einer Verfälschung der Ideen des utopischen Kommunismus und Sozialismus hervor, die Marx in seinem von der „Rheinischen Zeitung" am 16. Oktober 1842 abgedruckten Artikel „Der Kommunismus und die Augsburger ‚Allgemeine Zeitung'" entlarvte (siehe auch Band 1 unserer Ausgabe, S. 105). 356

237 Engels' Arbeit „Grundsätze des Kommunismus" stellt einen Programmentwurf für den Bund der Kommunisten dar. Über die Ausarbeitung eines Programms in Form eines Katechismus wurde bereits vor dem ersten Bundeskongreß diskutiert, auf dem sich der Bund der Gerechten neu organisierte und sich den Namen Bund der Kommunisten gab (Juni 1847). Im September 1847 sandte die Londoner Zentralbehörde des Bundes der Kommunisten (Schapper, Bauer und Moll) den Entwurf eines „Kommunistischen Glaubensbekenntnisses" an die Kreise und Gemeinden des Bundes. Dieses Dokument, das die Einflüsse des utopischen Sozialismus verriet, konnte Marx und Engels nicht zufriedenstellen, ebenso nicht der „gottvoll verbesserte" Entwurf, der in Paris von dem „wahren" Sozialisten Moses Heß angefertigt worden war. Auf der Sitzung der Pariser Kreisbehörde des Bundes der Kommunisten am 22. Oktober kritisierte Engels den Entwurf sehr eingehend und scharf und erhielt den Auftrag, einen neuen zu verfassen. Dieser bald darauf verfaßte Entwurf waren die „Grundsätze des Kommunismus".

Engels, der die „Grundsätze des Kommunismus" nur als vorläufige Programmskizze ansah, drückte in seinem Brief vom 23./24. November 1847 an Marx den Gedanken aus, daß es am besten sei, die veraltete Katechismusform aufzugeben und ein Programm in Form eines „Kommunistischen *Manifestes*" zu verfassen. Der zweite Kongreß des Bundes der Kommunisten (29. November – 8. Dezember 1847), auf dem Marx und Engels die wissenschaftlichen Grundsätze des Programms der proletarischen Partei vertraten, beauftragte beide, das Manifest auszuarbeiten. Bei der Abfassung des „Manifestes der Kommunistischen Partei" benutzten die Begründer des Marxismus einige der Thesen, die in den „Grundsätzen des Kommunismus" entwickelt worden waren. 361

238 Vgl. Engels' Anmerkung über die der Klassengesellschaft voraufgegangene Periode der klassenlosen Urgesellschaft im „Manifest der Kommunistischen Partei" (siehe vorl. Band, S. 462). 363

239 Im Jahre 1892 schrieb Engels im Vorwort zur 2. Auflage der „Lage der arbeitenden Klasse in England" über die Kreislaufperioden der industriellen Krisen im Anfang des 19. Jahrhunderts: „Im Text wird die Kreislaufsperiode der großen industriellen Krisen auf fünf Jahre angegeben. Dies war die Zeitbestimmung, die sich aus dem Gang der Ereignisse von 1825 bis 1842 scheinbar ergab. Die Geschichte der Industrie von 1842 bis 1868 hat aber bewiesen, daß die wirkliche Periode eine zehnjährige ist, daß die Zwischenkrisen sekundärer Natur waren und seit 1842 mehr und mehr verschwunden sind." (Siehe Band 2 unserer Ausgabe, S. 642.) 369 450

240 Die Schlußfolgerung, daß die proletarische Revolution nur gleichzeitig in den fortgeschrittenen kapitalistischen Ländern möglich sei und es damit unmöglich wäre, diese

Revolution in einem einzelnen Lande siegreich durchzuführen, fand ihre endgültige Formulierung in Engels' Schrift „Grundsätze des Kommunismus"; sie war richtig für die Periode des vormonopolistischen Kapitalismus.

Unter den neuen historischen Bedingungen kam W.I.Lenin, ausgehend von dem von ihm entdeckten Gesetz der Ungleichmäßigkeit der ökonomischen und politischen Entwicklung des Kapitalismus in der Epoche des Imperialismus, zu der neuen Schlußfolgerung, daß der Sieg der sozialistischen Revolution ursprünglich in einigen Ländern oder sogar in *einem* Lande möglich sei, und hob damit die Unmöglichkeit des gleichzeitigen Sieges der Revolution in allen oder den meisten Ländern hervor.

Diese neue Schlußfolgerung wurde zum erstenmal von W.I.Lenin in seinem Artikel „Über die Losung der Vereinigten Staaten von Europa" formuliert (vgl. W.I.Lenin, Ausgewählte Werke, Bd.I, Berlin 1955, S.753). 375

241 Im Manuskript von Engels steht an Stelle der Antwort bei der 22. und 23. Frage nur das Wort „bleibt". Offensichtlich bedeutet dies, daß die Antwort so bleiben soll, wie sie in einem vorläufigen, jedoch bisher nicht aufgefundenen Programmentwurf des Bundes der Kommunisten formuliert ist. 377

242 Dieser von Engels für „La Réforme" geschriebene Artikel erschien auch in „The Northern Star" Nr.524 vom 6.November 1847. 381

243 Das Bankett, das am 25.Oktober 1847 in London stattfand, war aus Anlaß der Wahl des Chartistenführers Feargus O'Connor und einiger radikaler Politiker ins Unterhaus veranstaltet worden. 384

244 Die Forderung auf Einführung des sogenannten *vollen Wahlrechts*, die sehr unklar und vieldeutig war, wurde anfangs der vierziger Jahre des 19. Jahrhunderts von Vertretern der englischen radikalen Bourgeoisie erhoben. Mit dieser Forderung versuchten die bürgerlichen Radikalen, die Arbeiterbewegung unter ihren Einfluß zu bringen und die Arbeiter davon abzuhalten, das soziale und politische Programm der Chartisten durchzusetzen. 384

245 Die im Juli 1840 gegründete Landesvereinigung der Chartisten war die erste Massenpartei der Arbeiter, die es in der Geschichte der Arbeiterbewegung gab. Sie zählte in den Jahren des Aufschwungs des Chartismus nahezu 40000 Mitglieder. In der Tätigkeit dieser Vereinigung zeigte sich die ideologische und taktische Verschiedenheit ihrer Mitglieder und die kleinbürgerliche Gesinnung der meisten Chartistenführer. Nach der Niederlage der Chartisten im Jahre 1848 verlor die Vereinigung immer mehr an Bedeutung, bis sie in den fünfziger Jahren ihre Tätigkeit ganz einstellte. 385

246 Die *Reformbill* (Gesetz über die Wahlreform), 1831 vom englischen Unterhaus angenommen, wurde am 7.Juni 1832 vom englischen König William IV. bestätigt. Danach wurde 56 Ortschaften mit weniger als zweitausend Einwohnern das Recht genommen, Vertreter ins Unterhaus zu entsenden. Grund- und Hausbesitzer, die im Jahr mindestens 10 Pfund Sterling Steuern zahlten, erhielten das Wahlrecht (daher Zehn-Pfund-Zensus). Die Reform richtete sich gegen die politische Monopolstellung der Grund- und Finanzaristokratie, beseitigte die schlimmsten feudalen Überreste im englischen Wahlrecht und verschaffte den Vertretern der industriellen Bourgeoisie den Zutritt zum Parlament. Proletariat und Kleinbürgertum, die Hauptkraft im Kampf für die Reform, wurden von der liberalen Bourgeoisie betrogen und erhielten kein Wahlrecht. 386 494 521

247 Auszüge aus dem Manifest Lamartines wurden im „Northern Star" Nr.523 vom 30.Oktober 1847 abgedruckt. 387

[248] *„Le Bien public"* – französische Zeitung, Organ der gemäßigten bürgerlichen Republikaner; erschien von August 1843 bis Dezember 1848 (zuerst in Mâçon, seit Mai 1848 in Paris). Lamartine war Mitbegründer und Mitarbeiter der Zeitung. 390

[249] Dieser Aufsatz entstand im Zusammenhang mit dem Schweizer Bürgerkrieg, der von sieben katholischen Kantonen entfesselt worden war. Diese ökonomisch rückständigen Kantone hatten bereits 1843 ein Separatbündnis, den Sonderbund, mit dem Ziel geschlossen, den fortschrittlichen bürgerlichen Umgestaltungen in der Schweiz entgegenzutreten sowie die Privilegien der Kirche und der Jesuiten zu verteidigen. An der Spitze des Sonderbundes standen katholische Kreise und die obere Patrizierschicht der Städte. Die reaktionären Ansprüche des Sonderbundes stießen auf den Widerstand der bürgerlichen Radikalen und Liberalen, die Mitte der vierziger Jahre in den meisten Kantonen wie auch im Schweizer Bundestag (Tagsatzung) das Übergewicht erlangt hatten. Der Beschluß des Schweizer Bundestages im Juli 1847 über die Auflösung des Sonderbundes diente diesem als Anlaß, Anfang November mit militärischen Aktionen gegen die übrigen Kantone zu beginnen. Am 23. November wurde die Armee des Sonderbundes von den Truppen der Bundesregierung geschlagen. Nach diesem Siege bildete sich die Schweiz durch die Annahme einer neuen Verfassung im Jahre 1848 aus einem Staatenbund zu einem Bundesstaat um. 391

[250] In der Schlacht bei Sempach (Luzerner Kanton) am 9. Juli 1386 siegten die Schweizer über die Truppen des österreichischen Herzogs Leopold III.

Murten – Stadt im Schweizer Kanton Freiburg; hier siegten am 22. Juni 1476 die Schweizer über die Truppen des Herzogs Karl des Kühnen von Burgund. 391

[251] Unter der *Urschweiz* versteht Engels die Gebirgskantone, die im 13. und 14. Jahrhundert den ursprünglichen Kern des Schweizer Bundes bildeten. 391

[252] Am *Morgarten* fand am 15. November 1315 eine Schlacht zwischen Schweizer Truppen und einem Heer Leopolds von Habsburg statt, in der die Schweizer den Sieg erfochten. 392

[253] *Marathon, Platää* und *Salamis* – Orte, an denen während der Perserkriege (500–449 v. u. Z.) große Schlachten stattfanden, die mit dem Sieg der Griechen endeten. 392

[254] *Eid auf dem Grütli* (Rütlischwur) – eine der Legenden über die Gründung des Schweizer Bundes (Eidgenossenschaft), der durch einen 1291 von den drei Ur-Kantonen Schwyz, Uri und Unterwalden geschlossenen Vertrag seinen Anfang nahm. Nach der Überlieferung kamen die Vertreter der drei Kantone 1307 auf einer Bergwiese (Grütli oder Rütli) zusammen und schwuren, in ihrem gemeinsamen Kampf gegen die österreichische Herrschaft dem Bunde ewige Treue zu halten. 393

[255] *Grandson (Granson)* – Stadt im Schweizer Kanton Waadt, in deren Nähe am 2. März 1476 schweizerisches Fußvolk dem Herzog Karl dem Kühnen von Burgund eine Niederlage beibrachte.

Nancy – Stadt in Lothringen. Hier besiegten am 5. Januar 1477 schweizerische, lothringische, elsässische und deutsche Truppen das Heer Karls des Kühnen. 393

[256] Abgewandelter Vers aus dem Neuen Testament, Lukas 15,21. 394

[257] *Antinous* – schöner Jüngling, den der römische Kaiser Hadrian (117–138) zu seinem Vertrauten machte. 395

[258] Am 10. August 1792 stürmten die bewaffneten Pariser die Tuilerien, das königliche Schloß in Paris; gegen das anstürmende Volk waren vor allem Abteilungen der Schweizer

Söldnergarde eingesetzt. Der Volksaufstand hatte den Sturz der Monarchie in Frankreich zur Folge. 395

259 Der Kampf der Pariser Volksmassen in der Julirevolution des Jahres 1830 währte vom 27. bis 29. Juli. Der Hauptschauplatz des Kampfes war die Umgebung des Louvre (Schloßbau in Paris, der durch zwei Galerien mit den Tuilerien verbunden ist), gegen den die Volksmassen vorrückten. Der Louvre mit seiner nächsten Umgebung war durch Schweizergarde und Gardebataillone besetzt. Am 29. Juli war der Sieg des Volkes entschieden. 396

260 *Tagsatzung* – Ratstagung (Bundestag) in der Schweizer Eidgenossenschaft, die sich aus den Gesandten der Kantone zusammensetzte und oberste beschließende Instanz der Eidgenossenschaft war. 1848 wurde sie aufgelöst (siehe auch Anm. 249). 398

261 Der Bericht über das Bankett im Château-Rouge wurde im „Northern Star" Nr. 508 vom 17. Juli 1847 veröffentlicht. 400

262 *„Le Constitutionnel"* – französische Tageszeitung; erschien in Paris von 1815 bis 1870. In den vierziger Jahren war sie das Organ des gemäßigten Flügels der Orleanisten; während der Revolution von 1848/49 wurde sie zum Sprachrohr der von Thiers geführten konterrevolutionären Bourgeoisie; nach dem Staatsstreich im Dezember 1851 bonapartistische Zeitung. 402

263 Die von Engels beschriebenen Vorfälle ereigneten sich Ende August und in der ersten Septemberhälfte 1847 in Paris. Den Anlaß dazu bildete ein Zusammenstoß zwischen den Arbeitern und dem Besitzer einer Schuhmacherwerkstatt in der Rue Saint-Honoré, der versucht hatte, einem der Arbeiter eine falsche Abrechnung zu machen. 405

264 *Brüderliche Demokraten* (Fraternal Democrats) – Internationale demokratische Gesellschaft, die 1845 in London von Vertretern des linken Flügels der Chartisten, deutschen Arbeitern (Mitgliedern des Bundes der Gerechten) und in London lebenden revolutionären Emigranten anderer Nationalitäten mit dem Ziel gegründet wurde, enge Verbindungen zwischen den demokratischen Bewegungen der verschiedenen Länder herzustellen. Marx und Engels beteiligten sich an der Vorbereitung der am 22. September 1845 von Demokraten aus verschiedenen Nationen abgehaltenen Versammlung – die den Grundstein für diese Gesellschaft legte –, konnten jedoch wegen ihrer Abreise aus London selbst nicht daran teilnehmen. Sie unterhielten ständigen Kontakt mit den Brüderlichen Demokraten und waren bestrebt, deren Mitglieder – besonders den 1847 in den Bund der Kommunisten eingegangenen proletarischen Kern – im Geiste des proletarischen Internationalismus und des wissenschaftlichen Kommunismus zu erziehen sowie durch die Gesellschaft ideologisch auf den Chartismus einzuwirken. Theoretisch unreife Ansichten der Gesellschaftsmitglieder wurden von Marx und Engels kritisiert.

Nach der Niederlage der Chartisten im Jahre 1848 ließ die Tätigkeit der Gesellschaft bedeutend nach, und im Jahre 1853 zerfiel die Gesellschaft. 408 601

265 *Internationale Liga* oder *Internationale Volksliga* – Gesellschaft, die 1847 in London von englischen bürgerlichen Radikalen, Liberalen und Anhängern des Freihandels gegründet wurde. In der Liga wirkten von Anfang an mit: Thomas Cooper, Sir William Fox, Sir John Bowring sowie der demokratische Publizist, Dichter und Holzschnittkünstler William James Linton. Aus den Reihen der italienischen, ungarischen und polnischen Emigranten schlossen sich der Gesellschaft auch einige bürgerliche Demokraten an, z.B. Giuseppe Mazzini, der einer der Initiatoren der Liga war. Im Jahre 1848 stellte

die Liga, die sich hauptsächlich mit der Veranstaltung von Versammlungen und Vorträgen zu internationalen Fragen sowie mit der Vorbereitung von Pamphleten befaßte, ihre Tätigkeit ein. 408

266 Im Jahre 1840 ging die französische Regierung unter dem Vorwand, die Hauptstadt gegen einen eventuellen Einfall äußerer Feinde zu befestigen, dazu über, rings um Paris eine Reihe selbständiger Forts anzulegen. Die regierende Clique der Julimonarchie hoffte, sich mit Hilfe dieser Zitadellen gegen Volksaufstände zu sichern. Die demokratischen Kreise protestierten energisch gegen die Aufrichtung neuer „Bastillen" in Paris. Eine bedeutende Zahl von Vertretern der bürgerlichen Opposition, darunter die Anhänger des „National", unterstützten jedoch die Errichtung der Forts, indem sie nationale Verteidigungserwägungen vorbrachten. 411

267 Die nächste der Reformbewegung in Frankreich gewidmete Korrespondenz von Engels war im „Northern Star" vom 18. Dezember 1847 abgedruckt. In unserer Ausgabe bringen wir diese Korrespondenz nach einer in der „Deutschen-Brüsseler-Zeitung" wiedergegebenen Fassung (siehe vorl. Band, S. 426–428). 412

268 Engels' Korrespondenz war als Brief an den Redakteur der „Réforme" verfaßt. 413

269 Die im Herbst 1847 in Brüssel gegründete *Demokratische Gesellschaft* (Association démocratique) vereinigte in ihren Reihen proletarische Revolutionäre, hauptsächlich aus Kreisen der deutschen revolutionären Emigranten, sowie fortschrittliche bürgerliche und kleinbürgerliche Demokraten. Marx und Engels waren an der Gründung der Gesellschaft aktiv beteiligt. Am 15. November 1847 wurde Marx zu ihrem Vizepräsidenten gewählt, während der belgische Demokrat Lucien Jottrand zum Präsidenten berufen wurde. Dank des Einflusses von Marx entwickelte sich die Brüsseler Demokratische Gesellschaft zu einem der bedeutendsten Zentren der internationalen demokratischen Bewegung. Während der Februarrevolution in Frankreich wirkte der proletarische Flügel der Brüsseler Demokratischen Gesellschaft für die Bewaffnung der belgischen Arbeiter und trat für einen breiten Kampf um die demokratische Republik ein. Als jedoch Anfang März 1848 Marx aus Brüssel ausgewiesen wurde und die belgischen Behörden die revolutionärsten Elemente der Gesellschaft verfolgten, verstanden es die belgischen bürgerlichen Demokraten nicht, die antimonarchistische Bewegung der Werktätigen anzuführen. Die Demokratische Gesellschaft begann nur noch eine beschränkte, rein örtliche Tätigkeit auszuüben und hörte bereits im Jahre 1849 faktisch auf zu wirken. 413 511 537

270 Vgl. hierzu auch den in der französischen Zeitung „La Réforme" vom 5. Dezember 1847 erschienenen Bericht von Engels über dieses Meeting (siehe vorl. Band, S. 413–415). 411

271 Die Bemerkungen von Marx sind eine Antwort auf die Verleumdungskampagne, die der kleinbürgerliche belgische Publizist Adolph Bartels gegen die in Belgien lebenden revolutionären Emigranten begonnen hatte und die von reaktionären Kirchenkreisen ausgenutzt wurde. 419

272 Es handelt sich um den Deutschen Arbeiterverein, der von Marx und Engels Ende August 1847 in Brüssel mit dem Ziel gegründet worden war, die in Belgien lebenden deutschen Arbeiter politisch aufzuklären und mit den Ideen des wissenschaftlichen Kommunismus bekannt zu machen. Unter der Leitung von Marx und Engels sowie deren Kampfgefährten entwickelte sich der Verein zu einem legalen Zentrum,

um das sich die revolutionären proletarischen Kräfte in Belgien zusammenschlossen. Die besten Elemente des Vereins traten der Brüsseler Gemeinde des Bundes der Kommunisten bei. Der Verein spielte eine hervorragende Rolle bei der Gründung der Brüsseler Demokratischen Gesellschaft (siehe Anm. 269). Bald nach der Februarrevolution 1848 in Frankreich, als die belgische Polizei ihre Mitglieder verhaftete und auswies, stellte der Deutsche Arbeiterverein seine Tätigkeit ein. 419

[273] *„Journal de Bruxelles“* – konservative belgische Zeitung, Organ katholischer Kreise; erschien seit 1820. 420

[274] *Congregatio de propaganda fide* (Kongregation zur Verbreitung des Glaubens) – im 17. Jahrhundert vom Papst gegründete katholische Organisation, deren Ziel die Verbreitung des Katholizismus in allen Ländern und der Kampf gegen die Ketzer war. Die Kongregation war eines der Werkzeuge der reaktionären Politik des Papsttums und der katholischen Kreise. 420

[275] „The Northern Star“ vom 4. Dezember 1847 brachte einen Bericht über die Gedenkfeier, die anläßlich des 17. Jahrestages des polnischen Aufstandes von 1830 am 29. November 1847 in London stattfand. In diesem Bericht wird die von Marx auf der Gedenkfeier gehaltene Rede gekürzt und ungenau wiedergegeben. Ein vollständigerer und genauerer Abdruck der Rede findet sich in der „Deutschen-Brüsseler-Zeitung“ vom 9. Dezember 1847 (siehe vorl. Band, S. 416–418). 420

[276] *dynastische Opposition* – eine von Odilon Barrot geführte Gruppe in der französischen Deputiertenkammer während der Julimonarchie, deren Mitglieder die politischen Auffassungen liberaler Kreise der Industrie- und Handelsbourgeoisie zum Ausdruck brachten und für die Durchführung einer gemäßigten Wahlreform eintraten; sie sahen darin ein Mittel, der Revolution vorzubeugen und die Dynastie Orléans aufrechtzuerhalten. 423

[277] *materialistische Kommunisten* – Mitglieder einer gleichnamigen geheimen Verschwörergesellschaft, die in den vierziger Jahren des 19. Jahrhunderts von französischen Arbeitern gegründet wurde. Sie stand unter dem Einfluß der Ideen von Théodore Dézamy, einem Vertreter der revolutionären und materialistischen Richtung innerhalb des französischen utopischen Kommunismus. Der Prozeß gegen die Mitglieder der Gesellschaft der materialistischen Kommunisten fand im Juli 1847 statt und endete mit ihrer Verurteilung zu langjährigen Gefängnisstrafen. 424

[278] Der Artikel „Louis Blancs Rede auf dem Bankett zu Dijon“ ist eine Variante der im „Northern Star“ vom 18. Dezember 1847 veröffentlichten Korrespondenz von Engels „Reform Movement in France – Banquet of Dijon“. Die „Deutsche-Brüsseler-Zeitung“ brachte ihre Variante als Auszug aus der Korrespondenz im „Northern Star“. Da große Teile beider Artikel übereinstimmen, wurde eine Übersetzung der englischen Fassung in unsere Ausgabe nicht aufgenommen. 426

[279] Engels konzentrierte sich in diesem Artikel hauptsächlich darauf, die nationalistische These Louis Blancs von der angeblich besonderen zivilisatorischen Rolle Frankreichs zu widerlegen, ohne sich dabei die Aufgabe zu stellen, den wirklichen Charakter dieser von den kapitalistischen Staaten in den ökonomisch rückständigen Ländern eingeführten bürgerlichen „Zivilisation“ zu enthüllen. In Briefen und Aufsätzen über Indien, Irland, China, den Iran usw. wiesen Marx und Engels darauf hin, daß die Einbeziehung dieser Länder in den Machtbereich kapitalistischer Verhältnisse auf dem Wege vor sich ging, daß England und die anderen kapitalistischen Staaten sie kolonial versklavten, sie in Agrar-

und Rohstoffanhängsel der Metropolen verwandelten, einen skrupellosen Raub an ihren Naturreichtümern trieben und daß die Kolonisatoren die Volksmassen dieser Länder grausam ausbeuteten. „Die tiefe Heuchelei der bürgerlichen Zivilisation und die von ihr nicht zu trennende Barbarei" – schrieb Karl Marx 1853 in seinem Artikel „Die künftigen Ergebnisse der britischen Herrschaft in Indien" – „liegen unverschleiert vor unsern Augen, sobald wir den Blick von ihrer Heimat, in der sie unter respektablen Formen auftreten, nach den Kolonien wenden, wo sie sich in ihrer ganzen Nacktheit zeigen." (Siehe Band 9 unserer Ausgabe, S.225.) 427

280 Die Petition war in einem offenen Brief enthalten, den O'Connor an die Mitglieder der Nationalen Bodengesellschaft (siehe auch vorl. Band, S. 381 ff.) gerichtet hatte und der am 25. Dezember 1847 in Nr. 531 des „Northern Star" veröffentlicht wurde. Engels gibt die Petition stark gekürzt, jedoch deren wesentlichen Inhalt wieder. 429

281 Im Jahre 1846 gelang es der Regierung Guizot, die spanische Thronfolgerin mit dem jüngsten Sohn Louis-Philippes zu vermählen und die von England angestrebte Heirat des Prinzen Leopold von Coburg mit der spanischen Königin Isabella II. zu vereiteln. Im Schweizer Bürgerkrieg von 1847 verstand es der englische Außenminister Palmerston, für diese Niederlage der englischen Diplomatie Revanche zu nehmen. Während er einerseits Guizot dazu ermunterte, mit dem Plan der Fünf-Mächte-Intervention zugunsten des Sonderbundes hervorzutreten, unterstützte er gleichzeitig die Niederwerfung des letzteren. Die diplomatischen Manöver Guizots erlitten totalen Schiffbruch. 432

282 Erschießungen von Arbeitern fanden in *Lyon* während der Weberaufstände von 1831 und 1834 statt.

In *Preston* kam es im August 1842 zu einem blutigen Zusammenstoß zwischen englischen Arbeitern und Militär. Dies war nur eine von den vielen Chartistenerhebungen, die sich damals in englischen Industriezentren spontan ereigneten.

Langenbielau – Gemeinde in Schlesien; ein Zentrum des schlesischen Weberaufstandes vom Juni 1844. An diesem Ort verübten die Regierungstruppen ein Gemetzel unter den Arbeitern.

In *Prag* wurden im Sommer 1844 aufständische Arbeiter von Regierungstruppen niedergemacht. 434

283 *Deklaration der Menschen- und Bürgerrechte* (Déclaration des droits de l'homme et du citoyen). Sie bildet den ersten Teil der republikanischen Verfassung von 1793. Diese Verfassung wurde vom Nationalkonvent, der einige Wochen nach dem Sturz der französischen Monarchie im Jahre 1792 zusammentrat, ausgearbeitet und im Jahre 1793 angenommen, jedoch nicht in Kraft gesetzt. 436

284 *„Chant du départ"* – Marschlied; das neben der Marseillaise populärste revolutionäre Lied der Französischen Revolution. Es wurde 1794 von Chénier gedichtet und von Méhul vertont; auch in der Folgezeit war es bei den Volksmassen Frankreichs sehr populär. 437

285 Gemeint ist die *Charte constitutionelle*, die nach der bürgerlichen Revolution von 1830 in Frankreich angenommen wurde und die Verfassung der Julimonarchie war. 437

286 *King's County* (Königsgrafschaft) – englischer Name für die Grafschaft Offaly (Zentralirland), der von den englischen Eroberern Mitte des 16. Jahrhunderts zu Ehren des mit Maria Tudor verheirateten spanischen Königs Philipp II. geprägt worden war. 439

287 In „La Réforme" wird Morgan O'Connell, einer der vier Söhne Daniel O'Connells, irrtümlich als Vetter von John und Maurice O'Connell bezeichnet. 439

288 Die *Anglo-Irische Union* vom Jahre 1801, die von der englischen Regierung nach der Niederschlagung des irischen Aufstandes von 1798 Irland aufgezwungen worden war, zerstörte die letzten Spuren der nationalen Selbständigkeit Irlands und löste das irische Parlament auf. Die Forderung nach Aufhebung der Union (Repeal of Union) wurde seit den zwanziger Jahren des 19. Jahrhunderts zur populärsten Losung in Irland. Die an der Spitze der nationalen Bewegung stehenden bürgerlichen Liberalen (O'Connell und andere) betrachteten jedoch die Agitation für die Aufhebung der Union nur als ein Mittel, um von der englischen Regierung kleine Zugeständnisse an die irische Bourgeoisie zu erlangen. Im Jahre 1835 stellte O'Connell, nach einem Abkommen mit den englischen Whigs, diese Agitation gänzlich ein. Doch unter dem Druck der Massenbewegung waren die irischen Liberalen im Jahre 1840 gezwungen, die Repeal Association (Vereinigung der Gegner der Anglo-Irischen Union) zu gründen, versuchten aber, diese auf den Weg des Kompromisses mit den englischen herrschenden Klassen zu drängen. 440

289 *Versöhnungshalle* (Conciliation-hall) – öffentlicher Versammlungssaal in Dublin. 443

290 Gemeint ist die nationale Petition, die im Mai 1842 von den Chartisten beim Parlament eingereicht wurde; außer der Forderung auf Annahme der Volkscharte enthielt die Petition unter anderem auch die Forderung nach Aufhebung der Anglo-Irischen Union von 1801. Das Parlament wies die Petition zurück. 443

291 Karl Marx' „Rede über die Frage des Freihandels" wurde Anfang Februar 1848 zu Brüssel in französischer Sprache als Broschüre veröffentlicht und erschien im gleichen Jahr in Deutschland in einer von Joseph Weydemeyer, einem Freund und Schüler von Marx und Engels, besorgten deutschen Übersetzung. Im Jahre 1885 wurde diese Arbeit in einer neuen deutschen Übersetzung auf Engels' Wunsch der ersten deutschen Ausgabe des „Elends der Philosophie" als Anhang beigefügt und in späteren Auflagen mehrmals wieder abgedruckt. Die vorliegende Fassung fußt auf dieser Übersetzung. In russischer Sprache erschien die Rede erstmalig 1885 in einer Übersetzung von Plechanow, die von der russischen marxistischen Gruppe Befreiung der Arbeit in Genf in Broschürenform herausgebracht wurde. 1889 wurde in Boston eine amerikanische Ausgabe mit einem von Engels verfaßten Vorwort verlegt, das bereits im Juli 1888 in deutscher Sprache als Artikel in der „Neuen Zeit" unter der Überschrift „Schutzzoll und Freihandel" erschienen war. 444

292 Durch ein im Juni 1846 vom englischen Parlament angenommenes Gesetz wurden die Korngesetze in England aufgehoben (siehe auch Anm. 12). 444

293 Marx zitiert nach der französischen Ausgabe von David Ricardos Werk „Des principes de l'économie politique et de l'impôt." Traduit de l'anglais par F.-S. Constancio, ... avec des notes explicatives et critiques par J.-B. Say [Über die Grundsätze der politischen Ökonomie und der Besteuerung. Übersetzt aus dem Englischen von F.-S. Constancio, ... mit erklärenden und kritischen Noten von J.-B. Say], 2. Ausgabe, Bd. 1–2, Paris 1835, S. 178–179. 449

294 In der französischen Erstausgabe von 1848 sowie in den folgenden Ausgaben wahrscheinlich ein Druckfehler; vermutlich soll es entweder heißen: 1548 – statt 1848 oder 1400 Arbeiter – statt 1100 Arbeiter. 452

295 Bowrings am 28. Juli 1835 im englischen Unterhaus gehaltene Rede ist veröffentlicht in „Hansard's Parliamentary Debates: Third Series ... Vol. XXIX." [Hansards parlamentarische Debatten: Dritte Serie ... Band XXIX], London 1835. Die betreffende Stelle siehe Sp. 1168–1170. Dieser Abschnitt aus Bowrings Rede wird auch in William

Atkinsons Buch „Principles of Political Economy ..." [Grundsätze der politischen Ökonomie...], London 1840, S. 36–38, zitiert und wurde aus diesem Werk von Marx exzerpiert. 453

296 Marx zitiert Andrew Ures Werk „Philosophie des manufactures ou économie industrielle..." [Philosophie der Manufaktur oder industrielle Ökonomie...], Bd. I, Bruxelles 1836. Für die Bearbeitung des vorliegenden Bandes wurde die 1861 in London erschienene dritte englische Auflage benutzt: „The Philosophie of Manufactures: or, an Exposition of the Scientific, Moral, and Commercial Economy..." [Die Philosophie der Manufaktur: oder Darlegung der wissenschaftlichen, moralischen und kommerziellen Ökonomie...], in der sich das Zitat auf S. 23 befindet. 454

297 Das „*Manifest der Kommunistischen Partei*" ist eines der bedeutsamsten programmatischen Dokumente des wissenschaftlichen Kommunismus. „Dieses kleine Büchlein wiegt ganze Bände auf. Sein Geist beseelt und bewegt bis heute das gesamte organisierte und kämpfende Proletariat der zivilisierten Welt" (Lenin). Das von Karl Marx und Friedrich Engels als Programm des Bundes der Kommunisten verfaßte „Manifest der Kommunistischen Partei" erschien erstmalig im Februar 1848 in London in einer 23 Seiten umfassenden Ausgabe. Von März bis Juli 1848 erfolgte sein Abdruck in der „Deutschen Londoner Zeitung", dem demokratischen Organ deutscher Emigranten. Noch im gleichen Jahr wurde es in London als 30seitige Broschüre nachgedruckt, worin einige Druckfehler der ersten Ausgabe beseitigt und die Zeichensetzung verbessert waren. Diese Ausgabe legten Marx und Engels den späteren autorisierten Ausgaben zugrunde. Im Jahre 1848 wurde das „Manifest" außerdem in einige europäische Sprachen übersetzt (ins Französische, Polnische, Italienische, Dänische, Flämische und Schwedische). In den Ausgaben des Jahres 1848 wurden die Verfasser des „Manifestes" nicht namentlich erwähnt; dies geschah erstmalig in der redaktionellen Vorbemerkung, die G. J. Harney zu der in dem Chartistenblatt „Red Republican" 1850 abgedruckten ersten englischen Übersetzung schrieb.

Im Jahre 1872 erschien eine neue deutsche Ausgabe des „Manifestes", die nur geringfügige Autorkorrekturen aufwies und mit einem Vorwort von Marx und Engels versehen war. Diese Ausgabe trug ebenso wie die nachfolgenden deutschen Ausgaben von 1883 und 1890 den Titel „Das Kommunistische Manifest".

Die erste russische Ausgabe des „Manifestes der Kommunistischen Partei" wurde 1869 in Genf in einer Übersetzung Bakunins herausgebracht, der den Inhalt des „Manifestes" an einigen Stellen entstellt hatte. Die Mängel dieser ersten Ausgabe sind in einer von Plechanow besorgten Übersetzung, die 1882 in Genf erschien, beseitigt worden. Die Plechanowsche Übersetzung leitete in Rußland die starke Verbreitung der im „Manifest" enthaltenen Ideen ein. Da Marx und Engels der Verbreitung des Marxismus in Rußland große Bedeutung beimaßen, verfaßten sie zu dieser Ausgabe eine besondere Vorrede.

Nach Marx' Tod erschien eine Reihe von Engels durchgesehener Ausgaben des „Manifestes": die deutsche Ausgabe von 1883 mit einem Vorwort von Engels; die 1888 veröffentlichte, von Samuel Moore besorgte, von Engels redigierte und mit einer Vorrede sowie Fußnoten versehene englische Übersetzung; die deutsche Ausgabe von 1890 mit einem neuen Vorwort und einigen Anmerkungen von Engels. Im Jahre 1885 erschien in „Le Socialiste" eine französische Übersetzung, die von Marx' Tochter Laura Lafargue stammte und die Engels durchgesehen hatte. Engels schrieb ferner ein Vorwort zur polnischen Ausgabe von 1892 und zur italienischen Ausgabe von 1893. Alle hier angeführten Vorworte bringen wir im vorl. Band, S.573–590. 459

298 In späteren Werken verwandten Marx und Engels an Stelle der Begriffe „Wert der Arbeit" und „Preis der Arbeit" die von Marx eingeführten genaueren Begriffe „Wert der Arbeitskraft" und „Preis der Arbeitskraft" (siehe auch Anm. 198). 469

299 Gemeint ist die bürgerliche Revolution in Belgien (Herbst 1830), die zur Trennung Belgiens vom Niederländischen Königreich und zur Errichtung einer bürgerlichen konstitutionellen Monarchie unter der Dynastie Coburg führte.

Nach der Julirevolution in Frankreich verstärkte sich auch in der Schweiz die Bewegung für liberale Reformen. In einigen Kantonen gelang es den Liberalen und Radikalen, die Verfassungen im liberalen Sinne umzugestalten. 494

300 *Insurgierende Romagnolen* – am 5. Februar 1831 brach in Modena und in der Romagna (nordöstlicher Teil des Kirchenstaates) unter Führung von revolutionären Elementen der italienischen Bourgeoisie ein Aufstand aus. Ende März 1831 wurde diese Bewegung, die sich gegen die weltliche Macht des Papstes und gegen die österreichische Fremdherrschaft richtete und die Einheit Italiens erstrebte, von österreichischen und päpstlichen Truppen niedergeschlagen. 494

301 Anspielung auf König Friedrich Wilhelm IV.

„Berliner politisches Wochenblatt" – extrem reaktionäres Blatt, das von 1831 bis 1841 erschien; es genoß die Unterstützung und Förderung des Kronprinzen Friedrich Wilhelm (seit 1840 König Friedrich Wilhelm IV.). 494

302 1833 trat in Hannover ein neues Staatsgrundgesetz in Kraft, das unter dem Druck der bürgerlich-liberalen Bewegung angenommen worden war. An der Ausarbeitung des neuen Grundgesetzes war der bürgerliche Historiker Dahlmann in hervorragendem Maße beteiligt. Der König von Hannover hob 1837 diese Verfassung wieder auf, wobei er sich auf die reaktionären Gutsbesitzer stützte. 1840 verkündete er ein neues Verfassungsgesetz, das die Rechte der Vertretungskörperschaften auf ein Minimum reduzierte. 494

303 Die *Wiener Konferenz*, an der die Minister einer Reihe deutscher Staaten teilnahmen, war 1834 vom österreichischen Kanzler Metternich und von preußischen Regierungskreisen zur Beratung über Maßnahmen gegen die liberale Opposition und demokratische Bewegung einberufen worden. Die Konferenzbeschlüsse sahen vor: Einschränkung der Rechte der Vertretungskörperschaften in den deutschen Staaten, in denen solche bestanden, Verschärfung der Zensur, strengere Überwachung der Universitäten und Repressalien gegen Teilnehmer oppositioneller Studentenorganisationen. 494

304 Im Jahre 1839 erlitt der von den Chartisten vorbereitete *Aufstand in Wales* eine blutige Niederlage, da die Arbeiter durch Verrat zum vorzeitigen Losschlagen gezwungen worden waren. 495

305 *Berliner Verfassungsfabrikanten* – die sogenannten Vereinigten Ausschüsse aus Vertretern der Provinziallandtage, die im Jahre 1848 zur Beratung eines neuen Strafgesetzbuches versammelt waren. Die preußische Regierung hoffte mit der Einberufung dieser Ausschüsse, die die Bereitwilligkeit zu Reformen bekunden sollten, die wachsende öffentliche Erregung zu besänftigen. Die Tätigkeit der Ausschüsse wurde durch die revolutionäre Märzbewegung in Deutschland unterbrochen. 496

306 Engels spielt auf die Bemerkung Friedrich Wilhelms IV. in seiner Thronrede am 11. April 1847 an: „Als Erbe einer ungeschwächten Krone, die Ich Meinen Nachfolgern ungeschwächt bewahren muß und will..." (veröffentlicht in: „Der Erste Vereinigte Landtag in Berlin 1847". Herausgegeben unter Aufsicht... [von] Ed. Bleich, Erster Theil, Berlin 1847, S. 20–26). 496

[307] *Römische Consulta* oder *römischer Staatsrat* – ein von Papst Pius IX. Ende 1847 eingerichtetes Beratungsorgan, dem auch Vertreter der liberalen Gutsbesitzer und der Industrie- und Handelsbourgeoisie angehörten. 497

[308] *Pifferari* (von piffero, Schalmei) – Hirten von den Berghängen des Apennin in Mittelitalien; allgemein gebräuchlicher Name für alle italienischen Straßensänger.

Lazzaroni nannte man in Italien, besonders im Königreich Neapel, deklassierte Elemente, Lumpenproletarier. Diese Elemente wurden oft von absolutistischen Regierungen zu konterrevolutionären Zwecken gegen die liberale und demokratische Bewegung ausgenutzt. 497

[309] *Eroberung Mexikos* – durch die von den amerikanischen sklavenhaltenden Plantagenbesitzern und von der Großbourgeoisie erhobenen räuberischen Gebietsansprüche an Mexiko ist 1846–1848 der Krieg zwischen den USA und Mexiko hervorgerufen worden. In diesem Kriege eroberten die USA fast die Hälfte des mexikanischen Gebiets, darunter ganz Texas, Neukalifornien und Neumexiko.

Marx und Engels änderten später – auf Grund eingehenden Studiums der Geschichte der USA-Aggression gegen Mexiko und andere Länder des amerikanischen Kontinents – ihre hier über dieses Ereignis getroffene Einschätzung. So kennzeichnete Marx im Jahre 1861 in seinem Aufsatz „Der nordamerikanische Bürgerkrieg" die Politik der herrschenden Klassen der USA gegenüber den lateinamerikanischen Ländern als eine Eroberungspolitik, deren offenes Ziel die Aneignung neuer Gebiete für die Ausbreitung der Sklaverei und der Herrschaft der Sklavenhalter war. 501

[310] *Durchstechung der Landenge von Tehuantepec* – der Plan, den Stillen Ozean mit dem Golf von Mexiko durch einen Kanal auf der Landenge von Tehuantepec zu verbinden, um sich die Handelswege und die Märkte Mittelamerikas zu unterwerfen, wurde in den USA wiederholt aufgestellt. Jedoch ließen in den siebziger Jahren des 19. Jahrhunderts die amerikanischen Kapitalisten dieses Projekt wieder fallen, da sie ihre Kapitalien lieber in den billigeren Eisenbahnbau in Mexiko steckten. 501

[311] Aus dem Alten Testament: Jesaja 40, Vers 3 und Psalm 24, Vers 7 und 8. 502

[312] Aus Heines Romanze „Ritter Olaf". 503

[313] Gemeint sind die revolutionären Ereignisse Anfang der zwanziger Jahre des 19. Jahrhunderts in den Königreichen Neapel und Sardinien sowie der Aufstand in der Romagna im Februar 1831. Im Juli 1820 führten im Königreich Neapel bürgerliche Revolutionäre (Karbonari) einen Aufstand gegen das absolutistische Regime durch und erreichten die Einführung einer gemäßigten liberalen Verfassung. Im März 1821 brach der Aufstand im Königreich Sardinien, in Piemont, aus. Seine liberalen Führer verkündeten eine Verfassung und versuchten, die Bewegung gegen die österreichische Fremdherrschaft in Norditalien für die Vereinigung des Landes unter dem in Piemont an der Macht befindlichen Herrscherhaus Savoyen auszunutzen. Durch die Intervention der Staaten der Heiligen Allianz und die Besetzung Neapels und Piemonts durch österreichische Truppen wurde in beiden Staaten die absolutistische Ordnung wiederhergestellt (siehe auch Anm. 300). 506

[314] Es handelt sich um die von den österreichischen Machtorganen provozierten Zusammenstöße zwischen aufständischen Bauern und Truppenabteilungen des Kleinadels in Galizien zur Zeit des Krakauer Aufstandes 1846 (siehe Anm. 24). 506

[315] Im Juli 1847 besetzten die Österreicher, beunruhigt durch die zunehmende Volksbewe-

gung im Kirchenstaat, die päpstliche Grenzstadt Ferrara. In Rom selbst unterstützten die Österreicher die reaktionären Kreise, welche die liberalen Reformen Pius IX. aufzuheben suchten. Die Besetzung Ferraras rief in ganz Italien einen Sturm der Empörung hervor, die die österreichische Regierung zur baldigen Abberufung des Militärs zwang. 506

316 Es handelt sich um die Einmischungsversuche Österreichs in den Schweizer Bürgerkrieg (siehe Anm. 249 und 352). 509

317 *„Le Débat social"* – belgische Wochenzeitung, Organ bürgerlicher Radikaler und Demokraten; erschien in Brüssel von 1844 bis 1849. 511

318 *„L'Indépendance"* – Abkürzung für die bürgerliche Tageszeitung *„L'Indépendance Belge"*, die 1831 in Brüssel gegründet wurde; in den vierziger Jahren des 19. Jahrhunderts war sie das Organ der Liberalen. 511

319 *Alliance* (gegründet 1841) und *Association libérale* (gegründet 1847) – politische Organisationen bürgerlich-liberaler Richtung in Belgien. 512

320 Es handelt sich um François-Pierre-Guillaume Guizots Arbeit „Histoire générale de la civilisation en Europe depuis la chute de l'empire romain jusqu'à la révolution française" [Allgemeine Geschichte der Zivilisation in Europa seit dem Niedergang des Römischen Reiches bis zur Französischen Revolution]. Erstmals gedruckt in Guizots „Cours d'histoire moderne" [Lehrbuch der modernen Geschichte], Paris 1828. 513

321 Es handelt sich um folgende im „Débat social" Nr. 32 vom 6. Februar 1848 veröffentlichte Artikel: „Discours prononcé par M. Le Hardy de Beaulieu, à la dernière séance de l'Association Belge pour la Liberté commerciale" [Vortrag gehalten von Herrn Le Hardy de Beaulieu in der letzten Sitzung der Belgischen Gesellschaft für die Handelsfreiheit], und „Opinion de M. Cobden, sur les dépenses de la guerre et de la marine" [Meinung des Herrn Cobden über die Ausgaben für Krieg und Flotte]. 513

322 *italienischer Zollverein* – ein im November 1847 zwischen dem König von Sardinien, dem Papst und dem Herzog von Toskana getroffenes Abkommen, eine Konferenz italienischer Staaten zur Bildung eines Zollvereins einzuberufen. Das Vorhaben, einen italienischen Zollverein zu schaffen, entsprach den Bestrebungen der italienischen Großbourgeoisie, Italien „von oben", in Form einer monarchischen Föderation unter der Oberhoheit des Papstes oder der Dynastie Savoyen, zu einigen. Jedoch kamen diese Pläne durch den Verlauf der bürgerlichen Revolution von 1848/49 in Italien und den Sieg der Konterrevolution im Jahre 1849 nicht zur Ausführung. 514

323 Die Bewegung der deutschen Bevölkerung in den Herzogtümern Schleswig und Holstein gegen eine gemeinsame Verfassung mit Dänemark (der Verfassungsentwurf wurde am 28. Januar 1848 veröffentlicht) war vor der Revolution von 1848 ihrer Zielsetzung nach separatistisch und überschritt nicht den Rahmen einer gemäßigt-liberalen Opposition. Sie zielte darauf ab, in Norddeutschland einen weiteren deutschen Kleinstaat, einen Satelliten des reaktionären Preußens zu schaffen. Während der Revolution von 1848/49 änderte sich auch die Lage in den beiden Herzogtümern. Unter dem Einfluß der revolutionären Ereignisse in Deutschland gewann die nationale Bewegung in Schleswig und Holstein einen revolutionären Befreiungscharakter. Der Kampf um die Lostrennung Schleswigs und Holsteins von Dänemark wurde Bestandteil des Kampfes aller fortschrittlichen Kräfte um die nationale Einigung Deutschlands und wurde deshalb von Marx und Engels entschieden unterstützt. 516

324 Der *Deutsche Bund*, der durch die am 8. Juni 1815 auf dem Wiener Kongreß unterzeichnete Bundesakte geschaffen wurde, umfaßte zunächst 35, zuletzt 28 Fürstentümer und vier Freie Städte und bestand bis 1866; dadurch wurde keine Zentralregierung geschaffen und die feudale Zersplitterung Deutschlands konserviert. Die Bundesversammlung der bevollmächtigten Gesandten bildete den *Bundestag*, der unter dem ständigen Vorsitz Österreichs in Frankfurt am Main tagte und zu einem Bollwerk der deutschen Reaktion wurde. Im Kampf gegen die demokratische Einigung Deutschlands versuchten reaktionäre Kräfte nach der Märzrevolution 1848 die Tätigkeit des Bundestages neu zu beleben. 517

325 Auf dem *Wiener Kongreß* (18. September 1814 bis 9. Juni 1815) trafen sich die Sieger über Napoleon I., um sich auf Kosten Frankreichs zu bereichern. Das Ziel des Kongresses war die Wiederherstellung des feudal-reaktionären Systems, das vor der Französischen Revolution bestand, sowie der Grenzen Frankreichs von 1792. England erhielt alle französischen Kolonien. Die Zersplitterung Deutschlands und Italiens, die Teilung Polens und die Unterjochung Ungarns blieben aufrechterhalten. 519

326 Die Befreiungskriege von 1813/14 endeten mit der Befreiung Deutschlands von der napoleonischen nationalen Unterdrückung. Die reaktionären feudalen Kräfte, an ihrer Spitze die deutschen Fürsten, benutzten jedoch den Sieg des deutschen Volkes über die Militärdiktatur Napoleons zur Festigung der Kleinstaaterei (Deutschland blieb in 35 Staaten zersplittert) und zur Ausmerzung aller revolutionären bürgerlichen Errungenschaften. 521

327 Gemeint ist die *Irische Konföderation*, die im Januar 1847 von radikalen und demokratischen Elementen der irischen nationalen Bewegung gegründet wurde, die aus der Repeal Association ausgetreten und mit der Politik O'Connells nicht einverstanden waren. Die Mehrzahl von ihnen gehörte der Gruppe Junges Irland an, die sich 1842 aus Vertretern der irischen Bourgeoisie und der kleinbürgerlichen Intelligenz gebildet hatte. Der linke, revolutionäre Flügel der Irischen Konföderation trat für den Volksaufstand gegen die englische Herrschaft ein und war bestrebt, den Unabhängigkeitskampf Irlands mit dem Kampf für demokratische Reformen zu verknüpfen. Nachdem die Engländer den in Irland ausgebrochenen Aufstand niedergeworfen hatten, stellte die Irische Konföderation im Sommer 1848 ihre Tätigkeit ein. 521

328 *Königreich Polen* – Das 1807 von Napoleon I. neugegründete Großherzogtum Warschau wurde 1815 vom Wiener Kongreß als Königreich Polen deklariert und unter die Herrschaft des Zaren gestellt. Nationale Befreiungsbewegungen führten zu den Aufständen der Jahre 1830/31, 1846 und 1848 (siehe auch Anm. 23). 522

329 *„La Riforma"* – italienische Zeitung bürgerlich-demokratischer Richtung; erschien in der Stadt Lucca von November 1847 bis Anfang 1850.

Engels knüpft in diesem Artikel an den Leitartikel der „Riforma" vom 11. Februar 1848 (Nr. 14) an: „Lucca, Leppiano nella Gazzetta d'Augusta..." [Wir lesen in der Augsburger Zeitung ...]. 526

330 Es handelt sich um einen in Nr. 31 der Augsburger „Allgemeinen Zeitung" vom 31. Januar 1848 erschienenen Artikel mit dem Titel: „Von der italienischen Gränze". 526

331 Die Melodie des Liedes ist von August Adolf Ludwig Follen, den Text verfaßte der Dichter Johann Friedrich Wilhelm Friedrichsen. 527

332 Gemeint ist der von Marschall Gérard ausgearbeitete und 1840 angenommene Aufstellungs- und Operationsplan für die Regierungstruppen im Falle eines Pariser Aufstandes. 529

[333] Nach dem Sturz der Regierung Guizot am 23. Februar 1848 wollten Anhänger der Dynastie Orléans ein Ministerium aus gemäßigten Monarchisten (den Orleanisten Thiers, Billault und anderen) mit Graf Molé an der Spitze bilden. Dieser Versuch, die Monarchie des Hauses Orléans zu erhalten, scheiterte jedoch dank des erfolgreichen Volksaufstandes in Paris. 530

[334] Die Mehrheit der am 24. Februar 1848 gebildeten Provisorischen Regierung der Französischen Republik bestand aus bürgerlichen Republikanern (Lamartine, Dupont de l'Eure, Crémieux, Arago, Marie und den zwei von Engels erwähnten Redakteuren des „National" – Marrast und Garnier-Pagès). Außerdem gehörten ihr drei Parteigänger der „Réforme" – die kleinbürgerlichen Demokraten Ledru-Rollin und Flocon sowie der kleinbürgerliche Sozialist Louis Blanc – und der Mechaniker Albert (richtiger Familienname Martin) an. Die „sozialistischen Minister" Louis Blanc und Albert erwiesen sich bald als klägliche Anhängsel der bürgerlichen Regierung. 530

[335] Die *Heilige Allianz* war ein Bund der konterrevolutionären Mächte gegen alle fortschrittlichen Bewegungen in Europa. Sie wurde am 26. September 1815 auf Initiative des Zaren Alexander I. von den Siegern über Napoleon geschaffen. Ihr schlossen sich, neben Österreich und Preußen, fast alle europäischen Staaten an. Die Monarchen verpflichteten sich zur gegenseitigen Unterstützung bei der Unterdrückung von Revolutionen, wo immer sie ausbrechen sollten. 536

[336] Bezieht sich auf die heuchlerische Haltung der französischen orleanistischen Kreise in der belgischen Frage Anfang der dreißiger Jahre des 19. Jahrhunderts. Während diese Kreise insgeheim Pläne für die Einverleibung Belgiens ausarbeiteten, ermunterten sie es gleichzeitig zum Kampf um die Lostrennung von Holland. Auf der Londoner Konferenz der Großmächte (England, Frankreich, Rußland, Österreich und Preußen) schlossen sie ein Abkommen mit den Staaten, die Holland unterstützten, das die belgischen Interessen schädigte. Hierdurch war Belgien gezwungen, die ungünstigen Bedingungen des von dem holländischen König vorgeschlagenen Vertrages anzunehmen (im Mai 1833 erfolgte die endgültige Unterzeichnung) und einen Teil seines Gebietes an Holland abzutreten. 536

[337] *Verdächtigengesetze* – Während der Jakobinerdiktatur, am 17. September 1793, erließ der Konvent ein Dekret, das sich mit den „Verdächtigen" beschäftigte. Dieses Dekret erklärte alle Personen, die „durch ihr Verhalten oder ihre Verbindungen, Reden oder Veröffentlichungen sich als Anhänger der Tyrannen gezeigt hatten", alle Adligen, die der Republik nicht ihre Ergebenheit bewiesen hatten, alle ihrer Posten enthobenen Staatsbeamten usw. für verdächtig und ordnete ihre Verhaftung an. Dies war in der Hand der Revolutionsorgane eine starke Waffe gegen die konterrevolutionären Elemente. 539

[338] *beide Flandern* – die belgischen Provinzen Ost- und Westflandern. Durch Bestimmung des Pariser Friedens 1814 und Bestätigung durch den Wiener Kongreß 1815 kam Flandern an die Niederlande und 1830 an das neuerrichtete Königreich Belgien. 540

[339] Der *Brief von Marx an Annenkow* ist veröffentlicht in „М. М. Стасюлевич и его современники в их переписке" [M. M. Stasjulewitsch und seine Zeitgenossen in ihrem Briefwechsel], Bd. 3, Petersburg 1912. In Nr. 23 der „Neuen Zeit" vom 7. März 1913 erschien erstmals eine deutsche Übersetzung des Briefes. Bei der deutschen Wiedergabe einiger Begriffe stützt sich die vorliegende Bearbeitung des Briefes auf die in der ersten deutschen Ausgabe des „Elends der Philosophie" von 1885 gebrauchte Terminologie. 547

340 *Revolutionen von 1640 und 1688* – es handelt sich um die bürgerliche Revolution in England von 1640 bis 1649 und um die Vertreibung der englischen Dynastie Stuart durch einen Staatsstreich im Jahre 1688. Dieser Staatsstreich, der von der bürgerlichen, vor allem von der englischen Geschichtsschreibung als „Glorious Revolution" (Glorreiche Revolution) verherrlicht wird, war ein Komplott des bürgerlichen Parlaments, ohne Beteiligung der Volksmassen, gegen deren Forderungen gerichtet. 549

341 *le mouvement cacadauphin* – als cacadauphin bezeichneten die Gegner des Königtums zur Zeit der Französischen Revolution die Senffarbe eines von Marie-Antoinette in die Mode gebrachten Stoffes, nach der Farbe, die der neugeborene Kronprinz (Dauphin) seinen Windeln gab. 555

342 Marx meint die „Kritik der Politik und Nationalökonomie" und „Die deutsche Ideologie". 557

343 Bei dem von Engels erwähnten Aufsatz handelt es sich um einen Brief von Marx an Johann Baptist von Schweitzer über Proudhon, der im „Social-Demokrat" Nr. 16 vom 1. Februar, Nr. 17 vom 3. Februar und Nr. 18 vom 5. Februar 1865 veröffentlicht wurde und 1885 in der ersten deutschen Auflage des „Elends der Philosophie" sowie in den folgenden Auflagen als Beilage erschien. 558

344 Im Anhang der ersten deutschen Ausgabe sowie der folgenden Auflagen des „Elends der Philosophie" war ein Abschnitt aus Karl Marx' Werk „Zur Kritik der Politischen Oekonomie" (1859 erschienen) abgedruckt, der sich speziell mit John Gray befaßt. Außerdem bringt dieser Anhang eine Übersetzung der von Karl Marx in Brüssel am 9. Januar 1848 gehaltenen Rede über den Freihandel (siehe vorl. Band, S. 444–458). 563

345 *Juni-Insurrektion 1848* – „die erste große Schlacht zwischen Proletariat und Bourgeoisie" (Engels), der Aufstand der Pariser Arbeiter vom 24. bis 26. Juni, der durch den Kriegsminister Cavaignac blutig niedergeschlagen wurde. 573 578

346 Die erwähnte Ausgabe erschien 1869. In der Vorrede von Engels zur englischen Ausgabe von 1888 ist das Erscheinungsjahr dieser ersten russischen Übersetzung des „Manifestes" gleichfalls ungenau angegeben (siehe vorl. Band, S. 580).

„Kolokol" [Die Glocke] – revolutionäre russische Zeitschrift mit dem Motto: „Vivos voco!" (Ich rufe die Lebenden!). Herausgegeben von A. J. Herzen und N. P. Ogarjow, 1857 bis 1865 in London, von 1865 bis 1867 in Genf. „Kolokol" spielte eine bedeutende Rolle bei der Ausbreitung der revolutionären Bewegung in Rußland. 575 580

347 *Gatschina* – berühmtes Schloß, im gleichnamigen Ort 45 km südwestlich von Leningrad gelegen; früher zeitweise Residenz der russischen Zaren, heute Museum. 576

348 Marx starb am 14. März 1883 in London und wurde am 17. März auf dem Friedhof zu Highgate in London beigesetzt. 577

349 *Internationale Arbeiter-Assoziation* – 1864 in London gegründet und von Marx und Engels geleitet, legte „das Fundament zum internationalen proletarischen Kampfe für den Sozialismus" (Lenin). 579

350 Engels nennt in seinem 1894 geschriebenen Nachwort zu dem Artikel „Soziales aus Rußland" (siehe Band 18 unserer Ausgabe, S. 668) als Verfasser der erwähnten Übersetzung Plechanow. Auch Plechanow weist in der russischen Ausgabe des „Manifestes" von 1900 (S. 8, Fußnote) darauf hin, daß er selbst die Übersetzung angefertigt habe. 580 583

351 Diese Worte beziehen sich auf den Schweizer Bürgerkrieg (den sogenannten Sonderbundskrieg), der im November 1847 ausbrach (siehe auch Anm. 249). 593

352 Es handelt sich um die Einmischungsversuche einiger europäischer Großmächte, an ihrer Spitze die österreichische und französische Regierung, in den Schweizer Bürgerkrieg des Jahres 1847 zur Unterstützung der reaktionären katholischen Kantone und zur Niederschlagung der bürgerlichen fortschrittlichen Bewegung. Nachdem der österreichische Staatskanzler Metternich den Mächten den Vorschlag einer militärischen Intervention in die Schweizer Angelegenheiten zugunsten des Sonderbundes unterbreitet und der französische Ministerpräsident Guizot den Plan einer von ihm geführten diplomatischen Einmischung aufgestellt hatte, wonach faktisch den fünf Großmächten – Frankreich, Rußland, England, Preußen und Österreich – die Entscheidung über die innenpolitische Situation der Schweiz überlassen werden sollte, arbeiteten die fünf Großmächte Ende November 1847 ein Projekt der Vermittlung zwischen den beiden kämpfenden Seiten in der Schweiz aus. Hiernach sollte außerdem eine Konferenz dieser Mächte zur Schweizer Frage stattfinden. Um eine solche Konferenz hatten sich schon vorher unter anderen Österreich und Frankreich bemüht. Die Verwirklichung dieser reaktionären Pläne wurde jedoch durch die Zerschlagung des Sonderbundes vereitelt. 594

353 Gemeint ist der von Marx und Engels Ende August 1847 in Brüssel gegründete Deutsche Arbeiterverein (siehe auch Anm. 272). 596

354 Die *Statuten des Bundes der Kommunisten*, an deren Abfassung Marx und Engels aktiv beteiligt waren, wurden auf dem 1. Bundeskongreß Juni 1847 ausgearbeitet. Nach der Diskussion in den Bundesgemeinden wurden sie auf dem 2. Londoner Kongreß, der vom 29. November bis 8. Dezember dauerte, „nochmals durchberaten und von ihm definitiv am 8. Dezember 1847 angenommen" (Engels). 596

355 Gemeint ist das Schreiben der *Fraternal Democrats* an die Brüsseler Association démocratique, das im „Northern Star" vom 11. Dezember 1847 und in der „Deutschen-Brüsseler-Zeitung" vom 26. Dezember 1847 veröffentlicht ist. Der Vorschlag, zwischen den Demokraten der verschiedenen Länder geregeltere Beziehungen herzustellen und einen internationalen demokratischen Kongreß vorzubereiten, wurde von den Vertretern der *Fraternal Democrats* gemeinsam mit Marx erörtert, als dieser zusammen mit Engels Ende November bis Anfang Dezember 1847 in London weilte; Marx trat hierbei im Namen der *Association démocratique* auf. 601

356 Die Adresse der Fraternal Democrats vom 3. Januar 1848 an die Arbeiter Großbritanniens und Irlands wurde im „Northern Star" am 8. Januar 1848 veröffentlicht. Bezüglich der nationalen Verteidigung Englands entlarvten die Verfasser des Dokuments die Versuche der englischen bürgerlichen Kreise, die Arbeiterklasse durch chauvinistische Propaganda und Gerüchte über einen angeblich in Vorbereitung befindlichen französischen Angriff auf die Britischen Inseln vom Kampf um demokratische Reformen abzulenken. Die Adresse rief die Arbeiter zu entschlossenem Widerstand auf gegen „Verschwörer, die die Völker mit der gemeinen Lüge gegeneinanderhetzen, daß die Menschen der verschiedenen Länder natürliche Feinde sind". Es wäre eine wirkliche Stärkung der Verteidigungsfähigkeit Englands, so hieß es in der Adresse, wenn das englische Volk demokratische Rechte und Freiheiten erhielte. 602

357 *„Le Moniteur Parisien"* – in den vierziger Jahren des 19. Jahrhunderts täglich erscheinende Abendzeitung halbamtlichen Charakters. 603

358 Anlaß zur *Ausweisung von Engels* war sein Auftreten auf der Silvesterfeier, die am 31. Dezember 1847 von deutschen revolutionären Emigranten in Paris veranstaltet wurde. Auf dieser Feier waren viele Arbeiter und Handwerker anwesend, unter denen Engels revolutionäre Propaganda betrieb, was den Unwillen der französischen Behörden hervorrief. Ende Januar 1848 verfolgte die Pariser Polizei Engels unter dem Vorwand, daß seine Rede politische Anspielungen regierungsfeindlichen Charakters enthalten hätte. Er erhielt am 29. Januar 1848 die schriftliche Aufforderung, Frankreich binnen 24 Stunden zu verlassen, widrigenfalls mit seiner Auslieferung an die preußische Polizei gedroht wurde. Gleichzeitig mit der Ausweisung Engels', die mit einem nächtlichen polizeilichen Einbruch in seine Wohnung verbunden war, erfolgten Verhaftungen von deutschen Arbeiter-Emigranten, die des Kommunismus verdächtig waren. Die von der regierungsfreundlichen Presse verbreiteten Verleumdungen wurden von den oppositionellen Zeitungen widerlegt und die wahren Hintergründe für Engels' Ausweisung aufgedeckt. 603

359 Vgl. hierzu Friedrich Engels, „Zur Geschichte des Bundes der Kommunisten". (Band 21 unserer Ausgabe, S. 206–214). 607

360 Der *Klub der deutschen Arbeiter* wurde in Paris am 8. und 9. März 1848 von Führern des Bundes der Kommunisten ins Leben gerufen. Marx spielte in diesem Klub die leitende Rolle. Er setzte sich das Ziel, die nach Paris emigrierten deutschen Arbeiter zu vereinigen und ihnen die Taktik des Proletariats in der bürgerlich-demokratischen Revolution zu erläutern. Der Klub widersetzte sich den Versuchen der bürgerlichen und kleinbürgerlichen Demokraten, die Arbeiter durch nationalistische Propaganda abzulenken und in den abenteuerlichen Plan hineinzuziehen, mit bewaffneten Freiwilligen-Legionen nach Deutschland einzubrechen, um es zu revolutionieren. Er riet den Arbeitern, der deutschen Legion fernzubleiben, einzeln nach der Heimat zurückzukehren und dort für die Bewegung zu wirken. Der Klub leistete eine große organisatorische Arbeit und „beförderte drei- bis vierhundert Arbeiter nach Deutschland zurück, darunter die große Mehrzahl der Bundesmitglieder" (Engels). 608

361 Gemeint ist der Statutenentwurf für den Klub der deutschen Arbeiter. 609

362 In der manège fand eine Versammlung der nach der Februarrevolution 1848 in Paris gegründeten Deutschen Demokratischen Gesellschaft statt. Die Führer dieser Gesellschaft, die Demokraten Herwegh, Bornstedt, Decker und andere agitierten für die Aufstellung von revolutionären Legionen aus deutschen Emigranten, die in Deutschland einfallen sollten. Auf diesem Wege hofften sie, in Deutschland eine Revolution herbeizuführen und eine republikanische Ordnung zu errichten. Marx und Engels widersetzten sich dieser Revolutionsspielerei aufs entschiedenste. 609

363 Nach dem in der satirischen Zeitschrift „Der wahre Jacob" vom 17. März 1908 (Marx-Nummer) veröffentlichten Faksimile (siehe vorl. Band, nach S. 610). Engels schrieb darüber an Eduard Bernstein am 12. Juni 1883: „Inl[iegend] ein Stück des Originalentwurfs zum Schluß des Komm[unistischen] Manifests, das Sie als Andenken behalten wollen. Die obersten 2 Zeilen sind Diktat, geschrieben von Frau Marx." 610

364 Die Aufzeichnungen wurden wohl noch in Brüssel zwischen dem 1. und 4. März niedergeschrieben.

Zum Inhalt vergleiche die Artikel von Marx und Engels auf S. 531–540, ferner Engels' biographischen Aufsatz über Wilhelm Wolff in Band 19 unserer Ausgabe, S. 53–88. 611

Literaturverzeichnis

einschließlich der von Marx und Engels erwähnten Schriften

Bei den von Marx und Engels zitierten Schriften werden, soweit sie sich feststellen ließen, die vermutlich von ihnen benutzten Ausgaben angegeben. In einigen Fällen, besonders bei allgemeinen Quellen- und Literaturhinweisen, werden neuere Ausgaben der Schriften angeführt. Einige Quellen konnten nicht ermittelt werden.

I. Werke und Aufsätze

genannter und anonymer Autoren

Addison, [Joseph] „Cato" a Tragedy [„Cato", ein Trauerspiel], Leipzig 1802. 226

„Album". Originalpoesieen von Georg Weerth, N..h..s, Friedrich Saß, H.Semmig, Theodor Opitz, Miß Speridan Carrey, Alfred Meißner, Karl Beck, Shelley, Weitling, Ferdinand Freiligrath, Anastasius Grün, Heinrich Heine, Adolph Schults, Karl Eck, Johannes Scherr, Rudolph Schwerdtlein, Joseph Schweitzer, E. W., Hermann Everbeck, Richard Reinhardt, Volksstimmen, Edward P.Mead in Birmingham, Ludwig Köhler, L.Seeger und dem Hrsg. H.Püttmann, Borna 1847. 278 279 281–290

Anderson, Adam „An Historical and Chronological Deduction of the Origin of Commerce, from the Earliest Accounts" [Eine historische und chronologische Ableitung des Ursprungs des Handels, von den frühesten Berichten], London 1801. 73

Ariosto, Lodovico „L'Orlando furioso" [Der rasende Roland], Bd. 1, Venedig 1811. 343

Atkinson, William „Principles of Political Economy; or, the Laws of the Formation of National Wealth ..." [Grundsätze der politischen Ökonomie; oder die Gesetze der Entstehung des Nationalreichtums ...], London 1840 (siehe auch Anm. 295). 96–97

Babbage, Ch[arles] „Traité sur l'économie des machines et des manufactures" traduit de l'anglais sur la troisième édition par Ed. Biot [Abhandlung über die Ökonomie der Maschinen und der Manufakturen, aus dem Engl. nach der 3.Ausg. übers. von Ed.Biot], Paris 1833. 153

„Banquet offert par les électeurs de Lisieux à M.Guizot" [Bankett, veranstaltet von den Wählern von Lisieux für Herrn Guizot]. In: „Journal des Débats" vom 28. Juli 1846 (siehe auch Anm. 144). 254

Bastiat, Frédéric „Sophismes économiques" [Ökonomische Sophismen], 2.Aufl., Paris 1846. 293 300

Baudeau, [*Nicolas*] „Explication du tableau économique, à madame de+++ [Erläuterung des ökonomischen Tableau für Madame de+++], Paris 1776 (siehe auch Anm. 58). 126

Beaulieu, C[*harles*] *Le Hardy de* „Discours prononcé par M. Le Hardy de Beaulieu ..." [Vortrag gehalten von Le Hardy de Beaulieu ...]. In: „Le Débat social", Nr. 32 vom 6. Februar 1848 (siehe auch Anm. 321). 513

Beck, Karl „Auferstehung". In: „Gedichte" von Karl Beck, Berlin 1845. 276

– „Lieder vom armen Mann". Mit einem Vorw. an das Haus Rothschild. 2. unveränd. Aufl., Leipzig 1846. 207–222

– „Saul". Tragödie in 5 Aufzügen, Leipzig 1840. 209

„*Die französische Bettler-Monarchie* des siebzehnten Jahrhunderts". In: „Das Westphälische Dampfboot", Jg. 2, Bielefeld 1846. 257

„*Die Bibel oder die ganze Heilige Schrift* des alten und neuen Testaments", nach der deutschen Übers. Martin Luthers, 1. Buch Mose. 91

– Psalm 24,7–8. 502

– Jesaja 40,3. 502

– Ev. Lucä 15,21 (siehe auch Anm. 256). 394

Blanc, Louis „Banquet réformiste de Dijon". In: „Discours politiques (1847 à 1881)" [Reformbankett zu Dijon. In: Politische Reden (1847 bis 1881)], Paris 1882. 426–428

– „Organisation du travail" [Organisation der Arbeit], 4. éd., Bruxelles 1845. 406

Boisguillebert, [*Pierre le Pesant*] „Dissertation sur la nature des richesses, de l'argent et des tributs où l'on découvre la fausse idée qui règne dans le monde à l'égard de ces trois articles". In: Eugène Daire, „Économistes financiers du XVIIIe siècle" [Abhandlung über das Wesen der Reichtümer, des Geldes und der Abgaben, in der die falsche Idee enthüllt wird, die in der Welt herrscht bezüglich dieser drei Artikel. In: Eugène Daire: Finanz-Ökonomen des 18. Jahrhunderts], Paris 1843. 96 114

[*Born,*] *Stephan* „Der Heinzen'sche Staat". Eine Kritik von Stephan, Bern 1847. 324 359

Bowring, John [„Rede im Unterhaus"]. In: „Hansard's Parliamentary Debates: Third Series; Commencing with the Accession of William IV. Vol. XXIX. Comprising the Period from the twenty-ninth Day of June to the third Day of August, 1835" [Hansards parlamentarische Debatten: Dritte Serie; beginnend mit der Thronbesteigung von William IV. Band XXIX. Die Periode vom 29. Juni bis 3. August 1835], London 1835 (siehe auch Anm. 295). 452–453

Bray, J[*ohn*] *F*[*rancis*] „Labour's Wrongs and Labour's Remedy; or, the Age of Might and the Age of Right" [Der Arbeit Übel und der Arbeit Heilmittel; oder das Zeitalter der Macht und das Zeitalter des Rechts], Leeds 1839. 98–103

Buchez, P.-J.-B., et P.-C. Roux „Histoire parlementaire de la révolution française ou journal des Assemblées Nationales depuis 1789 jusqu'en 1815 ..." [Parlamentarische Geschichte der Französischen Revolution oder Journal der Nationalversammlung von 1789 bis 1815 ...], T. 1–40, Paris 1834–1838. 227

„*Le budget,* l'administration des travaux publics et les inondations" [Das Budget, die Verwaltung der öffentlichen Arbeiten und die Überschwemmungen]. In: „Démocratie pacifique" vom 1. November 1846. 256

Buonarroti, Ph. „Conspiration pour l'égalité dite de Babeuf" [Babeuf und die Verschwörung für die Gleichheit], T. 1–2, Bruxelles 1828 (siehe auch Anm. 222). 341

Bürger, Gottfried August „Lenore". In: „G. A. Bürger's Werke", hrsg. von Eduard Grisebach, 5., verm. und verb. Aufl., o. O. 1894 (siehe auch Anm. 179). 281

„Les calamités publiques" [Die öffentlichen Katastrophen]. In: „Démocratie pacifique" vom 29. Oktober 1846. 256

Campe, Joachim Heinrich „Die Entdeckung von Amerika". Ein Unterhaltungsbuch für Kinder und junge Leute, 5. Aufl., Th. 1–3, Braunschweig 1801 (siehe auch Anm. 235). 355

Cervantes Saavedra, Miguèl de „Vida y hechos del ingenioso hidalgo Don Quixote de la Mancha" [Leben und Taten des scharfsinnigen Edlen Don Quijote von La Mancha], En Haia 1744. 332

Cobden, [Richard] „Opinion de M. Cobden, sur les dépenses de la guerre et de la marine" [Meinung des Herrn Cobden über die Ausgaben für Krieg und Flotte]. In: „Le Débat social", Nr. 32 vom 6. Februar 1848 (siehe auch Anm. 321). 513

Cooper, Thomas „Lectures on the Elements of Political Economy" [Vorträge über die Grundlagen der politischen Ökonomie], Columbia 1826 (siehe auch Anm. 56.) 115 342 343

Daire, Eugène „Économistes financiers du XVIIIe siècle", précédés de notices historiques sur châque auteur et accompagnés de commentaires et de notes explicatives [Finanz-Ökonomen des 18. Jahrhunderts, vers. mit historischen Bemerkungen über jeden Autor sowie Kommentaren und Erläuterungen], Paris 1843. 114

„Dante Alighieri's goettliche Comoedie". Metrisch übertr. und mit kritischen und historischen Erl. vers. von Philalethes [Prinz Johann von Sachsen], Dresden 1833; 2. Aufl., Dresden und Leipzig 1839. 244

[Dernevel, J. M.] „Histoire édifiante et curieuse de Rothschild Ier, Roi des Juifs" [Erbauliche und seltsame Historia Rothschild's I., Königs der Juden], Paris 1846 (siehe auch Anm. 16). 29

Dronke, Ernst „Berlin", Bd. 1–2, Frankfurt a. M. 1846. 281

– „Polizei-Geschichten", Leipzig 1846. 279 280

– „Aus dem Volk", Frankfurt a. M. 1846. 281

Duesberg, [Franz] von „Denkschrift, betreffend die Aufhebung der Mahl- und Schlachtsteuer, die Beschränkung der Klassensteuer und die Erhebung einer Einkommensteuer". In: „Der Erste Vereinigte Landtag in Berlin 1847". Hrsg. unter Aufsicht des Vorstehers des Central-Bureaus im Min. d. Innern und des Bureaus des Vereinigten Landtages Kgl. Kanzlei-Raths Eduard Bleich, Th. 1, Berlin 1847. 199

Dunoyer, Charles „De la liberté du travail ou simple exposé des conditions dans lesquelles les forces humaines s'exercent avec le plus de puissance" [Über die Freiheit der Arbeit, oder einfache Darlegung der Bedingungen, unter denen die menschlichen Kräfte den größten Nutzen hervorbringen], T. 1–2, Paris 1845. 295

Eck, Karl „Waldfrevel". In: „Album". Originalpoesieen..., Hrsg. H. Püttmann, Borna 1847. 283

Edmonds, T[homas] R[owe] „Practical Moral and Political Economy; or, the Government, Religion, and Institutions, most Conducive to Individual Happiness and to National

Power" [Praktische moralische und politische Ökonomie oder über die Regierung, Religion und Institutionen, die dem persönlichen Glück und der nationalen Macht am meisten förderlich sind], London 1828. 98

Engels, Friedrich „Die Lage der arbeitenden Klasse in England. Nach eigner Anschauung und authentischen Quellen", Leipzig 1845. 83

– „Umrisse zu einer Kritik der Nationalökonomie". In: „Deutsch-Französische Jahrbücher", Paris 1844. 83

– „Der Ursprung der Familie, des Privateigenthums und des Staats". Im Anschluß an Lewis H. Morgan's Forschungen, 2. Aufl., Stuttgart 1886. 462

Engels, Frederick „The Condition of the Working Class in England in 1844". Translated by Florence Kelley Wischnewetzky [Die Lage der arbeitenden Klasse in England 1844. Übers. von Florence Kelley Wischnewetzky], New York (Cop. 1887). 581

Engels, Friedrich, und Karl Marx „Die heilige Familie, oder Kritik der kritischen Kritik. Gegen Bruno Bauer und Consorten", Frankfurt a. M. 1845. 37 229 250

„*Der Erste Vereinigte Landtag* in Berlin 1847". Hrsg. unter Aufsicht des Vorstehers des Central-Bureaus im Min. d. Innern und des Bureaus des Vereinigten Landtages Kgl. Kanzlei-Raths Eduard Bleich, Th. 1, Berlin 1847 (siehe auch Anm. 17 35 90 306). 30 40 202 496

Everbeck, Hermann „Lied". In: „Album". Originalpoesieen..., Hrsg. H. Püttmann, Borna 1847. 286

– „Schlachtlied", ebendort. 286

Ferguson, Adam „Essai sur l'histoire de la société civile". Ouvrage traduit de l'anglois par M. Bergier [Abhandlung über die Geschichte der bürgerlichen Gesellschaft. Aus dem Engl. übers. von Bergier], Vol. 1–2, Paris 1783. 146–147

Fourier, Ch[arles] „Traité de l'association domestique-agricole" [Abhandlung über die hauswirtschaftlich-landwirtschaftliche Vereinigung], Paris, Londres 1822. 229

Freiligrath, Ferdinand „Ça ira!" Sechs Gedichte, Herisau 1846. 278

– „Zwei Flaggen", „Flotten-Träume". In: „Ein Glaubensbekenntniß". Zeitgedichte von Ferdinand Freiligrath, Mainz 1844 (siehe auch Anm. 175). 278

– „Requiescat!" In: „Neuere politische und soziale Gedichte" von Ferdinand Freiligrath, H. 1, Köln 1849 (siehe auch Anm. 177). 281

– „Wie man's macht!" In: „Album". Originalpoesieen..., Hrsg. H. Püttmann, Borna 1847. 278 279

[*Friedrich Wilhelm IV.*] „Patent die ständischen Einrichtungen betreffend". Vom 3. Februar 1847. In: „Der Erste Vereinigte Landtag in Berlin 1847". Hrsg. unter Aufsicht des Vorstehers des Central-Bureaus im Min. d. Innern und des Bureaus des Vereinigten Landtages Kgl. Kanzlei-Raths Eduard Bleich, Th. 1, Berlin 1847 (siehe auch Anm. 17 35). 30 40

– „Thronrede Sr. Majestät des Königs am 11. April 1847". In: „Der Erste Vereinigte Landtag in Berlin 1847". Hrsg. unter Aufsicht des Vorstehers des Central-Bureaus im Min. d. Innern und des Bureaus des Vereinigten Landtages Kgl. Kanzlei-Raths Eduard Bleich, Th. 1, Berlin 1847 (siehe auch Anm. 90 306). 202 496

Friedrichsen, Johann Friedr[ich] Wilhelm „Mag alles Wunder von dem Lande singen". In: „Deutsches Liederbuch für Hochschulen", Stuttgart 1813 (siehe auch Anm. 331). 527

Fröbel, J[ulius] „System der socialen Politik", 2. Aufl., Th. 1–2, Mannheim 1847 (siehe auch Anm. 205). 316

Goethe, Johann Wolfgang von „Alexander von Joch über Belohnung und Strafen nach türkischen Gesetzen". (Rezensionen in die Frankfurter gelehrten Anzeigen.) In: „Goethes Werke", ... hrsg. von Karl Heinemann. Kritisch durchges. und erl. Ausg., Bd. 1–30, Leipzig und Wien: Bibliographisches Inst. o. J. Bd. 21 (siehe auch Anm. 121). 236

– „Belagerung von Mainz", ebendort, Bd. 15. 237

– „Briefe aus der Schweiz". In: „Goethe's Werke", Bd. 1–20, Stuttgart und Tübingen 1815 bis 1819. Bd. 12 (siehe auch Anm. 119). 235

– „Der Bürgergeneral". Ein Lustspiel in einem Aufzuge, ebendort, Bd. 10 (siehe auch Anm. 118). 234 238

– „Campagne in Frankreich 1792". In: „Goethes Werke", hrsg. im Auftrage der Großherzogin Sophie von Sachsen, Bd. 33, Weimar 1898. 237

– „Catechisation". In: „Goethe's Werke", Bd. 1–20, Stuttgart und Tübingen 1815–1819. Bd. 2. 233–234

– „Egmont". Ein Trauerspiel in 5 Aufzügen, ebendort, Bd. 6. 241

– „Eigenthum", ebendort, Bd. 1. 242

– „Epigramme. Venedig 1790", ebendort, Bd. 1. 237

– „Faust. Der Tragödie erster und zweiter Teil". In: „Goethes Werke", ... hrsg. von Karl Heinemann. Kritisch durchges. und erl. Ausg., Bd. 1–30, Leipzig und Wien: Bibliographisches Inst. o. J. Bd. 5 (siehe auch Anm. 112 158 167). 228 230 243 244 264 269

– „Götz von Berlichingen mit der eisernen Hand". In: „Goethe's Werke", Bd. 1–20, Stuttgart und Tübingen 1815–1819. Bd. 6. 243

– „Hermann und Dorothea", ebendort, Bd. 11. 238

– „Iphigenie auf Tauris", ebendort, Bd. 7. 232

– „Leiden des jungen Werthers". In: „Goethe's Werke", Bd. 1–20, Stuttgart und Tübingen 1815–1819. Bd. 12. 234–236 240

– „Lilis Park", ebendort, Bd. 2 (siehe auch Anm. 156). 262 263

– „Maskenzüge", ebendort, Bd. 8. 232

– „Über Naturwissenschaft im Allgemeinen, einzelne Betrachtungen und Aphorismen". In: „Goethes Naturwissenschaftliche Schriften", hrsg. im Auftrage der Großherzogin Sophie von Sachsen, Bd. 11, T. 1, Weimar 1893 (siehe auch Anm. 125). 239

– „Prometheus". In: „Goethe's Werke", Bd. 1–20, Stuttgart und Tübingen 1815–1819. Bd. 2 (siehe auch Anm. 4). 10 233

– „Reineke Fuchs", 12. Gesang, ebendort, Bd. 11. 335

– „[Römische] Elegieen", ebendort, Bd. 1. 247

– „Stella". Ein Trauerspiel, ebendort, Bd. 6. 235

Goethe, Johann Wolfgang von „Tag- und Jahreshefte als Ergänzung meiner sonstigen Bekenntnisse". In: „Goethes Werke", ... hrsg. von Karl Heinemann. Kritisch durchges. und erl. Ausg., Bd. 1–30, Leipzig und Wien: Bibliographisches Inst. o. J. Bd. 16. 226

– „Die natürliche Tochter". Trauerspiel. In: „Goethe's Werke", Bd. 1–20, Stuttgart und Tübingen 1815–1819. Bd. 7. 237

– „Totalität", ebendort, Bd. 2 (siehe auch Anm. 151). 258

– „Ultimatum". In: „Goethes Werke", ... hrsg. von Karl Heinemann. Kritisch durchges. und erl. Ausg., Bd. 1–30, Leipzig und Wien: Bibliographisches Inst. o. J. Bd. 2 (siehe auch Anm. 105). 225

– „Unterhaltungen deutscher Ausgewanderten". In: „Goethe's Werke", Bd. 1–20, Stuttgart und Tübingen 1815–1819. Bd. 13. 238

– „Vanitas! vanitatum vanitas!", ebendort, Bd. 1 (siehe auch Anm. 129). 244

– „Das Veilchen", ebendort, Bd. 1 (siehe auch Anm. 163). 268

– „Die Wahlverwandtschaften". Ein Roman, ebendort, Bd. 14. 245

– „Warnung", ebendort, Bd. 2 (siehe auch Anm. 130). 247

– „Wilhelm Meisters Lehrjahre", ebendort, Bd. 3–4. 235 243 245

– „Zahme Xenien". In: „Goethes Werke", ... hrsg. von Karl Heinemann. Kritisch durchges. und erl. Ausg., Bd. 1–30, Leipzig und Wien: Bibliographisches Inst. o. J. Bd. 2 (siehe auch Anm. 127). 232 239 241

Grün, Karl „Bausteine". Zusammengetragen und mit einem Sendschreiben an seine Osnabrücker Freunde begleitet von Karl Grün, Darmstadt 1844. 39

– „Die sociale Bewegung in Frankreich und Belgien". Briefe und Studien, Darmstadt 1845 (siehe auch Anm. 110). 38 39 222 228

– „Über Göthe vom menschlichen Standpunkte", Darmstadt 1846. 222–247

– siehe „*Neue Anekdota*"

– „Politik und Socialismus". In: „Rheinische Jahrbücher zur gesellschaftlichen Reform", Bd. 1, Darmstadt 1845. 228

Guizot, [François-Pierre-Guillaume] „Histoire générale de la civilisation en Europe depuis la chute de l'empire romain jusqu'à la révolution française". In: „Cours d'histoire moderne par M. Guizot" [Allgemeine Geschichte der Zivilisation in Europa seit dem Niedergang des Römischen Reiches bis zur Französischen Revolution. In: Lehrbuch der modernen Geschichte von Guizot], Paris 1828 (siehe auch Anm. 320). 513

– [„Rede zu Lisieux"] siehe „*Banquet* offert par les électeurs de Lisieux à M. Guizot"

Gülich, Gustav von „Geschichtliche Darstellung des Handels, der Gewerbe und des Ackerbaus der bedeutendsten handeltreibenden Staaten unserer Zeit", Bd. 1–5, Jena 1830 bis 1845. 296

Hartmann, Moritz „Kelch und Schwert". Dichtungen, 3. sehr verm. Aufl., Darmstadt 1851. 270

Hegel, Georg Wilhelm Friedrich „Phänomenologie des Geistes", hrsg. von Johann Schulze. In: „Georg Wilhelm Friedrich Hegel's Werke". Vollst. Ausg. durch einen Verein von Freunden des Verewigten, Bd. 2, Berlin 1832. 244

Hegel, Georg Wilhelm Friedrich „Vorlesungen über die Geschichte der Philosophie", hrsg. von Karl Ludwig Michelet, Bd. 1–3, ebendort, Bd. 13–15, Berlin 1833–1836. 227

– „Vorlesungen über die Philosophie der Geschichte", hrsg. von Eduard Gans, ebendort, Bd. 9, Berlin 1837 (siehe auch Anm. 124). 239

– „Wissenschaft der Logik", hrsg. von Leopold von Henning, Th. 1, Abthl. 1–2, Th. 2, ebendort, Bd. 3–5, Berlin 1833–1834 (siehe auch Anm. 59). 128

Heine, Heinrich, „Atta Troll. Ein Sommernachtstraum". In: „Heinrich Heine's sämmtliche Werke", Bd. 1–18, Hamburg 1867–1868. Bd. 17 (siehe auch Anm. 207). 324

– „Pomare", „Dieselbe", „Eine Andere", „Guter Rath", „Zur Doctrin", „Das Wiegenlied", „Die schlesischen Weber". In: „Album". Originalpoesieen…, Hrsg. H. Püttmann, Borna 1847 (siehe auch Anm. 180). 283

– „Ritter Olaf", Romanze. In: „Heinrich Heine's sämmtliche Werke", Bd. 1–18, Hamburg 1867–1868. Bd. 16 (siehe auch Anm. 312). 503

Heinzen, Karl „Die Preußische Büreaukratie", Darmstadt 1845 (siehe auch Anm. 201). 310

– [im Artikel] Polemik. Karl Heinzen und die Kommunisten. In: Deutsche-Brüsseler-Zeitung, Nr. 77 vom 26. September 1847. 309–324

– „Ein ‚Repräsentant' der Kommunisten". In: „Deutsche-Brüsseler-Zeitung" Nr. 84 vom 21. Oktober 1847. 335 336 340 344 345 353

– „Ein Steckbrief", Schaerbeék 1845. 335 358

– „Teutsche Revolution". Gesammelte Flugschriften, Bern 1847 (siehe auch Anm. 203). 312

„*Henneke Knecht*". In: „Des Knaben Wunderhorn". Alte deutsche Lieder gesammelt von L[udwig] A[chim] v. Arnim und Clemens Brentano, Bd. 2, Heidelberg 1808 (siehe auch Anm. 217). 332

[*Herwegh, Georg*] „Die deutsche Flotte". Eine Mahnung an das deutsche Volk vom Verfasser der Gedichte eines Lebendigen, Zürich und Winterthur 1841 (siehe auch Anm. 175). 278

[*Holbach, Paul-Henri-Dietrich d'*] „Système de la nature, ou des loix du monde physique et du monde moral" [System der Natur, oder von den Gesetzen der physischen und der moralischen Welt], par M. Mirabaud, P. 1–2, Londres 1770 (siehe auch Anm. 104). 224

Hopkins, Thomas „Economical Enquiries relative to the Laws which regulate Rent, Profit, Wages, and the Value of Money" [Ökonomische Untersuchungen bezüglich der Gesetze, die Rente, Profit, Arbeitslohn und Wert des Geldes bestimmen], London 1822 (siehe auch Anm. 48). 98

[*Horatius Flaccus, Quintus*] „Epodon", Ode II. In: „Qu. Horatii Flacc i opera omnia poetica", editio nova [Qu. Horatius Flaccus' sämtliche poetische Werke, neue Ausg.], Halae 1802. 252

„*Humanismus. – Kommunismus*". In: „Das Westphälische Dampfboot", Jg. 2, 1846 (siehe auch Anm. 147). 257

„*Inondations.* – Responsabilité de l'Administration" [Überschwemmungen. – Die Verantwortung der Regierung]. In: „Démocratie pacifique" vom 4. November 1846. 256

Jean Paul „Leben des Quintus Fixlein, aus fünfzehn Zettelkästen gezogen; nebst einem Mustheil und einigen Jus de tablette", 1. Aufl., Bayreuth 1796. 334

Jefferson, Thomas „Memoir, Correspondence, and Miscellanies, from the Papers of Thomas Jefferson". Edited by Thomas Jefferson Randolph. Second Ed. [Memoiren, Korrespondenzen und Verschiedenes aus den Schriften des Thomas Jefferson. Hrsg. von Thomas Jefferson Randolph], Vol. 1. Boston, New York 1830. 344

[*Marx, Karl*] „Der Bürgerkrieg in Frankreich". Adresse des Generalraths der Internationalen Arbeiter-Association an alle Mitglieder in Europa und den Vereinigten Staaten. Separatabdruck aus dem Volksstaat, Leipzig 1871. 574

– „Das Kapital". Kritik der politischen Oekonomie, Bd. 1. 2. 3, 1. 3, 2, Hamburg 1867 bis 1894. 83

– „Karl Grün: Die soziale Bewegung in Frankreich und Belgien (Darmstadt 1847) oder die Geschichtsschreibung des wahren Sozialismus". In: „Das Westphälische Dampfboot", Jg. 3, 1847 (siehe auch Anm. 32). 38

– „Zur Kritik der Hegel'schen Rechtsphilosophie. Einleitung". In: „Deutsch-Französische Jahrbücher", Paris 1844 (siehe auch Anm. 33 228). 351

– „Zur Kritik der Politischen Oekonomie", H. 1, Berlin 1859. 560

– (anonym) „The Civil War in France". Address of the General Council of the International Working-Men's Association. Second edition, revised [Der Bürgerkrieg in Frankreich. Adresse des Generalrats der Internationalen Arbeiter-Assoziation. 2. verb. Aufl.], [London] 1871. 582

Marx, Karl „Misère de la philosophie. Réponse à la philosophie de la misère de M. Proudhon" [Das Elend der Philosophie. Antwort auf Proudhons Philosophie des Elends], Paris, Bruxelles 1847 (siehe auch Anm. 43). 37 316

[*Marx, Karl, und Friedrich Engels*] „Das Kommunistische Manifest". Neue Ausg. mit einem Vorw. der Verfasser, Leipzig 1872. 573/574

– „Das Kommunistische Manifest". 3. autor. dtsch. Ausg. Mit Vorworten der Verfasser, Hottingen-Zürich 1883. 577

– „Das Kommunistische Manifest". 4. autor. dtsch. Ausg. Mit einem neuen Vorw. von Friedrich Engels. („Sozialdemokratische Bibliothek", H. 33), London 1890. 583–586

Marx, Karl, and Frederick Engels „Manifesto of the Communist Party". Authorized English Translation, edited and annotated by Frederick Engels [Manifest der Kommunistischen Partei. Autor. engl. Übers. hrsg. und mit Anm. vers. von Friedrich Engels], London 1888. 578–582

Marx, Carlo, e Federico Engels „Il Manifesto del Partito Comunista". Con un nuovo proemio al lettore italiano di Federico Engels [Das Manifest der Kommunistischen Partei. Mit einem neuen Vorw. an den italienischen Leser von Friedrich Engels], Milano 1893. 589/590

Маркс, Карл, и Фр[идрих] Энгельс „Манифестъ коммунистической партіи"; переводъ съ нъмецкаго изданія 1872. Съ предисловіемъ авторовъ, Женева 1882 [Manifest der Kommunistischen Partei; Übersetzung nach der dt. Ausg. von 1872. Mit einem Vorw. der Verfasser, Genf 1882]. 575/576

Meißner, Alfred „Gedichte", 2. stark verm. Aufl., Leipzig 1846. 269–277

– (anonym) „Aus Paris". In: „Die Grenzboten". Zeitschrift für Politik und Literatur, Jg. 6, 1. Semester, Bd. 2, Leipzig 1847. 277

– „Žiška", Gesänge, Leipzig 1846. 278

Meyer, Julius „Die Volkswirthschaftslehre in heutiger und zukünftiger Gestaltung". In: „Dies Buch gehört dem Volke", Jg. 2, Bielefeld 1845 (siehe auch Anm. 134). 249

Püttmann, [Hermann] (anonym) Vorwort zu: „Rheinische Jahrbücher zur gesellschaftlichen Reform“, Bd. 2, Belle-Vue b. Constanz 1846. 262

Quesnay, [François] „Analyse du tableau économique“. In: Eugène Daire, „Physiocrates. Quesnay, Dupont de Nemours, Mercier de la Rivière, l'Abbé Baudeau, Le Trosne, avec une introduction sur la doctrine des physiocrates, des commentaires et des notices historiques“ [Analyse des ökonomischen Tableau. In: Eugène Daire: Physiokraten. Quesnay, Dupont de Nemours, Mercier de la Rivière, l'Abbé Baudeau, Le Trosne, mit einer Einl. über die Lehre der Physiokraten, sowie Kommentaren und historischen Bemerkungen], P. 1, Paris 1846 (siehe auch Anm. 57). 125

– „Observations importantes“ [Wichtige Bemerkungen] siehe *Quesnay, [François]* „Analyse du tableau économique“

Reinhardt, Richard „An die junge Menschheit“. In: „Album“. Originalpoesieen..., Hrsg. H. Püttmann, Borna 1847. 286

„Responsabilité du gouvernement“ [Die Verantwortung der Regierung]. In: „La Réforme“ vom 5. November 1846. 256

Ricardo, David „Des principes de l'économie politique et de l'impôt“. Traduit de l'anglais par F.-S. Constancio, ... avec des notes explicatives et critiques par J.-B. Say [Über die Grundsätze der politischen Ökonomie und der Besteuerung. Übers. aus dem Engl. von F.-S. Constancio, ... mit erkl. und kritischen Noten von J.-B. Say], 2. éd., T. 1–2, Paris 1835 (siehe auch Anm. 293). 71 78 80 82 94 95 113 114 119–120 449

Rochow, Friedrich Eberhard von „Der Kinderfreund“. Ein Lesebuch zum Gebrauch in Landschulen, Brandenburg und Leipzig 1776 (siehe auch Anm. 173). 277

Rodbertus-Jagetzow, [Carl] „Zur Beleuchtung der Socialen Frage“. Unveränd. Abdr. meines zweiten und dritten Socialen Briefes an von Kirchmann enth. einen compendiösen Abriß meines staatswirthschaftlichen Systems, nebst einer Widerlegung der Ricardo'schen und Ausführung einer neuen Grundrententheorie, Berlin [1875]. 559

– „Soziale Briefe“ siehe *Rodbertus-Jagetzow, [Carl]* „Zur Beleuchtung der Socialen Frage“ und „Das Kapital“

– „Zur Erkenntniß unsrer staatswirthschaftlichen Zustände“, H. 1, Neubrandenburg und Friedland 1842. 558/559

– „Das Kapital“. Vierter socialer Brief an von Kirchmann. Hrsg. und eingel. von Theophil Kozak, Berlin 1884. 559

Rossi, P[ellegrino] „Cours d'économie politique“; année 1836–1837 [Vorlesung über politische Ökonomie; im Jahre 1836–1837], T. 1–2, Paris 1840. 163

Sadler, Michael Thomas „The Law of Population: a Treatise, in six Books; in Disproof of the Superfecundity of Human Beings, and Developing the Real Principle of their Increase“ [Das Bevölkerungsgesetz: eine Abhandlung in 6 Büchern, als Widerlegung (der Theorie von) der übermäßigen Fruchtbarkeit der Menschen und Darlegung des realen Prinzips ihres Anwachsens], Vol. 1–3, London 1830. 116

Sand, George „Jean Ziska“. Épisode de la guerre des Hussites [Jan Žižka. Episode aus dem Hussitenkrieg], Bruxelles 1843 (siehe auch Anm. 81). 182

Saß, Friedrich „Berlin in seiner neuesten Zeit und Entwicklung“, Leipzig 1846 (siehe auch Anm. 178). 281

Shak[e]speare, [William] „König Heinrich der Vierte", 1. Th., ebendort, Th. 1 (siehe auch Anm. 226). 344

– „Liebes Leid und Lust", ebendort, Th. 9. 332

– „Troilus und Cressida", ebendort, Th. 7. 333

Sheridan, Richard Brinsley „The School for Scandal". A Comedy in Five Acts [Die Lästerschule. Ein Lustspiel in fünf Akten], Berlin 1837 (siehe auch Anm. 82). 183

[*Sieyès, Emmanuel-Joseph*] „Qu'est-ce que le tiers-état?" [Was ist der dritte Stand?], [Paris] 1789 (siehe auch Anm. 5). 15

Sismondi, J[ean]-C[harles]-L[éonard] Simonde de „Études sur l'économie politique" [Studien zur politischen Ökonomie], T. 1–2, Paris 1837–1838. 70 95

Smith, Adam „An Inquiry into the Nature and Causes of the Wealth of Nations" [Eine Untersuchung über das Wesen und die Ursachen des Reichtums der Nationen], Vol. 1–2, London 1776. 164

– „Recherches sur la nature et les causes de la richesse des nations". Traduction nouvelle, avec des notes et observations; par Germain Garnier [Untersuchungen über das Wesen und die Ursachen des Reichtums der Nationen. Neue Übers. mit Noten und Anm.; von Germain Garnier], T. 1–4, Paris 1802 (siehe auch Anm. 47). 79 145 146

Steuart, James „An Inquiry into the principles of Political Œconomy, being an essay on the science of Domestic Policy in free Nations... [Untersuchung der Grundsätze der politischen Ökonomie, oder Versuch über die Wissenschaft der inneren Politik in freien Staaten...], Vol. 1–2, London 1767 (siehe auch Anm. 68). 164

Stirner, Max [Johann Caspar Schmidt] „Der Einzige und sein Eigenthum", Leipzig 1845 (siehe auch Anm. 171). 274

Storch, Henri „Cours d'économie politique, ou exposition des principes qui déterminent la prospérité des nations". Avec des notes explicatives et critiques par J.-B. Say [Kursus der politischen Ökonomie oder Darstellung der Grundsätze, die den Wohlstand der Nationen bestimmen. Mit erl. und kritischen Bemerkungen von J.-B. Say], T. 1, Paris 1823. 74

„*Strafgesetzbuch für das Deutsche Reich* nebst dem Einführungs-Gesetze vom 31. Mai 1870 und dem Gesetze vom 15. Mai 1871", Berlin 1871. 568

„*Sur le reboisement des montagnes* et la conservation du sol forestier" [Über das Wiederaufforsten der Berge und die Konservierung des Waldbodens]. In: „Journal des Débats politique et littéraires" vom 4. März 1847. 256

Thompson, William „An Inquiry into the Principles of the Distribution of Wealth most conducive to Human Happiness [Eine Untersuchung über die Grundsätze der Verteilung des Reichtums, die zum menschlichen Glück am meisten beitragen], London 1824 (siehe auch Anm. 49). 98

Tooke, Thomas „A History of Prices, and of the State of the Circulation, from 1793 to 1837; preceded by a brief Sketch of the State of the Corn Trade in the last two Centuries" [Eine Geschichte der Preise und des Standes der Zirkulation von 1793 bis 1837, eingeleitet durch eine kurze Skizze vom Stand des Getreidehandels in den vergangenen zwei Jahrhunderten], Vol. 1–2, London 1838. 115

Ure, Andrew „Philosophie des manufactures ou économie industrielle de la fabrication du coton, de la laine, du lin et de la soie, avec la description des diverses machines employées

II. Periodica

„Deutsch-Französische Jahrbücher", hrsg. von Arnold Ruge und Karl Marx, Lfg. 1 und 2, Paris 1844 (siehe auch Anm. 33). 39 83 228 229 351

„Deutsche-Brüsseler-Zeitung", 1847 (siehe auch Anm. 86 267 275 278 343). 191 309 311 315–321 323 324 331 335–359 414 420

„Deutsches Bürgerbuch für 1845". Hrsg. von H. Püttmann, Darmstadt 1845 (siehe auch Anm. 159). 261 265

„Dies Buch gehört dem Volke". Hrsg. von Otto Lüning, Jg. 2, Bielefeld 1845 (siehe auch Anm. 134). 249

„The Economist", London (siehe auch Anm. 192). 299

„L'Époque". Journal complet et universel, Paris. 186

„Frankfurter gelehrte Anzeigen", Frankfurt am Mayn (siehe auch Anm. 121). 236

„Gesellschaftsspiegel". Organ zur Vertretung der besitzlosen Volksklassen und zur Beleuchtung der gesellschaftlichen Zustände der Gegenwart, Bd. 2, Elberfeld 1846 (siehe auch Anm. 137 148). 250 257–261

„The Globe and Traveller", London (siehe auch Anm. 18). 30 329 382

„Die Grenzboten". Zeitschrift für Politik und Literatur, red. von J. Kuranda, Jg. 6, 1. Semester, Bd. 2, Leipzig 1847 (siehe auch Anm. 131). 277

„L'Indépendance Belge", Bruxelles (siehe auch Anm. 318). 511

„Journal de Bruxelles. Politique, Littérature et Commerce" (siehe auch Anm. 273). 420

„Journal des Débats politiques et littéraires", Paris. 30 400 415 432 433 520

„Kölnische Zeitung" (siehe auch Anm. 132). 249

„The League". The Exponent of the Principles of Free Trade, and the Organ of the National Anti-Corn-Law League, London (siehe auch Anm. 193). 300

„Leipziger Allgemeine Zeitung" (siehe auch Anm. 94). 208

„Lloyd's Weekly London Newspaper". 382

„The Manchester Examiner". 382

„The Manchester Guardian" (siehe auch Anm. 193). 300 330

„Le Moniteur Parisien", Paris (siehe auch Anm. 357). 603

„Le National", Paris (siehe auch Anm. 15). 28 30 184 255 256 399 401 404 409–411 423–425 432 433 435–438 530

„Niles' Weekly Register", Baltimore (siehe auch Anm. 224). 342

„The Nonconformist", London. 382

„The Northern Star, and National Trades' Journal", London (siehe auch Anm. 14 186 210 242 247 261 267 275 278 280 355 356). 25 30 34 325 326 330 381 382 386 413 414 420 426 427 429/430 442 531

„Nottingham Mercury". 382

„The People's Journal", London. 25

„Le Peuple Souverain", Marseille. 595

„La Presse", Paris. 184–186 328 329 433

Karl Marx und Friedrich Engels
Daten aus ihrem Leben und ihrer Tätigkeit
(Mai 1846 bis März 1848)

1846

Frühjahr	Marx und Engels führen an der Spitze des Brüsseler kommunistischen Korrespondenz-Komitees den Kampf um den ideologischen und organisatorischen Zusammenschluß der fortschrittlichen Vertreter der sozialistischen und Arbeiterbewegung der verschiedenen Länder, um den Boden für die Gründung einer proletarischen Partei vorzubereiten.
5. Mai	Marx wendet sich mit einem Schreiben an Proudhon, in dem er ihn auffordert, Korrespondent des Brüsseler kommunistischen Korrespondenz-Komitees für Frankreich zu werden und sich an der Erörterung theoretischer und taktischer Fragen der Arbeiterbewegung zu beteiligen. Proudhons Antwort vom 17. Mai überzeugt Marx von den grundsätzlichen Meinungsverschiedenheiten, die zwischen ihm und Proudhon bestehen. Marx nimmt davon Abstand, mit Hilfe Proudhons die Verbindung zur französischen Arbeiterbewegung herzustellen.
11. Mai	In der Sitzung des Brüsseler kommunistischen Korrespondenz-Komitees wird das von Marx und Engels verfaßte Zirkular gegen den „wahren" Sozialisten Hermann Kriege angenommen. Das Zirkular wird allen kommunistischen Korrespondenz-Komitees zugesandt.
Sommer	Marx und Engels beenden die Arbeit der wichtigsten Abschnitte der „Deutschen Ideologie". Die Drucklegung in Deutschland scheitert jedoch an den Zensurbedingungen und am Widerstand der Vertreter des „wahren" Sozialismus.
15. Juni	Marx und Engels wenden sich in einem Schreiben an Gustav Adolf Köttgen, worin sie eine regelmäßige Korrespondenz zwischen dem Brüsseler kommunistischen Korrespondenz-Komitee und den Anhängern der kommunistischen und sozialistischen Anschauung im Wuppertal vorschlagen.
17. Juli	Marx und Engels verfassen eine „Grußadresse der deutschen demokratischen Kommunisten zu Brüssel an Herrn Feargus O'Connor". Diese Adresse wird am 25. Juli in „The Northern Star", dem Organ der Chartisten, veröffentlicht.

1. August	Marx setzt den Verleger K.W.Leske schriftlich von seinen Plänen zur Beendigung der „Kritik der Politik und Nationalökonomie" in Kenntnis. Die Arbeit bleibt jedoch unvollendet.
15. August	Engels übersiedelt nach Paris, um dort im Auftrage des Brüsseler kommunistischen Korrespondenz-Komitees den Kommunismus unter den Mitgliedern der Pariser Gemeinde des Bundes der Gerechten zu verbreiten; ferner befaßt er sich mit der Organisierung eines Korrespondenz-Komitees und führt den Kampf gegen den Einfluß Weitlings, Proudhons und des „wahren" Sozialismus.
Zwischen dem 15. und 19. August	Engels macht die Bekanntschaft des französischen utopischen Kommunisten Étienne Cabet.
19. August	Engels berichtet dem Brüsseler kommunistischen Korrespondenz-Komitee in einem Schreiben über die Lage der deutschen Arbeiterbewegung in Paris und der sozialistischen Presse in Frankreich. Ferner informiert Engels das Komitee regelmäßig über die Entwicklung der sozialistischen und der Arbeiterbewegung in Frankreich sowie über die Lage in den deutschen Arbeiterzirkeln.
Etwa 1. September	Engels verfaßt einen Artikel über die Lage in Frankreich, der in „The Northern Star" vom 5. September erscheint.
September	In Briefen an Marx kritisiert Engels die kleinbürgerlichen Anschauungen Proudhons.
Oktober	Engels spricht auf drei Versammlungen deutscher Arbeiter in Paris gegen die kleinbürgerlichen Utopien Proudhons und die spießbürgerlichen Ideen des „wahren" Sozialisten Karl Grün. Die Tätigkeit von Engels führt dazu, daß die meisten Mitglieder der Pariser Gemeinde des Bundes der Gerechten sich vom „wahren" Sozialismus sowie von Proudhon abwenden.
Etwa Mitte Oktober	Engels studiert Ludwig Feuerbachs Schrift „Das Wesen der Religion" und macht in einem Brief an Marx kurze kritische Bemerkungen zur Philosophie Feuerbachs.
Etwa 20. Oktober	Die Brüsseler Kommunisten verfassen ein zweites Zirkular gegen Kriege, das von Marx allein unterzeichnet ist. Der Text des Zirkulars ist nicht erhalten geblieben.
Dezember	Die Pariser Behörden stellen Engels unter polizeiliche Beobachtung.
28. Dezember	In einem Brief an den russischen Literaturkritiker P. W. Annenkow kritisiert Marx Proudhons Schrift „Système des contradictions économiques, ou philosophie de la misère". Im Zusammenhang damit gibt Marx eine Darlegung der wichtigsten Leitsätze des historischen Materialismus.

1847

Januar bis 15. Juni	Marx arbeitet an der Schrift „Das Elend der Philosophie. Antwort auf Proudhons ‚Philosophie des Elends'".

Januar bis April	Engels verfaßt die Arbeit „Die wahren Sozialisten" als Ergänzung des zweiten Bandes der „Deutschen Ideologie".
20. Januar	Das Londoner Komitee des Bundes der Gerechten bevollmächtigt Josef Moll, nach Brüssel und Paris zu reisen, um Marx und Engels aufzufordern, in den Bund der Gerechten einzutreten. Marx und Engels entschließen sich dazu, weil sie durch Moll die Zusicherung erhalten, daß die Leitung des Bundes bereit sei, die Reorganisation desselben durchzuführen und dem Programm des Bundes die Prinzipien des wissenschaftlichen Kommunismus zugrunde zu legen.
Ende Februar	Engels schreibt den Artikel „Die Preußische Verfassung", der in „The Northern Star" vom 6. März erscheint.
März bis April	Engels ist mit der Arbeit „Der Status quo in Deutschland" beschäftigt.
3. April	Marx schreibt eine Entgegnung auf die von Karl Grün inspirierten verleumderischen Ausfälle gegen Marx in der „Trier'schen Zeitung"; die Entgegnung erscheint am 8. April in der „Deutschen-Brüsseler-Zeitung" und am 9. April in der „Trier'schen Zeitung".
Anfang Juni	Engels nimmt am ersten Kongreß des Bundes der Kommunisten in London teil und beteiligt sich aktiv an den Arbeiten. Der Kongreß berät das neue Statut. Die Umbenennung des Bundes der Gerechten in Bund der Kommunisten wird beschlossen, und der frühere Wahlspruch des Bundes „Alle Menschen sind Brüder" wird ersetzt durch die Losung „Proletarier aller Länder, vereinigt euch!". Nach Beendigung des Kongresses kehrt Engels nach Paris zurück.
26. Juni	Engels schreibt den Artikel „Der Niedergang und der nahende Sturz von Guizot – Die Stellung der französischen Bourgeoisie". Der Artikel erscheint am 3. Juli in „The Northern Star".
Anfang Juli	Karl Marx' Werk „Das Elend der Philosophie. Antwort auf Proudhons ‚Philosophie des Elends'" erscheint in Brüssel in französischer Sprache.
Ende Juli	Engels fährt in Angelegenheiten des Bundes der Kommunisten zu Marx nach Brüssel.
5. August	Unter der Leitung von Marx konstituiert sich in Brüssel die Gemeinde und der Kreis des Bundes der Kommunisten. Marx wird zum Vorsitzenden der Gemeinde und zum Mitglied der Kreisbehörde gewählt.
Ende August	Marx und Engels gründen in Brüssel den Deutschen Arbeiterverein, in dem sie die Ideen des wissenschaftlichen Kommunismus propagieren.
August bis September	Ein von Marx geschriebenes Kapitel der „Deutschen Ideologie" – „Karl Grün: ‚Die soziale Bewegung in Frankreich und Belgien'" – erscheint als Aufsatz im „Westphälischen Dampfboot".
12. September	Die „Deutsche-Brüsseler-Zeitung" veröffentlicht Marx' Artikel „Der Kommunismus des ‚Rheinischen Beobachters'" und beginnt mit dem Abdruck von Engels' kritischen Abhandlungen „Deutscher Sozialismus in Versen und Prosa". Seit dieser Zeit sind Marx und Engels ständige Mitarbeiter der „Deutschen-Brüsseler-Zeitung". Unter ihrem Einfluß

wird die Zeitung zum Organ der Propaganda des Kommunismus und der Demokratie.

16.–18. September Marx und Engels nehmen an dem Internationalen Ökonomistenkongreß (Freihandelskongreß) zu Brüssel teil. Marx hatte eine Rede vorbereitet, doch wurde ihm das Wort nicht erteilt, da man wegen des revolutionären Inhalts seiner Rede Befürchtungen hegte. Der Text der Rede, die Marx halten wollte, erscheint am 29. September im Brüsseler „Atelier démocratique" und wird darüber hinaus in Engels' Artikel „Der Freihandelskongreß in Brüssel" in „The Northern Star" vom 9. Oktober veröffentlicht.

27. September Engels nimmt an dem internationalen Bankett der Demokraten in Brüssel teil. Auf diesem Bankett wird die Gründung der Association démocratique beschlossen.

3. und 7. Oktober Unter der Überschrift „Die Kommunisten und Karl Heinzen" veröffentlicht die „Deutsche-Brüsseler-Zeitung" zwei polemische Artikel von Engels.

Mitte Oktober Engels reist aus Brüssel nach Paris zurück. Er beginnt dort mit dem Aufbau und der Festigung von Organisationen des Bundes der Kommunisten. Er wird mit der Korrespondenz der Kreisbehörde des Bundes beauftragt.

Zweite Hälfte Oktober Engels nimmt Verbindung zu französischen Demokraten auf, die sich um die Zeitung „La Réforme" gruppieren. Er vereinbart mit der Redaktion, daß er Artikel über die Lage in England und in Deutschland sowie über die Entwicklung der Chartistenbewegung schreiben wird. Die Mitarbeit von Engels an der „Réforme" beginnt am 26. Oktober mit der Veröffentlichung seines Artikels über die Handelskrise in England und währt bis Januar 1848.

18. Oktober Die Londoner Zentralbehörde des Bundes der Kommunisten ersucht den Brüsseler Kreis, einen Delegierten zum zweiten Kongreß des Bundes zu entsenden, und bittet Marx, auf dem Kongreß persönlich zu erscheinen.

22. Oktober Auf der Sitzung der Kreisbehörde des Bundes der Kommunisten in Paris kritisiert Engels scharf das von dem „wahren" Sozialisten Moses Heß verfaßte „gottvoll verbesserte Glaubensbekenntnis". Die Kreisbehörde beauftragt Engels, ein neues kommunistisches Glaubensbekenntnis zu entwerfen.

Ende Oktober Marx schreibt eine Artikelserie gegen Heinzen: „Die moralisierende Kritik und die kritisierende Moral. Beitrag zur deutschen Kulturgeschichte. Gegen Carl Heinzen von Karl Marx", die in fünf Nummern der „Deutschen-Brüsseler-Zeitung" zwischen dem 28. Oktober und dem 25. November erscheint.

Ende Oktober bis November Engels verfaßt im Auftrag der Pariser Kreisbehörde des Bundes der Kommunisten die „Grundsätze des Kommunismus", den Programmentwurf des Bundes.

Anfang November	Engels arbeitet an dem Artikel „Die Reformbewegung in Frankreich", der am 20. November in „The Northern Star" veröffentlicht wird.
14. November	Die Pariser Kreisbehörde des Bundes wählt Engels zu ihrem Delegierten für den zweiten Kongreß des Bundes der Kommunisten.
15. November	Auf der Versammlung der Brüsseler Association démocratique wird Marx zum Vizepräsidenten der Gesellschaft gewählt.
23.–24. November	Über den Entwurf eines kommunistischen Glaubensbekenntnisses für den Bund der Kommunisten schreibt Engels in seinem Brief an Marx: „Überleg Dir doch das Glaubensbekenntnis etwas. Ich glaube, wir tun am besten, wir lassen die Katechismusform weg und titulieren das Ding: Kommunistisches *Manifest.*"
27. November	Marx reist von Brüssel und Engels von Paris nach London, um am zweiten Kongreß des Bundes der Kommunisten teilzunehmen. Sie treffen sich in Ostende und besprechen alle Fragen des bevorstehenden Kongresses.
29. November	Marx und Engels nehmen an einem internationalen Meeting in London teil, das von den Fraternal Democrats zu Ehren des Jahrestages des polnischen Aufstandes von 1830 veranstaltet wird. Marx überreicht den Fraternal Democrats eine Adresse der Brüsseler Association démocratique, in der das Bestreben zum Ausdruck gebracht wird, noch engere Verbindungen zwischen beiden Organisationen herzustellen. Auf dem Meeting halten Marx und Engels Reden über Polen. Berichte über das Meeting und die Reden von Marx und Engels erscheinen in „The Northern Star" am 4. Dezember, in „La Réforme" am 5. Dezember und in der „Deutschen-Brüsseler-Zeitung" am 9. Dezember.
29. November bis 8. Dezember	Marx und Engels nehmen führend an den Arbeiten des zweiten Kongresses des Bundes der Kommunisten teil. Nach langen und lebhaften Debatten finden die Ansichten von Marx und Engels allgemeine Zustimmung. Marx und Engels werden vom Kongreß „mit der Abfassung eines für die Öffentlichkeit bestimmten, ausführlichen theoretischen und praktischen Parteiprogramms" beauftragt. Der Kongreß bestätigt die Statuten des Bundes der Kommunisten.
30. November	Marx und Engels halten Vorträge in einer Versammlung des Deutschen Bildungsvereins für Arbeiter in London. Marx berichtet in seinem Vortrag über die Tätigkeit des Deutschen Arbeitervereins in Brüssel.
7. Dezember	Engels hält in der Versammlung des Deutschen Bildungsvereins für Arbeiter in London einen Vortrag über ökonomische Fragen.
Zwischen dem 9. Dezember und Ende Dezember	Nach Beendigung des zweiten Kongresses des Bundes der Kommunisten arbeiten Marx und Engels am „Manifest der Kommunistischen Partei".
Etwa 13. Dezember	Marx kehrt aus London nach Brüssel zurück.
Etwa 15. Dezember	Engels kritisiert die Rede Louis Blancs auf dem Bankett zu Dijon in einem Artikel, der am 18. Dezember in „The Northern Star" und mit einigen

	Änderungen am 30. Dezember in der „Deutschen-Brüsseler-Zeitung" veröffentlicht wird.
17. Dezember	Engels trifft aus London in Brüssel ein.
Zweite Hälfte Dezember	Marx hält im Brüsseler Deutschen Arbeiterverein Vorträge über Lohnarbeit und Kapital. Bei der Zusammenstellung des Materials zu diesen Vorträgen entsteht auch der Entwurf zu seiner Abhandlung „Arbeitslohn".
Etwa 20. Dezember	Die Londoner Fraternal Democrats bitten Engels, ihr Vertreter in Paris zu sein.
20. Dezember	Auf einer Versammlung der Brüsseler Association démocratique erstattet Marx Bericht über das Londoner Meeting zu Ehren des Jahrestages der polnischen Revolution von 1830 und verliest ein Begrüßungsschreiben der Fraternal Democrats. Auf dieser Versammlung wird Engels zum Vertreter der Association démocratique in Paris gewählt.
Ende Dezember	Engels fährt von Brüssel nach Paris zurück.
31. Dezember	Marx nimmt an der Silvesterfeier des Deutschen Arbeitervereins zu Brüssel teil. Engels hält eine Rede auf der Silvesterfeier der deutschen revolutionären Emigranten in Paris.

1848

9. Januar	Marx hält in der öffentlichen Versammlung der Brüsseler Association démocratique einen Vortrag über den Freihandel in französischer Sprache. Die Versammlung beschließt, diesen Vortrag als Broschüre herauszugeben. Sie erscheint Anfang Februar 1848.
Zweite Hälfte Januar	Marx stellt das Manuskript des „Manifestes der Kommunistischen Partei" fertig und sendet es Ende Januar zum Druck nach London.
23. Januar	Engels' Artikel „Die Bewegungen von 1847" erscheint in der „Deutschen-Brüsseler-Zeitung".
27. Januar	Engels' Artikel „Der Anfang des Endes in Österreich" erscheint in der „Deutschen-Brüsseler-Zeitung".
29. Januar	Engels wird von der französischen Regierung wegen revolutionärer Betätigung unter den Pariser Arbeitern aus Frankreich ausgewiesen.
31. Januar	Engels trifft in Brüssel ein.
Februar	Marx bereitet seine im Brüsseler Deutschen Arbeiterverein gehaltenen Vorträge über Lohnarbeit und Kapital für den Druck vor. Ein Teil dieser Arbeiten wird im April 1849 in der „Neuen Rheinischen Zeitung" unter dem Titel „Lohnarbeit und Kapital" veröffentlicht.
13. Februar	Marx nimmt an der Sitzung der Brüsseler Association démocratique teil. In der Sitzung wird die Einberufung des internationalen Demokraten-Kongresses beraten und das von Marx als Vizepräsidenten mitunterzeichnete Antwortschreiben der Gesellschaft an die Fraternal Democrats in London bestätigt.

20. Februar	Auf einer Versammlung der Brüsseler Association démocratique berichtet Engels über die Verfolgungen der Demokraten durch die französische Regierung und schildert Einzelheiten seiner Ausweisung aus Paris.
22. Februar	Marx und Engels sprechen in Brüssel auf einer Gedenkfeier, welche die Association démocratique anläßlich des zweiten Jahrestages des Krakauer Aufstandes einberufen hat. Die Reden von Marx und Engels erscheinen im März 1848 in einem Sammelband, der dem zweiten Jahrestag des Krakauer Aufstandes gewidmet ist.
Etwa 24. Februar	Das „Manifest der Kommunistischen Partei" erscheint in London.
25. Februar bis Anfang März	Marx und Engels beteiligen sich aktiv an der republikanischen Bewegung in Belgien, die sich unter dem Einfluß der Februarrevolution in Frankreich entfaltet. Marx spendet aus eigenen Mitteln Geld für die Bewaffnung der Brüsseler Arbeiter.
25./26. Februar	Engels schreibt den Artikel „Revolution in Paris", der am 27. Februar in der „Deutschen-Brüsseler-Zeitung" erscheint.
Etwa 27. Februar	Im Zusammenhang mit der Revolution in Frankreich überträgt die Londoner Zentralbehörde des Bundes der Kommunisten ihre Befugnisse der von Marx geleiteten Brüsseler Kreisbehörde.
27. Februar	Unter Teilnahme von Marx und Engels beschließt die Association démocratique, in einer Adresse an den Stadtrat von Brüssel die Bewaffnung der Brüsseler Arbeiter zu fordern. Sie beschließt ferner, sich täglich zu versammeln und regelmäßige Verbindungen mit den Demokraten anderer Länder herzustellen.
28. Februar	Marx und andere Komitee-Mitglieder der Brüsseler Association démocratique unterzeichnen ein Schreiben an George Julian Harney, Redakteur des „Northern Star" und Sekretär der Fraternal Democrats, sowie eine Grußadresse an die provisorische Regierung der Französischen Republik.
Etwa 1. März	Ferdinand Flocon, Mitglied der provisorischen Regierung der Französischen Republik, teilt Marx in einem Schreiben mit, daß die von der Regierung Guizot erlassene Ausweisungsverfügung gegen ihn aufgehoben ist. Er fordert Marx auf, nach Frankreich zurückzukehren.
3. März	Marx erhält um 5 Uhr nachmittags die königliche Verfügung, Belgien innerhalb von 24 Stunden zu verlassen. Die Brüsseler Zentralbehörde des Bundes der Kommunisten beschließt, den Sitz des Bundes nach Paris zu verlegen. Marx wird beauftragt, in Paris eine neue Zentralbehörde zu bilden.
In der Nacht zum 4. März	Während Marx mit Reisevorbereitungen beschäftigt ist, dringt die Polizei in seine Wohnung ein und verhaftet ihn. Am 4. März wird auch seine Frau verhaftet. Nach 18 Stunden Haft zwingt man Marx und seine Familie, Belgien unverzüglich zu verlassen.

5. März	Marx trifft in Paris ein. Engels beteiligt sich aktiv an der Protestkampagne gegen die Verfolgung von Marx und anderen politischen Emigranten in Belgien. Er richtet ein Schreiben an die Redaktion des „Northern Star", worin er die Haltung der belgischen Regierung brandmarkt. Das Schreiben wird am 25. März veröffentlicht.
6. März	Marx nimmt an einer Versammlung deutscher Arbeiter in Paris teil, die aus Anlaß der revolutionären Ereignisse in Frankreich einberufen worden ist.
6. März bis Mitte März	Marx kämpft gegen den von den kleinbürgerlichen Demokraten (Herwegh, Bornstedt und anderen) vorgeschlagenen abenteuerlichen Plan, in Paris eine bewaffnete Freischar aus deutschen Emigranten aufzustellen und mit ihr in Deutschland einzufallen. Er schlägt den deutschen Arbeitern vor, einzeln in die Heimat zurückzukehren und dort für die revolutionäre Bewegung zu wirken.
8. März	Marx veröffentlicht in der „Réforme" einen offenen Brief über seine Ausweisung aus Brüssel. Marx nimmt an einer Sitzung der Pariser Gemeinde des Bundes der Kommunisten teil. Auf dieser Sitzung wird die Bildung des Pariser Kreises des Bundes der Kommunisten und die Gründung eines öffentlichen Arbeitervereins, des Klubs der deutschen Arbeiter, beschlossen. Marx wird beauftragt, den Entwurf für das Statut des Klubs auszuarbeiten.
9. März	In einer gemeinsamen Sitzung der Pariser Gemeinden des Bundes der Kommunisten wird der von Marx verfaßte Entwurf des Statuts für den Klub der deutschen Arbeiter angenommen.
11. März	Die Zentralbehörde des Bundes der Kommunisten konstituiert sich in Paris und wählt Marx zum Präsidenten. Engels, der noch in Brüssel weilt, wird in Abwesenheit zum Mitglied der Zentralbehörde gewählt.
19. März	Die Londoner Kreisbehörde des Bundes der Kommunisten sendet an die Zentralbehörde des Bundes in Paris 1000 Exemplare des „Manifestes der Kommunistischen Partei".

Personenverzeichnis

Erklärung der Fremdwörter, der fremdsprachigen und seltenen Ausdrücke

absorbieren aufsaugen, aufzehren, in sich aufnehmen
abstrahieren das Wesentliche vom Zufälligen trennen, vom Besonderen absehen
adäquat angemessen, entsprechend
adoptieren annehmen, sich aneignen
affiliieren aufnehmen, beigesellen
Affirmation Bejahung, Bekräftigung
Agglomerat Zusammengeballtes
agglomerieren zusammenballen, zusammendrängen
Ägide Schutzherrschaft, Schild, Obhut
Agiotage Preis- und Börsenspekulation
Akklamation Zuruf, Beifall
akkommodieren angleichen, anpassen
Alfanzerei albernes Gerede
Alimentation Unterhalt, Gewährung von Lebensunterhalt
allegorisch sinnbildlich
Amalgam Gemisch, Verschmolzenes
Analogie Ähnlichkeit, Übereinstimmung in gewisser Hinsicht
Analogon ähnlicher Fall
Anathema Kirchenbann, Verfluchung
ancien régime „alte Regierung", überlebte Gesellschaftsordnung; Bezeichnung des franz. Königtums vor 1789
Anglòphobie Abneigung, Haß gegen alles Englische
Antagonismus unüberbrückbarer Gegensatz
Antezedentien (Antezedens) Vorausgegangenes; Vordersatz
Antidot (Antidoton) Gegengift, Gegenmittel
Antinomie unlösbarer Widerstreit zweier Gesetze
Antinousschönheit außerordentliche, ideale Schönheit (siehe auch Personenverzeichnis)
Antipode Gegner, Widersacher, auf einem entgegengesetzten Standpunkt verharrender Mensch
Antithese Gegensatz, Gegenbehauptung
Antizipierung (Antizipation) Vorwegnahme
Apostrophe nachdrückliche Anrede; Anrede an nicht wirklich Anwesende (z.B. Götter, Ahnen, Dinge)
apostrophieren nachdrücklich, feierlich anreden, einen Abwesenden als gegenwärtig anreden; Vorwürfe machen, anfahren
Apotheose Verherrlichung, Vergötterung
a priori von vornherein, im voraus
Äquivalent Gleichwertiges, Entschädigung, Gegenwert
Arrangement Anordnung, Veranstaltung, Abmachung
Asketismus reaktionäre mystische Lehre von der Notwendigkeit des Kampfes gegen die „Leidenschaften" des Körpers, um zu moralischer Vollkommenheit und zur Verbindung mit der Gottheit zu kommen
Assignaten Anweisungen; während der Französischen Revolution (1790–1796) Staatspapiergeld zur Tilgung der Nationalschuld
assimilieren anpassen, angleichen
assortieren nach Arten ordnen und vervollständigen
Assoziation Vereinigung, Verbindung
attaquieren (attackieren) angreifen, jemandem zusetzen

Augiasstall Bezeichnung für große Unordnung, verrottete Zustände
aurea mediocritas die goldene Mittelmäßigkeit
Auspizien Vorbedeutungen; Schutz
Authentizität Glaubwürdigkeit, Echtheit; Zuverlässigkeit
autorisieren ermächtigen, berechtigen, bevollmächtigen
avancieren befördert werden, vorwärtskommen
Axiom grundlegender Leitsatz, der keines Beweises bedarf; unumstößliche Tatsache

Baalspriester Prediger eines abgöttischen und abergläubischen Kultus
Baisse Fallen der Börsenkurse von Wertpapieren; wirtschaftlicher Niedergang und Tiefstand
Barde Spielmann
Bastille festes Schloß; Staatsgefängnis in Paris (am 14. Juli 1789 vom Volk erstürmt)
batavisch auf die Niederlande bezüglich
biederb (biderb) rauh, aber offen und ehrlich; bieder
Bigotterie Scheinheiligkeit, Frömmlertum; Blindgläubigkeit
Bill Gesetz, Gesetzentwurf, Gesetzesvorschlag
Bombast Wortschwall, Redeschwulst
Bonhomme gutmütiger, einfältiger Mensch
bramarbasieren prahlen, aufschneiden; (sich) mit Heldentaten brüsten
Bravade Prahlerei
burlesk derbkomisch, drollig

Cancan frivoler Tanz im 19. Jahrhundert
Canis Minor „Der kleine Hund", Sternbild des nördlichen Himmels
Casus Fall, Vorkommnis, Begebenheit
Centime hundertster Teil eines Franken; Kleinmünze in Frankreich, Belgien, Luxemburg, Monako und der Schweiz
cf. = confer! vergleiche! Abkürzung zur Angabe von Belegen in wissenschaftlichen Arbeiten; auch: cfr.
Charivari Spottständchen, Katzenmusik; Titel eines berühmten französischen Witzblattes
Charte Verfassungsurkunde, Grundgesetz; Gesetzesvorlage (davon abgeleitet *Chartisten*)
chimärisch trügerisch, ungewiß, abenteuerlich
citoyen français französischer Bürger
Claqueurs Lobhudler; gedungene Beifallklatscher
Cochenille die karminroten Farbstoff führende Schildlaus; der Farbstoff selbst
Code pénal französisches Strafgesetzbuch, von Napoleon I. eingeführt
Commerslied siehe *Kommerslied*
Commis voyageur Handlungsreisender
contrefaçon Nachahmung
cotton-lords Baumwollherren, Bezeichnung für die großen Baumwollfabrikanten Englands
Couleur Farbe; im Kartenspiel: Hauptfarbe, Trumpf; Farbe einer Studentenverbindung, auch die Verbindung selbst
Courage Mut, Kühnheit, Beherztheit
cousin germain Geschwisterkind
crescendo wachsend, anschwellend

debitieren (an den Mann) bringen, verbreiten
Deduktion Beweis, Beweisführung; Denkweg vom Allgemeinen zum Besonderen
de facto tatsächlich, vom Standpunkt der Tatsachen betrachtet
Defaitismus Schwarzseherei, Zusammenbruchspsychose, Miesmacherei und die Verbreitung solcher Stimmungen
Deferenz Ehrfurcht, Unterwürfigkeit; Willfährigkeit
Deismus religiöse Anschauung der Aufklärung, die zwar einen Gott als Weltschöpfer anerkennt, ihm aber das Einwirken auf den Weltlauf abspricht; Vernunftreligion
Deklamation Kunst des mündlichen Vortrags; überbetonte Redeweise
Deklamator Vortragskünstler
Dekret Entscheidung; Verfügung, Anordnung (eines Staates oder einer Behörde)
Demagogie Aufwieglung; Irreführung des Volkes
Demoralisation Sittenverfall, Zuchtlosigkeit

Departement Abteilung; Verwaltungsbezirk (in Frankreich)
Depravation Verderbnis, Entartung
Depression Niedergeschlagenheit, Verstimmung; wirtschaftlich: tiefste Stufe der zyklischen Krise, gedrückte Marktlage
desavouieren verleugnen, ablehnen
Desertion Verlassen der Truppe, Fahnenflucht
Despotie Gewalt- und Willkürherrschaft
despotisch herrisch, willkürlich, gewalttätig
destruktiv zerstörend, umstürzlerisch
detachieren absondern, (für besondere Aufgaben) abordnen (meist militärisch gebraucht)
devancieren überholen, überflügeln
devotieren hingebend verehren, sich (Gott) unterwerfen; ein Gelübde darbringen
Devotion Ergebenheit, (hingebende) Verehrung, Gelübde
Devouement Ergebenheit; Hingebung, Aufopferung
Dezennium (Dezennien) Zeitraum von zehn Jahren
diametral völlig entgegengesetzt
diskretionär dem Gutdünken überlassen, beliebig
disponibel verfügbar, zu Gebote stehend
Dissertation gelehrte Abhandlung (zur Erlangung der Doktorwürde)
Distichon antike Versart; *Distichen:* Verspaar, meist Hexameter und Pentameter
Diversion Scheinangriff, Störungsversuch
dogmatisch unkritisch, in einen Lehrsatz verrannt
Doktrin (starre) Lehrmeinung; Lehre
doktrinär an einer Lehre starr festhaltend; wirklichkeitsfremd
Domäne Krongut, Herrengut
Domestik Dienstbote, (Mz. *Domestiken* Gesinde)
Douane Zoll, Zollamt, auch das Personal des Zolldienstes
Douanenlinie Zollinie, Zollgrenze
Duodez etwas lächerlich Kleines (z.B. D.-Staat, -fürst)
Duodezausgabe lächerlich kleine Ausgabe
düpieren täuschen, foppen

Effekten Wertpapiere, Güter
Effort Anstrengung
egalitär auf Gleichheit gerichtet
eh bien! wohlan! nun gut!
eklatant glänzend, schlagend, deutlich
eklatieren zum Ausbruch kommen, platzen
Ekstase Verzückung, höchste Begeisterung
Elaborat schriftliche Ausarbeitung; Geschreibsel, Machwerk
eliminieren ausstoßen, entfernen, ausscheiden
Emanation Ausfluß, Ausstrahlung (geistig)
Emanzipation Gleichstellung, Befreiung aus gesellschaftlicher und rechtlicher Abhängigkeit
embryonisch (embryonal) unentwickelt, unreif; im Keimlingszustand
emendieren verbessern, (einen Schrifttext) berichtigen
Emeute Meuterei, Aufstand
Emissär Abgesandter
Emission Aussendung, Ausströmung, Ausgabe
emphatisch nachdrücklich, kraftvoll (im Sprechen oder Schreiben)
Epicier Krämer, Spießbürger
Epileptiker Fallsüchtiger
Eskamotage Taschenspielerei
eskamotieren Taschenspielerkünste machen, wegzaubern
esoterisch verborgen, nur für Eingeweihte bestimmt
Esprit scharfsinniger Geist, Verstand
etablieren gründen, stiften, errichten
etc. = *et cetera* und so weiter
Etymologie Wortbildungslehre, Wortforschung
evident einleuchtend, offenbar
Evolution Herausbildung, Entwicklung, Wachstum
Exegese Auslegung
exegetisch deutend, auslegend
exekutieren ausführen, (ein Urteil) vollziehen
Exemtion Ausnahme, Befreiung
Exerzitien, rhetorische Sprechübungen, Vortragsübungen
Existenzminimum Mindestbedarf, unterste Stufe der Lebenshaltung
Exit Abgang
expedieren befördern, versenden

Expektoration Gefühlserguß, Aussprache
explizieren erklären, erläutern
Exploitation Ausnutzung, Ausbeutung (insbesondere der menschlichen Arbeitskraft)
exploitieren ausbeuten, ins Werk setzen
exponieren auslegen, entwickeln, herausheben
Expropriation Enteignung
Expulsion Ausweisung, Verbannung

Falsett Kopf-, Fistelstimme
Fanfaronnade Prahlerei, Großsprecherei, Geflunker
Farce Posse, Verhöhnung
fatalistisch schicksalsgläubig
Faubourg Vorstadt, Stadtviertel (in Frankreich)
Fiktion Erdichtung, Annahme
fiskalisch mit dem Staatsschatz und dessen Interesse zusammenhängend
Fluktuation Schwanken, Hinundherfluten, Wechsel
forcieren steigern, übertreiben, durchsetzen
fraternité Brüderlichkeit
free-trade Freihandel
Freetrader Freihändler; Anhänger des durch zollpolitische und andere Maßnahmen nicht behinderten Handels
Fronde (Fron) Frondienst, Dienste für den Feudalherrn
Füsillade Massenerschießung, Schießerei

gallikanisch der kirchenpolitischen Richtung in Frankreich entsprechend, die seit dem Mittelalter eine vom Papst weitgehend unabhängige Nationalkirche erstrebte
Gamin (Pariser) Straßenjunge
Genealogie Geschlechterfolge
genealogisch die Abstammung, den Stammbaum betreffend
Gens Geschlecht, Stamm (als Grundlage der gesellschaftlichen Ordnung in der Urgesellschaft)
Gentilordnung gesellschaftliche Organisation der Urgesellschaft
ghibellinisch den Ghibellinen, d.h. den italienischen Anhängern der Hohenstaufen zugehörig
gordischer Knoten scheinbar unlösbares Problem, verwickelte Sache
gravitieren nach einem Punkt hinstreben, zu etwas (einem Schwer- oder Mittelpunkt) hinneigen
Grisette junge Pariser Arbeiterin, meist Putzmacherin
Guerilla Kleinkrieg
Guillotine Fallbeil (genannt nach Dr. Guillotin, der ihre Anwendung während der Französischen Revolution in der Nationalversammlung empfahl)
guillotinieren mit dem Fallbeil enthaupten

Hausse Steigen der Börsenkurse von Wertpapieren, wirtschaftlicher Aufschwung und Hochstand
haute bourgeoisie Großbürgertum
haute finance Hochfinanz
Heloten „Gefangene", Sklaven; ursprünglich die von den eingewanderten Spartanern unterworfenen Ureinwohner Lakoniens; aufs grausamste unterdrückt und rechtlos
Hexameter sechsfüßiger Vers mit Verseinschnitt nach dem dritten Versfuß
Hierarchie strenge Stufen- oder Rangordnung (der geistlichen Gewalten)
hierarchisch streng gegliedert
Horoskop (stellen) jemandem aus der Stellung der Gestirne bei seiner Geburt die Zukunft verkünden; überhaupt die Zukunft prophezeien
Hypochonder eingebildeter Kranker, Schwermütiger
Hypothese (noch unbewiesene) wissenschaftliche Annahme; Vermutung

ibidem (Abk. *ib.*, *ibid.*) ebenda, an gleicher Stelle
Identifikation Feststellung der Gleichheit, Gleichsetzung
identifizieren gleichsetzen, die Gleichheit feststellen
identisch völlig übereinstimmend, gleich
Ignorant Unwissender, Dummkopf
Ignoranz Unwissenheit, Beschränktheit
ignorieren absichtlich nicht beachten, übersehen

ikarischer Kommunismus utopisch-kommunistisches System, benannt nach Cabets Roman „Reise nach Ikarien"
imaginär scheinbar, vermeintlich, nicht wirklich vorhanden
Imagination Einbildung, irrige Vorstellung
imbezil leicht schwachsinnig oder idiotisch
Imbroglio Verwicklung, Durcheinander
Immoralität Unsittlichkeit
implizite einschließlich, einbegriffen
Impotenz Unfähigkeit, Schwäche
Imprimatur Druckerlaubnis
Improvisation Handlung ohne Vorbereitung; das Dichten oder Reden aus dem Stegreif
in abstracto im allgemeinen, an und für sich, rein begrifflich
Indifferenz Gleichgültigkeit
Indigo wichtigster, heute künstlich gewonnener Küpenfarbstoff
indolent unempfindlich, sorglos, träge
in extenso ausführlich
Infamie Niedertracht, Schändlichkeit
infizieren anstecken, mit Krankheitserregern verunreinigen
Ingenium Begabung, Talent, Genie
inkommensurabel nicht vergleichbar, nicht mit demselben Maß zu messen
Inkompetenz Unrechtmäßigkeit, Nichtzuständigkeit
in nuce zusammengedrängt, im Kern; eigentlich: in der Nuß
inokulieren einimpfen
Insinuation Unterschiebung (einer Absicht)
Insolenz Ungebühr, Anmaßung, Frechheit
insurgieren sich empören, sich erheben
Insurrektion Erhebung, Aufstand
integrieren ergänzen, einschließen
Intensität Anspannung (aller Kräfte), Wirksamkeit
Intermezzo Zwischenspiel
Interpret Deuter, Erklärer
intervenieren einschreiten, dazwischentreten, sich ins Mittel legen
Intervention Einmischung; Einspruch, Vermittlung
intim vertraut, innig, eng
intuitiv durch Anschauung erfassend, unmittelbar wahrnehmend
Invektive Anzüglichkeit, Schmährede, Beschimpfung

Jacquerie spontaner Bauernaufstand 1358 in Nordostfrankreich (nach Jacques [Jacob], dem Spottnamen für den französischen Bauern)
Jakobiner Mitglied des bestorganisierten, entscheidenden politischen Klubs (Jakobinerklub) in der Französischen Revolution
Jeremiade Klagelied (nach dem biblischen Propheten Jeremias)
Jesuit Mitglied des 1534 von Ignatius von Loyola gestifteten Jesuitenordens (Societas Jesu)
juste-milieu wörtlich: richtige Mitte; Scheu vor entschiedener Stellungnahme, Schlagwort für das lavierende Regierungssystem Louis-Philippes

Kaliko Kattun für Bucheinbände (nach der indischen Stadt Kalikut)
kalzinieren (calcinieren) durch Erhitzen flüchtige Stoffe austreiben
Kanaan gelobtes Land (biblisch)
Kaste Stand (zur Wahrung bestimmter Privilegien) streng abgeschlossene gesellschaftliche Gruppe
Kastration Entmannung
Kataster Steuerbuch, Grundbuch
Katechisation Frageunterricht, genaue Befragung
Kategorie Gruppe oder Klasse, in die etwas eingeordnet wird
Klerus Geistlichkeit, Priesterschaft
Koalition Vereinigung, (politisches) Bündnis
kollidieren zusammenstoßen, in feindliche Berührung kommen
Kollision Zusammenstoß, Gegeneinanderwirken
Kolonnaden Säulengänge mit geradem Gebälk
Kommerslied studentisches Trinklied
kommerziell kaufmännisch, auf den Handel bezüglich
Kommunikation Verbindung, Verkehr
Kompensation Ausgleich, Ersatz

kompetent befugt, berechtigt
kompromittieren bloßstellen, einer Verlegenheit aussetzen
Konfiskation Beschlagnahme, Vermögenseinziehung
Konfusion Verwirrung, Unordnung
Konjektur Mutmaßung; mutmaßlich richtige Lesart eines verderbten Textes; Textbesserung
Konsignatär Empfänger von Waren zum Weiterverkauf
Konsistorialrat Amtstitel der Mitglieder eines Konsistoriums
Konsistorium geistliche Behörde über Kirchen- und Schulangelegenheiten
Konspiration Verschwörung, geheime revolutionäre Tätigkeit
konstatieren feststellen, bestätigen
Konstellation Stellung, Lage, das Zusammentreffen von Umständen
Konstituante verfassunggebende Versammlung von Volksvertretern
konstituieren einsetzen, bestimmen
Konstitution Verfassung; Satzung
Kontinent Festland, Erdteil; das europäische Festland im Gegensatz zu Großbritannien
Kontinuität Stetigkeit, lückenloser Zusammenhang
kontradiktorisch von gegensätzlichen Gesichtspunkten ausgehend, widersprüchlich
Kontroverse Streitfrage; gelehrte (wissenschaftliche) Auseinandersetzung
konvenierend passend, annehmbar
Konvent die Französische Nationalversammlung 1792–1795
konventionell vertraglich, herkömmlich; förmlich
konzedieren zugestehen, bewilligen
Konzentration Sammlung, Gruppierung um ein Zentrum
Konzession Bewilligung, Verleihung eines Vorrechts, das Vorrecht selbst, Zugeständnis
Korporation Körperschaft; Studentenverbindung
Kosmopolit Weltbürger
kosmopolitisch (hier:) international
Kotsassen im Mittelalter abhängige Bauern, die für den Feudalherrn im Frondienst arbeiteten
kulant gefällig, entgegenkommend
Kuriosum seltsamer, merkwürdiger Fall
kurrent gangbar, laufend
Kurtisane elegante Halbweltdame

laborieren an etwas arbeiten, an etwas leiden
lasciv (laszív) schlüpfrig, unzüchtig
l. c. = loco citato am angeführten (zitierten) Ort
Legislatur Gesetzgebung
Legitimisten Vertreter der reaktionären Auffassung von der Unabsetzbarkeit eines bestehenden Herrscherhauses
Lethargie tiefste Gleichgültigkeit, Stumpfheit
Levante Morgenland; östliches Mittelmeergebiet
Libertin leichtfertiger Mensch; (früher:) Freigeist
Libertinage Liederlichkeit; (früher:) Haltung eines Freigeistes
Liquidation Auflösung, Beseitigung; Abwicklung der Geschäfte einer aufgelösten kapitalistischen Unternehmung
Logos Wort; schöpferisches Denken
Louvre früherer Königspalast in Paris, heute bedeutendes Museum

Makrokosmos die große Welt, das Weltall
Malice Bosheit, boshafte Bemerkung
malkontent unzufrieden, mißvergnügt
Mammon Goldgötze; daher übertragen für Geld und irdische Güter
Manufaktur Gewerbebetrieb mit Handarbeit
Marseillaise die Marseiller Hymne, das machtvolle französische Revolutionslied; Nationalhymne der Französischen Republik
Meeting Treffen, Versammlung
Melioration Verbesserung von Ackerland durch Be- oder Entwässerung
Metaphysik philosophische Denkmethode, die im Gegensatz zur Dialektik „die Dinge und ihre Gedankenabbilder, die Begriffe,

vereinzelt, eins nach dem anderen und ohne das andere" betrachtet und in ihnen „feste, starre, ein für allemal gegebene Gegenstände der Untersuchung" sieht (Engels)
metaphysisch undialektisch; übernatürlich
methodologisch planmäßig; entsprechend der Lehre von der allgemeinen Methode der wissenschaftlichen Forschung
Minorität Minderheit
Mirakel Wunder, Wundertat
Misere Not, Elend
Miserere „Erbarme Dich!" Anfang eines Bußpsalms der katholischen Liturgie
Modifikation Abänderung
Modus Art und Weise
money lords einflußreiche Geldleute, Geldherren, Geldaristokratie
Monotonie Eintönigkeit, Langweiligkeit
Montagnard Angehöriger der äußersten Linken (Bergpartei) im französischen Nationalkonvent und der Volksvertretungen nach der Februarrevolution 1848
motivieren begründen
Munizipalgarde in Paris nach der Julirevolution 1830 gebildet und dem Polizeipräfekten unterstellt, wurde zur Niederschlagung von Volksaufständen eingesetzt
Munizipalverwaltung Stadtobrigkeit, städtische Verwaltung
Muräne dem Aal verwandter Raubfisch
Musselin feines, lockeres Woll-, Baumwoll- oder Zellwollgewebe (nach der irakischen Stadt Mosul)
Mysterium Geheimnis, Geheimkult
mystifizieren täuschen, hinters Licht führen
Mystizismus Hinneigung zum Geheimnisvollen, Wunderglaube
Mythe (Mythos) Dichtung, Sage; Überlieferung aus vorgeschichtlicher Zeit
mythisch sagenhaft

Negation Verneinung
Nivellierung Gleichmachung
Nonchalance Ungezwungenheit, Formlosigkeit

Oktroi Bewilligung, Handelsprivilegium, Gemeindesteuer (namentlich auf die Einfuhr von Lebensmitteln)
Oktroyierung siehe *Oktroi*
Okzident Abendland, Westen
ominös unheilvoll, von (böser) Vorbedeutung; anrüchig
Orthodoxie Rechtgläubigkeit; starres Festhalten am Buchstaben einer Lehre
oszillieren schwanken, schwingen
outrieren übertreiben
Ouvertüre Einleitung

p., pag., pagina Seite, Buchseite, Blattseite, Seitenzahl
Pair Mitglied des Oberhauses in England oder Angehöriger des Hochadels im alten Frankreich
Palliativmittel Linderungsmittel ohne Heilwert zur Beseitigung der Symptome, nicht der Ursache der Krankheit; Hilfe für den Augenblick, Vorbeugungsmittel
Pamphlet Flug-, Streit-, Schmähschrift
Panduren slowenische (auch kroatische) Fußsoldaten (eines ungarischen Freikorps)
Panegyriker Lobredner
Pantheismus Lehre, daß das Weltall die Gottheit selbst, daß Gott und Weltall eins seien
Paradoxon Abweichung vom Gewöhnlichen; Widersinn
Paralogismus Trugschluß
paralysieren lähmen, unwirksam machen
Paraphrase (erweiternde, verdeutlichende) Umschreibung, Erklärung
paraphrasieren verdeutlichend umschreiben
Parenthese Klammer-, Zwischensatz, Einschaltung
par excellence vorzugsweise, schlechthin
Paroxysmus Anfall, Höhepunkt einer Krankheit
partiell teilweise, auf ein Teilgebiet bezüglich
Parzellierung Zerlegung, insbesondere eines Grundstücks
Pasquill Schmähschrift, Spottschrift
Passus Schriftstelle, Satz

pathetisch ausdrucksvoll, feierlich, hochtrabend
patriarchalisch altväterlich, altehrwürdig, schulmeisterlich
Patrizier adliger römischer Großgrundbesitzer und Sklavenhalter
Pauper Armer, Verelendeter
Pauperismus Verelendung
pauvre ärmlich
Pedanterie peinliche (oft engstirnige) Genauigkeit, Kleinlichkeitskrämerei, Engherzigkeit
Perfidie Treubruch, Verrat
permanent dauernd, anhaltend, ununterbrochen
Permutation Vertauschung, Umwandlung
Petition Bittschrift
Phalanx geschlossene Schlachtreihe, festgeschlossene Schar
Phänomen außergewöhnliche (Natur-) Erscheinung; überragender Geist
Phantasmagorie Truggebilde, Zauber
Phantom Trugbild, Hirngespinst
Philanthrop Menschenfreund
Philanthropie Menschenfreundlichkeit, Menschenliebe
Philippika (heftige) Strafrede (nach den Kampfreden des Demosthenes gegen Philipp von Mazedonien)
philologisch sprach-, literaturwissenschaftlich
Phrase schwülstige, leere und nichtssagende Redewendung
Physiognomie Charakter, Gepräge
Pivot Angelpunkt, Drehpunkt
Plagia[to]r jemand, der fremdes geistiges Eigentum als eigenes veröffentlicht; Abschreiber
plausibel annehmbar, einleuchtend
Plebejer (im Altertum) die Masse des römischen Volkes
Pointe Spitze, Überraschungseffekt bei Witz oder Anekdote
Poltron Feigling, Prahler
ponieren aufstellen; als gegeben annehmen
Popanz (vermummte) Schreckgestalt, Trugbild, Vogelscheuche
potentiell möglich, der Anlage nach
Potenz Macht, Kraft, Leistungsfähigkeit
pp. = perge, perge! fahret fort, fahret fort!, und so weiter
Präambel Einleitung, Vorspruch
Präliminarien Einleitungen, Vorverhandlungen
Prämisse Voraussetzung, Vordersatz eines logischen Schlusses
Prätention Anspruch, Anmaßung
prätentiös anspruchsvoll, eingebildet
Preßbengel Hebel zum Anziehen der Schraube einer Presse; jetzt nur noch verächtlich für Journalist
Priorität Vorrang, Vorzugsrecht
privatim vertraulich, nichtöffentlich
Privileg Vorrecht, Sonderrecht (einer Person oder einer Klasse)
profan unkirchlich, weltlich, alltäglich
Progressivsteuer Steuer mit wachsenden Sätzen für größere Einkommen und Vermögen
Prohibition Verbot, Verhinderung (besonders der Herstellung und des Vertriebes alkoholischer Getränke)
Prohibitivsystem Ein- oder Ausfuhrsperre durch sehr hohe Zölle und andere handelspolitische Maßnahmen
proklamieren feierlich verkünden, öffentlich bekanntmachen
Prolog Einleitung, Vorspruch
Proselyt Neubekehrter, von einer Partei oder Religion zur anderen Übergetretener
Prosperität Gedeihen, Wohlstand; Blütezeit im industriellen Kreislauf
Proszenium Vorbühne (zwischen Vorhang und Orchester)
protegieren begünstigen, fördern
providentiell von der Vorsehung bestimmt
Prozedur Verfahren, Behandlungsweise
Puritaner Gesamtbezeichnung für die Anhänger der kirchlichen Reformbewegung des 16. Jahrhunderts in England

Quäker Angehöriger einer freikirchlichen Bewegung oder Sekte mit bürgerlich-philanthropischer Tendenz (besonders in England und den USA)

Rapport Bericht, Meldung; Beziehung
räsonieren nörgeln, schimpfen; unbefugt mitreden; eigentlich: vernünftig reden
Räsonnement Überlegung, Erwägung; Auseinandersetzung
Realinjurie tätliche Beleidigung
reduzieren zurückführen, herabsetzen
reflektieren nachdenken, erwägen; spiegeln; etwas erstreben
Reflexion Überlegung, Betrachtung
regenerieren wiedererzeugen, erneuern
Reglement Dienstvorschrift, Geschäftsordnung
Reglementierung behördliche Beaufsichtigung (besonders von Prostituierten)
reislaufen in fremden Dienst als Söldner eintreten
Rekomposition Wiederzusammensetzung
rekonstruieren (zweckmäßig) wiederherstellen, nachbilden
Relation Beziehung, Mitteilung
Reminiszenz Erinnerung
Rendezvous Stelldichein
renommieren prahlen, sich wichtig machen
renommistisch prahlerisch
Rentier Rentner
repartieren aufteilen, verhältnismäßig verteilen
Repetition Wiederholung
replizieren antworten, entgegnen, einwenden
Repräsentativstaat Staat mit Vertretungskörperschaft
repräsentieren vertreten, würdevoll auftreten
Repression Abwehr, Unterdrückung
reproduzieren wiedererzeugen; vervielfältigen
Reskript Verfügung, Verordnung
respektiv jedesmalig, jeweilig
respektive beziehungsweise
Resumé Zusammenfassung, Übersicht
resümieren zusammenfassen, kurz wiederholen
Revenue (Revenüe) Einkommen, Kapitalrente
revidieren prüfen, durchsehen
Rezensent Beurteiler, Besprecher, Kritiker (einer literarischen oder anderen künstlerischen Leistung)
Rezension Besprechung (von Büchern usw.)
Rhetorik Redekunst, Beredsamkeit
rhetorisch rednerisch; schönrednerisch, phrasenhaft
rivalisieren wetteifern
rouge et noir Rot und Schwarz (ein berüchtigtes Glücksspiel)
Routine Fertigkeit, Erfahrenheit
ruinös verfallend, verderbend, schadhaft

Salbaderei langweiliges, inhaltloses Geschwätz
Salto mortale wörtlich: Todessprung; Luftrolle
sanktionieren bestätigen, Gesetzeskraft geben
Sansculotte revolutionärer Proletarier oder Kleinbürger in der Französischen Revolution, der lange Hosen (pantalons) statt der höfischen Kniehosen (culottes) trug
sans façon ohne Umstände
Sanskrit klassische indischeLiteratursprache, als Volkssprache ausgestorben, als Gelehrtensprache noch heute in Indien geschrieben und gesprochen
sauvage ungesittet, roh
Scholiast Verfasser von Scholien, d.h. erklärenden, textkritischen, ein Literaturwerk erläuternden Anmerkungen
Sedez Format, wobei ein Bogen in sechzehn Blätter gefaltet ist; etwas Kleines, Sechzehntelformat
sekundär untergeordnet, zweiten Ranges
Sensualismus philosophische Lehre, die als alleinige Erkenntnisquelle die Sinneswahrnehmungen ansieht; auch: der Hang, nach sinnlichem Antriebe zu handeln
servil knechtisch, kriecherisch
Servilismus Unterwürfigkeit, Kriecherei
Session Tagungs-, Sitzungsperiode
skrofulös an Skrofeln (Hauterkrankungen) leidend
skurril possenhaft, spaßhaft
soi-disant sogenannt, angeblich, wie man sagt
Sonett strenge Form des lyrischen Gedichts von 14 gereimten Versen, meist gegliedert in zwei Vierzeiler und zwei Dreizeiler

Sou französische Münze, 5-Centimes-Stück (20 Sou = 1 Franc)
Souverän Landesherr, unumschränkter Herrscher
Souveränität die höchste ausübende Gewalt im Staate; Selbstherrlichkeit; Unabhängigkeit
spasmodisch krampfhaft, krampfartig
Spezies Art, Gattung; äußere Erscheinung
spiritualistisch geistig; im Sinne des Spiritualismus
sporadisch vereinzelt, zerstreut
Sportel Gerichtsgebühr, Schreibgeld
Squire Gutsherr, der zugleich Friedensrichter ist; Titel des niederen englischen Adels
Stagnation Stillstand, Versumpfung
Status quo der bisherige, der bestehende Zustand
Stentorstimme ungewöhnlich laute Stimme (nach der griechischen Sagengestalt *Stentor)*
Sterling englische Währungseinheit, alte englische Münze
sub rosa unter dem Siegel der Verschwiegenheit, im Vertrauen
Subsidien Hilfsgelder, Zuwendungen, Unterstützungen
Subsistenzmittel Mittel, auf die jemand seine Existenz gründet, Mittel für den Lebensunterhalt
Subskription Vorausbestellung, Ausschreibung, Zeichnung (von Anleihen)
substituieren ersetzen, an die Stelle (von etwas anderem) setzen
sukzessiv nach und nach, allmählich eintretend
sukzessive aufeinanderfolgend
summa summarum alles in allem
Superiorität Übermacht, Vorrang; Überlegenheit
Suprematie Oberherrschaft, Obergewalt
Surrogat Ersatz, Ersatzmittel; Behelf
Suspektengesetze Verdächtigengesetze
Swansea Hauptstadt der englischen Grafschaft Glamorgan (Wales)
Syllogismus Schlußfolgerung, logischer Schluß
Synthese (Synthesis) Verbindung, Zusammenstellung
synthetisch zusammensetzend
Tabagie Tabakgesellschaft, (gemeines) Wirtshaus
Tapet Teppich, Fuß-, Tischdecke (besonders in Sitzungszimmern); etwas aufs Tapet bringen: etwas zur Sprache, zur Verhandlung bringen
Tautologie Bezeichnung eines Begriffs oder einer Sache durch zwei oder mehrere Ausdrücke, die dasselbe besagen
Teleskop Fernrohr
Temple Staatsgefängnis während der Französischen Revolution; hier wurde Louis XVI. gefangengehalten
Tendenz Strömung, Richtung, (durchscheinende) Absicht
Testament letzter Wille; Bibelteil (Altes und Neues Testament)
Testimonium Zeugnis
Theokrat Anhänger der Herrschaft Gottes, d. h. der Herrschaft der Kirche über den Staat
thrasonisch nach Thrason, einer Gestalt aus dem Lustspiel „Eunuchus" des römischen Dramendichters Terentius; ein prahlerischer und einfältiger Krieger
tiers-état „dritter Stand", das bürgerliche Volk
time is money Zeit ist Geld
Tirade Wortschwall, leeres Geschwätz
tolerabel erträglich, leidlich
tolerant duldsam
Tory Anhänger der um 1830 entstandenen Konservativen Partei in England
trade(s) unions engl. Bezeichnung für Gewerkschaften
Trakasserie Schererei, Quälerei, Klatscherei
Transsubstantiation Wesens-, Stoffverwandlung (besonders die nach der katholischen Abendmahlslehre in der Messe erfolgende Verwandlung des Brotes und Weines in Christi Leib und Blut)
transzendental übersinnlich, die Erfahrung übersteigend
Transzendenz das Überschreiten der angeb-

lichen Erfahrungsgrenzen; Übersinnliches, Jenseitigkeit
tributär steuerbar, zinspflichtig; hier im Sinne von dienen
trivial platt, abgedroschen
Trivialität Plattheit, abgedroschene Redensart
Tuilerien ehemaliges Schloß der französischen Könige in Paris, 1564 erbaut; am 10. August 1792 von den bewaffneten Parisern erstürmt

urgieren drängen, etwas nachdrücklich fordern
Utopie phantastische Lehre von einer idealen Gesellschaftsordnung ohne reale Grundlage; Hirngespinst, Schwärmerei
utopisch nirgends befindlich; schwärmerisch, unerfüllbar
utopistisch siehe *utopisch*

vage unbestimmt, ungewiß
vakant erledigt, leer, frei
Varietät Verschiedenheit, Spielart
Vasall Lehnsmann
vegetieren kümmerlich, kärglich (dahin)leben
Vehikel Fuhrwerk, (schlechter) Wagen
venerische Krankheiten Geschlechtskrankheiten
verifizieren bewahrheiten, beglaubigen, bestätigen; etwas als wahr erweisen
veritabel wahrhaft, echt
versifizieren in Verse bringen
vexieren zum Narren halten, plagen, irreführen
vigilieren wachsam sein, scharf beobachten, fahnden, aufpassen
Vindikation Geltendmachen eines Rechts, Herausgabeantrag
Vizinalweg dörflicher Weg, Landweg (der benachbarte Ortschaften verbindet)
Volubilität Beweglichkeit, Zungenfertigkeit, Geläufigkeit
votieren beschließen, abstimmen; für jemanden stimmen
Votum Gutachten, Urteil, Stimme (bei der Wahl)
vulgo gemeinhin

Whig Anhänger der um 1830 entstandenen liberalen Partei der englischen Handels- und Industriebourgeoisie

Xenien eigentlich: Gastgeschenke; beißende Sinngedichte, spottende Epigramme

Zensus Volkszählung; Vermögenseinschätzung; [im alten Rom] Einstufung der Bürger nach Vermögen, Geburt und sittlicher Führung
Zephyr Westwind, lauer sanfter Abendwind
zeremoniell feierlich, förmlich
Zirkulation Kreislauf, Austausch
Zölibat Ehelosigkeit

Inhalt

Beilagen

Anhang und Register

Abbildungen

Anhang und Register

Abbildungen